Y0-CCP-107

# Dr Peter J. D'Adamo
## Catherine Whitney

# JEDZ ZGODNIE ZE SWOJĄ GRUPĄ KRWI

# Encyklopedia zdrowia

Z angielskiego przełożyła *Monika Betley*

Tytuł oryginału:
*Eat Right for 4 Your Type*
*Complete Blood Type Encyclopedia*

Projekt okładki i strony tytułowej: Pracownia Graficzna M&P Ferenc
Skład i łamanie: Studio Ape
Redakcja i korekta: Bogusława Jędrasik

Copyright © by Polish edition by Mada 2003

Copyright © 2002 by Hoop-A-Joop, LLC
All rights reserved. This book, or parts thereof,
may not be reproduced in any form without permission.

ISBN 83-86170-96-4

**Uwaga!** Podjęto wszelkie starania, aby zawarte w książce informacje były jak najbardziej zgodne z prawdą i dokładne. Należy jednak pamiętać, że książka ta nie została pomyślana jako alternatywa wobec zaleceń lekarzy. Wszystkie dolegliwości zdrowotne wymagają porady lekarskiej. Ani wydawca, ani autor nie ponoszą żadnej odpowiedzialności za ewentualne szkody i straty, które mogłyby wyniknąć wskutek niewłaściwej interpretacji informacji zawartych w tej publikacji. Opinie wyrażone w książce są osobistymi opiniami autora, a Wydawnictwo Mada jedynie udostępnia je Czytelnikom z nadzieją, że pomoże im to osiągnąć zdrowie i żyć w zgodzie z własnym organizmem.

e-mail: mada@life.pl

*Teresie i Marii – i słonecznym dniom*

# Spis treści

## CZĘŚĆ PIERWSZA

### Podstawowe wiadomości na temat grup krwi

## CZĘŚĆ DRUGA

### Kompendium współczesnej wiedzy na temat zależności między grupą krwi i zdrowiem lub chorobą

5

# Spis treści

# CZĘŚĆ TRZECIA

## W harmonii z grupą krwi

# Podziękowania

*Jedz zgodnie ze swoją grupą krwi – encyklopedia zdrowia* to najbardziej wyczerpujące jednotomowe kompendium wiedzy praktycznej i naukowej dotyczące grup krwi i zagadnień z tym związanych.

Od czasu pierwszego angielskojęzycznego wydania *Jedz zgodnie ze swoją grupą krwi* (1996) dietę opisaną w tej publikacji zastosowały miliony czytelników na całym świecie. Książkę przetłumaczono na ponad czterdzieści języków. Dziś wspierają ją jeszcze dwie inne publikacje: *Gotuj zgodnie ze swoją grupą krwi* i *Żyj zgodnie ze swoją grupą krwi*\*. Dla zapewnienia tysiącom czytelników z całego świata wsparcia, możliwości pogłębienia wiedzy i wymiany informacji chętnie korzystaliśmy z dobrodziejstwa Internetu, poprzez naszą stronę http://www.dadamo.com.

Encyklopedia, którą dziś oddajemy do rąk czytelnika, powstała dzięki talentom i zaangażowaniu wielu specjalistów. Pragnę niniejszym serdecznie podziękować tym, którzy położyli dla niej największe zasługi. Są to:

Martha Mosko D'Adamo, moja żona i towarzyszka, której oparcie i zrozumienie było mi natchnieniem w czasie całego procesu twórczego;

mój agent literacki, Janis Vallely, która była nieocenioną koleżanką i przyjacielem, a także znakomitym adwokatem;

Amy Hertz, mój wydawca w wydawnictwie Riverhead/Putnam, która zapewniła mojej publikacji atmosferę cierpliwości i fachowości.

Jej niewyczerpany entuzjazm i pomocna dłoń okazały się prawdziwym skarbem;

Catherine Whitney, która tę książkę dla mnie napisała, i jej partner, Paul Krafin, którego wysiłkom zawdzięczam, że niezwykle złożony język nauki zabrzmiał w niej jak przyjemna proza i łatwe do naśladowania zalecenia. Ich agent, Jane Dystel, nadal dodaje mi odwagi i służy radami.

Chciałbym też wspomnieć innych, których praca przyczyniła się do powstania tej encyklopedii: mego współpracownika Bronnera Handwergera, którego wiedza medyczna i talenty badawcze umożliwiły nam stworzenie wyczerpującego, a zarazem zwięzłego kompendium; Heidi Merritt, której instynkt i zdolności analityczne były nieocenione dla realizacji tego projektu; wreszcie naszym zdolnym ilustratorom, Deborah Schuler i Paulowi Whitneyowi.

Specjalne podziękowania należą się znakomitemu zespołowi wydawnictwa Riverhead Books and Putnam, którego wytrwałe zabiegi, pod fachową opieką Susan Petersen, przyniosły książce tak duży sukces.

Encyklopedia ta nie ujrzałaby światła dziennego, gdyby nie dość liczna grupa XX-wiecznych naukowców i badaczy, których pionierskie prace wzbogaciły naszą wiedzę w zakresie ewolucji, biologii i genetyki grup krwi. Wiele zawdzięczam też memu ojcu, Jamesowi D'Adamo, który pozostawił wspaniałą naukową spuściznę.

---

\* Wszystkie trzy książki zostały wydane w Polsce nakładem Wydawnictwa Mada – przyp. tłum.

11

# Informacje dodatkowe

Oto kilka pożytecznych wyjaśnień i podpowiedzi, które nie tylko ułatwią poruszanie się po tej encyklopedii, ale też najlepiej zasygnalizują jej zawartość.

## Bibliografia naukowa

Encyklopedia zawiera wiele tytułów pozycji naukowych zamieszczonych na końcu każdego rozdziału. Wszystkie cytowane artykuły można zamówić, korzystając z usług Medscape's MEDLINE service (http://www.medscape.com).

## Bazy danych na temat grup krwi

Strona internetowa doktora D'Adamo zawiera następujące bazy danych, przydatne dla tych, którzy chcieliby pogłębić wiedzę teoretyczną i praktyczną w zakresie grup krwi:

### Dieta i sposób odżywiania

TYPEbase®, baza przystosowana do przeszukiwania; zawiera dane na temat przydatności pokarmów w zależności od grupy krwi.

NUTRIbase®, baza przystosowana do przeszukiwania; zawiera dane na temat wartości odżywczej produktów spożywczych.

RECIbase®, baza przystosowana do przeszukiwania; zawiera przepisy kulinarne zgodne z grupą krwi.

SUPPbase®, baza przystosowana do przeszukiwania; zawiera informacje dotyczące suplementacji pokarmowej.

PHYTObase®, baza przystosowana do przeszukiwania; zawiera dane na temat roślin leczniczych.

FRANKENbase®, baza przystosowana do przeszukiwania; zawiera informacje o pokarmach zmodyfikowanych genetycznie.

### Immunologia

ALLERbase®, baza przystosowana do przeszukiwania; zawiera dane na temat alergenów białkowych, a także odnośniki do innych stron zawierających podobne informacje.

### Wyniki

RESULTbase®, baza przystosowana do przeszukiwania; zawiera doniesienia osób stosujących dietę zgodną z grupą krwi.

### Lektyny

LECster®, baza przystosowana do przeszukiwania; zawiera charakterystykę lektyn, czyli aglutynin roślinnych, a także bibliografię dotyczącą tego tematu.

### Genetyka

GENEbase®, baza przystosowana do przeszukiwania; zawiera dane na temat genomów różnych organizmów.

Warto też, aby nowicjusze w zakresie nauki o odżywianiu zgodnym z grupą krwi zaznajomili się z podstawowymi książkami doktora D'Adamo: *Jedz zgodnie ze swoją grupą krwi* oraz *Żyj zgodnie ze swoją grupą krwi*.

## Kilka słów o terminologii

Na co dzień często używamy sformułowania „rodzaj krwi" lub „grupa krwi", jednakże należy pamiętać, że naukowcy posługują się zazwyczaj bardziej precyzyjnym określeniem „układ grupowy AB0"; chodzi o rozróżnienie między układem AB0 a mniej ważnymi układami, również określanymi mianem grup krwi. Pragnąc pozostać w zgodzie z naukową terminologią, będziemy w medycznej części tej książki wymiennie stosować terminy „grupa krwi" i „układ grupowy AB0"*.

<br>

## Podstawy antropologiczne, biologiczne i genetyczne

W części tej zawarte zostały najnowsze informacje na temat układu grupowego AB0 z zakresu antropologii, biologii i genetyki. Jest to teoretyczna podstawa zamieszczonych dalej zaleceń medycznych i zdrowotnych.

## Uwarunkowania medyczne

Niniejsze kompendium wiedzy na temat odżywiania zgodnego z grupą krwi zawiera informacje i zalecenia w odniesieniu do ponad 250 sytuacji zdrowotnych. Zajęliśmy się tylko tymi stanami, które wykazują związki z grupą krwi. W niektórych wypadkach związki te zostały potwierdzone wieloma badaniami i są ogólnie uznawane przez medycynę.

**Przykład:** Osoby mające grupę krwi A charakteryzują się większą podatnością na choroby nowotworowe, natomiast u osób z grupą krwi 0 stwierdzono podwyższone ryzyko wystąpienia wrzodów.

W wypadku innych chorób badania są jeszcze nieliczne, a ich związki z grupami krwi mniej jasne; do tych wyników należy podchodzić z rezerwą.

**Przykład:** Związki między grupami krwi i fibromialgią.

Czytelnik, który nie znajdzie w tej encyklopedii interesującego go przypadku, może przyjąć, że nie ma ani laboratoryjnych, ani klinicznych badań, które świadczyłyby o jego związkach z grupami krwi. Wciąż jednak może skorzystać z ogólniejszej wiedzy dotyczącej ściśle danej kategorii dolegliwości – w działach, takich jak odporność czy choroby autoagresyjne. Może też poszukać pomocy na stronie internetowej doktora D'Adamo (http://www.dadamo.com), w bazie, w której zgromadzono doniesienia poszczególnych osób. Lub też przyłączyć się do istniejącej tam grupy dyskusyjnej gromadzącej kilka tysięcy dyskutantów, którzy swobodnie wymieniają się wiedzą i własnymi wynikami w zakresie dietetyki.

## Wykresy ryzyka

Omawianie każdej sytuacji zdrowotnej rozpoczynamy zawsze od wykresu wykazującego, ile wiadomo na temat jej związków z układem grupowym AB0. Wykresy te zostały pomyślane jedynie jako punkt wyjściowy do głębszych studiów nad potencjalnym zagrożeniem. Związki między grupami krwi i chorobami nie są prostymi zależnościami przyczynowo-skutkowymi. Należy podkreślić, że kiedy mowa o czynnikach ryzyka choroby związanych z grupą krwi, nie chodzi bynajmniej o to, że przynależność do takiej czy innej grupy

---

* Osocze krwi zawiera różne przeciwciała skierowane przeciwko krwinkom czerwonym. W zależności od nich wyróżniono u ludzi 22 układy grupowe krwi. Najważniejszymi z nich są układ grupowy AB0 i czynnik Rh; od nich zależy, między innymi, powodzenie transfuzji krwi – przyp. tłum.

stanowi zagrożenie **samo w sobie**. Chodzi o to, że w połączeniu z innymi czynnikami, takimi jak rodzinna spuścizna genetyczna, dieta, styl życia i warunki środowiskowe mogą się one przyczyniać do większej zapadalności na daną chorobę. Ryzyko to, niemożliwe do ustalenia, może w zależności od warunków wzrastać szybko lub niewiele. Powiązanie wiedzy na temat grup krwi z fizjologią konkretnej choroby pozwala spojrzeć na czynniki ryzyka z nowej perspektywy i, uwzględniając fizjologiczną zmienność człowieka, sformułować nowe, skuteczniejsze zasady leczenia.

Wielkości na wykresach ryzyka oznaczają:

NISKIE:    Dana grupa krwi daje pewien stopień ochrony;

ŚREDNIE:    Nie ma dowodów, by twierdzić, że dana grupa krwi daje ochronę czy działa na niekorzyść;

WYSOKIE:    Grupa krwi jest wyraźnym czynnikiem ryzyka.

## Terapie

Leczenie zalecane w danej chorobie wykorzystuje, jako narzędzie podstawowe, ustalenia tzw. protokołów. Protokoły te (patrz Część trzecia) to procedury zalecające żywienie, suplementację, a także tryb życia zgodny z konkretną grupą krwi. W sytuacjach szczególnych odnotowano też zalecenia specjalne.

## Odnośniki

Pragnąc udostępnić czytelnikowi możliwie najrozleglejszą wiedzę na temat danej choroby, zastosowaliśmy odnośniki ułatwiające jej poszerzanie. Przede wszystkim słowa wyróżnione MAŁYMI WERSALIKAMI oznaczają tematy omawiane niezależnie. Poza tym opis każdej sytuacji medycznej zawiera listę zagadnień o zbliżonej tematyce.

## CZĘŚĆ III

## Protokoły leczenia w zależności od grupy krwi

Trzydzieści zamieszczonych w tej części procedur to praktyczne metody lecznicze i prewencyjne, które powinny być stosowane razem z odpowiednią dietą, ćwiczeniami fizycznymi i szczegółowymi zaleceniami lekarskimi. Są to protokoły, których stosowanie zaleca się w Części trzeciej.

Warto podkreślić, że poszczególne procedury zostały ujęte w postaci modułów umożliwiających ich stosowanie również w celu ogólnego podtrzymania zdrowia. Czytelnik może, na przykład, w okresie szczególnego zagrożenia stresem skorzystać z protokołu relaksującego właściwego dla jego grupy krwi; po operacji przydatny może się okazać protokół rekonwalescencyjny, a w czasie infekcji wirusowej (np. grypy) protokół przeciwwirusowy.

Suplementy, których nazwy pojawiają się w cudzysłowach – np. „ARAG" – można sprowadzić za pośrednictwem North American Pharmacal (patrz ostatnia strona tekstu)*.

**Uwaga!** Żaden z zaprezentowanych tu protokołów nie został pomyślany jako substytut normalnego leczenia czy terapii. Przeciwnie, mają być uzupełnieniem takiego leczenia i przynieść ogólne korzyści zdrowotne.

## Baza pokarmów

Jest to, jak dotąd, najbardziej szczegółowa analiza przydatności różnych pokarmów w zależności od grupy krwi. Nie tylko określa przydatność danego produktu dla osób z układu grupowego AB0 i innych grup, ale również dostarcza wyjaśnień, dlaczego jest on korzystny, obojętny lub szkodliwy dla danej grupy.

---

* W Polsce sprzedawane są suplementy będące znakomitymi substytutami preparatów zalecanych w tej encyklopedii. Wystarczy, skorzystawszy z bazy danych rekomendowanej tu firmy, pozyskać informacje na temat składu danego suplementu – przyp. tłum.

**Uwaga!** Przedstawione wartości dotyczą osób wydzielających w ślinie antygeny AB0. Dla osób, które ich nie wydzielają, wielkości te podano tam, gdzie zachodzi taka potrzeba.

## Baza suplementów

Baza suplementów stanowi podstawę odsyłaczy dla poszczególnych grup krwi, zawiera też dodatkowe informacje na temat suplementów zalecanych w protokołach. Wymienione suplementy opisane są pod kątem przydatności dla konkretnej grupy krwi. Lista ta nie została pomyślana jako wyczerpujące źródło wiedzy na temat wszystkich suplementów i ich potencjalnych korzyści, ma jedynie ułatwić taki dobór suplementów, aby przyniósł on danej grupie największe korzyści.

Część pierwsza

# Podstawowe wiadomości na temat grup krwi

# Rozdział 1

# Antropologia grup krwi

Duża część dziejów ewolucyjnych człowieka jest dla nas zagadką. Odkryto wprawdzie liczne ruiny z początków cywilizacji, od czasu do czasu dochodzi też do znalezisk z okresów wcześniejszych, prehistorycznych, jednakże na tym źródła naszej wiedzy się wyczerpują. Można za to winić nietrwałość ludzkiego żywota; po śmierci nasze ciało i płyny ustrojowe szybko ulegają rozkładowi. Również szkielet, nieodpowiednio zakonserwowany, ulega degradacji i znika. Ludzie pierwotni nie stosowali ceremonialnego pochówku. Ciała, wystawione na działanie żywiołów, wkrótce ulegały całkowitej dekompozycji: „proch w proch" nie jest tylko poetycką metaforą. To celna obserwacja dotycząca nietrwałości naszego ciała.

Dopiero w zeszłym wieku biolodzy i antropolodzy zaczęli śledzić najodleglejsze losy człowieka, posługując się takimi wyznacznikami jak grupy krwi. Badania te pozwoliły na lepsze zrozumienie dróg migracji i grupowania wczesnych ludzi dostosowujących się do zmian klimatycznych, mutujących zarazków i niepewnych źródeł pożywienia. Najdokładniejszym, jak dotąd, obrazem ludzkiej ewolucji zaowocowały współ-

czesne analizy, wykorzystujące wyszukane metody genetyczne.

Zmienność, zalety i wady każdej z grup krwi mogą być postrzegane jako odzwierciedlenie ciągłego procesu dostosowywania się człowieka do różnych wyzwań środowiskowych. Większość tych wyzwań dotyczyła układu pokarmowego i odpornościowego. Nic zatem dziwnego, że różnice między poszczególnymi grupami krwi wiążą się z podstawowymi funkcjami układu pokarmowego i odpornościowego.

Ewolucję rozważa się zazwyczaj w kontekście milionów lat; to jest właściwa perspektywa, jeśli chcemy wyjaśnić różnice między gatunkami zwierząt i roślin. Niezbyt długa ewolucja człowieka dostarcza wielu przykładów niewielkich udoskonaleń, odzwierciedlających nieustanne zmagania między cechami odziedziczonymi i środowiskiem, w którym organizm żyje.

Istnieją wprawdzie dowody, że pojedyncze mutacje genetyczne odpowiedzialne za powstanie układu grupowego AB0 są dość odległe[1], jednakże dla faktycznej demografii grup krwi AB0 w starożytnych populacjach nie ma to większego znaczenia. Z punktu widzenia genetyki liczy się nie tyle wiek genu, ile jego częstość i wahania częstości, czyli dryf genetyczny. Częstość genu oblicza się na podstawie prawa Hardy'ego-Weinberga, które mówi, że jeśli jedyną siłą ewolucyjną działającą w jakiejś populacji jest losowe krzyżowanie jej osobników, to częstość występowania genów jest niezmienna i utrzymuje się na tym samym poziomie. Oznacza to, że w takiej wyidealizowanej, czysto teoretycznej populacji mało liczebny gen należący do większej puli genów (np. gen grupy krwi B należący do układu grupowego AB0) będzie występował stale z tą samą, niewielką częstotliwością.

Wynika z tego, że aby doszło do znacznych różnic częstości występowania grup krwi układu AB0, które dziś obserwujemy, musiało zadziałać coś jeszcze. Musi być jakieś inne wytłumaczenie, dlaczego populacje grupy krwi 0 i A są tak duże (odpowiednio 40–45% i 35–40%), a populacje grupy B i AB są tak nieliczne (odpowiednio 4–11% i 0–2%)*.

Można to próbować wyjaśnić, np. tym, że być może mutacja, która doprowadziła do powstania genu grupy krwi B, nie była tak częsta, jak ta, która stworzyła gen grupy krwi A. Jeśli jednak występowały one w tym samym czasie, to dlaczego się tak działo? Co więcej, jeśli mutacje są tak wielkiej wagi, to dlaczego obszar występowania genu B jest tak bardzo ograniczony – do pasa rozciągającego się między Himalajami a Uralem?

Odpowiedź nie leży w tym, że mutacje prowadzące do powstania genów A i B są bardzo stare, ale jest zawarta w wiedzy o oddziaływaniach między wczesnymi ludźmi i ich otoczeniem, oddziaływaniach, na które wpływ miał układ AB0. Były wśród nich interakcje ze środowiskiem naturalnym i klimatem, z których każde miało swój unikatowy zestaw zarazków, a także zwierząt czy roślin, które ludzie ci mogli zdobywać, polując lub prowadząc hodowlę.

Migracja zmuszała ludzi do przystosowywania się do warunków panujących w odkrywanych środowiskach, a nowe sposoby odżywiania wymuszały takie zmiany w ich układach pokarmowym i odpornościowym, które najpierw umożliwiały im przetrwanie na nowym obszarze, a następnie zapewniały tam *prosperity*. Różne pokarmy, metabolizowane w sposób właściwy dla danej grupy krwi, doprowadziły prawdopodobnie do tego, że osiągała ona pewien stopień wrażliwości (korzystnej lub niekorzystnej) na endemiczne gatunki bakterii, wirusów i pasożytów. Prawdopodobnie właśnie to, bardziej niż jakikolwiek inny czynnik, przyczyniło się do takiej a nie innej współczesnej dystrybucji grup krwi. Warto podkreślić, że właściwie każda ważna choroba zakaźna, która wywarła istotny wpływ na przedantybiotykowy okres ewolucji człowieka, wykazuje jakieś preferencje w stosunku do tej czy innej grupy krwi[2].

Przyczyną tego zjawiska jest fakt, że wiele mikroorganizmów ma swój własny „układ grupowy AB0". Być może warto zapamiętać, że antygeny AB0 nie są właściwe wyłącznie dla ludzi, aczkolwiek człowiek jest jedynym gatunkiem, w którym powstały wszystkie cztery odmiany. Antygeny te to stosunkowo proste cukry, dość obficie występujące w przyrodzie. Tak więc bakterie, na których powierzchni znajdują się antygeny przypominające antygeny grupy A, mają większą szansę zostać „rozpoznane" jako własne przez układ odpornościowy osób mających tę właśnie grupę krwi, a tym samym mogą infekować te osoby z większą łatwością. Co więcej, mikroorganizmy mogą zawierać wyspecjalizowane cząsteczki o zdolnościach adhezyjnych, które sprawią, że będą one preferować tkanki ludzi mających konkretną grupę krwi[3].

Znakomity przykład stanowi dżuma, która w XIII i XIV wieku przeszła niepowstrzymana przez całą Europę. Dżuma to bakteryjna choroba zakaźna, a zachorowanie na nią było w pierwszym okresie jej ekspansji niemal jednoznaczne z wyrokiem śmierci. Co prawda ludzie nadal zapadali na tę chorobę, ale jednak w XV wieku przypadki śmiertelne były już rzadkie. Wniosek z tego, że zaledwie w dwa pokolenia

---

* W Polsce wielkości te wynoszą (w procentach): 0 – 36,7; A – 37,1; B – 18,6; AB – 7,6 – przyp. tłum. (za *Nową Encyklopedią Powszechną PWN* 1995).

u tych, którzy przeżyli jej atak, doszło do powstania cech chroniących ich przed śmiertelnymi skutkami choroby. Ponieważ cechy te były niezbędne do przetrwania, przekazywano je potomstwu i utrzymywano w populacji jako rodzaj pamięci genetycznej.

Z perspektywy układu grupowego AB0 dżuma jest chorobą szczególnie interesującą, ponieważ *Yersinia pestis*, źródło tej choroby, to bakteria, która preferuje osobniki konkretnej grupy z układu AB0, a mianowicie osoby mające grupę krwi 0[4,5].

W obliczu większości chorób epidemicznych przynależność do tej czy innej grupy krwi z układu AB0 miała dla przeżywalności człowieka tak wielkie znaczenie, że współczesna mapa rozmieszczenia grup krwi układu AB0 w Europie ściśle odpowiada lokalizacji największych epidemii. Na terenach, które wielokrotnie w przeszłości były obszarami występowania pandemii, znacznie częściej występują osoby z grupą krwi A, natomiast częstość występowania grupy krwi 0 jest zdecydowanie mniejsza.

Z drugiej jednak strony, w czasach preurbanizacyjnych krew grupy 0, zawierająca przeciwciała przeciwko obu antygenom, A i B, miała duże zalety, dając pewniejszą ochronę przed pasożytami, które były zmorą wczesnych ludzi. Zmiany te znalazły odzwierciedlenie w lokalnych sukcesach lub klęskach każdej z grup, w miarę jak uzyskiwały one przewagę w różnych krytycznych okresach naszej ewolucji: przejściem człowieka na początek łańcucha pokarmowego (wczesne korzyści wiążące się z grupą 0); zmianą trybu życia z łowiecko-zbieraczego na osiadły, w rezultacie czego ludzie zaczęli żyć w skupiskach i odżywiać się pokarmem wyprodukowanym przez siebie na roli (przewaga grupy krwi A); wreszcie mieszaniem i migracją ludzkich odmian w drodze z Afryki do Europy i Azji (okazja dla grup B i AB).

## Wszystko zaczęło się od zera

Analiza chemiczna wykazała, że najprostsza jest grupa krwi 0, przynajmniej jeśli chodzi o budowę cząsteczki antygenu. Był to zatem fundament, który posłużył do budowy coraz bardziej

złożonych antygenów grupy A, B i AB. Te późniejsze grupy wyewoluowały poprzez przyłączanie nowych cukrów do podstawowego antygenu 0, co można by przyrównać do wznoszenia nowego miasta na fundamentach starego. Tak więc, jeśli mutacje, które doprowadziły do powstania antygenów A i B są stare, gen grupy krwi 0 musi być o wiele starszy.

Inny dowód na starożytność grupy 0 wywodzi się z antropologii medycznej i sugeruje, że przez większą część swej egzystencji ludzkość miała wyłącznie grupę krwi 0.

Najnowsze badania DNA mitochondrialnego (mtDNA) podtrzymały teorię, że *Homo sapiens* pojawił się w Afryce i dopiero później przeniknął do innych rejonów świata. W przeciwieństwie do DNA jądrowego, które potomstwo dziedziczy pospołu od ojca i matki, mtDNA jest przekazywany bezpośrednio od matki do dziecka, ponieważ występuje w jaju, a nie ma go w plemnikach – mtDNA podlega jedynie losowym mutacjom, które zmieniają jego sekwencję, jest zatem stosunkowo dokładną miarą trajektorii ewolucji człowieka. Szerokie badania nad mtDNA wykazały, że wszyscy ludzie wyewoluowali od jakiegoś wspólnego przodka. Badania te potwierdziły też teorię, że grupy krwi dały w wyniku mutacje migracyjne.

Starożytność krwi 0 zdaje się potwierdzać również większa częstość występowania tej grupy w „pierwotnych" czy z jakichś przyczyn izolowanych populacjach[6]. Wprawdzie wczesna emigracja ludzi rozprzestrzeniła gen krwi grupy 0 po całym świecie, ale wciąż jeszcze można znaleźć niezwykłe przykłady takich „starych" populacji. Wskutek szczególnej lokalizacji społeczności te rozwijały się w izolacji i z dala od innych populacji. Gdyby A, B i 0 ewoluowały w tym samym czasie, takie izolowane populacje powinny zawierać wszystkie cztery grupy krwi. Tymczasem owe „stare społeczności" mają grupę krwi 0, ponieważ geny na pozostałe grupy krwi nigdy nie miały okazji zagościć w tych populacjach. Pod tym względem pozostały one niezmienione.

Baskowie to starożytny lud, o którego pochodzeniu wciąż jeszcze niewiele wiadomo. Język baskijski, jedyny zachodni język, który nie wywodzi się z języków indoeuropejskich, wykazuje pewne podobieństwo do dialektów, którymi posługuje się kilka odosobnionych populacji w dolinach Kaukazu. Choć wyglądem Baskowie niewiele się różnią od swych francuskich i włoskich sąsiadów, to jednak częstość genu B jest u nich najniższa – pierwotnie w ogóle u nich nie występował – a częstość występowania grupy 0 jest najwyższa w Europie. Od zarania dziejów źródłem pożywienia było dla nich bydło, powszechnie zamieszkujące wówczas europejskie równiny, oraz ryby słodkowodne; dowodem na to mogą być nadzwyczaj piękne malowidła znane z baskijskich jaskiń.

Ponad 50% populacji Basków jest Rh-ujemna, w przeciwieństwie do reszty Europejczyków, u których brak czynnika Rh występuje z częstotliwością 16 przypadków na 100. Podobnie jak w wypadku genu grupy krwi 0, tak i w przypadku grupy krwi Rh–, mechanizm genetyczny prowadzący do jej powstania jest prostszy, a zatem bez wątpienia starszy niż gen grupy krwi Rh+.

Kolejnym przykładem „starego ludu" żyjącego we współczesnym świecie są rodowici Amerykanie. Już dawno ustalono, że czystej krwi mieszkańcy Ameryki mieli grupę 0, a współczesne badania na wymieszanych populacjach Indian wykazały wyraźną przewagę (67–80%) grupy 0, co sugeruje, że ich wędrówka z Azji na Alaskę odbyła się znacznie wcześniej, niż pierwotnie myślano[7,8]. Wysoki udział procentowy osobników z grupą krwi 0 oznacza prawdopodobnie, że Indianie i Eskimosi wywodzą się bezpośrednio od ludzi z Cro-Magnon, prawdopodobnie Mongołów, którzy około 15 tysięcy lat p.n.e. zawędrowali do obu Ameryk. W przeciwieństwie jednak do Basków owi amerykańscy Azjaci mieszali się powszechnie z innymi azjatyckimi populacjami człowieka, a w rezultacie „złapali" gen na grupę krwi Rh+.

Podobnie jak w wypadku Basków, również u rodowitych Amerykanów grupa krwi B jest bardzo rzadka. Wniosek z tego, że musieli wyemigrować do obu Ameryk dość późno, by nabyć gen Rh+, a zbyt wcześnie, by nabyć gen na grupę krwi B[9]. Wędrówka ta odbyła się prawdopodobnie po lądowym pomoście, który swego czasu łączył Syberię z Alaską. Kiedy skończyła się ostatnia epoka lodowcowa, klimat się ocieplił, a lodowce wycofały, wzrósł poziom wody i lądowy pomost między Azją i Ameryką zniknął, zamykając pierwotnych Amerykanów z ich grupą krwi 0 w swoistej enklawie na następnych 10 tysięcy lat. Dowodów na prawdziwość tej tezy dostarczyła medycyna sądowa: w chilijskich mumiach z czasów prekolumbijskich i kolonialnych nie występują ani grupa krwi B, ani AB[10].

Inna teoria próbująca wyjaśnić nadzwyczaj wysoki udział grupy krwi 0 w populacjach rodowitych mieszkańców obu Ameryk opiera się na obserwacji, że osobniki z tą grupą krwi są stosunkowo odporne na niektóre infekcje. Zakłada ona, że u osobników z grupą krwi 0 wytworzyły się przeciwciała przeciw ospie i syfilisowi, chorobom, które Kolumb zawlókł do Ameryki, i które okazały się głównymi zabójcami tubylczej ludności[11].

Zdobycze rolnictwa docierały do obu Ameryk powoli, ponieważ nowy amerykański dom obfitował w zwierzynę łowną i ryby, a więc zapotrzebowanie na rozwój rolnictwa było niewielkie. Wydaje się, że nawet kukurydza, która była codziennym zbożem Indian, została udomowiona dopiero 4,5 tysiąca lat p.n.e., natomiast fasola wydaje się być jeszcze nowszym nabytkiem, sprzed około 2,2 tysiąca lat p.n.e. Tak więc, tak jak w przypadku Basków, podstawowym pożywieniem pierwszych mieszkańców Ameryki nie były zboża, ale mięso.

W Anglii, Walii i Szkocji obserwuje się silny związek między układem grupowym AB0 a geograficznymi różnicami wskaźnika umieralności[12]. Badania rozmieszczenia różnych grup krwi na Wyspach Brytyjskich wykazały stopniowy wzrost częstości grupy 0, od stosunkowo niewielkiej w południowej Anglii do coraz większej w północnej Anglii, Walii, Szkocji i Irlandii[13]. Może to znaczyć, że krew grupy A była stosunkowo częsta u Anglosasów, natomiast u ludów wywodzących się w linii prostej od Celtów częściej występowała krew grupy 0. Niewykluczone również, że duży procent krwi grupy 0 u Irlandczyków może być spuścizną po ludach okresu mezolitycznego[14]. Podobnie rzecz się ma z Europą kontynentalną, gdzie udział grupy krwi 0 rośnie u północnych Niemców i Duńczyków. Wiadomo też, że grupa 0 jest pospolita u Islandczyków, a częstość jej występowania zbliża się tam do wielkości spotykanych w populacjach Szkocji i Irlandii.

Częstość występowania grupy krwi 0 jest także wysoka w dwóch innych starych populacjach, a mianowicie u nomadów Półwyspu Arabskiego i u Berberów z gór Atlasu. Ogólnie rzecz biorąc, w porównaniu z Europejczykami ludy Afryki charakteryzuje większa częstość występowania genu 0, a mniejsza genu A. Wskazuje to na starożytność genu obecnego w komórkach ludzi z grupą krwi 0.

## Okres łowiecko-zbieracki

Najprawdopodobniej nasi pierwsi ludzcy przodkowie pojawili się 170–50 tysięcy lat temu, w rejonie subsaharyjskim Afryki. Żywili się raczej mało wyszukanymi pokarmami wszystkożerców. W ich diecie znalazły się więc nie tylko rośliny i larwy owadów, ale również padlina pozostawiona przez drapieżniki. Ludzie nie mieli ani ostrych szponów, ani zębów drapieżcy, można zatem wnioskować, że byli w równym stopniu łowcami, co ofiarami. To jednak właśnie u nich rozwinęło się najdoskonalsze narzędzie do polowań – mózg.

W badaniach, których wyniki opublikowano w czasopiśmie „Science", znani antropolodzy stwierdzili, że analizy węgla zawartego w zębach *Australopithecus africanus* wykazały, że podstawowym pożywieniem tych istot były pokarmy bogate w węgiel $C^{13}$ – takie jak trawy i turzyce – lub zwierzęta, które się tymi roślinami odżywiały, albo i jedno, i drugie. Badania wykazały, że australopiteki, które chodziły na dwóch nogach, ale również wspinały się na drzewa, odważyły się porzucić normalne, leśne siedlisko, by szukać pożywienia na rozległych sawannach. Zgodnie z tymi odkryciami hominidy odżywiały się wysokobiałkowym pokarmem pochodzenia zwierzęcego na

długo przed tym, jak powstały pierwsze kamienne narzędzia przydatne do jego pozyskiwania. Wiele teorii na temat pochodzenia człowieka wiąże nagły wzrost wielkości mózgu obserwowany u *Homo sapiens* z jego przejściem na dietę mięsną. Jeśli jednak faktycznie pierwsi człowiekowaci odżywiali się mięsem, to prawdopodobnie pochodziło ono z małych zwierząt, które można było schwytać i oprawić bez narzędzi, ewentualnie z padliny porzuconej przez drapieżniki[15].

Polowanie na wielką zwierzynę łowną zaczęło się w Afryce około pół miliona lat temu, choć pełna moc uzbrojonej ludzkiej dłoni ujawniła się dopiero 400 tysięcy lat później.

Stosunek pierwszych ludzi do środowiska, w którym żyli, zmienił się radykalnie około 40 tysięcy lat temu, z chwilą pojawienia się ludzi z Cro-Magnon – naszych pierwszych bezpośrednich przodków. Wiadomo, że kromaniończycy, nazwani tak dla upamiętnienia stanowiska paleontologicznego we Francji, gdzie po raz pierwszy znaleziono i zbadano ich szczątki, porozumiewali się między sobą, co więcej, byli świetnymi łowcami. Używając prostej sygnalizacji i gestów, tworzyli zorganizowane grupy zbrojne w kości czy prostą broń wykonaną z kamienia. Tak ważna zmiana przesunęła człowieka, czyli niezbyt, jak dotąd, skutecznego przedstawiciela naczelnych, na sam szczyt piramidy pokarmowej. Wkrótce kromaniończycy, jako zręczni i groźni myśliwi, nie musieli się obawiać zwierzęcych konkurentów.

Ludzi z Cro-Magnon do człowieka współczesnego zbliżały takie cechy, jak: wysokie, pionowe czoło, niezbyt wielkie łuki brwiowe, niewielka twarz i zęby, a wreszcie wysunięta broda. Z budowy ich szkieletów wynika, że byli bardzo muskularni, co może świadczyć o tym, że o wiele częściej niż ludzie współcześni oddawali się zajęciom związanym ze znacznym wysiłkiem fizycznym.

W czasach kromaniończyków polowanie i pożywienie mięsne były już stałym elementem życia człowieka. Wtedy właśnie ujawniły się w pełni trawienne atrybuty przynależności do grupy 0: wydajność wydzielania kwasu żołądkowego i pepsyny sprawiły, że żołądki osób z taką grupą krwi są szczególnie przystosowane do trawienia mięsa. Populacja ludzi z Cro-Magnon, pozbawionych naturalnych wrogów (prócz innych przedstawicieli swego gatunku) i mogących liczyć na niewyczerpane zasoby zwierzyny łownej, do tego jeszcze przebiegłych i sprawnych fizycznie łowców, musiała więc się rozwinąć.

Zastanawiające jest, jak mało czasu potrzebowała ta prosperująca ludzka populacja, by poważnie zubożyć zasoby najważniejszych zwierząt łownych. W Afryce już 50 tysięcy lat temu wytrzebiona została większość stad dużych zwierząt kopytnych. Niedostatek podstawowego pożywienia doprowadził do powszechnej emigracji w poszukiwaniu nowych, zasobnych terenów łowieckich. Lata tłuste minęły. Dotychczas było tak, że niewielka grupa łowców mogła się fetować ogromnym cielskiem upolowanego zwierzęcia przez tydzień lub nawet dłużej. Teraz trzeba było polować częściej i zabijać dużo więcej małych zwierząt, w większości śmigłych i trudnych do wytropienia, a to sprawiało, że życie stało się o wiele trudniejsze. Na dotychczas skutecznych i dobrze prosperujących populacjach łowców piętno zaczął odciskać głód. Z powodu niedożywienia i chorób umierały osobniki młodociane, stare i słabe. Grupy łowców zaczęły walczyć między sobą o ubożejące zasoby pożywienia.

Właśnie te czynniki, a więc zmniejszenie ilości pożywienia, któremu prawdopodobnie towarzyszyła presja wewnątrzgatunkowa, zachęciły pierwszych ludzi do opuszczenia Afryki. Do tego dodać należy zmiany klimatyczne: dotychczas pokryte lodowcem, puste obszary północne zaczęły się właśnie ocieplać, a zmiana kierunku wiania pasatów sprawiła, że obszar, który jeszcze niedawno był żyzną krainą saharyjską, wysechł i zamienił się w pustynię.

Wszystko to doprowadziło do największej w dziejach ludzkości serii wędrówek. W jej wyniku Ziemia została zasiedlona przez populację ludzi grupy krwi 0; grupy, która po dziś dzień jest tyleż pospolita, co wszędobylska.

## Wędrówki ludów

Około 30 tysięcy lat temu grupy kromaniończyków rozeszły się po świecie, na wschód i na północ, w poszukiwaniu nowych terenów łowieckich. Już 20 tysięcy lat temu napływ ludzi na obszary Europy i Azji był tak znaczny, że wielkie stada zwierząt łownych zaczęły znikać również i z tych terenów.

Zrodziła się potrzeba szybkiego znalezienia nowych źródeł pożywienia. Być może pod jej wpływem nasi przodkowie znów stali się wszystkożerni, korzystając z szerszego wyboru nowych pokarmów roślinnych i zwierzęcych. Szczególnego znaczenia nabrały dla nich zasoby mórz i wybrzeży morskich, po raz pierwszy eksploatowane tak systematycznie.

Ludzie z Cro-Magnon robili się coraz sprytniejsi i coraz bardziej twórczy; przejawiło się to w bardziej wymyślnych domostwach i odzieniu. Ten kolejny ewolucyjny krok naprzód pozwolił na kontynuację wędrówki – w kierunku północnych terenów trawiastych i lasów, gdzie wciąż jeszcze żyły wielkie stada zwierząt kopytnych. Około 10 tysiąclecia p.n.e grupy łowców zajęły niemal wszystkie ważne obszary lądowe, poza Antarktyką. Do Australii dotarli między 40 i 30 tysiącleciem p.n.e., a około 5–15 tysięcy lat później grupy łowców z Azji przeszły Cieśninę Beringa, kierując się w stronę obu Ameryk. W tych późniejszych, stosunkowo dobrze zorganizowanych społecznościach łowieckich, eksterminacja wielkich zwierząt łownych nasiliła się jeszcze bardziej. Metody kromaniończyków uległy udoskonaleniu, na co wyraźnie wskazuje olbrzymia liczba kości spotykana w niektórych stanowiskach archeologicznych. Na przykład, w Solutre (Francja) znaleziono szczątki ponad 10 tysięcy koni, zaś w Dolni Vestonice*, na Morawach (Czechy), odsłonięto ogromną liczbę kości mamutów. Niektórzy archeolodzy uważają, że w obu Amerykach do wytępienia większości wielkich zwierząt łownych doszło w zaledwie tysiąc

---

Jedno z najbardziej znanych stanowisk archeologicznych w Europie Środkowej; wiek najstarszych odkrytych obozowisk łowców mamutów szacuje się na 28 tysięcy lat – przyp. tłum.

lat po tym, jak dotarły na ten kontynent pierwsze grupy ludzi. Jedną z przyczyn, dla których cywilizacja Azteków tak szybko uległa konkwistadorom, było przerażenie, jakie hiszpańscy jeźdźcy wzbudzali w słabo uzbrojonych azteckich piechurach. Aztekowie bowiem nie znali koni – ich przodkowie, przybywszy z północy, nie mając pojęcia, na co jeszcze zwierzęta te mogłyby się przydać, doszczętnie ogołocili z nich amerykańskie równiny, traktując je jako zwykłe źródło mięsa.

Okres rozprzestrzeniania się łowieckich grup kromaniończyków był niewątpliwie okresem prosperity rodzaju ludzkiego. Wędrówka ludzi w stronę obszarów o bardziej umiarkowanym klimacie pobudziła genetyczne reakcje ich organizmów. Stopniowo pojawiła się u nich jaśniejsza cera, mniej masywna budowa kości i prostsze włosy. Szkielet ludzi odmiany kaukaskiej dojrzewa powoli, a jasna cera lepiej niż ciemna chroni przed chłodem. Jasna karnacja zapewnia też lepsze wytwarzanie witaminy D, a to jest szczególnie istotne na obszarach, gdzie dzień jest krótki, a noc długa.

Długa dominacja kromaniończyków przywiodła ich w końcu do upadku. Drogo opłacili swój sukces – przegęszczenie szybko doprowadziło do nadmiernej eksploatacji terenów łowieckich. Wkrótce w bardziej zaludnionych obszarach nadmierne polowania doprowadziły do wytępienia większości wielkich stad zwierząt łownych. Pobudziło to wewnątrzgatunkową konkurencję o zasoby środowiska, a co za tym idzie, do wojen, a w ich rezultacie do kolejnych wędrówek.

## Początki rolnictwa

Po paleolicie, czyli czasach panowania kromaniońskich łowców, nastąpił okres neolitu, za którego początek uznaje się 30 tysiąclecie p.n.e. Za główne znamiona tego okresu można uznać rozwój rolnictwa i udomowienie zwierząt. Umiejętność uprawy zbóż i hodowli zwierząt pozwoliła tym wczesnym rolnikom rozstać się z wędrownym trybem życia przodków, osiąść i założyć osady i miasta. Tę zmianę trybu życia z łowiecko-zbieraczego na osiadły brytyjski historyk V. Gordon Childe określił mianem „rewolucji neolitycznej". W jego mniemaniu był to największy postęp w historii człowieka od czasu opanowania sposobu posługiwania się ogniem.

Neolit był okresem ważnym z punktu widzenia rozprzestrzeniania się grup krwi układu AB0. Nowy, w zasadzie osiadły, rolniczy tryb życia oraz ważna zmiana w zakresie odżywiania spowodowały u tych wczesnych ludzi kolejne przekształcenia w układach pokarmowym i odpornościowym. Wielu z nich stało się nosicielami genu grupy krwi A. Krew tej grupy pozwoliła ludziom tolerować i lepiej przyswajać zboża i inne produkty pochodzenia roślinnego. Gen na tę grupę krwi po raz pierwszy wystąpił ze znaczną częstością mniej więcej 25–15 tysięcy lat temu, u wczesnych ludzi odmiany kaukaskiej zamieszkujących zachodnią Azję i środkowy Wschód. W czasie wędrówek tych neolitycznych społeczeństw, zwłaszcza grupy zwanej indoeuropejską, gen grupy krwi A został przeniesiony do Europy Zachodniej i Azji. Przeniknąwszy tam, dostał się do preneolitycznych populacji o grupie krwi 0.

Indoeuropejczycy pojawili się w południowo-centralnej Rosji, a między 3,5 i 2,0 tysiącem lat p.n.e. rozprzestrzenili na południowo-zachodnią Azję, zwłaszcza na tereny Iranu i Afganistanu. W jakiś czas później zaczęli wędrować ponownie, tym razem na zachód – w stronę Europy. Ich wędrówki nie tylko wniosły gen grupy krwi A do pierwotnych preneolitycznych populacji łowiecko-zbierackich, ale posłużyły też jako katalizator osiągnięć okresu neolitu, takich jak rolnictwo. Niemal wszyscy współcześni Europejczycy są potomkami ludów indoeuropejskich.

Inwazja neolitycznych Indoeuropejczyków była przypadkowa i nieregularna. Na niektórych obszarach ludność preneolityczna albo ustąpiła najeźdźcom, albo się z nimi przemieszała, na innych pozostała w stanie stosunkowo niezmienionym – jak Baskowie.

Rewolucja neolityczna była w rzeczywistości „rewolucją dietetyczną", jako że w jej rezultacie układy odpornościowy i trawienny wczesnych łowców-zbieraczy zostały skonfrontowane z nowymi pokarmami i nowym trybem życia, czyli poddane presji środowiska niezbędnej do zainicjowania procesu powstania nowej odmiany krwi – grupy A. W miarę jak układ trawienny osobników z tą nową grupą krwi stopniowo tracił zdolność trawienia pokarmu mięsnego, z diety ludzkiej zanikało dotychczasowe, niewyszukane pożywienie pierwotnych łowców-zbieraczy.

## Narodziny gospodarki kolektywnej

Powstanie społeczności osiadłych stanowiło nowe wyzwanie ewolucyjne; indywidualistyczne skłonności łowców-zbieraczy ustąpiły nowym, bardziej rozbudowanym społecznościom. Specjalizacja w zakresie określonej umiejętności ewoluuje jako część większej całości; wyplatacz koszów zależy od farmera, a farmer od wytwórcy narzędzi. Skończyło się krótkowzroczne zdobywanie pokarmu pod wpływem głodu; pola trzeba było obsiewać i uprawiać na bieżąco – w nadziei na późniejszą nagrodę.

Rozpoczęcie uprawy pszenicy i jęczmienia, a także udomowienie mięsnych zwierząt hodowlanych, takich jak owce, kozy, świnie, kury i w końcu bydło, miało miejsce mniej więcej 9–5 tysięcy lat p.n.e. Stało się to w południowo--zachodniej Azji, na żyznych obszarach, na których współegzystowały trzy główne rasy ludzkie.

Nowe sposoby rolniczego gospodarowania rozprzestrzeniły się powoli z południowo-wschodniej Europy na północ i zachód. Stałe osady budowane przez nowe, rolnicze społeczności, dały początek pierwszym miastom.

Neolityczne stanowiska archeologiczne w Europie południowo-wschodniej datowane są na 6000 lat p.n.e. Umiejscowione są one na obszarach z najlepszymi glebami i umiarkowanym klimatem. Prócz uprawy pszenicy, jęczmienia, grochu, fasoli i lnu rozwijała się też hodowla bydła, owiec i świń. Do 4 tysiąclecia p.n.e. powstała seria osad na brzegach jezior szwajcarskich, a stosowane tam metody rolnicze dostosowane były do surowego środowiska alpejskiego, w którym poza pszenicą z powodzeniem uprawiano też rośliny motylkowe i owoce, a hodowano bydło.

Zboża i bydło zostały wprowadzone do zachodniej Francji około 4 tysiąclecia p.n.e., a już pół tysiąca lat później rolnictwo oparte na ich hodowli rozkwitło w południowej Skandynawii, na Wyspach Brytyjskich i na równinach Europy północnej, spychając resztki pierwotnej ludności łowiecko-zbieraczej na północ albo zmuszając ją do przyjęcia nowego, osiadłego trybu życia. W 4 tysiącleciu p.n.e. rozpoczął się okres neolitu w Brytanii i Irlandii; okres ten charakteryzował się intensywnym wyrębem lasów, rozwojem rytuałów pochówkowych i budową konstrukcji megalitycznych, takich jak Stonehenge (Anglia).

Istnieje dobrze udokumentowany związek między rozkwitem populacji o grupie krwi A i rozwojem społeczeństw miejskich. Jak wspomniano, w wielu obszarach świata z długą historią urbanizacyjną oraz odnotowanymi licznymi wybuchami dżumy, cholery i ospy obserwuje się przewagę grupy A nad grupą 0. Dowodzi to wyraźnie, że osobniki o grupie krwi A były odporniejsze i miały większe szanse przetrwania infekcji pospolitych w populacjach o znacznym zagęszczeniu. Można sobie zadać pytanie, jak to się stało, że krew grupy 0 w ogóle przetrwała; mniej tajemnicze jest, dlaczego pozostała jedną z najliczniejszych grup krwi. Jedną z przyczyn może być znaczny udział genu grupy 0 w ogólnej puli układu grupowego AB0.

Największe zagęszczenie osób z grupą krwi A spotyka się wśród mieszkańców Europy Zachodniej. Jest to jedyna z grup krwi dzieląca się na kilka odmian. Główna z nich – $A_1$ – stanowi 95% całej grupy A. Druga największa podgrupa to $A_2$, spotykana przede wszystkim u osób rasy kaukaskiej, z północy. Znaczną częstotliwość występowania grupy $A_2$ zaobserwowano też na Islandii i w Skandynawii, zwłaszcza u Lapończyków, pionierskich osadników w tych okolicach. Częstość występowania genu A jest u nich niezwykle wysoka, przy czym udział $A_2$ może dochodzić nawet do 42%. Gen na podgrupę krwi $A_2$ jest niemal wyłącznie zarezerwowany dla odmiany kaukaskiej. Na kontynencie euroazjatyckim częstość występowania genu grupy A maleje w miarę posuwania się na wschód.

Na większości obszarów Europy częstość genu A jest wyższa o 25%. Często można go też napotkać na obrzeżach Morza Śródziemnego, a zwłaszcza na Korsyce, Sardynii, w Hiszpanii, Turcji i na Bałkanach, czyli w miejscach, które w pierwszym okresie osadnictwa dawały ludziom wysokie szanse przetrwania.

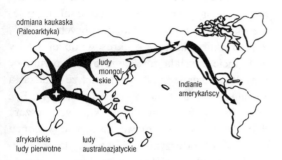

odmiana kaukaska (Paleoarktyka)

ludy mongolskie

Indianie amerykańscy

afrykańskie ludy pierwotne

ludy australoazjatyckie

W poszukiwaniu dużej zwierzyny łownej i nowych źródeł pożywienia pierwotne ludy łowiecko-zbierackie o grupie krwi 0 przewędrowały z Afryki, kolebki gatunku ludzkiego, do Europy i Azji. Rozwój współczesnych cech odmianowych nastąpił pod wpływem zmieniających się warunków naturalnych.

## Gen nomadów

W większych ilościach gen grupy krwi B pojawił się 10–15 tysięcy lat p.n.e., pod koniec neolitu, na wyżynach otaczających Himalaje, na terenach dzisiejszych Indii i Pakistanu. Podobnie jak w wypadku grupy krwi A, której powstanie było ewolucyjną odpowiedzią człowieka na zmieniające się warunki środowiskowe, również grupa B była taką reakcją. Jednakże w przeciwieństwie do grupy A, która zaczęła wypierać i zastępować grupę 0, ponieważ była bardziej odporna na nowe rodzaje chorób zakaźnych, grupa B powstała raczej w wyniku serii adaptacji pokarmowych, które nastąpiły pod wpływem zmian klimatycznych. Życie na równinnych sawannach Afryki nie przygotowało kromaniońskich łowców-zbieraczy ani do życia w zimnych, suchych obszarach podgórskich wyżyn, ani na bezkresnych stepach środkowej Azji. Możliwe, że krew grupy B była jedyną krwią pozwalającą na skuteczne przetrwanie w takich

surowych warunkach. Za teorią tą przemawiają niektóre doniesienia naukowe: na przykład, stężenie testosteronu, estradiolu i somatotropiny we krwi górali pamirskich i kirgiskich zależy od ich miejsca zamieszkania czy raczej od jego wysokości nad poziomem morza. Na dużych wysokościach krew grupy 0 zawiera najmniej hormonów płciowych, podczas gdy krew grupy B zawiera ich najwięcej[16] – a tym samym daje jej posiadaczom większe szanse na przekazanie genów potomstwu.

W czasach głodu upośledzeniu ulegają dwie ważne funkcje życiowe: zdolność obrony przed chorobami zakaźnymi i zdolność do rozmnażania. W zasadzie wszystkożerni posiadacze grupy krwi B byli być może jedynymi ludźmi, których układ odpornościowy był w stanie poradzić sobie na diecie, na którą według Rzymian składało się „kwaśne mleko i krew klaczy". Krew grupy B nie tylko pozwalała przetrwać ciężkie czasy, ale być może sprawiała też, że kobiety ją noszące nie tylko były bardziej płodne niż kobiety mające grupę krwi A lub 0[17], ale wcześniej zaczynały miesiączkować[18].

Większa koncentracja genu grupy krwi B pozostaje w bezpośrednim związku z demografią istniejącego kiedyś systemu kastowego. Ponieważ system kastowy był bezpośrednią konsekwencją następujących po sobie kolejno najazdów, wydaje się prawdopodobne, że gen B dostał się na subkontynent indyjski właśnie tą drogą[19]. Badania przeprowadzone wśród 14 grup kastowych Hindusów (nie licząc chrześcijan i muzułmanów) na obszarze zachodniego Godavari, Andhra Pradesh i Indii wykazały, że w kastach tych – z wyjątkiem braminów, kszatrjów i reddów – gen grupy krwi B miał dość wyraźną przewagę nad genem grupy A[20]. Z kolei w trakcie badań nad rozprzestrzenieniem układu AB0 wzdłuż Jedwabnego Szlaku w północno-zachodnich Chinach zaobserwowano wyraźny wzrost częstości występowania grupy B, zwłaszcza porównując osobników pochodzenia mongolskiego z przedstawicielami rasy kaukaskiej[21].

Niemal nieprzerwany pas obszarów górskich, ciągnących się od Uralu przez Rosję do Kaukazu, a następnie do Pirenejów we Francji, stanowi barierę, która podzieliła wędrówkę ludów na dwa strumienie: północny i południowy. Najeźdźcy, którzy przybyli szlakiem na południe, przynieśli ze sobą gen grupy krwi A i dali początek ludności śródziemnomorskiej i ludom Europy Zachodniej. Wprawdzie Ural stanął na przeszkodzie masowym wędrówkom z Azji na zachód, jednakże mały strumień ludzi odmiany kaukaskiej przedarł się do wschodniej Europy, wnosząc ze sobą gen na grupę krwi B, nabyty przez nich w wyniku krzyżowania z Mongołami. W ten sposób pojawił się w Europie podział na ludność zachodnią (grupa krwi A) i wschodnią (grupa krwi B).

Ludy mongolskie o grupie krwi B dalej wędrowały na północ, w stronę dzisiejszej Syberii. W różnych okresach ludy rasy mongolskiej penetrowały rozległe obszary Europy Wschodniej, raz nawet przedarły się do bram Wiednia. Niewątpliwie właśnie Mongołowie byli odpowiedzialni za wprowadzenie genu grupy B do populacji wschodnioeuropejskich. Stworzyli odmienną kulturę, opartą na pasterstwie i wykorzystującą jako pożywienie przede wszystkim produkty mleczne. Ci wieczni nomadowie byli znakomitymi jeźdźcami przystosowanymi do przemierzania rozległych syberyjskich stepów. Musieli być zwarci, ściśle powiązani i homogeniczni genetycznie. Niedawne badania, przeprowadzone z użyciem skomplikowanej metody PCR (*polymerase chain reaction* – reakcja łańcuchowa polimerazy), pozwoliły na określenie układu grupowego dziewięciu ludzkich mumii odkrytych w 1912 roku na pustyni Taklamakan. Okazało się, że osiem z nich miało grupę krwi B[22].

W czasie neolitycznej rewolucji zaznaczyły się w Azji dwa główne kierunki rozwoju populacji noszących gen grupy krwi B. Pierwszy z nich dał początek rolniczej, raczej osiadłej populacji na południu i wschodzie, drugi doprowadził do powstania wędrownych społeczności nomadów na północy i zachodzie Azji. Schizma ta znajduje jeszcze dziś kulturowe odzwierciedlenie w kuchni południowoazjatyckiej, w której praktycznie nie używa się produktów mlecznych.

W tym kręgu kulturowym nabiał uważany jest za pożywienie barbarzyńców.

Wydaje się, że na środkowym Wschodzie semickie plemiona nomadów noszących gen grupy krwi B przedostały się, zarówno biernie, jak i czynnie do istniejących tu wcześniej kultur neolitycznych. Hyksosi rządzili Egiptem w okresie XV dynastii (XVII–XVI w. p.n.e.). Skąd przybyli owi obcy władcy w zasadzie nie wiadomo, przyjmuje się jednak, że byli Azjatami. Egipcjanie określali ich jako „władców obcych krajów". Z początku uważano, że okresowi obcej władzy w Egipcie musiała towarzyszyć fala przemocy i gwałtów, dziś jednak wydaje się, że władza ta została przejęta w sposób raczej pokojowy. Być może liczba Hyksosów zamieszkujących obszary delty Nilu rosła stopniowo, osiągając w końcu wielkość, która uczyniła ich ważną siłą polityczną. Pod rządami Hyksosów zachowana została tradycja i kultura Egipcjan, co świadczy o tym, że owi obcy władcy ulegli całkowitej egipcjanizacji. Prócz tego wyższe klasy społeczne Egiptu mogą znaczną domieszkę genu B zawdzięczać zwierzchnictwu perskiemu. „Iset Iri Hetes", egipska mumia z III w. p.n.e., którą poddano niedawno analizom typologicznym, miała grupę krwi B[23]. Co ciekawe, w Afryce (i niezależnie od wszelkich uwarunkowań rasowych) grupa krwi B występuje częściej niż na środkowym Wschodzie i w Europie. Nie wiadomo, czy jest to skutek krzyżowania populacji, czy obecności pierwotnej puli genu grupy krwi B; znaczy to jednak, że powiązania między starożytnym Egiptem i Afryką subsaharyjską są silniejsze i starsze, niż się na ogół sądzi.

Właściwości krwi różnych populacji żydowskich od dawna budzą zainteresowanie antropologów. Można przyjąć jako ogólną zasadę, że – niezależnie od narodowości i odmiany – istnieje w nich tendencja do wyższej niż średnia częstości występowania genu na grupę krwi B. Dwie główne sekty, aszkenazyjczycy z Europy Wschodniej i Sefardyjczycy ze środkowego Wschodu i Afryki, mają podobnie wysoki procent krwi grupy B i właściwie niewiele się różnią. Żydzi babilońscy tym się różnią od współczesnych irackich Arabów, mających przede wszystkim krew grupy 0, że mają wysoki procent krwi grupy A i jeszcze większy udział krwi grupy B. U Żydów z oazy Tafilalet w Maroku – starożytnej społeczności, obecnie rozproszonej – grupa krwi grupy B była także bardzo częsta, występując nawet u 29% populacji.

Karaimowie, charakteryzujący się nadzwyczaj dużym udziałem krwi grupy B, są członkami żydowskiej sekty, która powstała w VIII wieku naszej ery na terenach Babilonii. Pojedyncza społeczność karaimska nadal istnieje na terenach Litwy, dokąd dotarła z Krymu. Karaimowie uważają, że z Żydami łączy ich religia, nie rasa. W czasie drugiej wojny światowej ta separatystyczna deklaracja została uznana przez nazistów okupujących Litwę. Oszczędziło to Karaimom horroru holokaustu[24].

Dla współczesnego antropologa krew grupy B nadal jest krwią „wschodnią". Spotyka się ją powszechnie u Azjatów, takich jak Chińczycy, Hindusi i rodowici mieszkańcy Syberii. W Europie dość często krew grupy B spotyka się u Węgrów, Rosjan, Polaków i innych nacji Europy Wschodniej. Wśród rodowitych mieszkańców Europy Zachodniej występuje raczej rzadko. W populacjach preneolitycznych, takich jak Baskowie i Indianie, właściwie w ogóle nie występuje.

Spośród wszystkich grup układu AB0 grupa krwi B charakteryzuje się najwyraźniejszym zdefiniowaniem geograficznym. Tworząc wyraźny szeroki pas w poprzek euroazjatyckich równin i w dół, w stronę subkontynentu indyjskiego, grupa krwi B występuje ze znaczną częstością w Japonii, Mongolii, Chinach i Indiach, aż po Ural. Począwszy od tych gór, udział genu B w populacjach maleje, by najniższy procent osiągnąć w Europie Zachodniej.

Krew grupy B jest krwią o wyraźnie nieindoeuropejskim pochodzeniu. Jedynie na dwóch obszarach Europy krew tej grupy występuje ze znaczną częstością: wśród nieindoeuropejskich ludów ugrofińskich (takich jak Węgrzy i Finowie) oraz wśród środkowych Słowian (Czechów, południowych Polaków i północnych Serbów). Prawdopodobnie wysoki udział krwi grupy B mieli też wikingowie, jako że brytyjskie i inne zachodnioeuropejskie miasta, które połączone są z brzegiem morskim liniami komunikacyjnymi w postaci rzek, mają, w porównaniu z otaczającymi je terenami, zastanawiająco duży udział ludności z grupą krwi B.

Społeczności starożytne i zachodnioeuropejskie nieznaczny udział krwi grupy B zawdzięczają zachodniemu strumieniowi migracji azjatyckich nomadów. Widać to szczególnie dobrze u Niemców i Austriaków, najbardziej wschodnich populacji zachodnioeuropejskich; mają oni w porównaniu do swych zachodnich sąsiadów o wiele większy udział krwi grupy B. Największą częstość występowania tej grupy krwi obserwuje się w górnym i środkowym biegu Łeby, rzeki, która w starożytności i w średniowieczu była ważną naturalną granicą między „cywilizacją" i „barbarzyństwem".

Największą na świecie częstość występowania krwi grupy B obserwuje się u dzisiejszych mieszkańców Indii należących do odmiany kaukaskiej. Co ciekawsze, wśród Azjatów jedynie Hindusi i Japończycy wykazują również znaczny udział krwi grupy A. U ludności północy Chin i Koreańczyków grupa krwi B występuje wprawdzie często, ale nie towarzyszy temu zwiększona częstość występowania grupy krwi A.

Obecnie grupę krwi B ma około 10% ludności świata.

## Krzyżówki i mieszanki

Krew grupy AB spotykana jest u niespełna 5% populacji całego świata. Z całą pewnością jest to krew o najkrótszej historii. W przeciwieństwie do innych grup układu AB0, krew grupy AB powstała w wyniku wymieszania się ludów odmiany kaukaskiej (grupa krwi A) z ludnością mongolską (grupa krwi B). Proces ten był po części pokojowy, ale z pewnością nie tylko, o czym świadczyć może tak zwana „wielka wędrówka ludów", czyli pełna przemocy zawierucha, która przetoczyła się przez Europę pod koniec starożytności (między 300 a 800 r. n.e.).

W okresie tym doszło do upadku cywilizacji starożytnych, czego bezpośrednią przyczyną były wędrowne wojownicze hordy, przede wszystkim ze wschodu. U tych mieszkańców stepów częstość występowania krwi grupy B była prawdopodobnie duża, tak więc pojawienie się grupy AB może być uważane za wynik krzyżowania wschodnich najeźdźców z ich europejskimi gospodarzami. W Europie rozmieszczenie grupy krwi AB odpowiada rozmieszczeniu krwi grupy B, z najmniejszą częstością u mieszkańców Europy Zachodniej. Bardzo wysoki udział ludności o grupie krwi AB obserwuje się też u Hindusów, co znów pewnie można by wytłumaczyć migracjami, podbojami, ustrojem kastowym i przemieszaniem ludów.

Nie ma wielu dowodów na to, że grupa krwi AB istniała przed wielkimi wędrówkami ludów wschodnich na zachód. W europejskich grobach sprzed 900 r. n.e. grupę krwi AB spotyka się bardzo rzadko. Badania przeprowadzone na prehistorycznych cmentarzyskach na Węgrzech wykazały wyraźnie nieobecność grupy krwi AB aż do epoki Longobardów (V–VII w. n.e.) Sugeruje to, że aż do tamtych czasów kontakty między europejskimi populacjami grupy krwi A i B należały do rzadkości, a jeśli istniały, to nie w zakresie małżeństw czy w ogóle wymiany genów.

Być może krew grupy AB jest wynalazkiem „czysto człowieczym". W krwi tej grupy panuje szczyt tolerancji: antygeny A i B postrzegane są jako „swoje", a krew nie zawiera przeciwciał skierowanych przeciwko tym antygenom. Już w latach czterdziestych XX wieku zaobserwowano, że w grupie osób mających krew AB przypadki nowotworów zdarzają się częściej niż w innych grupach. Z drugiej zaś strony brak przeciwciał minimalizuje niebezpieczeństwo wystąpienia alergii i innych chorób autoagresyjnych, np. artretyzmu.

Być może, że antygen B, obecny zarówno w grupie B, jak i w grupie AB, daje swemu posiadaczowi jeszcze inne korzyści. Stwierdzono na przykład, że osobniki należące do grupy B są średnio nieco wyższe niż osobniki z grupy A i 0[25], a kobiety z grupy AB są cięższe niż ich odpowiedniczki w pozostałych grupach w układu AB0[26].

Coś „korzystnego" w posiadaniu grupy AB być musi, ponieważ zdolność do tolerowania antygenów A i B jest przekazywana potomstwu. Być może fakt braku przeciwciał A i B stymuluje układ odpornościowy do wytwarzania innych, bardziej wyspecjalizowanych przeciwciał chroniących jego posiadaczy przed infekcjami bakteryjnymi.

## Współczesne rozmieszczenie grup krwi układu AB0

Nasze grupy krwi nie są wynikiem genetycznych strzałów w ciemno, bez przyczyny. Układ AB0 wytworzył się w wyniku ewolucyjnych rozwiązań problemów, jakimi są różne, zmienne czynniki środowiska naturalnego, takie jak pożywienie i choroby; rozwiązań, które umożliwiły gatunkowi ludzkiemu przetrwanie. Różne adaptacje populacji złożonych z osobników tej czy innej grupy krwi wynikły z biologicznej potrzeby identyfikacji z otaczającym nas środowiskiem.

Patrząc na współczesną dystrybucję układu grupowego AB0, dostrzegamy wyraźne ślady naszej ewolucji. W Stanach Zjednoczonych główną, najliczniej reprezentowaną grupą krwi jest 0; drugą z rzędu jest A, a na końcu plasują się B i AB. Podobnie rzecz się ma w Wielkiej Brytanii. W Niemczech A jest nieco liczniejsza niż 0, a B i AB występują w proporcjach przypominających amerykańskie. W Japonii i Chinach A, 0 i B występują prawie z równą częstością, przy czym częstość grupy AB jest wyższa niż w populacjach europejskich.

Do końca drugiej wojny światowej antropologia fizyczna oznaczała przede wszystkim porównywanie cech budowy ciała różnych populacji ludzkich i osobników. Zwykle chodziło tu o porównanie wielkości różnych części ciała, a przede wszystkim czaszki. Jednakże, prawdopodobnie pod wpływem intensywnego korzystania z transfuzji krwi w czasie wojny, okazało się, że alternatywą dla dotychczasowych, dość subiektywnych metod antropometrycznych może się stać seroantropologia*. Grupy krwi były bardziej obiektywnym

---

* Nauka o ciałach odpornościowych u człowieka i ich zmienności w różnych ludzkich populacjach – przyp. tłum.

biologicznym wyznacznikiem, na podstawie którego można było skonstruować mapę ludzkich wędrówek i klasyfikację ludzkich populacji. W ten sposób antropologia fizyczna wypracowała pierwsze prawdziwie naukowe narzędzie.

„Historia to banialuki", napisał kiedyś przemysłowiec Henry Ford. Jest w tym ziarno prawdy. Ponieważ przegrani rzadko spisują historię, musimy, posługując się współczesnym rozumowaniem i logiką, interpretować minione wydarzenia na podstawie przekazów pozostawionych przez tych, którym się powiodło. Nie mówiąc już o tym, jak trudno nam wczuć się w położenie naszych przodków. A jednak wszelkie próby zrozumienia źródeł naszego dotychczasowego ludzkiego doświadczenia są niezwykle cementujące emocjonalnie i intelektualnie. Niosą ze sobą wartości nie tylko poznawcze; pozwalają nam widzieć, czuć i dotknąć współczesnych, fizycznych konsekwencji tych pradawnych wydarzeń.

Tym samym sprawiają, że w pełni doświadczamy sukcesu, jakim jest fakt, że przetrwaliśmy.

**Bibliografia**

1. O'hUigin C, Sato A, Klein J. Evidence for convergent evolution of A and B blood groop antigens in primates. *Hum Genet.* 1997;101:141–148.
2. Garratty G. Blood group antigens as tumor markers, parasitic/bacterial/viral receptors, and their associations with immunologically important proteins. *Immunol Invest.* 1995;24:213–232.
3. Jorgensen G. Human genetics and infectious diseases. *MMW Munch Med Wochenschr.* 1981;125:1447–1452.
4. Pestana de Castro AF, Perreau P, Rodrigues AC, Simoes M. Haemagglutinating properties of *Pasteurella multocida* type A strains isolated from rabbits and poultry. *Ann Microbiol (Paris).* 1980;151:255–265.
5. Doughty BR. The changes in AB0 blood group frequency within a mediaeval English population. *Med Lab Sci.* 1977;54:551–554.
6. Mourant AE. *Blood Relations: Blood Groups and Anthropology.* Oxford, NY: Oxford University Press; 1983.
7. Harb Z, Llop E, Moreno R, Quiroz D. Coastal Chilean populations: genetic markers in four locations. *Rev Med Chil.* 1998;126:755–760.
8. Gorodezky C, Castro-Escobar LE, Escobar-Gutierrez A. The HLA system in the prevalent Mexican Indian group: the Nahuas. *Tissue Antigens.* 1985;25:38–46.
9. Solovenchuk LL. [Genetic structure of the populations of native inhabitants in the northeastern USSR. III. Asiatic Eskimo and the coast and reindeer Chukchi]. *Genetika.* 1984;20:1902–1909.
10. Mitchell JR. An association between AB0 blood-group distribution and geographical differences in death-rates. *Lancet.* 1977;1:295–297.
11. Cavalli-Sforza LL, Menozzi P, Piazza A. *The History and Geography of Human Genes.* Princeton: Princeton University Press, 1994.
12. Allison M J, Hossaini AA, Munizaga J, Fung R. AB0 blood groups in Chilean and Peruvian mummies. II. Results of agglutination-inhibition technique. *Am J Phys Anthropol.* 1978;49:139–142.
13. Mascie-Taylor CG, Lasker GW. Migration and changes in AB0 and Rh blood group clines in Britain. *Hum Biol* 1987;59:537–544.
14. Tills D, Teesdale P, Mourant AE. Blood groups of the Irish. *Ann Hum Biol.* 1977;4:23–24.
15. Wilford JN. Study of prehumans' teeth suggests that they dined on meat. *The New York Times International.* January 15, 1999.
16. Spitsyn VA, Bets LV, Anikeeva AV, Spitsyna NK. Influence of environmental and genetic factors on levels of testosterone, estradiol and somatotrophic hormones in mountaineers of the Pamir. *Vestn Ross Akad Med Nauk.* 1997;7:46–51.
17. Kelso AJ, Siffert T, Thieman A. Do type B women have more offspring?: an instance of asymmetrical selection at the ABO blood group locus. *Am J Human Biol.* 1995;41–44.
18. Balgir RS. Menarcheal age in relation to AB0 blood group phenotypes and haemoglobin-E genotypes. *J Assoc Physicians India.* 1993;41:210–211.
19. Sengupta S, Dutta MN. Genetic investigations among the Ahom of Assam. *J Indian Med Assoc.* 1991;89:13–15.
20. Vijayalakshmi M, Naidu JM, Suryanarayana B. Blood groups, ABH saliva secretion and colour vision deficiency in Hindu castes and religious groups of West Godavari, Andhra Pradesh, India. *Anthropol Anz.* 1994;52:305–315.
21. Iwasaki M, Kobayashi K, Suzuki H, et al. Polymorphism of the AB0 blood group genes in Han, Kazak and Uygur populations in the Silk Route of northwestern China. *Tissue Antigens.* 2000;56:136–142.
22. Lio Z, Kondo T, Minamino T, Sun E, Liu G, Ohshima T. Genotyping of AB0 blood group system by PCR and RFLP on mummies discovered at Taklamakan desert in 1912. *Nippon Hoigaku Zasshi.* 1996;50:55 (336–342).
23. Klys M, Opolska-Bogusz B, Próchnicka B. A serological and histological study of the Egyptian mummy „Iset Iri Hetes" from the Ptolemaic period III-IB. C. *Forensic Sci Int.* 1999;99:229–233.
24. Mourant AE. *Blood Relations:* Blood Groups and Anthropology. Oxford, NY: Oxford University Press: 1983.
25. Borecki TB, Elston KG, Rosenbaum PA, Srinivasan SR, Berenson GS. AB0 associations with blood pressure, serum lipids and lipoproteins, and anthropometric measures. *Hum Hered.* 1985;35:161–170.
26. Kelso AJ, Maggi W, Beals KL. Body weight and AB0 blood types: Are AB females heavier? *Amer J Hum Biol.* 1994;(6):385–387.

# Rozdział 2

# Sto lat nauki o grupach krwi

Od początku XX wieku, kiedy to odkryto układ grupowy AB0, niejednokrotnie dowiedziono, że grupy krwi dostarczają jednego z najbardziej wiarygodnych sposobów oceniania ludzkiej indywidualności i różnorodności. Ich wpływ rozciąga się na całe spektrum zagadnień, takich jak fizjologia, psychologia, życie społeczne.

Wiedza na ich temat pozwala przerzucić most nad lukami w naszej znajomości życia człowieka – od zagadki jego przetrwania po zagadnienia dotyczące jego współistnienia w środowisku naturalnym. Znajomość grup krwi pozwala nam prześledzić liczne trasy, którymi człowiek przemierzył naszą starożytną planetę.

Przeglądając się biegowi wydarzeń, który doprowadził w ciągu minionego wieku do odsłonięcia tajemnic grup krwi, widzimy jasno, że wiedza na temat tożsamości człowieka rosła krok po kroku, składana z fragmentarycznych informacji, które zebrane razem pokazały jasno, że między biologią i przeznaczeniem istnieje współzależność. Była to wędrówka tyleż interesująca, co stymulująca.

## Odkrycie układu grupowego AB0

Pierwszy opis krążenia krwi wewnątrz organizmu zawdzięczamy Anglikowi, Williamowi Harveyowi, który w 1628 roku opublikował swoje teorie w dziele *De Motu Cordis et Sanguinis in Animalibus* (O ruchu serca i krwi u zwierząt). Harvey był uczniem Hieronimusa Fabriciusa, szanowanego naukowca i chirurga wykładającego na uniwersytecie w Padwie. Fabricius, zapalony anatom, odkrył zastawki w żyłach, przepuszczające krew w jednym tylko kierunku, jednakże nie pojął ich prawdziwego znaczenia. Według panującego wówczas przekonania krew krążyła w organizmie dzięki czemuś w rodzaju pulsowania tętnic.

Obserwacje dokonane na polach bitew uświadomiły pierwszym lekarzom, że bardzo duża utrata krwi kończy się szokiem i śmiercią. Już w XVI wieku lekarze próbowali zastępować krew utraconą na stole operacyjnym lub w wyniku ran bitewnych krwią zdrowych dawców. Bardzo szybko przekonano się, że to, czy transfuzja skończy się sukcesem, czy porażką, było z nieznanych przyczyn zupełnie niemożliwe do przewidzenia; niektóre z tych pierwszych transfuzji skończyły się spektakularnym zwycięstwem, inne zdawały się wręcz przyspieszać zgon pacjenta. W swym dążeniu do zwiększenia przewidywalności wykonywanych transfuzji lekarze próbowali nawet przetaczać ludziom krew zwierząt, takich jak owce, psy i króliki. Sprawdzono nawet przydatność mleka i słonej wody. Niestety, w większości wypadków zakończyło się to haniebną klęską eksperymentu. Aż do XX wieku utrata krwi była najpospolitszą przyczyną śmierci podczas porodu i na polu bitwy.

W 1888 roku pewien naukowiec z uniwersytetu w Dorpacie (teraz Tartu) w Estonii w trakcie pracy nad doktoratem dokonał odkrycia, które okazało się kluczem do zrozumienia tajemnicy nieudanych transfuzji. Hermana Stillmarka, badającego na zwierzętach laboratoryjnych toksyczność oleju rycynowego, bardzo poruszyły męczarnie nieszczęsnych zwierząt. Postanowił zatem prowadzić badania nie na zwierzętach, ale na kulturach komórkowych. Zmieszawszy wyciąg z nasienia rącznika z krwią, dokonał wstrząsającego odkrycia: krwinki czerwone uległy aglutynacji – to znaczy pozlepiały się „jak w skrzepie"[1]. Stillmark stwierdził, że u niektórych gatunków zachodziła aglutynacja pod wpływem oleju z nasion rącznika, natomiast u innych nie; co więcej, olej rycynowy mógł też aglutynować komórki wątroby, skóry i białe krwinki. Odkrycie Stillmarka przez długi czas było określane mianem „zasady toksyczności" roślin. Trzeba było jeszcze następnych 50 lat, aby wyizolowano białko odpowiedzialne za te toksyczne skutki. Nazwano je rycyną, od łacińskiej nazwy rącznika *Ricinus communis*. Odkrycie aglutynacji było ważnym przełomem w medycynie. Po raz pierwszy wykazano, że krew może reagować z innymi substancjami.

Praca Stillmarka dała początek serii tez i publikacji na tymże samym uniwersytecie, gdzie przebadano również inne trucizny o właściwościach aglutynacyjnych. W 1891 roku odkryto, że modligroszek (*Abrus precatorius*) także aglu-

tynuje komórki krwi, zaś jedna z trzech trucizn wyizolowanych z oleju krotonowego, otrzymywanego z *Croton tiglium*, zachowuje się różnie w stosunku do krwi różnych gatunków zwierząt. Niektóre erytrocyty ulegały całkowitej destrukcji (królik, kruk), inne ulegały silnemu pozlepianiu (bydło, świnia, owca, szczupak, okoń i żaba), część ulegała lekkiej aglutynacji (kot), a wreszcie niektóre aglutynowały się w zupełnie niewielkim stopniu (człowiek).

Te pierwsze publikacje na temat zjawiska aglutynacji pod wpływem toksyn roślinnych wywarły stymulujący wpływ na będącą dopiero w powijakach immunologię i znakomicie uzupełniły wcześniejsze spostrzeżenia opisujące inne białka o właściwościach aglutynacyjnych, tym razem pochodzenia zwierzęcego, jak na przykład jad węża.

W 1930 roku Nagrodę Nobla otrzymał doktor Karl Landsteiner za odkrycie antygenów i przeciwciał układu grupowego ABO.

Nie uszło to uwagi niemieckiego bakteriologa Paula Ehrlicha. Stwierdził on, że pewne zagadnienia z zakresu immunologii mógłby badać, stosując roślinne aglutyniny, a nie toksyny bakterii, takich jak maczugowce błonicy. Ehrlich przeprowadził, stosując abrynę i rycynę, całą serię eksperymentów, których wyniki stały się podstawowymi tezami immunologii. Na przykład stwierdził, że króliki karmione niewielkimi ilościami nasion modligroszku stają się do pewnego stopnia odporne na abrynę, a jej wstrzykiwanie dożylne zwiększa ich odporność. Dzięki temu doświadczeniu Ehrlich mógł zademonstrować specyficzność białek (później nazwanych przeciwciałami) pojawiających się w surowicy krwi po podaniu abryny i rycyny. Na przykład, antyabryna może zneutralizować działanie abryny, ale nie rycyny – i na odwrót. Zarówno specyficzność podstawowej cząsteczki przeciwciała, jak zjawisko wywoływania tolerancji na pewne substancje po dziś dzień są uznawane za kamienie węgielne rozwoju immunologii.

Udowodniona przez Ehrlicha specyficzność większości cząsteczek przeciwciał i ujawnienie istnienia dynamicznego procesu zwanego później reakcją między antygenem i przeciwciałem otworzyły drogę do odkrycia układu grupowego AB0. W 1900 roku Karl Landsteiner, amerykański lekarz i naukowiec pochodzenia austriackiego, zaobserwował, że kiedy zmiesza się krew pochodzącą od różnych osobników, to może – ale nie musi – dojść do jej aglutynacji. Na podstawie tych różnych reakcji zdołał wyróżnić trzy grupy krwi: 0, A i B. Czwarta grupa, AB, została dodana w niedługi czas później. Po raz pierwszy w historii medycyny transfuzje zaczęły być przewidywalne i bezpieczne. Uwzględniając ogromną liczbę ludzkich żywotów uratowanych dzięki odkryciu Landsteinera, można się z pewnością pokusić o stwierdzenie, że do dziś jest to jedno z największych osiągnięć medycyny; zostało ono wyróżnione w 1930 roku przyznaniem Nagrody Nobla dla uczonego. W 1946 roku w wyniku współpracy z Philipem Levinem i Aleksandrem Weinerem Landsteiner odkrył układ grupowy Rh, wyjaśniając w ten sposób następną zagadkową komplikację obserwowaną niekiedy w reakcjach między organizmem matki i płodu.

Do podobnych wniosków co Landsteiner, aczkolwiek zupełnie odeń niezależnie, doszedł na początku XX wieku czeski lekarz, doktor medy-

cyny i wykładowca na Uniwersytecie Karola w Pradze, Jan Jansky. Jansky, który był psychiatrą i neurologiem, postanowił, w celu stwierdzenia, czy istnieją różnice w koagulacji krwi osób chorych na schizofrenię i inne psychozy, zbadać krew ponad 3 tysięcy pacjentów. W trakcie tych badań uczony odkrył cztery różne grupy krwi – 0, A, B i AB – i opublikował pracę na ten temat w 1907 roku.

### Nie tylko transfuzje

Znaczenie, jakie odkrycie grup krwi miało dla transfuzji, było oczywiste, jednakże Landsteiner nie poprzestał na tym, a jego pragnienie wyjaśnienia tajemnic z nimi związanych zaprowadziło go na szersze wody. Opierając się na odkryciach Stillmarka na temat aglutynacji i wynikach badań Ehrlicha w zakresie immunologii, a także na swoich rewelacjach na temat właściwości grup krwi, zaczął eksperymentować z wpływem różnych substancji na czerwone krwinki. W 1908 roku wykazał, że niewielka ilość aglutyniny ze zwyczajnej soczewicy zlepia krew królika, ale nawet największe ilości tej samej substancji nie mają wpływu na krew gołębia. Dowiódł też, że roślinne aglutyniny przyczepione do erytrocytów można uwolnić, podgrzewając krew do temperatury 50°C lub traktując zlepione krwinki wydzieliną śluzówki jelita świni (szczęśliwie bogatego źródła antygenu grupy krwi A). Landsteiner był gotów do opublikowania swych odkryć na temat związków między substancjami pochodzenia roślinnego i grupami krwi już w 1914 roku, ale przeszkodziła temu wojna i jego praca ujrzała światło dzienne dopiero w 1933 roku.

Wydaje się, że choć Landsteiner rozpracował wpływ niektórych trucizn roślinnych na erytrocyty, to najwyraźniej nie uważał, by można je było użyć jako narzędzi do określania grupy krwi. W ciągu czterdziestu lat po odkryciach Landsteinera prowadzono niewiele badań w tym zakresie, choć odkryto kilka nowych źródeł aglutynin, takich jak ziarna soi, fasola półksiężycowata (tzw. fasola lima) i orzeszki ziemne.

Jednakże w 1945 roku doktor William Clouser Boyd, pracujący w Boston University's School of Medicine, odkrył, że niektóre aglutyniny wykazują się specyficznością, tzn. aglutynują pewien rodzaj krwi, a inne nie. Aglutyniny znalezione w fasoli półksiężycowatej aglutynują wyłącznie krew grupy A, nie zlepiając ani krwi grupy 0, ani krwi grupy B. Boyd nazwał **lektyną** każdą aglutyninę, która zlepia krwinki, łącząc cukry obecne w ich błonie komórkowej. Słowo „lektyna" wywodzi się z łacińskiego słowa *legere*, co oznacza „wybrać". W kwestii aglutynacji lektyny mają szczególne upodobania, działając jedynie na bardzo konkretnych kombinacjach cukrów, zupełnie jak klucz, który pasuje tylko do konkretnej dziurki.

Jak stwierdził sam Boyd w czasopiśmie „Annals of the NY Academy of Science" (1970), odkrył lektyny w chwili, gdy studiował tabelę użytą przez Landsteinera do podsumowania danych na temat aglutynacji krwi różnych zwierząt.

| Źródło aglutyniny roślinnej | Miano krwi w wypadku | | Źródło aglutyniny roślinnej | Miano krwi w wypadku | |
|---|---|---|---|---|---|
| | królika | gołębia | | konia | gołębia |
| Fasola | 125 | 2000 | modligroszek | 128 | 256 |
| Soczewica | 160 | 0 | nasienie rącznika | 4 | 512 |

Tabela 1. Aktywność aglutynacyjna różnych substancji roślinnych w stosunku do krwi różnych zwierząt.

„Pewnego dnia pod koniec 1945 roku, patrząc na tabelę zawartą w drugim angielskim wydaniu dzieła Landsteinera, naszła mnie myśl, że skoro te wyciągi wykazują specyficzność gatunkową, to równie dobrze mogą wykazywać specyficzność osobniczą; to znaczy wpływać na krew niektórych tylko osobników, nie zmieniając właściwości krwi innych przedstawicieli tego samego gatunku. Tak więc poprosiłem jednego z moich asystentów, aby poszedł do pobliskiego sklepu spożywczego i kupił trochę suszonej fasoli lima. Dlaczego wybrałem właśnie tę fasolę, i to właśnie tego gatunku, a nie na przykład o wiele bardziej pospolity groch czy zwykłą fasolę, nie mam najmniejszego pojęcia. Faktem jest, że gdybyśmy kupili jakąkolwiek inną fasolę, niczego nowego byśmy nie odkryli.

Nasiona fasoli zostały zmielone i poddane ekstrakcji roztworem soli. Otrzymany wyciąg wyraźnie aglutynował erytrocyty jednych ludzi, zaś na krew innych miał wpływ niewielki lub wręcz żaden. Od razu stało się jasne, że różnice wiążą się z grupami krwi.

Łatwość, z jaką zostało dokonane to odkrycie, zwiodła mnie i poza krótkim odniesieniem do niego zamieszczonym w drugim wydaniu moich *Fundamentals of Immunology* (Podstawy immunologii), nad którymi w owym czasie pracowałem, nie odnotowałem nigdzie tej obserwacji aż do roku 1949. Wtedy to opublikowałem wyniki badań nad 262 odmianami roślin należących do 63 rodzin i 186 rodzajów.

Zasugerowałem, żeby aglutyniny wykazujące specyficzność w stosunku do antygenu krwi (a będące również specyficznymi precypitynami) nazywać „lektynami" – od łacińskiego słowa *legere*, co oznacza wybierać; chodziło mi o ściągnięcie uwagi na ich wybiórczość, a nie na budowę chemiczną".

## Grupy krwi i ich rozprzestrzenienie w populacji ludzkiej

Pierwsze naukowe studia nad rozprzestrzenieniem grup krwi zostały podjęte przez Ludwika i Hannę Hirschfeldów, polskie małżeństwo immunologów, już w czasie pierwszej wojny światowej[2]. Pracując wśród zróżnicowanych etnicznie wojsk aliantów stacjonujących w Salonikach (Grecja), Hirschfeldowie użyli nowej wiedzy na temat grup krwi do badań nad cechami rasowymi i narodowościowymi. W trakcie systematycznych badań przeanalizowali grupy krwi żołnierzy z kilku obszarów etnicznych służących w angielskich i francuskich wojskach kolonialnych, w tym Wietnamczyków, Senegalczyków, Hindusów i więźniów najrozmaitszej narodowości. Każda grupa liczyła co najmniej

500 osób. Tak więc, Hirschfeldowie stwierdzili, że częstość krwi grupy B waha się od 7,2% w populacji angielskiej do 41,2% u Hindusów, a u rodowitych mieszkańców Europy Zachodniej krew tego typu występuje rzadziej niż u Słowian bałkańskich, którzy z kolei mają ją rzadziej niż Rosjanie, Turcy i Żydzi, a ci ostatni ustępują zdecydowanie Wietnamczykom i Hindusom. Rozmieszczenie krwi grupy AB było w zasadzie podobne i wynosiło: 3–5% u mieszkańców Europy Zachodniej i 8,5% u Hindusów.

Dystrybucja grupy krwi A i 0 była w zasadzie odwrotnością rozmieszczenia grupy B i AB. Znaczny udział (na poziomie 40%) grupy A zaobserwowano u Europejczyków, Słowian bałkańskich i Arabów, natomiast u mieszkańców Afryki Zachodniej, Wietnamczyków i Hindusów występowała ona rzadko. Czterdzieści sześć procent zbadanych Anglików miało krew grupy 0, podczas gdy u przebadanych Hindusów wielkość ta wynosiła zaledwie 31,3%.

Współczesna analiza, oparta przede wszystkim na danych z banków krwi, została przeprowadzona na próbie ponaddwudziestomilionowej, obejmującej ludzi z całego świata. Co ciekawe, nawet tak wielka próba nie wnosi wiele nowego do pionierskich obserwacji Hirschfeldów. Interesujący jest fakt, że w owym czasie żadne wydawnictwo naukowe nie widziało potrzeby opublikowania ich obserwacji i przez jakiś czas marnowały się one, niedostrzeżone przez szerszą opinię publiczną, w którymś z czasopism antropologicznych.

W latach dwudziestych XX wieku kilku antropologów podjęło próbę określenia rasowej przynależności ludzi na podstawie grupy krwi. Opierając się na wcześniejszych badaniach, Laurence Snyder opublikował książkę *Blood Grouping in Relationship to Clinical and Legal Medicine*[3] (Grupy krwi i ich znaczenie dla medycyny klinicznej i sądowej). W publikacji tej Snyder zaproponował system klasyfikacji porównawczej oparty na grupach krwi. Książka ta była o tyle interesująca, że skupiała się prawie wyłącznie na układzie grupowym AB0, jedynym w pełni naukowym narzędziu, jakie było wówczas do dyspozycji. Układy grupowe Rh i MN nie zostały jeszcze odkryte.

Być może w wyniku chaosu, jaki towarzyszył latom powojennym i okresowi kryzysu gospodarczego, następne trzy dekady nie obfitowały w naukowe próby wykorzystania grup krwi jako narzędzia antropologicznego.

W 1950 roku William Boyd, który okazał się wszechstronnym naukowcem o szerokich zainteresowaniach i możliwościach, użył swych wcześniejszych badań do walki z rasistowskimi poglądami szerzącymi się w Ameryce. We współpracy z Isaakiem Asimovem, naukowcem i znanym autorem książek fantastycznonaukowych, opublikował *Races and People*[4] (Rasy i ludzie), brzemienną w skutki pracę na ten temat. Boyd utrzymywał, że analiza grup krwi zapewnia o wiele bardziej wiarygodne ustalenie przynależności rasowej niż inne sposoby, takie jak kolor skóry czy przynależność narodowościowa. Wymienił cztery powody, które przywiodły go do tej konkluzji i które odbiły się szerokim echem w latach późniejszych. Po pierwsze, grupa krwi jest cechą ukrytą. Nikt nie jest w stanie określić grupy krwi człowieka tylko na podstawie jego wyglądu. W ten sposób można uniknąć pochopnych osądów i uprzedzeń. Po drugie, w przeciwieństwie do pozostałych cech fizycznych grupy krwi są dziedziczone w konkretny, precyzyjny sposób. Po trzecie, grupy krwi pozostają niezmienione od chwili poczęcia do chwili śmierci. Są cechą niezmienną. Wreszcie, grupy krwi dostarczyły decydującego dowodu na to, że w toku historii rodzaju ludzkiego dochodziło niejednokrotnie do krzyżowania się ludzi o różnych typach krwi, a to znaczy, że nie istnieje nic takiego jak „czystość" rasy. Na całym świecie występują wszystkie grupy krwi, nie tylko układu AB0, ale również układów MN i Rh, zidentyfikowanych nieco później[5] (patrz Rozdział trzeci). Na podstawie swych badań Boyd wyróżnił sześć „ras genetycznych" odpowiadających drogom migracji, niemożliwym do rozpoznania na podstawie barwy skóry czy innych cech wyglądu.

| Klasyfikacja | Grupa układu ABO | Grupa układu MN | Grupa układu Rh |
|---|---|---|---|
| Pierwsi Europejczycy | duży procent 0; brak B | N obecna w ilościach większych niż średnie | stosunkowo duży udział genu na Rh– |
| Europejczycy (odmiana kaukaska) | duży udział A; umiarkowany udział wszystkich | normalna częstość M | gen Rh– ponad średnią dla świata (wynoszącą 15%) |
| Afrykańczycy (odmiana negroidalna) | duży udział B; stosunkowo niska częstość występowania A | | gen Rh– w ilościach umiarkowanych; bardzo znaczny udział pewnego rzadkiego genu Rh+ |
| Azjaci (odmiana mongoidalna) | znaczny udział B; niewielki procent $A_2$ | | znikomy udział genu Rh– |
| Rodowici mieszkańcy Ameryki (Indianie) | bardzo wysoki udział 0; zniko-my (lub zerowy) udział A i B | | prawie wyłącznie Rh+ |
| Odmiana australoidalna | duży udział $A_1$; brak $A_2$ | duży udział N | prawie wyłącznie Rh+ |

**Tabela 2. Klasyfikacja Boyda**

**Grupa pierwotnych Europejczyków** – pierwsi mieszkańcy Europy (ich potomkami są np. Baskowie) charakteryzowali się częstym (ponad 30%) występowaniem genu krwi Rh–, znaczną częstością grupy 0 i prawdopodobnie brakiem grupy B. Gen na grupę krwi N występował u nich prawdopodobnie częściej niż u współczesnych Europejczyków.

**Grupa ludów odmiany kaukaskiej** – należy do niej większa część ludności białej. Charakteryzuje się najwyższym, po np. Baskach, udziałem krwi Rh– i dużym udziałem grupy krwi $A_2$. Pozostałe grupy występują z częstością umiarkowaną.

**Grupa afrykańska (odmiana negroidalna)** – charakteryzuje się bardzo dużym udziałem pewnego rzadkiego genu na Rh+, Rh0, i umiarkowaną częstością Rh–; stosunkowo dużym udziałem grupy krwi $A_2$ i rzadkimi pośrednimi rodzajami grupy A oraz dość wysokim udziałem grupy B.

**Grupa azjatycka (odmiana mongoidalna)** – wysoki procent grupy krwi B i niewielki, lub żaden udział grupy $A_2$ i Rh–.

**Grupa rodowitych mieszkańców Ameryki** – ogromna przewaga grupy krwi 0, niewielki pro-cent (lub wcale) krwi grupy A i prawdopodobnie brak grupy krwi B; wyłącznie Rh+.

**Grupa australoidalna** – duży udział grupy krwi $A_1$, ale nie $A_2$; prawie wyłącznie Rh+; duża częstość genu grupy N.

Klasyfikacja Boyda miała więcej sensu niż wcześniejsze systemy klasyfikacyjne, ponieważ lepiej pasowała do geograficznego rozmieszczenia poszczególnych ras.

W latach pięćdziesiątych XX wieku, kiedy języczkiem wagi świata naukowego stała się genetyka, wzrosło też zainteresowanie grupami krwi i innymi cechami, o których było wiadomo, że mają podstawy genetyczne. W latach sześćdziesiątych Luigi Luca Cavalli-Sforza, błyskotliwy włoski genetyk populacji, stworzył „drzewo" ludzkiej ewolucji, w większości oparte na dowodach genetycznych zebranych w minionych dziesięcioleciach, a przede wszystkim na badaniach nad grupami krwi. Cavalli-Sforza zebrał dane na temat grup krwi w wioskach i górskich społecznościach w okolicach Parmy we Włoszech. Wykorzystując rozbudowaną sieć katolickich parafii, zyskał dla swego pomysłu poparcie miejscowych księży; krew pobierano w zakrystii, po niedzielnym nabożeństwie. Gałęzie drzewa Cavalli-Sforzy rozpościerają się od wspólnego przodka w Afryce do Azji, Australii i Ameryki Północnej. Z Afryki do Europy sięgają inne gałęzie, zastępując wcześniejsze źródło ludzkich populacji, jakim byli neandertalczycy. Badania Cavalli-Sforzy dowiodły, na przekór panującym poglądom, że rasy nie są tworami genetycznie odmiennymi, ale mieszaniną, rozróżnialną jedynie na podstawie powierzchownych cech. Jeszcze później stwierdził, że Europejczycy, mający przodków zarówno afrykańskich, jak i azjatyckich, są najbardziej przemieszaną rasą na świecie.

Wyniki Cavalli-Sforzy obalały teorię determinizmu rasowego stworzoną przez XIX-wiecznego pisarza i etnologa, Francuza Arthura de Gobineau, którego prace silnie wpłynęły na rozwój niemieckiego faszyzmu. Na tę wiadomość, pisał Cavalli-Sforza z nieskrywaną satysfakcją, „Gobineau umarłby z gniewu i wstydu, «jako że był przekonany, że Europejczycy [...] są najczystszą genetycznie rasą, najlepiej obdarzoną pod względem intelektualnym i najmniej osłabioną przez krzyżówki międzyrasowe»".

Frank Livingstone, jeden z pierwszych paleoserologów, zaprzeczył nawet samej idei rasy[6,7]. Livingstone wywodził, że choć między populacjami składającymi się na gatunek istniało zróżnicowanie biologiczne, to jednak zmienność owa nie pasuje w żaden sposób do hipotetycznego istnienia jeszcze mniejszych podziałów, na to, co nazywamy rasami. Tymczasem różnice te są raczej „klinami" – stopniem nasilenia cechy w grupie spokrewnionych organizmów, zazwyczaj wzdłuż linii zmian środowiskowych.

Używając grup krwi do prześledzenia drogi, jaką przebyła ludzkość, pierwsi paleoserolodzy doszli do istotnych konkluzji co do przyczyn, z powodu których przetrwała rasa ludzka. Większą część danych na ten temat zebrał A.E. Mourant, lekarz i antropolog, autor dwóch fundamentalnych prac w tej dziedzinie: *Blood Groups and Disease*[8] (Grupy krwi a choroby) oraz *Blood Relations: Blood Groups and Anthropology*[9] (Więzy krwi: grupy krwi i antropologia). Istnieją poważne dowody na to, że selekcja wywiera znaczny wpływ na rozmieszczenie grup krwi. Główną przyczyną doboru naturalnego były tu z pewnością choroby zakaźne trapiące pierwotne populacje ludzkie. Można to położyć na karb *horror autotoxicus* – czyli wrodzonej niechęci organizmu do wytwarzania przeciwciał skierowanych przeciw własnym antygenom.

Mourant jako pierwszy wysunął hipotezę, że stosunkowo duży udział grupy A na obszarach, które w przeszłości często były areną epidemii dżumy (Turcja, Grecja, Włochy), wskazywać mogą na to, że z ewolucyjnego punktu widzenia grupa 0 może być wadą, co zresztą zostało udowodnione w wyniku badań z użyciem różnych grup krwi i różnych gatunków dżumy. Między różnymi grupami krwi i całą masą gatunków bakterii, riketsji i obleńców obserwuje się podobieństwo antygenowe; odnosi się to m.in. do streptokoków (grupa A), stafylokoków (grupa 0), pałeczki czerwonki (*Shigella*) i pałeczki z rodzaju *Proteus*.

Silnego poparcia dla teorii, że grupa krwi miała decydujące znaczenie dla przetrwania człowieka pierwotnego, dostarczył fakt, że praktycznie każda choroba zakaźna, która wpływa na liczebność populacji (a więc np. malaria, cholera, dur brzuszny, ospa, grypa i gruźlica), ma swą „ulubioną" grupę krwi, która jest na nią szczególnie podatna, a także inną, która jest na nią szczególnie odporna. Wielu specjalistów dowodzi, że presja, jaką wywiera choroba zakaźna na poszczególne grupy krwi, jest jednym z czynników, być może najważniejszym, wpływającym na dobór naturalny u człowieka i na rozmieszczenie grup krwi na świecie.

## Grupy krwi i osobowość: nauka i pseudonauka

Kiedy antropolodzy na podstawie grup krwi starali się prześledzić ewolucję człowieka, inni zaczęli na znaczenie grup krwi spoglądać z innego punktu widzenia. W wieku dwudziestym rozkwitła nowa gałąź nauki, próbująca wyjaśnić nie tylko tajemnice ciała, ale również tajemnice mózgu człowieka. W sposób naturalny grupy krwi stały się obiektem jej badań. W latach 20. zeszłego wieku Japończyk Takeji Furukawa, profesor psychologii, badał zależności między grupą krwi i charakterem człowieka[10]. W rezultacie przedstawił teorię, według której temperament człowieka zależy od jego grupy krwi. Specjalizacją Furukawy było nauczanie eksperymentalne w szkołach wyższych. W okresie swego zatrudnienia w żeńskim liceum pracował w dziekanacie. Właśnie wtedy doszedł do wniosku, że to różnice w temperamencie dziewcząt aplikujących do szkoły są odpowiedzialne za to, że na podstawie wyników egzaminów wstępnych nie sposób przewidzieć, jak dana uczennica poradzi sobie w toku nauki w szkole. Furukawa urodził się w rodzinie o tradycjach medycznych i najnowsze osiągnięcia w zakresie grup krwi nie były mu obce. Część swych obserwacji opublikował w 1931 roku w niemieckim „Journal of Applied Psychology". Jego koncepcja wpłynęła na kilku europejskich psychologów, którzy wkrótce rozpoczęli bardziej szczegółowe studia nad tym zagadnieniem. W Niemczech teorię Furukawy wyprowadził na szersze wody psycholog Karl H. Gobber. W Szwajcarii do badań nad związkami między grupą krwi i osobowością doktor K. Fritz Schaer użył studentów Szwajcarskiej Akademii Wojskowej. Jednakże wskutek zalewu faszyzmu, który objął brutalnym uściskiem najpierw Europę, a potem cały świat, prace Furukawy kilka dziesięcioleci trwały w zapomnieniu.

Znacznie później, w czasie swych studiów nad osobowością, jej związkiem z grupami krwi zajęli się dwaj znakomici psycholodzy, Raymond Cattell[11,12] i Hans Eysenck[13], traktując ten temat w sposób nieco marginalny. Osobowość ludzka interesowała ich jako funkcja organiczna, biochemiczna właściwość organizmu ludzkiego, a nie wynik wychowania i życia w społeczności.

Prace Cattella przyczyniły się znacznie do rozwoju naukowych metod badania różnic indywidualnych w zakresie zdolności poznawczych, osobowości i motywacji. Cattell opracował metodę 16PF (*personality factor*), test używany po dziś dzień do określania osobowości, tak skonstruowany, by ocenić cechy charakteru „normalnego" dorosłego człowieka.

W 1964 roku i ponownie w 1980 roku Cattell wykorzystał 16PF do badań nad grupami krwi w grupie 323 Australijczyków odmiany kaukaskiej. Grupa ta została scharakteryzowana pod względem 17 układów genetycznych (7 grup krwi) i 21 zmiennych psychologicznych. W rezultacie okazało się, że:

1. Osobniki mające krew grupy AB są o wiele bardziej samowystarczalne i niezależne od społeczności niż osobniki grupy 0, A i B.
2. Osobniki z grupą krwi A są bardziej skłonne do odczuwania poważnego niepokoju niż osoby z grupą krwi 0.

Inny badacz użył testu Cattella do określenia związków między układem AB0 i osobowością 547 dzieci w wieku szkolnym z południa stanu Missisipi (USA). Wykazano, że średnie wyniki dla każdej testowanej osobowości różniły się w zależności od grupy krwi ucznia. Okazało się na przykład, że z trzech grup, 0, A i B w stan napięcia najłatwiej popadali uczniowie z grupą krwi 0, natomiast w ogóle najszybciej stan ten pojawiał się u uczniów z grupą krwi AB[14].

Psycholog Hans Eysenck, z pochodzenia Niemiec, studiował we Francji i na uniwersytecie w Londynie. Na tej właśnie uczelni również pracował w latach 1955–1983 jako wykładowca psychologii. On również był jednym z pionierów idei, że na psychologiczne różnice między ludźmi duży wpływ mają czynniki genetyczne. Jego głównym wkładem do psychologii była teoria osobowości, określana czasami jako System PEN (Psychoza, Ekstrawersja, Neuroza). Według Eysencka te cechy osobowości były wynikiem określonych preferencji fizjologicznych i chemicznych organizmu. Na przykład, według Eysencka u introwertyków kora mózgowa znajduje się w stanie większego pobudzenia niż u ekstrawertyków*.

Eysenck tłumaczył różnice narodowościowe w częstości występowania poszczególnych cech osobowościowych jako odzwierciedlenie częstości występowania różnych grup krwi układu grupowego AB0. Wykorzystał wcześniejsze badania, według których europejscy ekstrawertycy i introwertycy, a także osoby skłonne do napięć i zrelaksowane różnili się znacznie częstością występowania poszczególnych grup krwi. Z prac tych wynikało, że osoby z grupą krwi B są o wiele bardziej wrażliwe uczuciowo niż osoby z grupą krwi A, a introwersja częściej spotykana była wśród osobników typu AB niż wśród osobników należących do innych grup.

W jednej z analiz Eysenck porównał próby z dwóch populacji: brytyjskiej i japońskiej. Ponieważ istniały wcześniejsze dane, które mówiły, że Japończycy są naturalnie bardziej skłonni do introwersji i neurozy niż Brytyjczycy, Eysenck przewidywał, że grupa AB występuje u nich z większą częstością niż grupa A i grupa B. Jego

---

* Co wiąże się z ich większą gotowością do reagowania na sytuacje zewnętrzne (i np. gotowością do nauki lub wrażliwością społeczną) – przyp. tłum.

przewidywania zostały w pełni potwierdzone przez badania serologiczne obu populacji.

Ogólnie rzecz biorąc, badania związków między osobowością i grupami krwi były na rozrastającym się polu psychologii człowieka zaledwie niewielką działką. Prawdziwe zainteresowanie tą dziedziną pojawiło się dopiero około 1971 roku, kiedy to Masahiko Nomi, japoński dziennikarz, opublikował serię popularnych książek na temat krwi i osobowości. Dzieła Nomiego były w zasadzie produkcją zupełnie niekontrolowaną i właściwie anegdotyczną; trudno nawet zrozumieć, w jaki sposób autor doszedł do swoich wniosków. Z tej właśnie przyczyny Nomi został kategorycznie skrytykowany przez japońskie środowisko psychologiczne, co nie zmienia faktu, że jego książki cieszyły się nadzwyczajną wręcz popularnością[15].

Wprawdzie wpływ grupy krwi na tak złożoną cechę jak osobowość nadal nie został w pełni udowodniony, jednakże niewykluczone, że obserwowane, wciąż jeszcze budzące kontrowersje zależności są zaledwie czubkiem góry lodowej związków między grupami krwi i stresem na poziomie genetycznym. W ostatnich latach stwierdzenie to nabrało pewnych cech prawdopodobieństwa, a to za sprawą znacznej liczby badań, które związały układ grupowy AB0 z całą serią różnych chorób psychicznych. Mowa tu m.in. o korelacji między grupą krwi 0 i depresją dwubiegunową[16,17,18,19] oraz grupą krwi A i skłonnością do natręctw myślowych i przymusów czynnościowych[20,21]. Inne badania dowodzą, że układ AB0 może być przyczyną różnic ilościowych i jakościowych w zakresie neuroprzekaźników i hormonów wydzielanych w sytuacjach stresowych. Na przykład, wiadomo że osobniki z grupą krwi 0 reagują na stres wydzielaniem dużych ilości katecholamin, takich jak adrenalina. Co więcej, wiadomo, że związek ten jest z ich organizmu usuwany wolniej niż z organizmów osób z pozostałymi grupami krwi. Z powodu wysokiego stężenia adrenaliny we krwi nie powinno nikogo

dziwić, że osoby z krwią grupy 0 częściej przejawiają skłonność do „zachowania typu A"* – czego dowiodły badania przeprowadzone wśród młodych mężczyzn, rekonwalescentów po ostrym zawale serca[22].

Wykazano, że pod wpływem napięcia osoby z grupą krwi A lub B wytwarzają większe ilości kortyzolu, hormonu stresu wytwarzanego w nadnerczach, a krew osób z grupą krwi A wolniej oczyszcza się z kortyzolu niż krew innych grup. Wysoki poziom kortyzolu jest łączony ze skłonnością do natręctw myślowych, większą zapadalnością na chorobę serca, niską wydajnością metaboliczną i zmniejszoną odpornością immunologiczną[23,24]. Co więcej, wykazano, że pod wpływem sytuacji stresowych lepkość krwi osób z grupy A rośnie bardziej niż u osób z pozostałymi typami krwi[25]. Być może ma to związek ze stwierdzonym już faktem, że krew grupy A często wykazuje większe stężenie różnych czynników krzepnięcia[26].

## Na tropie związków między grupami krwi i biologicznymi funkcjami organizmu

Już w 1921 roku w brytyjskim czasopiśmie „Journal of Experimental Pathology" ukazała się praca, w której zachorowalność na różne rodzaje nowotworów analizowano pod kątem grupy krwi chorego[27]. Wynikało z niej, że osoby z krwią grupy AB są ogólnie bardziej podatne na nowotwory. Wyniki te potwierdzone zostały przez dwie późniejsze prace opublikowane w latach trzydziestych XX w.[28,29]. Był to początek serii badań na temat specyficzności różnych chorób w stosunku do poszczególnych grup krwi, badań trudnych i w dużej mierze obciążonych mylącym wpływem czynników natury etnicznej lub geograficznej. Co więcej, często otrzymywano wyniki negatywne, które zresztą później okazywały się często skutkiem przeprowadzenia błędnej analizy statystycznej.

---

* Autor nawiązuje do dwóch typów zachowań ludzkich, określanych mianem A i B. Zachowanie typu A to stałe dążenie do osiągnięcia sukcesu, agresja, poczucie presji środowiska, skłonność do rywalizacji, niecierpliwość. Zachowanie typu B jest niemal dokładnym przeciwieństwem zachowania typu A – przyp. tłum.

Tak właśnie było z badaniami przeprowadzonymi w latach 20. XX wieku w Klinice Mayo. Badania te rozpoczęto pod wpływem obiecujących wyników opisanych wcześniej pierwszych badań nad nowotworami i ich związkiem z grupami krwi. Zbadano 2446 pacjentów i stwierdzono, że między ich stanem zdrowia i grupą krwi nie istnieją żadne związki podobne do tych, które opisano wcześniej, co więcej, nie ma w ogóle żadnych relacji między grupą krwi i jakąkolwiek chorobą[30]. Wśród chorób, które wówczas włączono do analizy i które dały negatywne wyniki, były takie jak anemia złośliwa i wrzody żołądka, o których dziś wiadomo, że dla ich rozwoju z całą pewnością ma znaczenie grupa krwi pacjenta. Być może, gdyby badacze z Kliniki Mayo użyli bardziej skutecznych narzędzi statystycznych, związki chorób z grupami krwi zostałyby odkryte wcześniej. Niestety, w wyniku opublikowanego przez zespół badawczy Kliniki Mayo raportu badania nad grupami krwi i ich znaczeniem dla zapadalności na różne choroby zostały zepchnięte na boczne tory na długi czas.

Pierwszego wyraźnego śladu związków między układem grupowym AB0 i chorobami innymi niż choroby krwi dostarczyły badania opublikowane w 1936 roku przez włoskiego lekarza Luigiego Ugelliego. Ugelli stwierdził, że krwawiące wrzody żołądka najczęściej występowały u osób z grupą krwi 0; do dziś wniosek ten znalazł wielokrotne potwierdzenie[31].

Po przerwie spowodowanej drugą wojną światową zainteresowanie tą tematyką wzrosło na nowo. W 1953 roku, kiedy dowiedziono istnienia związków między grupą krwi A i większą zapadalnością na raka żołądka[32], zainteresowanie badaniami klinicznymi nad związkami między grupami krwi człowieka i jego chorobami ponownie wzrosło, sięgając zenitu pod koniec lat pięćdziesiątych i w latach sześćdziesiątych XX wieku. Możliwość wykorzystania do badań statystycznych nowszych i dokładniejszych narzędzi analitycznych stworzyła matematyczne podstawy dla bardziej wiarygodnych badań populacyjnych. Autorzy pewnego artykułu opublikowanego w 1960 roku[33] dowodzili, że w porównaniu z innymi grupami krwi w grupie osób z krwią 0 istnieje „uderzająco wysoka" zachorowalność na wrzody żołądka – odkrycie to zostało potwierdzone przez wielu innych badaczy[34]. Poza stwierdzeniami dotyczącymi układu trawiennego zawarto w tej pracy również sugestie na temat związków między grupami krwi i czynnościami fizjologicznymi organizmu człowieka. Wykazano, że osoby z grupą krwi 0 mają w żołądku podwyższoną ilość kwasu solnego[34,35,36], pepsynogenu[37] oraz gastryny – związków niezwykle istotnych dla właściwego trawienia białek – a także fosfatazy zasadowej[38], jelitowego enzymu trawiennego niezbędnego do właściwej absorpcji tłuszczów. Wykazano też, że grupa krwi A ma większe stężenie czynników krzepliwości krwi i jest bardziej od pozostałych narażona na wystąpienie choroby serca i podwyższonych ilości cholesterolu[39].

Doktor James D'Adamo

Mój ojciec, James D'Adamo, doktor medycyny naturalnej, wysunął teorię, że układ grupowy AB0 może być czynnikiem pomocnym w określaniu właściwej diety człowieka. W latach 60. XX wieku zaobserwował, że choć wielu pacjentów znakomicie znosiło dietę wegetariańską i niskotłuszczową, to istniała znacząca grupa innych, którym dieta owa nie pomagała, a nawet zdawała się szkodzić. Jako człowiek wrażliwy i obdarzony zdolnościami dedukcyjnymi i przenikliwością, James D'Adamo wywnioskował, że musi być jakiś „klucz" do tej zagadki, który pozwoli mu lepiej określić potrzeby pokarmowe jego pacjentów. Rozumował, że skoro to krew rozprowadza składniki odżywcze po organizmie, to może właśnie w tej tkance znajdują się jakieś czynniki, które pozwolą zidentyfikować przyczynę tych różnic.

Po wielu latach i po przebadaniu niezliczonej rzeszy pacjentów pojawił się wreszcie schemat. Wyglądało na to, że chorzy z grupą krwi A źle znosili wysokobiałkową dietę zawierającą duże ilości mięsa, za to świetnie radzili sobie z białkiem roślinnym pochodzącym z tofu czy soi. Osoby z tą grupą krwi, które jadły duże ilości zwierzęcych produktów białkowych, miały skłonność do wytwarzania nadmiernych ilości śluzu w drogach oddechowych i zatokach. Przy zwiększonym wysiłku fizycznym i ćwiczeniach osoby z grupą krwi A czuły się gorzej niż wtedy, gdy wykonywały ćwiczenia lżejsze typu hatha-jogi.

Z kolei pacjenci z grupą krwi 0 mieli się świetnie na diecie wysokobiałkowej i zazwyczaj twierdzili, że intensywne ćwiczenia, takie jak jogging i aerobik, działają na nich pobudzająco i wprawiają ich w dobre samopoczucie. W 1980 roku ojciec zebrał te obserwacje w książce pod tytułem *One's Man Food* (Jedzenie dobre dla jednego), zainspirowany starym porzekadłem „Co jest pożywieniem dla jednego człowieka, może być trucizną dla innego".

W czasie gdy ukazała się ta publikacja, byłem na trzecim roku studiów medycyny naturalnej w John Bastyr College w Seattle. W 1982 roku, w trakcie praktyk szpitalnych obowiązkowych dla studentów ostatniego roku studiów, zabrałem się do studiowania literatury medycznej, szukając doniesień na temat związków między układem grupowym AB0 i skłonnością do pewnych chorób oraz prac, które ewentualnie poparłyby teorię mojego ojca. Zdając sobie sprawę z tego, że opublikowana przezeń książka powstała na podstawie jego własnych, subiektywnych obserwacji i przemyśleń na temat grup krwi, a nie na podstawie badań z zastosowaniem obiektywnej, naukowej metody, wcale nie byłem pewien, co znajdę.

Po spędzeniu wielu godzin w bibliotece medycznej University of Washington byłem w posiadaniu dużej liczby pozornie niezwiązanych ze sobą informacji o różnych rzadkich chorobach łączących się z grupą krwi i kilku pospolitych chorobach, które najwyraźniej nic wspólnego z grupą krwi nie miały. Znalazłem też wiele informacji na temat chorób układu trawiennego i czynności związanych z grupą krwi – informacji, których nie usłyszałem w trakcie studiów medycznych. Były to pierwsze z rewelacji, które sugerowały, że teoria ojca, która powstała jako podsumowanie jego osobistych obserwacji, ma oparcie w publikacjach naukowych.

Kontynuując dochodzenie, znalazłem kolejne istotne korelacje i w 1982 roku opublikowałem moje spostrzeżenia w artykule „Diet, Disease and the AB0 Blood Groups: A Review of the Literature" (Dieta, choroba i układ grupowy AB0: przegląd literatury).

Następne dwadzieścia lat spędziłem, kontynuując badania, przede wszystkim zaś powiększając wiedzę o lektynach, substancjach specyficznych w stosunku do różnych grup krwi, i skutkach, jakie wywierają na układy trawienny i odpornościowy. W trakcie praktyki zastosowałem tę niezwykle dynamicznie się rozwijającą naukę do wyleczenia tysięcy pacjentów. Pod koniec 1996 roku opublikowałem książkę *Jedz zgodnie ze swoją grupą krwi*.

Już wtedy istniało co najmniej tysiąc publikacji na temat związków między grupą krwi i chorobą. Trudno było zaprzeczyć istnieniu ogólnego schematu, który z wolna wyłaniał się z masy danych statystycznych dotyczących nowotworów, koagulacji krwi i chorób infekcyjnych. Odkrycia w zakresie budowy chemicznej błony komórkowej, immunologii nowotworów i chorób zakaźnych (szczególnie w odniesieniu do receptorów bakteryjnych) dodały naukowe uzasadnienie do poprzednich analiz statystycznych i zwiększyły zaufanie do nich. Najbardziej przekonujących dowodów istotności grup krwi dostarczyły niektóre z najnowszych odkryć na temat receptorów organizmów pasożytniczych, bakterii i wirusów, a także chorób hematologicznych i ważnych immunologicznie białek.

A jednak, mimo że liczba doniesień naukowych rosła, tworząc coraz jaśniejszy obraz związków między specyfiką grup krwi a sposobem odżywiania i chorobami, główny nurt myślenia społeczności medycznej pozostawał nadal nieświadomy dokonującego się przełomu. W większości szkół medycznych omówienie układu grupowego AB0 ograniczało się do jego roli jako czynnika ograniczającego możliwość transfuzji – czyli do poziomu, poza który Landsteiner, Boyd i inni wykroczyli już sto lat temu.

Do roku 2000, korzystając z narzędzia, jakim jest Internet, sporządziłem rejestr złożony obecnie niemal z 4 tysięcy doniesień od ludzi o każdej grupie krwi, zawierających informacje o stopniu poprawy uzyskanym po zastosowaniu diety właściwej dla danej grupy krwi (patrz Część trzecia). Wiele wpisów ma konkretne potwierdzenie w postaci analiz krwi i diagnoz lekarskich. Z lektury wpisów wynika, że korespondenci są zadowoleni w stopniu wprost zadziwiającym: niezależnie od grupy krwi poziom satysfakcji ze stosowania zaleceń sięga 90–93%; w dostarczonych doniesieniach mowa o poprawie w zakresie trawienia, ogólnego samopoczucia i poziomu energii, a wreszcie o utracie nadliczbowych kilogramów – jednym z najpospolitszych zjawisk w rezultacie zmiany sposobu odżywiania. Znaczenie tych odkryć wykracza poza zwykłe zadowolenie czy faktyczną poprawę stanu zdrowia. Jest bowiem naukowym wyzwaniem dla wszystkich „uniwersalnych" filozofii dietetycznych. Dziewięć na dziesięć osób z grupą krwi 0 czuje się lepiej po zastosowaniu diety wysokobiałkowej, podczas gdy 9 na 10 osób z grupą krwi A odnosi podobne korzyści po zastosowaniu diety ubogiej w białko.

Faktycznie, to co jest pożywieniem dla jednego człowieka, może być trucizną dla innego.

Powołanie niekomercyjnej instytucji, jaką jest Institute for Human Individuality (IfHI), daje szanse na dalszy rozwój tych badań. We współpracy z Southwest College of Neuropathic Medicine będzie on prowadził studia kliniczne, zakrojone na dużą skalę i pozwalające na naukową ewaluację skuteczności zalecanej przeze mnie

metody w wypadku wielu pospolitych chorób chronicznych, takich jak reumatoidalne zapalenie stawów i niektóre nowotwory.

## Przyszłość badań nad grupami krwi

Na progu nowego stulecia widać wyraźnie, że powszechna akceptacja nauki o grupach krwi i ich związku z chorobami oprze się w końcu na którymś z eksplozywnie przybywających odkryć w zakresie badań nad DNA i biotechnologii. Może to zaowocować tym, że nauki medyczne pogodzą się w końcu z faktem, iż układ grupowy AB0 ma znaczenie nie tylko w dziedzinie transfuzji. Można się tego spodziewać na przykład na polu onkologii molekularnej badającej nowotwory na poziomie cząsteczkowym. Tu wydaje się, że znaczenie układu AB0 rośnie z każdym nowym numerem czasopisma naukowego. Na przykład odkrycie, że komórki tkanki często sygnalizują swą przemianę w komórki nowotworowe poprzez utratę zdolności do syntetyzowania antygenów układu grupowego AB0[40, 41] znacznie posunęło naprzód nasze rozumienie wczesnych, przednowotworowych zmian, którym ulegają komórki, zanim jeszcze staną się zagrożeniem dla życia i zaczną się rozprzestrzeniać po całym organizmie, jak dzieje się to w trakcie przerzutów.

### *Nanorobotyka: przyszłość grup krwi?*

Już dziś jesteśmy świadomi jeszcze bardziej zadziwiających możliwości, które otwierają się przed grupami krwi niemal w każdym aspekcie ludzkiego życia i zdrowia. Fascynująca nowa technologia, zwana nanotechnologią, wykorzystująca wiedzę na temat grup krwi jako jedną z kluczowych informacji, lada moment może wywrzeć ogromny wpływ na to, w jaki sposób będzie się praktykować medycynę w niedalekiej przyszłości. Nanotechnologia to metoda polegająca na budowie maszyn mikroskopijnej wielkości, które po wprowadzeniu do organizmu mają do wykonania pewne ściśle określone zadania. Mają wpłynąć na przebieg choroby i naprawić pierwotnie nieuleczalne mechanizmy skryte w naszych organizmach. Dla tych cudów nowoczesnej medycyny otworem będą stały nawet najwęższe naczynia krwionośne i najmniejsze komórki. Nanotechnologia (co oznacza „niewiarygodnie mały") powstanie, gdy zdołamy kontrolować wytwarzanie pojedynczych cząsteczek.

Takie przekształcone cząsteczki biologiczne będą nazywane *nanorobotami* – czyli robotami mikroskopijnej wielkości. Już dziś badacze pracują nad stworzeniem urządzeń i materiałów, które miałyby wielkość jednej miliardowej metra. W końcu posiądą umiejętność wytwarzania żywych struktur o właściwościach biologicznych maszyn i wielkości porównywalnej z rozmiarami cząsteczki DNA. W czasach gdy powstawał film *Fantastyczna podróż,* wielu medycznych futurystów przepowiadało powstanie biologicznych mikrorobotów, konstruowanych po to, aby po wprowadzeniu do wnętrza organizmu zniszczyły konkretne komórki nowotworowe czy naprawiały uszkodzoną nić DNA. Te nanoroboty będą tak zaprogramowane, aby po zidentyfikowaniu konkretnych antygenów AB0 natychmiast rozpoznać mutacje, które powodują chorobę.

Nieudane próby w postaci współczesnych lekarskich interwencji mogą się wkrótce stać równie antyczne jak model T Forda. Lekarze wkrótce będą tworzyć maleńkie narzędzia, którymi bezpiecznie i skutecznie naprawią uszkodzoną nanomaszynerię chorego ludzkiego organizmu, zupełnie tak samo jak mechanik, który naprawia silnik narzędziami wielkości odpowiedniej do rozmiarów auta. Wszystko to brzmi jak fantastyka naukowa – i jak na razie nią jest – ale z każdym dniem zbliżamy się do tej chwili, ponieważ naukowcy i lekarze łączą zdobycze biologii i chemii z metodami syntezy i wytwarzania narzędzi stosowanymi w inżynierii chemicznej i przemyśle mikroprocesorowym.

Z punktu widzenia Roberta A. Freitasa, którego uważa się za ojca nanomedycyny, istnieje realna możliwość wykorzystania grup krwi jako czynników umożliwiających rozpoznanie właściwości komórki. Oto, co pisze w swej książce *Nanomedicine* (Nanomedycyna): „Nanorobot, poszukujący konkretnego zestawu mniej więcej trzydziestu antygenów grup krwi, będzie potrzebował mniej więcej 3/1000 sekundy, aby po zetknięciu się z błoną komórkową erytrocytu dokonać oceny w kategoriach «swój-czy-obcy». Nanorobot zaprogramowany, by określić dokładną grupę krwi, a więc w najgorszym przypadku szukający wszystkich 254 znanych dotychczas rodzajów antygenów, będzie potrzebował na to co najwyżej 2 sekundy"[42]. Może już w nieodległej przyszłości biologiczne mikroroboty, dokonawszy odczytu antygenów grup krwi, będą składały na nowo uszkodzony materiał genetyczny albo niszczyły komórki mikroskopijnych najeźdźców.

Ten sam czynnik, który umożliwił naszym przodkom przetrwanie setek tysięcy lat w zmieniającym się środowisku, może się wkrótce okazać źródłem prawdziwych cudów technologicznych.

**Bibliografia**

1. Kocourek J. The Lectins: Properties, Functions and Applications in Biology and Medicine. San Diego, CA: Academic Press; 1986.
2. Hirschfeld L, Hirschfeld H. *Lancet II.* 1919;675–679.
3. Snyder L. Blood Grouping In Relationship to Clinical and Legal Medicine. 1929.
4. Asimov I, Boyd WC. Races and People. New York: Abelard-Schuman; 1955.
5. Ibid.
6. Livingstone FB, On the non-existence of human race. *Current Anthropology.* 1962;3:279–281.
7. Livingstone FB. An analysis of the AB0 blood group clines in Europe. *Am J Phys Anthropol.* 1969;31:1–9.
8. Mourant AE, Blood Groups and Disease. Oxford, NY: Oxford University Press; 1979.
9. Mourant AE. Blood Relations: Blood groups and Anthropology. Oxford, NY: Oxford University Press; 1983.
10. Sato T, Watanabe Y. The Furukawa theory of blood-type and temperament: the origins of a temperament theory during the 1920s [in Japanese]. *Japan J Personality.* 1995;3:51–65.
11. Cattell RB. The relation of blood types to primary and secondary personality traits. *The Mankind Quarterly.* 1980;(21):35–51.
12. Cattell RB, Young HB, Houndelby JD. Blood groups and personality traits. *Am J Human Gen.* 1964;16:397–402.
13. Eysenck HI. National differences in personality as related to AB0 blood group polymorphism. *Psychological Reports.* 1977;41:1257–1258.
14. Swan D, et al. The relationship between AB0 blood type and factor of personality among south Mississippi 'AngloSaxon' school children. *The Mankind Quarterly.* 1980;20:205–258.

15. Takuma T, Matsui Y. Ketsueki gata sureroetaipu ni tsuite [About blood type stereotype]. *Jinbungakuho.* (Tokyo Metropolitan University) 1985;144:15–30.

16. Rihmer Z, Arato M. AB0 blood groups in manic-depressive patients. *J Affect Disord.* 1981;3:1–7.

17. Mendlewicz J, et al. Minireview: molecular genetics in affective illness [review) *Life Sci.* 1993;52:231–242.

18. Mendlewicz J. [Contribution of biology to nosology of depressive states. Neurochemical, endocrine and genetic factors]. *Acta Psychiatr Belg.* 1978;78:724–735.

19. Oruc L, Ceric I, Furac I, [Genetics of manic depressive disorder]. *Med Arh.* 1996;50:45–47.

20. Rinieris PM, Stefanis CN, Rabavilas AD, Vaidakis NM, Obsessive-compulsive neurosis, anancastic symptomatology and AB0 blood types. *Acta Psychiatr. Scand.* 1978;57:377–381.

21. Rinieris P, Stefanis C, Rabavilas A. Obsessional personality traits and AB0 blood types. *Neuropsychobiology.* 1980;6:128–131.

22. Neumann JK, Chi DS, Arbogast BW, Kostrzewa RM, Harvill LM. Relationship between blood groups and behavior patterns in men who have had myocardial infarction. *South Med J.* 1991;84:214–218.

23. Locong AH, Roberge AG. Cortisol and catecholamines response to venisection by humans with different blood groups. *Clin Biochem.* 1985;18:67–69.

24. Neumann JK, Arbogast BW, Chi DS, Arbogast LY. Effects of stress and blood type on cortisol and VLDL toxicity preventing activity. *Psychosom Med.* 1992;54:612–619.

25. Dintenfass L, Zador L. Effect of stress and anxiety on thrombus formation and blood viscosity factors. *Bibl Haematol.* 1975;(41):133–139.

26. Meade TW, Cooper IA, Stirling Y, Howarth DI, Ruddock V, Miller GJ. Factor VIII, AB0 blood group and the incidence of ischaemic heart diseas. *Br. J. Haematol.* 1994;88:601–607.

27. Alexander W. *Br J Exp Path,* 1921;2:66.

28. Mithra PN. *Ind J Med Res.* 1933;20:995–1004.

29. Pautienis PN. *Medicine Kaunas.* 1937;8:1–12.

30. Buchanan H. *Br J Exp Path.* 1921;2:227.

31. Ugelli I. *Polyclinico (sez prat).* 1936;(43):1591.

32. Bentall A, Roberts F. *Br J Med.* 1953:799–801.

33. Shahid A, Zuberi SI, Siddiqui AA, Waqar MA. Genetic markers and duodenal ulcer. *J Pak Med Assoc.* 1997;47:135–137.

34. Purohit GL, Shukla KG. Correlation of blood groups with gastric acidity in normals. *Indian J Med Sci.* 1960;(14):522–524.

35. Sievers M. Hereditary aspects of gastric secretory function I. *Amer J Med.* 1959;27:246–255.

36. Sievers M. Hereditary aspects of gastric secretory function II. *Amer J Med.* 1959;27:256–265.

37. Pals G, Defize J, Pronk JC, et al. Relations between serum pepsinogen levels, pepsinogen phenotypes, AB0 blood groups, age and sex in blood donors. *Ann Hum Biol.* 1985;12:403–411.

38. Domar U, Hirano K, Stigbrand T. Serum levels of human alkaline phosphatase isozymes in relation to blood groups. *Clin Chim Acta.* 1991:203:305–313.

39. Meade TW, Cooper JA, Stirling Y, Howarth DJ, Ruddock V, Miller GJ. Factor VIII AB0 blood group and the incidence of ischaemic heart disease. *Br J Haematol.* 1994;88:601–607.

40. Greenwell P. Blood group antigens: molecules seeking a function? *Glycoconj J.* 1997;14:159–173.

41. Dabelsteen E. Cell surface carbohydrates as prognostic markers in human carcinomas. *J Pathol.* 1996;179:358–369.

42. Freitas R. *Basic capabilities,* In: *Nanomedicine,* Vol. 1. 1st ed. Georgetown, TX: Landes Bioscience; 1999.

# Rozdział 3

# Znaczenie biologiczne układu grupowego AB0

Układ grupowy AB0 stanowi jeden z ważniejszych elementów układu odpornościowego człowieka. To od niego zależy siła, z jaką atakować nas mogą wirusy, bakterie, infekcje, substancje chemiczne, stres i cała masa innych czynników i warunków zdolnych wywołać chorobę i osłabienie układu odpornościowego. Dzięki unikatowym antygenom spełnia funkcję czegoś w rodzaju biologicznego portiera.

Antygeny to substancje chemiczne, zwykle białkowe, spotykane na powierzchni komórek naszego ciała, a także na powierzchni komórek większości istot żyjących. Antygenem może być każda substancja, która jest dość rzadka, by układ odpornościowy mógł ją zaklasyfikować, posługując się kategoriami „mój" lub „nie mój". Kiedy układ odpornościowy oceni nieznany antygen i rozpozna go jako część własnego organizmu, podejrzany zostaje uznany za twór bezpieczny i przyjazny. Jeśli jednak zostanie zaklasyfikowany jako „obcy", czyli intruz, układ odpornościowy

będzie się musiał z nim uporać. Taką reakcję układu odpornościowego może wywołać co najmniej milion różnych substancji.

Wszystkie formy życia, od najprostszych wirusów po istoty ludzkie, mają swoje wyjątkowe antygeny. Do najliczniejszych antygenów w organizmie człowieka należą te, które składają się na układ grupowy AB0. Poszczególne antygeny są tak czułe, że gdy działają skutecznie, stanowią najlepszy system obronny układu odpornościowego.

Każda grupa krwi ma odmienny antygen, z jego własną, wyjątkową strukturą chemiczną. Nazwy grup krwi pochodzą od nazw antygenów, a więc na powierzchni erytrocytów krwi grupy A występuje antygen A, a na powierzchni erytrocytów krwi grupy B występuje antygen B*. Krew grupy AB ma zarówno antygeny A, jak i antygeny B. Krew grupy 0 nie ma „prawdziwego" antygenu grupy krwi; właśnie dla podkreślenia tego faktu pierwsi odkrywcy grup krwi użyli cyfry 0. Od tego czasu o krwi tego typu mówi się „krew grupy

---

* Substancje grupowe A, B i H występują niemal we wszystkich tkankach organizmu (poza mózgiem i ciałem szklistym oka), są one również często wydzielane do płynów ustrojowych – przyp. tłum.

zero". Jednakże krew tej grupy zawiera substancję o właściwościach antygenowych, oznaczaną symbolem H. Choć antygen H występuje – z niezmiernie rzadkimi wyjątkami – we krwi wszystkich grup, to jednak w grupie A, B i AB pozostaje zamaskowany, leżąc pod właściwymi antygenami układu grupowego AB0. Największe ilości antygenu H spotyka się na erytrocytach grupy krwi 0, a najmniejsze u osób z grupą krwi AB.

Chemiczną strukturę antygenu grupy krwi można sobie wyobrazić jako coś w rodzaju anteny, wystającej z powierzchni komórki na zewnątrz. Anteny te są zbudowane z długich łańcuchów powtarzających się cząsteczek cukru o nazwie fukoza, który sam w sobie jest najprostszą z substancji antygenowych układu AB0, antygenem H. W grupie krwi A, B i AB cukier ten służy jako podłoże antygenów A i B.

I tak, na przykład osoby z grupą krwi A mają wrodzoną zdolność wytwarzania enzymu, który może przekształcić antygen H w antygen A. Osoby z grupą krwi B mają genetycznie zaprogramowaną zdolność zmieniania antygenu H w antygen B. Osobniki AB potrafią wytwarzać oba enzymy, z kolei osoby z grupą krwi 0, czego można się było spodziewać, w ogóle nie mają zdolności przekształcania fukozy. Antygen krwi grupy A zawiera cukier fukozę i cukier o nazwie N-acetylogalaktozamina przyczepiony na końcu. Antygen grupy krwi B zawiera fukozę i inny cukier, D-galaktozaminę.

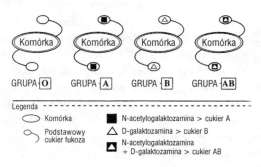

GRUPA 0    GRUPA A    GRUPA B    GRUPA AB

Legenda

⬭ Komórka

N-acetylogalaktozamina > cukier A

⌇ Podstawowy cukier fukoza

△ D-galaktozamina > cukier B

N-acetylogalaktozamina + D-galaktozamina > cukier AB

CZTERY GRUPY KRWI I ANTYGENY

Grupa 0 to podstawa, fukoza; grupa A to fukoza i inny cukier, N-acetylogalaktozamina; grupa B to fukoza oraz cukier D-galaktozamina; grupa AB to fukoza z dwoma cukrami, A i B.

## Przeciwciała są wytwarzane przeciw antygenom

Kiedy układ odpornościowy wykrywa obecność obcego antygenu, próbuje wytworzyć przeciwciała skierowane przeciw niemu. Owe przeciwciała to wyspecjalizowane związki chemiczne wytwarzane w komórkach układu odpornościowego i tak zbudowane, aby przyczepić się do obcego antygenu i oznakować go jako obiekt przeznaczony do zniszczenia.

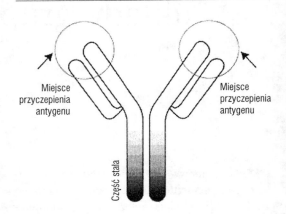

Miejsce przyczepienia antygenu

Miejsce przyczepienia antygenu

Część stała

Przeciwciała to przeważnie Y-kształtne twory złożone z części zmiennej i części stałej. Część stała to podstawa przeciwciała, część zmienna dopasowuje się do kształtu antygenu, do którego powinna się przyczepiać.

Przeciwciała są komórkowym odpowiednikiem pocisków samonaprowadzających się na cel. Komórki układu odpornościowego wytwarzają niezliczone rodzaje przeciwciał, a każde z nich jest tak zaprojektowane, aby zidentyfikować unikatowy kształt jakiegoś antygenu, po czym się do tego antygenu przyczepić. Przeciwciała są jak mikroskopijne klucze nastawne złożone z elementu niezmiennego (rączka), do którego mogą się przyczepiać komórki układu odpornościowego oraz elementu zmiennego (szczęk), który może się dopasowywać do konkretnego kształtu antygenu (śruba).

Między układem odpornościowym i intruzami, którzy próbują zmienić lub zmutować swoje antygeny, tak by nie traktował ich jak obcych, trwa nieustanna walka. Na to niekończące się wyzwanie układ odpornościowy odpowiada wytwarzaniem coraz nowych przeciwciał.

Nazwy przeciwciał tworzy się, umieszczając przedrostek *anty-* przed nazwą obcego antygenu, przeciw któremu przeciwciało jest skierowane. I tak na przykład przeciwciała skierowane przeciw wirusowi ludzkiego niedoboru odporności (*human immunodeficiency virus*) nazywane są przeciwciałami anty-HIV.

Grupy krwi wytwarzają przeciwciała skierowane przeciw antygenom innych grup krwi. Właśnie dlatego w trakcie transfuzji krew jednej grupy się nadaje, a innej jest nieodpowiednia. Przeciwciała skierowane przeciw innym (obcym) grupom krwi należą do najsilniejszych przeciwciał naszego układu odpornościowego, ponieważ – przeciwnie niż zwykłe przeciwciało odry czy grypy, które można sobie wyobrazić jako pojedynczy klucz nastawczy – mają kształt gwiazdy utworzonej z pięciu takich kluczy złączonych podstawami. W związku z tym mogą się one przyczepiać do kilku antygenów pochodzących z kilku komórek. Powoduje to zjawisko aglutynacji (czyli po prostu sklejania) krwi. Właściwość ta jest przyczyną, dla której przeciwciała należące do tej klasy nazywane są hemaglutyninami.

Zdolność hemaglutynin do zlepiania wirusów, bakterii lub erytrocytów każdej obcej grupy krwi jest tak silna, że można ją zaobserwować gołym okiem. Jest to, notabene, sposób najczęściej wykorzystywany do oznaczania grupy krwi w laboratoriach. Do wytworzenia większości innych przeciwciał konieczna jest pewnego rodzaju stymulacja; dochodzi do niej w razie choroby lub pod wpływem działania szczepionki. Przeciwciała grupowe są pod tym względem inne. Są wytwarzane automatycznie, często pojawiają się już z chwilą narodzin, a niemal dorosły poziom osiągają już po czterech miesiącach życia, czego przyczyną jest „zaszczepienie" dziecka pokarmami i mikroorganizmami, w których znajduje się antygen obcej grupy krwi.

W chwili gdy hemaglutynina napotyka antygen jakiegoś intruza, dochodzi do aglutynacji; dysponując kilkoma miejscami dla przyczepienia antygenu, może złączyć, i zablokować, więcej niż jedną komórkę intruza. Zaglutynowane komórki ulegają posklejaniu, a to z kolei ułatwia ich usuwanie. To jakby skuwanie przestępców razem, za pomocą jednej pary kajdanek; są wtedy znacznie mniej niebezpieczni niż wtedy, gdy kręcą się swobodnie po okolicy. W trakcie oczyszczania organizmu z „obcych" komórek, wirusów, pasożytów i bakterii przeciwciała skupiają wszystkich intruzów razem. Niestety, jeśli takich niepożądanych komórek jest dużo, jak dzieje się to w wypadku użycia do transfuzji złej grupy krwi, olbrzymia liczba zlepionych komórek może zablokować niewielkie tętnice czy zatkać kłębuszki filtrujące w nerkach; właśnie dlatego nieprawidłowo przeprowadzona transfuzja może spowodować śmierć.

Związki między przeciwciałami układu grupowego AB0 są do pewnego stopnia przeciwnością tych, które obserwowaliśmy w wypadku antygenów. I tak na przykład, grupa krwi 0, która nie ma prawdziwego antygenu, wytwarza przeciwciała skierowane przeciw wszystkim innym grupom. Skoro grupa 0 wytwarza zarówno przeciwciała anty-A, jak i anty-B, zatem pacjent z taką grupą krwi nie może otrzymać żadnej krwi, która te antygeny zawiera. Wniosek z tego taki, że może otrzymać jedynie krew grupy 0. Grupa A wytwarza przeciwciała anty-B; osobom z taką grupą krwi nie można przetaczać ani krwi B, ani krwi AB. U osób z grupą krwi B występują przeciwciała anty-A, a zatem nie można im podawać krwi A i AB. Osoby z grupą krwi AB nie wytwarzają przeciwciał grupowych, a to sprawia, że są „uniwersalnymi biorcami", podczas gdy osoby z grupą krwi 0 (niewytwarzające antygenów) są „uniwersalnymi dawcami".

Ludzki układ odpornościowy postrzega antygeny innych grup jako coś tak bardzo obcego, że nasze organizmy są genetycznie zaprogramowane do wytwarzania bardzo silnych przeciwciał skierowanych przeciw tym antygenom – czy może raczej przeciw mikroorganizmom i pokarmom, które te antygeny z nami dzielą. Jest to jeden z najsilniejszych systemów obronnych organizmu człowieka.

## Mniejsze układy grupowe krwi

U ludzi występuje dwieście pięćdziesiąt różnych antygenów, które usystematyzowano, grupując je w trzydziestu tzw. układach grupowych i zespołach. Układ grupowy AB0 jest z nich bezwzględnie najważniejszy, zarówno w aspekcie potencjalnego zachorowania, jak również dlatego, że jako jeden z nielicznych uzewnętrznia się również poza układem krwionośnym. Antygeny układu AB0 można znaleźć w śluzówce wyściełającej układ pokarmowy, w wydzielinach układu pokarmowego, na białych krwinkach i na licznych komórkach układu rozrodczego. Antygeny większości pozostałych układów grupowych spotykane są tylko na erytrocytach, jak chociażby dobrze znany układ Rh. Co więcej, w przeciwieństwie do przeciwciał układu AB0 przeciwciała tych pomniejszych układów nie mają takich silnych właściwości aglutynacyjnych. Z naszego punktu widzenia tylko trzy z nich mają znaczenie. Drugi z najważniejszych, zwany układem typu wydzielniczego, jest ważny przede wszystkim dlatego, że dodaje nowy poziom złożoności do naszych prób zrozumienia dynamiki układu AB0. Zrozumienie dwóch pozostałych, układu Rh i MN, może być przydatne w szczególnych sytuacjach.

### Układ grupowy Lewisa i wydzielanie substancji grupowych ABH

Każdy człowiek ma w swych erytrocytach antygeny układu AB0, natomiast około 80% populacji wydziela swe antygeny grupowe do płynów ustrojowych, takich jak ślina, śluz i sperma. Osoby te zwane są „wydzielaczami". U tych osób grupę krwi można określić nie tylko na podstawie badania krwi, ale również na podstawie badania wydzielin.

Pozostałe 20% ludzi nie wydziela antygenów grupowych; można ich nazwać „niewydzielaczami". To, czy dana osoba wydziela antygeny, czy ich nie wydziela, jest niezależne od układu AB0. Jest przejawem działania zupełnie innego genu. Tak więc można być „wydzielaczem" z grupą krwi A i można być „niewydzielaczem" z grupą krwi A. Ponieważ kwestia wydzielania i niewydzielania dotyczy antygenów grupowych układu AB0, a wydzielanie dotyczy również antygenu H, stosowną nazwą dla tego układu może być „układ grupowy wydzielania ABH".

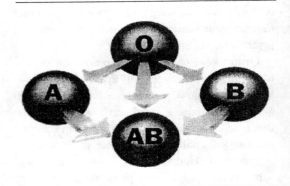

Stwierdzenie, czy dana osoba jest wydzielaczem, czy nie, jest równie proste jak oznaczenie grupy krwi układu AB0. Najpowszechniej stosowanym sposobem jest sprawdzenie, czy w próbce śliny danej osoby znajduje się któryś z antygenów ABH. Jeśli tak, osoba ta ma zdolność wydzielania antygenów; jeśli ślina nie zawiera żadnego z antygenów, mamy do czynienia z niewydzielaczem.

Innym prostym sposobem ustalenia, czy dana osoba jest wydzielaczem, wiąże się z układem grupowym Lewisa. Choć jest to zupełnie samodzielny układ antygenowy, sprzężenie genetyczne, które istnieje między enzymami wytwarzającymi antygeny Lewisa i antygeny AB0, powoduje, że ustaliwszy grupę Lewisa, możemy też przewidzieć, czy dana osoba jest wydzielaczem, czy nie.

W układzie grupowym Lewisa wyróżnia się dwa antygeny: $Le_a$ i $Le_b$ (przy czym a i b użyte w tym oznaczeniu nie mają nic wspólnego z A i B z układu AB0). U człowieka mogą wystąpić trzy grupy krwi Lewisa: $Le_{a+b-}$, $Le_{a-b+}$ i $Le_{a-b-}$.

Wróciwszy na chwilę do tego, co mówiliśmy o układzie AB0, przypomnisz sobie, że antygen H jest u każdego, ale osobniki A, B i AB mają wrodzoną zdolność do wytwarzania enzymów, które pozwalają im przekształcić H w A lub B. U osób z grupą krwi 0 geny umożliwiające wytwarzanie tych enzymów nie występują, dlatego są one skazane na antygen H.

Układ grupowy Lewisa jest dość podobny. W układzie tym z początku każdy wytwarza $Le_a$. U wielu z nas jednak występuje genetycznie zakodowana zdolność do wytwarzania enzymu, który jest w stanie przekształcić wszystkie $Le_a$ w $Le_b$. Umiejętność ta jest sprzężona genetycznie ze zdolnością do wydzielania antygenów ABH. Tak więc wszystkie osoby $Le_{b+}$ są „wydzielaczami", natomiast wszystkie osoby $Le_{a+}$ nie mają zdolności wydzielania antygenów ABH do płynów ustrojowych.

Przyjęło się, że grupy krwi Lewisa są opisywane z zaznaczeniem obu statusów, a i b. Tak więc osoba, która nie ma zdolności wydzielania antygenów, powinna zostać oznaczona jako $Le_{a+b-}$, natomiast osoba wydzielająca miałaby krew $Le_{a-b+}$. Powodem, dla którego używa się takiego rozbudowanego systemu oznaczeń, jest fakt, że niewielka liczba osobników (6% białej populacji i 16% populacji czarnej) nie ma genu umożliwiającego wytworzenie $Le_a$. Osobniki te są określane jako $Le_{a-b-}$ albo „podwójny Lewis ujemny". W tej niewielkiej grupie ludzi układ Lewisa nie określa ich zdolności do wydzielania. Ja jednak przywykłem klasyfikować osoby z grupą krwi $Le_{a-b-}$ jako niewydzielające. Wynika to z faktu, że osoby mające tę rzadką grupę krwi często posiadają podobne problemy zdrowotne jak osoby niewydzielające, a często nawet te kłopoty powodują poważniejsze konsekwencje.

| Grupa krwi | Genotyp | Obecne enzymy | Antygeny | Przeciwciała |
|---|---|---|---|---|
| A | AA lub Ao | H, A | H, A | anty-B |
| B | BB lub Bo | H, B | H, B | anty-A |
| AB | AB | H, A, B | H, A, B | brak |
| 0 | 0o | H | H | anty-A, anty-B |

Tabela 3. Układ grupowy AB0.

Skoro antygen grupy krwi jest ważnym elementem układu odpornościowego człowieka, jakie znaczenie może mieć fakt, że niektórzy ludzie nie są zdolni do wydzielania antygenów do płynów ustrojowych? Z całkiem bogatej literatury naukowej wynika, że konsekwencje tego mogą być poważne.

Ogólnie rzecz biorąc, osoby niewydzielające są o wiele bardziej narażone na chorobę układu odpornościowego niż wydzielacze, zwłaszcza jeśli jest ona wywołana przez organizm zakaźny. Pod tym względem niewydzielacze dzierżą palmę pierwszeństwa niemal w każdej chorobie układu odpornościowego:

- U osób niewydzielających antygenów do powstania stanu zapalnego dochodzi na ogół łatwiej niż u „wydzielaczy"[1,2], jednakże w zasadzie odpowiedzi ich układu odpornościowego są mniej skuteczne[3,4].
- W porównaniu z osobami wydzielającymi antygeny niewydzielacze są bardziej podatni na oba typy cukrzycy[5,6,7].
- Osoby niewydzielające, które cierpią na cukrzycę typu I, mają o wiele poważniejsze problemy z drożdżakami *Candida albicans,* zwłaszcza w ustach i w górnej części przewodu żołądkowo-jelitowego[8,9,10].
- Zazwyczaj osoby niewydzielające antygenów mają częściej kłopoty z *Helicobacter pylori*, bakterią uważaną za głównego sprawcę wrzodów żołądka[11].
- U osób niewydzielających antygenów obserwuje się wzmożoną zachorowalność na różne choroby autoagresyjne, w tym również zesztywniające zapalenie stawów kręgosłupa, łuszczycę stawową, zespół Sjögrena, stwardnienie rozsiane, a wreszcie nadczynność tarczycy[12,13,14].
- Osoby niewydzielające antygenów są bardziej narażone na powracające infekcje układu moczowego i silniejsze zapalenie, gdy już zachorują[15,16,17].
- Choroby serca częściej pojawiają się u osób niewydzielających[18,19].
- Osoby z grupą krwi Lewis podwójnie ujemny (zwłaszcza mężczyźni) częściej mają problemy natury metabolicznej związane z otyłością wywołaną opornością insulinową[20].
- Osoby niewydzielające częściej popadają w chorobę alkoholową niż osoby wydzielające[21,22] i, paradoksalnie, są jednocześnie

grupą, w której umiarkowane spożycie alkoholu ma działanie ochronne[23].

- Status wydzielacza może wpłynąć na dokładność prób na kilka pospolitych nowotworów używanych do oceny skuteczności chemioterapii[24,25,26].

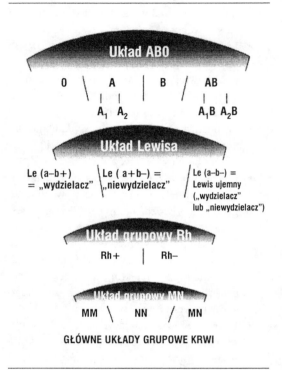

GŁÓWNE UKŁADY GRUPOWE KRWI

Często się zdarza, że skutki posiadania grupy krwi z układu AB0 i zdolności (lub jej brak) wydzielania antygenów nakładają się na siebie, niejednokrotnie się nasilając. Wiadomo na przykład, że kobiety z grupą krwi B częściej chorują na zapalenie pęcherza moczowego niż przedstawicielki innych grup krwi, a u 55–60% osób niewydzielających stwierdzono powstawanie blizn nerkowych, nawet przy leczeniu układu moczowego antybiotykami. Jednakże najwyższą zapadalność na choroby układu moczowego obserwuje się u kobiet niewydzielających z grupą krwi B. U nich też obserwuje się najsilniejsze zbliznowacenie układu wydalniczego, a infekcje są najtrudniejsze do wyleczenia. Właśnie z powodu zróżnicowania między „wydzielaczami"

i „niewydzielaczami" niektóre zalecenia dotyczące poszczególnych grup krwi z układu AB0 mogą się nieco różnić.

## Układ grupowy Rh

Z punktu widzenia praktyki klinicznej układ grup krwi oznaczany symbolem Rh (ang. *rhezus*) jest układem drugim co do ważności, po AB0. On również jest niezależny od układu AB0. Krew człowieka może być Rh+ (Rh-dodatnia) lub Rh– (Rh-ujemna), a zapis ten umieszcza się zwykle zaraz za oznaczeniem grupy krwi w układzie AB0 (A, B, AB, 0).

Układ grupowy Rh zawdzięcza nazwę małpie z rodzaju rezus, zwierzęciu często wykorzystywanemu w laboratoriach, w którego krwi po raz pierwszy odkryto czynnik Rh. Przez wiele lat lekarze głowili się nad tajemnicą, dlaczego u niektórych kobiet, które nie miały żadnych problemów okołoporodowych w wypadku pierwszej ciąży, ciąża druga i kolejne przebiegały z komplikacjami i zwykle kończyły się poronieniem, a nawet śmiercią matki. W 1939 roku doktor Karl Landsteiner odkrył, że kobiety te miały inną grupę krwi niż ich dzieci, które wzięły grupę krwi po ojcu. Dzieci były Rh-dodatnie, co znaczy, że na powierzchni ich erytrocytów występował antygen Rh. Matki miały krew Rh-ujemną, co znaczyło, że ich krew nie zawierała antygenu Rh. Przeciwnie niż w układzie AB0, gdzie przeciwciała przeciwko innym grupom krwi istnieją od chwili narodzin, w układzie Rh osoby Rh-ujemne nie wytwarzają przeciwciał anty-Rh, chyba że zostaną „uczulone". Do takiego uczulenia dochodzi zazwyczaj wtedy, gdy podczas porodu następuje wymieszanie krwi matki i dziecka. Układ odpornościowy matki reaguje jednak z opóźnieniem, wystarczającym, by dziecku pierworodnemu to nie zaszkodziło. Inaczej może być z kolejnymi ciążami. Jeśli w następnej ciąży dziecko znów będzie Rh-dodatnie, organizm matki – tym razem już uczulonej – będzie wytwarzać przeciwciała skierowane przeciwko krwi jej dziecka. Reakcje na czynnik Rh występują jedynie u kobiet Rh-ujemnych, które mają dzieci Rh-dodatnie.

Konflikt serologiczny jest główną przyczyną choroby hemolitycznej noworodków – niszczenia czerwonych krwinek, które powstały jeszcze w życiu płodowym. Jest on również jedną z głównych przyczyn reakcji potransfuzyjnych. W przeciwieństwie do przeciwciał układu AB0, z których każde występuje u wszystkich ludzi niemających danego antygenu, przeciwciała Rh w zasadzie nie występują we krwi osób innych niż osoby, które zostały immunizowane w trakcie ciąży lub w wyniku transfuzji. Kobiety Rh-dodatnie, stanowiące 85% populacji, w ogóle nie mają żadnych powodów do niepokoju.

Coraz większa liczba publikacji wskazuje na to, że czynnik Rh może mieć wpływ na jeden z głównych systemów obronnych naszego organizmu, a mianowicie aktywność komórek NK (KC), czyli tzw. naturalnych zabójców (ang. *natural killer* lub *killer cells*)[27]. Choć część badań nie wykazała istnienia takiego związku, to jednak były i takie, w których zaobserwowano silniejszy atak komórek naturalnych zabójców na komórki docelowe osób Rh-ujemnych. Również niedawno wykazano, że pewne białka kodowane przez gen Rh mogą naprawiać zaburzenia transportu grup amonowych w nerkach[28]. Spostrzeżenia te, choć o wiele mniej liczne niż bogate informacje na temat układu AB0, sygnalizują nadejście nowej ery w badaniach nad białkiem Rh, które być może spełnia jeszcze inne funkcje niż antygenowe.

## Układ grupowy MN

Przeciwnie niż układ AB0 i Rh układ grupowy MN nie należy do ważnych czynników w transfuzjach i przeszczepach narządów i nie budzi większego zainteresowania medycyny praktycznej. A szkoda, bo z powodu wielu związanych w nim chorób grupy krwi układu MN są istotne zarówno dla genetyków, jak i dla antropologów.

Układ grupowy MN, odkryty przez Landsteinera i jego współpracowników w 1927 roku, obejmuje trzy możliwe kombinacje – MM, NN, MN – w zależności od tego, czy komórki zawierają tylko antygen M (co czyni je MM), czy tylko N (NN), czy zarówno M, jak i N (MN).

Około 28% populacji ma krew grupy MM, 22% – NN, a 50% – MN.

Ponieważ przeciwciała anty-M i anty-N spotykane są w surowicy krwi człowieka nadzwyczaj rzadko, istnieje bardzo niewielka obawa, że mogą w trakcie transfuzji być przyczyną problemów. Jako takie przestały interesować lekarzy praktyków, którzy w tym względzie ustąpili miejsca genetykom. Takie zawężenie grona zainteresowanych układem MN sprawiło, że wiedza na jego temat przyrastała dość wolno.

Wykazano, że układ MN odgrywa pewną rolę w podatności na chorobę serca, a także nowotwory i infekcje. Antygen M jest prekursorem jednego z najpospolitszych antygenów związanych z nowotworami, a mianowicie antygenu Thomsena-Friedenreicha, który uzewnętrznia się w postaci wielu nowotworów, m.in. żołądka[29], piersi[30] i okrężnicy[31]. Z kolei osoby typu NN rzadziej zapadają na depresję dwubiegunową[32] i prawdopodobnie są bardziej podatne na regulowanie poziomu tłuszczów we krwi za pomocą diety niskotłuszczowej[33]. Wydaje się, że osobnicy MM z grupą krwi A częściej chorują na choroby zastawek serca[34], podczas gdy osoby MN zdają się mieć wyższą zachorowalność na nadciśnienie typu pierwotnego[35,36] i astmę[37]. Wydaje się, że antygeny grupowe M i N mają zdolność powstrzymywania hemaglutynacyjnych właściwości niektórych wirusów grypy, a to może mieć wpływ na podatność w stosunku do różnych szczepów tych wirusów[38]. Istnieją też doniesienia o nieproporcjonalnie dużej liczbie osobników typu NN (przeważnie kobiet) spotykanych w grupie osób między 71. i 80. rokiem życia[39].

## Przegląd podgrup krwi

Wszystkie grupy z układu AB0 mają podgrupy, będące wynikiem mikrozmian w obrębie pierwotnego antygenu. W większości wypadków zmiany te nie są znaczne, a w grupie 0 i B wręcz trudne do wykrycia. Wprawdzie istnieje 20 rozpoznanych dotychczas wariantów grupy A, ale 95% populacji osób z grupą A ma $A_1$. Większość wariantów spotyka się w Afryce; są one prawdopodobnie odzwierciedleniem przystosowania do lokalnych pasożytów. Są wśród nich $A_2$, $A_x$ i A-Bantu.

Spośród tych mniej licznych podgrup grupy A jedynie $A_2$ ma większe znaczenie praktyczne. Z badań populacyjnych wynika, że była to dość wczesna mutacja, być może nawet była to pierwotna mutacja A. Wiadomo, że w szczególnie dużym procencie spotyka się ją u tzw. „brązowookich Lapończyków". To bardzo starożytny lud, który być może dotarł do Skandynawii z południa, może z okolic dzisiejszej Armenii, czyli miejsca, gdzie mutacja ta po raz pierwszy wystąpiła z większą częstością.

Grupa $A_2$ ma większość atrybutów grupy $A_1$, ale jest, według niektórych, odgałęzieniem, które zachowało pewną tolerancję na tłuszcz, cechę utraconą przez grupę $A_1$. Choć może to być wyraz przystosowania do jedzenia ryb lub zwierzyny łownej na obszarach, które nie nadawały się pod uprawę, to jednak nie odnotowano między $A_1$ i $A_2$ żadnych różnic w składzie soku żołądkowego i enzymów trawiennych. W grupie osobników $A_2$ obserwuje się jednak znaczny wzrost zachorowalności na niektóre postacie leukemii. Wydaje się też, że podgrupy $A_1$ i $A_2$ różnią się podatnością na pewne lektyny grzybów[40].

Grupa $A_2$ różni się od $A_1$ przede wszystkim liczbą antygenów A na powierzchni komórki, bowiem ma zaledwie 1/3–1/4 liczby obecnej u $A_1$[41,42]. Ponieważ wiadomo, że krew A jest bardziej od pozostałych podatna na choroby pasożytnicze, takie jak np. malaria, takie zmniejszenie liczby antygenów (a zatem również liczby miejsc „dokowania" organizmów chorobotwórczych) może być po prostu efektem doboru naturalnego; im mniej antygenów występuje u danego osobnika, tym większą ma szansę na przeżycie i, co za tym idzie, na przekazanie swych genów potomstwu.

Antygeny grup krwi są spotykane powszechnie w krwiobiegu, na płytkach krwi. Okazuje się, że sposób przyczepienia ich do tych płytek jest inny u $A_1$ i u $A_2$.

Rozpoznanie kliniczne grupy $A_2$ uzyskuje się za pomocą lektyny roślinnej z Dolichos biflora, która powoduje aglutynację komórek $A_1$, ale

nie $A_2$. Ponieważ krew grupy $A_1$ można przetaczać osobom z krwią $A_2$, i vice versa, w medycynie konwencjonalnej w zasadzie obie grupy są uznawane za równoznaczne.

### Bibliografia

1. Klaamas K, Kurtenkov O, Ellamaa M, Wadstrom T. The Helicobacter pylori seroprevalance in blood donors related to Lewis (a,b) histo-blood group phenotype. Eur J Gastroenterol Hepatol. 1997;9:367–370.
2. Sheinfeld J, Schaeffer AJ, Cordon-Cardo C, Rogatko A, Fair WR. Association of the Lewis blood-group phenotype with recurrent urinary tract infections in women. N Engl J Med. 1989;320:773–777.
3. Grundbacher FJ. Immunoglobulins, secretor status, and the incidence of rheumatic fever and rheumatic heart disease. Hum Hered. 1972;22:399–404.
4. Grundbacher FJ. Genetic aspects of selective immunoglobulin A deficiency. J Med Genet. 1972;9: 344–347.
5. Peters WH, Gohler W, ABH-secretion and Lewis red cell groups in diabetic and normal subjects from Ethiopia. Exp Clin Endocrinol. 1986;88:64–70.
6. Melis C, Mercier P, Vague P, Vialettes B. Lewis antigen and diabetes. Rev Fr Transfus Immunohematol. 1978;21:965–971.
7. Petit JM, Morvan Y, Mansuy-Collignon S, et al. Hypertriglyceridaemia and Lewis (A-B-) phenotype in non-insulin-dependent diabetic patients. Diabetes Metab. 1997;23:202–204.
8. Thom SM, Blackwell CC, MacCallum CJ, et al. Non-secretion of blood group antigens and susceptibility to infection by Candida species. FEMS Microbiol Immunol. 1989;1:401–405.
9. Ben-Aryeh H, Blumfield E, Szargel K, Laufer D, Berdicevsky I. Oral Candida carriage and blood group antigen secretor status. Mycoses. 1995;38: 355–358.
10. Blackwell CC, Aly FZ, James VS, et al. Blood group, secretor status and oral carriage of yeasts among patients with diabetes mellitus. Diabetes Res. 1989;12:101–104.
11. Dickey W, Collins JS, Watson KG, Sloan JM, Porter KG. Secretor status and Helicobacter pylori infection are independent risk factors for gastroduodenal disease. Gut. 1993;34:351–353.
12. Shinebaum R. AB0 blood group and secretor status in the spondyloarthropathies. FEMS Microbiol Immunol. 1989;1:389–395.
13. Shinebaum R, Blackwell CC, Forster PJ, et al. Non-secretion of AB0 blood group antigens as a host susceptibility factor in the spondyloarthropathies. Br Med J (Cliv Res Ed). 1987;294:208–210.
14. Manthorpe R, Staub Nielsen L, Hagen Petersen S, Prause JU. Lewis blood type frequency in patients with primary Sjögren's syndrome. A prospective study including analyses for AIA2BO, Secretor, MNSs, P,

Duffy, Kell, Lutheran and rhesus blood groups. *Scand J Rheumatol.* 1985;14:159–162.

15. Sheinfeld J, Schaeffer AJ, Cordon-Candy C, Rogatko A, Fair WR. Association of the Lewis blood-group phenotype with recurrent urinary tract infections in women. *N Engl Med.* 1989;320:773–777.

16. May SJ, Blackwell CC, Brettle RP, MacCallum CJ, Weir DM. Non-secretion of AB0 blood group antigens: a host factor predisposing to recurrent urinary tract infections and renal scarring. *FEMS Microbiol Immunol* 1989;l:383–387.

17. Jantausch BA, Criss VR, O'Donnell K, at al. Association of Lewis blood group phenotypes with urinary tract infection in children. *J Pediatr.* l994;124:863–868.

18. Zhiburt BB, Chapel' AI, Serebrianaia NB. The Lewis antigens system as a marker of IHD risk. *Ter Arkh.* 1997;69:29–31.

19. Slavchev S, Tsoneva M, Zakhariev Z. The secretory type of persons who have survived a myocardial infarct. *Vutr Boles.* 1989;28:31–34.

20. Petit JM, Morvan Y, Viviani V, at al. Insulin resistance syndrome and Lewis phenotype in healthy men and women. *Horm Metab Res.* 1997;29:193–195.

21. Cruz-Coke K. Genetics and alcoholism. *Neurobehav Toxicol Teratol,* 1983;5:179–180.

22. Kojic T, Dojcinova A, Dojcinov D, at al. Possible genetic predisposition for alcohol addiction. *Adv Exp Med Biol.* 1977;85A:7–24.

23. Hein HO, Sorensen H, Suadicani P, Gyntelberg F. Alcohol consumption, Lewis phenotypes, and risk of ischaemic heart disease. *Lancet.* 1993;341:392–396.

24. Vestergaard EM, Hein HO, Meyer H, at al. Reference values and biological variation for tumor marker CA 19-9 in serum for different Lewis and secretor genotypes and evaluation of secretor and Lewis genotyping in a Caucasian population. *Clin Chem.* l999;45:54–61.

25. Narimatsu H, Iwasaki H, Nakayama F, at al. Lewis and secretor gene dosages affect CA19-9 and DU-PAN-2 serum levels in normal individuals and colorectal cancer patients. *Cancer Res.* l998;58:5l2–518.

26. Narimatsu H. Molecular biology of Lewis antigens – histoblood type antigens and sialyl Lewis antigens as tumor associated antigens. *Nippon Geka Gakkai Zasshi.* 1996;97:115–122.

27. Lasek W, Jakobisiak M, Płodziszewska M, Górecki D. The influence of AB0 blood groups, Rh antigens and cigarette smoking on the level of NK activity in normal population. *Arch Immunol Ther Exp (Warsz).* 1989;37:287–294.

28. Huang CH, Liu PZ. New insights into the Rh superfamily of genes and proteins in erythroid cells and nonerythroid tissues. *Blood Cells Mol Dis.* 2001;27:90–101.

29. Yoshida A, Sotozono M, Nakatou T, Okada Y, Tsuji T. Different expression of Tn and sialyl-Tn antigens between normal and diseased human gastric epithelial cells. *Acta Med Okayama.* 1998;52:197–204.

30. Tsuchiya A, Kanno M, Kawaguchi T, at al. Prognostic relevance of Tn expression in breast cancer. *Breast Cancer.* 1999;6:175–180.

31. Grosso M, Vitarelli E, Giuffre G, Tuccani G, Barnesi C. Expression of Tn, sialosyl-Tn and T antigens in human foetal large intestine. *Eur J Histochem.* 2000;44:359–363.

32. Alda M, Grof P, Grof E. MN blood groups and bipolar disorder: evidence of genotypic association and Hardy-Weinberg disequilibrium. *Biol Psychiatry.* l998;44:361–363.

33. Binley AJ, MacLennan K, Wahlqvist M, Gerns L, Pangan T, Martin NG. MN blood group affects response of serum LDL cholesterol level to a low fat diet. *Clin Genet.* 1997;51:291–295.

34. Delanghe J, Duprez D, de Buyzera M, at al. MN blood group, a genetic marker for essential arterial hypertension in young adults. *Eur Heart J.* 1995;16:1269–l276.

35. Turowska B, Gurda M, Woźniak K, AB0, MN, Kell, Hp and Gm1 markers in elderly humans. *Mater Med Pol.* 1991;23:7–12.

36. Gleiberman L, Gershowitz H, Harburg E, Schork MA. Blood pressure and blood group markers: association with the MN locus. *J Hypertens.* 1984;2:337–341.

37. Ksenofontow JP. [Immune responses and blood group genetics in patients with asthma bronchiale (author's transl)]. *J Allerg Immunol. (Leipz).* 1977;23:221–225.

38. Vojvodic S. Inhibitory activity of blood group antigens M and N in inhibition of virus hemagglutination reactions of influenza viruses. *Med Pregl.* 2000; 53:7–14.

39. Hou M, Stockelberg D, Rydberg L, Kutti J, Wadenvik H. Blood group A antigen expression in platelets is prominently associated with glycoprotein Ib and IIb. Evidence for an Al/A2 difference. *Transfus Med.* 1996;6:51–59.

40. Ying K, Fumukawa K. Fungal anti-A agglutinins with different affinities for subgroups A1 and A2 red cells. *Exp Clin Immunogenet.* 1995:12:232–237.

41. Heier HE, Namork E, Calkovska K, Sandin R, Kornstad L. Expression of A antigens on erythrocytes of weak blood group A subgroups. *Vox Sang.* 1994;66:231–236.

42. Hauser R, Fechner G, Brinkmann B. Al and A2 blood group substances: are there structural differences? *Z Rechtsmed.* 1990;103:587–591.

# Rozdział 4

# 9q34: gen grupy krwi

W 1990 roku konsorcjum rządów wielu krajów zapoczątkowało Projekt Poznania Ludzkiego Genomu* (ang. *Human Genome Project*). Jego celem było ustalenie sekwencji 3 miliardów nukleotydów ludzkiego DNA. Pierwszy pełny szkic genomu był gotów w lutym 2001 roku. Skutki tych genetycznych badań są na razie trudne do wyobrażenia. Szacuje się, na przykład, że mutacje ludzkich genów predysponują do (czy wręcz powodują powstanie) co najmniej 1500 chorób, od cukrzycy przez astmę po nowotwory. Naukowcy uważają, że poznanie budowy genomu jest ważnym krokiem na drodze do zidentyfikowania i wyleczenia tych mutacji. W trakcie badań układ AB0 okazał się ważnym czynnikiem genetycznym, mającym duże znaczenie dla prawidłowego i nieprawidłowego działania komórki.

## Kod DNA

Wszyscy ludzie są nosicielami pewnych cech, które sprawiają, że należymy do gatunku *Homo sapiens*. Nasze narządy są mniej więcej tych samych rozmiarów, mamy tę samą liczbę kończyn i w większości wypadków tak samo reagujemy na stymulację bodźcami fizycznymi. W rzeczywistości można powiedzieć, że jesteśmy w 99,9% identyczni. Tak więc w tej 0,1% mieszczą się wszystkie dzielące nas różnice.

Nasze genetyczne dziedzictwo to nasz twardy dysk. Zapisano wszelkie „notatki", które mogą się przydać w przyszłości, a także kilka „błędów".

Dziedziczenie cech umożliwiają niewielkie jednostki zwane genami, które przechodzą od rodziców do dzieci w chwili poczęcia. Odziedziczone zestawy genów są unikatowe jak odciski

---

* Słowo „genom" oznacza właściwie DNA komórki haploidalnej człowieka (rozrodczej), często jednak w języku potocznym używa się tego miana na określenie genotypu człowieka, czyli sumy informacji zawartej w komórce somatycznej. W takiej komórce każdy gen występuje w postaci dwóch alleli, pochodzących od dwojga rodziców i umiejscowionych na dwóch chromosomach, od ojca i od matki – przyp. tłum.

palców i dostarczają zarówno wszelkich informacji niezbędnych dla rozwoju i życia organizmu należącego do danego gatunku, jak i takich, które czynią wyjątkowym konkretny organizm.

Ogólnie rzecz mówiąc, każdy gen determinuje jedną konkretną funkcję, wytwarzanie polipeptydu, który następnie może posłużyć do wytworzenia białka, hormonu i tak dalej. Na złożone procesy przebiegające wewnątrz komórki składa się działanie wielu genów. Tak jak w silniku, gdzie usunięcie jednego elementu uniemożliwia właściwe funkcjonowanie całości, tak i tu zahamowanie czynności jednego genu może mieć poważne skutki dla działania całego organizmu.

Skąd wiemy, że istnieje coś takiego jak geny? W połowie XIX wieku czeski mnich Georg Johann Mendel krzyżował odmiany grochu i dokładnie opisywał cechy ujawniające się u otrzymanego w wyniku tych krzyżówek potomstwa. Odkrył, że cechy rodzicielskie były przekazywane organizmom potomnym w pewnym przewidywalnym porządku. Mendel zasugerował, że cechy, które analizował, są zależne od jakichś niewidzialnych „jednostek dziedziczenia". Zaobserwował też, że na każdą z cech składały się dwie takie jednostki dziedziczenia – po jednej od każdego z rodziców. Dziś te jednostki dziedziczenia nazywamy genami.

Genetyka jest nauką elegancką i potężną, ale w pewnym sensie pośrednią. Kluczową rolę odgrywa w niej proces wnioskowania. To dzięki umiejętności wyciągania wniosków Mendel natrafił na ślad genów, których oczywiście nigdy nie widział. Rzecz ma się podobnie i dzisiaj: analiza uszkodzeń, czyli mutacji genów pozwala naukowcom wywnioskować, jaka była normalna, pierwotna funkcja genu. Obserwując, co dzieje się z organizmem, w którym zahamowaniu uległa czynność jakiegoś genu, mogą się oni pokusić o naukową hipotezę na temat tego, jaką właściwie rolę dany gen odgrywa w komórce.

## Genom człowieka

Ciało człowieka składa się z 50–75 miliardów komórek. Jądro każdej z nich zawiera 23 pary chromosomów, wziętych po połowie, od matki i ojca. Dwadzieścia dwie pary to tzw. chromosomy austosomalne. Dwudziesta trzecia para to chromosomy płci – oznaczane symbolem XX w wypadku kobiety i symbolem XY w wypadku mężczyzny. Genom człowieka składa się z 30 tysięcy genów*. Zbudowane z DNA, są one genetycznym twardym dyskiem, przechowującym dane na nasz temat.

Najłatwiej sobie wyobrazić DNA, czyli kwas dezoksyrybonukleinowy, jako spiralne schody. Poręcze i barierki skonstruowane są z powtarzających się sekwencji cząsteczek cukru dezoksyrybozy i reszt fosforanowych. Stopnie schodów to powtarzające się pary cząsteczek czterech związków chemicznych, a mianowicie zasad purynowych (A – adenina; G – guanina) i pirymidynowych (C – cytozyna; T – tymina). Każda z par oznaczana jest symbolami zasad wchodzących w jej skład.

Zasady powiązane są w pary wiązaniami wodorowymi, które jednak powstają wyłącznie między tzw. zasadami komplementarnymi, tzn. adeniną i tyminą oraz guaniną i cytozyną. Dlatego jedyne możliwe kombinacje to:

A–T
T–A
C–G
G–C

Właśnie o tych czterech kombinacjach mowa, gdy w opisie cząsteczki DNA używamy określenia „pary zasad". Ustawienie, czyli sekwencja tych zasad, decyduje o tym, jaką informację DNA zawiera – podobnie jak w komputerze, w którym dane zakodowane są w postaci dwóch cyfr, 1 i 0, od kolejności których zależy faktyczne znaczenie zapisu. Sekwencja zasad

---

* W stosunku do długości DNA, czyli owych wspomnianych w tekście 3, a właściwie 3,2 miliarda nukleotydów, liczba genów człowieka wydaje się dość mała. Pozostała część materiału genetycznego nie spełnia funkcji kodujących. Jaka jest przyczyna takiego „słabego wykorzystania" ludzkiego DNA, nie wiadomo. Przed rozpoczęciem prac w ramach PPGC (Projekt poznania genomu człowieka) naukowcy spodziewali się znaleźć u ludzi co najmniej 100 tys. genów. Dla porównania: drożdże mają 6 tysięcy genów, muszka owocówka 13 tysięcy, a robak z gatunku *Caenorhabditis elegans* – aż osiemnaście tysięcy – przyp. tłum.

jest odczytywana przez specjalny mechanizm i znajduje odzwierciedlenie w czynnościach komórki. Różne fragmenty DNA zawierają różne geny, te zaś mogą być odczytywane wielokrotnie, za każdym razem gdy komórka potrzebuje substancji, której budowa jest zakodowana w danym genie.

DNA zawarte w jednej ludzkiej komórce po rozwinięciu miałoby półtora metra długości, a informacje w nim zawarte zajęłyby 125 tomów wielkości dużej książki telefonicznej. Jednakże DNA człowieka nie składa się wyłącznie z genów. Pełno w nim tzw. pustych sekwencji A, T, G i C, zupełnie jakby do pisania zabrał się analfabeta.

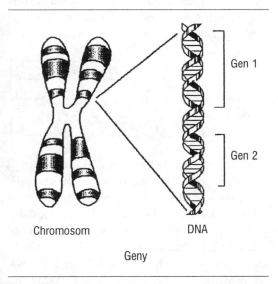

Chromosom

DNA

Geny

Gen 1

Gen 2

Badania nad genomem ujawniły, że geny nie są równomiernie rozłożone na chromosomach. Na niektórych z nich występują one w ścisłym upakowaniu, na innych są rozrzucone zupełnie luźno.

## Allele

Co sprawia, że DNA każdego człowieka jest unikatowe? Już Mendel zauważył, że każda cecha może się wyrażać na więcej niż jeden sposób. Na przykład gen koloru kwiatów może wystąpić w dwóch odmianach, białej i czerwonej. Takie odmiany jednego genu noszą nazwę alleli. Allele różnią się sekwencją nukleotydów.

DNA człowieka zawsze zawiera jakieś allele, czyli inne wersje tego samego genu, przekazane potomkowi przez oboje rodziców. Od rodzaju tych alleli zależy, czy masz oczy niebieskie, czy brązowe, czy jesteś wysoki, czy niski, masz włosy rude, czy czarne, a wreszcie wszystkie inne cechy. Allele powstają poprzez zmiany (mutacje) w sekwencji nukleotydów, liczącej nieraz 10 tysięcy par zasad. Geny, które występują w postaci kilku alleli, są nazywane genami polimorficznymi. Polimorfizm oznacza, że dana cecha może być w populacji wyrażana za pomocą dwóch lub więcej genotypów.

W układzie AB0 istnieją trzy allele grupy krwi, które w różnych kombinacjach mogą dać cztery grupy, czyli cztery odmiany krwi. Ponieważ formy te występują u osobników należących do jednej populacji (gatunku), możemy mówić, że populacja ludzka jest pod względem krwi genetycznie polimorficzna.

Niektóre allele dominują nad pozostałymi. Oznacza to, że osoba mająca w swych chromosomach dwa allele genu koloru oczu, niebieski i brązowy, będzie miała oczy koloru brązowego, zupełnie tak jak osoba mająca dwa allele na kolor brązowy. Wynika to z faktu, że u ludzi brązowy kolor oczu jest dominujący, a niebieski recesywny. Nie trzeba mówić, że osoby z oczami niebieskimi mają w genotypie dwa allele recesywne na niebieski kolor oczu. Jednakże wpływ, jaki mają allele grupowe, jest o wiele większy niż wpływ genu, od którego zależy kolor oczu człowieka.

## Genotyp i fenotyp

Podstawy genetyczne dziedziczenia grupy krwi z układu AB0 są w rzeczywistości dość proste, bardzo podobne do sposobu, w jaki dziedziczy się kolor oczu czy włosów. Jesteśmy fizyczną ekspresją naszych genów, którą określa się jako fenotyp. Fenotyp to ogół fizjologicznych, behawioralnych, biochemicznych i innych charakterystyk organizmu, które powstają w wyniku genów i ich oddziaływania z otoczeniem. Geny te dziedziczy się po rodzicach, a mieszanina genów rodzicielskich w organizmie nazywana jest genotypem. Genotyp jest zatem sumą dziedzicznej, czyli genetycznej informacji, podczas gdy fenotyp jest niejako fizyczną realizacją tej informacji w połączeniu ze wszystkimi jej późniejszymi konsekwencjami.

W genach polimorficznych, takich jak geny grupy krwi układu AB0, niektóre z alleli są dominujące, inne recesywne, co właśnie jest kluczem do różnorodności fenotypowej, którą obserwujemy. W układzie AB0 allele A i B są dominujące nad allelem 0 (w rzeczywistości allelem „pustym" czy „zerowym"), zupełnie jak przy kolorze oczu, gdzie allel brązowej barwy dominował nad allelem barwy niebieskiej.

Geny zazwyczaj oznacza się kursywą, zaś allele dominujące zaznacza się wersalikami. Allele recesywne pisze się małą literą. Tak więc osoba o grupie krwi A (fenotyp) może mieć każdy z dwóch możliwych genotypów: *AA* i *Ao*. Wszystkie osoby mające grupę krwi muszą mieć genotyp *oo*, podczas gdy wszystkie osobniki z grupą krwi AB muszą mieć genotyp *AB*.

Tak więc osoba, która od matki otrzymała allel A, a od ojca allel 0, będzie miała genotyp *Ao*. Różnica między fenotypem i genotypem jest tym, co najbardziej utrudnia zrozumienie zasad dziedziczenia grup krwi. Tylko w ten sposób można wyjaśnić, dlaczego para o grupie krwi A i 0 może mieć dziecko o grupie krwi 0; pamiętamy przecież, że aby odziedziczyć krew grupy 0, trzeba mieć dwa allele recesywne 0.

Allele A i B pozostają ze sobą w interesującym związku: żaden z nich nie dominuje nad drugim, natomiast każdy dominuje nad allelem 0. Zależność między A i B nazywamy kodominacją; oznacza ona, że osoba, która otrzyma allel A od jednego z rodziców i allel B od drugiego, będzie miała grupę krwi AB.

jakie można uzyskać z danych genotypów rodzicielskich. Matka (po lewej) ma fenotyp 0 (grupa krwi 0), a zatem musi mieć genotyp *oo*. Ojciec (u góry) ma fenotyp A (grupa krwi A) i genotyp *Ao*. Jak widać z kwadratu, każde z dzieci ma 50% szans na odziedziczenie grupy A (genotyp *Ao*) lub grupy 0 (genotyp *oo*). Ponieważ żadne z rodziców nie ma allelu B, żadne z dzieci nie może mieć ani grupy B, ani grupy AB. Właśnie z tej przyczyny badanie grupy krwi może być przydatne przy ustalaniu ojcostwa. Wprawdzie za sprawą tego badania nie można uzyskać potwierdzenia, że dany mężczyzna jest biologicznym ojcem dziecka, ale można stwierdzić, że nim nie jest. Gdyby na przykład dziecko omawianej powyżej pary miało krew grupy B lub AB, należałoby podejrzewać, że jego ojcem biologicznym jest inny mężczyzna.

| Matka | | Ojciec | |
|---|---|---|---|
| | | A | B |
| | o | Ao = grupa A | Bo = grupa B |
| | o | Ao = grupa A | Bo = grupa B |

Mamy tu przykład interesującej kombinacji: matka ma grupę krwi 0, a ojciec grupę krwi AB. W rezultacie dzieci będą miały grupę krwi A lub B, jako że zarówno allel *A*, jak i *B* jest dominujący nad allelem 0. Wprawdzie żadne z dzieci nie będzie miało krwi matki, ale wszystkie będą miały gen recesywny *o*, który będą mogły przekazać swemu potomstwu. Przykład ten daje odpowiedź na pytanie, dlaczego grupa krwi 0 nie zanikła z czasem, skoro allele A i B są dominujące: zasoby allelu *o* w puli genów ludzkich ulegają stałemu uzupełnianiu.

| Matka | | Ojciec | |
|---|---|---|---|
| | | A | o |
| | o | Ao = grupa A | oo = grupa 0 |
| | o | Ao = grupa A | oo = grupa 0 |

Oto prosty przykład. Powyższa tabela jest nazywana kwadratem Punnetta. Jest to prosta metoda stosowana w biologii do określania fenotypów,

| Matka | | Ojciec | |
|---|---|---|---|
| | | B | o |
| | A | AB = grupa AB | Ao = grupa A |
| | o | Bo = grupa B | oo = grupa 0 |

W trzecim scenariuszu ojciec o grupie krwi B i matka o grupie krwi A wydają na świat potomstwo o czterech możliwych grupach krwi.

A zatem choć jest to dość rzadkie, może się zdarzyć, że każdy członek rodziny będzie miał inną grupę krwi.

| Grupa krwi rodziców | Możliwe kombinacje alleli (genotypy) | Możliwe grupy krwi potomstwa (fenotypy) |
|---|---|---|
| Oboje A | AA, Ao | A lub 0 |
| Oboje B | BB, Bo | B lub 0 |
| Oboje AB | AB | A, B lub AB |
| Oboje 0 | oo | 0 |
| Jedno A, drugie B | AA, Ao, BB, Bo | A, B, AB lub 0 |
| Jedno A, drugie 0 | AA, Ao, oo | A lub 0 |
| Jedno A, drugie AB | AA, Ao, AB | A, B lub AB |
| Jedno B, drugie 0 | BB, Bo, oo | B lub 0 |
| Jedno B, drugie AB | BB, Bo, AB | A, B lub AB |
| Jedno AB, drugie 0 | Ab, oo | A lub B |

Tabela 5. Dziedziczenie grup krwi.

## 9q34: gen grupy krwi układu AB0

Chromosomy występują w postaci dwóch połączonych ze sobą chromosomów homologicznych. Miejsce ich połączenia nazywane jest centromerem. Charakterystyczne prążkowanie chromosomów (pokazane na następnej ilustracji) jest otrzymywane w wyniku barwienia różnymi barwnikami. Szerokość prążków i ich odległość od siebie są takie same na chromosomach homologicznych; jest to cecha charakterystyczna dla każdego z chromosomów. Doświadczony genetyk potrafi zidentyfikować chromosom na podstawie układu prążków widocznych w powiększeniu mikroskopowym. Dotyczy to również chromosomów płciowych.

Chromosomy opisuje się, dzieląc je na dwa ramiona (p i q), położone po dwóch stronach punktu połączenia. Uwzględniwszy numer chromosomu, ramię p lub q, a wreszcie numer prążka, możemy stworzyć coś w rodzaju bazy adresowej genów.

Każdy gen ma konkretny *locus*, czyli miejsce, w którym można go znaleźć – coś w rodzaju adresu. Locus genu grupy krwi układu AB0 znajdu-

je się na ramieniu q chromosomu numer 9, w okolicy 34 prążka. To właśnie w tym miejscu tego ludzkiego chromosomu można znaleźć trzy możliwe allele genu grupy krwi 0, A, B lub AB, których kombinacja decyduje, jaką mamy grupę krwi. Jednakże wpływ genu grupy krwi układu AB0 wcale się na tym nie kończy.

Gdyby przyjrzeć się prążkowi leżącemu niedaleko genu 9q34, okazałoby się, że obszar, który decyduje o grupie krwi, wybarwia się ciemno, co świadczy o obecności dużej ilości ściśle upakowanego DNA; jest to o tyle zastanawiające, że przecież mechanizm dziedziczenia grupy krwi w układzie AB0 jest całkiem prosty, a gen koduje tylko dwa enzymy. W ten sposób docieramy do jednej z ważniejszych, choć często niedostrzeganej charakterystyki genu AB0: gen ten może wpływać na inne, z pozoru zupełnie niezwiązane geny.

Przykład takiego wpływu już mieliśmy w trakcie omawiania zależności między grupą krwi i zdolnością, lub jej brakiem, do wydzielania antygenów grupowych do płynów ustrojowych. Podstawowy mechanizm AB0 i mechanizm zapewniający status wydzielacza są umiejscowione

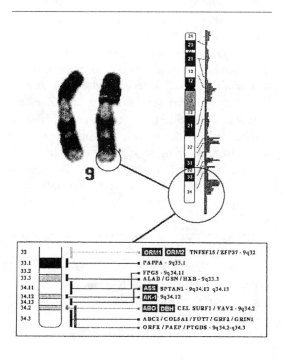

na dwóch różnych chromosomach. Gen kontrolujący zdolność wydzielania znajduje się na chromosomie 19 (19q13.3). Co ciekawe, locus genu kodującego wytwarzanie substancji antygenowej H (która decyduje o grupie krwi 0, a jednocześnie stanowi platformę, do której przyczepiają się antygeny A i B) również jest umiejscowiony na chromosomie 19. Osoba z grupą krwi A, B lub AB ma aktywne allele w locus 9q34, natomiast osoba z grupą krwi 0 ma w tym locus „allel zerowy". O grupie krwi 0 decyduje działanie chromosomu 19 i substancja, która w wyniku tego działania powstaje (H), ale nie produkty genu 9q34 (czyli antygeny A i B).

## Sprzężenie genowe

Zwykło się mówić, że wielka nauka zaczyna się wraz z postawieniem trafnych pytań. W 1933 roku Thomas Hunt Morgan otrzymał Nagrodę Nobla za badania, które rozpoczął w 1910 roku na Uniwersytecie Columbia. Wtedy to właśnie zaobserwował u muszki owocówki mutację wyrażającą się białym kolorem oczu. W chwili gdy zaczynał badania, wiedziano już dobrze, że geny są umiejscowione na chromosomach. Pozostało jednak pytanie, na którym chromosomie i w którym miejscu?

Morgan skrzyżował czerwonooką samicę z białookim samcem i stwierdził, że potomstwo jest czerwonookie. Zdecydował zatem, że gen czerwonych oczu jest dominujący. Zgodnie z zasadą dziedziczenia Mendla po skrzyżowaniu osobników potomnych powinien otrzymać 75% osobników o oczach czerwonych i 25% muszek o oczach białych (proporcja 3:1). Kiedy w jakiś czas później przeliczono osobniki drugiego pokolenia, okazało się, że składa się ono z 3470 osobników czerwonookich i 782 białookich, czyli proporcje są zbliżone do oczekiwanego stosunku 3:1.

Morgan jednak zaobserwował też inną, ciekawą zależność. Okazało się bowiem, że białe oczy zdarzały się wyłącznie u samców. Wśród osobników tej płci 1011 miało oczy czerwone, a 782 białe. W wyniku dalszych badań wykazano, że:

- biały kolor oczu jest recesywny w stosunku do czerwonego,
- gen czerwonej barwy oczu znajduje się na chromosomie X (żeńskim),
- na chromosomie Y (męskim) nie ma genu koloru oczu.

Prace Morgana okazały się kluczowe dla zrozumienia zjawiska sprzężenia genów, uznawanego za jedną z ważniejszych koncepcji genetyki. Sama zasada sprzężenia wygląda dość prosto: geny znajdujące się na tym samym chromosomie dziedziczą się razem. O genach takich mówi się, że są sprzężone. Zaobserwowane u muszki owocówki sprzężenie koloru oczu z płcią jest szczególnym przypadkiem zjawiska sprzężenia genów, w którym pewna liczba genów przechodzi razem do komórki rozrodczej, ponieważ znajdują się one na tym samym chromosomie. W wypadku grup krwi z locus układu AB0 sprzężonych jest kilka genów. Schemat ich przekazywania jest związany ze schematem dziedziczenia grup krwi (czy raczej dziedziczenia kombinacji alleli AB0).

Pewne grupy alleli genów położonych na tym samym chromosomie występują częściej, niż można by oczekiwać. Jest to skutek działania zasady założyciela, mówiącej, że mała grupa osobników może dać początek populacji o niewielkim zróżnicowaniu genetycznym. Można sobie wyobrazić, że jakaś mutacja (uzewnętrzniająca się np. chorobą) zostanie sprzężona z sąsiadującą grupą genów i jako taka będzie się dziedziczyć razem. W dużej losowo kojarzącej się populacji z czasem proces rekombinacji genetycznej przywróci równowagę częstości występowania allelu zmutowanego w stosunku do częstości innych markerów genetycznych (alleli innych cech). Jednakże w populacji małej i przy znacznym sprzężeniu genów mutacja może się dziedziczyć częściej, niż by to wynikało z jej wartości przystosowawczej. Obecność takiego niezrównoważenia sprzężeń świadczyć może o tym, że dana mutacja pojawiła się stosunkowo niedawno i upłynęło zbyt mało czasu, by w populacji tej wielkości pojawiła się równowaga między częstością pojawiania się danych markerów.

Związki między poszczególnymi genami bada się za pomocą analizy sprzężenia genów. Analiza dotyczy dziedzicznych markerów genetycznych, takich jak układ grupowy AB0. Jednym z pierwszych sprzężeń genów odkrytych u człowieka było wspólne dziedziczenie grupy krwi z układu AB0 z rzadką chorobą pod nazwą zespół paznokciowo-rzepkowy. Osoby cierpiące na tę dolegliwość mają nienormalnie rozwinięte paznokcie i rzepki kolanowe. Znajomość faktu, że gen kodujący tę chorobę jest sprzężony z grupą krwi, umożliwiła naukowcom zlokalizowanie locus tego genu. Znajduje się on na 9. chromosomie, w pobliżu genu grupy krwi.

Obecnie analizując ekspresję genotypową grupy krwi z układu AB0, dostrzegamy najrozmaitsze korelacje między pozornie niezwiązanymi cechami fizycznymi i psychicznymi. Związki między cechami, które wydają się nie mieć ze sobą nic wspólnego – takimi jak fizjologiczne adaptacje do środowiska zewnętrznego, choroby czy sposób odżywiania – mogą mieć uzasadnienie jako element przetrwania i być postrzegane jako cechy sprzężone, przechowywane w genetycznej pamięci organizmów. Każda adaptacja długo działająca i wpływająca pozytywnie na sukces organizmu może zostać utrwalona w tej czy innej grupie krwi jako strategia do ewentualnego wykorzystania w przyszłości.

Grupy krwi są także wartościowymi markerami w analizie sprzężeń genów, a badania nad nimi przyczyniły się w ogromnym stopniu do zmapowania ludzkiego genomu.

Oto kilka podstawowych związków między genem grupy krwi umiejscowionym w locus 9q34 a innymi genami położonymi w najbliższym sąsiedztwie:

## RAK PIERSI

W 1984 roku w czasopiśmie „Genetic Epidemiology" pojawiło się doniesienie naukowe na temat rodziny, w której główny gen kodujący raka piersi był sprzęgnięty z locus AB0[1]. Potwierdzają to wyniki innych badań wskazujące na podobieństwo między antygenem A i pewnym częstym markerem nowotworu piersi[2].

## METABOLIZM DOPAMINY

Beta-hydroksylaza dopaminy (DBH) to enzym biorący udział w konwersji dopaminy w katecholaminy, adrenalinę i noradrenalinę. Gen kodujący DBH dosłownie spoczywa na genie grupy krwi układu AB0. Istnieją doniesienia na temat jego związku z grupami krwi i wpływu, szczególnie na grupę krwi 0.

W roku 1982 dokonano pomiarów stężenia DBH i metylotransferazy katecholowej (COMT) u 162 pacjentów cierpiących na poważne choroby psychiczne (depresja) i u 1125 ich krewnych. Stwierdzono, że istnieje związek między locus genu kodującego DBH i locus genu grupy krwi AB0[3]. Autorzy pewnego doniesienia opublikowanego w 1988 roku dowodzili, że opisane wcześniej zróżnicowanie aktywności różnych stężeń DBH w surowicy może odzwierciedlać albo zmiany strukturalne enzymu, albo regulację kodowania DBH. Badacze zasugerowali, że gen kodujący strukturę enzymu znajduje się blisko locus genu grupy krwi AB0, a zatem może ulegać jego wpływowi[4].

W 1988 roku w „American Journal of Human Genetics" ukazał się artykuł, którego autorzy twierdzili, że „poprzednie badania dostarczyły dowodów na to, że poziom aktywności beta-hydroksylazy dopaminy (DBH) zależy od genu sprzężonego z locus genu grup krwi układu AB0". Badacze byli w stanie zweryfikować tę hipotezę, pokazując bezpośrednie sprzężenie między genem regulującym aktywność DBH i locus genu grupy krwi AB0[5].

Pewna grupa badaczy opublikowała w „Biological Psychiatry" analizę wcześniejszych badań, z której wynikało, że istnieje „gen podatności" na choroby psychiczne, takie jak depresja; znajduje się on niedaleko locus genu AB0 i jest być może związany z locus genu beta-hydroksylazy dopaminy[6].

## KRZEPNIĘCIE KRWI

U osób z grupą krwi 0 zaobserwowano w porównaniu z innymi grupami krwi układu AB0 niższe stężenia czynnika VIII krzepnięcia krwi i czynnika von Willebranda (vWF). W rezultacie u tych osób częstość występowania choroby serca jest mniejsza niż w pozostałych grupach. Ostatnie badania wykazują, że jest to prawdopodobnie wynik sprzężenia genów[7].

### NOWOTWÓR PĘCHERZA MOCZOWEGO

Kiedy komórki pęcherza rakowacieją, w obszarze zbliżonym do locus genu AB0 (9q34) tych komórek obserwuje się często „wypadanie" genów. Również pospolitym zjawiskiem jest utrata antygenów AB0 w komórkach nowotworu pęcherza wkraczających w etap przerzutu. Istnieją dowody na to, że delecje genów w komórkach nowotworu pęcherza są sprzężone z podobnymi delecjami w locus genu grupy krwi[8].

### USZKODZENIA W OBRĘBIE UKŁADU MIĘŚNIOWO-SZKIELETOWEGO

Być może istnieje sprzężenie genetyczne między układem grupowym AB0 i budową cząsteczkową tkanki ścięgna Achillesa. Dowodem na to są być może doniesienia o korelacji między grupą krwi 0 i skłonnością do zerwania tego ścięgna[9].

### STATUS WYDZIELACZA I KOLOR OCZU

Według pewnych badań duńskich zielony kolor oczu jest sprzężony ze zdolnością do wydzielania antygenów AB0[10].

### METABOLIZM TLENKU AZOTU

Aminokwas arginina w formie argininobursztynianu jest jednym z podstawowych składników do syntezy tlenku azotu, cząsteczki o kluczowym znaczeniu dla całej masy funkcji życiowych organizmu, w tym również czynności mózgu, właściwego działania układu naczyniowego, a wreszcie prawidłowego działania układu odpornościowego. Przy udziale specyficznej syntetazy (ASS), której locus znajduje się niedaleko locus AB0, aminokwas cytrulina zostaje przekształcony w argininobursztynian[11,12]. Różnice w funkcjonowaniu enzymu mogą być związane ze sprzężeniem genetycznym, ponieważ w grupie osób z antygenem B (grupa krwi AB i B) wykazano istnienie różnic skuteczności terapii tlenkiem azotu[13,14].

## Układ grupowy AB0: kilka pierwszych godzin życia

Komórki różnią się między sobą, a główną przyczyną tych różnic jest fakt, że każdy rodzaj ma aktywowane tylko te geny, które są mu potrzebne; działanie innych ulega zahamowaniu (represji).

Gdy zastanowimy się chwilę nad procesami zachodzącymi w organizmie płodu, możemy sobie wyrobić zdanie, jak do tego dochodzi. Komórek embrionu (tych, które można znaleźć w 2–3-tygodniowym płodzie) nie cechuje jeszcze pełna funkcjonalność, taka jaka występuje w komórkach organizmów dorosłych. Komórki w początkowych stadiach rozwoju dzielą się nie na tysiące wysoko wyspecjalizowanych grup, ale zaledwie na trzy:

- komórki ektodermy, które ulegają zróżnicowaniu w komórki skóry i nerwowe,
- komórki mezodermy, różnicujące się później w komórki układu mięśniowego, szkieletu i tkanki łącznej,
- komórki endodermy, z których powstaje śluzówka wyściełająca układ pokarmowy.

Skoro komórki te, często nazywane komórkami zarodkowymi lub warstwami zarodka, w końcu przekształcają się w całą gamę różnych wyspecjalizowanych tkanek, zatem, aby tę przemianę przeszły, muszą mieć zdolność „wyłączania" i ponownego włączania ogromnej liczby genów.

Z procesem różnicowania się komórek ściśle związane są antygeny układu grupowego AB0. Wiadomo, że w komórkach naczyń krwionośnych narządów płodu ich produkcja jest znacznie podwyższona i że są prawdopodobnie odpowiedzialne za określenie przyszłego położenia tych naczyń w powstających dopiero narządach. Ich funkcję można sobie łatwo uzmysłowić, gdy wyobrazimy je sobie jako grupę inżynierów, którzy wędrują na czele, przed zespołem budowlanych, planując przyszłą trasę linii kolejowej.

Z badań wynika, że antygeny grupowe układu AB0 można zaobserwować w rozwoju zarodkowym różnych zwierząt. Dowiedziono, że po raz pierwszy pojawiają się w endodermie, następnie w ektodermie i w mezodermie. Ponieważ jednak do erytrocytów docierają dopiero na końcu, autorzy sugerują, że właściwie antygeny grupowe układu AB0 należałoby nazywać antygenami tkankowymi, a nie antygenami grupy krwi[15,16].

Ta niezwykle istotna rola grup krwi w życiu zarodkowym płodu często umyka uwadze czy w ogóle nie jest rozumiana w środowisku medycznym. Tymczasem jest to prawdopodobnie najważniejsza przyczyna, dla której antygeny grup krwi pojawiają się i znikają z tkanek, które ulegają zrakowaceniu i przechodzą w stadium przerzutów[17]; złośliwe przekształcenia tkanek coraz częściej wiąże się z obecnością antygenów układu AB0[18].

Dopiero od niedawna stało się jasne, że genetyczne funkcje układu grupowego AB0 są kluczem do wielu zagadek uporczywie wymykających się ludzkiemu rozumieniu. Już dziś wiedzę na temat grup krwi możemy zastosować do utrzymania zdrowia, ochrony przed chorobami, a nawet leczenia już uszkodzonych komórek. W tym wypadku rewolucja genetyczna faktycznie wymaga krwi.

**Bibliografia**

1. Skolnick MH, Thompson EA, Bishop DT, Cannon LA. Possible linkage of a breast cancer-susceptibility locus to the ABO locus: sensitivity of LOD scores to a single new recombinant observation. *Genet Epidemiol.* 1984;l:363–373.
2. Garratty G. Blood group antigens as tumor markers, parasitic/bacterial/viral receptors, and their association with immunologically important proteins. *Immunol Invest.* l995;24:213–232.
3. Goldin LR, Gershon ES, Lake CR, et al. Segregation and linkage studies of plasma dopamine-beta-hydroxylase (DBH), erythrocyte catechol-O--methyltransferase (COMT), and platelet monoamine oxidase (MAO): possible linkage between the AB0 locus and a gene controlling DBH activity. *Am J Hum Genet.* 1982;34:250–262.
4. Craig SP, Buckle VJ, Lamouroux A, et al. Localization of the human dopamine beta hydroxylase (DBH) gene to chromosome 9q34. *Cytogenet Cell Genet.* 1988;48:48–50.
5. Wilson AF, Elston BC, Siervogel RM, Tran LD. Linkage of a gene regulating dopamine-beta-hydroxylase activity and the AB0 blood group locus. *Am J Hum Genet.*1988;42:160–166.
6. Sherrington R, Curtis D, Brynjolfsson J, et al. A linkage study of affective disorder with DNA markers for the AB0-AK1-ORM linkage group near the dopamine beta hydroxylase gene. *Biol Psychiatry* 1994;36:434–442.
7. Souto IC, Almasy L, Muniz-Diaz E, et al. Functional effects of the AB0 locus polymorphism on plasma levels of von Willebrand factor, factor VIII, and activated partial thromboplastin time. *Arterioscler Thromb Vasc Biol.* 2000;20:2024–2028.
8. Orlow I, Lacombe L, Pellicer I, et al. Genotypic and phenotypic characterization of the histoblood group AB0(H) in primary bladder tumors. *Int J Cancer.* 1998;75:819–824.
9. Leppilahti J, Puranen J, Orava S. AB0 blood group and Achilles tendon rupture. *Ann Chir Gynaecol.* l996;85:369–371.
10. Eiberg H, Mohr J. Major genes of eye color and hair color linked to LU and SE. *Clin Genet.* 1987;3l:186–191.
11. Ozelius U, Kwiatkowski DJ, Schuback DE, et al. A genetic linkage map of human chromosome 9q. *Genomics.* 1992;14:715–720.
12. Northrup H, Lathrop M, Lu SY, et al. Multilocus linkage analysis with the human argininosuccinate synthetase gene. *Genomics.* 1989;5:442–444.
13. McFadzean J, Tasker RC, Petros AJ. Nitric oxide AB0 blood group difference in children. *Lancet.* 1999;353:1414–1415.
14. Weimann J, Bauer H, Bigatello L, Bloch KD, Martin E, Zapol WM. AB0 blood group and inhaled nitric oxide in acute respiratory distress syndrome. *Lancet.* 1998;351:1786–1787.
15. Oriol R, Mollicone B, Coullin P, Dalix AM, Candelier JJ. Genetic regulation of the expression of ABH and Lewis antigens in tissues. *APMIS Suppl.* 1992;27:28–38.
16. Szulman AE. Evolution of ABH blood group antigens during embryogenesis. *Ann Inst Pasteur Immunol.* 1987;138:845–847.
17. Sarafian V, Dimova P, Georgiev I, Taskov H. ABH blood group antigen significance as markers of endothelial differentiation of mesenchymal cells. *Folia Med.* (Plowdiw). 1997;39:5–9.
18. Le Pendu J, Marionneau S, Cailleau-Thomas A, Rocher J, Le Moullac-Vaidye B, Clement M. ABH and Lewis histoblood group antigens in cancer. *APMIS.* 2001;109:9–3l.

Część druga

# Kompendium współczesnej wiedzy na temat zależności między grupą krwi i zdrowiem lub chorobą

**AGORAFOBIA** – *patrz Zaburzenia lękowe*

**AIDS** – *patrz Choroby wirusowe: AIDS*

## Akceleracja procesu dojrzewania

Obecnie dojrzewanie zaczyna się wcześniej niż sto lat temu, być może dzięki lepszemu odżywianiu oraz poprawie warunków zdrowotnych i życiowych. W USA, na przykład, średni wiek pierwszej miesiączki spadał między rokiem 1850 i 1950 o 2 miesiące co dziesięć lat; ostatnio jednak ustabilizował się na jednym poziomie. Wciąż jednak wiek początku dojrzewania i tempo osiągania dojrzałości różnią się dla poszczególnych osobników i zależą od czynników genetycznych i środowiskowych. Somatyczny rozwój kobiety i mężczyzny obejmuje osiągnięcie wzrostu i masy ciała typowej dla osób dorosłych, rozwój układu mięśniowo-szkieletowego, powiększenie wszystkich narządów (poza gruczołami limfatycznymi, które maleją) i mózgu, który w okresie dojrzewania osiąga maksymalną wagę.

U chłopców przyspieszenie wzrostu w okresie dojrzewania przypada między 13. i 16. rokiem życia; w roku największego tempa wzrostu można oczekiwać skoku o 10 cm. W wypadku dziewczynek przyspieszenie wzrostu zaczyna się w wieku 11 lat, a w roku szczytowym może osiągnąć około 9 cm. W zasadzie co do tempa wzrostu to proces rośnięcia dziewczynek zostaje zakończony w wieku około 14 lat.

Ogólnie rzecz biorąc, w chwili zakończenia procesów wzrostowych chłopcy ważą i mierzą więcej niż dziewczęta, ponieważ ich czas wzrastania był dłuższy. Po osiągnięciu wieku 18 lat rosną jeszcze o mniej więcej 1,8 cm rocznie; dziewczętom, które w tym wieku osiągają już 99% swego wzrostu, przybywa nieco mniej. Nie ma prostej zależności między wzrostem i wiekiem, w którym zaczyna się dojrzewanie.

### Związki procesu dojrzewania z grupami krwi

Badania przeprowadzone w obrębie grup etnicznych wykazały, że w populacji pochodzenia kaukaskiego niektóre czynniki, takie jak poziom cholesterolu i skurczowe ciśnienie krwi, wystarczyły dla rozróżnienia między osobami z antygenem B (grupa krwi B i AB) i tymi, które tego antygenu nie miały (grupa A i 0). Już sam wzrost wskazywał na obecność lub brak tego antygenu: osoby z antygenem B były wyższe niż osoby bez tego antygenu średnio o 2,4 cm. Dalsze testy potwierdziły wniosek, że w układzie AB0 najsilniejszy związek istnieje między grupą krwi i wzrostem[1].

W grupie 290 dziewcząt należących do mongolskiej grupy etnicznej w północno-wschodnich Indiach zbadano związek między wiekiem, w którym wystąpiła u nich pierwsza miesiączka, i fenotypem grupy krwi oraz genotypem hemoglobiny E. Badania wykazały, że na wiek pierwszej miesiączki wpływał nieprawidłowy genotyp hemoglobiny E, a także fenotyp grupy krwi układu AB0. Hemoglobina E to przeciwciało mające duże znaczenie dla integralności układu odpornościowego. Wnosić zatem należy, że ten marker genetyczny odgrywa kluczową rolę w kwestii wzrostu i rozwoju człowieka[2].

## Tematy pokrewne

Choroby autoagresyjne (ogólnie)
Hipercholesterolemia
Odporność
Zaburzenia cyklu miesiączkowego: brak miesiączki

**Bibliografia**

1. Borecki IB, Elston RC, Rosenbaum PA, Srinivasan SR, Berenson GS. AB0 associations with blood pressure, serum lipids and lipoproteins, and anthropometric measures. *Hum Hered*. 1985;35:161–170.
2. Balgir RS. Menarcheal age in relation to AB0 blood group phenotypes and haemoglobin-E genotypes. *J Assoc Phisicians India*. 1993;41:210–211.

---

**ALERGIE (ogólnie)** – reakcje odpornościowe na alergeny środowiskowe i pokarmy.

| Alergie (ogólnie) | NASILENIE | | |
|---|---|---|---|
| | SŁABE | ŚREDNIE | DUŻE |
| Grupa A | | | |
| Grupa B | | | |
| Grupa AB | | | |
| Grupa 0 | | | |
| „wydzielacz" | | | |

## Objawy

* kichanie,
* wodnisty katar,
* swędzące oczy,
* pokrzywka,
* ból głowy,
* zaburzenia trawienne.

## Krótko o alergiach

Określenie „alergia" zostało ukute na początku XX wieku, po tym jak wykazano, że psy zaszczepione białkami innych zwierząt wykazują przy kolejnym kontakcie z tymi białkami reakcje inne od dotychczasowych. Reakcje te były dla nich niekorzystne, a czasem nawet prowadziły do śmierci.

Alergie to odpowiedzi układu odpornościowego na kontakt z danym pokarmem, substancją wdychaną lub określonym związkiem chemicznym. Prawdziwa alergia to reakcja, która ma wpływ na układ odpornościowy. Wrażliwość może obejmować też inne rodzaje reakcji, niekoniecznie alergicznych, których przyczyny nie zostały jeszcze wyjaśnione. Z punktu widzenia medycyny konwencjonalnej wiele reakcji określanych mianem „wrażliwości" nie jest w rzeczywistości alergiami. Ponieważ jednak w popularnym rozumieniu określenia „wrażliwość" i „alergia" są często używane dla wyrażenia tej samej reakcji organizmu, w tej części książki będziemy się nimi posługiwać naprzemiennie.

Według definicji Krajowego Instytutu Chorób Alergicznych i Zakaźnych alergicy wydają na wizyty u lekarzy, szczepionki i leki ponad 5 miliardów dolarów rocznie.

Z alergiami wiąże się też wiele innych chorób i dolegliwości, takich jak REUMATOIDALNE ZAPALENIE STAWÓW, ASTMA, ZABURZENIA UWAGI i ZAPALENIE PĘCHERZA.

## Przebieg ataku alergicznego

Reakcja alergiczna powstaje wówczas, gdy reakcje układu odpornościowego wymykają się spod kontroli. Miast atakować faktycznych wrogów, takich jak wirusy i bakterie, układ odpornościowy alergika budzi się do akcji w samej tylko obecności alergenów. Kiedy alergik napotyka w swym otoczeniu alergen, w jego organizmie wytwarzany jest specjalny rodzaj przeciwciał, zwanych immunoglobulinami E (IgE). Cząsteczki IgE są swoiste w stosunku do alergenu, który spowodował ich produkcję, i łatwo przyczepiają się do jego powierzchni.

Swoiste cząsteczki IgE wędrują w krwiobiegu i przyłączają się do receptorów na powierzchni komórek tucznych. Komórki te specjalizują się w wytwarzaniu histaminy

Napotkawszy alergen Ⓐ, układ odpornościowy alergika przyłącza go do receptorów IgE wywołując uwalnianie histaminy. Histamina jest odpowiedzialna za kichanie, szczypanie oczu itp.

**PRZEBIEG ATAKU ALERGICZNEGO**

Swoiste cząsteczki IgE wędrują w krwiobiegu i przyłączają się do receptorów na powierzchni komórek tucznych. Komórki te specjalizują się w wytwarzaniu histaminy, związku chemicznego odpowiedzialnego za typowe objawy alergii, takie jak łzawienie, kichanie i POKRZYWKA. Każda immunoglobulina E jest wytwarzana dla konkretnego rodzaju alergenu – lateksu, naskórka kota, pyłku dębu czy pyłku roślin zielnych. Immunoglobulina, która przyczepiła się do komórki tucznej, może tam pozostawać tygodnie, a nawet miesiące, zawsze gotowa, by związać konkretny alergen.

Kolejna inwazja alergenu da początek serii zmian, które w rezultacie doprowadzą do wydzielenia histaminy z komórek tucznych. W zależności od alergenu powstają i są wydzielane różne związki chemiczne. Docierają one do konkretnych części ciała, gdzie powodują powstawanie szerokiej gamy objawów. Symptomy te mogą się pojawić w czasie od kilku minut do godziny po zetknięciu z alergenem.

## Podstawowe czynniki ryzyka i przyczyny alergii

Wydaje się, że ludzie dziedziczą alergię, i to głównie po matkach. Można sądzić, że za tę przypadłość odpowiedzialne są co najmniej trzy geny, choć jak dotąd zidentyfikowano tylko jeden. Gen ten wytwarza interleukin 4 (IL-4), czynnik wzrostowy niezbędny do wytwarzania IgE. Nadprodukcja IL-4 prowadzi do nadmiaru IgE, a to z kolei prowadzi do alergii. Większość lektyn pokarmowych stymuluje wytwarzanie IL-4[1] i stanowi niezbity dowód, że istnieje związek między silną alergią a zwiększoną wrażliwością na lektyny pokarmowe.

Według jednej z teorii odpowiedź alergiczna jest obronną reakcją układu odpornościowego skierowaną przeciw zupełnie niegroźnym substancjom, pomyłkowo wziętym przez tenże układ odpornościowy za zagrażające organizmowi pasożyty. Prawdopodobnie tak właśnie jest. Wykazano, że w trakcie INFEKCJI PASOŻYTNICZEJ ilość IgE znacznie rośnie. Granulocyty eozynochłonne (krwinki białe mające zdolność zabijania pasożytów takich jak robaki) działają w połączeniu z IgE. Dlatego też jednym z klasycznych objawów choroby pasożytniczej u dzieci są właśnie wodnisty katar i swędzące oczy – wynik pobudzenia układu odpornościowego próbującego zabić pasożyta i przy okazji uwalniającego takie ilości IgE, że zaczyna to wyglądać jak alergia.

Osoby typu niekaukaskiego przejawiają skłonność do wyższego stężenia IgE, zaś kobiety wyraźnie ustępują pod tym względem mężczyznom. Poziom IgE maleje z wiekiem, podobnie jak liczba przeciwciał grupy krwi, a to wyjaśnia, dlaczego niektórzy ludzie „wyrastają" z dziecięcych alergii.

Z zasady osoby z dziedzicznymi atopowymi zmianami skóry, takimi jak EGZEMA, mają genetyczne predyspozycje do nadwrażliwości na niektóre wdychane i połykane substancje. Te same alergeny są zupełnie nieszkodliwe dla ludzi bez skłonności do zmian atopowych. U małych dzieci alergia pokarmowa wywołana podwyższonym poziomem IgE może być przyczyną egzemy, jednakże u dzieci starszych i osób dorosłych zmiany te są przeważnie niezależne od czynników alergicznych.

Znaczny wzrost reakcji alergicznych zaobserwowano w zetknięciu z rozpuszczalnymi w wodzie białkami zawartymi w produktach lateksowych (gumowych rękawiczkach, ślinochronach dentystycznych, prezerwatywach, przewodach respiracyjnych, cewnikach i specjalnych rurkach do lewatywy). Szczególne znaczenie ma to dla personelu medycznego i pacjentów, zwłaszcza zaś dzieci z ROZSZCZEPEM TYLNYM KRĘGOSŁUPA* i wadami wrodzonymi układu moczowo-rozrodczego.

## Terapie stosowane w alergiach

*Protokoły stosowane przy grupie krwi A:*
- przeciwalergiczny
- wspomagający zdrowie jelit
- poprawiający stan skóry

*Protokoły stosowane przy grupie krwi B:*
- przeciwalergiczny
- wzmacniający układ odpornościowy
- poprawiający stan skóry

*Protokoły stosowane przy grupie krwi AB:*
- przeciwalergiczny
- wzmacniający układ odpornościowy
- poprawiający stan skóry

*Protokoły stosowane przy grupie krwi 0:*
- przeciwalergiczny
- przeciwgrzybiczny
- poprawiający stan skóry

## Tematy pokrewne

Astma
Choroby autoagresyjne
Odporność

**Bibliografia**

1. Haas H, Falcone FH, Schramm G, et al. Dietary lectins can induce in vitro release of IL-4 and IL-13 from human basophils, *Eur J Immunol.*, 1999;29:918–927.

**ALERGIE POKARMOWE** – symptomy pojawiające się regularnie po zjedzeniu konkretnych pokarmów i w wypadku których dowiedziono istnienia podstaw natury immunologicznej (reakcji przeciwciał IgE).

| Alergie pokarmowe | NASILENIE | | |
|---|---|---|---|
| | NISKIE | UMIARKOWANE | ZNACZNE |
| Grupa A | | | |
| Grupa B | | | |
| Grupa AB | | | |
| Grupa 0 | | | |
| niewydzielacz | | | |

## Objawy

- pokrzywka,
- egzema,
- objawy żołądkowo-jelitowe (drażliwe jelito, zapalenie okrężnicy),
- objawy oddechowe (astma, nieżyt alergiczny nosa).

## Krótko o alergiach pokarmowych

Doniesienia na temat alergii pokarmowych zaczęły się pojawiać w Europie już na początku XX wieku; już w latach czterdziestych tego samego wieku alergie pokarmowe były rozpoznawane przez lekarzy na całym świecie. W samych Stanach Zjednoczonych dolegliwościami tymi dotkniętych jest 8% dzieci (ok. 2 milionów) i 2% dorosłych.

Przy prawdziwej alergii pokarmowej układ odpornościowy chorego nadmiernie reaguje na pokarmy, które dla osób zdrowych są zupełnie nieszkodliwe. Przyczyną są przeciwciała, immunoglobuliny E (IgE), obecne w organizmach alergików. Alergie pokarmowe dotykają zwykle osoby mające w rodzinie przypadki podobnych alergii, a symptomy choroby pojawiają się po spożyciu nawet niewielkich ilości pokarmu wywołującego uczulenie.

---

* Schorzeniu temu towarzyszą m.in. nieprawidłowości w działaniu układu moczowego – przyp. tłum.

Alergeny pokarmowe – czyli elementy pokarmów, które powodują reakcje alergiczne – to zazwyczaj białka. Większość z nich będzie wywoływała w układzie pokarmowym alergię również po ugotowaniu lub strawieniu tychże pokarmów. W celu ustalenia, co wywołuje reakcje alergiczne, przebadano wiele pokarmów białkowych. Wśród najbardziej pospolitych alergenów pokarmowych – odpowiedzialnych nawet za 90% wszystkich reakcji alergicznych – znalazły się: mleko krowie, jaja, orzechy ziemne, pszenica, soja, ryby, owoce morza i orzechy laskowe.

Najczęstszą reakcją alergiczną na pokarm jest pokrzywka. Pokrzywka to czerwone, silnie swędzące i czerwone wzniesienia na skórze, występujące nagle i również nagle znikające. Pojawiają się w grupach, a nowym skupiskom towarzyszy zanikanie starych. Pokrzywka może być jedynym przejawem alergii pokarmowej. Nietolerowanie pokarmów okazało się główną przyczyną objawów składających się na zespół drażliwego jelita.

Istnieją wstępne doniesienia, że z tym samym zjawiskiem możemy mieć do czynienia w wypadku WRZODZIEJĄCEGO ZAPALENIA OKRĘŻNICY. Pierwszym przejawem może być tylko egzema (atopowe zmiany skórne) lub egzema w połączeniu z objawami żołądkowo-jelitowymi. Pod koniec pierwszego roku choroby zmiany skórne słabną, natomiast może się pojawić reakcja alergiczna w obrębie układu oddechowego. Pod wpływem alergii pokarmowej, możliwej do wykrycia za pomocą testów skórnych, mogą się nasilać objawy ASTMY i alergicznego NIEŻYTU NOSA.

W wypadku alergii dziecięcych w miarę dorastania alergeny pokarmowe ustępują alergenom wdychanym. Począwszy od wieku 10 lat, alergiczne reakcje na pokarmy w zasadzie nie wywołują już objawów w obrębie układu oddechowego, nawet jeśli zmiany skórne nadal się utrzymują.

## Związek alergii z lektynami

Wykazano, że lektyny pokarmowe stymulują wytwarzanie interleukiny-4, która z kolei uaktywnia IgE[1]. Być może właśnie tym można wyjaśnić poprawę w zakresie alergicznego ZAPALENIA ZATOK i astmy, należących do najbardziej pospolitych korzyści obserwowanych u osób, które zaczynają stosować dietę zgodną z grupą krwi. Lektyny często służą bakteriom do przyczepiania się do komórek organizmu żywiciela, dlatego należą do substancji najsilniej alergizujących. Rozpoznano wiele lektyn pokarmowych pobudzających wydzielanie IgE. Są wśród nich lektyny bananów, kasztanów jadalnych i awokado. Stwierdzono też istnienie wzmacniającej reakcji między alergenami lateksu i alergenami pokarmowymi banana, kasztana jadalnego i kiwi, o którym wiadomo, że również pobudza aktywność IgE.

Dowiedziono, że lektyny groszku, bobu, soczewicy, soi, orzechów ziemnych i zarodków pszennych łączą się bezpośrednio z IgE i inicjują uwalnianie histaminy osłabiającej zdolność koncentracji[2].

## Terapie stosowane w alergiach pokarmowych

*U wszystkich czterech grup krwi układu ABO stosuje się protokół:*
- przeciwalergiczny

## Tematy pokrewne

Choroba trzewna
Trawienie
Lektyny
Choroby autoagresyjne

**Bibliografia**
1. Khetsuriani NG, Gamkrelidze AG. Erythrocyte antigens as immunogenetic markers of respiratory atopic diseases in Georgians, *J Investig Allergol Clin. Immunol*, 1995;5:35–39.
2. Kauffmann F, Frette C, Pham QT, Nafissi S, Bertrand JP, Oriol R. *Am J Respir Crit Care Med.* 1996;153:76–82.

# ALERGIE ŚRODOWISKOWE: KATAR SIENNY

**ALERGIE ŚRODOWISKOWE: KATAR SIENNY** – odpowiedzi odpornościowe na czynniki środowiska, wyzwolone pod wpływem substancji wdychanych lub obecnych w otoczeniu, często pyłków roślinnych.

| Alergie środowiskowe/ katar sienny | NASILENIE | | |
|---|---|---|---|
| | NISKIE | UMIARKOWANE | ZNACZNE |
| Grupa A | | | |
| Grupa B | | | |
| Grupa AB | | | |
| Grupa 0 | | | |
| wydzielacz | | | |

## Objawy

- kichanie,
- przekrwienie,
- wodnisty katar,
- swędzenie oczu.

## Krótko o alergiach środowiskowych i katarze siennym

Alergie to wynik nadmiernej reakcji układu odpornościowego na zwykle niegroźne substancje obecne w otoczeniu, zwane alergenami. Pośród najbardziej pospolitych alergenów znajdują się roztocza kurzu domowego i pyłki.

Katar sienny to najczęstszy z przejawów alergii środowiskowej. Uczulenia sezonowe przejawiają się symptomami alergii wywołanymi przez przenoszone drogą powietrzną pyłki roślin i zarodniki grzybów. Wiosną i jesienią osobom chorym na katar sienny dokucza kichanie, przekrwienie śluzówki, wodnisty katar i swędzenie nosa, podniebienia, gardła, oczu i wnętrza uszu – w stopniu zależnym od rodzaju alergenu i tego, czy dana osoba mieszka na wsi, czy w mieście.

Pyłki to maleńkie, okrągławe męskie rozrodcze komórki kwitnących roślin. Te mikroskopijne cząstki przypominające puder służą do zapłodnienia komórek żeńskich. Przeciętna komórka pyłku jest mniejsza od przekroju zdrowego ludzkiego włosa. Zazwyczaj pyłek roślin o jaskrawych kwiatach, jak np. róże, nie wywołuje alergii. Jednakże liczne drzewa, trawy i rośliny zielne wytwarzają niewielki, lekki i suchy pyłek, wręcz stworzony do przenoszenia z prądami wiatru. Właśnie te pyłki wywołują objawy alergii.

Katar sienny pojawiający się wczesną wiosną jest zazwyczaj reakcją na pyłki drzew, takich jak brzoza, olcha, leszczyna, lipa, wiąz, buk, wierzba, dąb, jesion, topola, klon i orzech. Późną wiosną i latem w powietrzu pojawiają się pyłki traw, takich jak rajgras, kupkówka pospolita, mietlica biała, życica trwała, wiechlina łąkowa, tomka wonna, kłosówka wełnista, tymotka. Wszystkie one mogą wywoływać objawy alergii.

Do roślin zielnych odpowiedzialnych za uczulenia zaliczyć można pospolite chwasty, takie jak babka, pokrzywa, szczaw, bylica. Każda z tych roślin ma okres pylenia, co roku mniej więcej w tej samej porze. Może na to jednak mieć wpływ pogoda, co więcej, pora pylenia zmienia się też z szerokością geograficzną: im dalej na północ, tym zaczyna się później.

## Związek alergii z grupami krwi

Przeprowadzone wśród Gruzinów badania nad chorobami układu oddechowego wykazały, że osoby wydzielające antygeny grupowe do płynów ustrojowych mają zwykle większe stężenie IgE niż niewydzielające, a zatem są bardziej podatne na alergie. Osoby z grupą krwi B mają skłonność do pyłkowicy większą niż obserwowana w pozostałych grupach, zaś u osób z grupą krwi 0 tendencja ta jest nieznacznie słabsza.

Osoby z grupą krwi 0 zdają się być najbardziej zagrożone alergiami układu oddechowego, zaś największą odporność na ten rodzaj uczuleń obserwuje się w grupie krwi AB. W wypadku uczulenia na kurz domowy osoby z grupą krwi 0 miały większą liczbę limfocytów B (syntetyzujących IgE) niż osobniki innych grup. W grupie krwi A zaobserwowano znacząco mniejszą liczebność tych limfocytów[1].

Grupa B wykazała znacznie większą zachorowalność na katar sienny. U 239 Niemców przejawiających zmiany atopowe skóry (egzemę), katar

74

sienny, alergiczny nieżyt nosa, astmę oskrzelową i ostrą pokrzywkę zbadano fenotyp i dystrybucję genów w obrębie 15 stwierdzonych polimorfizmów grup krwi, w tym układu grupowego AB0, MN, Rh, oraz porównano te wyniki z danymi na temat 151 osobników kontrolnych (nieprzejawiających zmian alergicznych i niemających przypadków alergii w historii rodziny). Stwierdzono, że przedstawicieli grupy B było więcej wśród chorych niż w grupie kontrolnej. Obserwacje te zgadzały się z wynikami wcześniejszych badań przeprowadzonych w innych środowiskach[2].

W innych badaniach poddano analizie dystrybucję grup krwi AB0 w grupie 241 pacjentów cierpiących na katar sienny. W próbie tej przedstawiciele grupy 0 byli w mniejszości, ustępując bardzo silnie, w porównaniu z całą populacją, reprezentowanym osobnikom z fenotypem B. Wydaje się, że przesunięcie to wiązało się z wkładem, jaki do próby wniosły kobiety z alergią pyłkową[3].

## Terapie stosowane w alergiach środowiskowych i katarze siennym

*Protokoły stosowane przy grupie krwi A:*
• przeciwalergiczny
• wzmacniający układ odpornościowy

*Protokoły stosowane przy grupie krwi B:*
• przeciwalergiczny
• wzmacniający płuca

*Protokoły stosowane przy grupie krwi AB:*
• przeciwalergiczny
• wzmacniający układ odpornościowy

*Protokoły stosowane przy grupie krwi 0:*
• przeciwalergiczny
• przeciwzapalny

## Tematy pokrewne

Astma
Choroby autoagresyjne
Zapalenie oskrzeli
Odporność

**Bibliografia**

1. Khetsuriani NG, Gamkrelidze AG. Erythrocyte antigens as immunogenetic markers of respiratory atopic diseases in Georgians. *J Investig Allergol Clin Immunol.* 1995;5:35–39.
2. Brachtel R, Walter H, Beck W, Hilling M. Associations between atopic diseases and the polymorphic systems AB0, Kidd, Inv and red cell phosphatase. *Hum. Genet.*, 1979;49:337–348.
3. Koers WJ, Houben GF, Berrens L. Blood groups AB0 and grass-pollen hay fever, *Allerg Immunol (Leipz.)*, 1989;35:167–172.

**ALKOHOLIZM** – uzależnienie od alkoholu etylowego prowadzące do degradacji fizycznej i psychicznej, a w konsekwencji do śmierci.

| Alkoholizm | RYZYKO | | |
|---|---|---|---|
| | NISKIE | PRZECIĘTNE | WYSOKIE |
| Grupa A | | | |
| Grupa B | | | |
| Grupa AB | | | |
| Grupa 0 | | | |
| niewydzielacz | | | |
| Podtyp MN | | | |

## Objawy

Uzależnieniu alkoholowemu towarzyszy występowanie co najmniej trzech z poniższych objawów:
• wycofanie z życia społecznego,
• zwiększona tolerancja alkoholu,
• nieustające pragnienie skończenia z piciem,
• picie ponad miarę,
• spędzanie czasu na zdobywaniu alkoholu, jego piciu i trzeźwieniu,
• zarzucanie obowiązków towarzyskich i zawodowych oraz okazji do odpoczynku na rzecz picia alkoholu,
• picie pomimo fizycznych i psychicznych problemów, które z tego wynikają.

## Krótko o alkoholizmie

Alkoholizm to zdradziecka choroba, o destrukcyjnym wpływie na każdy aspekt ludzkiego zdrowia psychicznego, fizycznego i społecznego. Alkoholizm innych piętnuje w zasadzie każdego, kto się z nim zetknie.

Jak wynika z badań, alkoholizm ma silny aspekt dziedziczny; biologiczne dzieci alkoholików są 4–5 razy bardziej narażone na zapadnięcie na tę chorobę niż dzieci ludzi zdrowych.

Do konsekwencji zdrowotnych alkoholizmu należy degeneracja mózgu, CHOROBA SERCA, NADCIŚNIENIE, niedożywienie i CHOROBA WĄTROBY. Jedynie około 3% spożytego alkoholu ulega wydaleniu; reszta podlega przemianom metabolicznym w wątrobie i przechodzi do żołądka i jelita cienkiego. Przy piciu częstym i nieumiarkowanym dochodzi do zniszczenia wątroby. W rezultacie może dojść do MARSKOŚCI WĄTROBY, znacznego upośledzenia wchłaniania substancji odżywczych i – w rezultacie – śmierci.

## Podstawowe czynniki ryzyka i przyczyny alkoholizmu

Wprawdzie alkoholizm jest chorobą pospolitą, przede wszystkim w kręgu cywilizacji zachodniej, to jednak znany jest na całym świecie. Istnieją dowody na to, że ziarno zbóż służyło do wyrobu alkoholu dużo wcześniej niż do produkcji chleba. Potrzeba uzyskania alkoholu mogła być główną motywacją do uprawy zbóż i osadnictwa.

Część badań sugeruje, że większość alkoholików charakteryzuje się zmniejszoną produkcją hormonu adrenokortykotropowego (ACTH), hormonu, który sygnalizuje nadnerczom konieczność produkcji hormonów stresowych. U alkoholików prawie zawsze występuje hipoglikemia, rekompensowana przez substancje pobudzające. Zazwyczaj osoby takie wytrzymują zbyt długo bez jedzenia, a w rezultacie opadają z sił. Alkohol równoważy u nich skoki adrenaliny i jest źródłem cukru.

## Związek alkoholizmu z grupami krwi

W wyniku niezbyt szczęśliwego i prawdopodobnie losowego zbiegu okoliczności gen, decydujący o statusie wydzielacza lub niewydzielacza, jest ulokowany w pobliżu tego miejsca DNA, które jest być może genem alkoholizmu. Wydaje się, że osoby niewydzielające antygenów są skłonne do alkoholizmu[1], i – nieoczekiwanie – ich serca czerpią największą korzyść z umiarkowanego używania alkoholu. W Kopenhadze przeprowadzono badania na grupie mężczyzn alkoholików. Wykazały one, że bardziej zagrożeni CHOROBĄ NIEDOKRWIENNĄ SERCA (słabym dopływem krwi do tętnic) są wydzielacze. Autorzy badań sugerują też, że umiarkowane spożycie alkoholu może regulować tempo przepływu insuliny, zmniejszając odkładanie tłuszczu w ścianach naczyń krwionośnych[2].

Oczywisty wydaje się fakt, że alkoholizm pozostaje w silnym związku ze stresem. W pewnych japońskich badaniach dowiedziono, że wśród osób leczących się z powodu alkoholizmu jest więcej osób z grupą krwi A niż B czy 0. Uważa się, że być może grupa A ma szczególną predylekcję do łagodzenia stresu poprzez przyjmowanie substancji chemicznych o działaniu inhibicyjnym[3].

Wprawdzie nie ma badań, które wiązałyby z alkoholizmem grupę krwi 0, istnieją jednak podstawy, by sądzić, że grupa ta – z powodu bezpośredniego sprzężenia między genem regulującym aktywność DBH i locus genu grupy krwi AB0 – ma trudności z zaspokojeniem zapotrzebowania na dopaminę, związek chemiczny nieodłącznie związany z działalnością ośrodków zadowolenia i przyjemności w mózgu[4,5]. Niskie stężenie DBH może sprzyjać podejmowaniu czynności kojarzących się z przyjemnością, na przykład piciu alkoholu.

Być może skłonność do alkoholu wiąże się też z układem grupowym MN[6]. Badania przeprowadzone w ramach programu *Alkohol i genetyka* w Western Psychiatric Institute i w Clinic of Pittsburgh, w Pensylwanii, skupiły się na związkach między sześcioma markerami grupowymi i domniemanym genem alkoholizmu. Zebrane dowody zdają się świadczyć, że istnieje związek między grupą MN (a więc obecnością zarówno genu M, jak i N) i skłonnością do alkoholizmu.

## Terapie stosowane w alkoholizmie

### Wszystkie grupy krwi:

- Pijąc alkohol, wystrzegaj się leków zawierających cymetydynę (Tagamet, Altramet) i ranitydynę (Zantac). Substancje te hamują działanie znajdującej się w żołądku dehydrogenazy alkoholowej, upośledzając rozkład alkoholu i znacznie podwyższając jego stężenie we krwi.
- Zminimalizuj skutki picia alkoholu poprzez spożywanie probiotyków, czyli pokarmów modyfikujących florę jelitową. W pewnych japońskich badaniach wykazano na przykład, że natto*, tradycyjne pożywienie japońskie, pomaga w metabolizmie alkoholu. Oznacza to, że pokarmy tego typu mogą być znakomitym remedium na kaca[7].

### Protokoły stosowane przy grupie krwi A:

- przeciwstresowy
- wspomagający działanie wątroby
- usprawniający metabolizm

### Dodatkowo:

L-glutamina: 500 mg dwa razy dziennie

### Protokoły stosowane przy grupie krwi B:

- przeciwstresowy
- usprawniający metabolizm
- wspomagający działanie wątroby

### Dodatkowo:

fosfatydylocholina: 500 mg dziennie;
L-karnityna: dwa razy dziennie po 300 mg

### Protokoły stosowane przy grupie krwi AB:

- przeciwstresowy
- usprawniający metabolizm
- detoksykacyjny

### Dodatkowo:

fosfatydylocholina: 500 mg dziennie;
L-karnityna: dwa razy dziennie po 300 mg

### Protokoły stosowane przy grupie krwi 0:

- przeciwstresowy
- usprawniający metabolizm
- detoksykacyjny

### Dodatkowo:

pantetyna: 650 mg dziennie;
L-glutamina: 500–750 mg dziennie

## Tematy pokrewne:

Choroba niedokrwienna serca
Stres
Trawienie

**Bibliografia**

1. Stigendal L, Olsson R, Rydberg L, Samuelsson BE. Blood group lewis phenotype on erythrocytes and in saliva in alcoholic pancreatitis and chronic liver disease. *J Clin Pathol*, 1984;37:778–782.
2. Camps FE, Dodd BE, Lincoln PJ. Frequencies of secretors and non-secretors of ABH group substances among 1,000 alcoholic patients. *Br Med J.* 1969;681: 457–459.
3. Hill S.Y., Suggestive evidence of genetic linkage between alcoholism and the MNS blood group, *Alcohol Clin Exp Res.*, 1988;12(6):811–814.
4. Wilson AF, Elston RC, Siervogel RM, Tran LD. Linkage of a gene regulating dopamine-beta-hydroxylase activity and the AB0 blood group locus. *Am J Hum Genet* 1988;42:160–166.
5. Sherrington R, Curtis U, Brynjolfsson J, Moloney E, Rifkin L, Petursson H, Gurling H. A linkage study of affective disorder with DNA markers for the ABO-AK1-ORM linkage group near the dopamine beta hydroxylase gene, *Biol Psychiatry.* 1994;36:434–442.
6. DiPadova C, Rome R, Frezza M, Gentry RT, Baraona E, Lieber CS. Effects of ranitidine on blood alcohol levels after ethanol ingestion: comparison with other H2-receptor antagonists. *JAMA.* 1992;267:83–86.
7. Sumi H, Yatagai C, Wada H, Yoshida E, Maruyama M. Effect of Bacillus natto-fermented product (BIOZYME) on blood alcohol, aldehyde concentrations after whisky drinking in human volunteers, and acute toxicity of acetaldehyde in mice. *Arukoru Kenkyuto Yakubutsu Ison.* 1995;30:69–79.

* Sfermentowane nasiona soi – przyp. tłum.

**AMEBA** – *patrz Choroby pasożytnicze: Pełza-*
*kowica*

**ANEMIA Z NIEDOBORU ŻELAZA** –
*patrz Niedokrwistość z niedoboru żelaza*

**ANEMIA ZŁOŚLIWA** – *patrz Niedokrwistość*
*złośliwa*

**ANEURYZM AORTY BRZUSZNEJ** –
*patrz Tętniak aorty brzusznej*

**ANTYGEN THOMSENA-FRIEDEN-**
**REICHA (T)** – *patrz Nowotwory (ogólnie)*

**APOPLEKSJA** – *patrz Udar*

**ARTRETYZM** – *patrz Zapalenie stawów: zwy-*
*rodnieniowe*

**ARYTMIA PRZEDSIONKOWA** – *patrz*
*Choroba sercowo-naczyniowa*

**ASTMA** – zwężenie lub zamknięcie dróg oddechowych w odpowiedzi na bodźce zewnętrzne
lub wewnętrzne.

| Astma | RYZYKO ZACHOROWANIA/NASILENIE | | |
|---|---|---|---|
| | NISKIE | UMIARKOWANE | ZNACZNE |
| Grupa A | | | |
| Grupa B | | | |
| Grupa AB | | | |
| Grupa 0 | | | |
| Podtyp MN | | | |
| niewydzielacze | | | |

## Objawy

- kaszel,
- świszczący oddech,
- znacznie utrudnione oddychanie,
- wrażenie zaciskającej się obręczy wokół szyi lub górnej części klatki piersiowej.

## Krótko o astmie

Astma zdarza się najczęściej u dzieci poniżej 10. roku życia i dwakroć częściej u mężczyzn niż u kobiet. Dotyka mniej więcej 3% populacji. Czynniki i okoliczności sprzyjające wystąpieniu reakcji astmatycznej to m.in.: intensywny wysi-łek, zmartwienia, uczulenia pokarmowe, wdy-chanie mroźnego powietrza lub substancji draż-niących (dym, gaz, opary chemiczne), leczenie farmakologiczne mniej dokuczliwych chorób, ta-kich jak EGZEMA lub ZAPALENIE UCHA ŚRODKO-WEGO, wreszcie reakcje na konkretne alergeny, takie jak pyłki (patrz ALERGIE).

Rozróżnia się dwa rodzaje astmy:

*Astma egzogenna*: zwana czasem astmą atopo-wą, w której pośredniczy immunoglobulina E (IgE). Astma tego rodzaju wywoływana jest przez reakcję antygen–przeciwciało. W tym wypadku napady astmy pojawiają się naj-częściej pod wpływem kontaktu z alergena-mi: kurzem, zarodnikami grzybów, pyłkami, łupieżem zwierzęcym i pokarmami.

*Astma endogenna*: zdaje się nie mieć nic wspólnego z kompleksem antygen–prze-ciwciało. Reakcje oskrzeli powstają pod wpływem zimnego powietrza, wysiłku, in-fekcji, zmartwień i wdychania drażniących substancji.

U większości pacjentów występują zwykle ob-jawy obu rodzajów astmy, ale u niemowląt i dzie-ci astma egzogenna zdarza się częściej. Dodatko-wym czynnikiem w wypadku co najmniej 75% młodocianych astmatyków i około 40% doro-słych jest nierozpoznana alergia pokarmowa[1].

Astma ma rozmaite objawy. Niektórzy astma-tycy mają objawy cały czas, u innych okresy bez-objawowe przerywane są silnymi napadami. Wśród łagodniejszych objawów znaleźć się może pokasływanie, któremu towarzyszy nieznacznie świszczący oddech. Początkowy kaszel może przejść w ciężki atak kaszlu i chory często odczu-wa trudności oddechowe. Dzieci skarżą się czę-sto na ucisk wokół gardła i górnej części klatki piersiowej, będący ostrzeżeniem o nadchodzącym ataku choroby. Często początkiem napadu może być konkretny czynnik stresujący, taki jak intensywne ćwiczenia fizyczne, oddychanie mroźnym powietrzem czy jakaś szkodliwa substancja. Długotrwała astma może upośledzić wydzielnicze i odpornościowe funkcje organizmu, wywołując silne ZMĘCZENIE i podatność na infekcje.

## Związki astmy z grupami krwi

Grupę krwi B kojarzy się z większą podatnością na chroniczne zapalne choroby płuc. Również w tej grupie częściej spotyka się astmę będącą wynikiem chronicznego zapalenia płuc. W badaniach populacyjnych przeprowadzonych w Gruzji za czasów ZSRR przebadano 293 pacjentów z alergiami oddechowymi, 83 pacjentów z astmą oskrzelową i 215 osób zdrowych; chodziło o ustalenie związku między chorobami układu oddechowego i układem grupowym AB0, układem Rh i MNS, a wreszcie statusem wydzielacza lub niewydzielacza. Stwierdzono, że ryzyko zapadnięcia na ciężką postać astmy oskrzelowej było w grupie B wyższe niż w pozostałych grupach, a w grupie 0 niewielkie do umiarkowanego. Stwierdzono też, że grupa krwi MN również była związana ze zwiększoną zachorowalnością na astmę oskrzelową[1].

W trakcie badań 228 górników węgla kamiennego szukano związków między układem grupowym AB0 i statusem wydzielacza oraz czynnością płuc, świszczącym oddechem i astmą, z uwzględnieniem wpływu, jaki mogą mieć na te związki czynniki środowiskowe. Okazało się, że astma jest w istotny sposób powiązana z fenotypem niewydzielacza, natomiast upośledzone funkcjonowanie płuc, świszczący oddech oraz większą zachorowalność na astmę stwierdzono u pacjentów z grupą krwi 0 i niewydzielających antygenów do płynów ustrojowych[2].

W rozwoju astmy znaczący udział może też mieć stres, który osłabia czynność płuc u osób z grupą krwi A, a w nieco mniejszym stopniu również u osób z grupą krwi B. Intensywny stres może spowodować odczuwalne zwężenie oskrzeli.

W pewnych badaniach poproszono chorych na astmę o wypełnienie trudnych testów matematycznych, ewentualnie obejrzenie trzymających w napięciu filmów. W rezultacie doświadczenia 15–30% chorych stwierdziło u siebie wyraźne zwężenie dróg oddechowych[3].

## Terapie stosowane w astmie oskrzelowej

*Protokoły stosowane przy grupie krwi A:*
- przeciwalergiczny
- wzmacniający płuca
- wspomagający zdrowie żołądka

*Protokoły stosowane przy grupie krwi B:*
- przeciwalergiczny
- wzmacniający płuca
- przeciwstresowy

*Dodatkowo:*
Unikać zażywania aspiryny i niesterydowych leków przeciwzapalnych.
Podawaniu magnezu w dawce 400 mg/dzień towarzyszy usprawnienie czynności płuc chorych z astmą oskrzelową. W ostrych stanach astmatycznych bardzo dobre wyniki osiąga się po dożylnym podaniu magnezu.
Olej lniany: 1–2 łyżki stołowe dziennie

*Protokoły stosowane przy grupie krwi AB:*
- przeciwalergiczny
- wzmacniający płuca
- przeciwstresowy
- wspomagający zdrowie jelit

*Protokoły stosowane przy grupie krwi 0:*
- przeciwalergiczny
- wzmacniający płuca
- przeciwzapalny
- wspomagający zdrowie jelit

*Dodatkowo:*
Unikać zażywania aspiryny i niesterydowych leków przeciwzapalnych
Olej lniany: 1–2 łyżki stołowe dziennie

## Tematy pokrewne

Alergie

**Bibliografia**

1. Kauffmann F, Frette C, Pham QT, Nafissi S, Bertrand JP, Oriol R. *AM J Respir Crit Care Med.* 1996;153:76–82.
2. Cohen BH, Bias WB, Chase GA, et al. Is ABH nonsecretor status a riskfactor for obstructive lung disease. *Am J Epidemiol.* 1980;3:285–291.
3. Brachtel R, Walter H, Beck W, Hilling M. Associations between atopic diseases and the polymorphic systems AB0, Kidd, Inv and red cell acid phosphatase. *Hum Genet.* 1979; 49:337–348.

**ATAK SERCA** – *patrz Zawał mięśnia sercowego*

**AUTYZM** – objaw schizofrenii lub zaburzenie neurologiczne uniemożliwiające choremu zbudowanie normalnych relacji ze światem zewnętrznym.

| Autyzm | RYZYKO ZACHOROWANIA/NASILENIE | | |
|---|---|---|---|
| | NISKIE | UMIARKOWANE | ZNACZNE |
| Grupa A | | | |
| Grupa B | | | |
| Grupa AB | | | |
| Grupa 0 | | | |

## Objawy

- brak myślenia abstrakcyjnego (zabawy w udawanie) lub zabawy naśladującej role społeczne,
- zmniejszona zdolność do nawiązywania bliskich stosunków,
- niedostatek inicjatywy potrzebnej do rozpoczęcia lub podtrzymania rozmowy,
- stereotypowe i powtarzające się wykorzystanie słów i wyrażeń,
- ograniczone wzorce zachowania i nienormalna intensywność zainteresowania czy skupienia uwagi,
- kompulsywne przywiązanie do zachowań i rytuałów,
- koncentracja na cząstkowych lub niefunkcjonalnych właściwościach przedmiotów.

## Krótko o autyzmie

Autyzm to tajemnicza choroba umysłowa, na którą w samych tylko Stanach Zjednoczonych cierpi 400 tysięcy dzieci. Pojawia się u dzieci w wieku przedszkolnym, po okresie stosunkowo normalnego rozwoju niemowlęcego, pozbawionego objawów zaburzeń umysłowych, które mogłyby świadczyć o jakimś poważniejszym umysłowym opóźnieniu czy porażeniu mózgowym. Mniej więcej w wieku 18–24 miesięcy chore dziecko przestaje pokonywać kolejne etapy rozwoju umysłowego. Zahamowaniu ulega komunikacja między dzieckiem i rodzicami. Dzieci autystyczne zazwyczaj mają trudność z nawiązaniem kontaktu wzrokowego z opiekunami, a ich mowa utrzymuje się na etapie rozwoju początkowego. Nierzadko ulegają napadom pełnej agresji złości, oddają się też rozmaitym manieryzmom ruchowym lub zachowaniom kompulsywnym, takim jak kołysanie ciała czy powtarzające się gaszenie wszystkich świateł w pomieszczeniu. Choć nasilenie autyzmu dziecięcego może być różne, jego podstawowymi objawami zawsze są: zaburzenia integracji uczuciowej, brak zdolności stopniowania uczuć (bierność może nagle przejść w gwałtowne podniecenie) i ograniczona zdolność do porozumiewania się.

Bez zastosowania specjalnego programu kształcenia, pełnej oddania opieki rodzicielskiej, a czasem umieszczenia w ośrodku specjalistycznym i leczenia farmaceutykami dzieci autystyczne rzadko są zdolne do samodzielnego życia. Wydaje się, że metodą najbardziej pomocną w opisaniu choroby jest test IQ. Większość dzieci autystycznych wykazuje opóźnienie umysłowe, które w zasadzie utrzymuje się również w ich życiu dorosłym. Jednakże u niektórych chorych z normalnym IQ i posiadających w wieku 5 lat zdolność komunikacji werbalnej z otoczeniem może z czasem dojść do rozwinięcia szczególnych talentów, takich jak niemal genialne zdolności muzyczne lub matematyczne, którym jednak nadal towarzyszy wycofanie z życia społecznego.

## Główne czynniki ryzyka i przyczyny autyzmu

Przyczyny autyzmu nie są znane, choć wiadomo, że w niektórych przypadkach pewną rolę odegrała RÓŻYCZKA. Nie dowiedziono bezspornie żadnych związków między autyzmem i reakcją na szczepionki czy inne czynniki zewnętrzne.

## Związki autyzmu z grupami krwi

Wprawdzie nie ma na ten temat żadnych opublikowanych danych, jednakże pewne nieformalne doniesienia sugerują, że wśród dzieci autystycznych dominuje grupa krwi A. W wypadku tych dzieci pewne pozytywne wyniki zaobserwowano po zastosowaniu *diety zgodnej z grupą krwi*. Taka dieta w wypadku grupy krwi A ogranicza znacznie obecność lektyn pokarmowych, o których sądzi się, że upośledzają czynność hormonu sekretyny. Sugerowałoby to, że poprawa stanu zdrowia dzieci przestawionych na taką dietę może wynikać ze zwiększenia wydajności procesów, w których pośredniczy sekretyna.

Sekretyna stymuluje wątrobę do produkcji żółci i pobudza trzustkę do wydzielania soku trzustkowego. Podobnie jak w wypadku kwasu żołądkowego, sok trzustkowy i żółć zawierają mnóstwo antygenów grup krwi układu AB0. Wykazano, że aglutynina zarodka pszenicy (ale nie soi) zmniejsza wydzielanie sekretyny o mniej więcej 57%. Skutki jej działania udaje się odwrócić całkowicie poprzez podanie N-acetylo-D-glukozaminy, cukru blokującego działanie lektyn[1].

W badaniach nad związkami między sekretyną i autyzmem stwierdzono, że u trójki autystycznych dzieci cierpiących na zaburzenia żołądkowo-jelitowe uzyskano poprawę stanu przewodu pokarmowego poprzez wlew dożylny sekretyny; dzieci te stały się jednocześnie bardziej społeczne i komunikatywne[2].

## Terapie stosowane w autyzmie

### Wszystkie grupy krwi

• Wydaje się, że zespół łamliwego chromosomu X, seria wrodzonych błędów metabo-

licznych, do których należą też skłonności do autyzmu, jest do pewnego stopnia wrażliwy na kwas foliowy.

• Z obiecującymi wynikami zastosowano do leczenia autyzmu tradycyjny lek ajurwedyczny, jakim jest bakopa drobnolistna. Ten ludowy lek stosuje się w Indiach w celu poprawienia pamięci, przeciw epilepsji, bezsenności i jako lek lekko uspokajający. Jest to roślina porastająca powszechnie bagienne obszary Indii. Istnieją doniesienia, że bakopa drobnolistna pełni w tkance mózgowej funkcję przewutleniacza.

• Dieta uboga w lektyny.

• „Deflect" (specjalny suplement dla grupy krwi A, B, 0 i AB): 1–2 kapsułki z każdym posiłkiem.

*U wszystkich czterech grup krwi układu AB0 stosuje się następujące protokoły:*

• wspomagający działanie wątroby
• usprawniający procesy umysłowe

## Tematy pokrewne

Choroba wątroby
Różyczka
Trawienie

**Bibliografia**

1. Mikkat U, Damm I, Schroder G, Schmidt K, Wirth C, Weber H, Jonas L. Effect of the lectins wheat germ agglutinin (WGA) and Ulex europaeus agglutinin (UEA-I) on the alpha-amylase secretion of rat pancreas in vitro and in vivo. *Pancreas.* 1998;16:529–538.

2. Horvath K, Stefanatos G, Sokolski KN, Wachtel R, Nabob L, Tildon JT. Improved social and language skills after secretin administration in patients with autistic spectrum disorders. *Journal of the Association for Academic Minority Physicians.* 1998;9:9–15.

## BEZDECH PERIODYCZNY WE ŚNIE
*– patrz Chrapanie*

# BEZMÓZGOWIE – *patrz Wady (braki) wrodzone*

# BEZSENNOŚĆ – trudności w zaśnięciu lub zbyt krótki czas trwania snu.

| Bezsenność | RYZYKO ZACHOROWANIA | | |
|---|---|---|---|
| | NISKIE | UMIARKOWANE | ZNACZNE |
| Grupa A | | | |
| Grupa B | | | |
| Grupa AB | | | |
| Grupa 0 | | | |
| niewydzielacz | | | |

## Objawy

- niemożność spania wystarczającą ilość czasu w nocy,
- trudności z zaśnięciem w nocy,
- chodzenie nocami,
- zmęczenie i senność za dnia,
- zaburzenie koncentracji i uwagi.

## Krótko o bezsenności

Bezsenność jest najpowszechniejszym zaburzeniem snu. Niemal każdy od czasu do czasu cierpi na nocną bezsenność, często w związku z chwilowym stresem, niestrawnością czy piciem napojów zawierających kofeinę. Bezsenność to brak snu, który zdarza się regularnie lub często, niekiedy bez wyraźnego powodu. Towarzyszą jej często niepożądane drzemki w ciągu dnia. Wielu ludzi spędza w łóżku 10–12 godzin, bezskutecznie próbując zaznać nieco snu.

Sen może ulec zaburzeniu wskutek narzuconego, nienaturalnego rytmu, niewłaściwego środowiska w sypialni (ekstremalne temperatury, niewygodne łóżko, hałas, przeszkadzające oświetlenie czy niespokojny lub chrapiący partner), zbyt późnych posiłków, braku regularnych ćwiczeń fizycznych, DEPRESJI i nadmiernej ilości kofeiny, alkoholu i lekarstw.

Bezsenność stosunkowo często zdarza się u osób w podeszłym wieku, jako że nasz schemat snu ewoluuje z naszym wiekiem. Narzekanie na bezsenność osób starszych dotyczy zazwyczaj trudności z utrzymaniem snu lub zbyt wczesnym budzeniem rano (które zdarza się też często w depresji). Do bezsenności przyczyniają się też izolacja społeczna i brak zajęć w ciągu dnia.

## Cykl dobowy

Uregulowany schemat snu ma kluczowe znaczenie dla dobrego samopoczucia i zdrowia układu odpornościowego.

Wiele układów i narządów człowieka pracuje w rytmie dobowym. Kości rosną w cyklu dobowym, podobnie odbywa się regeneracja skóry. Według cyklu 24-godzinnego pracuje układ odpornościowy, na nim też opiera się schemat snu i czuwania. W rzeczywistości organizm człowieka podporządkowany jest mniej więcej 100 cyklom dobowym, a każdy z nich wpływa na jakiś aspekt funkcjonowania naszego organizmu: temperaturę ciała, poziom hormonów, rytm bicia serca, ciśnienie krwi, a nawet próg odczuwania bólu. Praktycznie każda część organizmu człowieka podlega cyklowi dobowemu. Wprawdzie nauka nie umie jeszcze wyjaśnić, w jaki sposób mózg utrzymuje ten 24-godzinny schemat działania, ale wiadomo, że polega na informacji z zewnątrz, takiej jak natężenie światła słonecznego.

Również kortyzol, tzw. hormon stresowy, wydzielany jest w cyklu 24-godzinnym, dlatego też podporządkowanie się cyklowi dobowemu ma kluczowe znaczenie dla poziomu stresu. W sytuacji idealnej schemat wydzielania kortyzolu najwyższe natężenie osiąga między 6.00 i 8.00 rano, po czym stopniowo spada przez resztę dnia.

Badacze sugerują, że 24-godzinny cykl kortyzolu pomaga utrzymać pozostałe cykle dobowe. Na przykład, jeśli podniesiemy stężenie kortyzolu o północy do 3 nanomoli, cykl regeneracji kości w dniu następnym zostanie zaburzony poprzez przesunięcie równowagi z procesów anabolicznych (budowa kości) na kataboliczne (rozkład). Podobny proces zachodzi w skórze: podniesienie dawki poziomu kortyzolu w nocy zmniejsza zdolności regeneracyjne skóry. Skóra zaczyna się starzeć przedwcześnie. Również układ odpornościowy ulega rozchwianiu, jeśli stężenie kortyzolu we krwi w nocy jest wyższe niż normalnie. Wysokie stężenie tego hormonu zaburza fazę REM snu.

Na grupie kadetów szkoły wojskowej przeprowadzono badania, które miały określić skutki wielokrotnego stresu połączonego z zaburzeniem cyklu dobowego. Badania przeprowadzono w warunkach 5-dniowej ciężkiej zaprawy fizycznej, niedoboru pożywienia i snu. Stwierdzono, że w ciągu doby wyraźnie malał poziom hormonów, takich jak DHEA, testosteron i hormon stymulujący tarczycę. Po pierwszych 12 godzinach ten wyraźny i stały spadek czynności tarczycy wykazały też inne metody badania jej aktywności. Nic dziwnego, poziom kortyzolu skoczył. Oczywiście wyniki były słabe, a cykl dobowy, używając słów samych badaczy, „zanikł". Na szczęście doświadczenie skończyło się po 5 dobach, jednakże cykle dobowe kadetów wymagały do pełnej normalizacji więcej niż 5 dni odpoczynku[1].

## Związki bezsenności z grupami krwi

Przy podwyższonym poziomie kortyzolu osoby z grupą krwi A i B mają większą tendencję do zaburzeń snu, zwłaszcza w warunkach stresowych. Jest to błędne koło, jako że już sama bezsenność powoduje zwiększenie stężenia kortyzolu we krwi[2].

## Terapie stosowane przy bezsenności

### Wszystkie grupy krwi:
- UNIKAJ OGÓLNIE DOSTĘPNYCH LEKÓW NA BEZSENNOŚĆ. Leki dostępne bez recepty zawierają często substancje antyhistaminowe, o działaniu lekko oszałamiającym. Po dłuższym czasie stosowania tracą skuteczność, a nawet mają skutek odwrotny.
- ĆWICZ. Ćwiczenia zgodne z twą grupą krwi nie tylko zmniejszają stres, ale również pomagają uregulować cykl snu.

- UNIKAJ LUB CAŁKIEM WYELIMINUJ Z DIETY KOFEINĘ, ALKOHOL I NIKOTYNĘ. Kofeina i nikotyna mogą przeszkadzać w zaśnięciu. Alkohol może być przyczyną niespokojnego snu i częstych przebudzeń.
- UREGULUJ SWÓJ WEWNĘTRZNY ZEGAR. Jeśli zasypiasz zbyt wcześnie, zastosuj światło do „cofnięcia" swego zegara: wieczorami wychodź na słońce albo przebywaj w jasno oświetlonym pomieszczeniu.
- UNIKAJ LUB OGRANICZ DRZEMKI. Drzemki w ciągu dnia mogą utrudniać zaśnięcie nocą. Jeśli zdecydowanie musisz się zdrzemnąć w ciągu dnia, niech ten sen nie trwa dłużej niż 45 minut.

*Protokoły stosowane przy grupie krwi A:*
- przeciwstresowy
- wspomagający działanie wątroby
- detoksykacyjny

*Dodatkowo:*
metylokobalamina: 1–3 mg, rano
melatonina: 200 mg dziennie na wieczór

*Protokoły stosowane przy grupie krwi B:*
- przeciwstresowy
- wspomagający działanie wątroby
- detoksykacyjny

*Dodatkowo:*
metylokobalamina: 1-3 mg, rano
melatonina: 200 mg dziennie na wieczór

*Protokoły stosowane przy grupie krwi AB:*
- przeciwstresowy
- wspomagający działanie wątroby
- detoksykacyjny

*Protokoły stosowane przy grupie krwi 0:*
- przeciwstresowy
- wspomagający działanie wątroby
- detoksykacyjny

## Tematy pokrewne

Choroby związane ze starzeniem
Zaburzenia lękowe

Psychoza mianiakalno-depresyjna (depresja dwubiegunowa)

Depresja jednobiegunowa

Stres

**Bibliografia**

1. Opstad K. Circadian rhythm of hormones is extinguished during prolonged physical stress, sleep and energy deficiency in young men. *Eur J Endocrinol.* 1994;131:56–66.
2. Von Treuer K, Norman TR, Armstrong SM. Overnight human plasma melatonin, cortisol, prolactin, TSH, under conditions of normal sleep, sleep deprivation, and sleep recovery. *J Pineal Res.* 1996;20:7–14.

**BIAŁACZKA** – *patrz Rak krwi*

**BIEGUNKA** – zespół różnorakich objawów, do których należą m.in.: ból głowy, ból mięśni, zmęczenie, objawy przypominające grypę, gorączka, opuchlizna węzłów chłonnych, przygnębienie i dolegliwości ze strony układu trawiennego.

| Najczęstsze przyczyny | Grupa krwi 0 | Grupa krwi A | Grupa krwi B | Grupa krwi AB | Pod-grupy |
|---|---|---|---|---|---|
| Infekcja bakteryjna | ••••• | •••• | ••••••••••• | •••••••••••• | niewydzielacz •••••••••••• |
| Zespół drażliwego jelita | ••••••••••• | •••• | •••••••• | •••• | niewydzielacz •••••••••••• |
| Niewłaściwe nawyki żywieniowe/spożywanie produktów dietetycznych | Podatne są wszystkie grupy | Podatne są wszystkie grupy | Podatne są wszystkie grupy | Podatne są wszystkie grupy | |
| Stres | •• | ••••••••••• | •••••• | •• | |

• = stopień zagrożenia

Biegunki bakteryjne są zaliczane do głównych przyczyn śmierci na świecie. Choć zatem w krajach uprzemysłowionych rzadko słyszy się o takich chorobach jak CHOLERA, to jednak w uboższych regionach świata jest to wciąż jedna z głównych chorób epidemicznych. Do innych pospolitych przyczyn biegunki zaliczyć należy infekcję bakteriami *Escherichia coli*, *Shigella* (czerwonka bakteryjna), zarazkami czerwonki pełzakowej oraz *Giardia* (patrz Choroby pasożytnicze: Lamblioza). Nie ma człowieka, który nie przeszedłby z jakiegoś powodu biegunki, stąd większość ludzi ma własny pogląd na to, czym ona jest. Stolec przeciętnego mieszkańca bogatszych części świata zawiera zazwyczaj nie więcej niż szklankę wody, kiedy zaś jest jej więcej, uważamy to za biegunkę.

Biegunka u osoby wcześniej zdrowej jest często wynikiem choroby. W rzeczywistości może ją powodować więcej niż setka różnych chorób. Tu wymieniamy jedynie najpospolitsze. Biegunka może być wynikiem infekcji, operacji, zapalenia, skutkiem stosowania leków, rezultatem spożycia określonego pokarmu albo stanu psychicznego. Bezpośrednim mechanizmem powstania biegunki mogą być: zwiększona przepuszczalność ściany jelita, zwiększone wydzielanie, stan zapalny, a wreszcie skrócenie czasu potrzebnego do wchłonięcia substancji odżywczych.

**Terapie stosowane przy biegunce:**

*U wszystkich czterech grup krwi układu AB0 stosuje się następujące protokoły:*

- antybakteryjny
- wspomagający zdrowie jelit

**Tematy pokrewne**

Choroby autoagresyjne (ogólnie)

Choroby bakteryjne (ogólnie)

Stres

Toksyczne jelito: Samozatrucie enterotoksynami

Trawienie

Zapalenie

Zatrucie pokarmowe

**BIELACTWO** – dziedziczne lub nabyte upośledzenie wydzielania melaniny.

| Bielactwo | RYZYKO ZACHOROWANIA | | |
|---|---|---|---|
| | NISKIE | UMIARKOWANE | ZNACZNE |
| Grupa A | | | |
| Grupa B | | | |
| Grupa AB | | | |
| Grupa 0 | | | |
| Rh-ujemny | | | |

## Objawy

* białe plamy (odbarwienia) na skórze, w miejscach wystawionych na słońce,
* białe plamy pod pachami i w pachwinie, a także wokół ust, nozdrzy, pępka i narządów płciowych,
* przedwczesne siwienie.

## Krótko o bielactwie

Bielactwo występuje zazwyczaj w jednej z trzech postaci. W postaci ogniskowej depigmentacja skóry ma charakter lokalny i jest ograniczona najwyżej do kilku miejsc. Z postacią segmentową mamy do czynienia wówczas, gdy odbarwione plamy pojawiają się po jednej stronie ciała. Najpowszechniej występująca postać bielactwa jest jednak bardziej uogólniona, w której odbarwienia występują w różnych częściach ciała. Poza białymi plamami na skórze u osób chorych na bielactwo może też dochodzić do przedwczesnego siwienia włosów, rzęs, brwi i brody. Osoby o ciemnej karnacji mogą zaobserwować u siebie depigmentację w obrębie jamy ustnej.

Przyczyna bielactwa nie jest znana, a lekarze i badacze mają na ten temat kilka teorii. Jedna z nich mówi, że u ludzi mogą czasem powstawać przeciwciała niszczące melanocyty (komórki barwnikowe) własnego organizmu. Inna znów teoria sugeruje, że melanocyty niszczą się nawzajem.

Wydaje się, że bielactwo częściej zdarza się u ludzi z pewnymi chorobami autoagresyjnymi, takimi jak NADCZYNNOŚĆ TARCZYCY, zaburzenia czynności gruczołów nadnerczowych i NIEDOKRWISTOŚĆ ZŁOŚLIWA.

## Związki bielactwa z grupami krwi

Największą częstość występowania bielactwa obserwuje się u osób z grupą krwi B.

## Terapie stosowane przy bielactwie

### Wszystkie grupy krwi:

Leczenie bielactwa ma raczej charakter poprawek kosmetycznych. Od czasu do czasu pomaga miejscowe stosowanie kortykosteroidów. Do niedawna powszechnie stosowano też doustne i miejscowe psoraleny (w połączeniu ze światłem ultrafioletowym, tzw. metoda PUVA), jednakże leczenie to było długotrwałe i nie gwarantowało pozytywnych wyników. W połączeniu z naświetlaniem promieniami PUVA można stosować furanochromon o nazwie rynkowej Khellin, należy jednak pamiętać, że aby osiągnąć pożądane wyniki, należy przyjąć 100–200 dawek.

### U wszystkich czterech grup krwi układu AB0 stosuje się następujące protokoły:

* poprawiający stan skóry
* przeciwgrzybiczny

## Tematy pokrewne

Choroby autoagresyjne (ogólnie)

---

**BOLESNA MIESIĄCZKA** – *patrz Zaburzenia cyklu miesiączkowego: Bolesna miesiączka*

## ▓ BÓL GŁOWY

| Rodzaj bólu głowy | Grupa krwi 0 | Grupa krwi A | Grupa krwi B | Grupa krwi AB | Pod-grupy |
|---|---|---|---|---|---|
| Migrena | •• | ••••••••• | •• | •••••••••• | niewydzielacze ••••••••••••• |
| Napięciowy | Wszystkie grupy krwi | Wszystkie grupy krwi | Wszystkie grupy krwi | Wszystkie grupy krwi | |
| Gromadne napady bólu | •••• | ••••••••• | •••••••••• | •••••••• | |

• = stopień zagrożenia chorobą

Bóle głowy zalicza się najczęściej do trzech rodzajów: migrenowych, napięciowych i gromadnych.

**Migreny** są najpoważniejszą, przewlekłą postacią bólu głowy, powstającą wskutek upośledzenia przepływu krwi w wyniku skurczu lub zablokowania naczyń krwionośnych w głowie lub szyi. Migrena trwa zwykle 6–48 godzin i charakteryzuje się pulsowaniem bólu, zazwyczaj silniejszym z jednej strony głowy.

**Bóle napięciowe** są dość częste i mogą powstawać pod wpływem najrozmaitszych czynników. Do najpospolitszych z nich należą: czytanie w warunkach złego oświetlenia; długotrwałe utrzymywanie głowy lub szyi w nienaturalnym położeniu; zapalenie stawów; zmiany zwyrodnieniowe mięśni lub kręgów szyjnych; nadmierny wysiłek oczu; nieprawidłowy zgryz; hałas i inne. Uważa się, że ta postać bólu głowy może mieć podłoże emocjonalne.

**Bóle gromadne** to postać nawrotowa i przewlekła tej dolegliwości, rozpoczynającej się nagłym silnym bólem, który jednak mija w ciągu godziny. Bóle gromadne związane są z uwalnianiem do organizmu histaminy lub serotoniny.

*Protokoły stosowane przy grupie krwi A:*
* przeciwstresowy
* przeciwalergiczny
* detoksykacyjny
*Dodatkowo:*
Standaryzowany wyciąg ze złocienia maruny (*Tanacetum parthenicum*) (250 mg): 1 kapsułka dziennie

*Protokoły stosowane przy grupie krwi B:*
* przeciwstresowy
* wspomagający zdrowie układu nerwowego
* detoksykacyjny
*Dodatkowo:*
Preparat ryboflawiny (witamina B$_2$) (50 mg): 1 kapsułka dwa razy dziennie

*Protokoły stosowane przy grupie krwi AB:*
* przeciwstresowy
* przeciwalergiczny
* detoksykacyjny

*Dodatkowo:*
Standaryzowany wyciąg z *Atractylodis macrocephale* (azjatycki lek tradycyjny; (250 mg): 1–2 kapsułki dziennie

*Protokoły stosowane przy grupie krwi 0:*
* przeciwstresowy
* przeciwalergiczny
* przeciwzapalny
* detoksykacyjny

## Tematy pokrewne

Alergie (ogólnie)
Choroba sercowo-naczyniowa
Stres
Zapalenie

---

**BÓLE W KLATCE PIERSIOWEJ** – *patrz Dusznica bolesna; Zapalenie oskrzeli*

**BRAK MIESIĄCZKI** – *patrz Zaburzenia cyklu miesiączkowego: Brak miesiączki*

## Budowa ciała

### Składniki ciała i ich znaczenie

Ciało człowieka składa się z wody, tłuszczów, białek, węglowodanów i różnych witamin oraz składników mineralnych. Jeśli twoje ciało zawiera zbyt dużo tłuszczu, np. nagromadzonego w talii, to znajdujesz się w grupie osób, którym zagrażają rozmaite problemy zdrowotne. Należy do nich: NADCIŚNIENIE, HIPERCHOLESTEROLEMIA, CUKRZYCA, CHOROBA SERCA I UDAR.

Budowa ciała jest miarą ogólnego stanu zdrowotnego człowieka. Od pewnego czasu uważa się otyłość za główny, niezależny czynnik ryzyka w chorobie serca. Innym wskaźnikiem samopoczucia jest wydolność sercowo-naczyniowa (wydolność serca i płuc) oraz siła i prężność mięśni.

Obwód talii i indeks masy ciała (BMI) to pośrednie wskaźniki budowy ciała. Stosunek obwodu pasa do obwodu bioder (WHR) to kolejny wskaźnik rozmieszczenia tłuszczu w organizmie człowieka. WHR okazał się wskaźnikiem mniej użytecznym niż obwód pasa i nie jest już stosowany jako pomiar zalecany.

## Obwód pasa

Obwód w pasie, czyli talii, to prosty pomiar zdejmowany zazwyczaj nieco powyżej pępka. Do grupy podwyższonego ryzyka zalicza się kobiety, które mają w pasie powyżej 88 cm i mężczyzn, których talia przekracza 102 cm.

## Indeks masy ciała

Indeks masy ciała to formuła na obliczenie stosunku między masą ciała i wzrostem. Jest to wygodna, pośrednia metoda określania budowy ciała, ponieważ u wielu ludzi wiąże się ściśle z ilością tłuszczu. BMI obliczamy, dzieląc masę ciała (w kilogramach) przez wzrost do kwadratu. Według amerykańskiego ośrodka statystyki medycznej BMI o wartości od 18,5 do 24,9 jest prawidłowe. Nadwaga jest definiowana przez BMI 25–30. Indeks masy ciała wynoszący średnio 25 kg/m$^2$ odpowiada mniej więcej dziesięcioprocentowej nadwadze. Osoby w tym zakresie indeksu znajdują się w grupie ryzyka ze strony choroby serca i naczyń krwionośnych. Otyłość stwierdza się przy BMI równym lub większym od 30 (kryteria ustalone przez WHO) lub 15 kg ponad właściwą wagę. Osoby z BMI powyżej 30 są w grupie znacznie narażonej na ryzyko zapadnięcia na chorobę sercowo-naczyniową. Krańcową otyłość definiuje się indeksem masy ciała równym lub wyższym od 40.

Niektóre wysportowane osoby, o gęstej tkance mięśniowej, mogą mieć wysokie BMI, a bardzo mało tłuszczu. W ich wypadku mierzy się obwód pasa lub stosuje bardziej bezpośrednie metody polegające na pomiarze grubości skóry lub warstwy tłuszczowej.

## Obliczanie indeksu masy ciała

1. Ustaw wagę łazienkową na twardym, równym i niewyłożonym dywanem podłożu. Rozbierz się, zdejmij obuwie.
2. Zważ się z możliwie dobrą precyzją. Zapisz wynik z dokładnością, na jaką pozwala waga.
3. Ze wzrokiem skierowanym do przodu i piętami razem stań tak, by twe plecy, pośladki i łydki przylegały do ściany.
4. Użyj ekierki z kątem prostym do zaznaczenia na ścianie swej wysokości. Zmierz wzrost miarką krawiecką lub stolarską, zapisz wynik z dokładnością do pół centymetra.
5. Oblicz BMI i określ ryzyko od niego zależne, posługując się tabelą zamieszczoną poniżej.

| Wzrost | Zagrożenie małe (BMI<25) Osoba zdrowa (m – masa ciała) | Zagrożenie umiarkowane (BMI 25,0-29,9) Nadwaga | Zagrożenie znaczne (BMI ≥ 30) Otyłość (m – masa ciała) |
|---|---|---|---|
| 145 | m < 54 | 54–65 | m > 65 |
| 150 | m < 56 | 56–67 | m > 67 |
| 152 | m < 58 | 58–69 | m > 69 |
| 155 | m < 60 | 60–72 | m > 72 |
| 157 | m < 62 | 62–74 | m > 74 |
| 160 | m < 64 | 64–77 | m > 77 |
| 162 | m < 66 | 66–79 | m > 79 |
| 165 | m < 68 | 68–82 | m > 82 |
| 167 | m < 70 | 70–84 | m > 84 |
| 170 | m < 72 | 72–86 | m > 86 |
| 172 | m < 74 | 74–89 | m > 89 |
| 175 | m < 77 | 77–92 | m > 92 |
| 177 | m < 79 | 79–94 | m > 94 |
| 180 | m < 81 | 81–97 | m > 97 |
| 182 | m < 84 | 84–100 | m > 100 |
| 185 | m < 86 | 86–103 | m > 103 |
| 188 | m < 88 | 88–105 | m > 105 |
| 190 | m < 91 | 91–109 | m > 109 |
| 193 | m < 93 | 93–112 | m > 112 |

(Tabela adaptowana na potrzeby polskiego czytelnika. Nieznaczne różnice w stosunku do tabeli zamieszczonej w wersji angielskiej są wynikiem przeliczenia na jednostki układu metrycznego i zaokrąglenia wyników – przyp. tłum.)

**CANDIDA ALBICANS** – *patrz Grzybice: Kandydoza*

**CHŁONIAK** – *patrz Rak chłoniak*

**CHOLERA** – *patrz Choroby bakteryjne: Cholera*

**CHOLESTEROL** – *patrz Hipercholesterolemia*

**CHOROBA ADDISONA** – *patrz Niedokrwistość złośliwa*

**CHOROBA ALZHEIMERA** – postępująca degeneracyjna choroba neurologiczna, dotykająca zazwyczaj osoby po 60. roku życia.

| Choroba Alzheimera | RYZYKO ZACHOROWANIA/NASILENIE | | |
|---|---|---|---|
| | NISKIE | UMIARKOWANE | WYSOKIE |
| Grupa A | | | |
| Grupa B | | | |
| Grupa AB | | | |
| Grupa 0 | | | |
| niewydzielacz | | | |

## Objawy

### Stadium wczesne

- nawroty kłopotów z pamięcią,
- utrata zdolności koncentracji,
- krótkotrwałe zaniki pamięci,
- odkładanie rzeczy w niewłaściwe miejsca.

### Stadium późniejsze

- utrata zdolności poznawczych,
- nierozpoznawanie bliskich i przyjaciół,
- degradacja osobowości,
- nierozpoznawanie otoczenia,
- utrata zdolności fizycznych.

## Krótko o chorobie Alzheimera

Kiedy zidentyfikowano ją po raz pierwszy, prawie sto lat temu, była w zasadzie nieznana, ale w miarę zwiększania się długości życia częstość jej występowania dramatycznie wzrosła. Choroba Alzheimera przestała być rzadkością. Obecnie szacuje się, że na tę wyniszczającą dolegliwość cierpi około 20% osób w wieku 75–84 lata.

Wprawdzie nadal nie wiadomo, co powoduje degenerację mózgu charakteryzującą chorobę Alzheimera, ale badania autopsyjne dostarczyły nam już jednak wielu informacji na temat tego, z jakiego rodzaju zmianami mamy tu do czynienia. W miarę postępu choroby dochodzi do zwłóknienia tkanki nerwowej wokół ośrodków pamięci mózgu (w hipokampie*), w rezultacie czego nie jest ona w stanie pełnić normalnych funkcji przekaźnikowych.

Za drugą z przyczyn uważa się powstawanie tzw. starczych płytek amyloidowych. Powstają one w wyniku koncentracji białka amyloidowego uważanego za przyczynę obumierania komórek nerwowych w chorobie Alzheimera.

We wczesnych etapach objawy choroby – nawracające kłopoty z pamięcią i utrata zdolności koncentracji – mogą łatwo umknąć uwagi, jako że przypominają naturalne skutki starzenia. Z czasem jednak choroba się nasila, niszcząc zdolności poznawcze chorego, jego osobowość i zdolność do odpowiedzialnego funkcjonowania.

Większość ludzi chorych na chorobę Alzheimera ma bardzo podobne objawy choroby. U samego zarania choroby pojawiają się niedobory pamięci, zwykle dotyczącej bieżących wydarzeń lub prostych poleceń. Jednakże to, co zaczyna się jako łagodne roztrzepanie, wkrótce zaczyna się nasilać. Chorzy robią tę samą rzecz kilka razy, za to zapominają o odbytych rozmowach i umówionych spotkaniach. Niemal rutynowo kładą rzeczy nie tam, gdzie powinni, często w zupełnie nieprawdopodobne miejsca. Nieustannie zapominają imiona znajomych, w końcu nawet imiona członków rodziny. Nie pamiętają nazw przedmiotów codziennego użytku, takich jak grzebień czy zegarek.

Na początku osoba chora na chorobę Alzheimera może mieć trudności z bilansowaniem książeczki czekowej, który to problem może narastać

---

* Część kory mózgu położona na powierzchni dolnej płata skroniowego – przyp. tłum.

aż do trudności z rozpoznawaniem i rozumieniem liczb. Cierpiący na tę chorobę mogą mieć trudności ze znajdowaniem właściwych słów na wyrażenie swych myśli, a nawet ze zwykłym śledzeniem konwersacji. Wkrótce choroba odbija się na zdolności do czytania i pisania. Osoby z chorobą Alzheimera mogą tracić poczucie czasu i zapominać daty. Mogą się zgubić w doskonale znanym im otoczeniu. W końcu mogą nawet opuścić dom i pójść gdzieś bez celu.

Niemożliwością staje się dla nich rozwiązywanie najprostszych życiowych problemów, na przykład, co zrobić, gdy przypala się jedzenie w garnku. Chorobę Alzheimera charakteryzuje niemożność wykonywania czynności wymagających planowania, podejmowania decyzji i oceniania. Coś, co kiedyś było zwykłym rutynowym postępowaniem, jak na przykład gotowanie, w miarę postępu choroby staje się trudnością niemal nie do pokonania. W końcu chorzy mogą zapominać nawet o najbardziej podstawowych rzeczach, jak np. mycie zębów.

Osoby cierpiące na chorobę Alzheimera miewają też wyraźne zmiany nastrojów. Mogą przejawiać nieufność w stosunku do innych, upór i niechęć do uczestnictwa w normalnym życiu społecznym. Na samym początku może to być odpowiedź na frustrację wywołaną zachodzącymi w umyśle, niekontrolowanymi zmianami. Niekiedy chorobie Alzheimera towarzyszy depresja. Podobnie częstym objawem jest nadmierna pobudliwość ruchowa. W miarę nasilania się choroby osoby na nią cierpiące mogą się stać nerwowe lub agresywne, zaczynają się też nieodpowiednio zachowywać.

## Związki choroby Alzheimera z grupami krwi

Liczba analiz przeprowadzonych dla stwierdzenia, czy istnieje związek między chorobą Alzheimera i grupami krwi, jest niewielka. Do dziś nie stwierdzono w tym względzie żadnych korelacji. Jednakże w osoczu krwi osób z demencją starczą i chorobą Alzheimera zaobserwowano występowanie wysokiego poziomu kortyzolu. Może to oznaczać dodatkowy czynnik ryzyka dla osób z grupą krwi A, a także – w mniejszym stopniu – B.

## Terapie stosowane w chorobie Alzheimera

### Wszystkie grupy krwi:

- Fosfatydyloseryna, związek zbliżony budową do lecytyny, jest naturalnym składnikiem mózgu. Dowiedziono, że podawana trzy razy dziennie, w dawkach po 100 mg, poprawia możliwości umysłowe osób cierpiących na chorobę Alzheimera[1,2,3].
- Z dostępnych informacji klinicznych wynika, że u niektórych chorych acetylo-L-karnityna opóźnia postęp choroby Alzheimera, przyczynia się do poprawy pamięci i ogólnego stanu zdrowia[4,5,6].

### Protokoły stosowane przy grupie krwi A:

- przeciwstresowy
- wzmacniający układ odpornościowy
- wspomagający działanie wątroby
- usprawniający procesy umysłowe

### Protokoły stosowane przy grupie krwi B:

- przeciwstresowy
- usprawniający procesy umysłowe
- wzmacniający układ odpornościowy
- wspomagający działanie wątroby

### Protokoły stosowane przy grupie krwi AB:

- przeciwstresowy
- usprawniający procesy umysłowe
- wzmacniający układ odpornościowy
- wspomagający działanie wątroby

### Protokoły stosowane przy grupie krwi 0:

- przeciwstresowy
- wzmacniający układ odpornościowy
- wspomagający działanie wątroby
- usprawniający procesy umysłowe

### Suplementy:

DMAE (2-dimetyloaminoetanol), podobnie jak cholina, może zwiększyć w mózgu stężenie acetylocholiny, ważnego neuroprzekaźnika[7,8].

## Tematy pokrewne

Odporność
Starzenie się
Stres

**Bibliografia**

1. Priest ND, Satellite symposium on Alzheimer's disease and dietary aluminium. *Proc Nutr. Soc.* 1993;52:231-240.
2. Crook T, Petrie W, Wells C, Massari DC. Effects of phosphatidylserine in Alzheimer's disease. *Psychopharmacol Bull*, 1992;28:61–66.
3. Gindin J, et al. The effect of plant phosphatidylserine on age-associated memory impairment and mood in the functioning elderly. Rehovot, Israel: Geriatric Institute for Education and Research, and Department of Geriatrics, Kaplan Hospital, 1995.
4. Fisman M, Mersky H, Helmes E., Double-blind trial of 2-dimethylaminoethanol in Alzheimer's disease. *Am J Psych.* 1981;138:970–972.
5. Pettegrew JW, Klunk WE, Panchalingam K, et al. Clinical and neurochemical effects of acetyl-L-carnitine in Alzheimer's disease. *Neurobio Aging.* 1995;16:1–4.
6. Salvioli G, Neri M. L-acetylcarnitine treatment of mental decline in the elderly. *Drugs Exp Clin Res.* 1994;20:169–176.
7. Meyer JS, Welch KMA, Deshmuckh VD, et al. Neurotransmitter precursor amino acids in the treatment of multiinfarct dementia and Alzheimer's disease *J Am Ger Soc.* 1977;7:289–298.
8. Ferris SH, Sathananthan G, Gershon S, et al. Senile dementia. Treatment with Deanol. *J Am Ger Soc.* 1977;25: 241–244.

---

**CHOROBA CROHNA** – zapalenie i owrzodzenie w obrębie głębszych warstw ściany jelita.

| Choroba Crohna | RYZYKO ZACHOROWANIA | | |
|---|---|---|---|
| | NISKIE | UMIARKOWANE | ZNACZNE |
| Grupa A | | | |
| Grupa B | | | |
| Grupa AB | | | |
| Grupa 0 | | | |
| niewydzielacz | | | |

## Objawy

- bóle i inne dolegliwości po jedzeniu,
- wodniste lub wolne stolce, z krwawieniem z odbytnicy,
- chudnięcie,
- jadłowstręt,
- nawroty gorączki,
- u młodszych pacjentów – upośledzenie wzrostu,
- infekcja dróg moczowych,
- afty.

## Krótko o chorobie Crohna

Choroba Crohna to przewlekłe zapalenie i owrzodzenie głębszych warstw ściany jelita. Choroba ma okresy remisji i nawrotów. Najczęstszą postacią choroby Crohna jest zapalenie dolnej części jelita cienkiego, zwanej jelitem krętym, i górnej części okrężnicy[1].

Przyczyna choroby Crohna nie jest znana, jednakże jednym z najważniejszych czynników mogą być zmiany przepuszczalności ściany jelita. Zwiększona przepuszczalność tkanek jelita może wywoływać zmiany miejscowe, a także stanowić wrota dla antygenów pokarmowych[2].

## Powiązania z lektynami

Istnieją liczne dane, sugerujące, że zwiększoną przepuszczalność ściany jelita mogą wywoływać LEKTYNY pokarmowe. Z przepuszczalnością jelit wiąże się również nietolerancja pokarmowa. Jelito jest narządem niezwykle wybiórczym w stosunku do wielkości i jakości wchłanianych przez nie pokarmów. W pewnych badaniach u szczurów karmionych pokarmem zawierającym fasolę kidney stwierdzono zwiększoną przepuszczalność ściany jelita na podawane do krwiobiegu białka osocza. W rezultacie podawane dokrewnie białka fasoli kidney stwierdzono zarówno w świetle jelita cienkiego, jak i w jego ścianie. Na tej podstawie wysunięto sugestię, że lektyny pokarmowe mogą być odpowiedzialne, przynajmniej częściowo, za spadek stężenia białek osocza i mogą się przyczyniać do nietolerancji pokarmowej będącej wtórnym skutkiem utraty integralności jelita.

## Związki z grupami krwi

Choroba Crohna, podobnie jak wrzodziejące zapalenie okrężnicy, najczęściej dotyka osoby z grupą krwi 0. U osób z grupą krwi A, B i AB stan zapalny jelita może pojawić się pod wpływem stresu.

## Terapie stosowane przy chorobie Crohna

*U wszystkich czterech grup krwi układu AB0 stosuje się następujące protokoły:*
- wspomagający zdrowie jelit
- przeciwzapalny

## Tematy pokrewne

Odporność
Trawienie
Wrzodziejące zapalenie okrężnicy

### Bibliografia

1. Mayberry JF, Rhodes J. Epidemiological aspects of Crohn's disease: a review of the literature. *Gut.* 1984;25: 886–899.
2. Hollander D, Vadheim CM, Brettholz E, et al. Increased intestinal permeability in patients with Crohn's disease and their relatives. A possible etiologic factor. *Ann Intern Med.* 1986;10:883–885.

---

## CHOROBA DZIĄSEŁ – *patrz Choroba ozębnej*

## CHOROBA GEHRIGA – *patrz Stwardnienie zanikowe boczne (ALS)*

## CHOROBA GRAVESA I BASEDOWA – *patrz Choroby tarczycy: Choroba Basedowa*

## CHOROBA HASHIMOTO – *patrz Choroby tarczycy: Choroba Hashimoto*

## CHOROBA HODGKINA – *patrz Rak chłoniak*

## CHOROBA NACZYNIOWA MÓZGU – *patrz Tętniak mózgu*

## CHOROBA NIEDOKRWIENNA SERCA
– stan upośledzenia dopływu tlenu do mięśnia sercowego.

| Choroba niedokrwienna serca | RYZYKO ZACHOROWANIA | | |
|---|---|---|---|
| | NISKIE | UMIARKOWANE | ZNACZNE |
| Grupa A | | | |
| Grupa B | | | |
| Grupa AB | | | |
| Grupa 0 | | | |
| niewydzielacz | | | |

## Objawy

- ucisk, uczucie ciężkości lub pobolewanie w klatce piersiowej (zazwyczaj pod mostkiem),
- sam ból zęba albo ból zęba połączony z uciskiem lub wrażeniem ciężaru w klatce piersiowej,
- tępy ból w szyi lub szczęce,
- tępy ból w jednej lub w obu rękach,
- wrażenie obecności gazu w górnej części brzucha i dolnej części klatki piersiowej,
- wrażenie duszenia się lub krótki oddech,
- bladość i poty.

## Krótko o chorobie niedokrwiennej serca

Choroba niedokrwienna serca pojawia się wtedy, gdy w wyniku skurczu lub choroby zwężeniu ulega tętnica doprowadzająca krew do serca, co powoduje niedotlenienie mięśnia sercowego. Jest to jeden z objawów CHOROBY WIEŃCOWEJ.

W samych Stanach Zjednoczonych epizody choroby niedokrwiennej, nawet o tym nie wiedząc, miewa 3–4 milionów ludzi. Taka niebolesna postać tej choroby nazywana jest czasem cichą chorobą niedokrwienną. U osób tych zawał serca może się pojawić bez żadnych ostrzeżeń. Również u osób chorych na dusznicę bolesną (ból w klatce piersiowej) dochodzi do epizodów cichej choroby niedokrwiennej, często niezdiagnozowanych. Do jej stwierdzenia potrzebne są specjalne badania, takie jak test wysiłkowy lub 24-godzinne monitorowanie pracy serca na przenośnym elektrokardiografie (monitorze Holtera).

## Związki choroby niedokrwiennej z grupami krwi

U 1393 mężczyzn cierpiących na niedokrwienną chorobę serca, którzy w chwili rozpoczęcia opisywanych badań (Northwick Park Heart Study) mieli 40–64 lata, zbadano związki między aktywnością czynnika VIII (*patrz* KRZEPNIĘCIE KRWI), FVIIIC i antygenem czynnika von Willebranda (vWF: Ag) i chorobą niedokrwienną. Mężczyźni ci doświadczyli 178 pierwszych poważnych epizodów choroby średnio w ciągu następnych 16,1 lat. Choroba niedokrwienna serca występowała znacznie częściej u osób z grupą krwi AB niż u osób z grupą krwi 0 lub B; różnica ta była szczególnie widoczna w epizodach zakończonych śmiercią chorego. Dla żadnej z grup krwi układu AB0 nie znaleziono dodatniej korelacji między chorobą niedokrwienną i czynnikiem FVIIIC czy antygenem czynnika vW. Sugeruje to, że efekty działania czynnika VIII i grup krwi są niezależne. Grupa krwi AB może być genetycznym markerem pewnych innych cech sugerujących skłonność do choroby niedokrwiennej serca, jak niski wzrost; badania wykazały, że mężczyźni (ale nie kobiety) z grupą krwi AB byli o 2 cm niżsi niż mężczyźni z innymi grupami krwi[1].

Opublikowane w prestiżowym „British Medical Journal" wyniki 8-letnich badań na grupie 7662 mężczyzn dowodzą, że grupie krwi A towarzyszy większa częstotliwość choroby niedo-

krwiennej serca, a także ogólnie wyższe stężenie cholesterolu[2].

Z kolei wyniki z badań rodzinnych NHLBI* wskazały na wyższe ryzyko choroby wieńcowej (współczynnik ryzyka 2, przy 95% przedziale ufności, czyli w zakresie od 1,2 do 3,1) u osób z grupą krwi $Le_{(a-b-)}$, w porównaniu do innych grup krwi tego układu. Również dla $Le_{(a-b-)}$ wykazano wyższy poziom trójglicerydów. Również wśród kobiet Le-ujemnych stwierdzono wyższe ryzyko zachorowania na chorobę wieńcową, choć tendencja ta była zdecydowanie niższa niż u mężczyzn[3].

Dodatkowe badania potwierdziły te wyniki, dowodząc, że fenotyp $Le_{(a-b-)}$ faktycznie może być traktowany jako genetyczny marker wysokiego ryzyka zachorowania na chorobę niedokrwienną serca. Jednocześnie status wydzielacza i fenotyp $Le_{(a-b+)}$ okazał się genetycznym markerem odporności na tę chorobę, zaś status niewydzielacza ABH był czynnikiem ryzyka predysponującym swych nosicieli do choroby serca[4].

## Terapie stosowane przy chorobie niedokrwiennej serca

*U wszystkich czterech grup krwi układu AB0 stosuje się następujące protokoły:*

- sercowo-naczyniowy
- usprawniający metabolizm
- przeciwstresowy

## Tematy pokrewne

Choroba sercowo-naczyniowa
Choroba wieńcowa
Cukrzyca
Dusznica bolesna
Nadciśnienie
Zawał mięśnia sercowego
Otyłość
Stres
Insulinooporność

---

* National Heart, Lung and Blood Institute – Narodowy Instytut Chorób Serca, Płuc i Krwi – przyp. tłum.

## CHOROBA OZĘBNEJ – przewlekłe zapalenie dziąseł, któremu towarzyszy degeneracja tkanki podporowej zębów.

| Choroba ozębnej | RYZYKO ZACHOROWANIA | | |
|---|---|---|---|
| | NISKIE | UMIARKOWANE | ZNACZNE |
| Grupa A | | | |
| Grupa B | | | |
| Grupa AB | | | |
| Grupa 0 | | | |

### Objawy

* ZAPALENIE DZIĄSEŁ (stan zapalny dziąseł, któremu towarzyszy zaczerwienienie i krwawienie),
* PRZYZĘBICA (tworzenie się kieszonek dziąsłowych w wyniku odstawiania dziąseł od zębów, z zaczerwienieniem, obrzękiem i bólem),

### Krótko o chorobie ozębnej

Choć właściwa higiena jamy ustnej jest ważnym czynnikiem zapobiegającym chorobie ozębnej, to jednak jej nie wyklucza. Choroba ozębnej jest bowiem skutkiem nieprawidłowości działania układu odpornościowego i jako taka jest chorobą uogólnioną, a nie zlokalizowaną.

### Związki choroby ozębnej z grupami krwi

Badania wskazują wielokrotnie na różnice w występowaniu choroby ozębnej i zapalenia dziąseł u osób o różnych grupach krwi. Osoby z grupą A, B i AB są na nią znacznie bardziej podatne niż osoby z grupą krwi 0.

Próbę 238 osób rasy kaukaskiej podzielono na cztery grupy w zależności od diagnozy: zdrowa, z wrzodziejącym zapaleniem dziąseł, z przewlekłym zapaleniem dziąseł i z periodontozą (przyzębica). Okazało się, że grupa chorująca na przewlekłe zapalenie dziąseł różniła się serologicznie od grupy kontrolnej: chorzy na przewlekłe zapalenie dziąseł częściej reprezentowali grupę krwi AB, a rzadziej grupę krwi 0. Z kolei wśród chorych na periodontozę większy był udział osób z grupą krwi A i B, a mniejszy niż w grupie kontrolnej udział osób z krwią 0[1].

### Terapie stosowane przy chorobie ozębnej

*Protokoły stosowane przy grupie krwi A:*
* antybakteryjny

*Protokoły stosowane przy grupie krwi B:*
* antybakteryjny

*Protokoły stosowane przy grupie krwi AB:*
* antybakteryjny

*Protokoły stosowane przy grupie krwi 0:*
* antybakteryjny
* przeciwgrzybiczny

### Tematy pokrewne

Choroby bakteryjne
Próchnica zębów
Trawienie

**Bibliografia**

1. Kaslick RS, West TL, Chasens AI. Association between AB0 blood groups, HL-A antigens and periodontal diseases in young adults: a follow-up study. *J Periodontol.* 1980;51:339–342.

## CHOROBA PARKINSONA – przewlekła, postępująca choroba charakteryzująca się utrudnieniami w wykonywaniu ruchów kontrolowanych, drżeniem spoczynkowym i sztywnością mięśni.

| Choroba Parkinsona | RYZYKO ZACHOROWANIA | | |
|---|---|---|---|
| | NISKIE | UMIARKOWANE | ZNACZNE |
| Grupa A | | | |
| Grupa B | | | |
| Grupa AB | | | |
| Grupa 0 | | | |

## Objawy

• różne

## Krótko o chorobie Parkinsona

Choroba Parkinsona dotyka zazwyczaj ludzi w średnim lub starszym wieku i rozwija się stopniowo. W większości przypadków nie jest chorobą rodzinną, ale losową. Choć nie jest chorobą rzadką, występuje na całym świecie, a objawy są zazwyczaj jednoznaczne i łatwe do zdiagnozowania, sama etiologia choroby nie jest dobrze poznana.

Choroba Parkinsona jest nieuleczalna, a stosowane leki jedynie łagodzą objawy. Przebieg choroby jest powolny i stopniowy, dlatego cierpiący na nią chorzy mogą dożywać późnego wieku. Część chorych jednak staje się nieudolna i kończy na wózku inwalidzkim, a nawet wymaga pomocy w normalnych czynnościach życiowych, takich jak ubieranie i przygotowywanie posiłków.

### Typowe objawy choroby Parkinsona:

OPÓR MIĘŚNIOWY: ręka w spoczynku wykonuje ruchy przypominające ruch zapadki. Jest to wynik hipertonii mięśni dotykającej zazwyczaj mięśnie przeciwstawne. Mogą temu towarzyszyć ból, kurcze i osłabienie, jednakże pacjent zachowuje normalne czucie i odruchy mięśniowe kończyn. Pismo chorego na parkinsonizm staje się coraz mniejsze, z czasem trudne do odczytania (mikrografia).

ZWIĘKSZONE NAPIĘCIE MIĘŚNIOWE: ręka w ogóle odmawia wykonywania jakichkolwiek ruchów. Mogą temu towarzyszyć ból, kurcze i osłabienie, jednakże pacjent zachowuje normalne czucie i odruchy mięśniowe kończyn. Pismo chorego na parkinsonizm staje się coraz mniejsze, z czasem trudne do odczytania (mikrografia).

SPOWOLNIENIE RUCHOWE: spowolnieniu ulegają wszelkie ruchy kontrolowane (celowe).

AKINEZA: zmniejszenie, a czasem nawet całkowity brak spontanicznych ruchów towarzyszących normalnej ekspresji i mimice człowieka.

CHÓD DROBNYMI KROKAMI Z PRZYSPIESZENIEM: osoba chora ma trudności z rozpoczęciem marszu z pozycji stojącej, dlatego robi najpierw kilka małych kroków, po czym rusza gwałtownie do przodu, starając się nie upaść. Typowe dla choroby Parkinsona jest chodzenie krótkimi krokami, często z szuraniem i powłóczeniem nogami, w lekko pochylonej postawie i rękami zgiętymi pod kątem 90° oraz mocno przywartymi do boków tułowia.

PROPULSJA LUB RETROPULSJA: chorzy na chorobę Parkinsona mają skłonności do padania do przodu lub na wznak, nawet pod wpływem nieznacznego popchnięcia.

BRAK MIMIKI TWARZY: typowy wyraz twarzy chorego na chorobę Parkinsona jest ustalony i niezmienny, a głos monotonny. W kącikach ust może zbierać się ślina. Oczom brak wyrazu, a powieki mrugają o wiele rzadziej niż u ludzi zdrowych.

DRŻENIE SPOCZYNKOWE: typowe dla parkinsonizmu odruchy zachodzą w czasie spoczynku i przypominają „kręcenie pigułek" palcami i kciukiem zgiętej dłoni. Zazwyczaj ruch ten lokuje się po jednej stronie ciała, czasem jednak może dotknąć obie. Wprawdzie spoczynkowe ruchy mimowolne najbardziej uzewnętrzniają się w zachowaniu rąk, ale dotykają również nogi, usta, język i powieki (gdy są zupełnie zamknięte). Drżenie zanika w czasie ruchów kontrolowanych i podczas snu, zaś nasila się wskutek zmęczenia, stresu emocjonalnego i zmieszania; wielu pacjentów stara się ukryć drżącą dłoń w kieszeni lub przykryć ją ręką zdrową.

DEPRESJA: około 50% pacjentów cierpi, lub będzie cierpiało, na depresję.

## Związki choroby Parkinsona z grupami krwi

Chorobie Parkinsona towarzyszy niski poziom dopaminy, dlatego do leczenia objawów stosowane są inhibitory MAO. Inhibicja MAO wpływa na podwyższenie stężenia dopaminy. Z badań wynika, że skłonność do wahań poziomu dopaminy częściej obserwuje się u osób z grupą krwi 0. Wydaje się, że choroba Parkinsona rzadziej występuje u osób z grupą krwi A, a nawet jeśli wystąpi, to ma przebieg lżejszy niż w innych grupach[1].

## Terapie stosowane przy chorobie Parkinsona

*Protokoły stosowane przy grupie krwi A:*
- usprawniający procesy umysłowe
- wspomagający zdrowie układu nerwowego

*Protokoły stosowane przy grupie krwi B:*
- usprawniający procesy umysłowe
- wspomagający zdrowie układu nerwowego

*Protokoły stosowane przy grupie krwi AB:*
- przeciwstresowy
- usprawniający procesy umysłowe
- wspomagający zdrowie układu nerwowego

*Protokoły stosowane przy grupie krwi 0:*
- usprawniający procesy umysłowe
- przeciwstresowy
- wspomagający zdrowie układu nerwowego

## Tematy pokrewne

Choroby związane ze starzeniem
Stres

**Bibliografia**

1. Sherrington R, Curtis D, Brynjolfsson J, et al. A linkage study of affective disorder with DNA markers for the AB0--AK1-ORM linkage group near the dopamine beta hydroxylase gene. *Biol Psychiatry.* 1994;36:434–442.

# CHOROBA SERCA – *patrz Choroba sercowo-naczyniowa*

# CHOROBA SERCOWO-NACZYNIOWA

– choroby serca i naczyń krwionośnych, w tym również choroba tętnicy wieńcowej (CAD), atak serca, nadciśnienie i udar.

| Choroba sercowo--naczyniowa | RYZYKO ZACHOROWANIA | | |
|---|---|---|---|
| | NISKIE | UMIARKOWANE | ZNACZNE |
| Grupa A | | | |
| Grupa B | | | |
| Grupa AB | | | |
| Grupa 0 | | | |
| niewydzielacze | | | |

## Objawy

Choroba sercowo-naczyniowa nie daje wyraźnych objawów aż do chwili wystąpienia stenozy (zwężenia), zakrzepicy lub tętniaka (rozszerzenia) tętnicy lub komory. Wiele innych dolegliwości pozostaje w ścisłym związku z chorobą sercowo-naczyniową; należy do nich: NADCIŚNIENIE, wieńcowa ARTERIOSKLEROZA, arytmia przedsionkowa, arytmia komór i TĘTNIAKI.

## Krótko o chorobie sercowo-naczyniowej

Serce człowieka waży niecałe trzy kilogramy (i ma wielkość dłoni), jest w środku puste. Zważywszy na pracę, którą wykonuje, właściwie nie jest duże. U niektórych zwierząt, jak np. koni, serce jest znacznie większe. Większe serce – z przyczyn genetycznych i wskutek treningu – mają też lekkoatleci startujący w konkurencjach wytrzymałościowych.

W ciągu każdej doby ludzkie serce uderza przeszło 100 tysięcy razy i przepompowuje około 7,5 tysiąca litrów krwi, dość, by wypełnić niewielki tankowiec. W ciągu 70 lat życia przeciętne serce ludzkie uderza przeszło 2,5 miliarda razy. Podejrzewa się, że długość życia danego gatunku zwierzęcego jest związana z sumą wszystkich uderzeń serca w ciągu życia: u mniejszych, krótko żyjących gatunków tempo uderzeń serca jest bardzo wysokie, natomiast u zwierząt większych i dłużej żyjących rytm bicia serca jest znacznie wolniejszy.

W pewnym sensie serce składa się jakby z dwóch serc, lewego i prawego. Obie strony pompują tę samą ilość krwi, tyle że w inne miejsca i pod innym ciśnieniem. Prawa komora przepompowuje odtlenioną krew do płuc, gdzie zostaje ponownie natleniona. To krótka droga i nie wymaga dużego ciśnienia, dlatego prawa komora ma dość cienkie ściany.

Naprawdę ciężkie zadanie ma do wykonania lewa komora, ponieważ to ona przepompowuje natlenioną krew z płuc do pozostałych narządów. Aby dostała się do różnych peryferyjnych części ciała, musi zostać przepchnięta przez niezliczoną liczbę naczyń krwionośnych, a to wymaga olbrzymiego ciśnienia. W rezultacie lewa komora serca ma o wiele grubsze ścianki.

W układzie krążenia, złożonym z serca i naczyń krwionośnych, krąży około 5 litrów krwi. Serce przepompowuje tę ilość krwi przez żyły i tętnice o łącznej długości około 100 tysięcy kilometrów. Droga w tę i z powrotem trwa około 1 minuty, a krew osiąga czasem prędkość 15 kilometrów na godzinę.

Serce to niezwykle odporny narząd. Alexis Carrel, znakomity biolog eksperymentator, laureat Nagrody Nobla w dziedzinie fizjologii medycznej (1912), stwierdził, że gdyby ludzkiemu sercu zapewnić optymalne warunki w postaci substancji odżywczych i tlenu, to mogłoby znakomicie funkcjonować przez przeszło dwa stulecia. Najpospolitsze choroby serca nie biorą się z jego zużycia, ale raczej z przerwania dostawy składników odżywczych, wynikającego zazwyczaj z niesprawności tętnic, od których zależy jego funkcjonowanie.

### Główne czynniki ryzyka i przyczyny chorób serca

W miarę starzenia nasze naczynia krwionośne tracą elastyczność. Tym samym już sam proces starzenia jest czynnikiem ryzyka choroby sercowo-naczyniowej. Wśród pozostałych warto wymienić: NADCIŚNIENIE, palenie tytoniu, CUKRZYCĘ, OTYŁOŚĆ, brak ruchu, przypadki przedwczesnej arteriosklerozy w rodzinie,

WYSOKI CHOLESTEROL – zwłaszcza przy niskim stężeniu lipoprotein o dużej gęstości (HDL) i wysokim stężeniu lipoprotein o niskiej gęstości (LDL).

Zdrowie układu sercowo-naczyniowego zależy od złożonej mieszaniny różnych ważnych czynników, takich jak odżywianie, stres, ćwiczenia fizyczne i inne elementy składające się na sposób życia. Jednym z niedostrzeganych, choć niezwykle istotnych elementów, jest czynnik genetyczny, a właściwie genetyka grup krwi.

### Związki chorób serca z grupami krwi

Grupa krwi wpływa na działanie układu sercowo-naczyniowego człowieka na kilka sposobów; między innymi ma wpływ na zdolność metabolizowania tłuszczów spożywczych, to zaś wywiera wpływ na działanie serca i krążenie.

Przynależność do tej czy innej grupy krwi układu grupowego AB0 decyduje o lepkości krwi, to zaś odbija się na jej krążeniu. Genetyka grup krwi ma też bezpośredni wpływ na chemiczną odpowiedź organizmu na stres – jeden z ważniejszych czynników ryzyka w przypadku choroby serca.

Choć pewne elementy choroby sercowo-naczyniowej mogą się rozwinąć u każdego, to jednak wydaje się, że w poszczególnych grupach krwi dochodzi do tego z różnych przyczyn. Pewne przyczyny mogą być zupełnie oczywiste, jak np. związek między grupą krwi A i cholesterolem. Inne, takie jak skutki wysokiego stężenia trójglicerydów i INSULINOOPORNOŚCI w grupie krwi 0, są znacznie mniej poznane. Jednakże warto poszukać odmiennych przyczyn choroby u różnych ludzi, tym bardziej że popularny pogląd, że choroba serca zawsze wynika z tłustej, wysokobiałkowej diety, został ostatnimi czasy skutecznie podważony przez różne badania naukowe.

Zdolność do prawidłowej oceny czynników ryzyka choroby sercowo-naczyniowej w zależności od takiej czy innej grupy krwi daje człowiekowi potężne narzędzie w postaci przewidywania, którego nie dostarcza bynajmniej lektura bogatej, ale często sprzecznej literatury na temat związków między sposobem życia i chorobą serca.

Nie każdy czynnik ryzyka choroby serca wiąże się z grupą krwi. Na przykład nieleczone nadciśnienie, cukrzyca i nałogowe palenie papierosów zwiększają ryzyko zachorowania bez względu na grupę krwi danej osoby. Natomiast rzucenie palenia i kontrolowanie poziomu cukru i ciśnienia, a także właściwa kuracja, jeśli zachodzi taka potrzeba, może się przyczynić do skutecznego zahamowania wpływu innych czynników ryzyka, tym razem zależnych od grupy krwi.

### Choroba serca i różnice między grupami krwi

Najmniejsze ryzyko zapadnięcia na chorobę serca wskutek wysokiego poziomu cholesterolu występuje u osób z grupą krwi 0 i grupą krwi B. Ich drogą do tej choroby jest NIETOLERANCJA WĘGLOWODANÓW. Bardziej konwencjonalną ścieżką, właśnie poprzez wysokie stężenie cholesterolu, podążają osoby z grupą krwi A i AB. Każda z tych dróg wymaga odmiennej korekty i diety, która pozwoli danej osobie wrócić i pozostać przy zdrowiu.

### A i AB: związek między grupą krwi i cholesterolem

Jak wynika z niektórych badań, u osób z grupą krwi A i AB podwyższone stężenie cholesterolu we krwi jest groźniejsze i częściej prowadzi do choroby serca i ewentualnej śmierci niż u osób o innych grupach krwi.

Związki między grupami krwi i ogólnym poziomem cholesterolu w surowicy krwi badano w Japonii. Celem badania było stwierdzenie, czy w populacji japońskiej istnieje związek między podwyższonym poziomem cholesterolu i grupą krwi A, podobny do tego, jaki zaobserwowano w populacjach europejskich. Okazało się, że i tutaj wśród osób z grupą krwi A zaobserwowano znacznie podwyższony, w stosunku do innych grup, udział ludzi o podwyższonym poziomie cholesterolu[1].

Z kolei w badaniach nad 380 kombinacjami różnych markerów i czynników ryzyka znaleziono pozytywną korelację między grupą krwi A i zarówno ogólnie podwyższonym poziomem cholesterolu, jak i podwyższonym poziomem frakcji LDL, oraz negatywną korelację między grupą krwi B i ogólnym stężeniem cholesterolu[2].

W trakcie badań węgierskich zmierzono poziom cholesterolu u 653 pacjentów, którym wykonano angiografię naczyń wieńcowych w Węgierskim Instytucie Kardiologii. Okazało się, że liczba chorych z grupą krwi A była mniejsza niż oczekiwana dla populacji węgierskiej. Badania wykazały też, że między grupami krwi istnieją różnice co do miejsca, w którym dochodzi do zwężenia naczyń wieńcowych[3].

Niekiedy skłonność do podwyższonego poziomu lipoprotein jest dziedziczna. Jedna z częstszych postaci hiperlipoproteinemii, oznaczana skrótem IIB, charakteryzuje się podwyższonym poziomem lipoprotein niskiej gęstości (LDL) i lipoprotein bardzo niskiej gęstości (VLDL). Hiperlipoproteinemia typu IIB powoduje przedwczesne twardnienie tętnic, niedrożność tętnicy szyjnej (tej, która zaopatruje w krew głowę i mózg), MIAŻDŻYCĘ TĘTNIC OBWODOWYCH, ZAWAŁ SERCA i UDAR. Zważywszy, że wszystkie te choroby częściej występują u osób z grupą krwi A, nie dziwi fakt znalezienia wyraźnego związku między hiperlipoproteinemią i grupą krwi A zarówno u noworodków, jak i u pacjentów cierpiących na zawał serca[4].

### 0 i B: związek między grupą krwi i nietolerancją węglowodanów

W wypadku grupy krwi 0 i B podstawowym czynnikiem ryzyka choroby serca jest nie tyle tłuszcz w pokarmie, ile otłuszczenie ciała. Innymi słowy, głównym czynnikiem ryzyka jest nietolerancja węglowodanów. Osoby z grupą krwi 0 lub B, które stosują dietę niskotłuszczową, za to bogatą w węglowodany i lektyny, zaczynają tyć. Właśnie ta nadwaga lub otyłość staje się głównym czynnikiem ryzyka zachorowania na chorobę serca.

Od wielu lat kardiolodzy ostrzegają, że wysoki poziom trójglicerydów nie jest sam w sobie czynnikiem ryzyka, ale staje się niebezpieczny w połączeniu z innymi czynnikami. Jednakże coraz więcej dowodów wskazuje na to, że sam podwyższony poziom trójglicerydów również może być czynnikiem ryzyka choroby serca i to po części wyjaśnia odmienność drogi do choroby serca, którą kroczą osoby z grupą krwi 0 i B[5,6].

Trójglicerydy składają się z trzech połączonych ze sobą łańcuchów tłuszczowych. Większość tłuszczów pokarmowych, a także tłuszczu wchodzącego w skład ciała człowieka, występuje właśnie w tej postaci. Cukrzycy często mają wysoki poziom trójglicerydów, a cukrzyca uważana jest za główną przyczynę nadmiaru trójglicerydów we krwi. Innymi słowy, insulinooporność wywołana przez nietolerancję węglowodanów prowadzi do podniesienia stężenia trójglicerydów we krwi. Zgodnie z obecnymi standardami stężenie trójglicerydów w granicach 200–400 mg/dL uznawane jest za poziom podwyższony, wysoki poziom to stężenie 400–1000 mg/dL, natomiast każde stężenie powyżej tego przedziału określane jest jako bardzo wysoki poziom trójglicerydów.

W pewnych badaniach wykazano, że u mężczyzn o najwyższym poziomie trójglicerydów na czczo ryzyko zawału serca jest ponad dwa razy wyższe niż u mężczyzn o najniższym poziomie – nawet po uwzględnieniu wpływu cukrzycy, palenia i siedzącego trybu życia. Co zaskakujące, w grupie zagrożonej zawałem serca znalazły się nawet osoby o poziomie trójglicerydów tak niskim jak 142 mg/dL, choć właściwie poziom poniżej 200 mg/dL jest uznawany za normalny.

Klasycznym sygnałem wskazującym na skłonność do insulinooporności jest sylwetka typu „jabłko", charakteryzująca się znacznym obwodem w talii. Komórki tłuszczowe w okolicy brzucha uwalniają tłuszcz do krwi znacznie łatwiej niż komórki tłuszczowe w innych częściach ciała. Osoby o sylwetce typu „gruszka", z tłuszczem rozlokowanym na udach i biodrach, są pod tym względem mniej zagrożone. Uwalnianie tłuszczu z okolic brzucha zaczyna się już w 3–4 godziny po posiłku, natomiast z innych komórek tłuszczowych znacznie później. Owa gotowość do uwalniania tłuszczu objawia się w postaci podwyższonego poziomu trójglicerydów i wolnych kwasów tłuszczowych. Już same wolne kwasy tłuszczowe mogą wywołać insulinooporność, a podwyższonemu poziomowi trójglicerydów towarzyszy zazwyczaj jeszcze niskie stężenie HDL, czyli tzw. dobrego cholesterolu. Dowiedziono, że nadmierne wydzielanie insuliny, będące bezpośrednim skutkiem insulinooporności, prowadzi do zwiększenia wydzielania „bardzo złego cholesterolu", czyli VLDL[7].

Związek między otyłością, trójglicerydami i złymi lipoproteinami został wykazany u osób z grupą krwi 0. We francuskich badaniach przesiewowych, prowadzonych wśród dawców krwi w celu wykrycia osób z chorobą sercowo-naczyniową lub naczyniowo-mózgową, wykazano, że stężenie trójglicerydów i lipoprotein w surowicy krwi jest skorelowane z otyłością i grupą krwi 0. Istnieje też związek między statusem niewydzielacza i wysokim poziomem trójglicerydów oraz insulinoopornością.

Nareszcie środowisko lekarskie zaczyna dostrzegać potrzebę sięgnięcia poza dotychczasowe wąskie pole widzenia i poszerzenia swych poglądów na temat czynników ryzyka choroby sercowo-naczyniowej. Wprawdzie istnieją liczne dowody na to, że cholesterol odgrywa ważną rolę w rozwoju MIAŻDŻYCY TĘTNIC i CHOROBY SERCA u niektórych ludzi, jednakże faktem jest również, że część ludzi nie pasuje do tego schematu.

### Grupy 0 i B: ochrona przed cholesterolem

Stosunkowo duże bezpieczeństwo, z jakim osoby z grupą krwi 0 i B mogą korzystać z wysokobiałkowej diety, ma swoje uzasadnienie fizjologiczne. Głównym zadaniem jelitowej fosfatazy zasadowej, enzymu wytwarzanego w jelicie cienkim, jest rozkład zawartych w pokarmach tłuszczów i cholesterolu. Występuje ona szczególnie obficie u osób z grupą krwi 0 i B – a zwłaszcza u wydzielaczy, natomiast u osób z grupą krwi A i AB jej stężenie jest wyraźnie mniejsze. Najnowsze badania sugerują, że to właśnie owa słabsza zdolność do rozkładu tłuszczów predysponuje osoby z grupą krwi A i AB do wysokiego stężenia cholesterolu, a co za tym idzie, do zawału serca. U osób z grupą krwi 0 i B, u których proces rozkładu tłuszczów pokarmowych wspomagany jest przez duże ilości fosfatazy zasadowej, taka tendencja się nie ujawnia[8,9,10].

Aktywność jelitowej fosfatazy zasadowej wzmaga się zaraz po posiłku, w skład którego wchodzi tłuszcz, zwłaszcza jeśli spożyte trójglicerydy to kwasy tłuszczowe o długich łańcuchach. W pewnych badaniach, polegających na podawaniu ochotnikom różnego rodzaju posiłków, stwierdzono, że po daniach zawierających długołańcuchowe kwasy tłuszczowe stężenie fosfatazy w surowicy krwi jest większe niż po posiłkach zawierających tłuszcze o łańcuchach średniej długości; jest ono również znacząco większe u osób z grupą krwi 0 i B niż u osób z grupą krwi A i AB.

Paradoksalnie, wydaje się, że jelitowa fosfataza zasadowa daje osobom z grupy 0 i B metaboliczną przewagę wówczas, gdy spożywają posiłki wysokobiałkowe. W rzeczy samej, poziom fosfatazy zasadowej w ich jelitach rośnie po spożyciu białka. Bez niego nie mieliby korzyści z wyspecjalizowanych, rozbijających tłuszcze enzymów obecnych w ich jelitach. To wyjaśnia, dlaczego właśnie u osób z tymi grupami krwi można uzyskać obniżenie poziomu cholesterolu poprzez zastosowanie diety wysokobiałkowej[11].

Pewne interesujące badania rzuciły nieco światła na fakt, dlaczego aktywność fosfatazy zasadowej jest tak niska u osób z grupą krwi A i AB. Dowiedziono w nich, że sam antygen A ma zdolność inaktywowania fosfatazy alkalicznej. Być może zatem niski poziom tego enzymu, a w konsekwencji osłabiona zdolność do rozkładu tłuszczów pokarmowych, może być fizyczną ekspresją antygenu A. Stwierdzono, że erytrocyty osób z grupą krwi A i AB wiążą niemal całą fosfatazę zasadową, podczas gdy erytrocyty osób z grupą krwi 0 i B robią to tylko w nieznacznym stopniu[12].

## Inne czynniki ryzyka choroby sercowo-naczyniowej

### ANTYKONCEPCJA DOUSTNA

Pigułki antykoncepcyjne mogą nasilić zagrożenie ze strony choroby sercowo-naczyniowej. Ich stosowanie podnosi poziom cholesterolu we krwi i bywa przyczyną podwyższonego ciśnienia, tak więc kobiety, które już wcześniej cierpiały na te dolegliwości, nie powinny stosować antykoncepcji doustnej. Palaczki, które stosują doustne środki antykoncepcyjne, powinny się liczyć z możliwością rozwoju ZAKRZEPICY. Istnieją dane, które wskazują na to, że zakrzepica wywołana stosowaniem doustnych środków antykoncepcyjnych łatwiej rozwija się u kobiet z grupą krwi A i AB niż u kobiet z pozostałymi dwiema grupami krwi układu AB0[13].

### WPŁYW BRAKU RUCHU I WYSIŁKU FIZYCZNEGO NA CHOROBY SERCA

Badacze stwierdzili, że osoby po zawale, które unikają ćwiczeń fizycznych, nie wracają tak dobrze do zdrowia jak ludzie prowadzący aktywny tryb życia. Wprawdzie nie wiadomo, czy sam brak ćwiczeń jest czynnikiem ryzyka choroby serca, to jednak w połączeniu z innymi, znanymi czynnikami, takimi jak otyłość, na pewno zwiększa prawdopodobieństwo rozwoju choroby. Ruch i umiarkowany wysiłek fizyczny wyraźnie zmniejsza ilość „złego" cholesterolu (LDL) i zwiększa poziom cholesterolu „dobrego" frakcji HDL.

### SKUTKI DZIAŁANIA STRESU

Wydaje się, że długotrwałe i nadmierne napięcie emocjonalne zwiększa ryzyko choroby serca. STRES może wpłynąć na nasilenie innych czynników ryzyka, takich jak przejadanie się, palenie tytoniu, nadciśnienie. Pod wpływem stresu organizm może wytwarzać hormony, które sprzyjają tworzeniu skrzepów. W sytuacjach stresowych do krwiobiegu uwalniane są kwasy tłuszczowe i glukoza, które następnie mogą zostać przekształcone w cholesterol lub inny tłuszcz i odłożone w ścianach tętnic. Takie miejsca upośledzają przepływ krwi przez tętnice i przyczyniają się do rozwoju podwyższonego ciśnienia.

U chorych po zawale te odmienne reakcje fizjologiczne, które zdają się mieć związek z grupami krwi, być może trzeba przypisać różnicom chemicznym reakcji na stres obserwowanym w ramach układu grupowego krwi AB0. W badaniach przeprowadzonych wśród chorych po zawale stwierdzono, że w odniesieniu do zachowań określanych jako „typ A"*, znacznie lepiej wypadali pacjenci z grupą krwi 0 niż z grupą krwi A. Osoby z grupą krwi B przejawiały, jak oczekiwano, zachowania pośrednie[14].

## Terapie stosowane przy chorobie sercowo--naczyniowej

### Protokoły stosowane przy grupie krwi A:
- sercowo-naczyniowy
- usprawniający metabolizm
- przeciwstresowy

**Uwaga!** Zachowaj ostrożność w kwestii suplementacji żelazem: badania na przeszło 1900 Finach w wieku między 42. a 60. rokiem życia wykazały korelację między 4% wzrostem prawdopodobieństwa zawału a 1% zwiększeniem stężenia ferrytyny w surowicy krwi. Ferrytyna to białko, które służy organizmowi do magazynowania żelaza. Uważa się, że wysoki poziom żelaza może katalizować wytwarzanie wolnych rodników, które niszczą ściany tętnic.

### Protokoły stosowane przy grupie krwi B:
- sercowo-naczyniowy
- usprawniający metabolizm

### Protokoły stosowane przy grupie krwi AB:
- sercowo-naczyniowy
- usprawniający metabolizm
- przeciwstresowy

### Protokoły stosowane przy grupie krwi 0:
- sercowo-naczyniowy
- usprawniający metabolizm

## Tematy pokrewne

Dusznica bolesna
Miażdżyca tętnic
Krew i choroby z nią związane
Cukrzyca
Zawał serca
Hipercholesterolemia
Nadciśnienie
Nadmiar trójglicerydów we krwi
Insulinooporność
Otyłość
Stres

### Bibliografia

1. Wong FL, Kodama K, Sasaki H, Yamada M, Hamilton HB. Longitudinal study of the association between AB0 phenotype and total serum cholesterol level in a Japanese cohort. *Genet Epidemiol.* 1992;9:405–418.
2. George VT, Elston RC, Amos CI, Ward LJ, Berenson GS. Association between polymorphic blood markers and risk factors for cardiovascular disease in a large pedigree. *Genet Epidemiol.* 1987;4:267–275.
3. Tarjan Z, Tonelli M, Duba J, Zorandi A. [Correlation between AB0 an Rh blood groups, serum cholesterol and ischemic heart disease in patients undergoing coronarography]. *Orv Hetil.* 1995;136:767–769.
4. Kipschidse NN, Schawgulidse NA. [Arteriosclerosis and blood lipids]. *Z Gesamte Inn Med.* 1989;44:175–176.
5. Contiero E, Chinello GE, Folin M. Serum lipids and lipoproteins associations with AB0 blood groups. *Anthropol Anz.* 1994;52:221–230.
6. Borecki IB, Elston RC, Rosenbaum PA, Srinivasan SR, Berenson GS. AB0 associations with blood pressure, serum lipids and lipoproteins, and anthropometric measures. *Hum Hered.* 1985;35:161–170.
7. Lewis GF, Steiner G. Acute effects of insulin in the control of VLDL production in humans. Implications for the insulin-resistant state. *Diabetes Care.* 1996;19:390–393.
8. Domar U, Hirano K, Stigbrand T. Serum levels of human alkaline phosphatase isozymes in relation to blood groups. *Clin Chim Acta.* 1991;203:305–313.
9. Nakata N, Tozawa T. [The AB0 blood groups-dependent reference intervals for serum alkaline phosphatase isozymes and total activity in individuals 20–39 years of age]. *Rinsho Byori.* 1995;43:508–512.
10. Day AP, Feher MD, Chopra R, Mayne PD. Triglyceride fatty acid chain length influences the post prandial rise in serum intestinal alkaline phosphatase activity. *Ann Clin Biochem.* 1992;29:287–291.

---

* Chroniczna nieustanna walka, chęć osiągnięcia coraz więcej w coraz krótszym czasie, łatwe wzbudzanie w sobie wrogości – przyp. tłum.

11. Stephan J, Graubaum HJ, Meurer W, Wagenknecht C. [Isoenzymes of alkaline phosphatase – reference values in young people and effects of protein diet]. *Experientia.* 1976;32:832–834.
12. Bayer PM, Hotschek H, Knoth E. Intestinal alkaline phosphatase and the AB0 blood group system – a new aspect. *Clin Chim Acta.* 1980;108:81–87.
13. Jick H, Slone D, Westerholm B. Venous thromboembolic disease and AB0 blood type. A cooperative study. *Lancet.* 1969;1:539–542. No abstract available.
14. Neumann JK, Chi DS., Arbogast BW, Kostrzewa RM, Harvill LM. Relationship between blood groups and behavior patterns in men who have had myocardial infarction. *South Med. J.* 1991;84:214–218.

# CHOROBA TRZEWNA

**CHOROBA TRZEWNA** – zwana też czasem celiakią, jest wywołana reakcją immunologiczną na gliadynę, białko glutenowe obecne w pszenicy, życie, owsie i jęczmieniu.

| Choroba trzewna | RYZYKO ZACHOROWANIA | | |
|---|---|---|---|
| | NISKIE | ŚREDNIE | WYSOKIE |
| Grupa A | | | |
| Grupa B | | | |
| Grupa AB | | | |
| Grupa 0 | | | |
| niewydzielacz | | | |

## Objawy

• przewlekła biegunka,
• chudnięcie,
• niedobory żelaza,
• ogólnie złe przyswajanie pokarmów.

## Krótko o chorobie trzewnej

Uważa się, że choroba trzewna to odpowiedź immunologiczna organizmu na gliadynę, białko występujące w czterech zbożach: pszenicy, życie, owsie i jęczmieniu. Mniej więcej czte-

ry na pięć osób chorych na tę chorobę ma we krwi przeciwciała skierowane przeciw gliadynie. Stwierdzono też, że połowa pacjentów z różnymi chorobami żołądkowo-jelitowymi ma podwyższoną liczbę przeciwciał antygliadynowych. U osób z chorobą trzewną obserwuje się ponadto brak IgA, ochronnego przeciwciała, które normalnie występuje w wydzielinie śluzówki jelita; w rezultacie jest ona bardziej podatna na podrażnienia.

## Związki choroby trzewnej z grupami krwi

Istnieje silny związek między chorobą trzewną i statusem niewydzielacza. U osób niewydzielających antygenów do płynów ustrojowych ryzyko zachorowania na chorobę trzewną jest mniej więcej 200% większe niż u wydzielaczy[1,2]. Nie powinno to dziwić, jako że już od przeszło 20 lat wiadomo, że niewydzielacze mają mniejszą ilość IgA niż wydzielacze[3,4].

Istnieją dane pozwalające sądzić, że poprawa stanu jelita u niewydzielaczy wiąże się ze stanem ich antygenu układu Lewis. Substancja ta występuje w jelicie w postaci dużych cząsteczek. Z badań wynika, że te duże cząsteczki antygenu $Lewis_{(a)}$ są przez komórki jelita przekształcane w cząsteczki mniejsze, które przedostają się do krwiobiegu i przechodzą przez nerki. U chorych na celiakię niewydzielaczy, u których po leczeniu nie doszło do regeneracji błony śluzowej, stwierdzono w moczu wyraźnie większy poziom małych cząsteczek $Lewis_{(a)}$ niż u osób zdrowych[5]. Inne badania pokazują, że pewne specjalne komórki jelita, zwane komórkami M, przede wszystkim prezentują antygen $Lewis_{(a)}$, a w zdrowym układzie pokarmowym dostarczają prawdopodobnie innym komórkom materiału* do przekształcenia (na drodze metabolicznej) w układy zdrowe. Komórki M są ważne: stanowią element jelitowych kępek Peyera – miejsc odpowiedzialnych za immunologiczną tolerancję pokarmów.

---

* Innymi słowy, komórki M pobierają substancje, które dostały się do jelita cienkiego, w tym też drobnoustroje, i przekazują je innym komórkom układu odpornościowego do „obróbki", np. do unieszkodliwienia lub pocięcia – przyp. tłum.

U chorych na celiakię może dojść do powstania chłoniaka, a to wskazuje na istnienie ścisłego związku między układem odpornościowym i jelitem oraz ilustruje skalę szkód, jakie mogą wywołać zaburzenia dietetyczne.

## Związek choroby trzewnej z lektynami

Związki lektyn z chorobą trzewną były badane wielokrotnie, jednakże wnioski z nich płynące nie są jednoznaczne. Wydaje się, że choroba trzewna dotyka wszystkie grupy krwi mniej więcej jednakowo, ale zdaje się, że z różnych przyczyn. Częściowo dlatego, że gliadyna, prawdziwa winowajczyni, różni się od lektyny zarodka pszenicy, głównego, codziennego problemu osób z grupą krwi 0[6]. Wykazano na przykład, że gliadyna, czyli gluten, nie wiąże się z N-acetylo-glukozaminą (NAG), cukrem, który tak zgrabnie wiąże lektynę zarodka pszenicy[7].

Nie znaczy to bynajmniej, że gluten nie jest czymś w rodzaju lektyny: wykazano, że przyłącza się do bogatych w węglowodany tkanek zupełnie jak lektyna. Mało tego, aktywność glutenu może zostać zahamowana poprzez swoisty dlań cukier, alfa-D-mannozę. Do cukru tego przyczepiają się też wirusy grypy jelitowej. To wyjaśnia być może zasadność tradycyjnych sposobów leczenia, przypomnianych przez Davida Freeda, specjalistę w dziedzinie lektyn, zalecających post w przypadku grypy żołądkowo-jelitowej[8]. Poza wirusami do alfa-D-mannozy przyczepia się też lektyna obecna w przebiśniegu (*Galanthus nivalis*), używanym do genetycznej modyfikacji pokarmów.

## Terapie stosowane przy chorobie trzewnej

*U wszystkich czterech grup krwi układu AB0 stosuje się następujące protokoły:*
- wspomagający zdrowie żołądka
- wspomagający zdrowie jelit

## Tematy pokrewne

Lektyny
Odporność

Rak chłoniak
Trawienie

**Bibliografia**

1. Dickey W, Wylie JD, Collin JS, Porter KG, Watson RG, McLoughlin JC. Lewis phenotype, secretor status, and coeliac disease. *Gut.* 1994;35:769–770.
2. Heneghan MA, Kearns M, Goulding J, Egan EL, Stevens FM, McCarthy CF. Secretor status and human leucocyte antigens in coeliac disease. *Scand J Gastroenterol.* 1996;31:973–976.
3. Shinebaum R. AB0 blood group and secretor status in the spondyloarthropathies. *FEMS Microbiol Immunol.* 1989;1:389–395.
4. Blackwell CC, May SJ, Brettle RP, MacCallum CJ, Weir DM. Secretor state and immunoglobulin levels among women with recurrent urinary tract infections. *J Clin Lab Immunol.* 1987;22:133–137.
5. Evans DA, Donohoe WT, Hewitt S, Linaker DB. Lea blood group substance degradation in the human alimentary tract and urinary Lea in coeliac disease. *Vox Sang.* 1982;43:177–187.
6. Giannasca PJ, Giannasca KT, Leichtner AM, Neutra MR. Human intestinal M cells display the sialyl Lewis A antigen. *Infect Immun.* 1999;67:946–953.
7. Langman MJ, Banwell JG, Stewart JS, Robson EB. AB0 blood groups, secretor status, and intestinal alkaline phosphatase concentrations in patients with celiac disease. *Gastroenterology.* 1969;57:19–23.
8. Ruhlmann J, Sinha P, Hansen G, Tauber R, Kottgen E. Studies on the aetiology of coeliac disease: no evidence for lectin-like components in wheat gluten. *Biochim Biophys Acta.* 1993;1181:249–256.

**CHOROBA WĄTROBY** – zmiany upośledzające działanie wątroby.

| Choroba wątroby | RYZYKO ZACHOROWANIA | | |
|---|---|---|---|
| | NISKIE | UMIARKOWANE | ZNACZNE |
| Grupa A | | | |
| Grupa B | | | |
| Grupa AB | | | |
| Grupa 0 | | | |
| niewydzielacz | | | |

## Objawy

Początek marskości wątroby jest zwykle niezauważalny, z kilkoma zaledwie objawami pozwalającymi zidentyfikować nieprawidłowości działania wątroby. W miarę przybywania blizn i postępowania uszkodzenia mogą się pojawić następujące sygnały i symptomy:

- utrata apetytu,
- mdłości i wymioty,
- chudnięcie,
- powiększenie wątroby,
- żółtaczka (pożółknięcie białek oczu i skóry wywołane upośledzaniem usuwania barwnika żółci przez wątrobę),
- swędzenie związane z akumulacją składników żółci w skórze,
- zwiększenie obwodu brzucha w wyniku upośledzenia przepływu płynów przez wątrobę,
- wymiotowanie krwią,
- zwiększona wrażliwość na leki wywołana niemożnością wątroby do ich inaktywowania.

## Krótko o wątrobie

Wątroba jest narządem, na którym ciążą olbrzymie obowiązki. Poprzez wpływ, jaki wywiera na inne narządy i układy, w tym układ trawienny, którego jest częścią, przyczynia się do ich prawidłowego funkcjonowania.

- Wątroba jest główną fabryką chemiczną organizmu. Właśnie w wątrobie powstaje wiele białek i tłuszczów.
- Wątroba jest wielkim filtrem. Krew zawierająca substancje wchłonięte do krwiobiegu z jelita cienkiego musi najpierw przebyć sieć specjalnych zbiorników zwanych zatokami. W zatokach znajdują się elementy układu odpornościowego zwane komórkami Kupffera, rozpoznające i niszczące te mikroorganizmy, które przedostały się do krwi wraz z wchłanianymi substancjami odżywczymi. Wątroba jest też zdolna do chemicznej detoksykacji zadziwiająco szerokiej gamy trucizn.
- Wątroba wspomaga proces wchłaniania tłuszczów: Wątroba produkuje sole występujące w żółci, których zadanie polega na emulsyfika-

cji tłuszczów (umożliwia im mieszanie się z wodą). Sole żółciowe to steroidy o właściwościach detergentów. Emulgując tłuszcze, żółć ułatwia ich trawienie i wchłanianie przez ściany jelita.

Żółć to lepki zielonkawy płyn wytwarzany w wątrobie. Jest ona uwalniana do sieci niewielkich przewodów żółciowych, które łączą się, dając duży przewód wątrobowy. Synteza żółci to główny sposób utylizacji cholesterolu. Średnio do jej syntezy dorosły człowiek zużywa ponad połowę z 800 mg cholesterolu, jaki codziennie wchodzi w procesy metaboliczne jego organizmu. Dla porównania, druga z głównych funkcji cholesterolu, a mianowicie wytwarzanie hormonów steroidowych, zużywa zaledwie około 50 mg tej substancji dziennie. Ponieważ procesy trawienne wymagają też, by wątroba wydzielała do jelita ponad 400 mg soli żółciowych, organizm przetwarza te sole w zasadzie na okrągło.

## Słów kilka o chorobach wątroby

Istnieje kilka poważnych schorzeń, które mogą dotknąć wątrobę. Alkoholizm, zapalenie wątroby i nadużywanie leków mogą prowadzić do marskości. Marskość to każda przewlekła choroba wątroby związana z powstawaniem nieodwracalnych uszkodzeń komórek i zastępowaniem ich bliznami. Bliznowacenie wątroby zaburza przepływ krwi przez jej tkanki, a to upośledza jej normalne czynności, ważne dla funkcjonowania organizmu. W samych Stanach Zjednoczonych marskość i inne choroby wątroby są przyczyną śmierci przeszło 25 tysięcy ludzi rocznie i stanowią ósmą co do ważności przyczynę śmierci w tym kraju.

Pierwotna marskość żółciowa (*primary biliary cirrhosis*; PBC) jest chroniczną chorobą wątroby powodującą powolną, postępującą destrukcję przewodów żółciowych. Uszkodzenie tych przewodów wpływa na wydzielanie żółci. Do marskości może prowadzić przewlekłe zapalenie wątroby, w wyniku którego następuje jej bliznowacenie. Marskość pojawia się dopiero w zaawansowanych stadiach choroby. Na jej wczesnych etapach podstawowym problemem jest gromadzenie się we krwi pewnych substancji (takich jak kwasy i cholesterol), normalnie wydalanych do żółci.

Początek marskości wątroby przebiega zazwyczaj skrycie, dając nieliczne objawy pozwalające zidentyfikować nieprawidłowości działania wątroby. Dopiero postępujące bliznowacenie i uszkodzenia mogą wywołać objawy wymienione wcześniej.

## Związki choroby wątroby z grupami krwi

Alkohol, zapalenie wątroby i choroby tropikalne wątroby, które wywołują włóknienie (bliznowacenie) wątroby, częściej atakują osoby z grupą krwi A niż B i AB. Grupa krwi 0, u której rozwinęły się, jako forma pierwotnej ochrony przeciw pasożytom, przeciwciała anty-A i anty-B, jest na nie stosunkowo odporna[1,2].

U osób z grupą krwi A, B i AB częściej niż u osób z grupą 0 pojawiają się KAMIENIE ŻÓŁCIOWE, żółtaczka i marskość. Najczęściej dolegliwości te pojawiają się u osób z grupą krwi A.

## Terapie stosowane przy chorobie wątroby

*U wszystkich czterech grup krwi układu AB0 stosuje się następujące protokoły:*

• wspomagający działanie wątroby
• wspomagający zdrowie żołądka
• antywirusowy (przy wirusowym zapaleniu wątroby)
• detoksykacyjny

## Tematy pokrewne

Alkoholizm
Choroby autoagresyjne: Sarkoidoza
Choroby wirusowe: Zapalenie wątroby typu B i C
Kamienie żółciowe
Rak pęcherzyka żółciowego
Rak trzustki
Rak wątroby
Trawienie

**Bibliografia**

1. Feher J, Lengyel G, Blazovics A. Oxidative stress in the liver and biliary tract diseases. *Scand J Gastroenterol Suppl.* 1998;228:38–46.
2. Billington BP. A note on the distribution of AB0 blood groups in bronchiectasis and portal cirrhosis. *Aust Annal Med.* 1956;5:20–22.

**CHOROBA WIEŃCOWA** – choroba niedokrwienna serca wywołana blokadą tętnic wieńcowych w wyniku nagromadzenia się płytek miażdżycowych.

| Choroba wieńcowa | RYZYKO ZACHOROWANIA | | |
|---|---|---|---|
| | NISKIE | UMIARKOWANE | ZNACZNE |
| Grupa A | | | |
| Grupa B | | | |
| Grupa AB | | | |
| Grupa 0 | | | |
| niewydzielacz | | | |

## Objawy

Choroba wieńcowa powstaje w wyniku nagromadzenia się blaszek miażdżycowych, które zmniejszają światło tętnic obsługujących serce. Choroba zaczyna się niezauważalnie i bywa rozmieszczona nierównomiernie w różnych naczyniach krwionośnych. Może znacznie upośledzać przepływ krwi w obrębie serca, zwłaszcza gdy blaszka pęka i się rozprzestrzenia. Do głównych komplikacji choroby wieńcowej należy zaliczyć dusznicę bolesną, dusznicę niestabilną, zawał serca i nagłą śmierć sercową wywołaną arytmią.

## Krótko o chorobie wieńcowej

W krajach uprzemysłowionych choroba wieńcowa należy do głównych przyczyn zejść śmiertelnych ludzi powyżej 45. roku życia. Na przykład w ciągu jednego dnia w Stanach Zjednoczonych zawał serca przechodzi 4100 osób; setki z nich przeżywają, często jednak na ich dalszym życiu odbijają się powstałe w sercu nieodwracalne zmiany. Na chorobę wieńcową, najpospolitszą postać choroby serca, cierpi mniej więcej 7 milionów Amerykanów. Jest ona spowodowana zwężeniem tętnic odżywiających serce. W USA choroba wieńcowa serca jest mordercą numer jeden zarówno kobiet, jak i mężczyzn: każdego roku z powodu zawału serca umiera ponad 500 tysięcy Amerykanów.

Podobnie jak inne tkanki organizmu, serce wymaga do funkcjonowania tlenu i składników odżywczych, a te są dostarczane do niego tętnicami wieńcowymi. Nazwa pochodzi od słowa „wieniec", ponieważ omawiane naczynia wychodzą z głównej tętnicy serca, aorty, i oplatają ten narząd na kształt korony, dostarczając świeżą, natlenioną krew do wszystkich jego zakątków. Jeśli z jakiejś przyczyny dostawy te zostaną zahamowane, serce zaczyna głodować i może umrzeć. Takie obumieranie mięśnia sercowego zwane jest zawałem serca albo inaczej zawałem mięśnia sercowego. Jeśli w jego trakcie ginie duża część tkanki, serce nie ma dość siły do pompowania krwi i traci rytmiczność lub przestaje działać.

## Główne czynniki ryzyka i przyczyny choroby wieńcowej

Czynnikami ryzyka nazywa się te sytuacje, które zwiększają prawdopodobieństwo wystąpienia określonej choroby. Na niektóre z nich możemy mieć wpływ, na inne nie. Wprawdzie każdy z czynników ryzyka zwiększa zagrożenie chorobą wieńcową, jednakże nie wszystkie dają się łatwo powiązać z bezpośrednimi jej przyczynami; u niektórych osób rozwija się ona nawet pod nieobecność czynników ryzyka.

Większości czynników ryzyka choroby wieńcowej można zapobiec, zmieniając sposób życia. Do tych czynników należy NADCIŚNIENIE, HIPERCHOLESTEROLEMIA, palenie, OTYŁOŚĆ i brak aktywności fizycznej; wszystkie ww. czynniki mogą być przez nas kontrolowane. Kiedy jednak próbujemy przedstawić te czynniki ryzyka jako wspólne dla całkiem odmiennych grup ludzi, pojawiają się trudności. To właśnie w tym miejscu dochodzi do obalenia wielu utartych poglądów na temat związków między sposobem życia i chorobą serca: wprawdzie dużą liczbę chorych można dopasować do utartego schematu, jednakże równie duża grupa ludzi od profilu tego odstaje. Dodatkowe możliwości interpretacyjne dają dane genetyczne, takie jak grupa krwi, które dostarczają dodatkowych, precyzyjniejszych „biomarkerów" wskazujących, dla kogo niebezpieczny jest czynnik ryzyka i u kogo choroba może się rozwinąć całkiem z odmiennej przyczyny.

Niedawno stwierdzono, że jednym z ważnych czynników ryzyka choroby tętnic wieńcowych, obwodowych i mózgowych jest homocysteina. We krwi chorych na homocystynurię, dość rzadką chorobę genetyczną przenoszoną przez gen recesywny, stwierdzono poziom homocysteiny 10–20 razy wyższy niż normalnie (hiperhomocysteinemia), a także przyspieszoną, przedwczesną chorobę naczyniową. Homocysteina wywiera bezpośredni, trujący wpływ na śródbłonek i może powodować zakrzepicę i utlenianie LDL. Umiarkowanie podwyższone stężenie homocysteiny może mieć różne przyczyny, w tym również niedobór kwasu foliowego i witaminy $B_6$ i $B_{12}$, będący wynikiem upośledzenia działania nerek, stosowanie pewnych leków i uwarunkowane genetycznie różnice w procesie enzymatycznego rozkładu homocysteiny. U pacjentów, u których stężenie homocysteiny we krwi mieści się w strefie pięciu procent najwyższych wyników, ryzyko wystąpienia zawału serca lub śmierci z jego powodu jest 3,4 raza większe niż u osób mieszczących się w dolnych 90 procentach, narażonych na inne czynniki ryzyka. Zwiększony poziom homocysteiny wiąże się z podwyższonym ryzykiem choroby serca, niezależnie od jej przyczyny. Ponieważ według najnowszych badań gradacja ryzyka zachorowania występuje nawet u osób mieszczących się w normalnym zakresie stężenia homocysteiny we krwi, zatem należy wnosić, że korzystne może być również zmniejszenie jej normalnego poziomu.

## Związki choroby wieńcowej z grupami krwi

W badaniach na 191 kandydatach do operacji wykonania by-passów aortalno-wieńcowych stwierdzono zaskakującą przewagę osób z grupą krwi 0 nad osobami z grupą krwi A. Po dokładniejszym przeanalizowaniu wyników okazało się jednak, że skłonność do zakrzepicy, właściwa dla osób z grupą krwi A, jest podstawą gorszych rokowań. Wśród przeżywających długotrwałe leczenie dysproporcja między liczbą osób z grupą krwi 0 a liczbą chorych z grupą krwi A wynikała z tego, że duża część osób z grupą krwi A umierała wcześniej, przed lub w trakcie leczenia[1].

Większą zachorowalność na chorobę serca obserwuje się też u niewydzielaczy, czyli osób, których organizm nie wydziela antygenów do płynów ustrojowych; paradoksalnie, właśnie w tej grupie, charakteryzującej się również podatnością na chorobę alkoholową, alkohol ogrywa rolę ochronną przed chorobą niedokrwienną serca*.

## Terapie stosowane przy chorobie wieńcowej

### Wszystkie grupy krwi:
Najprostszym i najskuteczniejszym sposobem zredukowania poziomu homocysteiny w osoczu jest przyjmowanie kwasu foliowego w ilości 1–2 mg dziennie, co poza przypadkami nieleczonego niedoboru witaminy $B_{12}$, nie ma większych niekorzystnych skutków.

### U wszystkich czterech grup krwi układu AB0 stosuje się następujące protokoły:
- sercowo-naczyniowy
- usprawniający metabolizm
- antystresowy

## Tematy pokrewne

Choroba sercowo-naczyniowa
Cukrzyca typu II
Hipercholesterolemia
Insulinooporność

Miażdżyca tętnic
Niedociśnienie
Stres
Zawał serca

### Bibliografia

1. Erikssen J, Thaulow E, Stormorken H, Brendemoen O, Hellem A. AB0 blood groups and coronary heart disease (CHD). A study in subjects with severe and latent CHD. *Thromb Haemost.* 1980;43:137–140.

---

## CHOROBA ZWYRODNIENIOWA STAWÓW – patrz Zapalenie stawów: zwyrodnieniowe

## CHOROBY AUTOAGRESYJNE (AUTOIMMUNIZACYJNE, OGÓLNIE) – stan nadwrażliwości, w którym układ odpornościowy organizmu obraca się przeciw własnym tkankom.

| Choroba autoagresyjna | RYZYKO ZACHOROWANIA/NASILENIE | | |
|---|---|---|---|
| | NISKIE | UMIARKOWANE | ZNACZNE |
| Grupa A | | | |
| Grupa B | | | |
| Grupa AB | | | |
| Grupa 0 | | | |
| Rh minus | | | |
| niewydzielacz | | | |

## Objawy

- różne

## Krótko o chorobie autoagresyjnej

*Auto* oznacza w języku greckim „własny". Układ odpornościowy osoby cierpiącej na chorobę autoagresyjną przez pomyłkę atakuje komórki, tkanki i narządy własnego organizmu. Istnieje wiele chorób autoagresyjnych, dotykających

---

* W umiarkowanych ilościach; patrz rozdział poświęcony alkoholizmowi – przyp. tłum.

organizm na różne sposoby. W STWARDNIENIU ROZSIANYM, na przykład, reakcja autoimmunologiczna skierowana jest przeciw mózgowi (ośrodkowi zarządzania ośrodkowym układem nerwowym), zaś w CHOROBIE CROHNA obiektem agresji układu odpornościowego staje się jelito. Końcowym skutkiem wadliwego działania układu odpornościowego mogą być trwałe uszkodzenia, takie jak te, które obserwuje się w CUKRZYCY TYPU I, kiedy dochodzi do zniszczenia komórek trzustki wytwarzających insulinę.

Duża część szkód wywołanych chorobą autoagresyjną jest wynikiem działania tzw. kompleksów immunologicznych, nierozpuszczalnych połączeń przeciwciał i antygenów krążących w krwiobiegu. Szkodliwe działanie kompleksów immunologicznych ujawnia się zwłaszcza wówczas, gdy ulegną nagromadzeniu, dając początek reakcji zapalnej. Kompleksy immunologiczne i inne składowe układu odpornościowego (komórki i cząsteczki) mogą skutecznie zablokować przepływ krwi w naczyniach krwionośnych i w konsekwencji nawet zniszczyć takie narządy jak wysepki Langerhansa, czyli skupiska komórek trzustki, których zadaniem jest wydzielanie insuliny, albo nerki w wypadku TOCZNIA RUMIENIOWATEGO UOGÓLNIONEGO. Jednym z podstawowych zadań systemu komplementacyjnego organizmu jest usuwanie kompleksów immunologicznych. Rozmaite cząsteczki dopełniaczy sprawiają, że kompleksy te są bardziej rozpuszczalne. Dopełniacze albo utrudniają tworzenie kompleksów, albo redukują ich wielkość, zmniejszając ryzyko ich akumulacji w niewłaściwych miejscach, takich jak narządy i tkanki.

Wprawdzie wiele z chorób autoagresyjnych występuje rzadko, jednakże jako grupa są to choroby dość powszechne. Częściej też dotykają kobiety niż mężczyzn; szczególnie narażone są kobiety w okresie rozrodczym. W niektórych populacjach mniejszościowych choroby autoagresyjne pojawiają się częściej niż w innych. I tak, na przykład toczeń pojawia się częściej u kobiet o afrykańskim lub hiszpańskim pochodzeniu niż u ludów typu kaukaskiego o korzeniach ściśle europejskich. REUMATOIDALNE ZAPALENIE STAWÓW

i twardzina skóry częściej dotyka społeczności rodowitych mieszkańców Ameryki Północnej niż inne grupy etniczne tego kontynentu.

Wiadomo, że niektóre choroby autoagresyjne zaczynają się lub pogłębiają pod wpływem konkretnych czynników, takich jak infekcja wirusowa. Także światło słoneczne może nie tylko wywołać rumień, ale również znacznie pogorszyć przebieg tej choroby. Niezwykle istotne jest, by pamiętać, których czynników należy unikać w celu zapobieżenia lub zminimalizowania szkód wywołanych przez chorobę autoagresyjną. Wśród innych, zwykle mniej zrozumiałych czynników wpływających na układ odpornościowy i przebieg choroby autoagresyjnej znajdują się: starzenie, chroniczny stres, hormony i ciąża.

## Związki choroby autoagresyjnej z grupami krwi

Stosunkowo wysokie ryzyko zachorowania na choroby autoagresyjne związane ze stanem zapalnym, takie jak FIBROMIALGIA lub REUMATOIDALNE ZAPALENIE STAWÓW, występuje u osób z grupą krwi 0.

Wydaje się też, że zwiększoną skłonność do różnych chorób autoagresyjnych, takich jak ZESZTYWNIAJĄCE ZAPALENIE STAWÓW KRĘGOSŁUPA, ZAPALENIE STAWÓW, ZESPÓŁ SJÖGRENA, STWARDNIENIE ROZSIANE czy NADCZYNNOŚĆ TARCZYCY, obserwuje się w układzie grupowym AB0 u niewydzielaczy. Ta podatność na choroby autoagresyjne wydaje się najlepiej zaznaczona u osób z fenotypem Lewis (a-b-)[1,2,3].

## Terapie stosowane w chorobach autoagresyjnych

*Wszystkie grupy krwi:*
- dieta niskolektynowa
- „Deflect" (specjalny suplement dla grupy krwi A, B, 0 i AB): 1–2 kapsułki z każdym posiłkiem

*Protokoły stosowane przy grupie krwi A*
- przeciwzapalny
- detoksykacyjny

*Protokoły stosowane przy grupie krwi B*
- wzmacniający układ odpornościowy
- wspomagający zdrowie układu nerwowego
- antywirusowy

*Protokoły stosowane przy grupie krwi AB*
- wzmacniający układ odpornościowy
- wspomagający zdrowie układu nerwowego
- zwalczający zmęczenie

*Protokoły stosowane przy grupie krwi 0*
- detoksykacyjny
- przeciwzapalny
- wspomagający zdrowie jelit

## Tematy pokrewne

Cukrzyca typu I
Fibromialgia
Miastenia
Nadczynność tarczycy
Reumatoidalne zapalenie stawów
Sarkoidoza
Stwardnienie rozsiane
Toczeń rumieniowaty uogólniony
Zapalenie
Zespół chronicznego zmęczenia
Zespół Sjögrena
Zesztywniające zapalenie stawów kręgosłupa

**Bibliografia**

1. Shinebaum R. AB0 blood group and secretor status in the spondyloarthropathies. *FEMS Microbiol Immunol.* 1989;1:389–395.
2. Shinebaum R. Blackwell CC, Forster PJ, et al. Non-secretion of AB0 blood group antigens as a host susceptibility factor in the spondyloarthropathies. *Br Med J (Clin Res Ed).* 1987;294:208–210.
3. Manthorpe R, Staub Nielsen L., Hagen Petersen S, Prause JU. Lewis blood type frequency in patients with primary Sjögren's syndrome. A prospective study including analyses for A1A2B0, Secretor, MNSs, P, Duffy, Kell, Lutheran and rhesus blood groups. *Scand J Rheumatol.* 1985;14:159–162.

**CHOROBY AUTOAGRESYJNE: CHOROBA ERBA I GODFLAMMA** – *patrz Choroby autoagresyjne: Miastenia (MG)*

**CHOROBY AUTOAGRESYJNE: FIBROMIALGIA** – nazywana też reumatyzmem mięśniowym; charakteryzuje się rozlanymi bólami, wrażliwością i sztywnością mięśni w miejscach przyczepu ścięgien do mięśni i przylegających tkanek miękkich.

| Fibromialgia | RYZYKO ZACHOROWANIA/NASILENIE | | |
|---|---|---|---|
| | NISKIE | UMIARKOWANE | ZNACZNE |
| Grupa A | ░ | | |
| Grupa B | ░ | | |
| Grupa AB | ░ | | |
| Grupa 0 | | ░ | ░ |
| niewydzielacz | ░ | ░ | ░ |

## Objawy

- przewlekły ból mięśniowo-szkieletowy

## Krótko o fibromialgii

Fibromialgia (FM) ma długą historię jako jednostka chorobowa. Jest to złożony, przewlekły stan powodujący rozlane bóle i zmęczenie, a także całą serię innych dolegliwości. W przeciwieństwie do zmian reumatoidalnych nie wywołuje ani bólu, ani obrzęku samych stawów, ale raczej miękkich tkanek do nich przylegających, a także skóry i różnych narządów. Ponieważ rzadko daje objawy zewnętrznie zauważalne, bywa czasem nazywana „niewidzialnym inwalidztwem", „zespołem nadwrażliwości wszystkiego" i „reumatyzmem mięśniowym".

Ból fibromialgiczny można opisać jako rozlany ból „od stóp do głów", któremu często towarzyszą drgawki mięśniowe. Nasilenie bólu zmienia się z dnia na dzień, zmianie może też ulec jego lokalizacja. Może się przemieszczać, szczególnie mocno porażając części najbardziej używane (szyję, ramiona i stopy). U niektórych chorych ból może być na tyle intensywny, by przeszkadzać w pracy i normalnych codziennych czynnościach; u reszty może powodować zaledwie lekki dyskomfort. Również stopień zmęczenia wywołanego fibromialgią może być różny u różnych osób, od lekkiego zmęczenia u jednych po kompletne wyczerpanie, przypominające objawami grypę. Jedyną dobrą stroną tej choroby jest to, że nie powoduje ani trwałego kalectwa, ani śmierci.

Fibromialgia nie jest chorobą łatwą do zidentyfikowania. Wśród symptomów występujących najczęściej można wymienić:

- rozlany ból powyżej i poniżej pasa, a także po obu bokach ciała,
- przewlekły i rozległy, mięśniowo-szkieletowy ból utrzymujący się przez ponad 3 miesiące we wszystkich czterech ćwiartkach ciała,
- ból kręgosłupa – na odcinku szyjnym, piersiowym (klatka piersiowa lub plecy) i krzyżowym,
- ból w 11 z 18 punktów wrażliwych na ucisk.

W wypadku fibromialgii lekarz stwierdza bolesność w 11 z 18 miejsc czułych na ucisk. W punkcie takim stosuje się nacisk z siłą odpowiadającą mniej więcej wadze 4 kilogramów; jeśli pacjent reaguje na to bólem, taki punkt uznany zostaje za wrażliwy.

## Główne czynniki ryzyka i przyczyny fibromialgii

Wprawdzie nie wiadomo, co powoduje rozwój fibromialgii, jednakże dotychczasowe badania dostarczyły już ważnych informacji. Coraz wyraźniej widać, że osoby chore na fibromialgię inaczej odbierają wrażenia czuciowe niż osoby zdrowe. Nie wiadomo, czy wynika to ze zwiększenia percepcji bólowej (pojawiającej się nawet wówczas, gdy bodźce dochodzące do mózgu pochodzą z części ciała w zasadzie zdrowych), czy może ze zwiększonej reaktywności na prawdziwe bodźce bólowe. W związku z tą chorobą dużo uwagi poświęcono sprawom

neurosekrecji i nienormalnemu stanowi przekaźników nerwowych (neuroprzekaźników), takich jak CGRP (peptyd pochodny genu kalcytoniny), noradrenalina, endorfiny, dopamina, histamina i GABA (kwas gammaaminomasłowy). Podejrzewa się również niewłaściwe funkcjonowanie hormonów podwzgórza, przysadki i nadnerczy.

## Związki fibromialgii z grupami krwi

Na fibromialgię bardzo podatne są osoby z grupą krwi 0, zwłaszcza jeśli w ich diecie występują produkty pszeniczne. Lektyny zarodka pszenicy zwiększają skłonność do nadwrażliwości, która jest charakterystyczna dla CHORÓB AUTOAGRESYJNYCH. Ziarna zbóż zdecydowanie zajmują jedno z głównych miejsc pośród pokarmów, o których wiadomo, że mogą wywołać ZAPALENIE stawów. W niektórych wypadkach, zwłaszcza na początku rozwoju choroby, poprawę stanu można uzyskać już samym wykluczeniem z diety produktów zbożowych*. Najpowszechniej stosowane ziarna spożywcze zawierają lektyny, a te łączą się z cukrami obecnymi powszechnie w tkance łącznej, zwłaszcza z N-acetyloglukozaminą. Najsilniejsze powinowactwo do N-acetyloglukozaminy wykazuje lektyna zarodka pszenicy.

## Terapie stosowane przy fibromialgii

### Wszystkie grupy krwi:

- dieta niskolektynowa
- „Deflect" (specjalny suplement dla grupy krwi A, B, 0 i AB): 1–2 kapsułki z każdym posiłkiem
- witamina $B_6$: 50 mg trzy razy dziennie

### Protokoły stosowane przy grupie krwi A:

- wzmacniający układ odpornościowy
- wspomagający zdrowie układu nerwowego
- zwalczający zmęczenie

---

* O innych zaletach diety bezwęglowodanowej przeczytać można w książce autorstwa Ch.B. Allana i W. Lutza, *Życie bez pieczywa*, Mada, Warszawa 2001 – przyp. red.

*Protokoły stosowane przy grupie krwi B:*
- wzmacniający układ odpornościowy
- wspomagający zdrowie układu nerwowego
- antywirusowy

*Protokoły stosowane przy grupie krwi AB:*
- wzmacniający układ odpornościowy
- wspomagający zdrowie układu nerwowego
- zwalczający zmęczenie

*Protokoły stosowane przy grupie krwi 0:*
- zwalczający zmęczenie
- przeciwzapalny
- wspomagający zdrowie układu nerwowego

*Dodatkowo:*

Witamina $B_1$ – objawy niedoboru tiaminy żywo przypominają wiele z symptomów fibromialgii. Niewykluczone, że wiąże się to ze zmniejszoną aktywnością niektórych enzymów zależnych od tiaminy.

## Tematy pokrewne

Choroby autoagresyjne
Choroby zakaźne
Lektyny
Zapalenie

---

## CHOROBY AUTOAGRESYJNE: MIASTENIA (MG) – nabyta choroba autoagresyjna uzewnętrzniająca się szybkim męczeniem się mięśni i ich słabością. Zwana też chorobą Erba i Goldflamma.

| Miastenia | RYZYKO ZACHOROWANIA/NASILENIE | | |
|---|---|---|---|
| | NISKIE | UMIARKOWANE | ZNACZNE |
| Grupa A | ▨ | | |
| Grupa B | ▨ | ▨ | |
| Grupa AB | ▨ | | |
| Grupa 0 | ▨ | | |
| niewydzielacz | ▨ | | |
| Rh– | ▨ | ▨ | |
| Duffy A–B+ | ▨ | ▨ | |

## Objawy

- szybkie męczenie się mięśni

## Krótko o miastenii

Każdego roku miastenia jest diagnozowana z częstością 2–5 przypadków na milion. Wprawdzie choroba może atakować ludzi w każdym wieku, to jednak dwie najbardziej zagrożone grupy wiekowe to nastolatki i młodzi dorośli, zwłaszcza kobiety, oraz dorośli po 40. roku życia, u których występuje większe prawdopodobieństwo powstania warunków sprzyjających rozwojowi choroby. Wydaje się, że miastenii towarzyszy niedobór receptorów acetylocholinowych na płytce nerwowo-mięśniowej. Choroba dotyka mięśni powiek i gałek ocznych, albo ogólniej mówiąc, nerwów czaszkowych. W miarę postępu choroby dolegliwość może obejmować całe ciało. W ciągu pierwszych trzech lat choroba postępuje gwałtownie; właśnie w tym czasie dochodzi do większości zgonów z powodu miastenii. Chociaż u 25% chorych zaobserwowano remisje, jednakże zwykle nie trwają one zbyt długo.

## Związki miastenii z grupami krwi

Zwiększoną zachorowalność na miastenię obserwuje się osób z Rh-ujemną grupą krwi B. Porównano dystrybucję grup krwi z układu AB0, a także czynnika Rh u osób chorych na miastenię i zdrowych. Okazało się, że istnieje statystycznie istotna zależność między miastenią i fenotypem Rh-ujemnym. Stwierdzono też, że w grupie krwi B miastenia uogólniona występuje często razem z nowotworem grasicy[1].

## Terapie stosowane przy miastenii

*Protokoły stosowane przy grupie krwi A:*
- rekonwalescencyjny po wyniszczającej chorobie
- wspomagający zdrowie układu nerwowego
- zwalczający zmęczenie

*Protokoły stosowane przy grupie krwi B:*
- antywirusowy
- wspomagający zdrowie układu nerwowego
- rekonwalescencyjny po wyniszczającej chorobie

*Protokoły stosowane przy grupie krwi AB:*
- wzmacniający układ odpornościowy
- wspomagający zdrowie układu nerwowego

*Protokoły stosowane przy grupie krwi 0:*
- wzmacniający układ odpornościowy
- wspomagający zdrowie układu nerwowego

## Tematy pokrewne

Choroby autoagresyjne
Odporność
Stres

**Bibliografia**

1. Stringa SG, Bianchi C, Andrada JA, Comini E, Gaviglio AM, Casala A. Immunologic response to A and B erythrocytic antigen. *Arch Dermatol.* 1976;112:489–492.

## CHOROBY AUTOAGRESYJNE: SARKOIDOZA

**CHOROBY AUTOAGRESYJNE: SAR-KOIDOZA** – ogólnoustrojowa choroba nieznanego pochodzenia, atakująca różne narządy i tkanki i mająca objawy zależne od miejsca występowania i nasilenia.

| Sarkoidoza | RYZYKO ZACHOROWANIA/NASILENIE | | |
|---|---|---|---|
| | NISKIE | UMIARKOWANE | ZNACZNE |
| Grupa A | ▨ | | |
| Grupa B | ▨ | | |
| Grupa AB | ▨ | | |
| Grupa 0 | ▨ | | |
| niewydzielacz | ▨ | | |

## Objawy

Sarkoidoza może mieć przebieg bezobjawowy, może też się uzewnętrzniać następującymi symptomami:
- kaszel,
- krótkość oddechu,
- zmiany skórne,
- ból lub podrażnienie oczu,
- ogólne zmęczenie,
- złe samopoczucie,
- gorączka,
- nocne poty,
- samoistne porażenie nerwu twarzowego, częściowy paraliż twarzy.

## Krótko o sarkoidozie

Sarkoidoza to wielonarządowa choroba o nieznanej przyczynie, często dotykająca osoby dorosłe w młodym i średnim wieku. Często uzewnętrznia się krótkością oddechu, ogólnie złym samopoczuciem, podrażnieniem oczu i zmianami skórnymi. W trakcie choroby zajęciu mogą ulec też inne narządy, takie jak wątroba, śledziona, węzły chłonne, serce i ośrodkowy układ nerwowy. Sarkoidoza występuje na całym świecie, jednakże najczęściej spotyka się ją wśród ludności o skandynawskim, japońskim, irlandzkim i afrykańskim pochodzeniu.

Sarkoidoza może mieć przebieg łagodny, niewymagający leczenia. Ta postać choroby często przechodzi w spontaniczną remisję. Poważniejsze postaci choroby mogą być przewlekłe, nieuleczalne i mogą obejmować wszystkie najważniejsze narządy.

## Związki sarkoidozy z grupami krwi

Z najłagodniejszą kliniczną postacią sarkoidozy związana jest grupa krwi 0, natomiast u osób z grupą krwi A obserwuje się cięższe postaci choroby[1].

## Terapie stosowane przy sarkoidozie

*U wszystkich czterech grup krwi układu AB0 stosuje się protokół:*

• wzmacniający układ odpornościowy

## Tematy pokrewne

Choroby autoagresyjne (ogólnie)
Odporność

**Bibliografia**

1. Blackwell CC. The role of AB0 blood groups and secretor status in host defences. *FEMS Microbiol Immunol.* 1989;1:341–349.

## CHOROBY AUTOAGRESYJNE: STWARDNIENIE ROZSIANE

**CHOROBY AUTOAGRESYJNE: STWARDNIENIE ROZSIANE** – powolnie postępująca choroba ośrodkowego układu nerwowego powodująca liczne, rozsiane zmiany neurologiczne; występuje rzutami, z remisją i nawrotami z nasileniem.

| Stwardnienie rozsiane | RYZYKO ZACHOROWANIA/NASILENIE | | |
|---|---|---|---|
| | NISKIE | UMIARKOWANE | ZNACZNE |
| Grupa A | | | |
| Grupa B | | | |
| Grupa AB | | | |
| Grupa 0 | | | |
| Rh+ | | | |
| niewydzielacz | | | |
| Duffy A–B+ | | | |

## Objawy

• zaburzenia widzenia,
• słabość mięśni,
• trudności z koordynacją ruchów i utrzymaniem równowagi,
• zmęczenie.

## Krótko o stwardnieniu rozsianym

Wprawdzie stwardnienie rozsiane (SM – *sclerosis multiplex*) po raz pierwszy zostało zdiagnozowane w 1849 roku, jednakże najlepiej opisany przypadek tej choroby pochodzi z XIV-wiecznej Holandii. Nasilenie tej nieprzewidywalnej choroby ośrodkowego układu nerwowego mieści się w zakresie od stosunkowo nieznacznego do powodującego trwałe kalectwo. Szczególnie wyniszczająca staje się wtedy, gdy zaburzeniu ulega komunikacja między częściami ciała i mózgiem. Zdecydowana większość pacjentów cierpi na łagodniejszą postać choroby, jednakże w najgorszych przypadkach SM może uniemożliwić choremu pisanie, mówienie i chodzenie.

Wczesne objawy SM to zazwyczaj podwojenie lub rozmazanie obrazu widzianego, czerwono--zielone zniekształcenia barwy lub nawet ślepota w którymś z oczu. Nie wiadomo, dlaczego zaburzenia wzroku z czasem mijają. Stan zapalny nerwu wzrokowego bywa czasem diagnozowany jako pozagałkowe zapalenie nerwu wzrokowego. Tak czy inaczej 55% chorych na SM przechodzi zapalenie nerwu wzrokowego, a u 15% jest to pierwszy objaw choroby. Fakt ten sprawił, że zapalenie nerwu wzrokowego zostało uznane za jeden z wczesnych objawów SM, zwłaszcza jeśli punkcja wykazała też zmiany składu płynu rdzeniowego.

Większość chorych na stwardnienie rozsiane odczuwa słabość kończyn i trudności z koordynacją ruchów oraz utrzymaniem równowagi. Objawy te mogą być na tyle silne, że zaburzą zdolność chodzenia, a nawet stania. W najgorszych przypadkach SM jest przyczyną częściowego lub całkowitego paraliżu. Spastyczność – stan mimowolnego napięcia mięśni prowadzącego do ich usztywnienia i drgawek – pojawia się w SM powszechnie, podobnie jak ZMĘCZENIE. Zmęczenie może być wywołane nadmiernym wysiłkiem fizycznym i ustąpić w trakcie wypoczynku, ale może też przyjmować postać stanu ciągłego, przewlekłego.

W wyniku SM dochodzi do zapalenia istoty białej ośrodkowego układu nerwowego w wielu zupełnie przypadkowych miejscach, zwanych ogniskami demielinizacji. W rezultacie procesu chorobowego uszkodzeniu ulegają osłonki mielinowe, które stanowią tłuszczową powłokę ochronną włókien nerwowych, zapewniającą im wzajemną izolację w mózgu i rdzeniu kręgowym. Mielina umożliwia niezakłóconą, szybką transmisję impulsów elektrochemicznych między mózgiem, rdzeniem kręgowym i resztą ciała; jej uszkodzenie powoduje spowolnienie przekazu lub nawet całkowite jego uniemożliwienie, prowadzące do osłabienia lub zahamowania pewnych funkcji. Nazwa łacińska *sclerosis multiplex* (SM) pochodzi od greckiego słowa *sclerosis* – „blizny" i *multiplex* oznaczającego „wiele" i opisuje zarówno jakościowo, jak i ilościowo stan uszkodzenia istoty białej układu nerwowego.

Właściwie nie wiadomo, ile osób choruje ma SM. Uważa się, że w Stanach Zjednoczonych na chorobę tę choruje 250–350 tysięcy osób*. Wynika z tego, że co tydzień zostaje tam zdiagnozowanych średnio 200 nowych przypadków.

## Główne czynniki ryzyka i przyczyny SM

Wprawdzie większość ludzi doświadcza pierwszych objawów choroby między 20. i 40. rokiem życia, ale decyzja o ostatecznej diagnozie jest zwykle odkładana. Wiąże się to z remisyjną naturą choroby i brakiem odpowiedniego, pewnego testu. Zanim zostanie w pełni zdiagnozowana, musi dojść do pewnych charakterystycznych zmian w mózgu. Wprawdzie naukowcy dowiedli, że SM może atakować zarówno małe dzieci, jak i osoby wiekowe, ale można przyjąć, że przed 15. i po 60. roku życia objawy choroby pojawiają się rzadko. Osoby typu kaukaskiego są dwa razy bardziej podatne na SM niż przedstawiciele innych typów antropologicznych, a kobiety są w przybliżeniu dwakroć bardziej podatne na tę chorobę niż mężczyźni. Warto zauważyć, że wśród osób, u których pojawia się ona później, istnieje większa równowaga między płciami.

Od czasu do czasu w prasie fachowej pojawiają się doniesienia o „ogniskach" zachorowań na SM. Taki sławny przypadek masowego wystąpienia stwardnienia rozsianego zanotowano na Wyspach Owczych w okresie powojennym, po przybyciu na nie wojsk brytyjskich. Pomimo intensywnych analiz tego i innych podobnych mu przypadków nie udało się zidentyfikować żadnego czynnika środowiskowego, który byłby bezpośrednio odpowiedzialny za powstanie tej choroby. Nie wykazano też, by czynnikiem ryzyka zachorowania na SM były stresy życia codziennego. Dowiedziono natomiast, że ataki choroby nasilają się wskutek silnych infekcji wirusowych.

## Związki SM z grupami krwi

SM jest znakomitym przykładem występującej u osób z grupą krwi B tendencji do zapadania na niezwykłe, powolnie przebiegające choroby wirusowe i neurologiczne. Związek z grupą krwi B może wyjaśnić, dlaczego na choroby te zapadają często Żydzi aszkenazyjscy, Żydzi o znacznej przewadze grupy krwi B. Niektórzy badacze uważają, że przyczyną SM jest młodzieńcza infekcja jakimś wirusem o budowie podobnej do antygenu grupy krwi B. Taki wirus nie może zostać zwalczony przez układ odpornościowy osoby z tą grupą krwi, ponieważ nie produkuje on przeciwciał anty-B[1].

W grupie krwi AB istnieje większe prawdopodobieństwo wystąpienia szybko postępującej formy choroby. W pewnych badaniach określono grupę krwi chorych na SM urodzonych w Meksyku, niemających w rodzinie przypadków tej choroby, należących do klasy średniej i mających wyższe wykształcenie. Okazało się, że w porównaniu z próbą kontrolną liczącą 295 osób pacjenci chorzy na SM mieli znacznie częściej grupę krwi AB[2].

W innych badaniach wykazano wyraźnie wśród chorych na SM przewagę wydzielaczy. Autorzy pracy zamieścili w niej następującą uwagę: „Zainspirowani powszechną dyskusją na temat możliwej genetycznej etiologii stwardnienia rozsianego

---

* Z danych szacunkowych Ministerstwa Zdrowia wynika, że w Polsce boryka się z tą chorobą co najmniej 40 tysięcy chorych (z przewagą kobiet) – przyp. tłum.

podjęliśmy próbę określenia związków między cechą, zależną od pojedynczego genu, a mianowicie zdolnością (lub jej brakiem) do wydzielania substancji antygenowych, i zachorowalnością na tę chorobę. W czasie badań populacyjnych podjętych na terenach zachodniej Polski wykazano, że u osób niewydzielających antygenów do śliny prawdopodobieństwo zapadnięcia na SM jest znacznie większe niż u wydzielaczy"[3].

Większą skłonność do zachorowania na SM odnotowano także u osób Rh-dodatnich. W pewnych badaniach wykazano, że czynnik Rh był obecny u 95,55% chorych na stwardnienie rozsiane, podczas gdy grupę krwi Rh– miało zaledwie 4,45% chorych[4].

Na skłonność do zachorowania na SM może wskazywać też fenotyp układu Duffy. Po porównaniu z grupą kontrolną stwierdzono, że wśród pacjentów chorujących na stwardnienie rozsiane najczęściej pojawia się fenotyp Duffy (a–b+). U osób z takim fenotypem ryzyko zapadnięcia na SM było trzy razy większe niż u osób z fenotypem Duffy (a+b–). Antygen Duffy (b+) może służyć jako marker genetyczny skłonności do SM u Ormian[5].

## Co jeszcze warto wiedzieć o SM

W porównaniu z krwią osób zdrowych osocze chorych na SM wykazuje deficyt fosfatazy alkalicznej pochodzenia jelitowego. Nie wiąże się to bynajmniej ze zmiennością częstotliwości w układzie AB0, jako że próbki pobrane od pacjentów z SM i zdrowych przedstawicieli nie różnią się pod tym względem; nie zaobserwowano też związku ze statusem wydzielacza lub niewydzielacza. Wydaje się raczej, że zaobserwowane niedobory są prawdziwym skutkiem SM, co szczególnie widać u osób z grupą krwi 0[6].

## Terapie stosowane przy stwardnieniu rozsianym

*Protokoły stosowane przy grupie krwi A:*
- wzmacniający układ odpornościowy
- wspomagający zdrowie układu nerwowego

- rekonwalescencyjny po wyniszczającej chorobie

*Protokoły stosowane przy grupie krwi B:*
- antywirusowy
- wspomagający zdrowie układu nerwowego
- rekonwalescencyjny po wyniszczającej chorobie

*Protokoły stosowane przy grupie krwi AB:*
- antywirusowy
- wspomagający zdrowie układu nerwowego

*Protokoły stosowane przy grupie krwi 0:*
- przeciwzapalny
- wspomagający zdrowie układu nerwowego
- rekonwalescencyjny po wyniszczającej chorobie

## Tematy pokrewne

Choroby autoagresyjne
Lektyny
Odporność

**Bibliografia**
1. Warner HB. Merz GS, Carp RI. Blood group frequencies in multiple sclerosis populations in the United States. *Neurology.* 1980;30:671–673.
2. Gorodezky C, Najera R, Rangel BE, Castro LE, Flores J, Velazquez G, Granados J, Sotelo J. Immunogenetic profile of multiple sclerosis in Mexicans. *Hum Immunol.* 1986;16:364–374.
3. Markovic S, Bozicevic D, Simic D, Brzovic Z. Genetic markers in the blood of multiple sclerosis patients. *Neurol Croat.* 1991; 41:3–12.
4. Darbinian VZ, Nersisian VM, Martirosian IG. [Genetic markers of erythrocyte blood groups in multiple sclerosis among the Armenian population]. *Zh Nevropatol Psikhiatr Im S S Korsakova.* 1983;83:42–46.
5. Wender M, Przybylski Z, Stawarz M, Chmielewska U. Salivary secretion of blood group substances in multiple sclerosis patients. *Eur Neurol.*, 1981;20:52–55.
6. Papiha SS, Roberts DF. Serum alkaline phosphatase in patients with multiple sclerosis. *Clin Genet.* 1975;7:77–82.

# CHOROBY AUTOAGRESYJNE: TOCZEŃ RUMIENIOWATY UOGÓLNIONY (LISZAJ SYSTEMOWY) – przewlekła choroba zapalna tkanki łącznej o nieznanej przyczynie, obejmująca stawy, nerki, błony surowicze i ściany naczyń krwionośnych.

| Toczeń rumienio-waty uogólniony | RYZYKO ZACHOROWANIA/NASILENIE | | |
|---|---|---|---|
| | NISKIE | UMIARKOWANE | ZNACZNE |
| Grupa A | | | |
| Grupa B | | | |
| Grupa AB | | | |
| Grupa 0 | | | |
| niewydzielacz | | | |

## Objawy

- gorączka,
- wysypka,
- niedokrwistość,
- nadwrażliwość na światło,
- zapalenie stawów,
- zaburzenia natury psychiatrycznej.

## Krótko o toczniu rumieniowatym uogólnionym

Łacińska nazwa choroby brzmi *lupus* (wilk) *erythematosus* (zaczerwienienie). Po raz pierwszy nazwę tę zaczęto stosować w roku 1851, na opisanie choroby przebiegającej z wysypką na twarzy, jako żywo przypominającą ukąszenie wilka. Istnieją dwa główne rodzaje tocznia: przewlekły i uogólniony.

*Toczeń rumieniowaty przewlekły ogniskowy* przejawia się wyłącznie zmianami skórnymi w postaci WYSYPKI. Występuje też u około 20% chorych cierpiących na toczeń rumieniowaty uogólniony. Zmiany skórne mają charakter plackowatych, uniesionych nacieków na skórze, wyraźnie odcinających się od otoczenia, czasem chropowatych, które mogą bliznowacieć. Zmiany skórne pojawiają się zazwyczaj w miejscach wystawionych na słońce. Toczeń rumieniowaty przewlekły może być przyczyną zogniskowanego łysienia, a miejsca starszych zmian skórnych mogą się charakteryzować nadmierną lub niedostateczną pigmentacją. Biopsja zmian skórnych zwykle potwierdza diagnozę. Podanie kortykosteroidów (w postaci maści i iniekcji w miejscu nacieków skórnych) jest zwykle skuteczne w wypadku zmian zlokalizowanych. Toczeń rumieniowaty przewlekły rzadko przekształca się w toczeń rumieniowaty uogólniony.

*Toczeń rumieniowaty uogólniony* jest chorobą autoagresyjną o podłożu zapalnym, charakteryzującą się nadprodukcją przeciwciał skierowanych przeciw tkankom i narządom organizmu osoby chorej. Ta postać tocznia pojawia się dziewięciokrotnie częściej u kobiet niż u mężczyzn i przeważa u osób o korzeniach afrykańskich, hiszpańskich i azjatyckich. Choroba pojawia się najczęściej zaraz po okresie dojrzewania lub tuż przed menopauzą. Istnieją związki między toczniem rumieniowatym uogólnionym i nienormalnym metabolizmem estrogenu, progesteronu i androgenów.

Poza wymienionymi już objawami osoby chore mogą przejawiać zaburzenia natury psychiatrycznej, takie jak depresja i trudności ze skupieniem uwagi. W rzeczywistości do zdiagnozowania zmian psychiatrycznych dochodzi zwykle jeszcze przed rozpoznaniem tocznia.

## Główne czynniki ryzyka i przyczyny tocznia rumieniowatego uogólnionego

Toczeń rumieniowaty uogólniony zdarza się najczęściej u osób o pochodzeniu afrykańskim, hiszpańskim i azjatyckim, a także u rodowitych mieszkańców Ameryki. Istnieją pewne genetyczne markery pozwalające określić ryzyko zachorowania na tę chorobę. Jednym z nich jest dziedziczny niedobór pewnych substancji immunologicznych, takich jak dopełniacze. Wiadomo też, że czynnikiem ryzyka w wypadku tocznia rumieniowatego uogólnionego może być polimorfizm genu Fc gamma-Rlla.

## Związki tocznia rumieniowatego uogólnionego z grupami krwi

Toczeń rumieniowaty uogólniony najczęściej atakuje osoby z grupą krwi B. Charakteryzuje się niewłaściwą reakcją izohemaglutyniny na stymulację antygenem B; następuje mianowicie aglutynacja normalnych antygenów grupy B[1,2].

## Terapie stosowane przy toczniu rumieniowatym uogólnionym

*Protokoły stosowane przy grupie krwi A:*
- wzmacniający układ odpornościowy
- przeciwzapalny
- rekonwalescencyjny po wyniszczającej chorobie

*Protokoły stosowane przy grupie krwi B:*
- wzmacniający układ odpornościowy
- detoksykacyjny
- rekonwalescencyjny po wyniszczającej chorobie

*Protokoły stosowane przy grupie krwi AB:*
- wzmacniający układ odpornościowy
- detoksykacyjny
- rekonwalescencyjny po wyniszczającej chorobie

*Protokoły stosowane przy grupie krwi 0:*
- wzmacniający układ odpornościowy
- przeciwzapalny
- rekonwalescencyjny po wyniszczającej chorobie

## Tematy pokrewne

Choroby autoagresyjne
Odporność

**Bibliografia**
1. Stringa SG, Bianchi, Andrada JA, Comini E, Gaviglio AM, Casala A. Immunologic response to A and B erythrocytic antigen. *Arch Dermatol.* 1976;112:489–492.
2. Ottensooser F, Leon N, de Almeida TV. AB0 blood groups and isoagglutinins in systemic lupus erythematosus. *Rev Bras Pesqui Med Biol*, 1975;6:421–425.

**CHOROBY AUTOAGRESYJNE: ZESPÓŁ SJÖGRENA** – przewlekła, ogólnoustrojowa choroba zapalna nieznanego pochodzenia, charakteryzująca się suchością ust, oczu i pozostałych błon śluzowych. Często występuje razem z chorobami reumatoidalnymi (reumatoidalne zapalenie stawów, twardzica i toczeń rumieniowaty uogólniony), z którymi dzieli różne objawy autoagresyjne

| Zespół Sjögrena | RYZYKO ZACHOROWANIA/NASILENIE | | |
|---|---|---|---|
| | NISKIE | UMIARKOWANE | ZNACZNE |
| Grupa A | | | |
| Grupa B | | | |
| Grupa AB | | | |
| Grupa 0 | | | |
| niewydzielacz | | | |

## Objawy

- różne

### Krótko o zespole Sjögrena

W 1933 roku szwedzki lekarz Henrik Sjögren zauważył, że duża część jego pacjentek cierpi na suchość w ustach i oczach, której towarzyszą objawy stanu zapalnego stawów. Dolegliwość ta została nazwana zespołem Sjögrena. Zespół Sjögrena to choroba związana z zapaleniem stawów, która może dotykać wiele narządów. Najsilniej wpływa na stan narządów mających za zadanie nawilżanie błon śluzowych, a więc na przykład ślinianek i gruczołów łzowych. W jej rezultacie może dojść do skrajnego wysuszenia oczu (opisywanego czasem jako uczucie piasku lub ognia pod powiekami), wysuszenia jamy ustnej, gardła oraz zębodołów, powiększenia narządów wydzielniczych, wysuszenia pochwy, zmęczenia, bólu, opuchnięcia i sztywności stawów. Rzadziej spotyka się wysypkę, drętwienie mięśni i zapalenie płuc, nerek lub wątroby.

## Główne czynniki ryzyka i przyczyny zespołu Sjögrena

Głównym czynnikiem ryzyka w wypadku zespołu Sjögrena jest okres postmenopauzalny u kobiet. Znacznie rzadziej spotyka się tę chorobę u młodszych kobiet, dzieci i mężczyzn. Do innych czynników ryzyka należą: CHOROBY AUTOAGRESYJNE, taka jak TOCZEŃ RUMIENIOWATY UOGÓLNIONY, zapalenie naczyń, choroba tarczycy, twardzica i/lub krewny obarczony właśnie tą chorobą. U ludności typu kaukaskiego znaleziono też związek między zespołem Sjögrena i antygenami HLA-DR3.

## Związki z grupami krwi

Zaobserwowano, że u chorych z pierwotnym zespołem Sjögrena fenotyp Lewis-ujemny (Le (a-b-)) występuje częściej niż u reszty populacji ludzkiej[1].

## Terapie stosowane przy zespole Sjögrena

*Protokoły stosowane przy grupie krwi A:*
• detoksykacyjny
• menopauzalny

*Protokoły stosowane przy grupie krwi B:*
• rekonwalescencyjny po wyniszczającej chorobie
• przeciwzapalny
• menopauzalny

*Protokoły stosowane przy grupie krwi AB:*
• wzmacniający układ odpornościowy
• menopauzalny

*Protokoły stosowane przy grupie krwi 0:*
• wzmacniający układ odpornościowy
• przeciwzapalny
• menopauzalny

## Tematy pokrewne

Choroby autoagresyjne
Odporność
Zapalenie

**Bibliografia**

1. Manthorpe R, Staub, Nielsen L, et al. Lewis blood type frequency in patients with primary Sjögren's syndrome. A prospective study including analyses for A1A2B0, Secretor, MNSs, P, Duffy, Kell, Lutheran, and Rhesus blood groups. *Scand, J. Rheumatol.* 1985;14:159–162.

## CHOROBY BAKTERYJNE (OGÓLNIE)

– wynik działania bakterii chorobotwórczych, które dostały się do organizmu i wytwarzają w nim toksyny niszczące tkanki żywiciela.

## Objawy

Różne, zależne od czynnika chorobotwórczego. Do najczęstszych należą:
• gorączka,
• dreszcze,
• biegunka,
• zapalenie żołądka i jelit,
• mdłości i wymioty.

## Krótko o bakteriach

Zakażenia bakteryjne są skutkiem działania mikroorganizmów bakteryjnych, które dostają się do organizmu żywiciela na przykład z pożywieniem, powietrzem lub poprzez kontakt z osobami chorymi.

W toku minionych stu lat ludzie przywykli kojarzyć pojawiające się choroby ludzkie i zwierzęce z obecnością różnych mikroorganizmów. Tymczasem w rzeczywistości większość bakterii nie wywołuje żadnych chorób. Liczne gatunki bakterii przynoszą korzyści, produkując antybiotyki i składniki odżywcze. Normalnie w jelicie grubym żyje spokojnie i z pożytkiem dla żywiciela 400 różnych bakterii. W glebie żyją niezliczone gatunki bakterii wolnożyjących, które spełniają rozliczne niezbędne funkcje dla biosfery, takie jak wiązanie azotu.

Nawet wśród bakterii chorobotwórczych tylko niektóre stanowią stałe zagrożenie. Większość

**Pospolite mikroorganizmy chorobotwórcze i preferowane przez nie grupy krwi**

| | Grupa 0 | Grupa A | Grupa B | Grupa AB | Inne grupy |
|---|---|---|---|---|---|
| *Escherichia coli* (bakteria) | Podatna na szczepy wywołujące biegunkę | Skłonna do najpoważniejszych reakcji jelitowych | Podatna na szczepy wywołujące zapalenie żołądka i jelit | Podatna na szczepy wywołujące zapalenie żołądka i jelit | |
| *Shigella* (bakteria) | | | | Najbardziej podatna | |
| *Giardia* (pierwotniak) | | Najbardziej podatna | | | |
| *Candida* (grzyb drożdżak) | Najbardziej podatna | | | | Najpodatniejsi są niewydzielacze |
| *Ameba* (pierwotniak) | | | Najbardziej podatna | | |

wolnożyjących bakterii, będących normalnym składnikiem flory, może być chorobotwórcza w określonych rodzajach lub stanach organizmów. Tak rzecz się ma z organizmami osób, których układ odpornościowy uległ supresji z jakiejś określonej przyczyny. Do takich osób należą m.in. chorzy na raka poddawani chemioterapii. W większości wypadków jednak obecność bakterii w środowisku nie stanowi dla nas zagrożenia, a na nawet jest korzystna.

Podawanie antybiotyków o szerokim spektrum działania ma znaczny wpływ na normalną florę bakteryjną i niejednokrotnie prowadzi do powstania szczepów odpornych na te leki. Długotrwałe przyjmowanie antybiotyków, które prawie zawsze kończy się wyniszczeniem normalnej flory bakteryjnej organizmu, może otworzyć drogę infekcji grzybicom, takim jak kandydoza, lub chorobom zakaźnym, takim jak zapalenie okrężnicy, wywoływane przez bakterię *Clostridium difficile*.

Często dzieli się bakterie na gram-dodatnie i gram-ujemne. Określenie to odnosi się do procedury laboratoryjnej polegającej na barwieniu bakterii, które jest potrzebne do obserwowania ich pod mikroskopem. Bakterie wybarwiające się na niebiesko nazywane są gram-dodatnimi, natomiast te, które barwią się na różowo, określa się jako gram-ujemne.

## Związki bakterii z grupami krwi

Istnieje silny związek między grupą krwi i rozwojem poszczególnych szczepów bakterii jelitowych. W jelicie grubym są liczne bakterie, które odżywiają się powszechnie występującymi tam antygenami grupowymi. Dużo antygenów grupowych zawiera też górny odcinek okrężnicy; ich liczba stopniowo maleje, by na samym jej końcu spaść prawie do zera. Dzieje się tak prawdopodobnie właśnie dlatego, że stanowią znakomitą pożywkę dla bakterii.

Normalna flora bakteryjna może mieć u różnych ludzi nieco inny skład. Istnieją mikroorganizmy, które w organizmie ludzkim występują tylko przejściowo. Większość jednak towarzyszy człowiekowi przez całe życie. Doświadczenia na zwierzętach wykazały, że niezwykle trudno zmienić skład normalnej flory jelitowej. Istnieje wiele bakterii, które szczególnie dobrze rozwijają się w jelicie osobników o określonej grupie krwi. Czasami dzieje się tak dlatego, że bakterie upodobniają się do normalnych składników obecnych w danej grupie krwi i jako takie postrzegane są przez układ odpornościowy żywiciela jako „swoje". Bywa też, że bakterie preferują jakiś antygen grupowy i wobec tego wolą pożywiać się śluzem osób należących do tej właśnie grupy krwi. Niektóre bakterie mają większe powinowactwo do śluzu jednej grupy krwi niż innych, ponieważ same wytwarzają lektyny, dzięki którym przyczepiają się do ścian okrężnicy. Lektyny te są zazwyczaj swoiste w stosunku do jednej grupy krwi.

To, że grupa krwi może modyfikować bakteryjny ekosystem jelita, nie jest cechą unikatową wydzielaczy. Również osoby niewydzielające antygenów do płynów ustrojowych organizmu mają swoją florę bakteryjną przyjazną w stosunku do ich grupy krwi.

## Terapie stosowane przy chorobach bakteryjnych (ogólnie)

*U wszystkich czterech grup krwi ABO stosuje się następujące protokoły:*
- antybakteryjny
- wspomagający leczenie antybiotykami

## Tematy pokrewne

Choroby pasożytnicze: Lamblioza (Giardoza)
Choroby pasożytnicze: Pełzakowica
Choroby pasożytnicze: Zakażenie tęgoryjcem
Choroby zakaźne
Grzybica: Kandydoza jamy ustnej
Grzybica: Kandydoza układu pokarmowego
Grzybica: Kandydoza pochwy
Toksyczne jelito: Samozatrucie enterotoksynami
Trawienie
Wrzody żołądka, *Helicobacter pylori*
Zatrucie pokarmowe

## CHOROBY BAKTERYJNE: BŁONICA
– ostra, zakaźna choroba wywoływana przez maczugowce z gatunku *Corynebacterium diphteriae*.

| Błonica | RYZYKO ZACHOROWANIA/NASILENIE | | |
|---|---|---|---|
| | NISKIE | UMIARKOWANE | ZNACZNE |
| Grupa A | | | |
| Grupa B | | | |
| Grupa AB | | | |
| Grupa 0 | | | |

## Objawy
- różne

## Krótko o błonicy

Błonica (inaczej dyfteryt) to ostra, zakaźna choroba wywoływana przez bakterie z gatunku *Corynebacterium diphteriae*. Powoduje ona powstawanie błoniastej pseudomembrany pokrywającej śluzówkę dróg oddechowych, uszkodzenie mięśnia sercowego i nerwów. Okres wylęgania się choroby trwa od 1 do 4 dni. Początkowa, migdałkowa postać błonicy charakteryzuje się zaledwie pobolewaniem gardła, bólem przy przełykaniu, niezbyt wysoką gorączką, przyspieszonym rytmem serca i zwiększoną liczbą białych krwinek. U dzieci do pospolitych objawów należą mdłości, wymioty, dreszcze, ból głowy i gorączka.

Błonica rozprzestrzenia się głównie poprzez kontakt z wydzielinami chorego. Ludzie są jedynym znanym rezerwuarem *C. diphteriae*. Pojedyncze zakażenia powstają w wyniku kontaktu z nosicielami, którzy sami nigdy nie chorowali. Infekcja może się rozwijać również u osób zaszczepionych, co więcej, najczęściej pojawia się i ma najcięższy przebieg u tych, u których rozpoczął się już proces uodporniania. Zakaźność u osoby nieleczonej trwa około 2 tygodni. U pacjentów poddanych leczeniu odpowiednimi lekami przeciwbakteryjnymi okres zaraźliwy ulega skróceniu do zazwyczaj 4 dni. Niektórzy ludzie zostają chronicznymi nosicielami choroby nawet po leczeniu przeciwbakteryjnym.

Do błonicy skóry może dojść wówczas, gdy bakterie błonicy zainfekują ranę. Potencjalnym rezerwuarem bakterii są uszkodzenia skóry, zadrapania, WRZODY, oparzenia i inne rany. Rezerwuarem maczugowca błonicy może też być powierzchnia skóry. Do rozprzestrzeniania błonicy przyczynia się też niedostateczna higiena osobista i społeczności. Wydaje się, że choroba ta woli ciepły klimat, ale zdecydowanie nie ogranicza się do strefy tropikalnej – niektóre duże epidemie zdarzały się w znacznie chłodniejszych klimatach. W krajach rozwiniętych do grupy ryzyka należą osoby ubogie i na skraju nędzy, takie jak Indianie. Szczególna groźba wisi nad osobami niezaszczepionymi, a także ludźmi, których układ odpornościowy uległ osłabieniu.

## Związki błonicy z grupami krwi

W Rosji przebadano przeciwciała przeciwbłonicze w surowicy krwi tych członków populacji z obszaru Kijowa, którzy mogli oddawać krew (984). Po rocznych badaniach stwierdzono obecność przeciwciał przeciwbłoniczych w surowicy zarówno kobiet, jak i mężczyzn różnych grup krwi (w układzie AB0). Przeciwciała przeciwbłonicze o największym stężeniu występują jesienią, zimą i wiosną u osób grupy A, B i AB[1].

## Terapie stosowane przy błonicy

*Wszystkie grupy krwi:*
Doniesienia na temat błonicy docierają z terenów byłego Związku Radzieckiego, Albanii, Haiti, Dominikany, Ekwadoru, Brazylii, Filipin, Indonezji i wielu krajów afrykańskich i azjatyckich. Osoby wybierające się do tych krajów powinny się upewnić, że ich szczepienie jest nadal ważne. Wszystkie dzieci powinny otrzymywać szczepionkę przeciw błonicy, tężcowi i krztuścowi (DTP) zgodnie z kalendarzem szczepień.

**Trzymaj się bezpiecznych zasad podróżowania.** Jeśli wybierasz się do kraju ubogiego, postępuj zgodnie z następującymi zasadami:

- Unikaj spożywania surowego lub krótko gotowanego mięsa i owoców morza.
- Unikaj spożywania surowych warzyw i owoców, chyba że je osobiście obierasz ze skórki.
- Unikaj picia wody z kranu i kostek lodu z niej wyprodukowanych.
- Nie kupuj pożywienia na ulicznych straganach.
- Jeśli masz zamiar wędrować po górach, zabierz w podróż specjalne tabletki do dezynfekcji wody (można je kupić w sklepach podróżniczych i niektórych aptekach).
- Sprawdź zawczasu, które restauracje w tym kraju mają wysoki standard usług.
- Do mycia zębów i picia używaj jedynie wody butelkowanej, nawet w hotelach. Ponieważ dwutlenek węgla zdaje się zabijać niektóre mikroorganizmy, zatem właśnie woda nasycana dwutlenkiem węgla jest w tym wypadku najbezpieczniejsza. Upewnij się tylko, czy butelka była dobrze zamknięta.

Poza rygorystycznym stosowaniem higieny i unikaniem potencjalnie skażonej żywności najlepszą ochronę przed zakażeniem błonicą daje silny układ odpornościowy. Jednym z głównych czynników sprzyjających jego zdrowiu jest właściwe odżywianie. Szczególnie sensowne wydaje się ograniczenie cukru, który upośledza zdolność białych krwinek do niszczenia bakterii. Na mechanizmy obronne układu odpornościowego negatywnie wpływa także alkohol. Nadmiar tłuszczu w pożywieniu ogranicza aktywność limfocytów z grupy tzw. naturalnych zabójców.

Kluczową sprawą dla zachowania zdrowia jest zatem dbałość o dobry stan przyjaznej flory jelitowej. Spożywanie pokarmów bogatych w organizmy probiotyczne daje człowiekowi przewagę zdrowotną w postaci, na przykład, lepszego trawienia, sprawniejszego układu odpornościowego i większej odporności na zakażenie bakteriami chorobotwórczymi. Pożyteczne bakterie występują na przykład w niektórych jogurtach, mogą też być przyjmowane w postaci suplementów.

*U wszystkich czterech grup krwi układu AB0 stosuje się następujące protokoły:*

- antybakteryjny
- wspomagający leczenie antybiotykami

## Tematy pokrewne

Choroby pasożytnicze: Zakażenie tęgoryjcem
Choroby bakteryjne (ogólnie)
Choroby pasożytnicze: Lamblioza
Choroby pasożytnicze: Pełzakowica
Toksyczne jelito: Samozatrucie enterotoksynami
Wrzody żołądka, *Helicobacter pylori*
Zatrucie pokarmowe

**Bibliografia**

1. Fedorovs'ka OO, Nazarchuk LV, Myronenko VI, Mel'nyk OA. The antidiphtheria immunity of the eligible donor population. *Fiziol Zh.* 1997;43:109–112.

# CHOROBY BAKTERYJNE: CHOLERA

– ostra infekcja przecinkowcem cholery (*Vibrio cholerae*) w obrębie całego jelita cienkiego.

| Cholera | RYZYKO ZACHOROWANIA/NASILENIE | | |
|---|---|---|---|
| | NISKIE | UMIARKOWANE | ZNACZNE |
| Grupa A | | | |
| Grupa B | | | |
| Grupa AB | | | |
| Grupa 0 | | | |

## Objawy

* biegunka,
* wymioty,
* silne pragnienie,
* kurcze mięśniowe,
* osłabienie,
* zapadnięte oczy,
* marszczenie się skóry na palcach.

## Krótko o cholerze

Cholera nadal należy do chorób zbierających na świecie duże żniwo śmierci. W początkach XX wieku była na porządku dziennym w slumsach wielu nowoczesnych metropolii, takich jak Londyn czy Nowy Jork. W starożytności cholera nieuchronnie dziesiątkowała co jakiś czas ludność dużych miast. Istnieją podejrzenia, że niektóre z epidemii, które siały zniszczenie w czasach imperium rzymskiego, wywołane były właśnie zarazkiem cholery.

Nędza i brak podstawowych urządzeń sanitarnych to główne czynniki sprzyjające dawnym i współczesnym wybuchom epidemii cholery. Najczęstszym źródłem zakażenia bakteriami cholery jest kontakt z zakażonymi odchodami, w praktyce zaś sprowadza się to często do picia nieprzegotowanej wody lub jedzenia skażonego wodą ze zbiorników, do których spływają fekalia zawierające bakterie cholery. Choroba rozwija się najszybciej w okolicach, gdzie wody ściekowe i woda pitna nie są właściwie oczyszczane. Bakterie cholery mogą się też rozwijać w słonawych wodach rzek i morskich wodach przybrzeżnych, dlatego źródłem zakażenia mogą się stać nawet surowe mięczaki lub krewetki. W Stanach Zjednoczonych przypadki cholery odnotowano np. po zjedzeniu surowych krewetek odłowionych w Zatoce Meksykańskiej.

Cholera może być prawie bezobjawowa, może przebiegać łagodnie, powodując umiarkowaną BIEGUNKĘ, albo gwałtownie, stwarzając realne zagrożenie życia. Wymioty i ostre, bezbolesne, wodniste odchody są zwykle pierwszymi objawami choroby. Są one przyczyną odwodnienia i utraty elektrolitów, co prowadzi do wzmożonego pragnienia, kurczów mięśni, osłabienia i znacznego zmniejszenia napięcia tkanek, co przejawia się zapadnięciem oczu i pomarszczeniem skóry palców. Cholera może być bardzo wyniszczającą chorobą, prowadzącą do skrajnych niedoborów najważniejszych składników mineralnych, takich jak sód, chlor i potas wydalanych wraz z wodą w częstych stolcach. Nieleczona cholera prowadzi do zatrucia krwi, NIEWYDOLNOŚCI NEREK i niewydolności serca. Okres wylęgania się choroby trwa od 1 do 3 dni.

## Związki cholery z grupami krwi

Cholera stanowi znaczne zagrożenie dla osób z grupą krwi 0, jako że właśnie ta grupa krwi przejawia skłonność do przechodzenia najcięższej formy cholery. Rozważa się nawet możliwość, że niski procentowy udział osób z grupą krwi 0 w miastach śródziemnomorskich o starożytnych korzeniach może być wynikiem selekcji spowodowanej ich wyższą – w stosunku do osób z grupą krwi A – śmiertelnością wskutek tej choroby. Taka długotrwała presja selekcyjna ze strony cholery może być odpowiedzialna za niezwykle rzadki udział genu grupy krwi 0 i znaczną przewagę genu grupy krwi B wśród ludności zamieszkującej deltę Gangesu w Indiach. Grupa krwi AB daje najlepszą ochronę przed zakażeniem cholerą. Przebieg choroby u osób z tą grupą krwi jest najmniej ciężki, a wyzdrowienie niemal pewne[1].

W 1991 roku, na samym początku epidemii cholery w Trujillo w Peru, tamtejsze badania wykazały, że z najcięższymi przypadkami choroby związana jest właśnie grupa krwi $0^2$. Zakażone osoby miały więcej biegunkowych stolców dziennie niż osoby z pozostałymi grupami krwi, częściej też cierpiały z powodu wymiotów[3] i kurczów mięśniowych, a wreszcie prawie osiem razy częściej musiały być hospitalizowane. Inne, niezależne badania potwierdzają te spostrzeżenia: w porównaniu z grupą przechodzącą cholerę bezobjawowo w grupie z najcięższą postacią choroby znalazło się znacznie więcej osób z grupą krwi 0 (68%).

## Sposoby zapobiegania i terapie stosowane przy cholerze

### Wszystkie grupy krwi:

**Trzymaj się bezpiecznych zasad podróżowania.** Jeśli wybierasz się do kraju ubogiego, postępuj zgodnie z następującymi zasadami:

- Unikaj spożywania surowego lub krótko gotowanego mięsa i owoców morza.
- Unikaj spożywania surowych warzyw i owoców, chyba że je osobiście obierasz ze skórki.
- Unikaj picia wody z kranu i kostek lodu z niej wyprodukowanych.
- Nie kupuj pożywienia na ulicznych straganach.
- Jeśli masz zamiar wędrować po górach, zabierz w podróż specjalne tabletki do dezynfekcji wody (można je kupić w sklepach podróżniczych i niektórych drogeriach).
- Sprawdź zawczasu, które restauracje w tym kraju mają wysoki standard usług.
- Do mycia zębów i picia używaj jedynie wody butelkowanej, nawet w hotelach. Ponieważ dwutlenek węgla zdaje się zabijać niektóre mikroorganizmy, zatem właśnie woda nasycana dwutlenkiem węgla jest w tym wypadku najbezpieczniejsza. Upewnij się tylko, czy butelka była dobrze zamknięta.

### Protokoły stosowane przy grupie krwi A:

- antybakteryjny
- wspomagający leczenie antybiotykami
- wzmacniający układ odpornościowy

### Protokoły stosowane przy grupie krwi B:

- antybakteryjny
- wspomagający leczenie antybiotykami
- rekonwalescencyjny po wyniszczającej chorobie

### Protokoły stosowane przy grupie krwi AB:

- antybakteryjny
- wspomagający leczenie antybiotykami
- wzmacniający układ odpornościowy

### Protokoły stosowane przy grupie krwi 0:

- antybakteryjny
- wspomagający leczenie antybiotykami
- wspomagający zdrowie jelit

## Tematy pokrewne

Choroby bakteryjne (ogólnie)
Choroby zakaźne
Grzybice: Kandydoza jamy ustnej
Grzybice: Kandydoza pochwy
Grzybice: Kandydoza układu pokarmowego
Trawienie
Zatrucie pokarmowe

**Bibliografia**

1. Mourant AE. Blood Types and Disease. Oxford, NY: Oxford University Press, 1979.
2. Swerdlow DL, Mintz ED, Rodriguez M, et al. Severe life-threatening cholera associated with blood group 0 in Peru: implications for the Latin American epidemic. *J Infect Dis.* 1994;170:468–472.
3. Glass RI, Holmgren J, Haley CE, et al. Predisposition for cholera of individuals with 0 blood group. Possible evolutionary significance. *Am J Epidemiol.* 1985;121:791–796.

# CHOROBY BAKTERYJNE: DUR BRZUSZNY

– ogólnoustrojowa choroba bakteryjna wywołana pałeczkami z gatunku *Salmonella typhi* i charakteryzująca się gorączką, krańcowym wyczerpaniem, bólami brzucha i różową wysypką.

| Dur brzuszny | PODATNOŚĆ | | |
|---|---|---|---|
| | NISKA | UMIARKOWANA | ZNACZNA |
| Grupa A | | | |
| Grupa B (mężczyźni) | | | |
| Grupa AB | | | |
| Grupa 0 | | | |
| Rh– | | | |

## Objawy

- gorączka,
- ból głowy,
- złe samopoczucie,
- zaburzenia żołądkowe/wzdęcia/zaparcie,
- biegunka,
- suchy kaszel,
- splątanie,
- ospałość,
- rzadkoskurcz,
- zapalenie spojówek.

## Krótko o durze brzusznym

Dur brzuszny, zwany też tyfusem, to ostra choroba zakaźna obejmująca cały organizm, wywoływana przez bakterie z gatunku *Salmonella typhi* i występująca tylko u ludzi. Stanowi on typowy przykład GORĄCZKI wywołanej salmonellozą. Obszar występowania duru brzusznego jest ograniczony do krajów o niskim standardzie sanitarnym. Większość zakażeń odnotowanych w krajach uprzemysłowionych jest wynikiem infekcji nabytej w trakcie podróży po obszarach słabo rozwiniętych. Źródłem zakażenia mogą być zarówno fekalia, jak i pożywienie nimi zanieczyszczone, często drób, woda i mleko. Okres inkubacji waha się od 7 do 21 dni. Podejrzenie duru brzusznego jest uzasadnione zawsze w wypadku chorego, który zaczyna gorączkować po powrocie z tropików, ewentualnie osoby, która miała kontakt z chronicznym nosicielem tej choroby.

## Związki duru brzusznego z grupami krwi

Wydaje się, że najbardziej podatni na zakażenie pałeczkami duru brzusznego są ludzie z grupą krwi A. W różnych obszarach Uzbekistanu prowadzono badania, w wyniku których ustalono grupę krwi 186 chronicznych nosicieli duru brzusznego i 392 pacjentów cierpiących na dur brzuszny. Po porównaniu ze zdrową częścią populacji okazało się, że osoby o grupie krwi A są bardziej zagrożone zachorowaniem niż osoby mające grupę krwi 0. Wykazano też predyspozycję osób z grupą krwi A do bycia chronicznym nosicielem duru. Tak można było scharakteryzować azjatycką część kraju. Podobnie rzecz się miała w obrębie osób z grupą krwi AB, które częściej ulegały zakażeniu niż osoby z grupą krwi 0. W rezultacie zasugerowano, że między typem krwi i zakażeniem durem brzusznym istnieje korelacja[1].

Wydaje się, że antygen B ma właściwości zabezpieczające w wypadku kobiet, ale może być odpowiedzialny za wzrost podatności na zachorowanie u mężczyzn. W grupie o podwyższonym ryzyku zachorowania znajdują się także osoby Rh-ujemne.

## Terapie stosowane przy durze brzusznym

*Wszystkie grupy krwi:*

**Trzymaj się bezpiecznych zasad podróżowania.** Jeśli wybierasz się do kraju ubogiego, postępuj zgodnie z następującymi zasadami:

- Unikaj spożywania surowego lub krótko gotowanego mięsa i owoców morza.
- Unikaj spożywania surowych warzyw i owoców, chyba że je osobiście obierasz ze skórki.
- Unikaj picia wody z kranu i używania kostek lodu z niej wyprodukowanych.
- Nie kupuj pożywienia na ulicznych straganach.
- Jeśli masz zamiar wędrować po górach, zabierz w podróż specjalne tabletki do dezynfekcji wody (można je kupić w sklepach podróżniczych i niektórych drogeriach).

- Sprawdź zawczasu, które restauracje w tym kraju mają wysoki standard usług.
- Do mycia zębów i picia używaj jedynie wody butelkowanej, nawet w hotelach. Ponieważ dwutlenek węgla zdaje się zabijać niektóre mikroorganizmy, zatem właśnie woda nasycana dwutlenkiem węgla jest w tym wypadku najbezpieczniejsza. Upewnij się tylko, czy butelka była dobrze zamknięta.

Zasady chroniące przed zakażeniem salmonellozą:
- Przed obróbką cieplną umyj mięso i drób zimną wodą.
- Gotuj/piecz drób do chwili, aż mięso straci różową barwę. Możesz użyć specjalnego termometru do pieczenia mięsa – wnętrze potrawy powinno osiągnąć 82–85°C. Upewnij się, że termometr tkwi w najgrubszej partii mięsa kurczaka – w udzie, z dala od kości – ponieważ tylko tak może wskazać prawdziwą temperaturę potrawy.
- Nie używaj do obróbki owoców i warzyw tych samych przyborów kuchennych, którymi posługiwałeś się w trakcie sprawiania surowego mięsa i drobiu. Jeśli na przykład przygotowujesz kurczaka w jarzynach, użyj innego noża i deski do mięsa, a innego do pokrojenia warzyw.
- Wszystkie sprzęty, które miały styczność z surowym mięsem, umyj dokładnie gorącą wodą z detergentem. Mycie naczyń w zmywarce jest wystarczająco bezpieczne.
- Drewniane deski do krojenia będą czyste, jeśli codziennie przemyjesz je rozcieńczonym roztworem wybielacza; chlor w nim zawarty powinien zabić pozostałości bakterii.
- Nie zostawiaj niedogotowanego mięsa na późniejsze „dojście".

Poza rygorystycznym przestrzeganiem zasad higieny i unikaniem skażonego pożywienia najlepszą ochronę przed salmonellozami daje silny układ odpornościowy. Prawidłowe działanie tego układu, a tym samym najwyższą odporność na choroby, zapewnia nam właściwe odżywianie. Warto zwłaszcza ograniczyć spożywanie cukru, ponieważ jego nadmiar upośledza zdolność bia-

łych krwinek do niszczenia bakterii. Alkohol hamuje wiele innych funkcji immunologicznych, zaś nadmiar tłuszczu upośledza aktywność komórek naturalnych zabójców.

Kluczową rolę w ochronie przed salmonellozami odgrywa dbałość o odpowiedni stan przyjaznej flory bakteryjnej. Spożywanie produktów zawierających takie szczepy bakterii może nieść znaczne korzyści zdrowotne, w tym również poprawę procesów trawiennych, wzmocnienie układu odpornościowego, a także większą odporność na zakażenie bakteriami chorobotwórczymi. Źródłem przyjaznych bakterii bywają jogurty, można je też kupić w sklepach zielarskich w postaci suplementów.

*Protokoły stosowane przy grupie krwi A:*
- antybakteryjny
- wspomagający leczenie antybiotykami
- wzmacniający układ odpornościowy

*Protokoły stosowane przy grupie krwi B:*
- antybakteryjny
- wspomagający leczenie antybiotykami
- wzmacniający układ odpornościowy

*Protokoły stosowane przy grupie krwi AB:*
- antybakteryjny
- wspomagający leczenie antybiotykami

*Protokoły stosowane przy grupie krwi 0:*
- antybakteryjny
- wspomagający leczenie antybiotykami

**Tematy pokrewne**

Choroby bakteryjne (ogólnie)
Choroby zakaźne
Odporność
Zatrucia pokarmowe

**Bibliografia**

1. Nevskii MV, Lerenman MI, Iusupov KI, Aminzada ZM, Vedenskaia VA. [Blood groups of the AB0 system of chronic carriers of typhoid bacteria and typhoid patients in Uzbekistan]. *Zh Mikrobiol Epidemiol Immunobiol.* 1976;8:66–69.

## CHOROBY BAKTERYJNE: DŻUMA –

ostra infekcja bakteriami z gatunku *Yersinia pestis*, charakteryzująca się ciężkim przebiegiem i zazwyczaj występująca w postaci dymieniczej (gruczołowej) lub płucnej.

| Dżuma | PODATNOŚĆ | | |
|---|---|---|---|
| | NISKA | UMIARKOWANA | ZNACZNA |
| Grupa A | | | |
| Grupa B | | | |
| Grupa AB | | | |
| Grupa 0 | | | |

### Objawy

* ostre zapalenie żołądkowo-jelitowe,
* zapalenie stawów,
* posocznica,
* ostra biegunka.

### Krótko o dżumie

Dżuma to przede wszystkim choroba dzikich gryzoni (takich jak szczury, myszy, wiewiórki i pieski preriowe). Historia odnotowała też kilka wielkich epidemii dżumy w populacji ludzkiej (np. w średniowieczu). Choroba ta jest wciąż jeszcze obecna. Ostatnio (w latach dziewięćdziesiątych XX wieku) jej wybuch odnotowano w Wietnamie i Zambii. 90% przypadków dżumy zdiagnozowanych w USA pochodziło z południowo-zachodnich stanów, zwłaszcza Nowego Meksyku, Arizony, Kalifornii i Kolorado.

Zakażenie pałeczkami dżumy przenosi się przez pożywienie i wodę, a także wskutek bezpośrednich kontaktów z osobą chorą. Przebieg choroby jest zazwyczaj ciężki, a rokowania złe.

Najczęściej występuje dymienicza forma dżumy. Bakterie dżumy są przenoszone przez gryzonie i rozprzestrzeniane na człowieka przez zakażone pchły. W obrębie populacji ludzkiej przenoszą się drogą zakażenia kropelkowego, podczas oddychania powietrzem skażonym wskutek kaszlu chorych na postać dymieniczą lub posocznicową, u których zdążyły już powstać zmiany w płucach (pierwotna postać dżumy płucnej). Dżuma płucna może też być ciężkim i zwykle śmiertelnym powikłaniem dżumy dymieniczej. W 1994 roku wybuch dżumy w Indiach doprowadził do rozwoju postaci płucnej, rozprzestrzeniającej się drogą powietrzną.

### Terapie stosowane przy dżumie

*Wszystkie grupy krwi:*

**Trzymaj się bezpiecznych zasad podróżowania.** Jeśli wybierasz się do kraju ubogiego, postępuj zgodnie z następującymi zasadami:

* Unikaj spożywania surowego lub krótko gotowanego mięsa i owoców morza.
* Unikaj spożywania surowych warzyw i owoców, chyba że je osobiście obierasz ze skórki.
* Unikaj picia wody z kranu i używania kostek lodu z niej wyprodukowanych.
* Nie kupuj pożywienia na ulicznych straganach.
* Jeśli masz zamiar wędrować po górach, zabierz w podróż specjalne tabletki do dezynfekcji wody (można je kupić w sklepach podróżniczych i niektórych drogeriach).
* Sprawdź zawczasu, które restauracje w tym kraju mają wysoki standard usług.
* Do mycia zębów i picia używaj jedynie wody butelkowanej, nawet w hotelach. Ponieważ dwutlenek węgla zdaje się zabijać niektóre mikroorganizmy, zatem właśnie woda nasycana dwutlenkiem węgla jest w tym wypadku najbezpieczniejsza. Upewnij się tylko, czy butelka była dobrze zamknięta.

Osoby podróżujące w rejony zagrożone dżumą powinny się zaopatrzyć w repelenty przeciw owadom i unikać wszelkich kontaktów ze zwierzętami. Nie od rzeczy byłoby też poprosić lekarza o przepisanie zapobiegawczo antybiotyków, takich jak tetracyklina lub doksycyklina; dzieci mogą przyjmować sulfonamidy. Dostępna jest również szczepionka, której zastosowanie należy rozważyć, udając się na obszary o znacznym zagrożeniu tą chorobą.

*Protokoły stosowane przy grupie krwi A:*
• antybakteryjny
• wspomagający leczenie antybiotykami

*Protokoły stosowane przy grupie krwi B:*
• antybakteryjny
• wspomagający leczenie antybiotykami

*Protokoły stosowane przy grupie krwi AB:*
• antybakteryjny
• wspomagający leczenie antybiotykami

*Protokoły stosowane przy grupie krwi 0:*
• antybakteryjny
• wspomagający leczenie antybiotykami
• wzmacniający układ odpornościowy

## Tematy pokrewne

Choroby bakteryjne (ogólnie)
Choroby zakaźne

### Bibliografia

1. Kaneko K, et al. Prevalence of 0 agglutinins against the epizootic strains of Yersinia pseudo Tuberculosis serovars IB and IVA in barn rats. Nippon Juigaku Zasshi. 1982;44:375–377.
2. Zhukov-Berezhnilov NN, Adamov AK, Anisimov PI, Bochko GM, Podepletov II. Heterogenetic antigens of plague and cholera microbes, similar to antigens of human and animal tissues [in Russian]. *Biull Eksp Biol Med.* 1972;73:63–65.

# CHOROBY BAKTERYJNE: ESZERICHIOZA

– stan zapalny śluzówki żołądka i jelit manifestujący się przede wszystkim objawami w obrębie górnej części szlaku żołądkowo-jelitowego (jadłowstręt, mdłości, wymioty), biegunką i bólami żołądka. Wywołany pałeczką okrężnicy *Escherichia coli.*

| Eszerichioza | RYZYKO ZACHOROWANIA/NASILENIE | | |
|---|---|---|---|
| | NISKIE | UMIARKOWANE | ZNACZNE |
| Grupa A (jelitowa) | | | |
| Grupa B (nieżyt żołądka) | | | |
| Grupa AB (nieżyt żołądka) | | | |
| Grupa 0 (biegunka) | | | |

## Objawy

• infekcja układu moczowego,
• zapalenie gruczołu krokowego,
• zapalenie żołądka i jelit.

## Krótko o eszerichiozie

Objawy eszerichiozy mogą się wahać od infekcji układu moczowego i zapalenia gruczołu krokowego do nawrotowych nieżytów żołądka i jelit. Pałeczka okrężnicy może wywołać zapalenie jelit i wodnistą lub krwawą biegunkę. Poza układem pokarmowym infekcji ulega najczęściej układ moczowy – drogą z zewnątrz. Eszerichioza należy do tych chorób bakteryjnych, które często pojawiają się bez wyraźnych wrót zakażenia.

W dolnej części jelita grubego żyje wiele różnych szczepów *E. coli*, a większość z nich jest dobrze tolerowana przez układ odpornościowy. Znaczna zmienność tego mikroorganizmu wynika z faktu, że znakomicie radzi sobie z wymianą materiału genetycznego, a także niezwykle szybko mutuje. Właśnie mutacja jest winna powstaniu nowego, potencjalnie śmiertelnego szczepu O157:H7, po raz pierwszy rozpoznanego w 1982 roku i zdolnego wywoływać ciężką, biegunkową odmianę choroby.

Szczep O157:H7 jest coraz częściej przyczyną pokarmowej infekcji chorobotwórczej bakteriami *E. coli*; szacuje się, że w samych tylko Stanach Zjednoczonych liczba zachorowań nim spowodowanych waha się między 10 i 20 tysiącami rocznie. W przeciwieństwie do innych symbiotycznych szczepów tego gatunku koegzystujących w jelicie człowieka bez jego szkody, szczep O157:H7 wytwarza silną toksynę, która może wywołać ciężką chorobę. Taka infekcja przebiega z krwawą biegunką i może czasem doprowadzić do NIEWYDOLNOŚCI NEREK.

Główną przyczyną eszerichiozy jest spożycie niedogotowanej, skażonej mielonej wołowiny. Wśród kilku poważnych wybuchów choroby wywołanej szczepem O157:H7, które miały miejsce w USA, do najpoważniejszych należy ten, który miał miejsce w 1993 roku i spowodował chorobę co najmniej 600 osób (tyle przypadków zgłoszono); cztery przypadki śmierci były skutkiem zjedzenia niedosmażonych hamburgerów.

Wprawdzie weganie próbują zrzucić całą winę za infekcje *E. coli* na mięso, nie jest ono jednak jedyną przyczyną eszerichiozy. Od 1995 roku przyczyną wielu zakażeń *E. coli* lub salmonellą były surowe kiełki, najprawdopodobniej skażone już w trakcie ich produkcji. W 1996 roku ponad 6 tysięcy dzieci w wieku szkolnym zachorowało w Japonii na eszerichiozę w wyniku spożycia kiełków rzodkiewki zanieczyszczonych szczepem O157:H7 bakterii *E. coli*.

*E. coli* może się też rozprzestrzeniać poprzez kontakty międzyludzkie, dlatego eszerichioza może atakować i atakuje całe rodziny lub zakłady opieki nad dziećmi. Przyczyną choroby może być picie surowego mleka, ale również, na przykład, pływanie w wodach zanieczyszczonych odchodami.

Zazwyczaj infekcja ogranicza się do częstych stolców i kurczów mięśni, jednakże w cięższych przypadkach biegunka może być krwista i bardzo wyniszczająca. U niewielkiej liczby chorych (2–7%), przede wszystkim u bardzo małych dzieci i wiekowych dorosłych, może się pojawić zespół hemolityczno-mocznicowy. Jest on wynikiem działania toksyn bakteryjnych, które uszkadzają małe naczynia krwionośne nerek, zmniejszają liczbę płytek krwi i niszczą erytrocyty. W rezultacie tych zmian dochodzi do upośledzenia działania nerek, czasem w stopniu wymagającym dializy. Jak dotąd na zespół ten nie ma skutecznego leczenia.

*E. coli* to patogen oportunistyczny, wywołujący chorobę w organizmach tych żywicieli, których układ odpornościowy uległ osłabieniu na przykład w wyniku innej choroby (RAKA, CUKRZYCY, MARSKOŚCI WĄTROBY) lub byli poddawani leczeniu kortykosteroidami, lekami przeciwnowotworowymi, antybiotykami lub naświetlaniem.

Eszerichioza i zapalenie opon to choroba atakująca noworodki, zwłaszcza wcześniaki.

## Związki eszerichiozy z grupami krwi

Wydaje się, że różne szczepy *E. coli* mają wyraźne upodobanie do różnych grup krwi. Różnią się nawet rozwijanymi w trakcie zakażenia „strategiami”.

### Grupa krwi A – przyczepienie

Wiele patogennych form *E. coli* wytwarza włókna umożliwiające im przymocowanie się do komórek śluzówki jelita. Na końcu włókna znajdują się lejkowate lektyny, które przyczepiają się do różnych cukrów (glikoprotein i glikolipidów), z których zbudowane są polisacharydy wytwarzane przez śluzówkę jelita. Wiele z tych cukrów to w rzeczywistości antygeny grupowe AB0. Pewne szczepy *E. coli* wytwarzają lektyny swoiste dla pewnych glikolipidów. Jeden z takich glikolipidów, zwany w literaturze fachowej globo-A, występuje wyłącznie u osobników wydzielających z grupą krwi A[1,2].

### Grypa krwi B i AB – upodobnienie

Wydaje się, że wiele spośród wywołujących biegunkę form *E. coli* to organizmy podobne do antygenu B. W rzeczywistości mają one na powierzchni antygen, który przypomina budową antygen odpowiedzialny za grupę krwi B. Istnieje dość bogata literatura naukowa wskazująca na to, że w grupie chorych na zapalenie żołądka i jelit przeważają osoby z grupą krwi B i AB, a więc takie, których organizm nie wytwarza przeciwciał anty-B. W trakcie pewnych badań przebadano 148 Egipcjan pod kątem zakażenia pasożytami i chorobami bakteryjnymi oraz przynależności do grupy krwi w układzie AB0. Okazało się, że w grupie osób chorych na eszerichiozę dominowały osoby o grupie krwi B (46,15%), przy oczekiwanej dla tej grupy zachorowalności w granicach 11%[3].

Od dawna podejrzewa się, że przyczyną, dla której organizm wytwarza przeciwciała skierowane przeciw antygenom innych grup krwi, jest „niejawna" immunizacja pod wpływem antygenów bakteryjnych obecnych w jelicie. Hipoteza, że naturalnie występujące przeciwciało anty-B (u osób z grupą krwi 0 lub A) chroni przed szczepami *E. coli* podobnymi do B, została zweryfikowana w innych badaniach[4], w których przeanalizowano grupę krwi 115 chorych na eszerichiozę i porównano z trzema populacjami „kontrolnymi": 138 chorymi na inne choroby wywołane mikroorganizmami, 23 135 pacjentami hospitalizowanymi i 40 038 zdrowymi dawcami krwi. Okazało się, że w grupie chorych na eszerichiozę zdecydowanie więcej było osób z grupą krwi B i AB, czyli takich, które nie wytwarzają przeciwciał anty-B, niż osób o grupie krwi A i 0, które te przeciwciała mają.

### Grupa krwi 0 – interakcja

Istnieje związek między grupą krwi 0 i stopniem nasilenia biegunki wywołanej pałeczką okrężnicy. W czasie badań przeprowadzonych w grupie 316 dorosłych ochotników cierpiących na biegunkę o takim właśnie pochodzeniu zbadano krew chorych pod kątem układu AB0 i Rh i jego potencjalnego wpływu na ciężkość przebiegu choroby. Wykazano, że ataki biegunki znacznie częście trapiły ochotników z grupą krwi 0 niż osoby z innymi grupami krwi[5]. Autorzy badań sugerują, że być może istnieje jakaś interakcja między grupą krwi 0 i toksynami wytwarzanymi przez bakterie.

## Warto o tym wspomnieć

Nie ma lepszej metody niż unikanie zakażenia, kiedy już jednak do tego dojdzie, choroba może przynieść pewną korzyść: osoby wyleczone z zapalenia żołądka i jelit wywołanego pałeczką okrężnicy mają wyższy poziom przeciwciał monoklonalnych anty-TF. Antygeny TF występują często w komórkach nowotworowych, a więc możliwe, że zakażenie *E. coli* chroni w jakimś stopniu przed nowotworami.

## Terapie stosowane przy zarażeniu pałeczkami *E. coli*

### Wszystkie grupy krwi:

Aby uchronić się przed zakażeniem pałeczkami okrężnicy:

- Unikaj spożywania niedosmażonych hamburgerów lub innych potraw z mielonej wołowiny w restauracjach (tatar!).
- Napoje takie jak mleko, soki i jabłecznik pij tylko pasteryzowane.
- Myj dokładnie owoce, kiełki i warzywa, zwłaszcza jeśli mają być jedzone na surowo.
- Po obróbce surowego mięsa myj dokładnie ręce, deski do krojenia i narzędzia kuchenne, najlepiej w gorącej wodzie z dodatkiem detergentu.
- Nigdy nie kładź smażonych hamburgerów lub kotletów mielonych na talerzu, na którym leżały surowe produkty.

### U wszystkich czterech grup krwi układu AB0 stosuje się następujące protokoły:

- antybakteryjny
- wzmacniający układ odpornościowy
- wspomagający leczenie antybiotykami

## Tematy pokrewne

Choroby bakteryjne
Choroby zakaźne
Odporność
Zatrucie pokarmowe

**Bibliografia**

1. Yang N, Boettcher B. Development of human AB0 blood group A antigen on *Escherichia coli* Y1089 and Y1090. *Immunol Cell Biol.* 1992;70(6): 411–416.
2. Lindstedt R, Larson G, Falk P, Jodal U, Leffler H, Svanborg C. The receptor repertoire defines the host range for attaching *Escherichia coli* strains that recognize globo-A. *Infect Immun.* 1991;59:1086–1092.
3. Gabr NS, Mandour AM. Relation of parasitic infection to blood group in El Minia Governorate, Egypt. *J Egypt Soc Parasitol.* 1991;21:679–683.
4. Wittels EG, Lichtman HC. Blood group incidence and *Escherichia coli* bacterial sepsis. *Transfusion.* 1986;26:533–535.
5. Black RE, Levine MM, Clements ML, Hughes T, O'Donnell S. Association between 0 blood group and occurrence and severity of diarrhea due to *Escherichia coli.* *Trans R Soc Trop Med Hyg.* 1987;81:120–123.

---

# CHOROBY BAKTERYJNE: GRUŹLICA

– przewlekła, nawracająca choroba atakująca różne narządy, ale najczęściej wykrywana w płucach.

| Gruźlica | PODATNOŚĆ/ZJADLIWOŚĆ | | |
|---|---|---|---|
| | NISKA | UMIARKOWANA | ZNACZNA |
| Grupa A | | | |
| Grupa B (najwyższa stwierdzona zachorowalność w Azji) | | | |
| Grupa AB | | | |
| Grupa 0 (zjadliwość) | | | |
| Rh– (największa epidemia w Europie) | | | |

## Objawy

- silny kaszel trwający dłużej niż 2 tygodnie,
- ból w klatce piersiowej,
- odkasływanie krwią lub ropą (flegma z głębi zaatakowanych płuc),
- osłabienie lub zmęczenie,
- chudnięcie,
- brak apetytu,
- dreszcze,
- gorączka,
- nocne poty.

## Krótko o gruźlicy

U progu XX wieku gruźlica (zwana też tuberkulozą) była główną przyczyną śmierci w wielu krajach uprzemysłowionych. Przyczyną choroby jest bakteria zwana prątkiem gruźlicy (*Mycobacterium tuberculosis*). Może ona atakować każdą tkankę i narząd, jednakże najczęściej zakaża płuca. W latach czterdziestych XX wieku uczeni odkryli pierwszy z kilku stosowanych do dziś leków przeciwgruźliczych, co z czasem doprowadziło do stopniowego spadku zachorowalności na tę chorobę. Niestety, począwszy od lat osiemdziesiątych XX wieku liczba zdiagnozowanych przypadków gruźlicy znów rośnie, co wiąże się z powstaniem lekoopornych szczepów prątka gruźlicy. Liczba zdiagnozowanych przypadków gruźlicy w USA w roku 1993 wyniosła 25 tysięcy*.

Gruźlica rozprzestrzenia się poprzez rozpylone w powietrzu kropelki powstające w czasie kaszlu i kichania osoby chorej (zakażenie kropelkowe). Wdychanie bakterii nie jest równoznaczne z zachorowaniem na gruźlicę, ponieważ w większości przypadków sprawny układ odpornościowy radzi sobie z patogenami bez trudu, przynajmniej na początku trwania choroby. Prątki przestają być aktywne, choć nadal są żywe i pozostają w organizmie nosiciela, by wziąć górę w sprzyjających dla nich warunkach. Wielu ludzi zainfekowanych prątkiem gruźlicy nigdy na nią nie choruje. Jednakże u osoby z osłabionym układem odpornościowym bakterie gruźlicy mogą się uaktywnić i wywołać chorobę. Do ludzi najbardziej narażonych na tę chorobę należy zaliczyć mieszkańców

---

\* W roku 1997 zapadalność na gruźlicę w Polsce była ponad dwukrotnie wyższa niż w Niemczech, w Czechach, była natomiast niższa niż w Rosji, na Litwie i Białorusi. W Polsce na gruźlicę zapada w ciągu roku ok. 12 tys. osób (ok. 30 osób/100 000). Od 1955 roku wykonywane są w naszym kraju obowiązkowe szczepienia BCG. Szczepione są wszystkie noworodki, a w późniejszym wieku dzieci bez wyraźnej blizny poszczepiennej i z ujemnym odczynem tuberkulinowym. Od pewnego czasu skuteczność szczepień BCG jest dyskutowana. – przyp. tłum.

miast, osoby bezdomne, sezonowych robotników, mieszkańców ośrodków odosobnienia i opieki społecznej. W stałym zagrożeniu znajdują się także osoby pracujące w placówkach medycznych i inne pozostające w kontakcie z chorymi.

Zwiększone ryzyko zachorowania na gruźlicę dotyczy też dzieci, które udają się do krajów Trzeciego Świata, dlatego też po powrocie powinny być one poddane odpowiedniej obserwacji. Wysoką zapadalność na gruźlicę odnotowano: w Meksyku, Chinach, Hongkongu, na Tajwanie, w Ameryce Środkowej, na Filipinach, w Wietnamie, Indiach, na Haiti i w Korei Południowej. Istnieją też doniesienia o zachorowaniu osób podróżujących samolotami wskutek długotrwałej ekspozycji na bakterie cyrkulujące w zamkniętym obiegu powietrza. W wielu krajach rozwijających się w powszechnym użyciu jest szczepionka BCG pozwalająca na zmniejszenie zapadalności na gruźlicę u dzieci. W różnych pracach naukowych ocenia się jej skuteczność na od 0 do 76. W Stanach Zjednoczonych nie jest stałym elementem profilaktyki przeciwgruźliczej.

Początek choroby jest zwykle niezauważalny, a objawy pojawiają się dopiero wtedy, gdy zmiany w płucach są dość duże, by wykryć je badaniem radiologicznym. Gorączka, złe samopoczucie i utrata wagi postępują powoli i często uchodzą uwagi chorego. Jedynym sposobem na stwierdzenie, czy dana osoba nie jest zakażona gruźlicą, jest wykonanie testu skórnego.

## Związki gruźlicy z grupami krwi

Najostrzejszy i najbardziej wyniszczający przebieg ma gruźlica u osób z grupą krwi 0, natomiast najodporniejsze na tę chorobę są osoby o grupie krwi A. Czynnikiem, który dodatkowo ma wpływ na zapadalność na gruźlicę, jest pochodzenie etniczne. Osoby z grupą krwi 0 i o pochodzeniu europejskim są bardziej podatne na gruźlicę niż inne osoby o tej samej grupie krwi, ale wywodzące się z innych regionów świata. Z kolei u Azjatów wysoką zapadalnością i podatnością na cięższe postaci gruźlicy charakteryzują się ludzie z grupą krwi B. Na przebieg infekcji może też

mieć Rh-dodatniość lub Rh-ujemność pacjenta. Istnieją badania, z których wynika, że wśród chorych zmarłych na gruźlicę przeważają osoby Rh-ujemne, podczas gdy wśród osób wychodzących cało z tej choroby dominuje Rh-dodatnie.

## Terapie stosowane przy gruźlicy

### Wszystkie grupy krwi

Najlepszą ochroną przed gruźlicą jest unikanie kontaktu z osobami chorymi na tę chorobę (prątkującymi). Jeśli jesteś w grupie ryzyka, powinieneś co pół roku wykonywać test skórny. Już w 72 godziny po teście można stwierdzić, czy jesteś zainfekowany prątkami gruźlicy. Niestety, nawet po negatywnych wynikach testu nie masz stuprocentowej pewności, że bakterie nie uaktywnią się za kilka tygodni.

*U wszystkich czterech grup krwi układu AB0 stosuje się następujące protokoły:*
- antybakteryjny
- wspomagający leczenie antybiotykami

## Tematy pokrewne

Choroby bakteryjne (ogólnie)
Choroby zakaźne

---

## CHOROBY BAKTERYJNE: *KLEBSIELLA PNEUMONIAE* – ciężka postać zapalenia płuc wywołana zakażeniem bakteriami *Klebsiella*.

| *Klebsiella pneumoniae* | NASILENIE/PODATNOŚĆ | | |
|---|---|---|---|
| | NISKIE | UMIARKOWANE | ZNACZNE |
| Grupa A | | | |
| Grupa B (ryzyko zachorowania) | | | |
| Grupa AB (nasilenie choroby) | | | |
| Grupa 0 | | | |

## Objawy

* ciężkie zapalenie płuc,
* ropnie płuc,
* rozedma płuc.

## Krótko o bakteriach Klebsiella

Infekcja pałeczkami *Klebsiella* najczęściej pojawia się u cukrzyków i alkoholików. W zasadzie *Klebsiella* wywołuje infekcję w tych samych miejscach co *Escherichia* i często bywa przyczyną bakteriemii (obecności bakterii we krwi). Zakażenie bakteriami *Klebsiella* jest częstym powikłaniem szpitalnym, zwłaszcza w wypadku osób o zmniejszonej odporności immunologicznej. Z tej też przyczyny na dziecięcych oddziałach szpitalnych u niemowląt – chorych, wcześniaków, o niskiej wadze urodzeniowej lub poddawanych różnym procedurom inwazyjnym – stosuje się leczenie przeciwbakteryjne. *Klebsiella pneumoniae* należy do bakterii gram-ujemnych.

*Klebsiella pneumoniae* może wywoływać rzadką chorobę, charakteryzującą się ciężką postacią ZAPALENIA PŁUC (któremu towarzyszy czasem odkasływanie ciemnobrązowej lub ciemnoczerwonej, galaretowatej plwociny), tworzenie ropni w płucach i rozedma płuc.

## Związki bakterii Klebsiella z grupami krwi

Grupa krwi B kojarzona jest z ogólnie większą podatnością na choroby bakteryjne, w tym również zakażenie bakteriami *Klebsiella*, natomiast u chorych z grupą krwi AB zakażenie to przybiera ostrzejszą postać. Ponieważ infekcja ta wiąże się też z cukrzycą i alkoholizmem, ostrożność powinny zachować również osoby z grupą krwi A i niewydzielające antygenów grupowych[1].

## Terapie stosowane przy zakażeniu bakteriami K. pneumoniae

### Wszystkie grupy krwi:

Do zakażenia bakteriami *Klebsiella* najczęściej dochodzi w szpitalach, gdzie nie brak osób osłabio-

nych i podatnych na infekcje. Planując leczenie szpitalne, należy zadbać o to, by nasz układ odpornościowy był możliwie w jak najlepszej kondycji.

*U wszystkich czterech grup krwi układu AB0 stosuje się następujące protokoły:*
* antybakteryjny
* wspomagający leczenie antybiotykami

## Tematy pokrewne

Choroby bakteryjne (ogólnie)
Choroby zakaźne
Zapalenie oskrzeli

**Bibliografia**
1. Kostiuk OP, Chernyshova LI, Slukvin II. Protective effect of *Lactobacillus acidophilus* on development of infection, caused by *Klebsiella pneumoniae* [in Russian]. *Fiziol Zh.* 1993;39:62–68.

---

## CHOROBY BAKTERYJNE: RZEŻĄCZKA
– stan zapalny nabłonka cewki moczowej, szyjki macicy, odbytnicy, gardła lub oczu wywołane bakteriami z gatunku *Neisseria gonorrhoeae*.

| Rzeżączka | NASILENIE/PODATNOŚĆ | | |
|---|---|---|---|
| | NISKIE | UMIARKOWANE | ZNACZNE |
| Grupa A | | | |
| Grupa B (zapalenie żołądka i jelit) | | | |
| Grupa AB (zapalenie żołądka i jelit) | | | |
| Grupa 0 (biegunka) | | | |
| niewydzielacze | | | |

## Objawy

*Kobiety:*
* ropna wydzielina z pochwy,
* zapalenie miednicy i ból,

- nienormalne krwawienia miesięczne,
- świąd odbytnicy,
- bolesne lub utrudnione wydalanie moczu.

*Mężczyźni:*

- ropna wydzielina z penisa,
- bolesne lub utrudnione wydalanie moczu.

## Krótko o rzeżączce

Każdego roku do amerykańskich Ośrodków Zwalczania Chorób (Centers for Disease Control and Prevention) zgłaszanych jest około 400 tysięcy przypadków zachorowania na rzeżączkę. Choroba ta, której bezpośrednią przyczyną jest dwoinka *Neisseria gonorrhoeae*, przenosi się drogą płciową, a ryzyko zachorowania rośnie wraz z liczbą partnerów seksualnych. Noworodki ulegają zakażeniu w trakcie przechodzenia przez zainfekowany kanał rodny matki.

Objawy pojawiają się zwykle między 2. i 21. dniem po zakażeniu. U kobiet nieleczona rzeżączka może spowodować ciążę pozamaciczną i bezpłodność.

## Związki rzeżączki z grupami krwi

Czynnikiem ryzyka zakażenia dwoinkami rzeżączki jest dziedzicznie uwarunkowana niezdolność do wydzielania do śliny i innych płynów ustrojowych glikoproteinowej, rozpuszczalnej w wodzie formy antygenu grupowego układu AB0. Wśród chorych na rzeżączkę przeważają właśnie osoby niewydzielające antygenów. Przewaga ta jest nawet lepiej widoczna w grupie nosicieli[1]. Wydaje się, że zdolność do sekrecji immunologicznej jest jednym z czynników dających stosunkowo dużą ochronę przed kolonizacją dwoinkami rzeżączki. Ślina niewydzielaczy zawiera zazwyczaj niewielkie ilości IgM (immunoglobuliny M), co więcej, przeciwciała IgM oraz IgA są u wydzielaczy znacznie skuteczniejsze i zapewniają lepszą ochronę przeciw temu mikroorganizmowi[2].

## Terapie stosowane przy rzeżączce

*Wszystkie grupy krwi:*

Nie ma ludzi w pełni odpornych na dwoinkę rzeżączki. Jedynym sposobem zapewniającym bezpieczeństwo jest unikanie niebezpiecznych kontaktów płciowych. W wypadku zakażenia niezbędne jest leczenie antybiotykami. Pierwotnie do leczenia rzeżączki wykorzystywano penicylinę, jednakże z czasem rozwinęły się szczepy oporne na ten antybiotyk. Do ich zwalczania konieczne są antybiotyki nowej generacji lub specjalne kombinacje leków.

*U wszystkich czterech grup krwi układu AB0 stosuje się następujące protokoły:*

- antybakteryjny
- wspomagający leczenie antybiotykami

## Tematy pokrewne

Choroby bakteryjne (ogólnie)
Grzybice (wszystkie)
Choroby wirusowe: zapalenie wątroby

**Bibliografia**

1. Blackwell CC, Weir DM, James VS, et al. Secretor status, smoking, and carriage of Neisseria meningitidis. *Epidemiol Infect.* 1990;104: 203–209.
2. Zorgani AA, Stewart J, Blackwell CC, Elton RA, Weir DM. Inhibitory effect of saliva from secretors and non-secretors on binding of meningococci to epithelial cells. FEMS Immunol Med Microbiol. 1194;9:135–142.

# CHOROBY BAKTERYJNE: ZAKAŻENIE BAKTERIAMI CZERWONKI –

choroba bakteryjna wywołana skażonym pożywieniem.

| Czerwonka bakteryjna | PODATNOŚĆ | | |
|---|---|---|---|
| | NISKA | UMIARKOWANA | ZNACZNA |
| Grupa A | | | |
| Grupa B | | | |
| Grupa AB | | | |
| Grupa 0 | | | |

## Objawy

- nagła gorączka,
- drażliwość,
- senność,
- anoreksja,
- nudności,
- wymioty,
- biegunka,
- ból brzucha i wzdęcia,
- krew, ropa i śluz w stolcu.

## Krótko o czerwonce bakteryjnej

Źródłem zakażenia bakteriami z rodzaju *Shigella* są odchody osób chorych na czerwonkę; tak więc pośrednio choroba może być przenoszona poprzez skażone jedzenie. Okres wykluwania choroby wynosi od 1 do 4 dni.

## Związki czerwonki z grupami krwi

Najbardziej podatne na zakażenie bakteriami czerwonki są osoby z grupą krwi B. W trakcie badań przeprowadzonych na 85 osobach ze stwierdzoną czerwonką bakteryjną wykazano, że w próbie tej odsetek osób z grupą krwi B jest wyższy niż w zdrowej populacji. Badania te zostały przeprowadzone w 1991 roku w Indiach i dowodzą, że podatność na zakażenie bakteriami czerwonki wzrasta w grupie osób, które nie wytwarzają przeciwciał anty-B (a więc w grupie krwi B i AB)[1].

## Terapie stosowane przy czerwonce bakteryjnej

### Wszystkie grupy krwi

**Pamiętaj o przestrzeganiu podstawowych zasad:**

- Pij tylko pasteryzowane mleko, soki i inne napoje.
- Myj dokładnie warzywa i owoce, zwłaszcza te, które zamierzasz spożyć na surowo.
- Nie kładź surowego mięsa obok pokarmów gotowych do zjedzenia.
- Po obróbce surowego mięsa umyj ręce, blaty kuchenne i inne sprzęty w gorącej wodzie z detergentem.
- Nigdy nie kładź usmażonych hamburgerów czy kotletów mielonych na talerzu z surowizną.
- Przed obróbką cieplną umyj mięso i drób zimną wodą.
- Gotuj/piecz drób do chwili, aż mięso straci różową barwę. Możesz użyć specjalnego termometru do pieczenia mięsa – wnętrze potrawy powinno osiągnąć 82–85°C. Upewnij się, że termometr tkwi w najgrubszej partii mięsa kurczaka – w udzie, z dala od kości – ponieważ tylko tak może wskazać prawdziwą temperaturę potrawy.

**Trzymaj się bezpiecznych zasad podróżowania.** Jeśli wybierasz się do kraju ubogiego, postępuj zgodnie z następującymi zasadami:

- Unikaj spożywania surowego lub krótko gotowanego mięsa i owoców morza.
- Unikaj spożywania surowych warzyw i owoców, chyba że je osobiście obierasz ze skórki.
- Unikaj picia wody z kranu i kostek lodu z niej wyprodukowanych.
- Nie kupuj pożywienia na ulicznych straganach.
- Jeśli masz zamiar wędrować po górach, zabierz w podróż specjalne tabletki do dezynfekcji wody (można je kupić w sklepach podróżniczych i niektórych drogeriach).
- Sprawdź zawczasu, które restauracje w tym kraju mają wysoki standard usług.

• Do mycia zębów i picia używaj jedynie wody butelkowanej, nawet w hotelach. Ponieważ dwutlenek węgla zdaje się zabijać niektóre mikroorganizmy, zatem właśnie woda nasycana dwutlenkiem węgla jest w tym wypadku najbezpieczniejsza. Upewnij się tylko, czy butelka była dobrze zamknięta.

*U wszystkich czterech grup krwi układu AB0 stosuje się następujące protokoły:*
• antybakteryjny
• wspomagający leczenie antybiotykami

## Tematy pokrewne

Choroby bakteryjne (ogólnie)
Choroby zakaźne
Toksyczne jelito: Samozatrucie enterotoksynami (poliaminy)
Zatrucie pokarmowe

**Bibliografia**

1. Sinha AK, Bhattacharya SK, Sen D, Dutta P, Dutta D, Bhattacharya MK, Pal SC. Blood group and shigellosis. *J Assoc Physicians India*. 1991;39:452–453.

## CHOROBY BAKTERYJNE: ZAKAŻENIE GRONKOWCEM – infekcja wywołana przez bakterie gronkowca złocistego *Staphylococcus aureus.*

| Zakażenie gronkowcem złocistym | PODATNOŚĆ | | |
|---|---|---|---|
| | NISKA | UMIARKOWANA | ZNACZNA |
| Grupa A (zachorowalność) | | | |
| Grupa B | | | |
| Grupa AB (zjadliwość) | | | |
| Grupa 0 | | | |
| Rh– | | | |

## Objawy

Bezpośrednią przyczyną infekcji gronkowcowej jest zakażenie bakteriami z rodzaju *Staphylococcus.* Często następuje ono pod wpływem osłabienia wywołanego chorobą wirusową. Spośród licznych objawów najczęściej powtarzają się:
• zaczerwienienie zainfekowanej powierzchni,
• gorączka,
• ogólnie złe samopoczucie, z sennością i jadłowstrętem.

## Krótko o zakażeniach gronkowcowych

*Staphylococcus aureus* jest gram-dodatnią bakterią odpowiedzialną za mniej więcej 10% przypadków ZAPALENIA PŁUC. U osób zdrowych występuje w ilościach śladowych, jednakże jego liczebność wzrasta znacznie w warunkach sprzyjających, a więc na przykład w ciągu 5 dni od infekcji grypowej, zwłaszcza u osób z osłabionym układem odpornościowym, małych dzieci, hospitalizowanych pacjentów i narkomanów używających niesterylnych strzykawek.

## Związki zakażenia gronkowcem z grupami krwi

Osoby o grupie krwi A są podatne na bardziej zjadliwe zakażenia gronkowcowe. W ciągu trzech lat u 326 pracowników czterech placówek medycznych (szpital na prowincji, dwa szpitale miejskie i klinika położnicza) badano co 3 miesiące poziom bakterii *S. aureus*. Wyniki porównano z danymi na temat rozprzestrzenienia grup układu AB0 u nosicieli gronkowca. Stałe nosicielstwo, a także ciężkie przypadki choroby stwierdzono przede wszystkim u osób z grupą krwi A[1].

Istnieją poważne podstawy, by sądzić, że substancje grupowe, w dużej części węglowodanowe, są jednym z najważniejszych kandydatów do swoistych reakcji z lektynami znajdującymi się na powierzchni komórki mikroorganizmów chorobotwórczych. Potwierdzają to badania kliniczne nad zakażeniem dróg moczowych gronkowcem z gatunku *Staphylococcus saprophyticus*, które wykazały istnienie dodatniej korelacji między podatnością na zakażenie i grupą krwi osoby badanej. Najwyraźniej antygeny grupy krwi (czy ich węglowodanowe końcówki) stanowią receptory rozpoznawane przez powierzchniowe lektyny zarówno *S. saprophyticus,* jak i *Pseudomonas aeruginosa*. Struktura węglowodanowa antygenu grupy A ma zatem znaczenie dla kolonizacji organizmu. Natomiast grupie krwi AB można przypisać najcięższe przypadki infekcji dróg moczowych[2].

W Budapeszcie zbadano poziom przeciwciał bakteryjnych u 100 dorosłych osób i porównano te wyniki z właściwościami krwi badanych. Okazało się, że osoby Rh-ujemne miały niższe stężenie przeciwciał niż osoby Rh-dodatnie[3]. Co więcej, istnieją też inne dane sugerujące większą podatność osób Rh-ujemnych na zakażenie interesującymi nas szczepami bakterii.

### Terapie stosowane przy zakażeniu gronkowcem

*U wszystkich czterech grup krwi układu AB0 stosuje się następujące protokoły:*
• antybakteryjny
• wspomagający leczenie antybiotykami

### Tematy pokrewne

Choroby bakteryjne (ogólnie)
Choroby zakaźne
Odporność
Toksyczne jelito: Samozatrucie enterotoksynami

**Bibliografia**

1. Geisel J, Steuer MK, Ko HL, Beuth J. The role of AB0 blood groups in infections induced by *Staphylococcus saprophyticus and Pseudomonas aeruginosa. Zentralbl Bakteriol.* 1995;282:427–430.
2. Beuth J, Ko HL, Tunggal L, Pulverer G. Urinary tract infections caused by *Staphylococcus saprophyticus.* Increased incidence depending on the blood group. *Dtsch Med Wochenschr.* 1992;117:678–691.
3. Veres J. Natural antibodies in healthy adults. *Acta Microbiol Acad Sci Hung.* 1975;22:65–73.

## CHOROBY BAKTERYJNE: ZAPALENIE OPON MÓZGOWYCH – ciężka, potencjalnie niebezpieczna dla życia infekcja wywoływana przez różne szczepy bakterii chorobotwórczych.

| Bakteryjne zapalenie opon mózgowych | PODATNOŚĆ | | |
|---|---|---|---|
| | NISKA | UMIARKOWANA | ZNACZNA |
| Grupa A | | | |
| Grupa B | | | |
| Grupa AB | | | |
| Grupa 0 | | | |
| niewydzielacze | | | |

### Objawy

Przyczyną zapalenia opon mózgowych może być zakażenie wirusowe albo bakteryjne. Zapalenie wirusowe opon jest najpowszechniejszą formą tej choroby i charakteryzuje się lżejszymi objawami. Zapalenie bakteryjne opon mózgowych jest chorobą cięższą, nawet niebezpieczną dla życia. Do objawów bakteryjnego zapalenia opon mózgowych zalicza się:
• gorączkę, sztywność szyi/kręgosłupa i wymioty,
• wysoką gorączkę i dreszcze,
• zmiany świadomościowe, w tym również drażliwość, splątanie, senność, osłupienie, delirium, śpiączkę (pojawiającą się w najpoważniejszych stanach),
• wysypkę (przy zapaleniu meningokokowym),
• u niemowląt: gorączkę, wymioty, przejmujący/metaliczny/wysoki krzyk; wybrzuszone ciemiączko; napady padaczki.

### Krótko o bakteryjnym zapaleniu opon mózgowych

Bakteryjne zapalenie opon mózgowych powstaje wskutek zakażenia takimi szczepami bakterii, jak *Haemophilus influenzae, Streptococcus pneumoniae, Escherichia coli, Pseudomonas, Staphulococcus* i streptokoki z grupy A. U dzieci w wieku od 2 miesięcy do 3 lat *H. influenzae* jest pospolitym komensalem jamy nosowo-gardłowej. Pneumokokowe zapalenie opon mózgowych pojawia się zazwyczaj u ludzi po 40. roku życia.

Infekcja meningokokowa obejmuje płyny i błony mózgu i rdzenia kręgowego. Jest to choroba niezwykle groźna, zwłaszcza dla dzieci. Rozprzestrzenia się poprzez kaszel i kichanie. Osobom udającym się w podróż do krajów subsaharyjskich, a więc na obszary między Nigerią i Somalią, zaleca się szczepienia ochronne przeciw zapaleniu opon mózgowych. W roku 2000 epidemie tej choroby wystąpiły w Republice Środkowoafrykańskiej, Nigrze, Etiopii i Sudanie. Ostatnio Amerykańskie Ośrodki Zwalczania Chorób nie zalecają już powtórnych szczepień osobom udającym się do Arabii Saudyjskiej, Nepalu, Indii, Mongolii, Kenii, Burundi i Tanzanii, a więc do miejsc, w których kiedyś odnotowano epidemie zapalenia opon mózgowych.

Bakteryjne zapalenie opon mózgowych jest chorobą niebezpieczną, tym bardziej że nieleczona rozprzestrzenia się w organizmie szybko i w ciągu jednej zaledwie doby może zagrozić życiu człowieka. Zapalenie opon mózgowych może się zakończyć śmiertelnym zejściem u noworodków, osób starszych lub osłabionych, a także wtedy, gdy zostanie zbyt późno rozpoznane. U około 10% dzieci, które przeżyły chorobę, obserwuje się różne upośledzenia neurologiczne, zwłaszcza utratę słuchu.

## Związki zapalenia opon mózgowych z grupami krwi

W obrębie układu AB0 większość chorych na meningokokowe zapalenie opon mózgowych to osoby niewydzielające antygenów do płynów ustrojowych. W jednym z badań na ten temat przeanalizowano stężenie IgG, IgA i IgM w osoczu i ślinie 357 uczniów i nauczycieli szkół średnich, w których odnotowano epidemie zapalenia opon mózgowych wywołanego bakteriami *Neisseria lactamica* i *N. meningitidis*. W ślinie niewydzielaczy stwierdzono znacząco niższe stężenie przeciwciał swoistych dla *N. lactamica* i izolatów meningokokowych. Badacze konkludują stwierdzeniem,

że wydzielanie IgM odgrywa u dzieci ważną rolę, chroniąc ich śluzówkę[1], oraz że osoby niewydzielające antygenów są bardziej podatne na infekcję.

Kolejne potwierdzenie na to, że status niewydzielacza jest czynnikiem ryzyka w meningokokowym zapaleniu mózgu, uzyskano w badaniach środowiskowych przeprowadzonych w angielskiej miejscowości Stonehouse (hrabstwo Glocestershire), w której odnotowano przeciągającą się epidemię zapalenia opon mózgowych. Określono grupę krwi 5 tysięcy mieszkańców oraz ich zdolność do wydzielania antygenów do płynów ustrojowych. Okazało się, że udział niewydzielaczy jest w populacji Stonehouse znacząco większy niż u dawców krwi z południowo-zachodniej Anglii i Anglii w ogóle. W grupie trzynastu mieszkańców Stonehouse chorych na meningokokowe zapalenie opon mózgowych przeszło połowa miała status niewydzielaczy[2].

## Terapie stosowane przy bakteryjnym zapaleniu opon mózgowych

### Wszystkie grupy krwi:

Niezbędnym krokiem w leczeniu bakteryjnego zapalenia opon mózgowych jest terapia antybiotykami.

### U wszystkich czterech grup krwi układu AB0 stosuje się następujące protokoły:

• antybakteryjny
• wspomagający leczenie antybiotykami

## Tematy pokrewne

Choroby bakteryjne (ogólnie)
Choroby zakaźne

**Bibliografia**

1. Zorgani AA, Stewart J, Blackwell CC, Elton RA, Weir DM. Secretor status and humoral immune responses to Neisseria lactamica and Neisseria meningitidis. *Epidemiol Infect.* 1992; 109:445–452.
2. Blackwell CC, Weir DM, James VS, Cartwright KA, Stuart JM, Jones DM. The Stonehouse study: secretor status and carriage of Neisseria species. *Epidemiol Infect.* 1989; 102:1–10.

# CHOROBY BAKTERYJNE: ZAPALENIE PŁUC

**CHOROBY BAKTERYJNE: ZAPALENIE PŁUC** – ostra infekcja miąższu płuc, w tym również przestworów między pęcherzykami płucnymi i tkanki śródmiąższowej.

| Bakteryjne zapalenie płuc | PODATNOŚĆ | | |
|---|---|---|---|
| | NISKA | UMIARKOWANA | ZNACZNA |
| Grupa A | | | |
| Grupa B | | | |
| Grupa AB | | | |
| Grupa 0 | | | |

## Objawy

• różne

## Krótko o zapaleniu płuc

Zapalenie płuc może być wynikiem zakażenia bakteriami, wirusami i innymi organizmami. Zależnie od umiejscowienia bywa określane jako płatowe (gdy zaatakowany zostaje któryś z płatów płucnych) lub odoskrzelowe (jeśli ogniska infekcji są rozrzucone), ponieważ jednak nie mówią nic ani o przyczynie choroby, ani o metodach leczenia, nie mają dla lekarza praktycznego znaczenia. Tymczasem czynnikiem decydującym o przebiegu choroby i sposobie jej leczenia jest rodzaj organizmu chorobotwórczego, który ją wywołał. Organizmy te dostają się do płuc w trakcie wdechu. Zdarza się, że przyczyną choroby jest zachłyśnięcie zupełnie niegroźnym szczepem bakterii, obecnym na co dzień w jamie ustnej. Zapalenie płuc może się też wywiązać w wyniku rozprzestrzenienia się, poprzez układ krwionośny, zakażeń powstałych w obrębie innych narządów.

Bakterie lub inne czynniki chorobotwórcze, które zaatakowały drogi oddechowe, po dotarciu do pęcherzyków płucnych stają się obiektem ataku sił obronnych układu odpornościowego, a w szczególności makrofagów, dużych białych krwinek, które dosłownie zjadają ciała obce. Zdrowy, prawidłowo działający układ odpornościowy jest w stanie utrzymać płuca w sterylności.

Jeśli jednak system ochronny organizmu ulegnie osłabieniu lub uszkodzeniu, bakterie i inne mikroorganizmy, takie jak wirusy, grzyby i pasożyty mogą spowodować zapalenie płuc.

Najczęstszą przyczyną zapalenia płuc jest bakteria, paciorkowiec (dwoinka) *Streptococcus pneumoniae*. Jest ona przyczyną blisko połowy przypadków zapalenia płuc pochodzenia środowiskowego. Właśnie z tego powodu bakterie te nazywane są pneumokokami, a ten typ zapalenia płuc nazywany bywa pneumokokowym. *Staphylococcus aureus*, gram-dodatnia bakteria o nazwie gronkowiec złocisty jest odpowiedzialna za kolejne 10% zachorowań na formę bakteryjną zapalenia. Gronkowcowa postać zapalenia rzadko atakuje zdrowych dorosłych, jednakże może się rozwinąć już w pięć dni po infekcji grypowej, zazwyczaj u osobników podatnych, o osłabionym układzie odpornościowym, małych dzieci, osób hospitalizowanych lub przyjmujących narkotyki w postaci zastrzyków.

Objawy bakteryjnego zapalenia płuc pojawiają się nagle i mogą to być: bóle w klatce piersiowej, gorączka, drżączka, dreszcze, krótkość oddechu i przyspieszone oddychanie i bicie serca. Objawy zapalenia płuc sugerujące konieczność szybkiej pomocy lekarskiej to wysoka gorączka, szybka akcja serca, niskie ciśnienie krwi, sinica i splątanie. Odkasływana wydzielina zawiera ropę lub krew i jest pewnym wskaźnikiem poważnej infekcji. Zapaleniu płuc umiejscowionym w dolnych płatach płuc może towarzyszyć silny ból brzucha. W czasie zapalenia płuc oddychanie może być utrudnione.

Gorączka i objawy mogą być inne u osób starszych niż u młodych. U osób leciwych bodźcem do natychmiastowego udania się do lekarza powinny być już lekki kaszel i osłabienie. U niektórych chorych w zaawansowanym wieku może się pojawić splątanie, senność i ogólne pogorszenie stanu zdrowia.

W przypadku zapalenia płuc do czynników ryzyka należą infekcje górnych dróg oddechowych, niedożywienie, hospitalizacja, osłabienie lub unieruchomienie, ALKOHOLIZM, śpiączka, wdychanie bakterii, dostanie się obcych ciał do płuc, zaleganie śluzu (np. wskutek palenia papierosów), nowotwory oskrzeli i leczenie lekami immunosupresyjnymi.

W 20–30% przypadków stan zapalny rozprzestrzenia się krwiobiegiem; gdy do tego dojdzie, umieralność może wynieść nawet 30%.

## Związki zapalenia płuc z grupami krwi

Osoby z grupą krwi B są szczególnie podatne na infekcje bakteriami *S. pneumoniae*, a więc najczęstszą przyczynę bakteryjnego zapalenia płuc. Zakażenie paciorkowcami występuje u osób z grupą krwi B znacznie częściej niż u przedstawicieli innych grup z układu AB0 i jest przyczyną anginy paciorkowcowej lub znacznie poważniejszych chorób, takich jak zespół szoku toksycznego, bakteriemii i zapalenia płuc. Do poważnego w skutkach zakażenia paciorkowcami może dojść u noworodków; skutkiem może być POSOCZNICA, zapalenie płuc i ZAPALENIE OPON MÓZGOWYCH. Do powikłań neurologicznych należą: utrata wzroku i słuchu oraz opóźnienie umysłowe. Zejścia śmiertelne odnotowuje się w przypadku 6% niemowląt i 16% dorosłych. Istnieje też związek między grupą krwi B i zakażeniem paciorkowcami u noworodków. Związek ten jest na tyle silny, że ryzyko infekcji paciorkowcami podwaja się u dziecka z grupą krwi B i matką o takiej samej grupie[1].

## Terapie stosowane przy bakteryjnym zapaleniu płuc

### Wszystkie grupy krwi:
Istnieje skuteczna szczepionka przeciw zapaleniu płuc (*Pneumovax*) i jest ona szczególne zalecana diabetykom lub osobom cierpiącym na astmę, a także alkoholikom, palaczom oraz chorym po usunięciu śledziony.

### U wszystkich czterech grup krwi układu AB0 stosuje się następujące protokoły:
- antybakteryjny
- wspomagający leczenie antybiotykami

## Tematy pokrewne

Choroby bakteryjne (ogólnie)
Choroby zakaźne
Grypa
Odporność
Zapalenie oskrzeli

**Bibliografia**

1. Haverkorn MK, Goslings WR. Streptococci, AB0 blood groups, and secretor status. *Am J Hum Genet.* 1969; 21:360–375.

---

# CHOROBY PASOŻYTNICZE: *LAMBLIOZA (GIARDIOZA)* – infekcja jelita cienkiego wiciowcem pasożytniczym z rodzaju *Giardia*.

| Lamblioza | RYZYKO ZACHOROWANIA | | |
|---|---|---|---|
| | NISKIE | UMIARKOWANE | ZNACZNE |
| Grupa A | | | |
| Grupa B | | | |
| Grupa AB | | | |
| Grupa 0 | | | |

## Objawy

- biegunka z wodnistymi, cuchnącymi stolcami,
- bóle i obrzęk brzucha,
- wzdęcie i gazy,
- powracające mdłości,
- niezbyt wysoka gorączka,
- dreszcze, złe samopoczucie i bóle głowy,
- chudnięcie,
- niedorozwój (u dzieci).

## Krótko o lambliozie

Infekcja pasożytem *Giardia lamblia* (= *Lamblia intestinalis*) jest często skutkiem spożycia skażonej wody. *Giardia* występuje w organizmach dzikich zwierząt, zanieczyszczonych strumieniach i studniach. Epidemia lambliozy może wybuchnąć w miejscach, gdzie woda pitna uległa zanieczyszczeniu ściekami. *Giardia* dostaje się do organizmu człowieka, gdy pije on nieprzegotowaną wodę jezior i rzek zamieszkanych przez zwierzęta wodne, takie jak bobry i piżmaki, albo zanieczyszczonych przez zwierzęta udomowione, jak np. bydło. Choroba może się też rozprzestrzeniać przez kontakt bezpośredni, a wówczas może wywołać epidemie w przedszkolach czy żłobkach. Najpospolitszym jej objawem jest biegunka, sama w sobie poważna i wyniszczająca.

## Związki lambiozy z grupami krwi

Istnieją dość liczne doniesienia sugerujące, że na powierzchni komórki *Giardia* występuje antygen, który przypomina antygen A. Właśnie dlatego pasożyt częściej atakuje osoby z grupą krwi A, a także – do pewnego stopnia – osoby z grupą krwi AB; również przebieg infekcji jest w tych dwóch grupach poważniejszy niż w pozostałych[1,2].

## Terapie stosowane przy lambliozie

### Wszystkie grupy krwi:
Skrupulatne przestrzeganie higieny osobistej może zapobiec zarażeniu się od drugiej osoby. Leczenie bezobjawowych nosicieli zmniejsza zasięg występowania choroby, nie wiadomo jednak, czy skuteczne jest leczenie bezobjawowych nosicieli-dzieci. Wodę można odkazić, gotując ją w temperaturze co najmniej 70°C nie krócej niż 10 minut. Cysty *Giardii* nie reagują na normalne stężenie chloru; dezynfekcja jodyną musi trwać co najmniej 8 godzin. Niektóre filtry usuwają cysty *Giardia* z wody.

### U wszystkich czterech grup krwi układu AB0 stosuje się następujące protokoły:
- antybakteryjny
- wspomagający leczenie antybiotykami
- wspomagający zdrowie jelit

## Tematy pokrewne

Choroby bakteryjne (ogólnie)
Odporność
Choroby zakaźne

**Bibliografia**

1. Barnes GL, Kay R. Blood-groups in giardiasis. *Lancet.* 1977; 1:808.
2. Bouree P, Bonnot G. Study of relationship of AB0 and Rh blood group, and HLA antigens with parasitic diseases. *J Egypt Soc Parasitol.* 1989;19:67–73.

## CHOROBY PASOŻYTNICZE: PEŁZAKOWICA (CZERWONKA PEŁZAKOWATA) – infekcja okrężnicy pełzakiem pasożytniczym *Entamoeba hystolytica*.

| Pełzakowica | RYZYKO ZACHOROWANIA | | |
|---|---|---|---|
| | NISKIE | UMIARKOWANE | ZNACZNE |
| Grupa A | | | |
| Grupa B | | | |
| Grupa AB | | | |
| Grupa 0 | | | |

## Objawy

- biegunka i zaparcie, na zmianę,
- wzdęcia, gazy i kurcze,
- ból brzucha,
- tkliwość okolicy wątroby i wstępnicy,
- stolce ze śluzem i krwią.

## Krótko o pełzakowicy

Pełzakowica, inaczej czerwonka pełzakowata, jest chorobą obszarów tropikalnych, ale występuje też na obszarach umiarkowanych. Charakteryzuje się epizodami oddawania częstych luźnych stolców zawierających krew, śluz i żywe trofozoity (formy wegetatywne zdolne do rozmnażania bezpłciowego) pełzaka *Entamoeba histolytica*. Badanie wykazuje wrażliwość w zakresie od umiarkowanej czułości do wyraźnego bólu brzucha, a także gorączkę i objawy zatrucia uogólnionego (układowego). Między nawrotami choroby objawy łagodnieją do okresowych kurczów i luźnych lub bardzo miękkich stolców, jednakże postępuje wyniszczenie i NIEDOKRWISTOŚĆ. Mogą się pojawić symptomy podostrego zapalenia wyrostka, a operacja w tym okresie może doprowadzić do zapalenia otrzewnej. Infekcja przewlekła przypomina zapalenie jelit i przejawia się przerywaną, niepełzakową biegunką, z bólem w okolicy brzucha, śluzem, wzdęciem i gazami oraz utratą wagi. Przewlekła infekcja przejawia się obecnością wyczuwalnych dłonią, czułych zgrubień albo przypominających nowotwór okrągłych nacieczeń w kątnicy i zstępnicy.

Ogólnoświatowe rozmieszczenie pasożytów zależy od wielu czynników geograficznych, rozwarstwienia społecznego, wieku i zagęszczenia, a wreszcie niehigienicznych warunków podczas przygotowywania posiłków i niedostatecznej jakości wody oraz higieny osobistej. Dla zakażenia, patogenezy i leczenia tej choroby duże znaczenie mają również czynniki genetyczne.

## Związki pełzakowicy z grupami krwi

Wprawdzie istnieją dane na to, że pełzaki raczej nie przywierają do krwinek żadnej określonej grupy krwi[1,2], to jednak inne badania sugerują, że procent pasożytów zniszczonych przez komórki układu odpornościowego był większy, jeśli przylegały one do krwinek grupy A i AB, a nie 0 i B[3]. Choć nie dowiedziono, że któraś z grup krwi zaraża się łatwiej, jednakże wydaje się, że grupy krwi A i AB zdolne są do silniejszej odpowiedzi immunologicznej. Pewne badania sugerują, że być może właśnie dlatego infekcje pełzakowe częściej występują u osób z grupą krwi B.

## Terapie stosowane przy pełzakowicy

### Wszystkie grupy krwi:

**Trzymaj się bezpiecznych zasad podróżowania.** Jeśli wybierasz się do kraju ubogiego, postępuj zgodnie z następującymi zasadami:

- Unikaj spożywania surowego lub krótko gotowanego mięsa i owoców morza.
- Unikaj spożywania surowych warzyw i owoców, chyba że je osobiście obierasz ze skórki.
- Unikaj picia wody z kranu i używania kostek lodu z niej wyprodukowanych.
- Nie kupuj pożywienia na ulicznych straganach.
- Jeśli masz zamiar wędrować po górach, zabierz w podróż specjalne tabletki do dezynfekcji wody (można je kupić w sklepach podróżniczych i niektórych drogeriach).
- Sprawdź zawczasu, które restauracje w tym kraju mają wysoki standard usług.
- Do mycia zębów i picia używaj jedynie wody butelkowanej, nawet w hotelach. Ponieważ dwutlenek węgla zdaje się zabijać niektóre mikroorganizmy, zatem właśnie woda nasycana dwutlenkiem węgla jest w tym wypadku najbezpieczniejsza. Upewnij się tylko, czy butelka była dobrze zamknięta.

*U wszystkich czterech grup krwi układu AB0 stosuje się następujące protokoły:*
- antybakteryjny
- wspomagający leczenie antybiotykami
- wspomagający zdrowie jelit

## Tematy pokrewne

Choroby bakteryjne (ogólnie)
Choroby zakaźne
Odporność

# CHOROBY PASOŻYTNICZE: ZAKAŻENIE TĘGORYJCEM (ANCYLOSTOMATOZA; ANEMIA GÓRNIKÓW)

– infekcja pasożytami tęgoryjca *Ancylostoma duodenale* lub *Necator americanus* powodująca bóle brzucha i niedokrwistość z niedoboru żelaza.

| Ancylostomatoza | RYZYKO ZACHOROWANIA | | |
|---|---|---|---|
| | NISKIE | UMIARKOWANE | ZNACZNE |
| Grupa A | | | |
| Grupa B | | | |
| Grupa AB | | | |
| Grupa 0 | | | |

## Objawy

Zakażenie tęgoryjcem jest w większości przypadków bezobjawowe. Jednakże w fazie ostrej mogą wystąpić następujące objawy:
- ból gastryczny ze skurczami,
- jadłowstręt,
- wzdęcie i gazy,
- biegunka,
- chudnięcie.

Infekcja przewlekła może doprowadzić do:
- niedokrwistości z niedoboru żelaza
- bladości i osłabienia,
- częstoskurczu serca,
- oszołomienia,
- niepłodności,
- obrzęku.

## Krótko o tęgoryjcu

Do infekcji tęgoryjcem może dojść po zetknięciu się z zainfekowaną osobą lub zwierzęciem. Stadium inwazyjnym jest larwa, która przewierca się przez skórę i w czasie swego cyklu życiowego wędruje przez wątrobę i płuca, a wreszcie przyczepia się do śluzówki jelita cienkiego, gdzie dojrzewa. Tęgoryjec pozbawia organizm człowieka składników odżywczych, a głównym skutkiem inwazji jest ciężka chroniczna niedokrwistość z braku żelaza. Tęgoryjcem zakażonych jest około 25% populacji świata.

## Związki zakażenia tęgoryjcem z grupami krwi

Tęgoryjec najczęściej występuje u osób z grupą krwi 0[1].

## Terapie stosowane przy zakażeniu tęgoryjcem

### Wszystkie grupy krwi:
- leczenie ancylostomatozy przebiega pod kierunkiem lekarza i z zastosowaniem środków odrobaczających. W USA jest to na przykład mabendazol, skuteczny w 99% osób już po 3 dniach stosowania.
- Przy ciężkiej infekcji chory potrzebuje ogólnego wzmocnienia i zrównoważenia skutków niedokrwistości. To można zazwyczaj uzyskać, podając doustnie preparat żelaza, czasem jednak, przy cięższych infekcjach potrzebne są zastrzyki lub nawet transfuzja. Środek odrobaczający można podać natychmiast po ustabilizowaniu się stanu chorego.

### Protokoły stosowane przy grupie krwi A:
- antybakteryjny
- wspomagający leczenie antybiotykami
- krwiotwórczy
- wspomagający zdrowie jelit

### Protokoły stosowane przy grupie krwi B:
- antybakteryjny
- wspomagający leczenie antybiotykami
- wspomagający zdrowie jelit

### Protokoły stosowane przy grupie krwi AB:
- antybakteryjny
- wspomagający leczenie antybiotykami
- krwiotwórczy
- wspomagający zdrowie jelit

### Protokoły stosowane przy grupie krwi 0:
- antybakteryjny
- wspomagający leczenie antybiotykami
- wspomagający zdrowie jelit

## Tematy pokrewne

Choroby bakteryjne (ogólnie)
Choroby zakaźne
Niedokrwistość
Odporność

**Bibliografia**

1. Bouree P, Bonnot G. Study of relationship of AB0 and Rh blood group, and HLA antigens with parasitic diseases. *J Egypt Soc Prasitol*. 1989;19:67–73.

---

# CHOROBY TARCZYCY (OGÓLNIE) –
nieprawidłowości funkcjonowania tarczycy.

| Choroby tarczycy | RYZYKO ZACHOROWANIA | | |
|---|---|---|---|
| | NISKIE | UMIARKOWANE | ZNACZNE |
| Grupa A (niedoczynność) | | | |
| Grupa B | | | |
| Grupa AB | | | |
| Grupa 0 (podłoże autoagresyjne/ /nadczynność) | | | |
| niewydzielacze (nadczynność) | | | |

## Objawy

NADCZYNNOŚĆ:
- chudnięcie,
- nadmierny apetyt,
- nadmierna potliwość,
- palpitacje,
- przyspieszenie bicia serca,
- zbyt częste wypróżnienia,
- wytrzeszcz,
- wole.

NIEDOCZYNNOŚĆ:
- łysienie,
- suchość skóry,

- zatrzymywanie wody w tkankach,
- słabość mięśni,
- zaburzenia chodu,
- nietolerowanie chłodów,
- zaparcia,
- powolność,
- zmęczenie.

## Krótko o chorobach tarczycy

Tarczyca to gruczoł położony powyżej tchawicy i wspólnie z przysadką mózgową regulujący METABOLIZM organizmu. Substancją regulującą jest hormon–tyroksyna. Synteza tyroksyny wymaga, by w diecie znalazła się odpowiednia ilość jodu (występującego przede wszystkim w owocach morza i soli jodowanej). Kiedy poziom jodu jest niewielki, powstaje wole, a produkcja tyroksyny ulega zahamowaniu. Zanim jod stał się pospolitym składnikiem diety, w niektórych rejonach świata wole było dość pospolite.

Przysadka „wyczuwa" niedobory tyroksyny i produkuje hormon stymulacyjny zwany tyreotropiną lub hormonem stymulującym tarczycę (*thyroid stimulating hormone*; TSH), który pobudza tarczycę do intensywnego wydzielania tyroksyny.

Pod wpływem stymulacji TSH tarczyca wytwarza przede wszystkim dwa hormony, $T_4$ (tyroksynę) i $T_3$ (trójjodotyroninę). $T_4$ powstaje w wielkich ilościach, ale nie jest bardzo aktywna. Z drugiej zaś strony tarczyca wytwarza tylko niewielką ilość $T_3$, za to bardzo aktywnego. Aby hormon $T_4$ mógł mieć realny wpływ na procesy zachodzące w organizmie, ulega on serii reakcji biochemicznych (sprzęganie fenolowe, deaminacja, dekarboksylacja, kaskada monodejodynacyjna), w wyniku których zostaje przekształcony w aktywną trójjodotyroninę ($T_3$) i odwrotną trójjodotyroninę ($rT_3$), której obecność hamuje monodejodynację. Około 80% ogólnej ilości trójjodotyroniny powstaje właśnie w ten sposób, w tkankach pozatarczycowych*. Gdy ilość odwrotnej trójjodotyroniny $rT_3$ przeważa nad ilością $T_3$, komórki zaczynają działać tak, jakby czynność tarczycy była zahamowana,

---

\* Głównie w wątrobie i nerkach – przyp. tłum.

nawet jeśli funkcjonuje normalnie. Jest to tak zwany zespół niskiego $T_3$, będący ważnym czynnikiem reakcji organizmu na STRES.

Nadczynność tarczycy, najpowszechniejsze z zaburzeń funkcjonalnych tego gruczołu, jest wynikiem nadprodukcji tyroksyny i utraty kontroli nad tym procesem przez przysadkę, a jedynie z rzadka skutkiem nadmiernego wytwarzania TSH. Nadczynność tarczycy może też być wywołana nadwrażliwością jakiegoś obszaru tarczycy lub chorobą o podłożu autoagresyjnym, nazywaną CHOROBĄ BASEDOWA.

Przeciwieństwem nadczynności jest niedoczynność, polegająca na niedostatecznej produkcji tyroksyny. Jest to niemal zawsze choroba autoimmunologiczna, w której organizm wytwarza przeciwciała skierowane przeciwko swojej własnej tarczycy. Najpospolitszą postacią niedoczynności tarczycy jest CHOROBA HASHIMOTO.

## Stres a choroby tarczycy

Znaleziono wyraźne związki między chorobami tarczycy i stresem. Najbardziej dramatycznym ich przykładem były badania przeprowadzone w Danii, w latach 1941–1945, czyli w czasie niemieckiej okupacji tego kraju. Zaobserwowano wówczas ogromny wzrost liczby przypadków nadczynności tarczycy w porównaniu do 100 lat poprzedzających okupację. Współczesne badania na próbie 116 kobiet z chorobą Basedowa wykazały, że większość z nich przeszła jakieś stresujące przeżycia na krótko przed zdiagnozowaniem dolegliwości. Istnieje też zależność między chorobami tarczycy i DEPRESJĄ. Lit, lek stosowany powszechnie do leczenia depresji maniakalnej, często wywołuje niedoczynność tarczycy. W jakiś sposób pierwiastek ten, występujący w postaci soli, stymuluje wytwarzanie zupełnie nowych przeciwciał, które kierują się przeciw tarczycy. Efekt ten obserwuje się 10 razy częściej u kobiet zażywających lit niż u mężczyzn. Sama depresja również jest związana z niedoczynnością tarczycy.

Czynność tarczycy może ulec zaburzeniu również wskutek niezwykle restrykcyjnej diety. Ponieważ rolą tarczycy jest nadzorowanie wydatkami energetycznymi organizmu, reakcją na znaczny niedobór kalorii w pożywieniu będzie spowolnienie metabolizmu. Jest to biologiczna odpowiedź organizmu na niedobór pożywienia (głód).

## Związki chorób tarczycy z grupami krwi

Grupa krwi 0 ma skłonności do chorób o podłożu autoagresyjnym (zarówno Basedowa, jak i Hashimoto). Podczas gdy komórki zdrowej tarczycy nie prezentują licznych antygenów grup krwi, chory gruczoł produkuje ich olbrzymie ilości. Stan zapalny tkanki tarczycy wywołuje wzmożoną ekspresję antygenu A, zaś osoby z grupą krwi 0 mają w swojej krwi przeciwciała anty-A.

Wprawdzie stwierdzono, że w grupie A częściej występuje niedoczynność tarczycy, jednakże możliwe jest, że skutki podobne do zahamowania czynności tarczycy może wywoływać wysoki poziom kortyzolu, powodujący błędną diagnozę (patrz NIEDOCZYNNOŚĆ TARCZYCY)[1].

Większą częstość występowania choroby Basedowa obserwuje się w układzie AB0 u niewydzielaczy. Niezdolność do wydzielania do śliny rozpuszczalnych w wodzie glikoprotein antygenowych znacznie częściej występuje u osób cierpiących na chorobę Basedowa niż w populacji kontrolnej (40%:27%), ale nie u chorych na chorobę Hashimoto czy spontaniczną pierwotną, atroficzną postać niedoczynności tarczycy. Stwierdzono, że pacjenci z chorobą Basedowa, którzy nie wydzielali substancji grupowych ABH, wytwarzają więcej przeciwciał antytubulinowych, natomiast poziom ich pozostałych przeciwciał jest podobny jak u wydzielaczy[2].

## Terapie stosowane przy chorobach tarczycy

*Wszystkie grupy krwi:*
- Niedoczynność tarczycy jest często zmniejszana farmakologicznie poprzez dostarczanie hormonów tarczycy w postaci leku doustnego. Niestety, wiąże się to często ze skutkami ubocznymi i komplikacjami związanymi z niewłaściwym dawkowaniem. Zahamowanie nadczynności uzyskuje się

poprzez zastosowanie długoterminowej terapii zmniejszającej aktywność gruczołu, niszczenie tkanki gruczołu radioaktywnym jodem czy wreszcie tyroidektomię, czyli chirurgiczne usunięcie części gruczołu. Takie metody leczenia nadczynności i niedoczynności zawsze wiążą się z pewnym ryzykiem i wystąpieniem skutków ubocznych.

• Nadmiernie czynna tkanka tarczycy jest znacznie bardziej podatna na aglutynacyjny efekt lektyn pszenicy i soi niż tkanka zdrowa, tak więc wskazana jest w tym wypadku dieta niskolektynowa.

*U wszystkich czterech grup krwi układu AB0 stosuje się następujące protokoły:*
• usprawniający metabolizm
• detoksykacyjny

## Tematy pokrewne

Choroba Gravesa i Basedowa
Choroba Hashimoto
Choroby autoagresyjne (ogólnie)
Nadczynność tarczycy
Niedoczynność tarczycy
Otyłość
Stres

**Bibliografia**

1. Carmel R. Spencer CA. Clinical and sublinical thyroid disorders associated with pernicious anemia. Observations on abnormal thyroid-stimulating hormone levels and on a possible association of blood group 0 with hyperhyroidism. *Arch Intern Med.* 1982;142:1165–1469.
2. Toft AB, Blackwell CC, Saadi AT, et al. Secretor status and infection in patients with Graves' disease. *Autoimmunity.* 1990;7:279–289.

# CHOROBY TARCZYCY: CHOROBA BASEDOWA (CHOROBA GRAVESA I BASEDOWA) – autoagresyjna stymulacja tkanki tarczycy.

| Choroba Basedowa | RYZYKO ZACHOROWANIA | | |
|---|---|---|---|
| | NISKIE | UMIARKOWANE | ZNACZNE |
| Grupa A | | | |
| Grupa B | | | |
| Grupa AB | | | |
| Grupa 0 | | | |
| niewydzielacze | | | |

## Objawy

• chudnięcie,
• nadmierne łaknienie,
• duża potliwość,
• palpitacje,
• przyśpieszone bicie serca,
• częste wypróżnianie,
• wytrzeszcz,
• wole.

### Krótko o chorobie Basedowa

Choroba Basedowa jest najpospolitszą postacią nadczynności tarczycy. W czasie tej choroby autoagresyjnej (autoimmunizacyjnej) organizm wytwarza przeciwciała, które nadmiernie stymulują tarczycę, w wyniku czego produkuje ona za dużo hormonów. Przyczyna choroby Basedowa nie jest znana, być może jednak wiąże się z jakąś chorobą genetyczną lub odpornościową. U osób chorych na chorobę Basedowa występują też inne choroby układu wydzielniczego.

### Związki choroby Basedowa z grupami krwi

Osoby z grupą krwi 0 częściej chorują na autoagresyjne postaci choroby tarczycy: chorobę Basedowa i chorobę Hashimoto. Komórki zdrowej tarczycy nie prezentują licznych antygenów grup krwi, jednakże chory gruczoł produkuje ich olbrzymie ilości. Stan zapalny tkanki tarczycy wywołuje wzmożoną ekspresję antygenu A, zaś osoby z grupą krwi 0 mają w surowicy krwi przeciwciała anty-A[1].

Większą częstość występowania choroby Basedowa obserwuje się w układzie AB0 u niewydzielaczy. Niezdolność do wydzielania do śliny rozpuszczalnych w wodzie glikoprotein antygenowych znacznie częściej występuje u osób mających chorobę Basedowa niż w populacji kontrolnej (40%:27%), ale nie u chorych na CHOROBĘ HASHIMOTO czy spontaniczną pierwotną, atroficzną postać niedoczynności tarczycy. Stwierdzono, że chorzy na chorobę Basedowa, którzy nie wydzielali substancji grupowych ABH, wytwarzają więcej przeciwciał antytubulinowych, natomiast poziom ich pozostałych przeciwciał jest podobny jak u wydzielaczy[2].

### Terapie stosowane przy chorobach tarczycy

*Wszystkie grupy krwi:*
Nadmiernie czynna tkanka tarczycy jest znacznie bardziej podatna na aglutynacyjny efekt lektyn pszenicy i soi niż tkanka zdrowa, tak więc wskazana jest w tym wypadku dieta niskolektynowa.

*U wszystkich czterech grup krwi układu AB0 stosuje się następujące protokoły:*
- usprawniający metabolizm
- detoksykacyjny

### Tematy pokrewne

Choroba Hashimoto
Choroby autoagresyjne (ogólnie)
Nadczynność tarczycy
Niedoczynność tarczycy
Otyłość
Stres

**Bibliografia**
1. Carmel R, Spencer CA. Clinical and subclinical thyroid disorders associated with pernicious anemia. Observations on abnormal thyroid-stimulating hormone levels and on a possible association of blood group 0 with hyperhyroidism. *Arch Intern Med.* 1982;142:1465–1469.

2. Toft AD, Blackwell CC, Saadi AT, et al. Secretor status and infection in patients with Graves'disease. *Autoimmunity.* 1990;7:279–289.

## CHOROBY TARCZYCY: CHOROBA HASHIMOTO (WOLE LIMFOCYTARNE)
– autoagresyjne niszczenie tkanki tarczycy.

| Choroba Hashimoto | RYZYKO ZACHOROWANIA | | |
|---|---|---|---|
| | NISKIE | UMIARKOWANE | ZNACZNE |
| Grupa A | | | |
| Grupa B | | | |
| Grupa AB | | | |
| Grupa 0 | | | |

### Objawy

- łysienie,
- suchość skóry,
- zatrzymywanie wody w tkankach,
- osłabienie mięśni,
- zaburzenia chodu,
- nietolerancja chłodu,
- zaparcie,
- powolność,
- męczliwość.

### Krótko o chorobie Hashimoto

Choroba Hashimoto jest wynikiem niszczenia tkanki tarczycy wskutek ataku układu immunologicznego. Uważana jest ona za główną przyczynę niedoczynności tarczycy w Ameryce Północnej. Choroba Hashimoto 8 razy częściej występuje u kobiet niż u mężczyzn, a częstość jej występowania rośnie z wiekiem. Wśród chorych obserwuje się tendencje dziedziczne, a szczególną skłonność do tej choroby mają osoby z zaburzeniami chromosomalnymi, takimi jak zespół Turnera, Downa i Klinefeltera. Badania histologiczne wykazały wnikanie limfocytów do pęcherzyków tarczycowych. Z chorobą Hashimoto mogą współegzystować inne zaburzenia natury auto-immunologicznej, takie jak NIEDOKRWISTOŚĆ ZŁOŚLIWA, REUMATOIDALNE ZAPALENIE STAWÓW, TOCZEŃ i ZESPÓŁ SJÖGRENA. Nierzadko chorobie Hashimoto towarzyszą też inne choroby autoimmunologiczne, w tym choroba Addisona i CUKRZYCA INSULINOZALEŻNA.

## Związki choroby Hashimoto z grupami krwi

Większą skłonnością do zapadania na auto-agresyjne postaci choroby tarczycy, w tym chorobę Basedowa i chorobę Hashimoto, charakteryzują się osoby z grupą krwi 0. Podczas gdy komórki zdrowej tarczycy nie prezentują licznych antygenów grup krwi, chory gruczoł produkuje ich olbrzymie ilości. Stan zapalny tkanki tarczycy wywołuje wzmożoną ekspresję antygenu A, zaś osoby z grupą krwi 0 mają w surowicy krwi[1] przeciwciała anty-A, co sprawia, że są na tę chorobę bardziej podatne.

## Terapie stosowane przy chorobie Hashimoto

### Wszystkie grupy krwi:

Choroba Hashimoto jest zazwyczaj nieuleczalna i wymaga stosowania przez całe życie terapii hormonalnej, która pozwala zmniejszyć niedoczynnościowe wole i leczyć skutki niedoczynności. Rzadziej występuje przejściowa forma choroby Hashimoto. Przeciętna dzienna dawka zastępcza L-tyroksyny wynosi 75–150 mg.

### U wszystkich czterech grup krwi układu AB0 stosuje się następujące protokoły:

- usprawniający metabolizm
- detoksykacyjny

## Tematy pokrewne

Choroba Gravesa i Basedowa
Choroby autoagresyjne (ogólnie)
Otyłość

**Bibliografia**

1. Carmel R, Spencer CA. Clinical and subclinical thyroid disorders associated with pernicious anemia. Observations on abnormal thyroid-stimulating hormone levels and on a possible association of blood group 0 with hyperthroidism. *Arch Intern Med.* 1982;142:1465–1469.

# CHOROBY TARCZYCY: NADCZYNNOŚĆ TARCZYCY – nadprodukcja hormonów tarczycy.

| Nadczynność tarczycy | RYZYKO ZACHOROWANIA | | |
|---|---|---|---|
| | NISKIE | UMIARKOWANE | ZNACZNE |
| Grupa A | | | |
| Grupa B | | | |
| Grupa AB | | | |
| Grupa 0 | | | |
| niewydzielacz | | | |

### Objawy
- chudnięcie,
- nadmierne łaknienie,
- duża potliwość,
- palpitacje,
- przyśpieszone bicie serca,
- częste wypróżnianie,
- wytrzeszcz,
- wole nadczynnościowe.

## Krótko o nadczynności tarczycy

Nadczynność tarczycy, najpowszechniejsze z zaburzeń funkcjonalnych tego gruczołu, jest wynikiem nadprodukcji tyroksyny i utraty kontroli nad tym procesem przez przysadkę, a jedynie z rzadka skutkiem nadmiernego wytwarzania TSH przez przysadkę. Nadczynność tarczycy może też być wywołana nadwrażliwością jakiegoś obszaru tarczycy lub chorobą o podłożu auto-agresyjnym, nazywaną chorobą Basedowa.

## Związki nadczynności tarczycy z grupami krwi

W porównaniu z innymi grupami krwi osoby z grupą krwi 0 częściej chorują na nadczynność tarczycy. W pewnych badaniach na 162 pacjentach o zdiagnozowanej ANEMII ZŁOŚLIWEJ okazało się, że 24,1% chorych ma również chorobę tarczycy kwalifikującą ich do leczenia klinicznego. Grupę krwi 0 miało ośmiu na dziewięciu chorych z nadczynnością i wszyscy (7) pacjenci z niskim poziomem TSH, co kontrastowało silnie z obrazem uzyskanym dla chorych na niedoczynność, którzy znacznie częściej legitymowali się krwią grupy A[1].

W układzie grupowym AB0 największą częstość występowania nadczynności tarczycy obserwuje się u niewydzielaczy. Niezdolność do wydzielania do śliny rozpuszczalnych w wodzie glikoprotein antygenowych jest bardziej powszechna wśród osób chorych na CHOROBĘ BASEDOWA niż w grupie kontrolnej (40%:27%), ale nie wśród chorych na CHOROBĘ HASHIMOTO czy spontaniczną pierwotną, atroficzną postać niedoczynności tarczycy. Stwierdzono, że chorzy z nadczynnością tarczycy, którzy nie wydzielali substancji grupowych ABH, wytwarzają więcej przeciwciał antytubulinowych, natomiast poziom ich pozostałych przeciwciał jest podobny jak u wydzielaczy[2].

## Terapie stosowane przy nadczynności tarczycy

### Wszystkie grupy krwi:

Nadmiernie czynna tkanka tarczycy jest znacznie bardziej podatna na aglutynacyjny efekt lektyn pszenicy i soi niż tkanka zdrowa, tak więc wskazana jest w tym wypadku dieta niskolektynowa.

### U wszystkich czterech grup krwi układu AB0 stosuje się następujące protokoły:

* usprawniający metabolizm
* detoksykacyjny

## Tematy pokrewne

Choroba Gravesa i Basedowa
Choroba Hashimoto

Choroby autoagresyjne (ogólnie)
Nadczynność tarczycy
Niedoczynność tarczycy
Otyłość

**Bibliografia**

1. Carmel R, Spencer CA. Clinical and subclinical thyroid disorders associated with pernicious anemia. Observations on abnormal thyroid-stimulating hormone levels and on a possible association of blood group 0 with hyperhyroidism. *Arch Intern Med.* 1982;142:1465–1469.
2, Toft AD, Blackwell CC, Saadi AT, et al. Secretor status and infection in patients with Graves'disease. *Autoimmunity.* 1990;7:279–289.

## CHOROBY TARCZYCY: NIEDOCZYNNOŚĆ TARCZYCY – uwalnianie niedostatecznej ilości hormonów tarczycy.

| Niedoczynność tarczycy | RYZYKO ZACHOROWANIA | | |
|---|---|---|---|
| | NISKIE | UMIARKOWANE | ZNACZNE |
| Grupa A | | | |
| Grupa B | | | |
| Grupa AB | | | |
| Grupa 0 (autoimmunizacja) | | | |

## Objawy

* łysienie,
* suchość skóry,
* zatrzymywanie wody w tkankach,
* osłabienie mięśni,
* zaburzenia chodu,
* nietolerancja chłodu,
* niska temperatura ciała,
* zaparcie,
* powolność,
* męczliwość.

## Krótko o niedoczynności tarczycy

Niedoczynność tarczycy to stan, w którym uwalnia ona zbyt mało hormonów tarczycy. Przyczyną tego jest niemal zawsze nieprawidłowa reakcja układu odpornościowego (autoimmunizacja, autoagresja), podczas której atakuje on tkanki własnego narządu. Najczęstszą postacią niedoczynności tarczycy jest autoagresyjna choroba Hashimoto.

## Czynnik stresowy

W połowie lat sześćdziesiątych XX wieku doktor John Tintera zasugerował, że u 60% ludzi z niskim wskaźnikiem PPM (podstawowa przemiana materii; ang. *basal metabolism rate*, BMR) i niską temperaturą ciała przyczyną tych typowych objawów niedoczynności tarczycy wcale nie są zaburzenia tarczycy, ale reakcja stresowa na poziomie nadnerczy i kortyzolu. Wśród tych 60% źle zdiagnozowanych przypadków dominowały grupy krwi: A, B i AB.

W przeciwieństwie do wielu układów i narządów wydzielanie hormonów tarczycowych nie przebiega w żadnym charakterystycznym cyklu dobowym. Rytm tarczycy jest podstawowy: pozostawiona sama sobie po prostu robi swoje. Jednakże na tę podstawową działalność wpływ mogą mieć zmiany stężenia kortyzolu i DHEA. Istnieją dowody na to, że wysoki poziom kortyzolu hamuje wydzielanie tyreotropiny (TSH), hormonu stymulującego tarczycę, a to odbija się na tempie konwersji mało aktywnej tyroksyny $T_4$ do aktywnej trójjodotyroniny $T_3$. Niższy poziom $T_3$ oznacza wolniejszy metabolizm i uruchomienie konwersji $T_4$ w $rT_3$ (nieaktywną postać trójjodotyroniny). To z kolei może być początkiem łańcucha zdarzeń prowadzących do tego, że organizm człowieka zacznie niszczyć swoją własną tarczycę.

Często po zakończeniu sytuacji stresowej utrzymuje się wysoki poziom $rT_3$. Wydaje się, że klapką bezpieczeństwa w procesie konwersji $T_4$ jest kortyzol, być może stosunek kortyzolu do DHEA. Kiedy poziom kortyzolu jest wysoki, $T_4$ przekształcana jest przede wszystkim w $rT_3$. Kiedy stężenie kortyzolu spada, $T_4$ przechodzi w formę aktywną, $T_3$.

Kiedy osoba niedostosowana do sytuacji stresowych otrzymuje leki farmakologiczne mające uzupełnić niedobory hormonów tarczycy, po pewnym czasie mogą się pojawić problemy. Z początku oczywiście terapia hormonalna przyspieszy metabolizm i poprawi kondycję chorego. W końcu jednak, poprzez dodanie energii, ale również i stresu, do już i tak poddanego „przeciążeniom" układu, nieprawidłowa kuracja hormonalna spowoduje dalsze pogorszenie stanu chorego.

## Związki niedoczynności tarczycy z grupami krwi

Nietrudno sobie wyobrazić, dlaczego osoby z grupą krwi A robią wrażenie najciężej dotkniętych niedoczynnością tarczycy. Grupa krwi A reaguje na stres w sposób, który może z początku wyglądać jak niedobór hormonów tarczycy.

Różne niezależne badania wykazały, że największe skłonności do niedoczynności tarczycy ma grupa krwi A[1].

## Terapie stosowane przy niedoczynności tarczycy

*Wszystkie grupy krwi:*

Niedoczynność tarczycy jest zazwyczaj leczona za pomocą doustnej terapii hormonalnej. Wiąże się to często ze skutkami ubocznymi i komplikacjami związanymi z niewłaściwym dawkowaniem silnych hormonów tarczycowych. Nadmierna dawka hormonów może wywołać zmiany nadczynnościowe, niedostateczna zaś może pogłębić istniejącą niedoczynność.

*U wszystkich czterech grup krwi układu AB0 stosuje się następujące protokoły:*
- usprawniający metabolizm
- detoksykacyjny

## Tematy pokrewne

Choroba Gravesa i Basedowa
Choroba Hashimoto

Choroby autoagresyjne (ogólnie)
Nadczynność tarczycy
Otyłość

**Bibliografia**

1. Carmel R, Spencer CA. Clinical and subclinical thyroid disorders associated with pernicious anemia. Observations on abnormal thyroid-stimulating hormone levels and on a possible association of blood group 0 with hyperthroidism. *Arch Intern Med.* 1982;142:1465–1469.

## CHOROBY WIRUSOWE: AIDS (ZE-SPÓŁ NABYTEGO NIEDOBORU OD-PORNOŚCI) – stopniowe, pogłębiające się załamanie czynności układu odpornościowego będące wynikiem zakażenia wirusem HIV (*human immunodeficiency virus*).

| AIDS | RYZYKO ZACHOROWANIA | | |
|---|---|---|---|
| | NISKIE | UMIARKOWANE | ZNACZNE |
| Grupa A | | | |
| Grupa B | | | |
| Grupa AB | | | |
| Grupa 0 | | | |
| niewydzielacz | | | |

### Objawy

- zapalenie płuc wywołane bakterią *Pneumocystic carinii*,
- kandydoza (pleśniawki),
- mięsaki Kaposiego,
- kryptokokowe zapalenie opon mózgowych (wywołane grzybem z rodzaju *Cryptococcus*).

### Krótko o AIDS

Ludzki wirus braku odporności (HIV) jest transmitowany przez krew i płyny ustrojowe. Do najpoważniejszych czynników ryzyka należą:

- stosunek płciowy z osobą zarażoną,
- zastrzyk podskórny igłą używaną przez chorą osobę (częste wśród narkomanów),
- narodzenie z zakażonej matki,
- kontakt typu krew–krew zakażona (transfuzja, skaleczenia).

Zakażony wirusem HIV organizm ludzki próbuje zwalczyć infekcje, wytwarzając przeciwciała. To właśnie obecność przeciwciał sprawia, że test krwi nosiciela wirusa daje wynik HIV-dodatni.

Dodatni test nie oznacza jeszcze, że jesteśmy chorzy, ale obecność wirusa powoli i systematycznie osłabia układ odpornościowy. W pełni rozwinięty AIDS zostaje zazwyczaj zdiagnozowany przy okazji innej, oportunistycznej infekcji, na przykład zapalenia płuc lub pleśniawek. Postęp choroby można jednak monitorować, wykonując badania krwi na liczbę pomocniczych limfocytów T. Wirus HIV atakuje te komórki, stopniowo niszcząc je i zostawiając organizm człowieka zupełnie otwartym na wszelkie infekcje.

### Rola limfocytów T

Limfocyty T umożliwiają układowi odpornościowemu rozpoznawanie i niszczenie substancji obcych (takich jak bakterie, wirusy, grzyby). Limfocyty T stanowią 80–90% wszystkich cyrkulujących w krwiobiegu limfocytów i mogą żyć nawet 30 lat. Limfocyty T dzieli się na dwie kategorie: limfocyty T pomocnicze (Th z receptorem CD4) oraz limfocyty T supresorowe (Ts z receptorem CD8).

Istnieją dwa rodzaje pomocniczych limfocytów T:

- limfocyty pomocnicze Th1 – wytwarzają cytokiny stymulujące odporność na poziomie komórki. Do tych cytokin zalicza się: interleukina 2 (IL-2), interferon odpornościowy IFN-gamma i czynnik obumierania guza (TNF-beta),
- limfocyty pomocnicze Th2 – odpowiedzialne za reakcję humoralną i wytwarzające interleukiny 2, 4, 6 i 10, wszystkie stymulujące wytwarzanie przeciwciał.

Prócz tego istnieją też limfocyty cytotoksyczne, które zabijają komórki prezentujące obce antygeny, a więc na przykład komórki nowotworowe, zainfekowane przez wirusy, przeszczepy. Cytotoksyczne limfocyty T zawierają marker CD8. Są one w stanie stłumić odpowiedź immunologiczną i nazywane są też limfocytami T supresorowymi (Ts).

## Związki AIDS z grupami krwi

Antygeny grup krwi mogą odgrywać kluczową rolę w aktywności limfocytów T. Dlatego, choć w odpowiednich warunkach każda grupa krwi jest podatna na zakażenie wirusem HIV, to jednak chorzy z różnymi grupami krwi będą inaczej reagować na różne infekcje oportunistyczne atakujące osłabiony układ odpornościowy.

Istnieją doniesienia, że zainfekowane HIV osoby z grupą krwi A i AB mogą wytwarzać przeciwciała anty-A, dodatkowo zmniejszając swoją zdolność do zwalczania różnych infekcji oportunistycznych[1].

Wiadomo, że stres działa osłabiająco na układ odpornościowy. Mówiąc dokładniej, upośledza zdolność organizmu do wytwarzania immunoglobuliny A (IgA), należącej do najważniejszych mechanizmów chroniących człowieka przed infekcją i występującej w śluzowych wydzielinach układu trawiennego, w ustach, płucach, układzie moczowym i innych jamach ciała. IgA jest przeciwciałem z pierwszej linii frontu antybakteryjnego i antywirusowego. Osoby z grupą krwi A, a także do pewnego stopnia osoby z grupą krwi B, są szczególnie wrażliwe na sytuacje stresowe, a to z powodu poziomu kortyzolu, który jest u nich w sposób naturalny wyższy niż u innych grup krwi.

## Terapie stosowane przy AIDS

### Wszystkie grupy krwi:

Zważywszy, że wiele spośród infekcji oportunistycznych towarzyszących AIDS objawia się mdłościami, biegunką i wrzodami w jamie ustnej, zespół nabytego niedoboru odporności jest zwykle chorobą niezwykle wyniszczającą. Trzymanie się diety zgodnej z grupą krwi może mieć zatem dla chorego kluczowe znaczenie.

*U wszystkich czterech grup krwi układu AB0 stosuje się następujące protokoły:*

- antywirusowy
- przeciwgrzybiczny
- wspomagający chemioterapię
- wzmacniający układ odpornościowy

## Tematy pokrewne

Choroby bakteryjne (ogólnie)
Choroby wirusowe: Zapalenie wątroby typu B i C
Choroby zakaźne
Grzybice: Kandydoza
Odporność
Przetaczanie krwi (transfuzja)

**Bibliografia**

1. Friedli F, et al. *Clin Immunopathology.* 1996;80:96–100.

---

**CHOROBY WIRUSOWE: GRYPA** – infekcja wirusowa wywołana bardzo szczególnym i zjadliwym wirusem.

| Grypa | RYZYKO ZACHOROWANIA | | |
|---|---|---|---|
| | NISKIE | UMIARKOWANE | ZNACZNE |
| Grupa A | | | |
| Grupa B (tylko szczep A) | | | |
| Grupa AB | | | |
| Grupa 0 | | | |

## Objawy

- gorączka,
- kaszel,
- ból gardła,
- wodnisty katar,

- ból głowy,
- dreszcze i bóle mięśni,
- silne zmęczenie.

## Krótko o grypie

Grypa to zabójca sezonowy, pojawiający się każdej zimy z precyzją zegarka. Kilka razy w czasie dwudziestego stulecia grypa osiągnęła rozmiary epidemii lub nawet pandemii. „Hiszpanka", pandemia grypy w latach 1918–1919, zabiła 20 milionów ludzi na całym świecie (w samych Stanach Zjednoczonych pół miliona). W 1957 roku „grypa azjatycka" spowodowała śmierć ok. 1 mln ludzi (w tym 70 tys. Amerykanów), natomiast „grypa Hongkong" (1968–1969) zabiła 34 tys. Amerykanów i 700 tys. ludzi w innych krajach świata. Dziś, w XXI stuleciu naszej ery, grypa nadal jest zabójcza. Niektóre szczepy wirusa (np. Hongkong) zbierają co roku bogate żniwo śmierci; w samych Stanach Zjednoczonych na grypę umiera co roku 20 tys. osób – zazwyczaj osób starszych, o osłabionym układzie odpornościowym lub chorych na inne poważne schorzenia, jak CUKRZYCA, ASTMA czy CHOROBA SERCA.

Choć słowa „grypa" używa się też w znaczeniu popularnym, na określenie objawów typu kaszlu i przeziębienia, to jednak należy pamiętać, że prawdziwą grypę wywołuje bardzo konkretny patogen. Grypie towarzyszą: gorączka, objawy ze strony układu oddechowego (KASZEL), ból gardła, katar, BÓL GŁOWY, silne bóle mięśniowe i poczucie zmęczenia. Grypę zalicza się zazwyczaj do dwóch rodzajów: A i B. Podział ten nie nawiązuje bynajmniej do typów serologicznych krwi, służy raczej opisaniu poszczególnych szczepów. Na potrzeby tej książki przyjęto, że – dla odróżnienia podziału klasyfikacyjnego wirusów typu A i B od grup krwi A i B – szczepy wirusów będą oznaczane kursywą.

## Związki grypy z grupami krwi

Osoby z grupą krwi A charakteryzuje zdolność do szybkiego wytwarzania znacznej liczby przeciwciał skierowanych przeciw grypie typu A (H1N1), a jeszcze lepszą odpowiedź immunologiczną wywołuje u nich infekcja szczepem A (H3N2). Odpowiedź na zakażenie wirusem B jest jednak słabsza. Ogólnie rzecz biorąc, osoby z grupą krwi A mają skłonność do zakażeń jedynie mniej zjadliwymi postaciami wirusa grypy, a kiedy zachorują, przechodzą ją lżej.

Grupa krwi B ma najsłabszy system obrony przed A (H3N2) i nieznacznie lepszy przed A (H1N1). Antygeny A (H3N2) występują w krwi zdrowych osób z grupą krwi B jeszcze w 5 miesięcy po wyleczeniu grypy. Zwykle nie daje to żadnych objawów, sygnalizuje jednak, że u osób z tą grupą krwi wirusy tego szczepu znajdują stosunkowo bezpieczną przystań. Przeciw szczepom typu B grupa krwi B ma jednak broń silniejszą od reszty. Jej odpowiedź immunologiczna jest w tym wypadku szybsza i trwa dłużej niż w wypadku pozostałych grup krwi[1].

Grupa krwi AB ma stosunkowo niską zdolność wytwarzania przeciwciał skierowanych przeciw wirusom grypy. Dla osób z tą grupą krwi grypa może być corocznym problemem. Przez kilka miesięcy prowadzono badania immunologiczne w populacji kobiet i mężczyzn o różnych grupach krwi. W toku tych badań zebrano dane na temat następujących z czasem zmian liczby przeciwciał anty-HA i anty-NA w surowicy krwi badanych osób. Osoby z grupą krwi AB okazały się najbardziej podatne na oba typy wirusa grypy, A i B. Padały ofiarą epidemii grypowych wcześniej i przechodziły chorobę ciężej niż przedstawiciele innych grup krwi[2].

Grupę krwi 0 charakteryzowała ogólnie najmniejsza podatność na wirusa grypy.

Okazało się też, że wydzielacze są bardziej wrażliwi na grypę niż osoby niewydzielające antygenów do płynów ustrojowych ciała. Wśród chorych na grypę typu A i B, wirusowy nieżyt nosa, paragrypowe infekcje dróg oddechowych i choroby wywołane echowirusami osoby wydzielające antygeny układu grupowego AB0 występowały częściej niż pozostałe[3]. Stosunkowo dobrze zabezpieczona przez grypą okazała się też grupa krwi MN[4].

## Terapie stosowane przy grypie

*U wszystkich czterech grup krwi układu AB0 stosuje się następujące protokoły:*
- antywirusowy
- wzmacniający układ odpornościowy

## Tematy pokrewne

Choroby bakteryjne (ogólnie)
Choroby wirusowe: AIDS
Choroby zakaźne
Odporność

**Bibliografia**

1. Naikhin AN, Katorgina LG, Tsantsyna IM, et al. [Indicators of collective immunity to influenza depending on the blood group and sex of the population]. *Vopr Virusol.* 1989;34:41,423.
2. The relationship between epidemic influenza A(H1N1) and AB0 blood group. *J Hyg (Lond).* 1981;87:139–146.
3. Vojvodie S. [Inhibitory activity of blood group antigens M and N in inhibition of virus hemagglutination reactions of influenza viruses]. *Med. Pregl.* 2000;53:7–14.
4. Raza MW, Blackwell CC, Molyneaux P, et al. Association between secretor status and respiratory viral illness. *BMJ.* 1991;303(6806):815–818.

## CHOROBY WIRUSOWE: MONONUKLEOZA ZAKAŹNA – infekcja wirusami Epsteina–Barra.

| Mononukleoza zakaźna | RYZYKO ZACHOROWANIA | | |
|---|---|---|---|
| | NISKIE | UMIARKOWANE | ZNACZNE |
| Grupa A | | | |
| Grupa B | | | |
| Grupa AB | | | |
| Grupa 0 | | | |
| Rh– | | | |

## Objawy

- zmęczenie,
- osłabienie,
- ból gardła,
- gorączka,
- powiększone węzły chłonne szyi i pod pachami,
- powiększone migdały,
- ból głowy,
- wysypka,
- brak apetytu,
- mdłości,
- wymioty,
- chudnięcie.

## Krótko o mononukleozie zakaźnej

Mononukleoza jest chorobą wywoływaną przez wirus Epsteina-Barra i transmitowaną drogą bezpośrednich kontaktów – zwykle przez ślinę, dlatego czasem nazywaną eufemistycznym mianem choroby zakochanych. Mononukleoza zakaźna rzadko ma przebieg bardzo poważny; u części chorych objawy są na tyle słabe, że nie zostaje nawet rozpoznana. Większość ludzi styka się z wirusem Epsteina–Barra jeszcze przed 35. rokiem życia i wytwarza przeciwciała, które sprawiają, że są odporni na ewentualne kolejne infekcje. Pełnoobjawowa mononukleoza zakaźna dotyka zwykle osoby w wieku 7–35 lat, przy czym największą zachorowalność na tę chorobę obserwuje się między 15. i 24. rokiem życia.

## Związki z grupami krwi

Mononukleoza zdarza się nieco częściej u osób z grupą krwi B i u osób Rh-ujemnych o różnej przynależności grupowej.

## Terapie stosowane przy mononukleozie zakaźnej

*U wszystkich czterech grup krwi układu AB0 stosuje się następujące protokoły:*
- antywirusowy
- wzmacniający układ odpornościowy

**Tematy pokrewne**

Choroby bakteryjne (ogólnie)
Choroby zakaźne
Odporność

---

## CHOROBY WIRUSOWE: NAGMINNE ZAPALENIE PRZYUSZNIC; ŚWINKA
– infekcja wirusowa atakująca przyuszne gruczoły ślinowe.

| Świnka | RYZYKO ZACHOROWANIA | | |
|---|---|---|---|
| | NISKIE | UMIARKOWANE | ZNACZNE |
| Grupa A | ▓ | | |
| Grupa B | ▓ | ▓ | |
| Grupa AB | ▓ | | |
| Grupa 0 | ▓ | ▓ | |
| Rh– | | | |

### Objawy

- powiększone, bolące gruczoły ślinowe po jednej lub po obu stronach twarzy,
- gorączka,
- osłabienie i zmęczenie,
- zapalenie jąder (tkliwość i opuchnięcie).

### Krótko o nagminnym zapaleniu przyusznic

Świnka to wirusowa choroba przyusznic – gruczołów ślinowych znajdujących się poniżej i na linii uszu. Choroba rozprzestrzenia się poprzez kontakt z osobą chorą. Świnka zazwyczaj nie ma ciężkiego przebiegu, a liczba zachorowań zmalała znacznie od czasu wynalezienia szczepionki (w latach sześćdziesiątych XX wieku). Świnka jest znacznie bardziej niebezpieczna u dorosłych, u których z rzadka może wywołać zapalenie mózgu, zapalenie trzustki i opuchliznę jąder.

**Związki nagminnego zapalenia przyusznic z grupami krwi**

Wydaje się, że największa podatność na nagminne zapalenie przyusznic występuje u osób Rh-ujemnych.

**Terapie stosowane przy nagminnym zapaleniu przyusznic**

*U wszystkich czterech grup krwi układu AB0 stosuje się następujące protokoły:*
- antywirusowy
- wzmacniający układ odpornościowy

**Tematy pokrewne**

Choroby zakaźne
Odporność

---

## CHOROBY WIRUSOWE: ZAPALENIE WĄTROBY TYPU B I C – rozległe zapalenie wątroby wywołane przez wirusy zapalenia wątroby.

| Zapalenie wątroby typu B i C | RYZYKO ZACHOROWANIA | | |
|---|---|---|---|
| | NISKIE | UMIARKOWANE | ZNACZNE |
| Grupa A | ▓ | | |
| Grupa B | ▓ | | |
| Grupa AB | | | ▓ |
| Grupa 0 | ▓ | | |

### Objawy

- silny jadłowstręt,
- niechęć do papierosów (wczesny objaw u palaczy),
- ogólnie złe samopoczucie,
- mdłości i wymioty,
- gorączka,

- ściemnienie moczu (w ciągu 3–10 dni),
- żółtaczka.

## Krótko o zapaleniu wątroby

Zapalenie wątroby to stan, w którym wirus lub inne czynniki wywołują stan zapalny tkanki tego narządu, w wyniku czego dochodzi do jej uszkodzenia lub zniszczenia. W większości przypadków ten proces zapalny zostaje wyzwolony w czasie, gdy układ odpornościowy zwalcza infekcję wirusową. Może się jednak zdarzyć, że nadwrażliwy układ odpornościowy zaatakuje tkanki własnej wątroby. Do zapalenia wątroby może także dojść z innych przyczyn: nadużycia leków, alkoholizmu, wskutek zatrucia chemicznego i działania trucizn środowiskowych. Zapalenie wątroby przybiera różne nasilenie, od ograniczonego i prowadzącego do samowyleczenia do zagrażającego życiu i przewlekłego.

Wirus zapalenia wątroby typu B (HBV) jest czynnikiem o niezwykle złożonej charakterystyce. Przenosi się z krwią, poprzez transfuzje, zakażone igły i w czasie stosunku płciowego.

## Zapalenie wątroby typu C

Zanim w 1990 roku wprowadzono powszechny obowiązek badania krwi pobieranej do transfuzji, właśnie one były główną przyczyną zakażeń. Transmisja wirusa zakażenia wątroby C odbywa się też poprzez skażone igły i być może przez kontakty seksualne. W 40% przyczyna zakażenia nie zostaje wyjaśniona. Większość przypadków zapalenia wątroby typy C ma przebieg podkliniczny, nawet w stadium ostrym. Ta postać zapalenia wątroby znacznie częściej (75%) ewoluuje w stronę stanu przewlekłego niż zapalenie wątroby typu B. Zapalenie typu C zostaje często wykryte przy okazji rutynowych badań krwi u z pozoru zupełnie zdrowych osób. Choroba może pozostawać w utajeniu przez wiele lat po zakażeniu.

## Związki zapalenia wątroby typu B z grupami krwi

Przynależność serologiczna w ramach układu AB0 oraz jej związek z antygenem zapalenia wątroby B (HBsAg) zostały przebadane w grupie 500 dawców krwi i 76 pacjentów. Większość dawców legitymowała się grupą krwi B, jednakże HBsAg najczęściej występował u osób z grupą krwi A. W kolejnych badaniach 76 pacjentów zdiagnozowanych klinicznie jako chorzy na wirusowe zapalenie wątroby wykazywało podobny trend, z największą liczbą HBsAg u osób z grupą krwi A. W obu badaniach trend okazał się znaczący statystycznie. Wśród nosicieli antygenu zapalenia wątroby typu B nie było osób z grupą krwi AB, a to czyniło tę grupę badanych szczególnie podatną na bardziej zjadliwą formę zapalenia[1]. W trakcie innych badań, na grupie 330 dawców krwi, mających wykazać związek HBsAg z grupami krwi, stwierdzono, że u dawców z grupą krwi 0 antygen zapalenia wątroby występował najczęściej (4,3%), podczas gdy u dawców z grupą krwi AB nie stwierdzono go ani w jednym przypadku[2].

## Terapie stosowane przy zapaleniu wątroby B i C

*Wszystkie grupy krwi:*

Potransfuzyjne zakażenia wirusami zapalenia wątroby zostały zminimalizowane dzięki ograniczeniu tego zabiegu do zupełnie niezbędnych wypadków i badaniom wszystkich dawców na antygeny HBsAg i anty-HCV. Takie badania są niemal powszechnie stosowane i znacznie ograniczyły, choć nie wyeliminowały, zapalenie wątroby z grupy tzw. zakażeń szpitalnych. Nie istnieje jeszcze skuteczna szczepionka przeciw HCV\*, natomiast szczepienie przeciw HBV wywołuje niemal u wszystkich osób zdrowych formację przeciwciał anty-HBsAg i doprowadziło do niemal 90% spadku zakażeń tym wirusem. Niestety, pacjenci poddawani dializie, chorzy na marskość wątroby i inne osoby z zaburzeniami

---

\* Jednym z zasadniczych problemów w jej otrzymaniu jest znaczna zmienność budowy wirusa HCV; nie dość, że chorzy mogą być zarażeni wirusami o różnych genotypach, to jeszcze w trakcie leczenia mogą powstawać nowe, odporniejsze mutanty wirusa – przyp. tłum.

czynności układu odpornościowego reagują na szczepionkę gorzej. Przyczyna, dla której u kilku zdrowych osób szczepienie nie wywołało reakcji w postaci przeciwciał anty-HBsAg, nie została poznana.

*U wszystkich czterech grup krwi układu AB0 stosuje się następujące protokoły:*
- antywirusowy
- wzmacniający układ odpornościowy

## Tematy pokrewne

Choroby bakteryjne (ogólnie)
Choroby wirusowe: AIDS
Choroby zakaźne
Grzybice: Kandydoza
Odporność
Przetaczanie krwi (transfuzja)

**Bibliografia**

1. Lenka MR, Ghosh E, Bhattacharyya PK. AB0 blood groups in relation to hepatitis-B surface antigen (Australia antigen). *Trans R Soc Trop Med. Hyg.* 1981;75:688–690.
2. Gupta HL, Tandon SK, Pandit N, Sinha VP, Gajendragadkar S. Incidence of viral hepatitis in relation to AB0 blood groups. *J Commun Dis.* 1988;20:159–160.

---

## Choroby zakaźne

Choroby zakaźne nadal zabijają około 13 milionów ludzi rocznie. W samych Stanach Zjednoczonych w jednym tylko roku 1998 zmarło w ich wyniku 180 tysięcy osób. Za śmierć około 90% ludzi umierających przed osiągnięciem wieku 44 lat odpowiedzialnych jest 6 chorób zakaźnych: GRUŹLICA, malaria, odra, BIEGUNKA i ZAPALENIE PŁUC.

Na wynik choroby zakaźnej mają wpływ dwa czynniki: podatność i przeżywalność. Można być na jakąś chorobę podatnym, a zarazem wykazywać znaczną przeżywalność w chwili zachorowania na nią. Bywa też, że człowiek ma znaczną naturalną odporność na określone choroby zakaźne, ale w chwili zachorowania jego układ odpornościowy załamuje się, a wówczas jego zdolność do przeżycia staje pod znakiem zapytania.

## Związki chorób zakaźnych z grupami krwi

Powaga infekcji zależy od grupy krwi człowieka. Ma ona wpływ na to, czy organizm zareaguje na inwazję, wystawi przeciw niej swe siły obronne i pozbędzie się jej, gdy zaatakuje po raz wtóry. Antygeny grup krwi umożliwiają zwalczenie niektórych chorób i wpływają na odpowiedź immunologiczną w stosunku do innych.

Wiele chorób zakaźnych stanowiło, i nadal stanowi, dla jednych grup krwi większy problem, a dla innych mniejszy. Wielu specjalistów podkreśla, że presja, jaką wywarły na człowieka choroby zakaźne działające wzdłuż linii grup krwi, mogła wywrzeć silny wpływ selekcyjny i mieć znaczenie dla rozmieszczenia grup krwi na świecie.

Wprawdzie dziś grupy krwi A i AB, z ich podwyższoną podatnością na choroby, takie jak RAK i CHOROBA SERCOWO-NACZYNIOWA, wydają się ogólnie bardziej zagrożone, jednak 100 czy 200 lat temu w większym zagrożeniu była grupa krwi 0, jako zdecydowanie bardziej podatna na choroby zakaźne, takie jak gruźlica. Zależnie od czasu i miejsca różne grupy krwi dawały swym nosicielom taką czy inną, czasem znaczną przewagę. Przewaga ta była bezpośrednim skutkiem ochrony, jaką antygeny grup krwi były w stanie zapewnić w warunkach poważnych infekcji, które w toku historii rozwoju człowieka należały do najpoważniejszych wyzwań zagrażających ludzkiemu zdrowiu i życiu.

W średniowieczu epidemia „czarnej śmierci" (DŻUMY) zabiła jedną trzecią populacji Europy. Ci, którzy przed nią uciekając, zawlekli ją do Afryki i Azji, byli wśród milionów ofiar, o których nic nie wiadomo. Pałeczka *Yersinia pestis*, bakterii wywołującej tę chorobę, wytwarza antygen podobny do antygenu 0. W średniowiecznych epidemiach dżumy, zmiatających z powierzchni ziemi całe miasta, zmarła ogromna liczba osób z grupą krwi 0. W wyniku doboru naturalnego udział ludzi z grupą krwi A znacznie się zwiększył. Pomyśl tylko: już to jedno wielkie wyzwanie rzucone przeżywalności człowieka mogło być kołem napędowym zmienności i różnorodności obserwowanej w jego populacji, prowadząc do zwiększenia liczby ludzi o innych grupach krwi.

Sto lat temu z powodu CHOLERY, zakaźnej choroby układu pokarmowego powodującej krańcowe odwodnienie często prowadzące do śmierci, zmarło więcej Europejczyków niż z powodu jakiejkolwiek innej choroby. I znów okazuje się, że choroba „wybierała" ludzi z grupą krwi 0.

W pewnym okresie ospa należała do najgroźniejszych chorób w Europie. Dziś się o niej nie słyszy, jako że została prawie całkowicie wytępiona. Grupa krwi 0 i grupa krwi B były na nią zawsze bardziej odporne, one też miały lepsze rokowania w wypadku zachorowania. Ospa bowiem miała wpływ selekcyjny na inne grupy krwi, A i AB. Niektórzy badacze sugerowali nawet, że to właśnie z powodu tej presji selekcyjnej na grupę A i AB populacje ludzkie zamieszkujące niektóre regiony świata, np. Islandię, z natury odizolowaną, a jednocześnie wielokrotnie w przeszłości zmagającą się z epidemiami ospy, charakteryzują się rzadkim występowaniem genu grupy krwi A i wysokim udziałem genu grupy krwi 0. Na tym przykładzie widać, jak interakcja między grupą krwi i czynnikiem zakaźnym może wpływać na dobór naturalny.

Nie są to przypadki ani rzadkie, ani odległe. Choroby zakaźne nadal są narzędziem doboru naturalnego, które działa na populację człowieka i wywiera presję na adaptację wzdłuż pewnych linii genetycznych, w tym wypadku grup krwi. I choć wydaje się, że we współczesnym, cywilizowanym świecie grupa krwi 0 może dawać pewną przewagę, nieobliczalny element zdrowia publicznego, jakim jest choroba zakaźna, mógł w przeszłości przechylać szalę korzyści na stronę innych grup krwi.

Silnym dowodem na to, że grupa krwi mogła mieć niezwykle silny wpływ na przeżywalność wczesnych społeczności ludzkich, jest fakt, że praktycznie każda choroba zakaźna, która ma wpływ na demografię człowieka (malaria, cholera, dur brzuszny, grypa i gruźlica), wykazuje preferencje w stosunku do jakiejś szczególnie podatnej na nią grupy krwi, natomiast grupy krwi o innej charakterystyce serologicznej są na nią odporne.

## Tematy pokrewne

Choroby bakteryjne: Błonica

Choroby bakteryjne: Cholera

Choroby bakteryjne: Dur brzuszny

Choroby bakteryjne: Dżuma, zakażenie bakteriami *Yersinia*

Choroby bakteryjne: Gruźlica

Choroby bakteryjne (ogólnie)

Choroby bakteryjne: Rzeżączka

Choroby bakteryjne: Zakażenie bakteriami czerwonki

Choroby bakteryjne: Eszerichioza

Choroby bakteryjne: Zakażenie gronkowcem

Choroby bakteryjne: Zapalenie opon mózgowych (meningokokowe)

Choroby bakteryjne: Zapalenie płuc: *Klebsiella pneumoniae*

Choroby wirusowe: AIDS

Choroby wirusowe: Grypa

Choroby wirusowe: Mononukleoza zakaźna

Choroby wirusowe: Nagminne zapalenie przyusznic

Choroby wirusowe (ogólnie)

Choroby wirusowe: Zapalenie wątroby typu B i C

## CHOROBY ZWIĄZANE ZE STARZENIEM – stany sprzyjające procesowi rozpadu komórek i skracaniu długości życia.

| Choroby związane ze starzeniem | ŚREDNIA DŁUGOŚĆ ŻYCIA | | |
|---|---|---|---|
| | KRÓTKA | PRZECIĘTNA | DŁUGA |
| Grupa A | | | |
| Grupa B | | | |
| Grupa AB | | | |
| Grupa 0 | | | |
| Podtyp NN (kobiety) | | | |

### Objawy

* bóle mięśni,
* reumatoidalne zapalenie stawów,
* choroba sercowo-naczyniowa,
* cukrzyca,
* nowotwory.

### Krótko o chorobach związanych ze starzeniem

Wszystkie żywe istoty się starzeją. Dlaczego? I co można zrobić, by spowolnić ten proces? Pytania te trapiły człowieka od zarania dziejów. Obecnie, wyposażeni w wyszukaną metodykę badawczą i większą wiedzę na temat czynników starzenia, stopniowo zbliżamy się do odpowiedzi na to zasadnicze pytanie.

Dlaczego ludzie starzeją się w tak różnym tempie? Co sprawia, że 50-letni biegacz umiera nagle na rozległy zawał serca, gdy 89-letni staruszek, który nigdy wiele nie ćwiczył, pozostaje czerstwy i rześki? Dlaczego u jednych ludzi rozwija się starcza demencja i choroba Alzheimera, podczas gdy inni są od niej wolni? W jakim wieku degeneracja starcza staje się nieunikniona? Dziś już rozumiemy niektóre elementy tej łamigłówki – dużą rolę odgrywa tu dziedziczenie: do „podatności na starzenie" przyczyniają się szczególne zmiany w chromosomach, które sprawiają, że jedni ludzie starzeją się szybciej niż inni. Jednakże badania te nie wyjaśniają jeszcze wszystkiego. Choć niewątpliwie uchylają rąbka bolesnej prawdy, to jednak zostawiają nas nadal z wieloma niewyjaśnionymi jeszcze kwestiami.

### Lektyny i starzenie

Wpływ lektyn pokarmowych jest bezpośrednio związany z dwiema dolegliwościami, które najczęściej kojarzą się ze starzeniem – niewydolnością nerek i zaburzeniami umysłowymi. W miarę starzenia wszyscy doświadczamy stopniowego spadku wydajności działania nerek; nerki przeciętnego 72-latka działają z wydajnością wynoszącą zaledwie 25% ich pierwotnych możliwości.

Wydajność nerek znajduje odzwierciedlenie w ilości krwi oczyszczonej i przywróconej normalnemu krwiobiegowi. Ten system filtrujący jest bardzo delikatny – wystarczająco przepuszczalny dla różnych płynnych elementów krwi i dość szczelny, by uniemożliwić przenikanie całych komórek. Wykazano, że lektyny zwiększają wytwarzanie przeciwciał mogących zniszczyć ten delikatny system[1]. Lektyny, które w jakiś sposób przedostaną się krwiobiegu, zaczynają stymulować wytwarzanie przeciwciał, a kompleksy przeciwciało–lektyna mogą się lokować w nerkach[2]. Proces ten przypomina nieco stopniowe zatykanie rowu melioracyjnego – im skuteczniejsza aglutynacja, tym mniej krwi może ulec przefiltrowaniu. Po pewnym czasie proces oczyszczania krwi zatrzymuje się zupełnie. Jest to proces powolny, ale w końcu śmiertelny. Niewydolność nerek jest jedną z głównych bezpośrednich przyczyn zmian degeneracyjnych u osób starszych.

Druga z najpoważniejszych zmian starczych ma miejsce w mózgu, gdzie lektyny odgrywają równie destrukcyjną rolę. Naukowcy zaobserwowali, że różnica między mózgiem młodym i starym polega na tym, że w tym drugim dochodzi do splątania elementów neuronu. Do tego splątania, prowadzącego do demencji i ogólnego zaburzenia funkcjonowania organizmu i które, być może, jest nawet przyczyną choroby Alzheimera – dochodzi stopniowo w ciągu kilkudziesięciu lat dorosłego życia.

Komórki nerwowe chorych na Alzheimera charakteryzują się tzw. „reaktywną plastycznością", przejawiającą się w powstawaniu wadliwych, funkcjonalnych bocznych połączeń między komórkami nerwowymi w mózgu. Tak powstałe nowe szlaki nerwowe uważa się za jedną z poważniejszych przyczyn problemów neurologicznych. W dużej części tych nowych odgałęzień zaobserwowano obfitą produkcję glikozylowanych cukrów[3], do których to właśnie przyczepiają się lektyny. W związku z tym liczne lektyny pokarmowe znalazły zastosowanie w procesie mapowania szlaków plastyczności reaktywnej w próbkach tkanki mózgowej pacjentów chorych na chorobę Alzheimera[4].

Trzecim sposobem, jakim lektyny przyczyniają się do starzenia, jest ich wpływ na układ hormonalny. W trakcie starzenia systematycznie maleje zdolność absorpcji i metabolizowania pobieranych składników odżywczych. Jednym z pospolitych przykładów takiej sytuacji jest pojawienie się oporności na skutki wywierane przez hormon o nazwie insulina. W rezultacie tych zmian może się pojawić cukrzyca typu II (insulinoniezależna). Wiele lektyn, ale prawdopodobnie najbardziej lektyna pszenicy działa jak fałszywa insulina, przyłączając się do jej receptorów i blokując działanie prawdziwej insuliny[5]. Co więcej, wykazano, że lektyna pszenicy pobudza wytwarzanie przeciwciał, które atakują trzustkę, niszcząc komórki wyspecjalizowane w produkcji insuliny[6].

## Związek chorób związanych ze starzeniem z grupami krwi

Antygeny układu grupowego AB0 mogą być dla procesu starzenia przejrzystą mapą drogową. W miarę jak się starzejemy, liczba przeciwciał maleje. Substancje te, skierowane przeciw antygenom zawartym we krwi, chronią nasz układ odpornościowy przed dostępem obcych antygenów. Oczywiście spadek liczby przeciwciał naraża organizm na atak różnych oportunistycznych patogenów, a tym samym na serię potencjalnie śmiertelnych chorób.

Trwanie układu odpornościowego można podzielić na trzy etapy. Pierwszy z nich to **kształcenie**.

W obecności antygenów układ odpornościowy zaczyna rozpoznawać substancje pożyteczne i potencjalne zagrożenia. Prawidłowo funkcjonujący układ odpornościowy zaczyna wówczas produkować przeciwciała ukierunkowane do zwalczania przeciwników. Drugie stadium to **konserwacja**. Jeśli układ odpornościowy został wykształcony dobrze, będzie silny i zdrowy – skutecznie zwalczając obce antygeny. Trzecie stadium to **rozkład**. W miarę jak się starzejemy, siły obronne układu odpornościowego słabną. Przeciwciał jest mniej i zapewniają mniejszą ochronę przeciw obcym czynnikom antygenowym. Naszym podstawowym celem powinno być zatem opóźnienie tego końcowego etapu. Tam, gdzie powiódł się proces edukacji, stadium konserwacji będzie trwało długo, a wówczas etap trzeci, osłabienie sił odpornościowych, zacznie się stosunkowo późno.

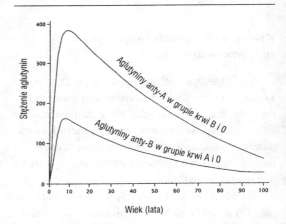

ZMIANY ZDOLNOŚCI AGLUTYNACJI W MIARĘ STARZENIA
W miarę upływu czasu liczba aglutynin krwi w naszym organizmie maleje, a to sprawia, że stajemy się bardziej podatni na choroby. Podstawowe znaczenie dla procesu zdrowego starzenia ma utrzymanie dużej ilości aglutynin.

Zbadano, czy istnieje bezpośrednie połączenie między grupą krwi i długowiecznością. Badania przeprowadzone przez włoskich lekarzy wykazały, że wśród osób powyżej 75. roku życia najwięcej jest przedstawicieli grupy 0[7], natomiast inne badania sugerują, że z długowiecznością należałoby wiązać raczej grupę krwi B[8].

Z nieznacznym wzrostem skłonności do długowieczności, zwłaszcza u kobiet, można wiązać podtyp NN układu grupowego MN[9].

Wiemy też na pewno, że każda grupa krwi charakteryzuje się swoistą podatnością na dolegliwości związane ze starzeniem.

*Grupa krwi 0:* przedstawiciele tej grupy są zagrożeni przede wszystkim ze strony infekcji, które atakują osoby starsze.

*Grupa krwi A:* wysoki poziom kortyzolu kojarzony jest ze skłonnością do zawału serca i obniżonej odporności.

Podwyższony poziom hormonów stresowych wiąże się z utratą tkanki mięśniowej.

W miarę jak z wiekiem spada już i tak niskie stężenie kwasu żołądkowego, u osób starszych z grupy A zaczynają się problemy trawienne.

*Grupa krwi B:* wysokie stężenie kortyzolu kojarzone jest ze skłonnością do zapadania na chorobę Alzheimera.

Podatność na tzw. wirusy powolne stwarza ryzyko problemów w obrębie układu odpornościowego i nerwowo-mięśniowego.

*Grupa krwi AB:* w miarę obniżania się już i tak niskiego stężenia kwasu żołądkowego pojawiają się problemy trawienne. Co więcej, z powodu dużego stężenia czynników krzepnięcia we krwi istnieje niebezpieczeństwo udarów wywołanych zatorami.

Malejąca z wiekiem aktywność komórek naturalnych zabójców sprawia, że układ odpornościowy osoby z grupy AB jest bardziej podatny na załamania.

## Postępowanie w leczeniu chorób związanych z wiekiem

### Protokoły stosowane w grupie krwi A:
- wzmacniający układ odpornościowy
- sercowo-naczyniowy
- zapobiegający chorobom nowotworowym
- przeciwstresowy

### Protokoły stosowane w grupie krwi B
- wzmacniający układ odpornościowy
- wspomagający działanie wątroby
- przeciwstresowy
- wzmacniający układ nerwowy

### Protokoły stosowane w grupie krwi AB
- wzmacniający układ odpornościowy
- wspomagający działanie wątroby
- sercowo-naczyniowy

### Protokoły stosowane w grupie krwi 0
- wzmacniający metabolizm
- wspomagający działanie wątroby
- przeciwzapalny

## Tematy pokrewne:

Choroby pasożytnicze: Lamblioza
Choroby pasożytnicze: Pełzakowica
Choroby pasożytnicze: Zakażenie tęgoryjcem
Choroby wirusowe: Grypa
Grzybice: Kandydoza (jamy ustnej)
Grzybice: Kandydoza pochwy
Grzybice: Kandydoza (układu pokarmowego)
Toksyczne jelito: Samozatrucie enterotoksynami (indykan w moczu)
Trawienie
Wrzody żołądka: *H. pylori*
Zatrucie pokarmowe

**Bibliografia**

1. Coppo R, Amore A, Roccatello D. Dietary antigens and primary immunoglobulin A nephropathy. *J Am Soc Nephrol.* 1992;2(suppl):S173–S180.
2. Coppo R, Amore A, Roccatello D, et al. [Role of food antigens and alcohol in idiopathic nephritis with IgA deposits]. *Minerva Urol Nefrol.* 1991;43:171–174.
3. Espinosa B, Zenteno R, Mena R, Robitaille Y, Zenteno E, Guevara J. O-Glycosylation in sprouting neurons in Alzheimer disease, indicating reactive plasticity. *J Neuropathol Exp Neurol.* 2001;60:441–448.
4. Guevara J, Espinosa B, Zenteno E, Vazquez L, Luna J, Perry G, Mena R. Altered glucosylation pattern of proteins in Alzheimer disease. *J Neuropathol Exp Neurol.* 1998;57:905–914.
5. Livingston JN, Purvis BJ. Effects of wheat germ agglutinin on insulin binding and insulin sensitivity of fat cells. *Am J Physiol.* 1980;238:E267–E275.

6. Kitano N, Taminato T, Ida T, et al. Detection of antibodies against wheat germ agglutinin bound glycoproteins on the islet-cell membrane. *Diabet Med.* 1988;5:139–144.

7. Jorgensen G. AB0 blood groups in physicians of 75 years of age. Further evidence in favor of little more fitness on the part of subjects with blood group 0. *Minerva Med.* 1974;65:2881–2886.

8. Dworsky R, Paganini-Hill A, Arthur M, Parker J, Immune responses of healthy humans 83–104 years of age. *J Natl Cancer Inst. 1983;71:265–268.*

9. Turowska B, Gurda M, Woźniak K, AB0, MN, Kell, Hp and Gm1 markers in elderly humans. *Mater Med Pol.* 1991;23:7–12.

---

# CHRAPANIE – dźwięk wydawany przez sen wskutek drgań podniebienia miękkiego.

| Chrapanie | RYZYKO WYSTĄPIENIA | | |
|---|---|---|---|
| | NISKIE | UMIARKOWANE | ZNACZNE |
| Grupa A | | | |
| Grupa B | | | |
| Grupa AB | | | |
| Grupa 0 | | | |
| niewydzielacz | | | |

## Objawy

• hałaśliwe dźwięki wydawane podczas snu

## Krótko o chrapaniu

Chrapanie jest dolegliwością dotykającą około połowę mężczyzn i mniej więcej 25% kobiet, zazwyczaj po 50. roku życia. Do chrapania dochodzi wówczas, gdy powietrze przesuwa się wzdłuż rozluźnionych tkanek gardła, wywołując ich wibrację. U osób z niskim i grubym podniebieniem lub z powiększonymi migdałkami i wyroślami adenoidalnymi droga, która przebywa powietrze, jest zwężona. Podobnie rzecz się ma z wydłużonym języczkiem, trójkątnym tworem zwisającym z podniebienia miękkiego, który hamuje przepływ powietrza i dodatkowo zwiększa

wibracje. Chrapaniu sprzyja też znaczna nadwaga, poza tym mięśnie gardła w sposób naturalny słabną i obwisają z wiekiem.

Chrapanie może być też związane z bezdechem periodycznym we śnie. Wiąże się on z nadmiernym rozluźnieniem tkanek podniebienia, które zaczynają się zapadać do światła gardła, uniemożliwiając normalne oddychanie. Bezdech periodyczny wprowadza 10–30 sekundowe chwile ciszy do głośnego chrapania. W końcu niedotlenienie i nadmierne stężenie dwutlenku węgla sprawia, że osoba chrapiąca budzi się z głośnym parsknięciem.

## Związki chrapania z grupami krwi

Chrapanie dotyka osoby każdego typu serologicznego, zależy to tylko od opisanego wyżej mechanizmu. Jednakże wydaje się, że ryzyko wystąpienia chrapania powiększa status niewydzielacza[1].

## Terapie stosowane przy chrapaniu

*Wszystkie grupy krwi:*
Unikaj napojów alkoholowych, środków uspokajających, pigułek nasennych i leków antyhistaminowych przez spaniem.

*U wszystkich czterech grup krwi układu AB0 stosuje się następujące protokoły:*
• wspomagający działanie wątroby
• przeciwalergiczny
• wspomagający zdrowie zatok

## Tematy pokrewne

Alergie (ogólnie)
Astma
Choroba sercowo-naczyniowa
Otyłość

**Bibliografia**

1. Jennum P, Hein HO, Suadicani P, Sorenson H, Gyntelberg F. Snoring, family history, and genetic markers in men. *The Copenhagen Male Study. Chest.* 1995;107:1289–1293.

# CHROMANIE PRZESTANKOWE –
*patrz Miażdżyca tętnic obwodowych*

# CIĄŻOWA CHOROBA TROFOBLA-STYCZNA – *patrz Wady (braki) wrodzone*

## CUCHNĄCY ODDECH

| Najczęstsze przyczyny | Grupa krwi 0 | Grupa krwi A | Grupa krwi B | Grupa krwi AB | Pod-grupy |
|---|---|---|---|---|---|
| Zapalenie dziąseł lub zapalenie ozębnej | ••••••••••• | •• | •• | ••• | niewydzielacze ••••••••••••• |
| Choroby ukła-dowe, takie jak cukrzyca i nowotwory przełyku | •• | ••••••••••• | •• | ••••••••••• | |
| Niedostatecz-na higiena jamy ustnej | Wszystkie grupy krwi | Wszystkie grupy krwi | Wszystkie grupy krwi | Wszystkie grupy krwi | |
| Toksyczne jelito | Wszystkie grupy krwi | Wszystkie grupy krwi | Wszystkie grupy krwi | Wszystkie grupy krwi | |

• = stopień zagrozenia chorobą

Cuchnący oddech może być skutkiem:
- wydalania przez płuca substancji chemicznych wdychanych lub spożywanych z pokarmem,
- choroby dziąseł lub ozębnej,
- fermentacji pokarmu w ustach,
- chorób systemowych, takich jak cukrzyca i choroby zakaźne.

Istnieje też związek między cuchnącym odde-chem i wysokim poziomem poliamin (toksyczne jelito).

*Protokoły stosowane przy grupie krwi A:*
- antybakteryjny
- detoksykacyjny

*Protokoły stosowane przy grupie krwi B:*
- antybakteryjny
- detoksykacyjny

*Protokoły stosowane przy grupie krwi AB:*
- antybakteryjny
- wzmacniający układ odpornościowy
- detoksykacyjny

*Protokoły stosowane przy grupie krwi 0:*
- antybakteryjny
- przeciwzapalny
- detoksykacyjny

## Tematy pokrewne

Choroby zakaźne
Cukrzyca
Protetyczne zapalenie jamy ustnej
Próchnica zębów
Toksyczne jelito: poliaminy
Choroba ozębnej

---

## CUKRZYCA TYPU I (MŁODZIEŃCZA)
– przewlekła choroba metaboliczna spowodowa-na niedostatecznym lub nieregularnym wytwa-rzaniem i uwalnianiem insuliny.

| Cukrzyca typu I | RYZYKO ZACHOROWANIA | | |
|---|---|---|---|
| | NISKIE | UMIARKOWANE | ZNACZNE |
| Grupa A | | | |
| Grupa B | | | |
| Grupa AB | | | |
| Grupa 0 | | | |
| niewydzielacz | | | |
| Grupa krwi MN | | | |

## Objawy

- hiperglikemia (wysokie stężenie cukru we krwi),
- zwiększone pragnienie i głód,
- częste oddawanie moczu,
- chudnięcie z nieznanej przyczyny,
- niewyraźne widzenie.

## Krótko o cukrzycy typu I

Cukrzyca typu I, zwana czasem młodzieńczą lub insulinozależną, pojawia się wówczas, gdy

161

trzustka nie wytwarza insuliny. Zazwyczaj zaczyna się już w dzieciństwie i trwa do końca życia osoby chorej. Jej stan można kontrolować jedynie poprzez wstrzykiwanie insuliny i odpowiednią dietę na co dzień.

Cukrzycy typu I towarzyszy destrukcja komórek odpowiedzialnych za wydzielanie insuliny. Wiele dowodów przemawia za tym, że choroba ta, choć ma wyraźny aspekt genetyczny, może być chorobą autoagresyjną. Cukrzyca typu I odpowiedzialna jest za zaledwie 10% wszystkich przypadków cukrzycy.

## Dynamika wydzielania i rozkładu insuliny

U osoby zdrowej trzustka w czasie jedzenia wydziela do krwiobiegu insulinę, która pomaga w procesie wchłaniania i użytkowania glukozy, kwasów tłuszczowych i aminokwasów. U osób, których trzustka nie jest w stanie pełnić tej funkcji lub których organizm nie jest zdolny do właściwego spożytkowania insuliny, zjadane pokarmy nie są właściwie metabolizowane. Zamiast zużywać je do wytwarzania energii lub magazynowania organizm chorego wydziela glukozę do krwi – właśnie dlatego cukrzycy mają podwyższony poziom cukru we krwi. W rezultacie dochodzi do nienormalnego wydalania cukru z moczem (cukromoczu). Łacińska nazwa choroby, *diabetes mellitus*, odwołuje się właśnie do owego nadmiaru cukru w moczu.

## Związki cukrzycy typu I z grupami krwi

Związek między cukrzycą i grupami krwi należy do najstarszych w historii gatunku ludzkiego[1,2].

Ogólnie rzecz biorąc, istnieje silny, statystycznie znaczący związek cukrzycy typu I z grupą krwi A i AB, co więcej, jest on najsilniej zaznaczony u mężczyzn. Interesujące, że przewaga grupy krwi A nad grupą krwi 0 zdaje się rosnąć z wiekiem. Zależność tę potwierdziły liczne, duże i niezależne badania przeprowadzone na wielu tysiącach ludzi.

Być może związek między grupą krwi A i cukrzycą wynika z faktu, że niektóre lektyny osocza mają zdolność przyczepiania się zarówno do antygenów A, jak i do komórek Langerhansa występujących w trzustce. Wykazano, że powstały w ten sposób kompleks pobudza lokalnie aktywność przeciwciał IgE, a to powoduje stan zapalny i w konsekwencji śmierć komórek. Taki schemat tłumaczyłby, dlaczego zagrożone są obie grupy noszące antygen A.

Jednym z największych czynników ryzyka w wypadku cukrzycy młodzieńczej, znaczącym niemal tyle samo, co fakt urodzenia się z matki chorej na cukrzycę, jest konflikt krwi. Jak mówiliśmy, skutki immunologiczne niezgodności serologicznej matki i płodu są najgorsze wówczas, gdy matka ma grupę krwi 0, a dziecko ma grupę krwi A. Zależność ta ujawnia się szczególnie silnie w grupie dzieci z ciąż konfliktowych, u których już w pierwszych 5 latach życia rozwija się cukrzyca. W trakcie badań nad 20 czynnikami mającymi wpływ na przebieg ciąży przeprowadzono analizę statystyczną na grupie 2757 dzieci, u których w latach 1978–1988 rozwinęła się cukrzyca. Po przeanalizowaniu i standaryzacji wszystkich czynników ryzyka okazało się, że iloraz prawdopodobieństwa, że grupa krwi jest czynnikiem ryzyka rozwoju cukrzycy typu I, utrzymał się na znacząco wysokim poziomie. Po przeanalizowaniu danych na temat zdrowych i chorych dzieci z ciąż konfliktowych wykazano istnienie tej zależności prawie w 90% przypadków cukrzycy u dzieci[3].

## Grupy krwi a cukrzyca – kontekst antropologiczny

Cukrzyca mogła wywrzeć silny wpływ na późniejsze rozmieszczenie i częstotliwość występowania grupy krwi A. Aby zrozumieć dlaczego, powinniśmy sobie zadać pytanie: jeśli bez podawania insuliny cukrzyca jest chorobą śmiertelną, to w jaki sposób przetrwała od dawnych czasów, skoro nie było wówczas skutecznej terapii ratującej życie? Rozwinięto na ten temat kilka teorii, wykorzystując między innymi obserwację, że wśród kobiet z dziedziczną cukrzycą występuje tendencja do większej płodności, a dziewczęta z tą dolegliwością wcześniej dojrzewają.

W późnych latach pięćdziesiątych XX wieku umieszczono cukrzycę w szerszym, antropologicznym kontekście. Trudno sobie wyobrazić, by w okresie paleolitu, kiedy ludzie odżywiali się pokarmem niskowęglowodanowym i niskokalorycznym, cukrzyca mogła mieć jakiś większy wpływ na płodność i utrzymanie częstotliwości genu. W gruncie rzeczy gen cukrzycy powinien już dawno zaginąć. Naukowcy jednak określają czasem gen cukrzycy mianem „oszczędnego", bowiem daje swemu nosicielowi przewagę, zwłaszcza w okresie głodu, jako że w takich ekstremalnych warunkach przyczynia się do oszczędzania energii i magazynowania tłuszczu.

W pewnych prymitywnych warunkach cukrzyca mogła dawać przewagę. Dziś jednak, przy dostatecznej czy nawet nadmiernej ilości pożywienia o charakterze węglowodanowym, wywołuje całkiem odmienne skutki.

Jest to szczególnie interesujące w świetle badań, z których zdaje się wynikać, że choć ogólnie liczba przypadków cukrzycy jest większa wśród osób z grupą krwi A, to jednak wśród osób o wadze poniżej średniej rośnie udział cukrzyków z grupą krwi 0.

Podobnie, jak w wypadku stresu, nadciśnienia i choroby mięśnia sercowego, istnieją wyraźne różnice płynności krwi grupy A i 0. W porównaniu do cukrzyków z grupą krwi 0 lub B chorzy z grupą krwi A mają wyraźnie większe stężenie czynników krzepliwości krwi. Może to być ważny czynnik ryzyka zapadnięcia na chorobę sercowo-naczyniową związaną z cukrzycą.

Osoby niewydzielające antygenów, a zwłaszcza osoby Lewis-ujemne, są bardziej zagrożone cukrzycą niż pozostałe (zwłaszcza w wypadku cukrzycy typu II); u nich też łatwiej mogą się pojawić powikłania wywołane tą chorobą. Z badań wynika, że wśród cukrzyków, zwłaszcza chorych na postać insulinozależną tej choroby, istnieje wyraźna przewaga niewydzielaczy[4,5].

Wydaje się, że osoby Lewis-ujemne (Le$_{(a-b-)}$) są w największym stopniu zagrożone cukrzycą. Właśnie tę grupę krwi spotyka się wśród cukrzyków 3 razy częściej niż inne, i to niezależnie od rodzaju cukrzycy. Również osoby zdrowe, ale słabo reagujące na glukozę, są – z dużym prawdopodobieństwem – Lewis-ujemne[6].

Wśród wydzielaczy z młodzieńczą formą cukrzycy częstość zachorowań na ciężką postać retinopatii (uszkodzenie siatkówki wskutek cukrzycy) jest niższe niż u niewydzielaczy.

Z większą częstotliwością cukrzycy muszą się też liczyć posiadacze grupy krwi MN.

## Terapie stosowane przy cukrzycy typu I

### Wszystkie grupy krwi:

Choć nie znamy jeszcze żadnej skutecznej, naturalnej alternatywy, która mogłaby w cukrzycy typu I zastąpić iniekcje insuliny, u cukrzyków cierpiących na tę postać choroby obserwuje się poprawę po zastosowaniu diety zgodnej z grupą krwi. Osobiście zalecam im też zażywanie kwercetyny, roślinnej substancji o właściwościach przeciwutleniających. Wykazano, że kwercetyna zapobiega wielu powikłaniom cukrzycy, na przykład zaćmie, neuropatii i problemom natury sercowo-naczyniowej. Poszukując naturalnych metod leczenia cukrzycy, skontaktuj się z lekarzem dietetykiem, który zna się na właściwościach leków roślinnych; po ich zastosowaniu będziesz być może musiał zmienić dawkę insuliny.

### Protokoły stosowane przy grupie krwi A:
• sercowo-naczyniowy
• usprawniający metabolizm
• wspomagający działanie wątroby

### Protokoły stosowane przy grupie krwi B:
• sercowo-naczyniowy
• wzmacniający układ odpornościowy
• wspomagający działanie wątroby

### Protokoły stosowane przy grupie krwi AB:
• sercowo-naczyniowy
• usprawniający metabolizm
• wspomagający działanie wątroby

### Protokoły stosowane przy grupie krwi 0:
• sercowo-naczyniowy
• wzmacniający układ odpornościowy
• wspomagający działanie wątroby

## Tematy pokrewne

Choroby autoagresyjne (ogólnie)
Cukrzyca typu II
Insulinooporność

**Bibliografia**

1. McConnel RB, et al. *Brit Med J.* 1956;772.
2. Craig J, Wang I. *Glasgow Med J.* 1955;261.
3. Dahlquist G, Kallen B. Maternal-child blood group incompatibility and other perinatel events increase the risk for early-onset type I (insulin-dependent) diabetes mellitus. *Diabetologia.* 1992;35:671–675.
4. Patrick AW, Collier A. An infectious aetiology of insulindependent diabetes mellitus? Role of the secretor status. *FEMS Microbiol Immunol.* 1989;1:411–416.
5. Peters WH, Gohler W. ABH-secretion and Lewis red cell groups in diabetic and normal subjects form Ethiopia. *Exp Clin Endocrinol.* 1986;88:64–70.
6. Melis C, Mercier P, Vague P, Vialettes B. Lewis antigen and diabetes. *Rev Fr Transfus Immunohematol.* 1978;21:965–971.
7. Eff C, Faber O, Deckert T. Persistent insulin secretion, assessed by plasma C-peptide estimation in long-term juvenile diabetics with a low insulin requirement. *Diabetologia.* 1978;15:169–72.

**CUKRZYCA TYPU II (WIEKU DOJRZAŁEGO)** – zespół objawów związanych z hiperglikemią, która towarzyszy absolutnemu lub częściowemu upośledzeniu wydzielania i/lub skuteczności insuliny.

| Cukrzyca typu II | RYZYKO ZACHOROWANIA | | |
|---|---|---|---|
| | NISKIE | UMIARKOWANE | ZNACZNE |
| Grupa A | | | |
| Grupa B | | | |
| Grupa AB | | | |
| Grupa 0 | | | |
| niewydzielacz | | | |
| Grupa krwi MN | | | |

## Objawy

Podczas gdy ludzie z cukrzycą typu I prawie od samego początku wiedzą, że są chorzy, cukrzyca typu II może rozwijać się stopniowo, niemal bezobjawowo, ujawniając się dopiero po wielu miesiącach lub latach. Do typowych objawów należą:

- zwiększone pragnienie i głód,
- częste oddawanie moczu,
- chudnięcie z nieznanej przyczyny,
- niewyraźne widzenie,
- nawrotowe zapalenie dróg moczowych.

## Krótko o cukrzycy typu II

Cukrzyca typu II, zwana cukrzycą wieku dojrzałego lub insulinoniezależną, stanowi około 90% wszystkich przypadków cukrzycy. Najczęściej atakuje osoby otyłe w wieku powyżej 40. roku życia. W cukrzycy typu II trzustka wytwarza insulinę, ale organizm chorego nie jest w stanie jej wykorzystać. Cukrzycę typu II można zazwyczaj kontrolować, stosując właściwą dietę, chudnąc i systematycznie ćwicząc.

Cukrzyca typu II może być początkiem kilku innych poważnych lub zagrażających życiu chorób. U osób cierpiących na tę chorobę obserwuje się zwiększone ryzyko zachorowania na CHOROBĘ WIEŃCOWĄ, która u osób chorych na cukrzycę typu II jest jedną z głównych przyczyn śmierci. Stwierdzono też, że u cukrzyków występuje skłonność do NADCIŚNIENIA.

Nadciśnienie stanowi najpoważniejszy problem u cukrzyków o rodowodzie afrykańskim, bowiem dotyka około 63–70% chorych. U osób starszych pojawiają się wskutek cukrzycy rozmaite poważne problemy krążeniowe, związane z upośledzeniem krążenia w niewielkich tętnicach. Właśnie dlatego cukrzyca jest bezpośrednią przyczyną wielu amputacji nóg lub stóp zarówno u mężczyzn, jak i u kobiet. W zaawansowanej cukrzycy śmierć może być też następstwem NIEWYDOLNOŚCI NEREK.

Dawniej uważano, że cukrzyca typu II jest chorobą dotykającą wyłącznie osoby dorosłe.

Niestety, okazało się, że coraz częściej jest ona również problemem zdrowotnym dzieci. W okresie od 1995 roku w USA zachorowalność na nią wzrosła u dzieci dziesięciokrotnie, przede wszystkim z powodu otyłości, niewłaściwego odżywiania i braku aktywności fizycznej.

## Główne czynniki ryzyka i przyczyny cukrzycy typu II

Amerykańskie Towarzystwo Diabetologiczne ostrzega, że cukrzyca typu II zagraża każdej osobie powyżej 40. roku życia, u której stwierdzić można jeden lub więcej z wymienionych poniżej czynników ryzyka:

- obecność przypadków cukrzycy u najbliższych krewnych (rodziców lub rodzeństwa),
- otyłość, równa lub przekraczająca 20% ciężaru ciała,
- ryzyko natury rasowej lub etnicznej, zwłaszcza rodowód indiański, hiszpański lub afrykański,
- zaobserwowana wcześniej nietolerancja glukozy,
- nadciśnienie lub znaczna hiperlipidemia,
- w wypadku kobiet: przejście cukrzycy ciążowej lub wydanie na świat dziecka ważącego ponad 4,5 kilograma.

## Związki cukrzycy typu II z grupami krwi

Cukrzyca insulinoniezależna najczęściej atakuje osoby z grupą krwi A, szczególnie mężczyzn. Po porównaniu z grupą kontrolną osób w podobnym wieku okazuje się, że jest ona problemem przede wszystkim osób starszych[1,2].

Podobnie jak w wypadku stresu, nadciśnienia i choroby mięśnia sercowego istnieją wyraźne różnice płynności krwi grupy A i 0. W porównaniu do cukrzyków z grupą krwi 0 lub B chorzy z grupą krwi A mają wyraźnie większe stężenie czynników krzepnięcia krwi. Może to być ważny czynnik ryzyka zapadnięcia na chorobę sercowo-naczyniową związaną z cukrzycą.

Osoby niewydzielające antygenów, zwłaszcza osoby Lewis-ujemne, są bardziej zagrożone cukrzycą niż pozostałe (zwłaszcza w wypadku cukrzycy insulinoniezależnej); u nich też łatwiej mogą się pojawić powikłania wywołane tą chorobą. Z badań wynika, że wśród cukrzyków, zwłaszcza chorych na postać insulinozależną tej choroby, istnieje wyraźna przewaga niewydzielaczy[3,4].

Wydaje się, że osoby Lewis-ujemne ($Le_{(a-b-)}$) znajdują się w grupie o największym zagrożeniu cukrzycą. Właśnie tę grupę krwi spotyka się wśród cukrzyków 3 razy częściej niż inne, i to niezależnie od rodzaju cukrzycy. Również osoby zdrowe, ale słabo reagujące na glukozę, są – z dużym prawdopodobieństwem – Lewis-ujemne[5].

W pewnych badaniach przeprowadzonych na 216 cukrzykach noszących protezy zębowe oceniono ich podatność na drożdżakowe PROTETYCZNE ZAPALENIE JAMY USTNEJ (zakażenie grzybami *Candida albicans*). Okazało się, że wśród niewydzielaczy skłonność ta jest wyraźnie większa niż wśród wydzielaczy. W celu odróżnienia wpływu statusu niewydzielacza od innych czynników mających wpływ na rozwój tej choroby posłużono się analizą dyskryminacji. Okazało się, że status niewydzielacza jest czynnikiem ryzyka wśród pacjentów z insulinoniezależną postacią cukrzycy, natomiast nie odgrywa roli przy kandydozie chorych na cukrzycę typu młodzieńczego[6].

## Wykrywanie i kontrola przebiegu cukrzycy

Podstawowym testem cukrzycowym jest badanie poziomu glukozy we krwi na czczo. Norma obserwowana u osób zdrowych wynosi 70–100 mg/dL. Próbka krwi pobierana jest rano, przed pierwszym posiłkiem. Poziom glukozy powyżej 140 mg/dl jest pewnym wskaźnikiem cukrzycy, ale odczyt w zakresie 115–140 mg/dl wymaga dalszych badań, w postaci testu na tolerancję glukozy.

Test na tolerancję glukozy powinien zostać wykonany zawsze wówczas, gdy poziom cukru na czczo przekroczy 115 mg/dl albo gdy po posiłku przekroczy stężenie 160 mg/dl. Test na tolerancję glukozy trwa kilka godzin. Pacjent otrzymuje do wypicia słodki płyn, który podnosi poziom cukru we krwi. Próbki krwi pobierane są po 30 minutach, godzinie, 2 godzinach i 3 godzinach. Za każdym razem określa się stężenie cukru w próbce. Badanie to pokazuje, po jakim czasie organizm pacjenta jest w stanie sprowadzić stężenie cukru we krwi do normalnego poziomu.

## Terapie stosowane przy cukrzycy typu II

*Wszystkie grupy krwi:*

- Picie alkoholu może się przyczyniać do hiperglikemii, a przez to nasilać insulinooporność. Wprawdzie spożywanie czerwonego wina, niezwykle bogatego w substancje fitochemiczne, może mieć pozytywny wpływ na zdrowie, jednakże łączy się ono z dostawą dodatkowych kalorii z zawartego w nim cukru. Postaraj się, by winu towarzyszył jakiś posiłek, bo to pozwala uniknąć gwałtownych wahań poziomu cukru we krwi.
- Nie pal. Jeśli palisz, bo boisz się, że zaczniesz tyć, gdy rzucisz palenie, rozważ, co następuje: organizm nałogowego palacza jest bardziej narażony na insulinooporność i hiperinsulinizm niż organizm osoby niepalącej. Oba te stany przedcukrzycowe są silnie związane z tyciem.

*Protokoły stosowane przy grupie krwi A:*

- sercowo-naczyniowy
- usprawniający metabolizm
- krwiotwórczy
- wspomagający działanie wątroby

*Protokoły stosowane przy grupie krwi B:*

- usprawniający metabolizm
- wspomagający działanie wątroby

*Dodatkowo:*

magnez: 200–300 mg/dzień

*Protokoły stosowane przy grupie krwi AB:*

- sercowo-naczyniowy
- usprawniający metabolizm
- krwiotwórczy
- wspomagający działanie wątroby

*Protokoły stosowane przy grupie krwi 0:*

- usprawniający metabolizm
- wspomagający działanie wątroby

## Tematy pokrewne

Choroba sercowo-naczyniowa
Cukrzyca typu I
Insulinooporność
Nadciśnienie
Otyłość

### Bibliografia

1. McConnell RB, et al. *Brit Med J.* 1956;772.
2. Graig J, Wang I. *Glasgow Med J.* 1955;261.
3. Dahlquist G, Kallen B. Maternal-child blood group incompatibility and other perinatal events increase the risk for early-onset type I (insulin-dependent) diabetes mellitus. *Diabetologia.* 1992 Jul.;35:671–675.
4. Patrick AW, Collier A. An infectious aetiology of insulindependent diabetes mullitus? Role of the secretor status. *FEMS Microbiol Immunol.* 1989;1:411–416.
5. Melis C, Mercier P, Vague P, Vialettes B. Lewis antigen and diabetes. *Rev Fr Transfus Immunohematol.* 1978;21:965–971.
6. Aly FZ, Blackwell CC, MacKenzie DA, et al. Chronic atrophic oral candidiasis among patients with diabetes mellitus – role of ABH secretor status. *Epidemiol Infect.* 1991;106:355–363.

**CZERNIAK** – *patrz Rak skóry: Czerniak*

**CZERWONKA** – *patrz Choroby bakteryjne: Zakażenie bakteriami czerwonki*

**CZYNNIK KRZEPNIĘCIA VW** – *patrz Krew: Zaburzenia krzepliwości*

**ĆWICZENIA FIZYCZNE** – *patrz Stres*

# DEPRESJA DWUBIEGUNOWA (PSYCHOZA MANIAKALNO-DEPRESYJNA)

– patologiczne zmiany nastrojów, od manii do depresji.

| Depresja dwubiegunowa | RYZYKO ZACHOROWANIA | | |
|---|---|---|---|
| | NISKIE | UMIARKOWANE | ZNACZNE |
| Grupa A | | | |
| Grupa B | | | |
| Grupa AB | | | |
| Grupa 0 | | | |
| niewydzielacz | | | |

## Objawy

Faza maniakalna, która zazwyczaj trwa około 3 miesięcy, charakteryzuje się następującymi objawami:

- euforia,
- przesadna ekspresja,
- roztargnienie,
- bezsenność,
- gonitwa myśli,
- gadatliwość,
- skłonność do ryzykownych zachowań.

Faza depresyjna, zazwyczaj dłuższa od maniakalnej (6 lub więcej miesięcy), charakteryzuje się:

- przygnębieniem,
- zmęczeniem,
- ociężałością ciała,
- nadmierną sennością,
- pesymizmem,
- tyciem lub chudnięciem.

## Krótko o depresji dwubiegunowej

Chorobę tę czasem trudno zdiagnozować z powodu różnic zarówno w długości trwania, jak i intensywności obu faz. Najczęściej choroba zaczyna się depresją, która nieoczekiwanie przechodzi w manię. Z początku mania wygląda jak zmiana na lepsze, towarzyszy jej energia życiowa i entuzjazm. Wkrótce jednak zachowania te wymykają się spod kontroli chorego i zaczynają

przejawiać się w postaci dziwacznych iluzji, niebezpiecznych zachowań, gwałtownych zmian nastroju i nadmiernej aktywności. Z czasem emocjonalne wahadło cofa się do pozycji pierwotnej, a dotknięta chorobą osoba popada w głęboką depresję.

Większość badaczy zwraca uwagę na znaczenie, jakie dla przebiegu depresji jednobiegunowej i dwubiegunowej mają substancje neuroprzekaźnikowe (neurotransmitery), a więc katecholaminy: noradrenalina i adrenalina. Zgodnie z tą hipotezą depresja wynika z niedoboru katecholamin w mózgu, natomiast mania jest następstwem ich nadmiaru. Znaczny poziom katecholamin w fazie maniakalnej jest w dużej części skutkiem podwyższonej aktywności beta-hydroksylazy dopaminowej, natomiast niski poziom katecholamin w fazie depresyjnej wynika z niskiej aktywności tego enzymu.

Ważny aspekt działania katecholamin wiąże się z rolą monoaminooksydazy (MAO). MAO występuje w dwóch formach – MAO-A i MAO-B. MAO-A spotykana jest w całym organizmie człowieka, ale przede wszystkim w przewodzie pokarmowym, natomiast MAO-B występuje przede wszystkim w mózgu. Zarówno MAO-A, jak i MAO-B uczestniczy w przemianie dopaminy w różne inne związki, a zablokowanie tych enzymów powoduje zwiększenie stężenia dopaminy.

Dodatkowym markerem stanu centralnego układu serotoninowego jest poziom aktywności MAO w płytkach krwi. Niskie stężenie MAO w tym genetycznie zdeterminowanym markerze może oznaczać skłonność do patologii psychicznych i pewnych zaburzeń zachowań. Z depresją dwubiegunową wiążą się zmiany w stężeniu MAO w płytkach i wahania aktywności beta-hydroksylazy dopaminowej.

## Związki depresji dwubiegunowej z grupami krwi

Wykazano, że organizm osób z grupą krwi 0 ma trudności z rozkładem katecholamin, co po części wiąże się z ich naturalnie niższym poziomem

MAO[1]. Okazuje się również, że istnieje genetyczny związek między grupą krwi 0 i genem beta-hydroksylazy dopaminowej[2]. Zarówno niskie stężenie MAO w płytkach krwi, jak i wahania aktywności beta-hydroksylazy dopaminowej towarzyszą psychozie maniakalno-depresyjnej.

Związki między grupą krwi 0 i psychozą dwubiegunową zostały zweryfikowane w kilku niezależnych pracach badawczych. Badania rodzinne wykazały, że osoby z tą grupą krwi częściej zapadają na psychozę dwubiegunową o podłożu genetycznym. Wykazano też silny związek między grupą krwi 0 i DEPRESJĄ JEDNOBIEGUNOWĄ, charakteryzującą się głęboką depresją bez fazy maniakalnej[3].

Genetyczne podłoże choroby depresyjnej było badane w badaniach na bliźniętach, na rodzicach biologicznych i adopcyjnych, w badaniach asocjacji i sprzężeń genetycznych. Hipoteza na temat genetycznej transmisji choroby została przetestowana w badaniach asocjacji między genem grupy krwi 0 na chromosomie 9. a innymi chromosomami[4].

W trakcie badań, które podjęto w celu stworzenia podstawy dla szerszych studiów psychofarmakologicznych, zbadano krew 66 pacjentów cierpiących na depresję. Okazało się, że wśród osób z grupą krwi 0 chorzy na depresję dwubiegunową (70%) przeważali nad pacjentami z chorobą jednobiegunową (22%), tymczasem u chorych z grupą krwi A częściej występowała choroba jednobiegunowa (65%) niż dwubiegunowa (23%). Badacze sugerują, że dane te mogą mieć znaczenie przy wyborze grup pacjentów do badań psychofarmakologicznych. Stwierdzono też, że ogólnie rzecz biorąc w układzie grupowym AB0 największą zachorowalność na choroby psychiczne mają osoby niewydzielające antygenów do płynów ustrojowych[5].

## Terapie stosowane przy depresji dwubiegunowej

### Protokoły stosowane przy grupie krwi A:
• przeciwstresowy
• wspomagający zdrowie układu nerwowego

### Protokoły stosowane przy grupie krwi B:
• przeciwstresowy
• wspomagający zdrowie układu nerwowego

### Protokoły stosowane przy grupie krwi AB:
• przeciwstresowy
• wspomagający zdrowie układu nerwowego

### Protokoły stosowane przy grupie krwi 0:
• przeciwstresowy
• wspomagający zdrowie układu nerwowego
### Dodatkowe uwagi dla grup krwi 0:
Unikaj inhibitorów MAO i dziurawca
Unikaj kava-kava.

## Tematy pokrewne

Depresja jednobiegunowa
Stres

**Bibliografia**

1. Arato M, Bagdy G, Rihmer Z, Kulcsar Z. Reduced platelet MAO activity in healthy male students with blood group 0. *Acta Psychiatr Scand.* 1983;67:130–134.
2. Wilson AF, Elston RC, Siervogel RM, Tran LD. Linkage of a gene regulating dopamine-beta-hydroxylase activity and the AB0 blood group locus. *Am J Hum Genet.* 1988;42:10–166.
3. Rinieris PM, Stefanis CN, Lykouras EP, Varsou EK. Affective disorders and AB0 blood types. *Acta Psychiatr Scand.* 1979;60:272–278.
4. Takazawa N, Kimura T, Nanko S. Blood groups and affective disorders. *Jpn J Psychiatry Neurol.* 1988;42:753–758.
5. Rafaelsen OJ, Shapiro RW. Psychopharmacological studies in genetically determined subgroups of psychiatric patients. *Prog Neuropsychopharmacol.* 1979;3:147–154.

# DEPRESJA JEDNOBIEGUNOWA –

długotrwałe, przejmujące uczucie smutku, któremu towarzyszy niezrozumiałe wrażenie znudzenia i zniechęcenia.

| Depresja jednobiegunowa | RYZYKO ZACHOROWANIA | | |
|---|---|---|---|
| | NISKIE | UMIARKOWANE | ZNACZNE |
| Grupa A | | | |
| Grupa B | | | |
| Grupa AB | | | |
| Grupa 0 | | | |
| niewydzielacz | | | |

## Objawy

Według Amerykańskiego Towarzystwa Psychiatrycznego depresji towarzyszą wymienione niżej objawy. Osoba cierpiąca na 4 do 8 z nich jest uważana za kwalifikującą się do leczenia klinicznego:

- niska samoocena i brak pewności siebie,
- pesymizm, brak nadziei, rozpacz,
- brak zainteresowania zwykłymi przyjemnościami i zajęciami,
- unikanie towarzystwa,
- zmęczenie lub ospałość,
- poczucie winy lub rozmyślanie o przeszłości,
- drażliwość lub napady gwałtownego gniewu,
- zmniejszona wydajność,
- trudności z koncentracją i podejmowaniem decyzji.

## Krótko o depresji jednobiegunowej

Ocenia się, że depresji kwalifikującej chorego do leczenia klinicznego doświadcza około 17 milionów Amerykanów.

Długotrwała depresja może być źródłem przeżyć upośledzających zdolność do życia w społeczności i prowadzi do wyalienowania i pogłębiającego się przygnębienia. Chorobę tę nazywa się jednobiegunową dla odróżnienia od depresji dwubiegunowej, czyli psychozy maniakalno-depresyjnej. Depresja jednobiegunowa pojawia się częściej u introwertyków i osób o skłonności do

obaw. Osoby takie zwykle nie dysponują umiejętnościami społecznymi, które pozwoliłyby im radzić sobie ze stresem życia codziennego i zazwyczaj mają trudności z wydobyciem się ze stanu depresyjnego.

Większość badaczy podkreśla znaczenie, jakie dla rozwoju i przebiegu chorób, takich jak depresja jedno- czy dwubiegunowa, mają katecholaminy: noradrenalina i adrenalina. Zgodnie z wysuwaną przez nich hipotezą depresja jest skutkiem niedoboru katecholamin w mózgu, natomiast stan maniakalny może się wiązać z ich nadmiarem.

## Związki depresji jednobiegunowej z grupami krwi

Osoby z grupą krwi 0 częściej zapadają na depresję dwubiegunową, tymczasem u osób z grupą krwi A częściej pojawia się choroba jednobiegunowa. W pewnych badaniach, podjętych w celu stworzenia podstawy dla szerszych studiów nad zastosowaniem leków w psychiatrii, zbadano krew 66 pacjentów maniakalno-depresyjnych. Okazało się, że wśród osób z grupą krwi 0 chorzy na depresję dwubiegunową (70%) przeważali nad pacjentami z chorobą jednobiegunową (22%), tymczasem u chorych z grupą krwi A częściej występowała postać jednobiegunowa (65%) niż dwubiegunowa (23%)[1] depresji.

Istnieje też silny związek między depresją i ZABURZENIAMI LĘKOWYMI. Z pewnej pracy wynika, że przeszło połowa pacjentów depresyjnych odpowiada też kryteriom wyznaczonym dla chorych z zaburzeniami lękowymi. Połączenie depresji i lęku jest głównym czynnikiem narkomanii i prób samobójczych. W dość znacznej liczbie badań wykazano, że zaburzenia lękowe najbardziej zagrażają osobom z grupą krwi A. Wydaje się prawdopodobne, że wynika to z wyższego poziomu kortyzolu i mniejszego poziomu melatoniny[2], które, jak wiadomo, mają swój udział w rozwoju tych chorób.

Grupa krwi 0, z racji jej związku ze stanami depresyjnymi, jest szczególnie wrażliwa na obniżony poziom katecholamin we krwi.

Można też ogólnie stwierdzić, że niewydziela-cze stanowią w układzie grupowym AB0 grupę szczególnie podatną na choroby psychiczne.

## Terapie stosowane przy depresji jednobiegunowej

### Protokoły stosowane przy grupie krwi A:
• przeciwstresowy
• wspomagający zdrowie układu nerwowego
### Dodatkowo:
Leczenie zaburzeń lękowych skupia się zazwyczaj na wahaniach stężenia serotoniny, które zwykle leczy się specyfikami, takimi jak Luvox (maleinian fluwoksaminy). Skuteczniejsze leczenie skupia się na wahaniach stężenia kortyzolu. Często też w trakcie tych chorób pojawia się deficyt melatoniny.

Metylokobalamina: 1–3 mg dziennie, przyjmowane rano

Melatonina: melatonina jest hormonem, a to oznacza, że powinno się ją przyjmować tylko wg zaleceń lekarza

### Protokoły stosowane przy grupie krwi B:
• przeciwstresowy
• wspomagający zdrowie układu nerwowego
### Dodatkowo:
Leczenie zaburzeń lękowych skupia się zazwyczaj na wahaniach stężenia serotoniny, które zwykle leczy się specyfikami, takimi jak Luvox (maleinian fluwoksaminy). Skuteczniejsze leczenie skupia się na wahaniach stężenia kortyzolu. Często też w trakcie tych chorób pojawia się deficyt melatoniny.

Metylokobalamina: 1–3 mg dziennie, przyjmowane rano

Melatonina: melatonina jest hormonem, a to oznacza, że powinno się ją przyjmować tylko wg zaleceń lekarza

### Protokoły stosowane przy grupie krwi AB:
• przeciwstresowy
• wspomagający zdrowie układu nerwowego

### Protokoły stosowane przy grupie krwi 0:
• przeciwstresowy
• wspomagający zdrowie układu nerwowego

### Dodatkowo:
Unikaj inhibitorów MAO i dziurawca.
Unikaj kava-kava.

## Tematy pokrewne

Depresja dwubiegunowa
Stres
Zaburzenia lękowe
Zaburzenia obsesyjno-kompulsywne

**Bibliografia**
1. Rafaelsen OJ, Shapiro RW. Psychopharmacological studies in genetically determined subgroups of psychiatric patients. *Prog Neuropsychopharmacol.* 1979;3:147–154.
2. Catapano F, Moneleone P, Fuschino A, Maj M, Kemali D. Melatonin and cortisol secretion in patients with primary obsessive-compulsive disorder. *Psychiatry Res.* 1992;44:217–225.

**DETOKSYKACJA** – *patrz Toksyczne jelito: Samozatrucie enterotoksynami (indykan w moczu); Toksyczne jelito: Samozatrucie enterotoksynami (poliaminy)*

**DOPAMINA** – *patrz Stres*

**DUR BRZUSZNY** – *patrz Choroby bakteryjne: Dur brzuszny*

**DUSZNICA BOLESNA** – ból w klatce piersiowej.

| Dusznica bolesna | RYZYKO ZACHOROWANIA/NASILENIE | | |
|---|---|---|---|
| | NISKIE | UMIARKOWANE | ZNACZNE |
| Grupa A | | | |
| Grupa B | | | |
| Grupa AB | | | |
| Grupa 0 | | | |
| niewydzielacz | | | |

## Objawy

- uczucie ciasnoty, ciężaru lub niezbyt silnego bólu w klatce piersiowej (zazwyczaj za mostkiem),
- ból zębów, któremu może, ale nie musi towarzyszyć ucisk lub ciężar w klatce piersiowej,
- bóle mięśni szyi lub szczęki,
- ból wzdłuż jednego ramienia lub obu,
- bóle w krzyżu,
- uczucie nagromadzenia gazu na pograniczu brzucha i klatki piersiowej,
- uczucie dławienia lub krótkość oddechu,
- bladość i poty.

## Krótko o dusznicy bolesnej

Dusznica bolesna to nawroty bólu lub innych nieprzyjemnych sensacji w klatce piersiowej, które pojawiają się wtedy, gdy do serca nie dopływa wystarczająca ilość krwi. Jest to zjawisko częste w chorobie wieńcowej serca, będącej wynikiem zwężenia i zablokowania naczyń krwionośnych w rezultacie zmian miażdżycowych.

Ból dusznicowy to nie to samo co ZAWAŁ SERCA. Dusznica pojawia się wtedy, gdy chwilowo któraś z części mięśnia sercowego nie dostaje odpowiedniej ilości tlenu – na przykład w czasie ćwiczeń fizycznych, kiedy serce musi pracować ciężej niż normalnie. Taki ból nie znaczy wcale, że mięsień serca uległ jakimś nieodwracalnym, trwałym uszkodzeniom. Epizody bólu dusznicowego rzadko powodują trwałe uszkodzenia serca, natomiast są poważnym ostrzeżeniem, że z naczyniami wieńcowymi w sercu chorego nie jest dobrze.

Rzadziej spotykanymi odmianami dusznicy bolesnej są: dusznica nocna (pojawiająca się w czasie snu chorego); dusznica spoczynkowa (w czasie odpoczynku i bez wyraźnej przyczyny; podobna do nocnej); dusznica niestabilna (zwana też dusznicą przedzawałową; jest etapem pośrednim świadczącym o zaawansowanej niewydolności wieńcowej; napady bólu trwają długo i powstają pod wpływem niewielkiego nawet wysiłku); dusznica bolesna Prinzmetala (angina Prinzmetala; ataki bólu nie mają wyraźnego związku z wysiłkiem; EKG wykazuje wyraźne uniesienie na odcinku ST, tam gdzie w normalnej dusznicy bolesnej obserwuje się wyraźne obniżenie).

## Związki dusznicy z grupami krwi

Istnieje wyraźny związek między grupami krwi A i AB i ryzykiem zachorowania na chorobę serca. Doniesienia na ten temat można znaleźć w literaturze naukowej minionych 50 lat. Wiadomo, że zawał serca częściej zdarza się u osób z grupą krwi A i to niezależnie od wieku, płci i przynależności etnicznej czy narodowościowej.

## Terapie stosowane w leczeniu dusznicy bolesnej

*UWAGA! Dusznica bolesna jest tak poważnym ostrzeżeniem, że należy się liczyć z potrzebą nagłej pomocy lekarskiej. Konieczna jest wizyta u lekarza!*

*Protokoły stosowane przy grupie krwi A:*
- sercowo-naczyniowy
- usprawniający metabolizm
- przeciwstresowy

*Protokoły stosowane przy grupie krwi B:*
- sercowo-naczyniowy
- usprawniający metabolizm
- przeciwstresowy

*Protokoły stosowane przy grupie krwi AB:*
- sercowo-naczyniowy
- przeciwstresowy

*Protokoły stosowane przy grupie krwi 0:*
- sercowo-naczyniowy
- usprawniający metabolizm
- przeciwstresowy

## Tematy pokrewne

Choroba wieńcowa
Cukrzyca typu II
Miażdżyca
Nadciśnienie
Otyłość
Syndrom X (insulinooporność)

**DYFTERYT** – *patrz Choroby bakteryjne: Błonica*

**DŻUMA** – *patrz Choroby bakteryjne: Dżuma*

**E. COLI** – *patrz Choroby bakteryjne: Eszerichioza*

**EGZEMA** – *patrz Alergie środowiskowe; Alergie pokarmowe*

**ESZERICHIOZA** – *patrz Choroby bakteryjne: Eszerichioza*

**FIBROMIALGIA** – *patrz Choroby autoagresyjne: Fibromialgia*

**FOBIE** – *patrz Zaburzenia lękowe; Natręctwa myślowe i czynności przymusowe; Stres*

**GENETYKA** – *patrz Część pierwsza*

**GIARDIA** – *patrz Choroby pasożytnicze: Lamblioza*

**GLEJAK** – *patrz Rak mózgu: Glejak i inne nowotwory mózgu*

## GORĄCZKA

Fizjologiczną odpowiedzią organizmu na chorobę lub uraz jest gorączka, która powoduje wzrost temperatury ciała. Gorączką określa się temperaturę powyżej 37,7°C. Zazwyczaj towarzyszy jej złe samopoczucie, ospałość i osłabienie. Gorączka sama w sobie nie jest chorobą, jest jednak jej objawem i sygnałem, że układ odpornościowy stara się pozbyć szkodliwych dlań organizmów lub substancji.

| Najczęstsze przyczyny | Grupa krwi 0 | Grupa krwi A | Grupa krwi B | Grupa krwi AB | Nie-wydzielacz |
|---|---|---|---|---|---|
| Infekcja bakteryjna lub wirusowa | ••• | •••••••••• | •••••••• | •••••••••• | •••••••••••• |
| Rana lub uraz, również operacja | Podatne są wszystkie grupy | Podatne są wszystkie grupy | Podatne są wszystkie grupy | Podatne są wszystkie grupy | |
| Guzy | ••• | ••••••••••• | ••• | ••••••••••• | |

• = stopień zagrożenia

*U wszystkich czterech grup krwi układu AB0 stosuje się następujące protokoły:*
- rekonwalescencyjny po wyniszczającej chorobie
- antybakteryjny
- antywirusowy

### Tematy pokrewne

Choroby bakteryjne (ogólnie)
Choroby wirusowe (ogólnie)
Nowotwory (ogólnie)
Uraz mięśniowo-szkieletowy

---

## GORĄCZKA REUMATYCZNA/REUMATYCZNA CHOROBA SERCA (CHOROBA GOŚĆCOWA)

– ostre powikłania natury autoagresyjnej na zakażenie paciorkowcami grupy A[*].

| Gorączka reumatyczna | RYZYKO ZACHOROWANIA | | |
|---|---|---|---|
| | NISKIE | UMIARKOWANE | ZNACZNE |
| Grupa A | | | |
| Grupa B | | | |
| Grupa AB | | | |
| Grupa 0 | | | |
| niewydzielacz | | | |

### Objawy

W diagnozowaniu gorączki reumatycznej stosuje się dwa typy kryteriów, główne i dodatkowe. Chorobę oznacza jednoczesne występowanie co najmniej dwóch głównych kryteriów lub jednoczesne występowanie jednego głównego i dwóch dodatkowych. Punktem wyjścia dla gorączki reumatycznej są infekcje paciorkowcem, np. angina paciorkowcowa; ich obecność jest kluczem do zdiagnozowania gorączki reumatycznej.

---

[*] Paciorkowce (streptokoki) dzieli się na 5 grup serologicznych, A, B, C, D i E – przyp. tłum.

**Kryteria główne:**

- stan zapalny mięśnia sercowego przejawiający się często osłabieniem i krótkością oddechu, czasem bólem w klatce piersiowej,
- bolesne zapalenie stawów, najczęściej lokujące się w stawie skokowym, nadgarstkach, kolanach i łokciach, „wędrujące" od stawu do stawu,
- mimowolne ruchy (tiki) kończyn i twarzy albo inne, trudniej zauważalne zaburzenia ruchowe, takie jak zmiany w piśmie (na mniej wyraźne),
- rozległe różowe lub bladoczerwone, nieswędzące plamy na skórze (rzadko),
- zgrubienia podskórne (rzadko).

**Kryteria dodatkowe:**

- bóle stawów bez innych objawów zapalenia,
- gorączka,
- wcześniejsza choroba reumatyczna lub objawy reumatycznej choroby serca,
- nieprawidłowy obraz uderzeń serca na elektrokardiogramie,
- badanie krwi wykazujące obecność stanu zapalnego,
- nowe szmery w sercu.

## Krótko o gorączce reumatycznej i chorobie serca

Gorączka reumatyczna, inaczej ostry gościec stawowy, to poważna choroba zapalna dotykająca wiele narządów i części ciała: serce, stawy, układ nerwowy, skórę. Wprawdzie gorączka reumatyczna może atakować ludzi w każdym wieku, najczęściej jednak występuje u ludzi młodych, między 5. i 15. rokiem życia. Ogólnie rzecz biorąc, jest ona wynikiem nadmiernie silnej odpowiedzi immunologicznej na infekcję paciorkowcami.

## Związki gorączki reumatycznej z grupami krwi

Gorączka reumatyczna, a także reumatyczna choroba serca, występuje najczęściej u niewydzielaczy, których organizm jest też bardziej skłonny do generowania nadmiernie silnej odpowiedzi immunologicznej na infekcje paciorkowcowe[1].

Infekcje paciorkowcowe najczęściej zdarzają się u osób z grupą krwi B, a to zwiększa podatność tych osób na gorączkę reumatyczną[2]. Istnieje też związek między grupą krwi B i noworodkowymi zakażeniami paciorkowcami grupy B. Związek ten jest na tyle silny, że umożliwia rokowanie już na podstawie krwi matki: dzieci z grupą krwi B, urodzone z matek o takiej samej grupie krwi, są dwa razy bardziej zagrożone infekcją paciorkowcową niż pozostałe.

## Terapie stosowane przy gorączce reumatycznej/reumatycznej chorobie serca

*U wszystkich czterech grup krwi układu AB0 stosuje się następujące protokoły:*

- wzmacniający układ odpornościowy
- antybakteryjny

## Tematy pokrewne

Choroby autoagresyjne
Zakażenie paciorkowcowe
Zapalenie

**Bibliografia**

1. Glynn AA, Glynn LE, Holborrow EJ. Secretion of blood group substances in rheumatic fever: a gentic requirement for susceptibility? *Brit Med. J.* ii:266–270.
2. Ligtenberg AJ, Veerman EC, de Graaff J, Nieuw Amerongen AV. Saliva-induced aggregation of oral streptococci and the influence of blood reactive substances. *Arch Oral Biol.* 1990;35 suppl:141S–143S.
3. Regan JA, Chao S, James LS. Maternal AB0 blood group type B: a risk factor in the development of neonatal group B streptococcal disease. *Pediatrics.* 1978;62:504–509.

**GRONKOWIEC** *– patrz Choroby bakteryjne: Zakażenie gronkowcem*

**GRUŹLICA** *– patrz Choroby bakteryjne: Gruźlica*

**GRYPA** – *patrz Choroby wirusowe: Grypa*

## GRZYBICE: KANDYDOZA – infekcja wywołana nadmiernym namnożeniem drożdży w układzie pokarmowym człowieka.

| Kandydoza układu pokarmowego | RYZYKO ZACHOROWANIA | | |
|---|---|---|---|
| | NISKIE | UMIARKOWANE | ZNACZNE |
| Grupa A | | | |
| Grupa B | | | |
| Grupa AB | | | |
| Grupa 0 | | | |
| niewydzielacz | | | |

## Objawy

### Kandydoza układu pokarmowego:
- wzdęcie,
- gazy, zwłaszcza po spożyciu pokarmów węglowodanowych i napojów zawierających drożdże.

### Kandydoza uogólniona (systemowa):
- gorączka,
- złe samopoczucie,
- niskie ciśnienie krwi,
- zmiany stanu psychicznego.

## Krótko o kandydozie przewodu pokarmowego

Drożdże z gatunku *Candida albicans* są obecne w układzie trawiennym wielu w zasadzie zdrowych ludzi. Jak na ironię, jedną z głównych przyczyn nawrotów zakażenia drożdżakami jest długotrwałe i zbyt częste stosowanie antybiotyków. Postępowanie takie może wywołać ciężką postać kandydozy, tak zwaną kandydozę uogólnioną, będącą jedną z najpoważniejszych manifestacji opanowania organizmu człowieka przez mikroorganizmy chorobotwórcze. *Candida albicans* może się potencjalnie rozsiać po wszystkich układach człowieka; taka rozsiana (uogólniona) forma kandydozy w samych Stanach Zjednoczonych dotyka co najmniej 120 tysięcy osób rocznie.

## Związki kandydozy z grupami krwi

Ogólnie rzecz biorąc, osoby z grupą krwi 0 są bardziej od innych skłonne do nadwrażliwości na drożdżaki *Candida*[1], a największą podatność wśród nich wykazują niewydzielacze.

Ujmując rzecz skrótowo, największą zachorowalność na kandydozę obserwuje się u niewydzielaczy. Efekt ochronny, który zapewnia „gen bycia wydzielaczem", może wynikać z faktu, że pochodne cukrów obecne w płynach ustrojowych wydzielaczy mają zdolność inhibicji adhezyn znajdujących się na powierzchni komórek drożdży. Być może, że ślina niewydzielaczy nie tylko nie chroni przed przyczepianiem się drożdży do śluzówki, ale nawet w tej czynności może im pomagać. W pewnych badaniach na grupie chorych na cukrzycę stwierdzono, że 44% niewydzielaczy na stałe nosi te drożdżaki w ustach[2].

Wprawdzie niewydzielacze stanowią zaledwie 15–20% populacji, ale wśród osób z drożdżakowatą infekcją ust lub pochwy są w przewadze, stanowiąc niemal 50% chorych[2]. Niezdolność do wydzielania antygenów krwi do śliny wydaje się również czynnikiem ryzyka rozwoju przewlekłej kandydozy hiperplastycznej (rozrostowej). W pewnych badaniach udział niewydzielaczy wśród pacjentów z chroniczną kandydozą hiperplastyczną wynosił 60%. Kobiety z nawrotową postacią drożdżakowego zapalenia pochwy także częściej występowały wśród niewydzielaczy[3,4].

## Terapie stosowane przy kandydozie układu trawiennego i uogólnionej

*Protokoły stosowane przy grupie krwi A:*
- przeciwgrzybiczny
- wzmacniający układ odpornościowy
- wspomagający zdrowie żołądka

*Protokoły stosowane przy grupie krwi B:*
- przeciwgrzybiczny
- wzmacniający układ odpornościowy
- wspomagający zdrowie jelit

*Protokoły stosowane przy grupie krwi AB:*
- przeciwgrzybiczny
- wzmacniający układ odpornościowy
- wspomagający zdrowie jelit

*Protokoły stosowane przy grupie krwi 0:*
- przeciwgrzybiczny
- przeciwalergiczny
- wspomagający zdrowie żołądka

## Tematy pokrewne

Trawienie
Odporność
Choroby zakaźne
Jelito toksyczne

### Bibliografia

1. Tosh FD, Douglas LJ. Characterization of a fucosidebinding adhesin of *Candida albicans*. *Infect Immun.* 1992;60:4734–4739.
2. Aly FZ, Blackwell CC, MacKenzie DA, et al. Chronic atrophic oral candidiasis among patients with diabetes melilitus-role of ABH secretor status. *Epidemiol Infect.* 1991;106:355–363.
3. Thom SM, Blackwell CC, MacCallum CJ, et al. Nonsecretion of blood group antigens and susceptibility to infection by Candida species. *FEMS Microbiol Immunol* 1989;1:401–405.
4. Lamey PJ, Darwazeh AM, Muirhead J, Rennie JS, Samaranayake LP, MacFanane TW. Chronic hyperplastic candidosis and secretor status. *J Oral Pathol Med.* 1991;20:64–67.

## GRZYBICE: KANDYDOZA JAMY USTNEJ (PLEŚNIAWKI)

**GRZYBICE: KANDYDOZA JAMY USTNEJ (PLEŚNIAWKI)** – infekcja tkanek jamy ustnej wywołana nadmiernym namnożeniem drożdżaków *Candida albicans*; często występuje jako infekcja oportunistyczna u chorych na AIDS albo inne choroby osłabiające układ odpornościowy.

| Kandydoza jamy ustnej (pleśniawki) | RYZYKO ZACHOROWANIA | | |
|---|---|---|---|
| | NISKIE | UMIARKOWANE | ZNACZNE |
| Grupa A | | | |
| Grupa B | | | |
| Grupa AB | | | |
| Grupa 0 | | | |
| niewydzielacz | | | |

### Objawy

- bolesne zmiany w jamie ustnej,
- śmietankowobiałe plamy na języku i śluzówce policzków.

Kandydoza jamy ustnej, czyli pleśniawki, powszechnie dotyka chorych na AIDS, a także towarzyszy innym chorobom związanym z osłabieniem immunologicznych mechanizmów obronnych, w których pośredniczą komórki T. Do stwierdzonych czynników ryzyka zachorowania na kandydozę zalicza się: immunosupresję, leczenie antybakteryjne, protezy zębowe, długotrwałe stosowanie doustnych lub wziewnych steroidów, doustna antykoncepcja i hiperglikemia.

### Związki kandydozy jamy ustnej z grupami krwi

Najczęstsze występowanie kandydozy jamy ustnej obserwuje się u niewydzielaczy układu AB0, do tego raczej u osób $Le_{(a+b-)}$ niż $Le_{(a-b-)}$. Nosicielstwo drożdżaków w ustach jest również silnie skorelowane z grupą krwi 0; wśród niewydzielaczy to właśnie osoby z grupą krwi 0 najczęściej są nosicielami *Candida*[1].

Wprawdzie niewydzielacze stanowią zaledwie 15–20% populacji, ale wśród osób z drożdżakowatą infekcją ust lub pochwy są w przewadze, stanowiąc niemal 50% chorych[2]. Niezdolność do wydzielania antygenów krwi do śliny wydaje się również czynnikiem ryzyka rozwoju przewlekłej kandydozy hiperplastycznej (rozrostowej). W pewnych badaniach udział niewydzielaczy wśród pacjentów z chroniczną kandydozą hiperplastyczną wynosił 68%[3].

Skłonnością do powierzchniowej postaci infekcji drożdżakami wykazuje się więcej niewydzielaczy niż wydzielaczy. W badaniach przeprowadzonych na 216 cukrzykach noszących protezy zębowe oceniono ich podatność na PROTETYCZNE ZAPALENIE JAMY USTNEJ. Ogólnie większą skłonność do zapadania na tę chorobę zaobserwowano wśród niewydzielaczy niż wśród wydzielaczy. W celu odróżnienia wpływu statusu niewydzielacza od innych czynników mających wpływ na rozwój tej choroby posłużono się analizą dyskryminacji. Okazało się, że status niewydzielacza jest czynnikiem ryzyka wśród pacjentów z insulinoniezależną postacią cukrzycy, natomiast nie odgrywa roli przy kandydozie chorych na cukrzycę typu młodzieńczego.

Wśród chorych na kandydozę jamy ustnej osoby z grupą krwi 0 mają większy udział niż osoby z pozostałymi grupami.

## Terapie stosowane przy kandydozie jamy ustnej

### Wszystkie grupy krwi:

- Niektóre płyny do płukania ust i pastylki do ssania zawierają nystatynę i amfoterycynę B, leki przecigrzybicze.
- Protezy zębowe należy moczyć w roztworze nystatyny.
- Znaczną poprawę powinien przynieść dwuprocentowy mikonazol lub krem nystatynowy, aplikowany dwa razy dziennie przez okres 1 tygodnia.

### U wszystkich czterech grup krwi układu AB0 stosuje się następujące protokoły:

- przeciwgrzybiczny
- wzmacniający układ odpornościowy

## Tematy pokrewne

Choroby wirusowe: AIDS
Odporność
Protetyczne zapalenie jamy ustnej

### Bibliografia

1. Burford-Mason AP, Weber JC, Willoughby JM. Oral carriage of *Candida albicans*, AB0 blood group and secretor status in healthy subjects. *J Med Vet Mycol.* 1988;26:49–56.
2. Thom SM, Blackwell CC, MacCallum CJ, et al. Nonsecretion of blood group antigens and susceptibility to infection by Candida species. *FEMS Microbiol Immunol* 1989;1:401–405.
3. Lamey PJ, Darwazeh AM, Muirhead J, Rennie JS, Samaranayaka LP, MacFanane TW. Chronic hyperplastic candidosis and secretor status. *J Oral Pathol Med.* 1991;20:64–67.
4. Aly FZ, Blackwell CC, MacKenzie DA, et al. Chronic atrophic oral candidiasis among patients with diabetes mellitus – role of ABH secretor status. *Epidemiol Infect.* 1991;106:355–363.

## GRZYBICE: KANDYDOZA POCHWY –
infekcja pochwy drożdżakami.

| Kandydoza pochwy | RYZYKO ZACHOROWANIA | | |
|---|---|---|---|
| | NISKIE | UMIARKOWANE | ZNACZNE |
| Grupa A | | | |
| Grupa B | | | |
| Grupa AB | | | |
| Grupa 0 | | | |
| niewydzielacz | | | |

## Objawy

- obrzęk,
- pieczenie w obrębie pochwy,
- ból w czasie oddawania moczu,
- białawe upławy.

## Krótko o kandydozie pochwy

Kandydoza pochwy to infekcja wywoływana przez drożdże *Candida albicans*, które czują się znakomicie w cieple i wilgoci pachwiny, pachy i pod piersiami. Najbardziej zagrożeni są cukrzycy i osoby o osłabionym układzie odpornościowym, a wreszcie osoby odbywające kurację antybiotykową. Organizm wywołujący tę chorobę może się rozwijać bezobjawowo w jelicie, żołądku i pochwie, dlatego często dochodzi do remisji choroby, w miejscach, które zostały wyleczone.

## Związki kandydozy pochwy z grupami krwi

Kobiety niewydzielające antygenów grupowych do płynów ustrojowych zapadają na kandydozę częściej niż pozostałe. Wśród niewydzielaczy znacznie częściej zdarzają się też kobiety z nawrotowymi drożdżakowymi infekcjami pochwy. Badania nad związkiem między fenotypem niewydzielacza i brakiem genu Lewis$_{(a-b-)}$ pokazały, że – w zależności od metody analizy i grupy kontrolnej – w tej grupie ryzyko nawrotowych infekcji drożdżakowych pochwy mieści się w zakresie od 2,41 do 4,39[1].

## Terapie stosowane przy kandydozie pochwy

*Wszystkie grupy krwi:*
Clotrimazole: 100 g leku w postaci dopochwowej 1 raz dziennie przez 7 dni. Stosowane są też dopochwowe czopki nystatynowe.

*U wszystkich czterech grup krwi układu ABO stosuje się następujące protokoły:*
• przeciwalergiczny
• wzmacniający układ odpornościowy
• wspomagający leczenie antybiotykami

## Tematy pokrewne

Choroby wirusowe: AIDS
Cukrzyca
Odporność

**Bibliografia**
1. Thom SM, Blackwell CC, MacCallum CJ, et al. Nonsecretion of blood group antigens and susceptibility to infection by Candida species. *FEMS Microbiol Immunol.* 1989;1:401–405.

## GUZY DRÓG RODNYCH KOBIETY –
*patrz Rak macicy i inne guzy dróg rodnych kobiety*

## GWIAŹDZIAK – *patrz Rak mózgu: Glejak i inne nowotwory mózgu*

## H. PYLORI – *patrz Wrzody żołądka: Helicobacter pylori*

## ▧ HEMOROIDY (ŻYLAKI ODBYTU)

| Najczęstsze przyczyny | Grupa krwi 0 | Grupa krwi A | Grupa krwi B | Grupa krwi AB | Pod-grupy |
|---|---|---|---|---|---|
| Zaparcie i wysiłek przy wypróżnianiu | •••••••• | •••• | ••• | ••• | niewydzielacze ••••••••••••• |
| Otyłość | Wszystkie grupy krwi | Wszystkie grupy krwi | Wszystkie grupy krwi | Wszystkie grupy krwi | |
| Ciąża i poród | Wszystkie grupy krwi | Wszystkie grupy krwi | Wszystkie grupy krwi | Wszystkie grupy krwi | |

• = stopień zagrożenia chorobą

Hemoroidy (nazywane też żylakami odbytu) powstają w odbycie wskutek nienaturalnego rozciągnięcia ścian żył położonych tuż pod błoną wyściełającą najniższą część odbytnicy i odbyt. Przyczyną owego rozciągnięcia może być wysiłek lub parcie. Do najpospolitszych przyczyn zaliczyć należy: zaparcie i towarzyszące mu nadmierne parcie w czasie wypróżnienia; otyłość; ciąża i poród (i związane z nimi parcie na odbyt).

*Protokoły stosowane przy grupie krwi A:*
• wspomagający działanie wątroby
• detoksykacyjny
• pooperacyjny
*Dodatkowo:*
*Collinsonia canadensis* 100–200 mg dwa razy dziennie

*Protokoły stosowane przy grupie krwi B:*
- wspomagający zdrowie jelit
- wspomagający działanie wątroby
- wspomagający zdrowie żołądka
- pooperacyjny

*Dodatkowo:*

Przewiercień z gatunku *Bupleurum falcatum* (50 mg): 1–2 kapsułki dziennie

*Protokoły stosowane przy grupie krwi AB:*
- wspomagający zdrowie jelit
- wspomagający działanie wątroby
- detoksykacyjny
- pooperacyjny

*Protokoły stosowane przy grupie krwi 0:*
- wspomagający zdrowie jelit
- wspomagający działanie wątroby
- detoksykacyjny
- pooperacyjny

**Tematy pokrewne**

Choroba Crohna
Lektyny
Polipy okrężnicy
Rak okrężnicy
Stres
Trawienie
Wrzodziejące zapalenie okrężnicy

---

**HIPERCHOLESTEROLEMIA** – nadmiar cholesterolu we krwi.

| Hipercholestero-lemia | RYZYKO ZACHOROWANIA | | |
|---|---|---|---|
| | NISKIE | UMIARKOWANE | ZNACZNE |
| Grupa A | | | |
| Grupa B | | | |
| Grupa AB | | | |
| Grupa 0 | | | |
| niewydzielacz | | | |

**Objawy**

Nie istnieją żadne zewnętrzne objawy hipercholesterolemii. Wykrycie jej wymaga wykonania badań.

**Krótko o hipercholesterolemii**

Cholesterol jest jednym z kluczowych składników odżywczych mającym w organizmie człowieka najrozmaitsze zastosowania, na przykład przy naprawie błon komórkowych, wytwarzaniu witaminy D, a wreszcie produkcji hormonów, takich jak estrogen i testosteron. Organizm człowieka może pewne ilości cholesterolu pobierać z pokarmem, jednakże około 2/3 tej substancji wytwarzane jest w wątrobie, pod wpływem tłuszczów nasyconych. Tłuszcze nasycone występują w produktach pochodzenia zwierzęcego, takich jak mięso i nabiał.

Cholesterol ma dość dziwną budowę. Większość ludzi myśli o nim jako o czymś w rodzaju tłuszczu, ale właściwie jest to alkohol, choć o szczególnych właściwościach. Jego rozliczne atomy węgla i wodoru ulokowane są w skomplikowanej trójwymiarowej sieci, co sprawia, że jest nierozpuszczalny w wodzie. Tę nierozpuszczalność cholesterolu sprytnie wykorzystują wszystkie istoty żywe, wkomponowując go w błony swych komórek, niczym środek impregnujący. Wodoodporność jest niezwykle istotna dla normalnego funkcjonowania komórek nerwowych, ponieważ ułatwia im przewodzenie bodźców elektrycznych. Nic zatem dziwnego, że największe ilości cholesterolu występują w mózgu i innych miejscach układu nerwowego. W związku z faktem, że cholesterol jest nierozpuszczalny w wodzie, a co za tym idzie, również we krwi, transportowany jest w krwiobiegu wewnątrz cząstek złożonych z tłuszczów i białek, zwanych lipoproteinami.

Lipoproteiny są rozpuszczalne w wodzie, ponieważ zewnętrzna część ich cząsteczki składa się przede wszystkim z białek, które są rozpuszczalne. Wnętrze lipoproteiny składa się z tłuszczów, które zawierają przestrzeń do przenoszenia innych cząsteczek, takich jak cholesterol. Lipoproteiny dzieli się ze względu na ich gęstość. Najlepiej poznane są lipoproteiny wysokiej gęstości (HDL) i lipoproteiny niskiej gęstości (LDL).

Głównym zadaniem HDL jest transportowanie cholesterolu z tkanek, w tym również ze ściany tętnic, do wątroby. Tam jest on wydzielany, razem z żółcią, lub zużywany do innych celów, na przykład jako podstawa do produkcji hormonów: estrogenu, progesteronu i testosteronu. HDL, zwany „dobrym cholesterolem", przenosi zaledwie 15–20% cholesterolu.

LDL, tak zwany „zły cholesterol", przenosi cholesterol z wątroby, gdzie powstaje większa jego część, do tkanek, takich jak ściany naczyń krwionośnych. Komórka potrzebująca cholesterolu wzywa LDL, które dostarczają cholesterol do wnętrza komórki. LDL transportują większość cholesterolu w ciele człowieka, od 60 do 80%.

Różnica między „dobrym" a „złym" cholesterolem polega na tym, w którą stronę cholesterol wędruje. Z wielu kolejnych badań wynika, że wyższy od normalnego poziom cholesterolu LDL wiąże się z większym ryzykiem zawału serca. Ryzyko to jest czasem wyrażane stosunkiem HDL/LDL; niska wartość tej relacji uważana jest za czynnik ryzyka choroby wieńcowej serca, zaś wysoka uważana jest za korzystną chroniącą przed tą chorobą. W rzeczywistości jednak, bez zagłębienia się w zagadnienia związane z genetyką grup krwi, sama ilość cholesterolu mówi o naszym przyszłym zdrowiu bardzo niewiele.

### Związki hipercholesterolemii z grupami krwi

Coraz więcej publikacji naukowych pokazuje, że podwyższony poziom cholesterolu jest znacznie poważniejszym czynnikiem ryzyka choroby sercowo-naczyniowej dla osób z grupą krwi A i AB niż dla osób z grupą krwi 0 i B.

W celu określenia, czy podwyższony poziom cholesterolu jest związany z grupą krwi A, tak jak zademonstrowano to dla wielu zachodnioeuropejskich populacji, zbadano związek między grupami układu AB0 a ogólnym poziomem cholesterolu w surowicy krwi ludności japońskiej. W rezultacie okazało się, że poziom cholesterolu był znacząco wyższy wśród osób z grupą krwi A niż wśród osób z pozostałymi grupami krwi[1].

W czasie badań przeprowadzonych na grupie 380 kombinacji markerów/czynników ryzyka znaleziono korelację dodatnią między grupą krwi A i ogólnym poziomem cholesterolu oraz cholesterolem frakcji lekkiej (LDL), a także korelację ujemną między grupą krwi B i ogólną ilością cholesterolu w surowicy krwi[2].

W badaniach węgierskich określono poziom cholesterolu 653 pacjentów, którzy w okresie 1980–1985 poddani zostali angiografii naczyń wieńcowych w Węgierskim Instytucie Kardiologicznym. Analiza wyników pokazała, że wśród chorych na serce grupa krwi A zdarzała się częściej, a grupa krwi 0 rzadziej niż normalnie w populacji węgierskiej. Między poszczególnymi grupami krwi istniały też różnice co do miejsc zwężenia tętnic wieńcowych[3].

W ogólnokrajowych badaniach amerykańskich przeprowadzonych na próbie ponad 6 tysięcy nastolatków kaukaskiego i afrykańskiego pochodzenia w wieku od 12 do 17 lat określono grupę krwi i czynniki ryzyka zachorowania na chorobę wieńcową. W grupie $A_1$ stwierdzono znacząco większy ogólny poziom cholesterolu w surowicy krwi kobiet pochodzenia kaukaskiego (niezależnie od innych czynników), mężczyzn o kaukaskim rodowodzie (niezależnie od wieku i wagi) oraz u kobiet z południa, ale wywodzących się z Afryki (niezależnie od wieku i wagi)[4]. Inne badania objęły 656 nastolatków kaukaskiego pochodzenia i 371 nastolatków wywodzących się z Afryki; w rezultacie wyniki dotyczące cholesterolu okazały się takie same (grupa A miała go więcej). W grupie nastolatków z grupą krwi A zaobserwowano też najwyższy poziom lipoprotein frakcji lekkiej (LDL).

W badaniach przeprowadzonych w Edynburgu (Szkocja) na grupie 600 mężczyzn wykazano statystycznie wyższy poziom cholesterolu u tych mężczyzn, u których stwierdzono grupę krwi A. Żadnej dodatniej korelacji między czynnikiem Rh i cholesterolem nie zaobserwowano[5].

Prowadzone przez osiem lat na grupie 7662 mężczyzn badania, których wyniki opublikowano w prestiżowym „British Medical Journal", wykazały, że grupa krwi A wiąże się z większą zachorowalnością na niedokrwienną chorobę serca, a także z wyższym ogólnym stężeniem cholesterolu w surowicy krwi[6].

Istnieje kilka dziedzicznych postaci podwyższonego poziomu cholesterolu. Jedną z częściej spotykanych jest hiperlipoproteinemia zwana typem IIB; charakteryzuje się ona podwyższonym stężeniem LDL-C („zły cholesterol") i VLDL-C („bardzo zły cholesterol"). W obrazie klinicznym hiperlipoproteinemii IIB obserwuje się przedwczesne twardnienie tętnic, upośledzenie przepływu krwi przez tętnicę szyjną (zaopatrującą głowę i mózg), MIAŻDŻYCĘ, ZAWAŁ SERCA i UDAR. Ponieważ wszystkie te choroby częściej pojawiają się u osób z grupą krwi A, nie dziwi fakt, że w czasie badań tych stwierdzono, i to zarówno u chorych po zawale serca, jak i noworodków, statystycznie istotną korelację między hiperlipoproteinemią IIB i grupą krwi A.

## Terapie stosowane przy hipercholesterolemii

*U wszystkich czterech grup krwi układu AB0 stosuje się następujące protokoły:*
- zapobiegający nowotworom
- wspomagający chemioterapię
- pooperacyjny
- rekonwalescencyjny po wyniszczającej chorobie

## Tematy pokrewne

Choroba sercowo-naczyniowa
Choroba wieńcowa
Nadmiar trójglicerydów we krwi
Trawienie

**Bibliografia**

1. Tarjan Z, Tonelli M, Duba J, Zorandi A. [Correlation between AB0 and Rh blood groups, serum cholesterol and ischemic heart disease in patients undergoing coronarography]. *Orv Hetil.* 1995;136:767–769.

2. Wong FL, Kodama K, Sasaki H, Yamada M, Hamilton HB. Longitudinal study of the association between AB0 phenotype and total serum cholesterol level in a Japanese cohort. *Genet Epidemiol.* 1992;9:405–418.

3. George VT, Elston RC, Amos CI, Ward LJ, Berenson GS. Association between polymorphic blood markers and risk factors for cardiovascular disease in a large pedigree. *Genet Epidemiol.* 1987;4:267–275.

4. Gillum RF. Blood groups, serum cholesterol, serum uric acid, blood pressure, and obestiy in adolescents. *J Natl Med. Assoc.* 1991;83:682–1682.

5. Whincup PH, Cook DG, Phillips AN, Shaper AG. AB0 blood group and ischaemic heart disease in British men. *BMJ.* 1990;30:1679–1682.

6. Magnus P, Berg K, Boressen AL. Apparent influence of marker genotypes on variation in serum cholesterol in monozygotic twins. *Clin Genet.* 1981;(19):67–70.

7. Oliver MF, Geizerova H, Cumming RA, Heady JA. Serum-cholesterol and AB0 and rhesus blood-groups. *Lancet.* 1969;2:605–606.

**INFEKCJE USZNE** *– patrz Zapalenie ucha środkowego; Zapalenie ucha zewnętrznego*

**INSULINOOPORNOŚĆ** – zespół zaburzeń metabolicznych, który może doprowadzić do cukrzycy i choroby sercowo-naczyniowej.

| Insulinooporność | RYZYKO ZACHOROWANIA | | |
|---|---|---|---|
| | NISKIE | UMIARKOWANE | ZNACZNE |
| Grupa A | | | |
| Grupa B | | | |
| Grupa AB | | | |
| Grupa 0 | | | |
| niewydzielacz | | | |

## Objawy

- oporność na insulinę,
- wysokie stężenie cukru we krwi,
- nadciśnienie,
- wysoki poziom cholesterolu,
- wysoki poziom trójglicerydów,
- otyłość.

## Krótko o insulinooporności

Zazwyczaj dzieje się tak, że pewne choroby i zaburzenia metaboliczne występują wspólnie. Na przykład osoba chora na cukrzycę może też być otyła i mieć wysokie ciśnienie krwi; ewentualnie ktoś cierpiący na chorobę serca może też mieć wysoki poziom trójglicerydów, być otyły i mieć cukrzycę. Od pewnego czasu środowisko naukowe przypisuje coraz większe znaczenie zespołowi zaburzeń metabolicznych określanemu mianem insulinooporności (syndrom X). Oto czynniki go wywołujące:

- Oporność na insulinę (komórki nie reagują dostatecznie na insulinę wytwarzaną przez organizm).
- Podwyższone stężenie glukozy w osoczu krwi (wysoki poziom cukru).
- Problemy z gospodarką lipidową (podwyższony poziom trójglicerydów, podwyższony poziom frakcji lekkiej lipoprotein (LDL), zmniejszony poziom HDL).
- Podwyższone ciśnienie krwi.
- Stan protrombinowy (wzmożona krzepliwość; protrombina jest białkiem osocza powstającym w wątrobie w obecności witaminy K i przekształcanym w trombinę biorącą udział w procesach krzepnięcia krwi).
- Otyłość (zwłaszcza otyłość centralna, predyspozycja do gromadzenia się tkanki tłuszczowej w obszarze brzusznym).

Kombinacja tych czynników składa się na zespół insulinooporności. Interakcje zachodzące między tymi zaburzeniami metabolicznymi otwierają drogę dla rozwoju cukrzycy wieku dorosłego (cukrzyca typu II), miażdżycy i choroby sercowo-naczyniowej.

## Związki insulinooporności z grupami krwi

Syndrom X najczęściej jest spotykany u osób z grupą krwi A; druga w kolejności jest grupa krwi B. U osób insulinoopornych obserwuje się wysoki poziom glukozy na czczo, upośledzoną tolerancję cukrów, nadciśnienie oraz wysoki poziom trójglicerydów i cholesterolu. Wyższy niż zwykle poziom kortyzolu, charakterystyczny dla grup A i B, dodatkowo wzmacnia efekt syndromu X, jako że towarzyszą mu zaburzenia metabolizmu węglowodanów i tłuszczów bardzo podobne do tych, które obserwuje się w insulinooporności[1].

Wprawdzie osoby z grupą krwi 0 i AB są mniej narażone na insulinooporność, ale sposób odżywiania może i u nich doprowadzić do powstania tego zespołu. W rezultacie należy przyjąć, że insulinooporność może się wywiązać u każdego, kto nie stosuje się do diety odpowiedniej dla danej grupy krwi.

Insulinooporność, układ grupowy Lewis i status niewydzielacza pozostaje w centrum zainteresowania wielu badaczy z powodu ich związków z chorobą serca i cukrzycą. Podobnie jak w wypadku cukrzycy i choroby serca, osoby z fenotypem Le$_{(a-b-)}$ są najsilniej predysponowane do insulinooporności. Sugerowano nawet, że grupa ta i syndrom X pozostają w bliskim związku genetycznym na chromosomie 19. i że fenotyp ten jest genetycznym markerem skłonności do oporności insulinowej[2,3].

Inną przyczyną, dla której u niewydzielaczy częściej dochodzi do insulinooporności, może być znaczna krzepliwość ich krwi wyrażająca się krótszym czasem krwawienia. Z badań wynika, że niewydzielacze, a zwłaszcza osoby Le-ujemne, są poważnie zagrożone cukrzycą typu II. Co więcej, dane wskazują na to, że właśnie te osoby są najbardziej narażone na zawał serca.

## Terapie stosowane przy insulinooporności

### Wszystkie grupy krwi:

U większości osób otyłych można zaobserwować zespół objawów insulinooporności, a przynajmniej niektóre z nich. Może się okazać, że dla naprawienia tych zaburzeń metabolicznych niezbędne jest zrzucenie zbędnych kilogramów. Schudnięcie może też zlikwidować niebezpieczeństwo zaistnienia innych długoterminowych skutków nadwagi.

*U wszystkich czterech grup krwi układu AB0 stosuje się następujące protokoły:*

- usprawniający metabolizm
- sercowo-naczyniowy
- wspomagający działanie wątroby

## Tematy pokrewne

Choroba sercowo-naczyniowa
Choroba wieńcowa
Cukrzyca typu II
Hipercholesterolemia
Nadciśnienie
Nadmiar trójglicerydów we krwi
Otyłość

**Bibliografia**

1. Petit JM, Morvan Y, Mansuy-Collignon S, et al. Hypertriglyceridaemia and Lewis (A-B-) phenotype in non-insulin-dependent diabetic patients. *Diabetes Metab.* 1997;23:202–204.
2. Petit JM, Morvan Y, Viviani V, et al. Insulin resistance syndrome and Lewis phenotype in healthy men and women. *Horm Metab Res.* 1997;29:193–195.
3. Clausen JO, Hein HO, Suadicani P, Winther K, Gyntelberg F, Pedersen O. Lewis phenotypes and the insulin resistance syndrome in young healthy white men and women. *Am J Hypertens.* 1995;8:1060–1066.

---

**JASKRA** – problem w postaci nasilającego się ciśnienia wewnątrz gałki ocznej, w wyniku którego następuje z początku powolna utrata widzenia obwodowego, prowadząca z czasem do utraty widzenia centralnego, a niekiedy – przy braku leczenia – do całkowitej utraty wzroku.

| Jaskra | RYZYKO ZACHOROWANIA | | |
|---|---|---|---|
| | NISKIE | UMIARKOWANE | ZNACZNE |
| Grupa A | | | |
| Grupa B | | | |
| Grupa AB | | | |
| Grupa 0 | | | |
| niewydzielacz | | | |
| Rh– | | | |

## Objawy

- częsta konieczność dopasowywania nowych okularów lub soczewek,
- upośledzenie widzenia nocnego,
- widzenie aureoli wokół źródeł światła,
- stopniowa utrata widzenia, zaczynająca się od ubytków widzenia obwodowego.

## Krótko o jaskrze

Jaskra to szczególny przykład uszkodzenia nerwu wzrokowego i ograniczenia pola widzenia pod wpływem różnych chorób oczu. Większości z nich, choć nie wszystkim, towarzyszy podwyższone ciśnienie wewnątrz gałki ocznej, które samo w sobie nie jest chorobą, ale w przypadku jaskry stanowi jeden z głównych czynników ryzyka.

Ogólnie rzecz biorąc, jaskra nie daje żadnych wczesnych objawów. W chwili gdy pacjent zaczyna zauważać ubytki pola widzenia, stopień uszkodzenia nerwu wzrokowego jest już zazwyczaj dość znaczny. Widzenie centralne ulega ograniczeniu na samym końcu; najpierw zanika widzenie obwodowe, zwykle bezobjawowo.

Istnieją trzy rodzaje jaskry:

*Prosta, z otwartym kątem przesączania* – na tę postać jaskry choruje około 1% Amerykanów; jest to jedna z najpospolitszych form jaskry. Najwięcej osób chorych na ten rodzaj jaskry obserwuje się wśród ludzi powyżej 50. roku życia.

Jaskra z otwartym kątem przesączania w zasadzie nie daje wczesnych objawów. Ciśnienie śródgałkowe rośnie powoli, a rogówka dostosowuje się bez nabrzmienia. Z tej przyczyny choroba przebiega bezobjawowo aż do chwili, gdy zmiany są nieodwracalne.

*Z normalnym ciśnieniem* – zwana też jaskrą z niskim ciśnieniem śródgałkowym, charakteryzuje się postępującym uszkodzeniem nerwu wzrokowego i utratą pola widzenia przy jednoczesnym zachowaniu statystycznie normalnego ciśnienia wewnątrz gałki ocznej. Ta postać jaskry, obecnie diagnozowana coraz częściej, stanowi mniej więcej 1/3 wszystkich przypadków jaskry z otwartym kątem przesączania; wiąże się ją z niedostatecznym dopływem krwi do nerwu wzrokowego, w wyniku czego dochodzi do obumarcia komórek przewodzących bodźce z siatkówki do mózgu.

*Z zamkniętym kątem przesączania (ostry atak jaskry)* – ta postać jaskry w samych Stanach Zjednoczonych dotyka prawie pół miliona ludzi. Choroba ta ma charakter dziedziczny, zdarza się, że dotkniętych nią jest kilku członków rodziny. Najczęściej spotyka się ją wśród ludzi o pochodzeniu azjatyckim i osób z dalekowzrocznością.

## Główne czynniki ryzyka i przyczyny jaskry

Zespół pseudoeksfoliacji (rzekomego złuszczania), częsta przyczyna jaskry, występuje na całym świecie, ale najczęściej spotyka się go wśród osób o rodowodzie europejskim. U około 10% populacji w wieku ponad 50 lat obserwuje się złogi białawego materiału włóknisto--ziarnistego – przypominającego maleńkie płytki łupieżu – odkładające się na soczewkach oczu. Materiał eksfoliacyjny jest ścierany z soczewki ruchami tęczówki, zaś barwnik usuwany z tęczówki gromadzi się na jej obwodzie. Zespół rzekomego złuszczania może prowadzić zarówno do jaskry z otwartym kątem przesączania, jak i do jaskry z zamkniętym kątem przesączania; u niektórych chorych wywołuje jaskrę mieszaną.

## Związki jaskry z grupami krwi

Zbadano niektóre związki między jaskrą i grupami krwi. Oceniono 474 różnych przypadków jaskry pod kątem ewentualnych genetycznych różnic między poszczególnymi postaciami jaskry. Wykorzystując dane na temat grup krwi układu AB0, Rh i statusu wydzielacza lub niewydzielacza, zidentyfikowano pewne wyraźne różnice. Większe ryzyko zachorowania na jaskrę dawał status niewydzielacza, natomiast osoby Rh-ujemne wykazywały mniejszą zachorowalność na przewlekłą jaskrę o zamkniętym kącie przesącza-

nia. Znacząca statystycznie była nieobecność wydzielaczy z grupą krwi A i wzrost udziału wydzielaczy z grupą krwi B w dwóch postaciach jaskry: pseudoeksfoliacyjnej ze zwiększonym ciśnieniem śródgałkowym i przewlekłej jaskry z zamkniętym kątem przesączania[1].

## Terapie stosowane przy jaskrze

*Wszystkie grupy krwi:*
Ponieważ jaskra przebiega często bezobjawowo, osoby powyżej 50. roku życia powinny corocznie poddawać się badaniom kontrolnym.

*Protokoły stosowane przy grupie krwi A:*
• wzmacniający układ odpornościowy

*Protokoły stosowane przy grupie krwi B:*
• wzmacniający układ odpornościowy
• usprawniający metabolizm

*Protokoły stosowane przy grupie krwi AB:*
• usprawniający metabolizm

*Protokoły stosowane przy grupie krwi 0:*
• wzmacniający układ odpornościowy

## Tematy pokrewne

Choroby związane ze starzeniem
Krew: zaburzenia krzepliwości

**Bibliografia**
1. Brooks AM, Gillies WE. Blood groups as genetic markers in glaucoma. Br I Ophthalomol. 1988 Apr.;72(4):270–273.

**JELITO TOKSYCZNE** – *patrz Toksyczne jelito: Samozatrucie enterotoksynami (indykan w moczu); Toksyczne jelito: Samozatrucie enterotoksynami (poliaminy)*

## KAMICA MOCZOWA (NERKOWA) –

powstające w przewodzie moczowym silnie uwapnione złogi, będące wynikiem krystalizacji substancji rozpuszczonych w moczu.

| Kamica moczowa | RYZYKO ZACHOROWANIA | | |
|---|---|---|---|
| | NISKIE | UMIARKOWANE | ZNACZNE |
| Grupa A | | | |
| Grupa B | | | |
| Grupa AB | | | |
| Grupa O | | | |

### Objawy

Kamienie moczowe nie dają objawów do czasu, aż staną się tak duże, że zaczynają blokować moczowody lub wywoływać infekcje. Wówczas pojawiają się następujące symptomy:
- silny ostry ból w okolicy lędźwi, promieniujący ku dołowi, w stronę pachwiny,
- krwawy, mętny lub cuchnący mocz,
- mdłości i wymioty,
- nieustanne parcie na pęcherz,
- przy towarzyszącej infekcji: gorączka i dreszcze.

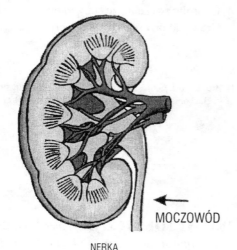

MOCZOWÓD

NERKA

Mocz przepływa z nerki do moczowodu, a następnie moczowodem do pęcherza.

### Krótko o kamicy moczowej (nerkowej)

Kamienie moczowe zaczynają się wytrącać wskutek nadmiernej koncentracji moczu, która sprawia, że zawarte w nim substancje krystalizują się na wewnętrznych ściankach nerek. Z czasem kryształki te zlepiają się, dając małe złogi, twarde i przypominające kamienie. Niekiedy się zdarza, że któryś z kamieni odrywając się wpada do moczowodu, czyli jednego z dwóch cienkich przewodów, które prowadzą z nerek do pęcherza. Jak wspomniano, kamienie moczowe nie dają objawów, do chwili gdy są na tyle duże, że zaczynają blokować drogi moczowe lub wywoływać infekcję.

Istnieją dowody świadczące o tym, że kamienie moczowe są plagą, z którą gatunek ludzki zmaga się już od tysięcy lat – naukowcy znaleźli ślady kamieni moczowych w mumiach sprzed przeszło 7 tysięcy lat. Dziś w samych Stanach Zjednoczonych co roku diagnozowanych jest ponad milion nowych przypadków, a liczba ta stale rośnie, być może w związku z niewłaściwym odżywianiem.

### Główne czynniki ryzyka i przyczyny kamicy nerkowej

Dla rozwoju kamicy nerkowej duże znaczenie ma fakt występowania tej choroby w najbliższej rodzinie. Do innych czynników ryzyka należy zaliczyć: częste infekcje dróg moczowych, złe nawyki żywieniowe, picie niewystarczających ilości płynów i ograniczoną aktywność fizyczną. Ryzyko wystąpienia kamicy nerkowej zwiększa też przyjmowanie niektórych leków i zobojętniających kwas żołądkowy płynów o dużej zawartości wapnia.

### Związki kamicy nerkowej z grupami krwi

Najwyższe stężenie wapnia w moczu wykazują osoby z grupą krwi A. W pewnych badaniach przeprowadzonych na grupie osób chorych na kamicę moczową określono grupę krwi chorych i poddano analizie ich metabolizm. Wykazano, że dystrybucja poszczególnych grup krwi układu AB0 była podobna do obserwowanej w całej populacji, z tym że u 54% pacjentów z grupą krwi A wykryto dodatkowo hiperkalcynurię, czyli nadmiar wapnia w moczu. Wśród tych chorych zidentyfikowano grupę pacjentów, w których rodzinie występowały przypadki kamicy moczowej. Stwierdzono u nich wyższe średnie wartości wydalanego wapnia i niższe wartości glikozoaminoglikanów*. Wyniki te wskazują na związek z grupami krwi układu AB0, a także na istnienie genetycznego czynnika ryzyka[1].

## Terapie stosowane przy kamicy moczowej

### Wszystkie grupy krwi:

Zredukuj ilość spożywanych szczawianów do minimum; wpłynie to na zmniejszenie szczawianów w moczu. Wprawdzie szczawiany występują w różnych pokarmach, ale wydaje się, że tylko niektóre z nich wpływają na wzrost ich poziomu w moczu. Do tych niewskazanych pokarmów zaliczyć można: szpinak, rabarbar, botwinę, orzechy, czekoladę, herbatę, otręby, migdały, orzechy arachidowe i truskawki.

### U wszystkich czterech grup krwi układu AB0 stosuje się następujące protokoły:

* wspomagający zdrowie układu moczowego

## Tematy pokrewne

Choroby bakteryjne (ogólnie)
Zapalenie pęcherza

**Bibliografia**

1. Caudarella R, Malavolta N, Rizzoli E, Stafani F, D'Antuono G. Idiopathic calcium urolithiasis: genetic aspects. *Ann Med Interne (Paris)*. 1986;137:200–202.

**KAMIENIE ŻÓŁCIOWE** – twarde grudki, zazwyczaj złożone z cholesterolu i bilirubiny, które powstają w pęcherzyku żółciowym.

| Kamienie żółciowe | RYZYKO ZACHOROWANIA | | |
|---|---|---|---|
| | NISKIE | UMIARKOWANE | ZNACZNE |
| Grupa A | | | |
| Grupa B | | | |
| Grupa AB | | | |
| Grupa 0 | | | |
| niewydzielacz | | | |

## Objawy

U większości pacjentów choroba przebiega bezobjawowo przez długi czas, czasem przez całe życie. Kiedy jednak kamienie wywołują niedrożność pęcherzyka żółciowego, pojawiają się następujące symptomy:
* nasilający się ból kolkowy,
* zapalenie wątroby i pęcherzyka żółciowego,
* mdłości i wymioty.

## Krótko o kamieniach żółciowych

Pęcherzyk żółciowy jest niewielkim woreczkiem ulokowanym tuż pod wątrobą. Pełni funkcję magazynu żółci. W pęcherzyku żółciowym następuje zagęszczanie żółci, uwalnianej następnie do jelita cienkiego, gdzie wspomaga ona proces trawienia. W procesie tym dochodzi czasem do takiego zagęszczenia składników żółci – a przede wszystkim cholesterolu i bilirubiny – że wytrącają się one w postaci twardych krystalicznych grudek, nazywanych kamieniami żółciowymi. U większości pacjentów ich odkładanie przebiega bezobjawowo przez długi czas, czasem nawet przez całe życie. Objawy pojawiają się wtedy, gdy kamienie wywołują niedrożność pęcherzyka żółciowego.

---

* Glikozoaminoglikany (GAG) to grupa złożonych związków organicznych odgrywających istotną rolę w budowie i funkcjonowaniu komórki. Prawdopodobnie chronią powierzchnię ścian dróg moczowych przed szkodliwym działaniem składników moczu i utrudniają bakteriom, wirusom i kryształom przyleganie do nabłonka; ta ostatnia funkcja chroni przed ewentualnym formowaniem się kamieni moczowych – przyp. tłum.

Często głównym składnikiem kamieni żółciowych jest cholesterol. Kamienie żółciowe mogą być małe jak ziarno piasku lub większe, nawet wielkości piłki golfowej, zaś pęcherzyk żółciowy może zawierać od jednego do setek kamieni. Czasami pęcherzyk żółciowy zawiera kryształy i kamyki niewidoczne gołym okiem, określane mianem szlamu żółciowego.

Sama obecność kamieni żółciowych nie musi wywoływać żadnych dokuczliwych skutków i nie jest jeszcze powodem do interwencji chirurgicznej. Kiedy jednak zaczynają się formować, pojawia się niewielkie, choć realne niebezpieczeństwo, że wywołają chorobę.

## Główne czynniki ryzyka i przyczyny kamicy żółciowej

Szacuje się, że kamienie żółciowe występują u około 1/3 kobiet po 50. roku życia, natomiast u mężczyzn są one dwukrotnie rzadsze. U około 5% pacjentów pierwsze objawy kamieni żółciowych pojawiają się w ciągu roku od ich uformowania. Wraz z wiekiem płyn w pęcherzyku żółciowym zawiera coraz więcej cholesterolu i coraz mniej soli, a to zwiększa ryzyko wystąpienia kamieni żółciowych. Innym poważnym czynnikiem ryzyka jest otyłość. U kobiet predyspozycję do kamieni żółciowych zwiększają też niektóre leki, jak na przykład doustne środki antykoncepcyjne.

## Związki kamicy żółciowej z grupami krwi

Wydaje się, że bardziej podatne na tworzenie kamieni żółciowych są osoby z grupą krwi A. W badaniach porównano udział procentowy poszczególnych grup krwi w dwóch populacjach: 321 pacjentów leczących się z powodu kamieni żółciowych i 688 osób z grupy kontrolnej. Okazało się, że prawdopodobieństwo zapadnięcia na kamicę pęcherzyka żółciowego jest wyższa u osób z grupą krwi A niż u osób z grupą krwi 0 i B[1]. Wydaje się również, że grupa krwi A jest też najbardziej podatna na RAKA PĘCHERZYKA ŻÓŁCIOWEGO.

## Terapie stosowane przy kamieniach żółciowych

*U wszystkich czterech grup krwi układu AB0 stosuje się następujące protokoły:*
- wspomagający działanie wątroby
- wzmacniający układ odpornościowy
- detoksykacyjny

### Tematy pokrewne

Choroba Crohna
Choroba wątroby
Otyłość
Trawienie

### Bibliografia

1. Chakravartti MR, Chakravartti R. AB0 bloodgroups in cholelithiasis. *Ann Genet.* 1979;22:171–172.
2. Villalobos JJ, Vargas F, Villareal HA, et al. A 10-year protective study on cancer of the digestive system [in Spanish]. *Rev Gastroenterol Mex.* 1990;5:17–24.

**KANDYDOZA** – patrz *Grzybice: Kandydoza*

## KASZEL

| Najczęstsze przyczyny | Grupa krwi 0 | Grupa krwi A | Grupa krwi B | Grupa krwi AB |
|---|---|---|---|---|
| Przeziębienie | •• | •••• | •• | •••• |
| Choroby oskrzeli | • | •••• | ••••••••• | •••• |
| Alergie | ••• | ••••• | ••••••••• | ••••• |
| Autoagresyjne zapalenie stawów | ••••••••• | •••• | ••••••••• | •••• |

• = stopień zagrożenia

Kaszel może być objawem różnych chorób, najczęściej niegroźnych infekcji wirusowych, takich jak przeziębienie lub zapalenie oskrzeli. Kaszel może być „mokry" lub „suchy", w zależności od tego, czy chory odkasłuje śluz, czy nie. Flegma o zabarwieniu żółtym lub zielonkawym może świadczyć o poważniejszej, bakteryjnej infekcji, jednakże kolor wydzieliny nie jest w tym wypadku wskaźnikiem przesądzającym. Czerwone zabarwienie śluzu może natomiast świadczyć o krwawieniu w obrębie płuc.

Kaszel może się też pojawiać w niektórych chorobach autoagresyjnych, jak na przykład w reumatoidalnym zapaleniu stawów.

Każdy kaszel z odkasływaniem krwi lub krwiście zabarwionej flegmy, a także kaszel przewlekły, trwający ponad 2 tygodnie, wymaga wizyty u lekarza.

*U wszystkich czterech grup krwi układu AB0 stosuje się następujące protokoły:*
* wzmacniający płuca
* antybakteryjny
* przeciwalergiczny

## Tematy pokrewne

Alergie środowiskowe/katar sienny
Choroby bakteryjne (ogólnie)
Grypa
Przeziębienie
Rak płuc
Reumatoidalne zapalenie stawów
Zapalenie oskrzeli

------

**KATAR** – *patrz Alergie środowiskowe: Katar sienny*

**KATAR SIENNY** – *patrz Alergie środowiskowe: Katar sienny*

**KLEBSIELLA PNEUMONIAE** – *patrz Choroby bakteryjne: Zapalenie płuc; Choroby bakteryjne: Klebsiella pneumoniae*

**KŁOPOTY Z NAUKĄ** – *patrz Zaburzenia uwagi*

## Krew

Krew składa się w 60% z osocza i 40% z krwinek i płytek krwi.

**Osocze** to słomkowej barwy płyn, składający się przede wszystkim z wody, transportujący cząsteczki niezbędne komórkom, ale również produkty ich przemiany materii.

Za czerwony kolor krwi odpowiedzialne są **czerwone krwinki** (erytrocyty). Ich zadaniem jest przenoszenie tlenu. Dojrzały erytrocyt nie ma ani jądra, ani mitochondriów, jest za to niemal w całości wypełniony hemoglobiną. Jest to białko, które ma zdolność pobierania tlenu w płucach i uwalniania go w tkankach. Każda cząsteczka hemoglobiny zawiera cztery długie łańcuchy białkowe, z których każdy opleciony jest wokół znacznie mniejszej cząsteczki hemu. Każda cząsteczka hemu zawiera jeden atom żelaza umożliwiający jej wiązanie cząsteczek tlenu. Jedna cząsteczka hemoglobiny może przyłączyć cztery cząsteczki tlenu. Pozbawione jąder erytrocyty nie pełnią normalnych funkcji, w tym również nie są w stanie naprawiać powstających w nich z czasem uszkodzeń, dlatego też giną po kilku miesiącach. Organizm musi zatem nieustannie produkować nowe erytrocyty, które stopniowo zastępują te, które uległy rozpadowi. Wszystkie komórki krwi są wytwarzane w szpiku kostnym, gąbczastej substancji znajdującej się wewnątrz kości. Szpik zawiera znaczną liczbę tzw. komórek macierzystych szpiku, które różnicują się, dając erytrocyty, krwinki białe i płytki krwi.

**Białe krwinki** są większe, niemal bezbarwne i znacznie mniej liczne od erytrocytów. Ich zadaniem jest ochrona organizmu przed agresorami, takimi jak wirusy i bakterie. Krwinki białe różnią się wyglądem i pełnioną funkcją. Granulocyty atakują mikroorganizmy zagrażające organizmowi, po czym pochłaniają je i trawią. Monocyty lokują się w węzłach chłonnych, gdzie wychwytują te z zarazków, którym udało się przemknąć przez wcześniejsze zabezpieczenia. Limfocyty występują w dwóch postaciach, jako limfocyty B i limfocyty T. Ich zadanie polega na wytwarzaniu przeciwciał, które są odpowiedzią organizmu na obce antygeny.

**Płytki krwi** to niewielkie dyskowate struktury, mniejsze od erytrocytów. Są fragmentami większych komórek występujących w szpiku kostnym. Płytki zawierają substancje rozpoczynające proces krzepnięcia krwi. W razie uszkodzenia tkanki w osoczu rozpoczyna się seria reakcji chemicznych, w wyniku których fibrynogen zostaje przekształcony w cząsteczki fibryny, te zaś zlepiają się, tworząc siateczkę zasklepiającą ranę. W siatce tej więzną następnie erytrocyty i płytki krwi – powstaje skrzep.

---

## KREW: ZABURZENIA KRZEPLIWOŚCI

– upośledzenie krzepnięcia krwi w obliczu uszkodzenia naczyń krwionośnych.

| Zaburzenia krzepliwości krwi | NASILENIE | | |
|---|---|---|---|
| | NIEZNACZNE | UMIARKOWANE | WYRAŹNE |
| Grupa A | | | |
| Grupa B | | | |
| Grupa AB | | | |
| Grupa 0 | | | |
| niewydzielacze | | | |

### Objawy

- łatwo powstające sińce,
- długotrwałe krwawienia,
- skrzepy.

Przy upośledzeniu krzepnięcia krwi już niewielkie urazy mogą się charakteryzować znacznymi wylewami i krwotokami, które nieodpowiednio potraktowane mogą doprowadzić do poważnych deformacji w obrębie układu mięśniowo-szkieletowego. Wylew wewnętrzny w oko-

licy podstawy języka może być przyczyną zamknięcia dróg oddechowych, a zatem jest stanem zagrażającym życiu. Zaburzenia krzepliwości powodują, że uderzenia krwi, typowe dla menopauzy, wymagają czasem zastępczej terapii hormonalnej, ponieważ mogą wywołać krwotok wewnątrzczaszkowy.

### Krótko o krzepnięciu krwi

Uszkodzenie ciągłości naczyń krwionośnych powoduje intensywne krwawienie, które musi zostać zahamowane, by nie doszło do wykrwawienia. Krzepnięcie krwi rozpoczyna się z chwilą agregacji płytek w miejscu uszkodzenia, a odpowiedzialne zań są substancje znajdujące się w osoczu krwi i płytki krwi. Znacznie upraszczając, skrzep składa się z czopu zbudowanego z płytek krwi osiadłych na sieci utworzonej z cząsteczek nierozpuszczalnego białka o nazwie fibryna.

Agregacja płytek krwi i powstawanie fibryny wymaga obecności enzymu zwanego trombiną. Do utworzenia skrzepu potrzebny jest też wapń. Z tego właśnie powodu banki krwi używają substancji chelatujących, które wiążą wapń i uniemożliwiają zestalenie przechowywanej w torebkach krwi.

Istnieje co najmniej dziesięć innych czynników krzepnięcia krwi, większość z nich cyrkuluje w krwiobiegu jako nieaktywne prekursory enzymów w osoczu. Wiele z dobrze poznanych stanów upośledzenia krzepnięcia krwi (jak hemofilia) jest wynikiem braku jednego lub kilku czynników krzepliwości.

Proces krzepnięcia krwi jest wieloetapowy: zaczyna się z chwilą uszkodzenia naczynia, a kończy przekształceniem nieaktywnej protrombiny w trombinę, co z kolei powoduje agregację płytek krwi i utworzenie skrzepu. Uszkodzone komórki wytwarzają powierzchniowe białko zwane czynnikiem tkankowym, które uaktywnia znajdujące się w osoczu czynniki krzepliwości. Każdy pobudzony czynnik aktywuje następny, co przypomina nieco łańcuch ludzi dobrej woli poruszonych informacją o jakimś wypadku i natychmiast spieszących z pomocą.

## Związki zaburzeń krzepliwości z grupami krwi

Od pozostałych czynników krzepliwości krwi czynnik VIII wyróżnia się tym, że nie jest enzymem. Czynnik VIII znajduje się normalnie w osoczu, przyczepiony do czynnika von Willebranda (vWF). Trombina odcina czynnik VIII od vWF, a tym samym go uaktywnia. vWF przyłącza się do uszkodzonej tkanki i stymuluje płytki do agregacji. Aktywny czynnik VIII (teraz VIIIa) reaguje z czynnikiem IXa w obecności wapnia, przyczyniając się do lokalizacji skrzepu w miejscu uszkodzenia tkanki.

Wysokie stężenie czynnika VIII zostało zaobserwowane w przebiegu CHOROBY SERCOWO-NACZYNIOWEJ i może to się przyczynić do wyjaśnienia, dlaczego choroba naczyniowa częściej zdarza się u osób z grupą krwi AB niż u pozostałych. Wiadomo, że osoby chore na hemofilię rzadziej chorują na chorobę sercowo-naczyniową, tak więc można przypuszczać, że wysokie stężenie czynnika VIII może być czynnikiem ryzyka w tej chorobie (np. przez zwiększanie skłonności do tworzenia skrzepów).

Istnieją doniesienia, że w układzie AB0 krótszy czas krzepnięcia i skłonność do wyższego stężenia czynnika VIII i vWF mają osoby niewydzielające antygenów. Wydaje się, że jest to jeszcze jeden przykład związków między układem AB0 i fenotypem wydzielacza/niewydzielacza. Wydaje się, że genotyp wydzielacza faktycznie wpływa na genotypową charakterystykę krwi, dając 60-procentową zmienność stężenia vWF w układzie AB0 oraz najniższy odnotowany poziom tego czynnika u wydzielaczy z Lewis (a-b+)[1,2].

U osób z grupą krwi 0, a w szczególności u wydzielaczy, zaobserwowano najniższy poziom antygenu vWF i antygenu czynnika VIII, z czego można wnosić, że są one narażone na słabą krzepliwość krwi. Niewydzielacze o tej samej grupie krwi mają wyższy poziom obu wspomnianych antygenów, a tym samym lepszą – od wydzielaczy – krzepliwość krwi[3].

Opierając się na tych odkryciach, badacze zasugerowali, że osoby z fenotypem Lewis$_{(a-b-)}$ (zwłaszcza w grupach krwi A, B i AB) mogą, dzięki swej podwyższonej ilości czynnika VIII i vWF, być szczególnie zagrożone zakrzepicą i chorobą serca[4].

Badania przeprowadzone w szpitalu św. Bartłomieja w Londynie dowiodły związków między grupą krwi, aktywnością czynnika VIII, antygenem vWF i CHOROBĄ WIEŃCOWĄ u 1394 mężczyzn w wieku 40–64 lata. Zapadalność na chorobę serca była znacząco większa u osób z grupą krwi AB niż u badanych, u których stwierdzono grupę krwi 0, A lub B. W grupie tej stwierdzono też większy odsetek zejść śmiertelnych w wyniku tej choroby. Co więcej, badacze zasugerowali, że grupa krwi AB może być genetycznym markerem wpływającym na inne cechy ujawniające skłonność do choroby serca, jak na przykład niski wzrost: przebadani mężczyźni z grupą krwi AB byli średnio o 2 cm niżsi niż mężczyźni o innych grupach krwi[5].

Pomiary stężenia antygenów vWF i czynnika VIII w grupie 40 dawców krwi (20 z grupą krwi 0 i 20 z grupą krwi A) wykazały, że krew osób z grupy 0 zawiera zmniejszone ilości obu tych czynników krzepliwości. Z przedstawionych danych wynika, że antygeny krwi wpływają na interakcję między vWF i płytkami krwi[6].

Badania nad bliźniętami pokazały, że stężenie czynnika VIII jest najmniejsze w krwi grupy 0, wyższe w grupie $A_2$, a najwyższe w grupach $A_1$ i B. Autorzy sądzą, że 30% zmienności genetycznej w zakresie czynnika VIII jest związane z wpływem grupy krwi z układu AB0. Tak więc locus AB0 jest cechą, na podstawie której można określić ilość czynnika VIII[7].

Wiadomo, że antygeny grupy krwi z układu AB0 występują na glikoproteinach na powierzchni płytek krwi. Antygen grupy A można też znaleźć na innych białkach płytek[8,9]. Tak więc wydaje się, że genetyczna ekspresja grupy krwi może u osób z grupy A mieć bliski związek z czynnościami płytek.

W celu zbadania możliwych związków między układem AB0 i koagulacją krwi, fibrynolizą, stężeniem kwasów tłuszczowych, poziomem cholesterolu i trójglicerydów zbadano osocze i surowicę 300 Rh-dodatnich dawców krwi płci męskiej. Analiza laboratoryjna wykazała, że niższą krzepliwość ma krew grupy 0. Co więcej, zaobserwowano (*in vitro*) w tej grupie istnienie większej podatności na antykoagulant, heparynę. Wyniki te dały się uogólnić na osoby o pochodzeniu afrykańskim, ale nie na ludność pochodzenia kaukaskiego. Pozostałe testy nie wykazały żadnych różnic związanych z grupą krwi lub rasą[10].

U mężczyzn rasy kaukaskiej z grupą krwi A, B lub AB i fenotypie Lewis (a-b-) zaobserwowano znacząco, w porównaniu z innymi fenotypami układu Lewis, wyższy poziom czynnika VIII i vWF. Analiza wariancji wykazała, że na czynnik VIII silny wpływ ma związek między grupą krwi i fenotypem układu Lewis. Podobne zależności zaobserwowano u osób o korzeniach afrykańskich. Badacze konkludują, że fenotyp Lewis (a-b-) i grupy A, B i AB mogą, w związku z podwyższonym poziomem czynników krzepnięcia, być markerami ryzyka zachorowania na zmiany miażdżycowo-zakrzepowe naczyń krwionośnych[11].

## Grupy krwi a reologia

Reologia to nauka o odkształceniach i przepływie. Jedną wspólną reakcją wszelkich materiałów takich jak płyny i ciała stałe, a także wszystkich o właściwościach pośrednich między nimi jest reakcja odkształcenia pod wpływem przyłożonej siły. Dla potrzeb tej książki słowa reologia będziemy używać w znaczeniu zmian dynamicznych między krzepnięciem (przejście w stan stały) i rozpuszczeniem (przejściem w stan płynny). Określenie lepkość nie jest w pełni adekwatne, ponieważ nie oddaje dynamiki procesu i nie mówi jak, kiedy i dlaczego krew może zmienić swój stan skupienia, a zaledwie odróżnia jeden stan skupienia od drugiego. Jak zobaczymy, przynależność do grupy krwi ma istotny wpływ na reologię krwi.

Między poszczególnymi grupami krwi istnieją głębokie różnice będące wynikiem chemicznych różnic w procesie krzepnięcia. Różnice te są ważną przyczyną obserwowanej polaryzacji w zakresie łatwości krzepnięcia: grupa krwi A i AB krzepnie łatwiej, natomiast grupy krwi 0 i B trudniej.

Grupowe różnice gęstości krwi opisano też w badaniach nad DEPRESJĄ[12], NADCIŚNIENIEM[13], STRESEM[14], CUKRZYCĄ[15], ZAWAŁEM SERCA I CHOROBAMI TARCZYCY[16], NIEWYDOLNOŚCIĄ NEREK[17] i CZERNIAKIEM[18].

## Terapie stosowane przy zaburzeniach krzepliwości krwi

### Protokoły stosowane przy grupie krwi A:

* sercowo-naczyniowy
* wspomagający działanie wątroby
* przeciwstresowy

### Protokoły stosowane przy grupie krwi B:

* krwiotwórczy
* sercowo-naczyniowy
* wspomagający układ odpornościowy

### Dodatkowo należy:

Unikać zażywania aspiryny. Jeśli trzeba, stosuj inne niesteroidowe leki przeciwzapalne, które wywierają słabszy wpływ na czynność płytek krwi.

Dbać o zęby. Higiena jamy ustnej i leczenie ubytków jest niezwykle istotne, jeśli chcemy uniknąć ekstrakcji zębów i innych dentystycznych zabiegów chirurgicznych.

Dbać o poziom witaminy K w organizmie. Witamina ta jest niezbędna dla procesów krzepnięcia krwi. Należy spożywać dużo zieleniny, zwłaszcza szpinaku i roślin z rodziny krzyżowych oraz uzupełniać tę dietę płynnym suplementem chlorofilowym.

Przynajmniej na tydzień przed operacją zacząć przyjmowanie (codziennie) ok. 2000 mg witaminy C i 30 000 jednostek witaminy A. Witaminy te przyspieszają proces gojenia ran.

### Protokoły stosowane przy grupie krwi AB:

* krwiotwórczy
* sercowo-naczyniowy
* przeciwstresowy

### Protokoły stosowane przy grupie krwi 0:

* krwiotwórczy
* sercowo-naczyniowy
* usprawniający metabolizm

*Dodatkowo należy:*

Unikać zażywania aspiryny. Jeśli trzeba, stosuj inne niesteroidowe leki przeciwzapalne, które wywierają słabszy wpływ na czynność płytek krwi.

Dbać o zęby. Higiena jamy ustnej i leczenie ubytków jest niezwykle istotne, jeśli chcemy uniknąć ekstrakcji zębów i innych dentystycznych zabiegów chirurgicznych.

Dbać o poziom witaminy K w organizmie. Witamina ta jest niezbędna dla procesów krzepnięcia krwi. Należy spożywać dużo zieleniny, zwłaszcza szpinaku oraz uzupełniać tę dietę płynnym suplementem chlorofilowym.

Przynajmniej na tydzień przed operacją zacząć przyjmować (codziennie) ok. 2000 mg witaminy C i 30 000 jednostek witaminy A. Witaminy te przyspieszają proces gojenia ran.

## Tematy pokrewne

Choroba naczyniowa serca
Udar

**Bibliografia**

1. Wahlberg TB, Blomback M, Magnusson D. Influence of sex, blood group, secretor character, smoking habits, acetylsalicylic acid, oral contraceptives, fasting and general health state on blood coagulation variables in randomly selected young adults. *Haemostasis.* 1984;14: 312–319.
2. Orstavik KH. Genetics of plasma concentration of von Willebrand factor. *Folia Haematol Int Mag Klin Morphol Blutforsch.* 1990;117:527–531.
3. Orstavik KH, Kornstad L, Reisner H, Berg K. Possible effect of secretor locus on plasma concentration of factor VIIII and von Willebrand factor. *Blood.* 1989;73:990–993.
4. Green D, Jarrett O, Ruth KJ, Folsom AR, Liu K. Relationship among Lewis phenotype, clotting factors, and other cardiovascular risk factors in young adults. *J Lab Clin Med.* 1995;125:334–339.
5. Meade TW, Cooper JA, Stirling Y, Howarth DJ, Ruddock V, Miller GJ. Factor VIII, AB0 blood group and the incidence of ischaemic heart disease, *Br J Haematol.* 1994;88:601–607.
6. Sweeney JD, Labuzetta JW, Hoernig LA, Fitzpatrick JE. Platelet function and AB0 blood group. *Am J Clin Pathol.* 1989;91:79–81.
7. Orstavik KH, Magnus P, Reisner H, Berg K, Graham JB, Nance W. Factor VIII and factor IX in a twin population. Evidence for a major effect of AB0 locus on factor VIII level. *Am J Hum Genet.* 1985;37:89–101.
8. Stockelberg D, Hou M, Rydberg L, Kutti J, Wadenvik H. Evidence for an expression of blood group A antigen on platelet glycoproteins IV and V. *Transfus Med.* 1996;6:243–248.
9. Hou M, Stockelberg D, Rydberg L, Kutti J, Wadenvik H. Blood group A antigen expression in platelets is prominently associated with glycoprotein Ib and IIb. Evidence for an A1/A2 difference. *Transfus Med.* 1996;6:51–59.
10. Colonia VJ, Roisenberg I. Investigation of associations between AB0 blood groups and coagulation, fibrinolysis, total lipids, cholesterol, and triglycerides. *Hum Genet.* 1979;48:221–230.
11. Green D, Jarrett O, Ruth KJ, Folsom AR, Liu K. Relationship among Lewis phenotype, clotting factors and other cardiovascular risk factors in young adults. *J Lab Clin Med.* 1995;125:334–339.
12. Dintenfass L, Zador I. Blood rheology in patients with depressive and schizoid anxiety. *Biorheology.* 1976;13:33–36.
13. Dintenfass L, Bauer GE. Dynamic blood coagulation and viscosity and degradation of artificial thrombi in patients with hypertension. *Cardiovasc Res.* 1970;4:50–60.
14. Dintenfass L, Zador I. Effect of stress and anxiety on thrombus formation and blood viscosity factors. *Bibl Haematol.* 1975;41:133–139.
15. Dintenfass L, Davis E. Genetic and ethnic influences on blood viscosity and capillaries in diabetes mellitus. *Microvasc Res.* 1977;14:161–172.
16. Dintenfass L, Forbes CD. Effect of fibrinogen on aggregation of red cells and on apparent viscosity of artificial thrombi in haemophilia, myocardial infarction, thyroid disease, cancer and control systems: effect of AB0 blood groups. *Microvasc Res.* 1975;9:107–118.
17. Dintenfass L, Stewart JH. Formation, consistency, and degradation of artificial thrombi in severe renal failure. Effect of AB0 blood groups. *Thromb Diath Haemorrh.* 1968;20:267–284.
18. Dintenfass L. Some aspects of haemorrheology of metastasis in malignant melonoma. *Haematologia (Budap).* 1977;11:301–307.

**KRWOTOK MIESIĄCZKOWY** – *patrz Zaburzenia cyklu miesiączkowego: Obfite miesiączki*

# KRZYWICA

**KRZYWICA** – choroba polegająca na niedostatecznej mineralizacji kości wywołanej niedoborem wapnia.

| Krzywica | RYZYKO WYSTĄPIENIA | | |
|---|---|---|---|
| | NISKIE | UMIARKOWANE | ZNACZNE |
| Grupa A | | | |
| Grupa B | | | |
| Grupa AB | | | |
| Grupa 0 | | | |

## Objawy

- deformacje kośćca,
- zaburzenie wzrostu,
- hipokalcemia (nienormalnie niskie stężenie wapnia we krwi),
- słabość mięśni,
- drażliwość.

## Krótko o krzywicy

Kościec dzieci chorych na krzywicę wykazuje deformacje będące skutkiem zbyt małej ilości wapnia w tkance kostnej. Niedobór ten może być spowodowany niedostatecznym wystawieniem na światło słoneczne lub dietą ubogą w witaminę D. Witamina D jest niezbędna dla procesu wchłaniania wapnia. Krzywicę pogarsza dodatkowo niedostateczna ilość wapnia w pożywieniu.

Krzywicę może wywołać każdy stan upośledzający wchłanianie witaminy D i/lub wapnia, nawet jeśli ilość tych składników w pożywieniu jest wystarczająca. Uaktywnienie witaminy D w organizmie człowieka wymaga właściwego funkcjonowania wątroby i nerek. Przyczyną krzywicy może zatem być również uszkodzenie dowolnego z tych dwóch narządów.

## Związki krzywicy z grupami krwi

W celu ustalenia ewentualnych związków między krzywicą wywołaną niedoborem witaminy D i czynnikami natury genetycznej przeprowadzono badania na próbie 400 losowo wybranych, chorych na krzywicę dzieci w wieku od 6 miesięcy do 2 lat. Określono różnice związane z płcią dziecka i jego grupą krwi. Okazało się, że wśród chorych dzieci dominowali chłopcy: stosunek płci żeńskiej do męskiej wynosił 1:43. Zarówno wśród chłopców, jak i wśród dziewcząt zaobserwowano znaczącą statystycznie przewagę dzieci z grupą krwi A. Stężenie fosfatazy zasadowej* było dodatnio skorelowane z płcią męską: u 91% chłopców poziom fosfatazy zasadowej wynosił powyżej 30 jednostek, podczas gdy podobne podwyższenie stężenia fosfatazy zaobserwowano u zaledwie 72% dziewczynek. Sugeruje to, że choroba może mieć cięższy przebieg u chłopców. Badania stanowią jeszcze jeden dowód na to, że krzywica z niedoboru witaminy D może mieć podłoże dziedziczne[1].

## Terapie stosowane przy krzywicy

*Wszystkie grupy krwi:*

Aby organizm człowieka mógł wytwarzać witaminę D, potrzebny jest bezpośredni kontakt skóry (dłoni, twarzy, ramion itp.) z promieniowaniem słonecznym. Ultrafiolet, który pobudza wytwarzanie witaminy D, nie przechodzi przez ubranie. Na niektórych szerokościach geograficznych światło słoneczne w zimie może nie dostarczać takiej ilości promieniowania ultrafioletowego, jaka jest potrzebna do produkcji witaminy D. W lecie jednak do znacznego podniesienia ilości witaminy D w organizmie wystarcza już 30 minut bezpośredniej ekspozycji dziennie. Tam, gdzie trudno o bezpośrednią ekspozycję na światło słoneczne, można w celu stymulacji wytwarzania witaminy D zastosować światło o pełnym spektrum.

---

* Fosfataza zasadowa jest enzymem diagnostycznym, a jej poziom we krwi może świadczyć o nieprawidłowościach funkcjonowania różnych narządów. Nadmierne stężenie fosfatazy zasadowej może być między innymi wynikiem procesów niszczących kość lub zablokowania dróg żółciowych – przyp. tłum.

*U wszystkich czterech grup krwi układu AB0 stosuje się następujące protokoły:*

- wspomagający zdrowie wątroby
- wspomagający zdrowie żołądka
- wspomagający zdrowie jelit

**Tematy pokrewne**

Trawienie
Uraz mięśniowo-szkieletowy

**Bibliografia**

1. el-Kholy MS, Abdel Mageed FY, Farid FA. A genetic study of vitamin D deficiency rickets:2-sex differences and AB0 typing. *J Egypt Public Health Assoc.* 1992;67:213–222.

---

**LAMBLIOZA** – *patrz Choroby pasożytnicze: Lamblioza (giardioza)*

## Lektyny

Wszystkie istoty żywe mają na powierzchni swych komórek cukry; czasem też cukry te wydzielane są w postaci wolnej, jako rodzaj ochronnej powłoki. Dobrym przykładem takich cukrów jest śluz wydzielany przez glony, który gromadzi się na powierzchni stojących wód, a także niektóre nasze własne wydzieliny ustrojowe. Pośród dziesiątek tysięcy różnych złożonych cukrowców wytwarzanych przez komórki w celu sygnalizacji i rozpoznawania jest jeden, który determinuje grupę krwi układu AB0.

Podobnie jak inne cukry powierzchniowe, antygeny grup krwi wystają ze ściany komórek i występują przede wszystkim w obrębie układów trawiennego i krwionośnego. Wystając ze ściany komórki, nie są wcale sztywno przyczepione, ale raczej poruszają się, zataczając kręgi nad jej powierzchnią. Wystając w taki sposób, w środowisku pełnym interaktywnych reakcji, nie mogą nie wchodzić w żadne z nich. Większość reakcji, w które są zaangażowane, to reakcje aglutynacji.

Przydaje się to w radzeniu sobie z bakteriami, które próbują, na przykład, przyczepić się do śluzówki pęcherza. Śluz, zwłaszcza śluz wydzielaczy, zawiera duże ilości antygenów i służy jako warstwa ochronna dla delikatnej śluzówki, która – w przeciwieństwie do skóry – jest delikatna i łatwo ulega uszkodzeniom. U bakterii, wirusów i grzybów zdolność do aglutynacji wyewoluowała jako sposób na zakotwiczenie się i zdobycie przewagi w nieustającej walce o dostęp do tkanek czy komórek innych istot żywych. Śluz zaś można porównać do lepu na muchy: kiedy zamiast do komórki bakteria przyczepi się do antygenu w śluzie, zostanie usunięta z ustroju, gdy śluz oddzieli się od chronionej przezeń powierzchni.

W przeciwieństwie do mikroorganizmów, które posługują się aglutynacją jako bronią zaczepną, rośliny często używają aglutynin jako czegoś w rodzaju chemicznego pola minowego, zdobiąc swe tkanki aglutyninami skierowanymi przeciw różnym bakteriom i grzybom chorobotwórczym. Funkcja ta jest szczególnie istotna w wypadku nasion i siewek, potencjalnych ofiar najrozmaitszych „drapieżnych" bakterii i grzybów. Działanie tych roślinnych aglutynin można porównać do prymitywnego układu odpornościowego – działającego podobnie do przeciwciał spotykanych u zwierząt. Obecność aglutynin w pospolitych produktach spożywczych ma jeszcze inne znaczenie: wiele z nich jest swoista w stosunku do tej czy innej grupy krwi.

Istoty żywe wytwarzają aglutyniny w całej gamie kształtów i postaci, często niemających ze sobą nic wspólnego poza zdolnością do zlepiania cukrów.

Lektyny są czymś w rodzaju wybiórczego rzepu, potężnego narzędzia służącego do przyczepiania się jednych istot żywych do drugich. Ten chemiczny rzep może istnieć w dwóch postaciach: jednostronnej i dwustronnej. Jednostronny po prostu się do czegoś przyczepia. Tę postać rzepu wykorzystują rozliczne zarazki, a nawet nasz własny układ odpornościowy. Komórki w przewodzie żółciowym wątroby mają na swej powierzchni lektyny pozwalające im wychwytywać bakterie i pasożyty. Z kolei bakterie i inne mikroorganizmy mają na swej powierzchni lektyny, które działają jak przyssawki, mogące przyczepić się do śliskiej błony śluzowej wewnątrz ciała. Czasem zdarza się, że lektyny, którymi bakterie i wirusy posługują się do przyczepiania do śluzówki, są swoiste w stosunku do któregoś z antygenów grup krwi, to znaczy rozpoznają go i właśnie doń się przyczepiają, stając się dokuczliwym szkodnikiem organizmu ludzi mających tę właśnie grupę krwi.

Lektyny dwustronne są łącznikiem zlepiającym różne komórki, coś jak kawałek rzepu sczepiający dwie piłki tenisowe. Wyobraź sobie meszek pokrywający powierzchnię tych piłek jako całą masę różnych cukrów (w tym również tych, które determinują naszą grupę krwi).

Stopień, w jakim lektyny przylegają do komórek, zależy przede wszystkim od liczby glikokoniugatów (czyli stopnia glikozylacji*) danej tkanki. Stopień glikozylacji komórek wyściełających ściany jelita cienkiego jest znaczny, a co za tym idzie, zdolność lektyn do przyczepiania się do tychże ścian jest większa. Jednakże to nie sam poziom glikokoniugatów decyduje o stopniu reaktywności lektyn pokarmowych. Należy pamiętać, że lektyny są bardzo wybiórcze i nie przyczepiają się gdzie popadnie; wręcz przeciwnie, mają ścisłe preferencje.

Do czynników, które wpływają na glikozylację w obrębie jelit, a także na aktywność lektyn pokarmowych, należą:

GATUNEK ZWIERZĘCIA: Wiele lektyn reaguje z glikokoniugatami konkretnych gatunków. Na przykład aglutynina soi bardziej agresywnie łączy się z komórkami śluzówki jelita gryzoni niż ludzi.

SPECYFICZNOŚĆ W STOSUNKU DO GRUPY KRWI: Wiele lektyn preferuje konkretną grupę krwi.

WIEK: U niektórych zwierząt tempo powstawania glikokoniugatów maleje z wiekiem; ogólnie rzecz biorąc, nie jest to prawda w wypadku ludzi.

KONKRETNE MIEJSCE W OBRĘBIE JELITA CIENKIEGO: Górne partie jelita (w których zachodzi większa część procesu wchłaniania i gdzie interakcje z lektynami byłyby raczej niepożądane) ulegają procesom glikozylacji silniej niż pozostałe.

POŁOŻENIE W STOSUNKU DO KOSMKÓW JELITOWYCH: Niektóre lektyny preferują konkretne obszary powierzchni kosmków wyściełających ściany jelit.

STOPIEŃ DOJRZAŁOŚCI KOMÓREK: Komórki niedojrzałe, w pośpiechu zdążające do miejsca w jelitach, które wymaga naprawy, są bardziej zglikozylowane (zawierają więcej reszt cukrowych na powierzchni), a zatem są one bardziej skłonne do łączenia się z lektynami.

SPOSÓB ODŻYWIANIA: Pewne składniki pokarmowe, takie jak hydrożele, mogą zwiększyć przyczepność lektyn pokarmowych. Z drugiej zaś strony niektóre cukry są w stosunku do pewnych lektyn swoiste i mogą blokować ich przyłączanie się do ścian układu pokarmowego.

INTERAKCJE Z BAKTERIAMI: Bakterie obecne w dolnej części jelita mogą reagować z glikoproteinami, takimi jak antygeny grup krwi, a tym samym wpływać na zdolność lektyn do przyczepiania się do nich.

CHOROBA LUB STAN PATOLOGICZNY: W chorobie Crohna i innych chorobach zapalnych jelit komórki obecne w miejscach chorych są silnie zglikozylowane, a to ułatwia tym tkankom łączenie się z lektynami.

## Skutki działania lektyn

Lektyny są zawsze charakterystyczne dla gatunku, z którego pochodzą. Na przykład, lektyna spotykana w pszenicy różni się od lektyny występującej w soi: ma inny kształt i przyłącza się do innej kombinacji cukrów. W największych ilościach lektyny występują w roślinach, a zwłaszcza w roślinach motylkowych, takich jak fasole, soja

---

* Glikozylacja – reakcja dołączania reszt cukrowych do innych związków organicznych (białek, tłuszczów) – przyp. tłum.

i orzechy arachidowe, gdzie stanowią 2–3% całkowitej masy białek. Drugim najbogatszym źródłem lektyn są owoce morza i ryby, zwłaszcza węgorz, skorupiaki, ślimaki, halibut i flądra.

Z racji występowania w nasionach, rybach, roślinach motylkowych i warzywach lektyny są częstym składnikiem typowej diety. Nawet niewielka ilość lektyn jest w stanie zlepić wielką liczbę komórek.

Zwykła obróbka cieplna produktów spożywczych (ziarna, fasole) niszczy wiele lektyn, jednakże nie wszystkie. Lektyna pszenicy opiera się temperaturze 110°C nawet 30 minut. Inne lektyny oporne na gotowanie to lektyna: jabłka, marchwi, otrąb pszennych, kukurydzy, pestek dyni i bananów. Co więcej, sklejające właściwości lektyny bananów nawet rosną w wysokiej temperaturze. Stwierdzono też wysoką aktywność lektyn w suchych prażonych orzechach arachidowych i niektórych przetworzonych produktach zbożowych, takich jak chrupki śniadaniowe[1]. Lektyny fasoli kidney mogą zachować swe właściwości nawet po 3-godzinnym duszeniu w temperaturze 90°C. Natomiast wcześniejsze wymoczenie fasoli niemal całkowicie likwiduje aktywność lektyn.

Wiele lektyn pokarmowych charakteryzuje się tak silną aktywnością, że ich wyciągi można kilkakrotnie rozcieńczyć i nadal zachowują swe właściwości. Stwierdzono też, że lektyny obecne w surowych wyciągach z różnych produktów spożywczych (pomidory, sałata, nasiona sezamu i słonecznika, jogurt waniliowy, orzech kokosowy, banany i bananowe odżywki dla dzieci, marchew, cebula, jabłko, lucerna i białko sojowe) mają zdolność łączenia się z ludzką śliną. Może to mieć znaczenie w rozwoju próchnicy zębów. Natomiast lektyna awokado utrudnia proces przyłączania się bakterii do osadu nazębnego.

Wiele pokarmów zawierających lektyny zjadamy na surowo, jak na przykład pomidory, jedno z głównych źródeł witamin i składników mineralnych w krajach uprzemysłowionych. W przeciwieństwie do wielu innych lektyn, które zazwyczaj reagują z konkretną grupą krwi, lektyna pomidorów jest panaglutyniną: z łatwością

przyczepia się do komórek różnych grup krwi. Przeciętny Amerykanin zjada rocznie 200 mg lektyn z samych pomidorów, a należy pamiętać, że w substancje te bogate są również inne składniki sałatek.

Badania wykazały, że do 5% lektyn pokarmowych ulega wchłonięciu do krwiobiegu. Tam przyczepiają się do czerwonych i białych krwinek, zlepiają je i niszczą. Istnieje przypuszczenie, że duża część przypadków lżejszych postaci anemii spotykanych w Trzecim Świecie może być wynikiem niszczenia czerwonych krwinek wskutek spożywania bogatych w lektyny zbóż i fasoli. Jednakże działanie lektyn na przewód pokarmowy jest prawdopodobnie o wiele silniejsze. Mogą tam wywoływać zapalenie śluzówki i naśladować objawy alergii pokarmowych.

## Wpływ lektyn na trawienie

Wiadomo, że wielu ludzi nie toleruje glutenu, najpospolitszej z lektyn spotykanych w pszenicy i innych ziarnach. Gluten przyczepia się do śluzówki jelita cienkiego i wywołuje jej podrażnienie i zapalenie. Z kolei o lektynie orzechów arachidowych wiadomo, że wykazuje wielkie powinowactwo wobec pewnych komórek wyściełających żołądek.

Dieta zawierająca soję może u niektórych ludzi wywołać zespół objawów chorobowych nieodróżnialnych od tych, jakie występują w chorobie trzewnej, która charakteryzuje się bólami brzucha i poważną biegunką. Stwierdzono, że tkanki układu trawiennego większości chorych na zapalenie okrężnicy i chorobę Crohna są niezwykle wrażliwe na działanie lektyn pokarmowych. Przyczyny tego należy pewnie upatrywać w ogromnej liczbie niedojrzałych komórek, które wyściełają przewód pokarmowy chorych na te choroby i będących wynikiem nieustannego zapotrzebowania na zastępowanie tkanki uszkodzonej chorobą. Niedojrzałe komórki mają na swej powierzchni więcej cukrowych receptorów, do których lektyny mogą się łatwo przyłączać. Te cukrowe receptory zanikają z wiekiem komórki.

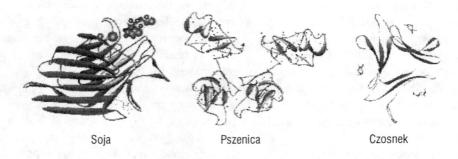

Soja       Pszenica       Czosnek

ZRÓŻNICOWANIE BUDOWY CZĄSTECZKI LEKTYNY

Jak widać z powyższych rysunków, przedstawiających trzywymiarową strukturę lektyn z różnych produktów spożywczych, w zasadzie cząsteczki te mają ze sobą niewiele wspólnego. Na przykład cząsteczka lektyny soi ma o wiele większą masę niż cząsteczka pszenicy i czosnku.

Wiadomo, że lektyny pokarmowe wchodzące w interakcje z układem pokarmowym stymulują wydzielanie histaminy, substancji zdolnej wywołać bardzo silne objawy alergii. To naprowadziło kilku badaczy na myśl, by uznać lektyny pokarmowe za przyczynę alergii pokarmowej. U szczurów doświadczalnych karmionych fasolą lub zarodkami pszenicy nastąpiły znaczne zmiany w śluzówce jelita, która stała się w ich rezultacie nieprzepuszczalna dla małych cząsteczek pokarmów, a przepuszczalna dla dużych, za to silnie alergizujących, czyli doszło do sytuacji częstej w alergiach pokarmowych[2].

Lektyny upośledzają trawienie białek. Badacze stwierdzili, że aglutynina zarodka pszenicy (WGA) wyraźnie zwiększa aktywność obecnej na śluzówce maltazy, enzymu, który w jelicie cienkim rozkłada cukry złożone do cukrów prostych. W takich samych warunkach lektyna zarodków pszennych hamuje działanie aminopeptydazy (enzymu rozkładającego polipeptydy do aminokwasów)[3].

Lektyny pokarmowe mogą wywołać powiększenie narządów układu pokarmowego. Dzieje się tak za sprawą pewnych substancji chemicznych zwanych poliaminami. Istnieją publikacje, których autorzy dowodzą, że powiększenie jelit, wątroby i trzustki może być wynikiem podawania zwierzętom lektyn pokarmowych[4].

Lektyny upośledzają wchłanianie. Zwierzęta laboratoryjne, które karmiono przede wszystkim surową mąką z fasolki navy, były mniejsze, a ich możliwości w zakresie wchłaniania glukozy i wykorzystywania białek pokarmowych były o 50% mniejsze niż w grupie kontrolnej, której podawano tę samą mąkę, ale z inaktywowaną lektyną. Lektyny zarodka pszenicy (*Triticum aestivum*), owocu bielunia dziędzierzawej (*Datura stramonium*) lub korzenia pokrzywy (*Urtica dioica*) dodane do pożywienia zwierząt doświadczalnych upośledziły procesy trawienne i zmniejszyły stopień utylizacji białek pokarmowych oraz zahamowały wzrost zwierząt. Największe szkody wyrządziła lektyna pszenicy. Badacze byli przekonani, że lektyny były wiązane i aktywnie przenoszone przez śluzówkę jelita. Wszystkie wymienione lektyny działały na jelito jak czynniki wzrostowe i wpływały, choć w różnym stopniu, na jego metabolizm i funkcje. W badaniach stwierdzono też, że „znaczna część przyswojonej lektyny zarodków pszenicy przeszła przez ścianę jelita i została wchłonięta do krwiobiegu, po czym została odłożona na ścianach naczyń krwionośnych i limfatycznych". Lektyna zarodka pszenicy stymulowała też wzrost trzustki, równocześnie powodując kurczenie się grasicy, narządu ściśle związanego z funkcjami układu odpornościowego organizmu. W podsumowaniu stwierdzono, że „wprawdzie słyszy się głosy, że transfer genu lektyny pszenicy do roślin uprawnych zwiększa ich odporność na insekty, jednakże obecność tej lektyny w produktach spożywczych w ilościach, które zapewniają im tę ochronę, może być dla zwierząt wyższych szkodliwa. Jej zastosowanie jako naturalnego insektycydu roślinnego nie jest dla zdrowia ludzi obojętne"[5].

Lektyny hamują wydzielanie hormonów trawiennych. Kilka lektyn pokarmowych, a zwłaszcza lektyna zarodka pszenicy, ma wpływ na aktywność cholecystokininy (CCK), hormonu stymulującego wydzielanie enzymów trawiennych potrzebnych do trawienia tłuszczów, białek i węglowodanów[6]. Lektyny przyłączają się do receptorów CCK i hamują ich działanie. CCK występuje też w stosunkowo dużych ilościach w mózgu, gdzie – jak się uważa – kontroluje uczucie głodu. Ograniczenie jej aktywności może zatem powodować wzrost apetytu i problemy z nadwagą. Zgodnie z pewną roboczą hipotezą, kiedy lektyny blokują receptory CCK, następuje inhibicja wydzielania amylazy, enzymu niezbędnego do trawienia węglowodanów. Czynność amylazy jest w sposób naturalny wyższa u osób z grupą krwi A, co uzasadnia fakt, że właśnie one są lepiej przystosowane do trawienia złożonych węglowodanów niż osoby o innych grupach krwi.

Lektyny wpływają na przepuszczalność jelita. Jelito człowieka jest bardzo wybiórcze co do wielkości i jakości tego, co ma zostać wchłonięte przez jego ściany. Wykazano, że lektyny pokarmowe zwiększają przepuszczalność jelita, co z kolei może pogarszać stan tych ludzi, którzy już i tak są na drodze do wytworzenia alergii lub nietolerancji na obce białka[7].

W pewnych badaniach, podczas których podawano zwierzętom karmę zawierającą fasolę kidney, stwierdzono zwiększoną przepuszczalność jelit w stosunku do białek surowicy wstrzykiwanych do krwiobiegu. Następnie podano zwierzętom jeszcze wyższe dawki białka fasoli. Białka surowicy ponownie wstrzyknięte do krwiobiegu zaczęły przeciekać do jamy ciała oraz zostały zidentyfikowane w ścianie jelita cienkiego. Pokazuje to, że przynajmniej częściową odpowiedzialność za utratę białek surowicy ponoszą lektyny pokarmowe, które na tej samej zasadzie mogą też przyczyniać się do nietolerancji pokarmów i, w rezultacie, utraty integralności jelita.

Lektyny pokarmowe niszczą śluzówkę jelita. Już od dobrych 15 lat wiadomo, że niektóre lektyny roślin motylkowych uszkadzają delikatne mikrokosmki komórek warstwy wchłaniającej jelita cienkiego. W pewnych badaniach podawano zwierzętom lektynę czerwonej fasoli. W ciągu 2–4 godzin mikrokosmki jelitowe uległy uszkodzeniu. Powstały wzdłuż nich rzędy pęcherzyków, po czym po około 20 godzinach zmiany znikły. Badacze sugerują, że „mikrokosmki ulegają uszkodzeniom i regenerują się za każdym razem po spożyciu niektórych lektyn pokarmowych".

## Lektyny a grupy krwi

Jak już wspomniano, lektyny mogą być swoiste w stosunku do grupy krwi – to znaczy zdolne aglutynować komórki konkretnej grupy krwi. Lektyna fasoli lima aglutynuje komórki krwi A, a nie wpływa negatywnie na komórki grupy krwi 0 lub B. Nasiona komonicy *Lotus tetragonolobus* mogą aglutynować komórki grupy 0, a *Bandeiraea simplicifolia* może aglutynować komórki grupy krwi B. Swoistość lektyn jest tak ostro zaznaczona, że czasem mogą one nawet rozróżniać podgrupy krwi. W rzeczywistości, dopóki nie okazało się, że lektyny wspięgi z gatunku *Dolichos biflorens* znacznie gwałtowniej reagują z jednymi komórkami A niż z drugimi, nawet nie wiedzieliśmy, że istnieją dwie odmiany grupy A: $A_1$ i $A_2$. Inne grupy krwi też mogą być rozróżnione dzięki lektynom (np. M i N), co więcej, za pomocą lektyn można ustalić status wydzielacza.

## Lektyny swoiste dla grupy krwi 0

Zważywszy, że grupa krwi 0 powstała o wiele wcześniej niż pozostałe, nie dziwi fakt, że szkodzi jej tak wiele późniejszych zdobyczy rolnictwa. Prawdopodobnie największe problemy wywołuje u niej lektyna zarodka pszenicy, obecna we wszystkich produktach pszennych. Może ona w tej grupie spowolnić metabolizm, wywołując z czasem otyłość związaną z opornością insulinową. W mniejszym stopniu, ale również szkodliwa, jest lektyna kukurydzy.

Grupa krwi 0 powinna też unikać spożywania węgorzy, kawioru, bakłażanów, ziemniaków, kiełków lucerny (*alfalfy*) i jeżyn. Rh-dodatnie osoby z grupą krwi 0 powinny też unikać jedzenia borówek, bananów i papai.

## Lektyny swoiste dla grupy krwi A

Aglutynację komórek osób z grupą krwi A może wywołać cała gama pokarmów. Należą do nich: fasola lima, fasola pnąca, fasola pinto, fasola navy, pieczarki, większość chrupków śniadaniowych, pomidory, cynamon, flądra, miecznik, melon kantalupa, banany, jabłka, bakłażany, sardele, kalafior, pomarańcze, krewetki, pstrąg i małże.

Soja zajmuje tu szczególne miejsce. Ma wprawdzie zdolność zlepiania zdrowych komórek grupy krwi A, ale również potrafi wykrywać i aglutynować komórki różnych typów nowotworów, które mogą się rozwijać u grupy A.

## Lektyny swoiste dla grupy krwi B

Osoby z grupą krwi B powinny unikać spożywania kurczaków, orzechów arachidowych, granatów, hurmy (persymony), pestek słonecznika, nasion sezamu, buraków, łososia, rzodkiewek, jabłek, pstrągów, groszku czarne oczko, kiełków fasoli mung, kukurydzy i kaszy gryczanej.

## Lektyny swoiste dla grupy krwi AB

Grupa krwi AB powinna unikać tych pokarmów, które zawierają lektyny zdolne aglutynować komórki grupy A i B.

## Wpływ na inne układy i narządy

Wiele lektyn, w tym również te, które występują w zarodku pszenicy, soczewicy i zielonym groszku, może się przyłączać do receptorów insuliny i naśladować jej działanie. Lektyny pszenicy i soczewicy równie skutecznie stymulują meta-

bolizm glukozy jak insulina, co więcej, są w stanie wzmocnić jej działanie[8].

Jest to ważne zagadnienie dla osób, które muszą uważać na swoją masę ciała. Wzmagając skuteczność insuliny, lektyny te stymulują magazynowanie tłuszczu i hamują jego spalanie. Wiem z praktyki, że jest to szczególnie niebezpieczne dla osób z grupą krwi 0, jeśli stosują dietę bogatą w węglowodany złożone; po przestawieniu się na dietę wysokobiałkową ich trudności ze schudnięciem zazwyczaj się kończą.

Sok z żurawin jest dobrze znanym domowym lekiem na lekką infekcję pęcherza, gdyż uniemożliwia bakteriom przyleganie do ściany pęcherza. Otóż sok żurawinowy zawiera duże ilości cukru, który występuje też na ścianach pęcherza i do którego przyłączają się bakterie.

Tkanka nerwowa jest z natury bardzo wrażliwa na aglutynacyjne działanie lektyn pokarmowych. Właśnie dlatego niektórzy badacze uważają, że diety zmniejszające ryzyko alergii mogą odnosić pozytywny skutek w niektórych chorobach o podłożu nerwowym, takich jak NADPOBUDLIWOŚĆ. Rosyjscy badacze stwierdzili, że mózg schizofreników bardzo łatwo przyłącza pewne pospolite lektyny pokarmowe.

Wstrzyknięcie lektyny soczewicy w kolano nieuczulonego królika powoduje rozwój ZAPALENIA STAWÓW prawie nieodróżnialnego od REUMATOIDALNEGO ZAPALENIA STAWÓW. Wiele osób chorych na zapalenie stawów uważa, że unikanie spożywania roślin z rodziny psiankowatych (pomidory, ziemniaki) wpływa na poprawę ich stanu zdrowia. Nie jest to wniosek zaskakujący, jako że większość psiankowatych zawiera duże ilości lektyn.

Lektyny pokarmowe mogą też wchodzić w interakcje z receptorami powierzchniowymi białych krwinek, często przeprogramowując komórki, tak by się gwałtownie mnożyły. Lektyny te nazywane są mitogenami, ponieważ sprawiają, że u białych komórek rozpoczyna się mitoza, czyli proces rozmnażania przez podział.

W chorobach zapalnych i autoagresyjnych lektyny aktywują autoprzeciwciała. Niemal każdy człowiek ma w swym układzie krwionośnym przeciwciała skierowane przeciw jakimś lektynom pokarmowym. Niektóre z nich powiązano z pewną autoimmunologiczną postacią nefropatii (choroby nerek). Część badaczy sugeruje też, że do uaktywnienia przeciwciał powstających w reumatoidalnym zapaleniu stawów potrzebna jest lektyna zarodka pszenicy[9].

## Związki lektyn z nowotworami

W warunkach normalnych komórka wytwarza na swej powierzchni cukry, które są bardzo swoiste i podlegają jej ścisłej kontroli. Nie jest to jednak prawda, jeśli chodzi o komórki rakowe. Ponieważ materiał genetyczny komórek rakowych ulega znacznym przemianom, komórki te tracą w dużym stopniu zdolność nadzorowania wytwarzanych cukrów i produkują je w ilościach znacznie większych, niż ma to miejsce u komórek zdrowych. W rezultacie komórki nowotworowe mają powierzchnię bardziej „włochatą" niż komórki zdrowe, a to sprawia, że łatwiej mogą wchodzić w interakcje z lektynami. Faktycznie, komórki nowotworowe są nawet 100 razy bardziej podatne na efekt aglutynacyjny lektyn niż komórki zdrowe. Gdyby przygotować dwa preparaty mikroskopowe, jeden zawierający zdrowe komórki i drugi zawierający komórki nowotworowe, a następnie do każdego z nich dodać odpowiednią lektynę, próbka na drugim szkiełku zamieniłaby się w duży, splątany kłąb, zaś w próbce z komórkami zdrowymi można by dojrzeć tylko niewielkie zmiany, a może nawet żadnych[10,11,12].

Aglutynacja komórek nowotworowych, w wyniku której powstają duże skupiska, zawierające czasem nawet miliony komórek, wywołuje reakcję ze strony układu odpornościowego. Przeciwciała łatwo identyfikują skupiska komórek, obierają je za cel swego ataku i „wystawiają" komórkom żernym obecnym w wątrobie.

### Bibliografia

1. Nachbar MS, Oppenheim JD. Lectins in the United States diet: a survey of lectins in commonly consumed foods and a review of the literature. *Am J Clin Nutr.* 1980;33:2338–2345.

2. Pusztai A. *Proc Int Symp Control Rel Bioact Mater.* 1995;22:161–162.

3. Erickson RH, Kim J, Sleisenger MH, Kim YS. Effect of lectins on the activity of brush border membrane-bound enzymes of rat small intestine. *J Pediatr Gastroenterol Nutr.* 1985;4:984–991.

4. Grant G. Anti-nutritional effects of soyabean: a review. *J Anim Sci.* 1982;55:1087–1098.

5. Tchernychev B, et al. Natural human antibodies to dietary lectins. *FEBS lett.* 1996;397:139–142.

6. Jordinson M, Playford RJ, Calam J. Effects of a panel of dietary lectins on cholecystokinin release in rats. *Am J Physiol.* 1997;273(1):G946–G950.

7. Greer F, Pusztai A. Toxicity of kidney bean (*Phaseolus vulgaris*) in rats: changes in intestinal permeability. *Digestion.* 1985;32:42–46.

8. Weinman MD, Allan CH, Trier JS, Hagen SJ. Repair of microvilli in the rat small intestine after damage with lectins contained in the red kidney bean. *Gastroenterology.* 1989;97:1193–1204.

9. Coppo R, Amore A, Roccatello D, et al. IgA antibodies to dietary antigens an lectin-binding IgA in sera from Italian, Australian, and Japanese IgA nephropathy patients. *American Journal of Kidney Diseases.* 1991;17:480–487.

10. Gan RL. [Peanut lectin-binding sites in gastric carcinoma and the adjacent mucosa]. *Chung-hua Ping Li Hsueh Tsa Chih.* 1990;19:109–111.

11. Lin M, Hanai J, Gui L. Peanut lectin-binding sites and mucins in benign and malignant colorectal tissues associated with schistomatosis. *Histol Histopathol.* 1998;13:961–966.

12. Melato M, Mustac E, Valkovic T, Bottin C, Sasso F, Jonjic N. The lectin-binding sites for peanut agglutinin in invasive breast ductal carcinomas and their metastasis. *Pathol Res Pract.* 1998;194:603–608.

**LEUKEMIA** – *patrz Rak krwi, czyli białaczka*

**LĘK** – *patrz Zaburzenia lękowe*

## MARSKOŚĆ WĄTROBY – *patrz Choroba wątroby*

# MDŁOŚCI

| Częste przyczyny | Grupa krwi 0 | Grupa krwi A | Grupa krwi B | Grupa krwi AB | Pod-grupy |
|---|---|---|---|---|---|
| Wirusowe zakażenie jelit | | | ••••••••••• | ••••••••••• | |
| Infekcja bakteryjna lub pasożytnicza | | ••••••••••• | ••••••••••• | ••••••••••• | |
| Nietolerancja pokarmów | ••••••••••• | | ••••••••••• | | |
| Stres | | ••••••••••• | ••••••••••• | | |
| Ciąża | Wszystkie grupy krwi | Wszystkie grupy krwi | Wszystkie grupy krwi | Wszystkie grupy krwi | Wszystkie grupy krwi |
| Choroba lokomocyjna | Wszystkie grupy krwi | Wszystkie grupy krwi | Wszystkie grupy krwi | Wszystkie grupy krwi | Wszystkie grupy krwi |
| Choroby neurologiczne | | | ••••••••••• | ••••••••••• | |
| Chemioterapia | ••••••••••• | | | ••••••••••• | |
| Choroba wątroby (krew w wymiotach) | | | ••••••••••• | | |

• = stopień zagrożenia

## Terapie stosowane przy mdłościach

### Wszystkie grupy krwi:

Ssij kawałek (ok. 2 cm) surowego imbiru, ewentualnie popijaj herbatkę imbirową.

### Protokoły stosowane przy grupie krwi A:
• wspomagający zdrowie żołądka

### Protokoły stosowane przy grupie krwi B:
• wspomagający zdrowie wątroby

### Protokoły stosowane przy grupie krwi AB:
• wspomagający zdrowie żołądka

### Protokoły stosowane przy grupie krwi 0:
• wspomagający zdrowie żołądka

## Tematy pokrewne

Choroby pasożytnicze
Choroba wątroby
Choroby bakteryjne (ogólnie)
Choroby wirusowe
Nowotwory (ogólnie)
Stres
Zatrucie pokarmowe

---

**METABOLIZM** – *patrz Insulinooporność*

**MIASTENIA** – *patrz Choroby autoagresyjne: Miastenia*

**MIAŻDŻYCA TĘTNIC** – choroba zwyrodnieniowa tętnic; w wypadku gdy dotyczy tętnic wieńcowych, prowadzi do choroby wieńcowej serca.

| Miażdżyca tętnic | RYZYKO ZACHOROWANIA/NASILENIE | | |
|---|---|---|---|
| | NISKIE | UMIARKOWANE | ZNACZNE |
| Grupa A | | | |
| Grupa B | | | |
| Grupa AB | | | |
| Grupa 0 | | | |
| niewydzielacze | | | |

## Objawy

• ból w klatce piersiowej,
• krótki oddech,
• uczucie ciasnoty w klatce piersiowej, z mrowieniem w lewej ręce i barku.

## Krótko o miażdżycy tętnic

Miażdżyca to powolnie postępująca choroba dotykająca duże i średnie tętnice. Zazwyczaj nie uzewnętrznia się przed 50.–60. rokiem życia; bywa jednak, że rozpoczyna się już w dzieciństwie i postępuje bardzo gwałtownie. Trudno uwierzyć, ale wczesne objawy miażdżycy, takie jak tłuszczowe złogi, można czasem zaobserwować w tętnicach trzylatków.

Miażdżyca może ograniczyć dopływ krwi do serca, co często jest przyczyną ataku serca – jednej z głównych przyczyn śmierci u mieszkańców krajów uprzemysłowionych. Miażdżyca tętnic doprowadzających krew do nóg jest przyczyną CHROMANIA PRZESTANKOWEGO.

Kiedy w tętnicy wieńcowej dochodzi do powstania skrzepu, który odetnie dopływ krwi do serca, mamy do czynienia z zakrzepicą tętnicy wieńcowej. Powoduje ona ATAK SERCA, a następnie jego ZAWAŁ, czyli martwicę, ponieważ mięsień sercowy zostaje pozbawiony dopływu tlenu i zaczyna umierać.

Właściwie nie znamy dokładnie ani przyczyn miażdżycy, ani jej początków, jednakże część naukowców uważa, że zaczyna się ona wówczas, gdy uszkodzeniu ulega wewnętrzna warstwa ściany tętnicy, zwana śródbłonkiem. Niezależnie od pierwotnej przyczyny rozpoczyna to proces gromadzenia się w takiej ścianie tętnicy: tłuszczów, cholesterolu, fibryny, płytek krwi, szczątków komórek i złogów wapniowych. Substancje te pobudzają komórki ściany tętnicy do wytwarzania jeszcze innych substancji, w rezultacie czego powstają zgrubienia zwane blaszkami miażdżycowymi.

· Jaka tętnica zostanie zaatakowana i w którym miejscu – to sprawa indywidualna. Złogi mogą częściowo lub całkiem zablokować przepływ krwi, powodując krwawienie wewnątrz blaszki albo formację skrzepu na powierzchni blaszki. Kiedy światło tętnicy ulega zamknięciu, dochodzi do ataku i zawału serca lub udaru mózgu.

Patogenezy CHOROBY SERCOWO-NACZYNIOWEJ można się dopatrywać w zdarzeniach pociągających za sobą reakcje immunologiczne, na przykład infekcjach, natomiast jej dalszy rozwój może zależeć od innych czynników ryzyka, takich jak podwyższone stężenie CHOLESTEROLU we krwi. Co więcej, te inne czynniki ryzyka same też mogą zależeć od czynnika pierwotnego, czyli na przykład uszkodzenia śródbłonka wskutek chronicznej infekcji.

Coraz częściej stwierdza się, że przyczyną choroby sercowo-naczyniowej jest chroniczna, choć nieujawniająca się infekcja. Przy pozornie bezobjawowym zakażeniu bakteriami *Chlamydia pneumoniae* i *Helicobacter pylori*, a także przy przewlekłym zapaleniu oskrzeli i ozębnej oraz zapaleniu dziąseł stwierdzono w osoczu krwi chorych podwyższone stężenie białka C-reaktywnego (CRP), modulatora stanu zapalnego. Wszystkie te infekcje uznane zostały za czynniki ryzyka w chorobie sercowo-naczyniowej. Podwyższony poziom białka ostrej fazy zapalenia można też wykryć w trakcie przewlekłego zakażenia ogólnoustrojowego. Prawdopodobnie jest on jednym z głównych czynników ryzyka u wydzielaczy.

Duży udział ma też genotyp i styl życia. Wśród innych przyczyn uszkodzeń wewnętrznej strony ściany tętnic warto wymienić skutki nadtlenkowych wolnych rodników, które reagują z ich delikatną wyściółką. Aktywność wolnych rodników jest podwyższona między innymi u palaczy.

Podsumowując, miażdżyca jest poważnym problemem zdrowotnym odpowiedzialnym za ogromne koszty usług medycznych.

## Główne czynniki ryzyka i przyczyny miażdżycy

Zmianami miażdżycowymi zagrożone są szczególnie osoby z podwyższonym poziomem cholesterolu. Stąd też liczne dietetyczne programy przeciwmiażdżycowe koncentrują się na zagadnieniu zmniejszania stężenia cholesterolu we krwi pacjentów. Chorzy na CUKRZYCĘ również znajdują się w grupie ryzyka, podobnie zresztą jak osoby z podwyższonym poziomem TRÓJGLICERYDÓW.

## Związki miażdżycy z grupami krwi

Ogólnie miażdżyca bardziej zagraża przedstawicielom grupy krwi A i AB niż 0 i B. Polskie badania przeprowadzone na grupie pacjentów po operacji wszczepienia tzw. baj-passów pacjentom z zaawansowaną miażdżycą tętnic sercowych wykazały, że wśród chorych było znacznie więcej osób z grupą AB niż 0[1].

Krew grupy A i AB jest „gęstsza", a zatem właśnie u osób z tymi grupami krwi łatwiej dochodzi do odkładania się blaszek miażdżycowych. Jest to jedna z przyczyn, dla których grupy te łatwiej zapadają na chorobę wieńcową serca.

W innych badaniach przeanalizowano stężenie lipoprotein i tłuszczów w surowicy chorych na chromanie przestankowe pod kątem ich przynależności do różnych grup krwi w układzie AB0. W tych badaniach również potwierdzono znaczny udział osób z grupą krwi A (61%)[2].

Podobną przewagę osób z grupą krwi A znaleziono wśród 125 brazylijskich pacjentów cierpiących na zakrzepicę żył[3]. Wydaje się też, że w układzie grupowym AB0 z miażdżycą wiąże się status niewydzielacza[4].

## Terapie stosowane w zapobieganiu i leczeniu miażdżycy

*Protokoły stosowane przy grupie krwi A:*
• sercowo-naczyniowy
• usprawniający metabolizm
• przeciwstresowy

*Protokoły stosowane przy grupie krwi B:*
• sercowo-naczyniowy
• usprawniający metabolizm
• przeciwstresowy

*Protokoły stosowane przy grupie krwi AB:*
• sercowo-naczyniowy
• usprawniający metabolizm
• przeciwstresowy

*Protokoły stosowane przy grupie krwi 0:*
• sercowo-naczyniowy
• usprawniający metabolizm
• przeciwstresowy

## Tematy pokrewne

Cholesterol
Choroba sercowo-naczyniowa
Choroba wieńcowa
Cukrzyca typu II
Trójglicerydy

**Bibliografia**

1. Slipko Z, Latuchowska B, Wojtkowska E. [Body structure and AB0 and Rh blood groups in patients with advanced coronary heart disease after aorto-coronary by-pass surgery]. *Pol Arch Med Wewn.* 1994;91:55–60.

2. Lande KE, Sperry WM. Human atherosclerosis in relation to the cholesterol content of the blood serum. *Archives of Pathology.* 1936;22:301–312.

3. Paterson JC, Armstrong R, Armstrong EC. Serum lipid levels and the severity of coronary and cerebral atherosclerosis in adequately nourished men, 60 to 69 years of age. *Circulation.* 1963;27:229–236.

4. Mathur KS, and others. Serum cholesterol and atherosclerosis in man. *Circulation,* 1961;23:847–852.

# MIAŻDŻYCA TĘTNIC OBWODOWYCH
– upośledzony dopływ krwi do kończyn.

| Miażdżyca tętnic obwodowych | RYZYKO ZACHOROWANIA | | |
|---|---|---|---|
| | NISKIE | UMIARKOWANE | ZNACZNE |
| Grupa A | | | |
| Grupa B | | | |
| Grupa AB | | | |
| Grupa 0 | | | |

## Objawy

• uporczywy ból i kurcze w nogach

## Krótko o miażdżycy tętnic obwodowych

Według danych szacunkowych w krajach rozwiniętych na miażdżycę tętnic obwodowych choruje około 12% dorosłej populacji. Zachorowalność na tę chorobę rośnie z wiekiem, tak więc populacji osób starszych powyżej 70. roku życia dotkniętych nią jest już około 20%.

Najpospolitszym objawem początkowych i średniozaawansowanych stadiów miażdżycy tętnic obwodowych jest chromanie przestankowe, przejawiające się zazwyczaj bólem w łydce po chodzeniu dłuższym niż 5 minut. Ból ten jest spowodowany częściowym upośledzeniem dopływu krwi do kończyn dolnych. W czasie spoczynku mięśnie nóg nie potrzebują wiele krwi, dlatego wielu chorych nie uskarża się wówczas na ból, nawet jeśli blokada przepływu krwi jest znaczna. Jednakże kiedy zaczynają spacerować, mięśnie nóg domagają się odpowiedniego dowozu tlenu, ten zaś nie może być dostarczony w odpowiednich ilościach właśnie z powodu zablokowania tętnic. Mięśnie, którym brakuje tlenu, kurczą się i bolą.

## Główne czynniki ryzyka i przyczyny miażdżycy tętnic obwodowych

Osoby o podwyższonym poziomie cholesterolu są znacznie bardziej zagrożone zmianami miażdżycowymi niż osoby z jego niskim stężeniem. Wiele prób znalezienia sposobu na ochronę przed miażdżycą koncentruje się na sposobach zmniejszenia ilości cholesterolu w surowicy krwi.

W kręgu osób bezpośrednio zagrożonych miażdżycą znajdują się też cukrzycy i osoby z podwyższonym poziomem trójglicerydów.

## Związki miażdżycy tętnic obwodowych z grupami krwi

Przeprowadzono badania, podczas których określono poziom lipoprotein i tłuszczów w surowicy krwi pacjentów cierpiących na chromanie przestankowe i porównano wyniki z danymi na temat ich grupy krwi. Okazało się, że grupą dominującą była tu grupa krwi A (61%)[1].

Przewagę grupy krwi A zaobserwowano też w populacji brazylijskiej, wśród 125 chorych na zakrzepicę żył. Na występowanie choroby wyraźny wpływ miała płeć, bowiem bardziej podatne okazały się kobiety. Natomiast średni wiek zachorowania nie zależał od płci. Nie znaleziono różnic rasowych między osobami o korzeniach afrykańskich i kaukaskich, ale zaobserwowano przewagę osób z grupą krwi A i niewielki udział osób z grupą krwi 0. Analiza danych pochodzących z 10 różnych badań wykazała, że wśród chorych na miażdżycę tętnic obwodowych stosunek liczbowy osób z grupą krwi A do osób z grupą krwi 0 jest znacząco większy niż normalnie[2].

## Terapie stosowane przy miażdżycy tętnic obwodowych

*U wszystkich czterech grup krwi układu AB0 stosuje się następujące protokoły:*

- sercowo-naczyniowy
- krwiotwórczy
- usprawniający metabolizm

## Tematy pokrewne

Choroba sercowo-naczyniowa
Udar
Zaburzenia krzepliwości krwi

### Bibliografia

1. Horby J, Gyrtrup HJ, Grande P, Vestergaard A. Relation of serum lipoproteins and lipids to the AB0 blood groups in patients with intermittent claudication. *J Cardiovasc Surg (Torino)*. 1989;30:533–537.
2. Robinson WM, Roisenberg I. Venous thromboembolism and AB0 blood groups in a Brazilian population. *Hum Genet*. 1980;5:129–131.

---

**MIGRENA** – *patrz Ból głowy*

**MONONUKLEOZA** – *patrz Choroby wirusowe: Mononukleoza zakaźna*

**MUKOWISCYDOZA** – *patrz Wady (braki) wrodzone*

**NADCIŚNIENIE** – podwyższenie skurczowego i/lub rozkurczowego ciśnienia krwi.

| Nadciśnienie | RYZYKO ZACHOROWANIA | | |
|---|---|---|---|
| | NISKIE | UMIARKOWANE | ZNACZNE |
| Grupa A | | | |
| Grupa B | | | |
| Grupa AB | | | |
| Grupa 0 | | | |
| niewydzielacz | | | |
| NN | | | |

## Objawy

Nadciśnienie to „cicha" choroba, niedająca objawów zewnętrznych.

## Krótko o nadciśnieniu

W czasie badania ciśnienia krwi mierzy się dwa parametry: ciśnienie skurczowe (liczba na górze), które określa ciśnienie krwi wewnątrz tętnic w chwili wypompowywania jej z serca do tętnic; oraz ciśnienie rozkurczowe (liczba na dole), określające ciśnienie wewnątrz tętnic, gdy serce odpoczywa między dwoma skurczami.
- Ciśnienie skurczowe wynosi 120, a normalne ciśnienie rozkurczowe wynosi 80 (120/80).
- Nadciśnieniem nazywamy odczyt wynoszący 140/90 poniżej 40. roku życia i 160/95 powyżej czterdziestki.

Nadciśnienie zwiększa częstotliwość występowania chorób i prawdopodobieństwo śmierci. Jest to zależne od wielkości nadciśnienia i jego trwania, a także w porównaniu z innymi czynnikami ryzyka, jak palenie, otyłość i wysokie stężenie cholesterolu w surowicy krwi. Prawdopodobieństwo wystąpienia poważnej choroby i śmierci z powodu nadciśnienia wzrasta, gdy serce jest powiększone. U osób z nadciśnieniem i powiększonym sercem częstość występowania ZAWAŁU SERCA rośnie 30-krotnie. Szacuje się, że mniej więcej 16% osób z powiększonym sercem będzie miało zawał każdego roku. Nadciśnienie upośledza krążenie w tętnicy mózgowej i może prowadzić do UDARU.

## Główne czynniki ryzyka i przyczyny nadciśnienia

Do czynników przyczyniających się do rozwoju nadciśnienia zaliczyć można:
- nadmierne spożycie soli,
- brak potasu,
- niedobory błonnika pokarmowego,
- nadmierne spożycie sacharozy,
- nadwrażliwość i alergia pokarmowa,
- problemy z tarczycą (zarówno nadczynność, jak i niedoczynność),
- otyłość,
- niedobory wapnia i magnezu,
- zatrucie metalami z kwaśnych deszczów (kadm i ołów, dwie najpospolitsze substancje trujące, które można wykryć na podstawie analizy włosów),
- palenie tytoniu (kadm występuje też w dymie papierosowym).

## Związki nadciśnienia z grupami krwi

Wydaje się, że wśród osób z grupą krwi B częstość występowania nadciśnienia jest mniejsza niż u innych, w tym również A, u której jest ona największa.

Płynność (gęstość) krwi u nadciśnieniowców różni się dla różnych grup krwi układu AB0. U nadciśnieniowców z grupą krwi A i AB jest ona większa niż u nadciśnieniowców z grupą krwi B i 0[1].

Układ MN nie ma tak dużego znaczenia jak układ AB0 i status wydzielacza lub niewydzielacza, jednakże odgrywa pewną rolę w dwóch aspektach choroby sercowo-naczyniowej: ciśnieniu krwi i wrażliwości na tłuszcz w diecie.

W 1964 roku angielscy badacze udowodnili, że osoby mające grupę krwi NN mają wyższe ciśnienie skurczowe niż osoby z grupą krwi MN lub MM. Dane te pochodzą z badań na 179 mieszkańcach Wyspy Wielkanocnej, którzy ją opuścili i zamieszkali na kontynencie, ulegając zachodnim wpływom cywilizacyjnym[2].

## Terapie stosowane przy nadciśnieniu

*Wszystkie grupy krwi:*

Nadciśnienie pierwotne jest nieuleczalne, ale kuracja może zmienić przebieg choroby. Szacuje się, że w USA zaledwie 24 procentom chorych udaje się kontrolować nadciśnienie, utrzymując je na poziomie 140/90 mm Hg; 30 procent chorych w ogóle nie zdaje sobie sprawy ze swej choroby. Większość fachowców zgadza się, że leki przeciwciśnieniowe powinni przyjmować ci pacjenci, którzy zmodyfikowali swój tryb życia z myślą o kontroli nadciśnienia, a mimo to nie wystąpiła u nich poprawa: ciśnienie skurczowe utrzymuje się u nich na poziomie 140–159 mm Hg i/lub ciśnienie rozkurczowe wynosi 90–94 mm Hg.

*U wszystkich czterech grup krwi układu AB0 stosuje się następujące protokoły:*
- sercowo-naczyniowy
- antystresowy

## Tematy pokrewne

Choroba sercowo-naczyniowa

Choroba wieńcowa

Stres

Udar

Zaburzenia krzepliwości

**Bibliografia**

1. Dintenfass L, Bauer GE. Dynamic blood coagulation and viscosity and degradation of articifical thrombi in patients with hypertension. *Cardiovascular Research.* 1970;(4):50–60.
2. Cruz-Coke R, Nagel R, Etcheverry R. Effects of locus MN on diastolic blood pressure in a human population. *Ann Hum Genet Lond.* 1964;(28):39–47.

## NADCZYNNOŚĆ TARCZYCY – *patrz*
*Choroby tarczycy: Nadczynność*

## NADMIAR TRÓJGLICERYDÓW WE KRWI (HIPERTRÓJGLICERYDEMIA)
– podwyższony poziom trójglicerydów we krwi.

| Nadmiar trójglicerydów we krwi | RYZYKO ZACHOROWANIA | | |
|---|---|---|---|
| | NISKIE | UMIARKOWANE | ZNACZNE |
| Grupa A | | | |
| Grupa B | | | |
| Grupa AB | | | |
| Grupa 0 | | | |
| niewydzielacz | | | |

### Objawy

Właściwie nie istnieją żadne objawy, które mogłyby świadczyć o wysokim stężeniu trójglicerydów, często jednak towarzyszy ono takim chorobom jak:
- cukrzyca,
- otyłość,
- choroba wieńcowa.

### Krótko o trójglicerydach

Trójglicerydy powstają w wyniku połączenia się trzech łańcuchów kwasów tłuszczowych. W tej postaci występuje większość tłuszczów pokarmowych i tłuszcz składający się na ludzkie ciało. Podwyższony poziom trójglicerydów często spotyka się u cukrzyków. CUKRZYCA jest uważana za jedną z głównych przyczyn podwyższenia poziomu trójglicerydów, a leczenie cukrzycy pozwala czasem go unormować.

Istnieje coraz więcej danych wskazujących na to, że wysoki poziom trójglicerydów jest czynnikiem ryzyka w CHOROBIE SERCA. U niektórych chorych podwyższony poziom trójglicerydów może być poważniejszym czynnikiem ryzyka tej choroby niż CHOLESTEROL. Przyczyna, dla której „wysokie trójglicerydy" miałyby zwiększać ryzyko zachorowania na chorobę serca, nie została jeszcze wyjaśniona. Wiadomo, że towarzyszy im niski poziom HDL-C („dobrego" cholesterolu) i zwiększone ilości LDL-C („złego cholesterolu"). W przeprowadzonych niedawno badaniach wykazano, że mężczyźni z najwyższym stężeniem trójglicerydów na czczo byli ponad dwa razy bardziej narażeni na zawał serca niż osoby, u których poziom trójglicerydów był najniższy, nawet po uwzględnieniu takich czynników ryzyka, jak palenie, siedzący tryb życia i cukrzyca.

Postać hipertrójglicerydemii najczęściej spotykana w praktyce klinicznej nie ma charakteru pierwotnego (dziedzicznego), ale wtórny, będący wynikiem chorób, takich jak otyłość, alkoholizm i przewlekła, nieleczona cukrzyca.

## Związki nadmiaru trójglicerydów z grupami krwi

Wydaje się, że podwyższony poziom trójglicerydów może być jedną z ważniejszych dróg do choroby sercowo-naczyniowej u osób z grupą krwi 0 i B. W dwóch niezależnych badaniach wykazano, że osoby z antygenem B mają wyższy poziom trójglicerydów, niż należałoby oczekiwać[1].

Innym głównym czynnikiem ryzyka choroby sercowo-naczyniowej u osób z grupą krwi 0 jest otyłość. Wiąże się ona ze zmniejszoną wrażliwością na insulinę, dlatego wiele otyłych osób z czasem zaczyna chorować na cukrzycę. Wiadomo też, że cukrzyca jest poważnym czynnikiem ryzyka zawału serca. Dzieje się tak dlatego, że zmiany cukrzycowe wywołują u chorych uszkodzenia tętnic, prowadzące do ich stwardnienia i zwężenia. Nadwaga zmusza serce do nadmiernego wysiłku. Zazwyczaj obniżenie masy ciała zmniejsza poziom cholesterolu o około 10% (zależnie od liczby straconych kilogramów). Ciekawe, że zmniejsza się wówczas jedynie ilość LDL-C; niewielka ilość cholesterolu transportowana przez HDL rośnie.

Trio: otyłość, trójglicerydy i „złe" lipoproteiny jest w grupie krwi 0 kojarzone z chorobą serca. We francuskich badaniach przesiewowych, mających wskazać skłonność do choroby sercowo-naczyniowej i lub naczyniowo-mózgowej w grupie dawców krwi, wykazano, że poziom trójglicerydów i lipoprotein wykazuje dodatnią korelację zarówno z otyłością, jak i z grupą krwi 0[2].

## Terapie stosowane przy nadmiarze trójglicerydów we krwi

### Wszystkie grupy krwi:

U większości otyłych pacjentów, w tym również tych z pierwotną i dziedziczną hipertrójglicerydemią, poziom trójglicerydów spada gwałtownie już po nieznacznym odchudzeniu. Sprowadzenie poziomu trójglicerydów do normy nie wymaga nawet osiągnięcia wagi idealnej; zazwyczaj wystarcza utrata 5–7 kilogramów.

Należy ograniczyć spożycie alkoholu do 3–4 drinków tygodniowo. Osoby, u których stężenie trójglicerydów przekroczyło poziom 500 mg/dL, powinny zupełnie wykluczyć alkohol.

### U wszystkich czterech grup krwi układu AB0 stosuje się następujące protokoły:

- sercowo-naczyniowy
- usprawniający metabolizm

### Tematy pokrewne

Choroba sercowo-naczyniowa
Choroba wieńcowa
Hipercholesterolemia
Trawienie

### Bibliografia

1. Contiero E, Chinello GE, Folin M. Serum lipids and lipoproteins associations with AB0 blood groups. *Anthropol Anz.* 1994;52:221–230.
2. Terrier E, Baillet M, Jaulmes B. [Detection of lipid abnormalities in blood donors]. *Rev Fr Transfus Immunohematol.* 1979;22:147–158.

**NADPOBUDLIWOŚĆ RUCHOWA** – *patrz Zaburzenia uwagi*

**NAPIĘCIOWY BÓL GŁOWY** – *patrz Ból głowy*

## NATRĘCTWA MYŚLOWE I CZYNNOŚCI PRZYMUSOWE (ZESPÓŁ OBSESYJNO-KOMPULSYWNY) – niekontrolowana aktywność umysłowa wywołująca potrzebę wykonywania czynności rytualnych.

| Natręctwa myślowe i czynności przymusowe | RYZYKO WYSTĄPIENIA | | |
|---|---|---|---|
| | NISKIE | UMIARKOWANE | ZNACZNE |
| Grupa A | | | |
| Grupa B | | | |
| Grupa AB | | | |
| Grupa 0 | | | |

## Objawy

*Natręctwa:*

- lęk przed brudem i zatruciem,
- nadmierne przykładanie wagi do porządku, symetrii i dokładności,
- nieustanne powtarzanie jakiejś melodii, wiersza, nieustanny powrót myślami do jakichś obrazów, liczb lub słów,
- natrętny lęk przed zranieniem kogoś bliskiego,
- upatrywanie niewłaściwości i grzechu w swym postępowaniu i myśleniu.

*Czynności przymusowe:*

- nieustanne mycie rąk,
- wielokrotne sprawdzanie, czy drzwi są zamknięte, a urządzenia elektryczne wyłączone,
- pedantyczne porządkowanie przedmiotów,
- ciągłe liczenie do jakiejś liczby,
- wielokrotne dotykanie jakiegoś przedmiotu.

## Krótko o natręctwach myślowych i czynnościach przymusowych

W samych Stanach Zjednoczonych na zespół obsesyjno-kompulsywny cierpi 5 milionów ludzi, czyli mniej więcej co 50. Amerykanin. Dolegliwość ta dotyka każdego, mężczyzn, kobiety, dzieci, bez względu na rasę, religię, warunki społeczno-ekonomiczne. Na zespół składają się dwa elementy. **Natręctwo myślowe** (obsesja) to jakaś nieustannie obecna myśl, idea lub obraz, który niezależnie od woli opanowuje myśli chorego. Do pospolitych natręctw należy myślenie o przemocy, zanieczyszczeniu czy obawa przed jakimś nieszczęśliwym wypadkiem o tragicznych konsekwencjach. Z **czynnością przymusową** (kompulsją) mamy do czynienia wtedy, gdy ktoś czuje wewnętrzny przymus postąpienia zgodnie z tym, co podpowiada mu natręctwo, nawet jeśli jest to działanie bezsensowne i powtarzane wielokrotnie. Sprzeciwienie się natręctwu i niewykonanie czynności przymusowej wywołuje u chorego falę strachu. Przykładem kompulsji może być wielokrotne mycie rąk przez osobę owładniętą obsesją czystości i lękiem przez skażeniem. Zazwyczaj poddanie się kompulsji (zrealizowanie czynności przymusowej) przynosi ulgę, która jednak trwa krótko i ustępuje niedługo kolejnemu przymusowi.

Chorzy na zespół obsesyjno-kompulsywny różnią się od zdrowych wysokim poziomem kortyzolu i niskim poziomem melatoniny, wydalają też duże ilości kortyzolu z moczem. Wydaje się, że stosowanie stymulatorów serotoniny do leczenia chorych z zespołem obsesyjno-kompulsywnym może polegać po części na obniżeniu poziomu kortyzolu.

## Związki zespołu obsesyjno-kompulsywnego z grupami krwi

Kilka niezależnych badań potwierdza niezbicie istnienie związków między grupą krwi A i zespołem obsesyjno-kompulsywnym. W pewnych dużych badaniach na grupie zdrowych ochotników poproszonych o wypełnienie inwentarza osobowości* Leytona okazało się, że wśród osób z grupą krwi 0 zachowania kompulsywne są stosunkowo rzadkie, co potwierdziło wcześniejsze obserwacje, że zespół obsesyjno-kompulsywny zdarza się częściej w grupie A niż w grupie 0.

* Inwentarzami osobowości nazywane są kwestionariusze będące narzędziem do badań psychologicznych. Są one obszerniejsze od ankiet, znormalizowane i służą do badań jednostkowych – przyp. tłum.

Ciekawe, że katecholaminy, które odgrywają taką ważną rolę w odpowiedzi na stres w grupie 0, nie mają większego znaczenia w zespole obsesyjno-kompulsywnym[1].

W przeprowadzonych w 1983 roku szerokich badaniach na osobach cierpiących na zespół obsesyjno-kompulsywny ponownie stwierdzono, że jest on częstszy u osób z grupą krwi A; osoby te również przejawiały większą skłonność do histerii. Z kolei grupa krwi 0 okazała się bardziej podatna na ZABURZENIA LĘKOWE[2].

W 1986 roku leczonych ambulatoryjnie pacjentów psychiatrycznych o grupie krwi A i 0 poproszono o wypełnienie tzw. krótkiego inwentarza objawów. Zarówno elementy obsesyjno-kompulsywne, jak i psychotyczne, więcej razy odnotowano u pacjentów z grupą krwi A niż u pacjentów z grupą krwi 0. Badacze stwierdzili, że „wyniki te nie dają się przypisać ani do różnic wieku, ani płci, ani diagnozy i są zgodne z badaniami wcześniejszymi. Wpływ grupy krwi na ekspresję objawów może wynikać z właściwości błony komórkowej, które po części zależą od grupy krwi"[3].

## Terapie stosowane przy zespole obsesyjno-kompulsywnym

*U wszystkich czterech grup krwi układu AB0 stosuje się następujące protokoły:*
- przeciwstresowy
- usprawniający procesy umysłowe

## Tematy pokrewne

Lęk
Stres

**Bibliografia**
1. Rinieris PM, Stefanis CN, Rabavilas AD, Vaidakis NM. Obsessive-compulsive neurosis, anancastic symptomatology and AB0 blood types. *Acta Psychiatr Scand.* 1978;57:377–381.
2. Boyer WF. Influence of AB0 blood type on symptomatology among outpatients: study and replication. *Neuropsychobiology.* 1986;16:43–46.
3. Rinieris PM, Stefanis CN, Rabavilas AD. Obsessional personality traits and AB0 blood types. *Neuropsychobiology.* 1980;6:128–131.

**NEURALGIA HORTONA** – *patrz Ból głowy*

**NEUROZY, FOBIE** – *patrz Zaburzenia lękowe; Natręctwa myślowe i czynności przymusowe; Stres*

**NIEDOBORY ESTROGENU** – *patrz Stan okołomenopauzalny i menopauza*

**NIEDOCZYNNOŚĆ TARCZYCY** – *patrz Choroby tarczycy: Niedoczynność*

## NIEDOKRWISTOŚĆ Z NIEDOBORU ŻELAZA – upośledzenie wchłaniania żelaza.

| Niedokrwistość z niedoboru żelaza | RYZYKO ZACHOROWANIA/NASILENIE | | |
|---|---|---|---|
| | NISKIE | UMIARKOWANE | ZNACZNE |
| Grupa A | | | |
| Grupa B | | | |
| Grupa AB | | | |
| Grupa 0 | | | |

### Objawy

Silna niedokrwistość może spowodować wystąpienie następujących objawów:
- osłabienie,
- zawroty głowy,
- bóle głowy,
- szumy w uszach,
- migotki przed oczami,
- senność.
- nerwowość.

Wśród rzadziej występujących objawów są: brak miesiączki, utrata popędu płciowego, zaburzenia żołądkowo-jelitowe, żółtaczka, udar, niewydolność i zawał serca.

### Krótko o niedokrwistości z niedoboru żelaza

Niedobór żelaza jest jedną z głównych przyczyn niedokrwistości (anemii). Może być spowodowany np. silnym krwawieniem, ale również zaburzeniami wchłaniania żelaza. U kobiet główną przyczyną niedoborów żelaza są obfite miesiączki i ciąża. U mężczyzn niedokrwistość z niedoboru żelaza pojawia się wskutek upośledzenia wchłaniania tego pierwiastka w przewodzie pokarmowym.

## Związki niedoboru żelaza z grupami krwi

Osoby z grupą krwi A, zwłaszcza zaś wegetarianie, są w gronie ludzi szczególnie zagrożonych niedoborem żelaza. Stan ten nasilają dodatkowo zaburzenia wchłaniania związane z naturalnym dla nich niskim stężeniem żołądkowego kwasu solnego, niezbędnego do trawienia. Niski poziom kwasu solnego występuje także u osób z grupą krwi AB.

## Terapie stosowane w anemii

*Wszystkie grupy krwi*
Cytrynian żelaza: 60 mg/dzień, najlepiej około godziny 11.00.

*Protokoły stosowane przy grupie krwi A:*
• krwiotwórczy
• wspomagający działanie wątroby
• wspomagający zdrowie jelit

*Protokoły stosowane przy grupie krwi B:*
• krwiotwórczy
• wspomagający działanie wątroby
• wspomagający zdrowie jelit
*Suplementy:*
Wodny lub wysuszony ekstrakt wątroby: 500 mg dwa razy dziennie

*Protokoły stosowane przy grupie krwi AB:*
• krwiotwórczy
• wspomagający działanie wątroby
• wspomagający zdrowie jelit

*Protokoły stosowane przy grupie krwi 0:*
• krwiotwórczy
• wspomagający zdrowie żołądka
• wspomagający zdrowie jelit
*Suplementy:*
Rozpuszczalny w tłuszczach płynny suplement chlorofilu: 500 mg dwa razy dziennie

## Tematy pokrewne

Krew
Krew: Zaburzenia krzepliwości
Niedokrwistość złośliwa
Trawienie

---

**NIEDOKRWISTOŚĆ ZŁOŚLIWA** – zaburzenia wchłaniania witaminy $B_{12}$ (kobalaminy).

| Niedokrwistość złośliwa | RYZYKO ZACHOROWANIA/NASILENIE | | |
|---|---|---|---|
| | NISKIE | UMIARKOWANE | ZNACZNE |
| Grupa A | | | ▓ |
| Grupa B | ▓ | | |
| Grupa AB | | ▓ | |
| Grupa 0 | ▓ | | |

## Objawy

Silna niedokrwistość może spowodować wystąpienie następujących objawów:
• osłabienie,
• zawroty głowy,
• bóle głowy,
• szumy w uszach,
• migotki przed oczami,
• senność,
• nerwowość.
Wśród rzadziej występujących objawów są: brak miesiączki, utrata popędu płciowego, zaburzenia żołądkowo-jelitowe, żółtaczka, udar, niewydolność i zawał serca.

## Krótko o niedokrwistości (anemii) złośliwej

Niedobór witaminy $B_{12}$ (kobalaminy), który jest przyczyną niedokrwistości złośliwej (choroby Addisona), nie wynika z niewłaściwego odżywiania. Do przyswajania witaminy $B_{12}$ potrzebne jest wysokie stężenie kwasu żołądkowego i obecność tzw. czynnika wewnętrznego Castle'a, substancji produkowanej przez śluzówkę żołądka, odpowiedzialną za proces wchłaniania witamin. Absorpcja witaminy $B_{12}$ zachodzi w końcowym odcinku jelita krętego i wymaga obecności kwasu solnego i czynnika wewnętrznego Castle'a*. Witamina $B_{12}$ jest magazynowana w wątrobie w ilościach, które wystarczają na utrzymanie człowieka w zdrowiu przez 3–5 lat, nawet w wypadku diety ubogiej w tę witaminę. Zazwyczaj anemia złośliwa rozwija się podstępnie, w miarę jak zużyciu ulegają zapasy zmagazynowane w wątrobie.

## Związki niedokrwistości złośliwej z grupami krwi

Między grupą krwi A i niedokrwistością złośliwą istnieje związek o bardzo starożytnych korzeniach[1,2,3], mimo że sama choroba nie ma nic wspólnego z wegetariańskim sposobem odżywiania właściwym osobnikom z grupą krwi A. Niedokrwistość złośliwa to wynik niedoboru witaminy $B_{12}$, który powstaje wskutek niedostatku czynnika wewnętrznego Castle'a. Właśnie to jest przyczyna skłonności do niedokrwistości złośliwej, którą obserwuje się u osób z grupą krwi A, ale również u przedstawicieli grupy AB, choć w mniejszym stopniu.

Grupa krwi 0 i B nie ma tendencji do anemii złośliwej; zabezpiecza je wysokie stężenie kwasu solnego i duże ilości czynnika wewnętrznego Castle'a.

## Terapie stosowane w niedokrwistości złośliwej

### Wszystkie grupy krwi
- Metylokobalamina (aktywna postać witaminy $B_{12}$): 400 mcg rano i wieczorem
- kwas foliowy: 400 mcg dwa razy dziennie

### Protokoły stosowane przy grupie krwi A:
- krwiotwórczy
- wspomagający zdrowie żołądka
- wspomagający działanie wątroby

*Suplementy:* najskuteczniejszą formą suplementacji są zastrzyki witaminy $B_{12}$

### Protokoły stosowane przy grupie krwi B:
- krwiotwórczy
- wspomagający zdrowie żołądka
- wspomagający działanie wątroby

### Protokoły stosowane przy grupie krwi AB:
- krwiotwórczy
- wspomagający zdrowie żołądka
- wspomagający działanie wątroby

### Protokoły stosowane przy grupie krwi 0:
- krwiotwórczy
- wspomagający zdrowie żołądka
- wspomagający działanie wątroby

## Tematy pokrewne

Krw

Niedokrwistość z niedoboru żelaza

Trawienie

**Bibliografia**

1. Koster KH, Sindrup E, Secle V. *Lancet* 1952.
2. Buckwalter JA, Wohlwend EB, Coler DC, *JAMA* 1956;1210.
3. "An association between blood group A and pernicious anemia. Collective Series from a number of centers." *Brit Med J.* 1956;723.

## NIEPŁODNOŚĆ – niezdolność do poczęcia dziecka.

| Niepłodność | RYZYKO ZACHOROWANIA | | |
|---|---|---|---|
| | NISKIE | UMIARKOWANE | ZNACZNE |
| Grupa A | | | |
| Grupa B | | | |
| Grupa AB | | | |
| Grupa 0 | | | |

---

* Pośrednio przyczyną niedokrwistości złośliwej jest niedobór czynnika wewnętrznego, który z jakichś przyczyn jest wytwarzany w ilościach niedostatecznych (np. wskutek autoimmunologicznego uszkodzenia śluzówki żołądka) – przyp. tłum.

## Objawy

- niemożność poczęcia dziecka w okresie co najmniej 12 miesięcy regularnej aktywności seksualnej

## Krótko o niepłodności

Według danych szacunkowych w USA problemy z poczęciem dziecka ma 15–20% par. Do najpospolitszych przyczyn tej dolegliwości zaliczyć można:

*u mężczyzn:*
- niewystarczającą liczbę plemników

*u kobiet:*
- zablokowanie jajowodu,
- nieregularne miesiączki.

*u obu płci:*
- choroby przenoszone drogą płciową,
- stosunek przerywany.

## Środki antykoncepcyjne a płodność

Przeprowadzono kilka badań na temat aktywnością komórek NK (ODPORNOŚĆ) u kobiet przyjmujących doustne środki antykoncepcyjne. W jednym z nich badacze wykazali znacząco mniejszą aktywność NK już po 3 miesiącach przestania stosowania tego rodzaju antykoncepcji. Również po 6 miesiącach aktywność NK utrzymywała się na poziomie niższym niż normalny.

W innych badaniach, przeprowadzonych na grupie studentek medycyny przyjmujących doustne środki antykoncepcyjne, stwierdzono, w porównaniu z grupą kontrolną kobiet nieprzyjmujących tych środków, niższą aktywność komórek NK oraz wyraźnie większą częstotliwość występowania dolegliwości, takich jak: kichanie, zaburzenia żołądkowo-jelitowe, wodnisty katar, ból gardła, kaszel i ogólnie złe samopoczucie.

## Związki niepłodności z grupami krwi

Istnieje coraz więcej danych na to, że kluczowym czynnikiem w niepłodności może być niezgodność grup krwi. Konflikt serologiczny (na przykład między mężczyzną z grupą krwi A i kobietą z grupą krwi 0) często towarzyszy przypadkom poronienia, zwłaszcza wczesnego z punktu widzenia rozwoju ciąży. W pewnych badaniach przeprowadzonych nad 288 przypadkami poronień wykazano przewagę grupy krwi A i B w skądinąd zdrowych, spontanicznie poronionych płodach. Stwierdzono, że niemal wyłączną przyczyną poronień genetycznie prawidłowych płodów był konflikt serologiczny między matką i dzieckiem; jest on też prawdopodobnie przyczyną wszystkich wczesnych poronień[1].

Badania przeprowadzone na grupie 102 niepłodnych par wykazały u 87% niezgodność grup krwi. W tych samych badaniach u dziewięciorga dzieci siedmiu par o wyraźnie osłabionej płodności stwierdzono grupę krwi 0, czyli brak konfliktu serologicznego z matką. Badacze zasugerowali, że czasowa niepłodność była związana z obecnością przeciwciał w wydzielinie dróg rodnych matki i niezgodnością serologiczną komórek plemnikowych ojca[2].

W innych badaniach porównano 589 par zgodnych serologicznie z 432 parami charakteryzującymi się niezgodnością antygenową. Wyraźna różnica zaznaczyła się już w średniej liczbie żyjących dzieci. W obu grupach dziecięcych zaznaczył się 21% niedobór dzieci z grupą krwi A i 16% niedobór dzieci z grupą krwi B. W grupie konfliktowej jednakże udział poronień wynosił 31,9%, podczas gdy wśród rodziców zgodnych serologicznie poronieniem zakończyło się 17,15% wszystkich ciąż. Na tej podstawie badacze wysunęli przypuszczenie, że niezgodność serologiczna w układzie grupowym AB0 prowadzi do sytuacji „wrogości szyjki macicy" między antygenami grupy krwi mężczyzny obecnymi w jego nasieniu i przeciwciałami (izoaglutyninami) obecnymi w śluzie szyjki macicy[3].

Ogólnie rzecz biorąc, poziom izoaglutynin jest wyższy u osób o rodowodzie afrykańskim. Rasa kaukaska charakteryzuje się wyższym poziomem przeciwciał anty-A niż anty-B, z kolei w obu wypadkach u kobiet poziom ten był wyższy niż u mężczyzn. U osób o korzeniach afrykańskich poziom anty-B jest niemal tak wysoki jak poziom anty-A, ale różnice między płciami są nieznaczne[4].

## Terapie stosowane przy niepłodności

*Wszystkie grupy krwi:*

Stymulacja przeciwciał skierowanych przeciw innej grupie krwi może być wynikiem spożywania pokarmów zawierających antygeny tej grupy krwi. W wielu przypadkach, kiedy wcześniej niepłodne kobiety zachodzą w ciążę po przestawieniu się na pożywienie zgodne z ich grupą krwi, nasuwa się myśl, że dochodzi do tego w wyniku obniżenia liczby tych przeciwciał. W jaki sposób? Poprzez unikanie nieustannego „szczepienia" pokarmami, które wywołują te problemy.

*U wszystkich czterech grup krwi układu AB0 stosuje się następujące protokoły:*
- równoważący dla kobiet
- zdrowotny dla mężczyzn
- detoksykacyjny

## Tematy pokrewne

Odporność
Zaburzenia cyklu miesiączkowego

**Bibliografia**

1. Lauritsen JG, Grunnet N, Jensen OM. Materno-fetal AB0 incompatibility as a cause of spontaneous abortion. *Clin Genet.* 1975;7:308–316.
2. Solish GI. Distribution of AB0 isohaemagglutinins among fertile and infertile women. *J Reprod Fertil* 1969;18:459–474.
3. Cantuaria AA. Blood group incompatibility and cervical hostility in relation to sterility. *Obstet Gynecol.* 1978;51:193–197.
4. Kulkarni AG, Ibazebe R, Fleming AF. High frequency of anti-A ani anti-B haemolysins in certain ethnic groups of Nigeria. *Vox Sang.* 1985;48:39–41.

**NIEREGULARNE MIESIĄCZKI** – *patrz Zaburzenia cyklu miesiączkowego*

**NIESTRAWNOŚĆ** – *patrz Refluks żołądkowo-przełykowy; Mdłości*

**NIETOLERANCJA POKARMÓW** – *patrz Alergie pokarmowe*

**NIETOLERANCJA WĘGLOWODANÓW** – *patrz Insulinooporność*

**NIEWYDOLNOŚĆ NEREK** – *patrz Choroby związane ze starzeniem*

**NIEŻYT ŻOŁĄDKA** – przewlekłe zapalenie śluzówki żołądka.

| Nieżyt żołądka | RYZYKO ZACHOROWANIA | | |
|---|---|---|---|
| | NISKIE | UMIARKOWANE | ZNACZNE |
| Grupa A | | | |
| Grupa B | | | |
| Grupa AB | | | |
| Grupa 0 | | | |
| niewydzielacz | | | |

## Objawy

- mdłości,
- wymioty,
- ból w górnej części brzucha,
- w ciężkich przypadkach krwawienie z żołądka: krwawe wymioty i krew w stolcu.

## Krótko o nieżycie żołądka

Nieżyt jest zapalną reakcją w obrębie żołądka. W typowych przypadkach ogranicza się do śluzówki żołądka, rzadziej obejmuje całą grubość ściany żołądka. Nieżyt żołądka może być wywołany uszkodzeniem śluzówki, na przykład pod wpływem szkodliwych substancji chemicznych, zwłaszcza takich, jak niesterydowe leki przeciwzapalne czy alkohol. Refluks, czyli zarzucanie wsteczne treści żołądkowej, jest reakcją na kontakt z żółcią i sokiem trzustkowym, będący skutkiem wadliwego działania odźwiernika oddzielającego przełyk od żołądka. Infekcyjny nieżyt zakaźny żołądka wiąże się najczęściej z obecnością bakterii z gatunku *Helicobacter pylori*, może też być pochodzenia wirusowego. Wiele osób myli nieżyt z wrzodami żołądka, jednakże różnią się one diametralnie. Wrzody żołądka powstają wskutek nadkwaśności, podczas gdy nieżyt żołądka jest wynikiem zbyt zasadowego odczynu treści żołądkowej. Nieżyt pojawia się, gdy kwas żołądkowy jest tak słabo stężony, że przestaje działać jako bariera antybakteryjna. W żołądku pozbawionym takiej ochrony mikroorganizmy mogą rozwijać się bez przeszkód, wywołując poważny stan zapalny.

### Główne czynniki ryzyka i przyczyny nieżytu żołądka

Wśród głównych przyczyn nieżytu żołądka wymienić należy spożywanie nadmiernych ilości alkoholu, przedawkowanie niesterydowych leków przeciwzapalnych, zarzucanie żółci, zarzucanie enzymów trzustkowych, stres, napromieniowanie, zatrucie toksynami gronkowca złocistego i *H. pylori,* a wreszcie infekcję wirusową i niedokrwistość złośliwą.

### Związki nieżytu żołądka z grupami krwi

Fakt, że nadkwaśność znacznie częściej zdarza się u osób z grupą krwi 0 i B niż u pozostałych, był znany od dawna; niedokwaśność soku żołądkowego jest typowym objawem u osób z grupą krwi A i AB. W 1955 roku w artykule opublikowanym w czasopiśmie „The Lancet" doniesiono, że wśród pacjentów chorych na wrzody trawienne, anemię złośliwą i raka żołądka można zaobserwować pewien schemat dotyczący soku żołądkowego. Otóż w grupie 111 chorych, cierpiących na raka żołądka, a zarazem wykazujących całkowite upośledzenie wydzielania kwasu żołądkowego, stosunek liczby osób z grupą krwi A do liczby osób z grupą krwi 0 wynosił niemal 2 : 1.

W 1959 roku przeprowadzono badania nad intensywnością wytwarzania kwasu żołądkowego i pepsyny u osób o rodowodzie kaukaskim i osób o rodowodzie afrykańskim, po czym porównano otrzymane wyniki z danymi na temat ich grupy krwi. Okazało się, że choć wydzielanie kwasu żołądkowego i pepsyny było u obu ras mniej więcej takie samo, to jednak istniały znaczące różnice w zależności od grupy krwi. Niedobór ilości wytwarzanego kwasu zdarzał się znacznie częściej w grupie krwi A niż 0, zaś stężenie pepsynogenu w osoczu było wyższe w grupie 0 niż w grupie A. W innych badaniach ten sam zespół badaczy stwierdził, że wśród pacjentów z problemami trawiennymi niedobory kwasu żołądkowego najczęściej występują u osób z grupą krwi A. Inne badania, wykonane mniej więcej w tym samym czasie w Indiach, również wykazały różnice między grupą krwi 0 i A w ilości kwasu żołądkowego wydzielonego w odpowiedzi na standaryzowany posiłek.

Jedną z przyczyn tego, że niedobory kwasu żołądkowego wiążą się z grupą krwi A, jest być może naskórkowy czynnik wzrostu (*epidermal growth factor*; EGF). EGF jest hormonem polipeptydowym, który stymuluje wzrost i regenerację tkanki naskórkowej. EGF jest w tkankach ciała obecny powszechnie, a w dużych stężeniach występuje w ślinie, prostacie i dwunastnicy. EGF zmniejsza też poziom sekrecji kwasu żołądkowego. Receptor EGF przypomina antygen A – tak bardzo, że w warunkach eksperymentalnych przeciwciała skierowane przeciw receptorowi EGF przyczepiały się też do antygenu A. Fakt ten może odgrywać rolę w zwiększaniu częstości pewnych odmian nowotworów u osób z grupą krwi A, a także wyjaśnia, dlaczego w tej grupie poziom sekrecji kwasu solnego jest mniejszy niż w innych grupach.

### Terapie stosowane przy nieżycie żołądka

*Protokoły stosowane przy grupie krwi A:*
• wspomagający zdrowie żołądka
• antybakteryjny
• detoksykacyjny
**Dodatkowe zalecenia:** Unikaj leków kortykosteroidowych, które mogą wywołać zaburzenia żołądkowe. Nie pal! Palenie wzmaga zapalenie śluzówki żołądka.

*Protokoły stosowane przy grupie krwi B:*
• wspomagający zdrowie żołądka
• antybakteryjny
• detoksykacyjny

*Protokoły stosowane przy grupie krwi AB:*
• wspomagający zdrowie żołądka
• antybakteryjny
• detoksykacyjny

*Protokoły stosowane przy grupie krwi 0:*
• wspomagający zdrowie żołądka
• antybakteryjny
• detoksykacyjny

## Tematy pokrewne

Choroby bakteryjne (ogólnie)
Choroby wirusowe
Odporność
Trawienie

---

**NOCNE POTY** – *patrz stan okołomenopauzalny i menopauza*

**NOWOTWORY (OGÓLNIE)** – określenie grupy przeszło 100 chorób charakteryzujących się niekontrolowanym wzrostem i rozprzestrzenianiem komórek zmienionych chorobowo.

| Nowotwory | RYZYKO ZACHOROWANIA | | |
|---|---|---|---|
| | NISKIE | UMIARKOWANE | ZNACZNE |
| Grupa A | | | |
| Grupa B | | | |
| Grupa AB | | | |
| Grupa 0 | | | |
| niewydzielacz | | | |

## Słów kilka o nowotworach

W miarę jak się starzejemy, starzeją się nasze komórki. Wszystkie narządy naszego ciała zbudowane są z komórek, które są w normalnych warunkach zdolne do podziału; wytwarzają nowe komórki, gdy tylko zaistnieje na nie zapotrzebowanie. Kiedy jednak komórki rozmnażają się bez widocznej potrzeby, dochodzi do wytworzenia zbędnej masy tkankowej zwanej nowotworem. Komórki w obrębie nowotworu odżywiane są dzięki bezpośredniej dyfuzji z układu krwionośnego. Lokalna narośl może wywierać ciśnienie na normalne tkanki, a to może z kolei powodować stan zapalny. Nowotwór może też wytwarzać substancje (np. kolagenazę), które prowadzą do enzymatycznego rozkładu tkanek. Nowotwory mogą być łagodne i złośliwe (rakowaciejące).

Podobnie jak w wypadku wielu innych chorób, na powstawanie i rozwój nowotworu złośliwego mają wpływ czynniki genetyczne i środowiskowe. Biologiczne, chemiczne i fizyczne czynniki wywołujące raka zwane są karcerogenami (karcynogenami). Proces pobudzania rozwoju nowotworu złośliwego nazywa się kancerogenezą (karcynogenezą). Współczesne badania naukowe w zakresie biologii molekularnej raka, wywodzące się z badań nad onkowirusami (wirusami wywołującymi raka) i transformacją DNA dostarczają nowych sposobów studiowania genów wywołujących raka (onkogenów) i dróg komórkowych, którymi przebiega proces wirusowej, chemicznej i fizycznej kancerogenezy.

Kancerogeny dzielą się na dwie główne kategorie: kancerogeny bezpośrednie, działające niezależnie, oraz prokancerogeny, które muszą ulec wewnątrz organizmu przekształceniu w kancerogeny. Traf chciał, że większość chemioterapii nowotworowych to kancerogeny same w sobie. Do prokancerogenów zalicza się aflatoksynę*, wiele chemicznych barwników, nitrozaminy obecne w pokarmach wędzonych i niektóre metale, np. nikiel. Kancerogeneza trwa lata, a nawet dziesiątki lat. Długi okres, jaki upływa między wystawieniem na

---

* Trucizna wytwarzana przez grzyb *Aspergillus flavus* rosnący na fistaszkach i zbożu przechowywanym w wilgoci. Uważana za przyczynę pierwotnego raka wątroby, zwłaszcza u tych osób, które przeszły wirusowe zapalenie wątroby typu B – przyp. tłum.

działanie kancerogenu i uformowaniem raka, można, jak wynika z badań, podzielić na dwa etapy: tworzenia guza i jego ekspansji.

Żywe organizmy są wynikiem zgrania wielu wyspecjalizowanych komórek, z których każda ma do wykonania jakieś konkretne zadanie. Niczym nowoczesne miasto, które nie może funkcjonować bez różnych specjalistycznych służb, takich jak policja, straż pożarna, służby oczyszczania miasta i właściciele sklepów, tak i ciało nie może działać właściwie, jeśli liczba wyspecjalizowanych komórek jest w nim za mała.

To, co sprawia, że dana komórka przyjmuje na siebie taką czy inną funkcję, zależy od tego, jaka część jej DNA jest w danym okresie aktywna. Maksymalnie upraszczając, wyobraźmy sobie komórkę w paznokciu. Zadaniem takiej komórki jest być twardą i nieco wodoodporną, czyli spełniać dwie funkcje, które nie byłyby wiele przydatne w wypadku komórki mózgu. Tam bowiem twój organizm potrzebuje długich komórek wyspecjalizowanych w przenoszeniu sygnałów elektrycznych. W komórce paznokcia aktywna jest tylko ta część DNA, która jest potrzebna do pełnienia tej właśnie funkcji; wszystkie inne, potencjalnie możliwe funkcje są „wyłączone". Mówiąc krótko, komórka paznokcia jest komórką paznokcia właśnie dlatego, że ma aktywne te, a nie inne fragmenty DNA. Tak samo ma się rzecz z komórką mózgową: geny, które mogłyby z niej zrobić komórkę paznokcia, albo mięśniową, albo włosa, zostały wyłączone – czyli uległy represji.

Przypisanie komórce konkretnej funkcji sprawia, że jest wiele rzeczy, których takie wyspecjalizowane komórki nie mogą robić. O komórkach mówi się, że są zróżnicowane, gdy dzięki jakimś cechom można je przypisać do konkretnego typu. Każda komórka włosa przypomina inne komórki tego typu. Organizm robi, co może, by nadzorować różnicowanie komórek, jako że utrata kontroli nad nimi jest pierwszym krokiem na drodze do komórkowej anarchii, która w końcu może doprowadzić do zrakowacenia tkanki.

Stopień zróżnicowania może być wyznacznikiem stopnia zrakowacenia. Komórki o dużym stopniu zróżnicowania to normalne komórki, pełniące swe zwykłe funkcje. Komórki słabo zróżnicowane są niebezpieczne, bo mogą prowadzić do uzłośliwienia guza.

## Właściwości komórek rakowych

- Komórki rakowe są często kuliste, podczas gdy komórki normalne mają zazwyczaj postać spłaszczoną.
- Komórki rakowe nie przylegają do siebie, jak inne komórki w obrębie tkanki. Wynika to ze zmniejszenia na ich powierzchni liczby cząsteczek adhezyjnych. Do najważniejszych cząsteczek adhezyjnych, które nie występują w komórkach rakowych, należą antygeny układu AB0.

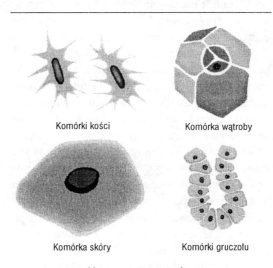

Komórki kości       Komórka wątroby

Komórka skóry       Komórki gruczołu

RÓŻNICOWANIE SIĘ KOMÓREK

DNA każdej komórki somatycznej zawiera informacje potrzebne zarówno dla niej, jak i dla innych komórek. Fakt, że może ona pełnić jakąś zupełnie wyjątkową funkcję, wynika z tego, że część informacji, którą zawiera, jest nieaktywna. Dlatego komórki gruczołów pełnią jedynie funkcję wydzielniczą, komórki kości składają się na kości itd. Komórki wyspecjalizowane w różnych czynnościach różnią się też wyglądem i wielkością.

- Inhibicja kontaktowa komórek jest ograniczona. Normalne komórki przestają się posuwać w chwili, gdy zetkną się ze sobą. Nie dotyczy to komórek rakowych.
- Komórki rakowe nie są tak silnie związane z miejscem powstania, dlatego mogą wkraczać w obręb innych tkanek, a także dostawać się do krwiobiegu i węzłów chłonnych (przerzut).

- Gęstość tkanki nie stanowi dla komórek rakowych przeszkody w rozmnażaniu: układają się jedna na drugiej, w stosie.
- Do podziału komórki rakowe nie potrzebują zewnątrzkomórkowych czynników wzrostu, ponieważ wytwarzają własne. Niektóre antygeny grupowe mogą reagować z czynnikami wzrostu komórek rakowych.
- Długość życia komórki rakowej nie jest ograniczona, ponieważ apoptoza (programowana śmierć komórki) jest zahamowana.

W medycynie stosuje się tzw. stopniowanie guzów w zależności od poziomu zróżnicowania komórek. Takie badanie cytologiczne wykonuje patolog. Im bardziej wyspecjalizowana komórka, tym silniejsza jest immunologiczna odpowiedź organizmu na jej obecność. Dlatego wyraźnie wykształcony guz zawiera komórki, które mniej więcej są do siebie podobne; przeciwciało może być tak zaprogramowane, by szukać antygenów nowotworowych (markerów guza), które powinny się znajdować na każdej komórce guza. Kiedy komórki guza stają się mniej zróżnicowane, przestają być do siebie podobne, a tym samym przestają wywoływać zdecydowaną reakcję obronną organizmu. W rzeczywistości układ odpornościowy musiałby wytworzyć nowe i odmienne przeciwciało na każdą komórkę guza – rzecz niewykonalna. Dlatego też wyraźnie zróżnicowane komórki guzów takich jak CZERNIAK lepiej poddają się immunoterapii niż komórki guzów zróżnicowanych słabo.

Istnieje kilka stadiów różnicowania guza:

| Stadium | Stopień zróżnicowania |
|---|---|
| Stan normalny | Komórki znacznie zróżnicowane |
| G1 | Najwcześniejsze stadium raka; komórki dobrze zróżnicowane. Należy oczekiwać, że guz podda się leczeniu. |
| G2 | Komórki zróżnicowane umiarkowanie. Sprawiają trudności, ale nadal reagują na leczenie. |
| G3 | Komórki słabo zróżnicowane. Stan trudny do leczenia, będzie wymagał zdecydowanych posunięć. |
| G4 | Komórki niezróżnicowane. Najgorsza z sytuacji, jeśli chodzi o złośliwość nowotworu. Właśnie komórki tego stadium są największym zagrożeniem. W zasadzie nie pełnią żadnej pożytecznej funkcji. Wymagana agresywna interwencja lekarska. |

Normalne komórki są zróżnicowane, ponieważ mają aktywne tylko te geny, które są im potrzebne do pełnienia pewnej konkretnej funkcji. W jaki sposób komórki rakowe tracą specjalizację? W miarę przemian guza dochodzi do derepresji, czyli inaktywacji represorów genowych. W rezultacie komórki cofają się do stadium spotykanego w tkance embrionalnej. Komórki embrionalne (takie jak te, które spotykamy u 2–3-tygodniowych płodów) nie mają w pełni rozwiniętych funkcji, takich jak te, które spotyka się u osobników dorosłych. Na początku, przeciwnie do sytuacji u osobnika dorosłego, złożonego z tysięcy wyspecjalizowanych komórek, embrion składa się z trzech rodzajów komórek embrionalnych:

- *ektodermalnych* – które różnicują się w komórki skóry i nerwów,
- *mezodermalnych* – które różnicują się w komórki układu mięśniowego, szkieletu i tkanki łącznej,
- *endodermalnych* – z których powstają komórki wyściełające układ pokarmowy.

Ponieważ komórki te (zwane często komórkami zarodkowymi lub listkami zarodkowymi) różnicują się w całą gamę tkanek, zatem muszą mieć zdolność wyłączania i włączania na nowo różnych genów. W miarę zmian zachodzących w komórkach rakowych, w trakcie których tracą one zdolność kontrolowania swego materiału genetycznego, organizacja komórek ulega stopniowemu pogorszeniu i zaczynają one przypominać wczesne, embrionalne formy, od których pochodzą. Wiele komórek rakowych zaczyna wytwarzać glikoproteinowe antygeny podobne do tych, które normalnie spotyka się tylko w komórkach embrionalnych. Substancje te są często wykorzystywane do celów diagnostycznych (np. płodowy antygen rakowy CEA), którego używa się do oceny stopnia zaawansowania różnych typów raka.

### Związki nowotworów z grupami krwi

Antygeny układu grupowego AB0 są w sposób oczywisty związane z procesem różnicowania. Wiadomo, że występują w komórkach, z których powstają naczynia krwionośne płodu i przypuszcza się, że są odpowiedzialne za ich lokalizację w rozwijających się narządach. Jest to bardzo istotna funkcja antygenów grupowych układu AB0, ale w małym stopniu zauważana i rozumiana przez kręgi medyczne. Tymczasem właśnie związki z tkanką embrionalną są prawdopodobnie przyczyną, dla której antygeny grupowe pojawiają się i znikają w komórkach, które wkraczają w stadium agresywnej złośliwości i przerzutu.

Z badań wynika, że niektóre guzy wykryte u osób z krwią grupy A, zwłaszcza guzy układu pokarmowego, mają większe ilości p53, genu supresorowego nowotworów. Choć można by przypuszczać, że większa ilość genu działającego hamująco na nowotwory (supresora) powinna być korzystna, uważa się powszechnie, że jego zwiększone ilości towarzyszą przejściu guza w stan bardziej inwazyjny. Wyższy poziom supresora p53 może się też wiązać z faktem, że wskutek zachodzących zmian komórki guza przestają wytwarzać antygeny grupowe[2].

Wprawdzie istnieje już ponad tysiąc publikacji na temat związków między grupą krwi i chorobami, wiele z nich opiera się wyłącznie na analizie statystycznej. Większość starych badań budzi dziś kontrowersje, zazwyczaj dlatego, że były to badania na niewielkiej próbie lub że zostały przeanalizowane niezgodnie z obecnymi wymogami. Tak czy inaczej, nie sposób nie zauważyć ogólnego schematu, który wyłania się z obszernych badań nad złośliwością nowotworów, koagulacją i infekcjami. Przekonujące są zwłaszcza badania nad receptorami powierzchniowymi komórek mikroorganizmów i ich związkiem z ważnymi białkami odpornościowymi. Sugerują one, że antygeny grup krwi faktycznie odgrywają ważną biologiczną rolę. Ciekawe, że rola ta często nie ma nic wspólnego z erytrocytami. Ogólnie można powiedzieć, że duże skłonności do nowotworów mają osoby z grupą krwi A, a nieznacznie mniejsze z grupą krwi B.

Największe, być może, zainteresowanie antygenami układu AB0 towarzyszy rozwojowi onkologii molekularnej. Współczesne odkrycia w dziedzinie chemii błony komórkowej, immunologii nowotworów i chorób zakaźnych dostarczyły dowodów na istnienie ich związków z grupami krwi. Być może dlatego też wzrosła akceptacja dla wcześniejszych, czysto statystycznych odkryć.

Olbrzymie zainteresowanie grupami krwi wynika z rosnącej świadomości, że antygeny grup krwi są ważnym elementem procesu dojrzewania komórki i nadzoru. Najlepszym przykładem jest obecność lub brak antygenów grup krwi w tkance nowotworowej, będący, w wypadku wielu częstych nowotworów, wskaźnikiem ich złośliwości.

Niektóre antygeny nowotworowe, czyli markery nowotworów, są znane jako pochodne prekursorów antygenów konkretnej grupy krwi. Wiele antygenów nowotworów przypomina budową antygen A, co wyjaśnia po części ich częste asocjacje z grupą krwi A i AB. Z drugiej zaś strony choroby autoagresyjne mają tendencję do ujawniania się u osób z grupą krwi 0. Ten kontrast staje się szczególnie interesujący, gdy przypomnimy sobie wcześniejsze sugestie immunologów, że między tymi dwiema grupami chorób (nowotwory i autoagresja) istnieje zasadnicze przeciwieństwo. Wzmożonej kontroli immunologicznej i nadczynności układu odpornościowego towarzyszy mniejsza skłonność do guzów złośliwych, podczas gdy wydaje się, że nadmiernie tolerancyjny układ odpornościowy prawdopodobnie przyczynia się do ich powstawania. Obserwacje te sugerują bardziej ogólną hipotezę, a mianowicie tę, że u ludzi, zarówno w komórkach zdrowych, jak i nowotworowych występują, na poziomie biochemicznym, antygeny podobne do antygenu grupy A, które zwykle nie są osiągalne dla układu odpornościowego. Stają się jednak dostępne po pobudzeniu wskutek choroby autoagresyjnej lub w wyniku immunologicznej odpowiedzi na rosnący nowotwór. W tym momencie osobie z grupą krwi A, czyli takiej, która nie wytwarza przeciwciał anty-A, dużo łatwiej przyjdzie tolerować raka niż osobie z grupą krwi 0. Jednocześnie układ odpornościowy takiej osoby (A) będzie mniej skłonny do atakowania komórek własnego organizmu niż układ odpornościowy osoby z grupą 0.

Związek między nowotworem i grupą krwi A nie jest uniwersalny. Istnieje kilka postaci raka, które wykazują konsekwentnie asocjacje z grupą krwi 0 i B. Oznaczałoby to, że rak jest rezultatem chaosu w zakresie grup krwi, a obecność podobnych do A antygenów na powierzchni komórek nowotworowych jest po prostu najpowszechniej występującą formą tego chaosu.

## Antygeny grupowe a adhezja komórek rakowych

Proces rozprzestrzeniania się komórek rakowych z miejsca lokalizacji guza nazywa się przerzutem. Przerzut to zjawisko złożone z kilku etapów:

1. Rakowacenie najbliższego otoczenia nowotworu.
2. Inwazja do krwiobiegu i naczyń limfatycznych.
3. Przemieszczanie z krwią i limfą.
4. Migracja z naczyń krwionośnych i limfatycznych do tkanek docelowych i rozwój guza w nowej lokalizacji.

Z badań wynika, że ekspresja pewnych rodzajów węglowodanowych antygenów w komórkach nowotworowych nie tylko jest związana ze stadium przerzutu i jego dystrybucją w narządach, ale również umożliwia przewidywanie rozwoju choroby. Przerzuty w obrębie gruczołów limfatycznych znamionuje obecność tzw. antygenów nowotworowych (Tn i antygenów do nich podobnych) (patrz ODPORNOŚĆ). W wypadku pozostałych przerzutów nie zaobserwowano oczywistych zależności między węglowodanami i nowotworami. Ekspresja antygenów grupowych układów AB0, Lewis i MN, a także ich prekursorów, jest wprawdzie wskaźnikiem umożliwiającym prognostykę tych nowotworów, jednakże bezpośredni ich związek z poszczególnymi rodzajami raka bywa różny*. Jednym z czynników warunkujących przerzut nowotworu

i umożliwiających jego prognostykę mogą być cząsteczki adhezyjne i/lub węglowodany[3].

Przyczyną, dla której nieobecność lub redukcja antygenów grupy A i AB w nowotworach osób z grupą krwi A i B wiąże się z poziomem złośliwości raka i jego inwazyjnością, może wynikać z utraty skłonności adhezyjnych, która ma miejsce, gdy komórka rakowa traci antygeny grupowe. Z badań nad osobami chorymi na raka okrężnicy wynika, że stopień ruchliwości i tempo proliferacji komórek tego raka są bezpośrednio związane z obecnością lub nieobecnością antygenu grupowego A. Wydaje się, że komórki, które straciły ten antygen, tracą też zdolność do ekspresji różnych białek adhezyjnych, takich jak integryny**, które zawierają w swej budowie element podobny do antygenu A i kontrolują ruch komórek[4].

Utrata antygenów grupowych może się wiązać z rozpoczęciem stadium inwazyjnego raka, ponieważ bez nich receptory integrynowe nie mogą realizować swej normalnej funkcji, a mianowicie gromadzenia komórek. Ten związek między grupą krwi i agregacją komórek ma prawdopodobnie podstawowe znaczenie nie tylko dla powstawania nowotworów, ale również dla innych procesów życiowych. Rosnący płód musi być wyposażony w zdolność tworzenia nowych narządów i mieć zdolność korzystania z krwiobiegu, który dostarcza do nich składniki odżywcze. W życiu płodowym utrata antygenów grupowych pozwala na migrację komórek embrionalnych do miejsca przyszłej lokalizacji narządów i naczyń krwionośnych. W rzeczywistości wiele płodowych markerów nowotworowych (takich jak płodowy antygen rakowy CEA) pojawia się niemal dokładnie w chwili zniknięcia antygenów grup krwi. Im wyraźniejsza utrata antygenów grup krwi, tym większe wytwarzanie płodowych markerów nowotworowych. W wypadku nowotworów złośliwych, kiedy komórki tracą funkcjonalność i wracają do

---

* W wypadku niektórych nowotworów złośliwych ekspresja antygenów może być większa, są one jednak często wspólne dla raków różnego typu. Użyteczne w diagnostyce są te antygeny uwalniane do krwi, które charakteryzują się wrażliwością (nowotwory złośliwe nie wywołują silnej reakcji odpornościowej) i swoistością – przyp. tłum.
** Integryny (ang. *integrins*) to białka współdziałające w procesie ukierunkowanej migracji komórek, w tym również komórek odpowiedzialnych za odpowiedź immunologiczną organizmu – przyp. tłum.

stanu przypominającego embrionalny, utrata antygenów grupowych oznacza niekontrolowaną migrację, a tym samym jest symptomem rozpoczęcia stadium przerzutowego.

Utrata antygenów grupowych nie jest zjawiskiem charakterystycznym dla wszystkich guzów. W rzeczywistości jest to proces odwrotny do tego, jaki zachodzi w normalnych warunkach. Tkanki i narządy wytwarzające normalnie antygeny grup krwi (jak np. tkanka śluzówki okrężnicy) będą miały tendencję do utraty tych antygenów w trakcie rakowacenia[5]. Inne narządy, jak np. tarczyca, której zdrowe komórki nie zawierają antygenów, będą je nabywały. Czasami zmiany ekspresji antygenów grupowych w jednym narządzie mogą wpływać na ich ekspresję w drugim[6].

### Antygeny nowotworowe T i Tn

Wiele komórek rakowych (np. komórki raka sutka i komórki raka żołądka) charakteryzują się obecnością markerów nowotworowych T (antygeny Thomsena–Friedenreicha). W zdrowych komórkach ekspresja tych antygenów jest zahamowana, natomiast mogą się one ujawniać w komórkach zmierzających w kierunku złośliwości. Antygeny T są rzadko spotykane w zdrowych tkankach, które zawierają przeciwciała anty-T. Jeszcze trudniej znaleźć w zdrowej tkance antygen Tn, będący prekursorem antygenu T, czyli jego nie w pełni rozwiniętą postacią.

Szacuje się, że do ekspresji antygenów T i Tn dochodzi w około 90% raków (i niektórych białaczkach). Ogólnie rzecz ujmując, niezależnie od rodzaju raka i jego lokalizacji uporządkowana ekspresja antygenów T na jego komórkach wskazuje zwykle na nowotwór o dobrym rokowaniu, podczas gdy przewaga antygenu Tn świadczy zazwyczaj o dużej zjadliwości nowotworu i jego wejściu w stadium przerzutowe.

Komórki rakowe różnią się znacznie od komórek zdrowych strukturą powierzchni błony komórkowej. Najogólniej mówiąc, nie są w stanie wytworzyć zdrowej, normalnej błony komórkowej. Dobrze zróżnicowane komórki rakowe mają przewagę antygenów T, natomiast Tn występują w nich w mniejszych ilościach. Kiedy nowotwór zmienia swój charakter, a jego komórki stają się mniej zróżnicowane, wśród antygenów nowotworowych zaczyna dominować Tn. Jedną z funkcji antygenów T i Tn jest wspomaganie adhezji, czyli przylegania komórek rakowych do innych komórek, w tym również zdrowych. Właściwość ta ma ogromne znaczenie dla inwazyjności raka i pojawiania się przerzutów. Komórki zawierają normalnie przeciwciała anty-T i anty-Tn, czyli mają niejako „wbudowany" system obrony przed komórkami zawierającymi te markery. Produkcja tych przeciwciał jest pobudzana przez florę bakteryjną jelit. Na liczbę i aktywność przeciwciał anty-T i anty-Tn może mieć wpływ grupa krwi.

Antygeny T i Tn wykazują podobieństwo strukturalne do antygenu grupy krwi A[7]. Nie dziwi zatem fakt, że osoby z tą właśnie grupą krwi wykazują najsłabszą odpowiedź immunologiczną przeciw T i Tn. Podobieństwo antygenu A i antygenów nowotworowych T i Tn wynika z tego, że są zakończone takim samym cukrem (N-acetyloglukozamina), a co za tym idzie, mogą być przez układ odpornościowy pomyłkowo brane za antygeny A. Odkrycie tego faktu doprowadziło naukowców do wniosku, że skoro osoby z grupą krwi A charakteryzuje niższe stężenie przeciwciał anty-T i anty-Tn, zatem grupa krwi A może być przeszkodą w procesie immunologicznej obrony przed komórkami zawierającymi te markery nowotworowe[8].

Pacjenci chorzy na raka, u których stwierdzono grupę krwi A, charakteryzują się największym zahamowaniem ekspresji przeciwciał anty-T i to niezależnie od wieku, stadium raka i morfologii guza. Pozwala to przynajmniej po części wyjaśnić, dlaczego przebieg raka ma zazwyczaj cięższy przebieg u osób z grupą krwi A.

W optymalnych warunkach układ odpornościowy organizmu jest dobrze predysponowany do zwalczania komórek z wadami budowy (np. niekompletnymi lub nienormalnymi strukturami). Tak samo postępuje w wypadku inwazji wirusowej. Podobieństwo antygenu A do antygenu nowotworowego T może być jednak niekorzystne dla osób z grupą krwi A i AB.

## Koagulacja i rak: inna słabość grupy krwi A

Hipoteza dotycząca grupy A jako potencjalnie dobrego środowiska dla rozwoju raka znajduje potwierdzenie w licznych publikacjach. Istnieją jednak pewne dane, że zmniejszona liczba przeciwciał T i Tn nie jest jedyną przyczyną zwiększonej podatności na nowotwory u osób z tą grupą krwi. Być może tą drugą przyczyną jest większa gęstość krwi, przejawiająca się skłonnością do agregacji.

*vWF i czynnik VIII:* zaobserwowano, że w stadium przerzutu komórki rakowe mają tendencję do przyczepiania się do płytek krwi i rozprzestrzeniania się wraz z nimi. Wiąże się to z występowaniem na komórkach rakowych receptorów nieprawidłowych cząsteczek glikoproteinowych obecnych na płytkach. Jest to być może przyczyna adhezji umożliwiającej dalszą inwazję raka. Czynnik vWF i czynnik VIII są białkami grającymi w surowicy krwi rolę czegoś w rodzaju cząsteczkowego kleju, którego płytki krwi używają do przyczepiania się do białek biorących udział w procesach krzepnięcia krwi. Ten sam klej łączy nieprawidłowe glikoproteiny płytek z komórkami rakowymi. W próbkach krwi pobranych od pacjentów z przerzutami poziom vWF i czynnika VIII był w stosunku do krwi osób zdrowych podwyższony (vWF niemal dwukrotnie), być może z powodu niedoborów enzymu, który przekształca vWF i czynnik VIII w formy nieaktywne. Stąd u chorych na rozsianą postać raka obserwowany poziom aktywności płytek krwi o ponad 150% przekraczał poziom spotykany u osób zdrowych.

*Fibrynogen:* tak jak w wypadku STRESU, CHORÓB TARCZYCY, CHOROBY SERCA i CUKRZYCY wykazano, że krew chorych na raka, u których stwierdzono grupę krwi A, charakteryzuje się większą lepkością niż krew chorych z grupą krwi 0. Wydaje się, że jest to związane z wyższym stężeniem fibrynogenu. Jest to białko ostrej fazy zapalenia, niezbędne dla gojenia się ran. Wiadomo, że u chorych na raka poziom tego białka jest podwyższony, uważa się też, że może być przyczyną utraty masy ciała i skrócenia przeżywalności pacjentów. Podobnie jak w wypadku vWF i czynnika VIII, fibrynogen jest jednym z czynników adhezyjnych, dzięki którym komórki rakowe mogą się przyczepiać do płytek krwi i ścian naczyń krwionośnych, co rozpoczyna stadium przerzutowe raka.

Wyjaśnia to przyczyny, dla których starsze badania wykazywały wyraźnie, że osoby przyjmujące leki rozcieńczające krew rzadziej mają przerzuty[9]. Grupa krwi A zawiera wyższe niż inne grupy stężenie vWF i czynnika VIII, co decyduje prawdopodobnie o jej „większej gęstości". Podobnie ta sama grupa krwi zawiera też dużo fibrynogenu, a to może być czynnikiem sprzyjającym przerzutom. W wypadku guzów złośliwych vWF i czynnik VIII pomagają komórkom przerzutu przyczepić się do płytek krwi i pośrednio przyczyniają się do rozprzestrzeniania raka.

## Czynniki wzrostowe i ryzyko związane z grupą krwi A

Jedną z mało znanych lub dostrzeganych właściwości antygenu A jest jego zdolność do przyłączania się do receptorów „czynników wzrostowych", które na komórkach rakowych występują w znacznie większej liczbie niż na komórkach zdrowych. Czynniki wzrostowe to białka, które oddziałują na sąsiednie komórki w sposób przypominający działanie hormonów. W rzeczy samej najlepiej poznaną substancją tego typu jest insulina. Czynniki wzrostowe są niezwykle silnymi substancjami regulującymi, a ich produkcja podlega zwykle silnej kontroli organizmu. Wywierają różnoraki wpływ, działając nie tylko jako regulatory podziałów komórkowych, ale również jako induktory wydzielania substancji chemicznych przyciągających inne komórki oraz stymulatory różnicowania komórek. Organizm człowieka zmienia się w czasie swego życia wielokrotnie: kości się wydłużają, na twarzy mężczyzn pojawia się zarost, piersi kobiet powiększają się itd. Czynniki wzrostowe biorą udział wszędzie tam, gdzie musi dojść do jakichś zmian właściwości tkanki: w rozwoju embrionalnym, odpowiedzi na uraz, dojrzewaniu, zapaleniu i, niestety, również rozwoju raka.

Wszystkie wymienione wyżej procesy wymagają, aby komórki się dzieliły, rosły i, czasami, umierały. Zasadniczą rolą czynników wzrostowych jest koordynacja działania różnych typów komórek w procesie przekształcania tkanki.

Istnieje bliski związek między działaniem czynników wzrostowych i onkogenami, czyli genami, które biorą udział w transformacji komórek zdrowych w rakowe. Idea, że czynniki wzrostowe mogą mieć coś wspólnego z powstawaniem nowotworu złośliwego, znalazła silne poparcie, gdy dowiedziono, że produkty onkogenów wykazują powinowactwo do czynników wzrostowych lub do ich receptorów. Nadmierna produkcja czynników wzrostowych w wyniku działania onkogenów przyczynia się do utraty kontroli nad procesami wzrostowymi, a to powoduje niekontrolowany rozrost komórek rakowych.

*Naskórkowy czynnik wzrostu* (EGF) – czynnik wzrostowy, którego normalną funkcją jest wspomaganie procesu naprawy tkanki. Ma silne znaczenie w powstawaniu raka prostaty, okrężnicy, piersi i innych. Powierzchnia komórek tych nowotworów złośliwych charakteryzuje się znaczną liczbą receptorów EGF (zwanych EGF-R)[10]. Wydaje się zatem, że ekspresja EGF-R może odgrywać znaczną rolę w patogenezie nowotworów złośliwych, takich jak rak jamy ustnej, mózgu, trzustki, piersi, płuc, okrężnicy i odbytu[11,12,13,14].

Ogólnie można powiedzieć, że dużo receptorów EGF na powierzchni komórki rakowej oznacza, że komórka może przyłączyć znaczną liczbę tych cząsteczek. Być może właśnie skłonność do przyłączania nadmiernej liczby cząsteczek naskórkowego czynnika wzrostowego wywołuje proces nowotworowy. Wiadomo już dziś, że rozrost raka sutka faktycznie zależy od receptorów czynników wzrostowych EGF i Her-2/neu oraz że nadmiernej ich produkcji towarzyszą niekorzystne rokowania.

Z powodu tej nadmiernej liczebności EGF-R zostały one wybrane na główny cel leczenia meto-dami chemicznymi w rakach: pęcherza, sutka, szyjki macicy, okrężnicy, przełyku, płuc i prostaty.

W skład receptora EGF wchodzi antygenowa determinanta bardzo podobna do węglowodanowej struktury w antygenie A. Na erytrocytach dawców krwi z grupą $A_1$ zaobserwowano o wiele większą liczbę miejsc wiążących EGF niż na erytrocytach dawców o innych grupach krwi (0 i B)[15].

Obecnie istnieją liczne dowody na to, że do receptorów EGF może się przyłączać także antygen A. Nie jest zatem wykluczone, że wolne cząsteczki antygenu A obecne we krwi osób z grupą A i AB (zwłaszcza wydzielaczy) mogą się przyczepiać do tych nadliczbowych receptorów i stymulować podział komórek. Podobnie jak w wypadku vWF i faktora VIII, nadmierna aktywność EGF-R prowadzi do zmian rakowych komórek, które stają się bardziej ruchliwe i pobudzają angiogenezę, czyli powstawanie nowych, odżywiających ich naczyń krwionośnych[16].

### Grupa krwi i komórki „naturalnych zabójców"

Zadaniem tzw. naturalnych zabójców* jest niszczenie komórek rakowatych i wirusów. Dosłownie w każdym zbadanym przypadku raka stwierdzono bardzo słabą aktywność „naturalnych zabójców". W rzeczywistości, gdybyśmy chcieli znaleźć jedną uniwersalną cechę, która łączy wszystkich chorych na raka, bez względu na jego typ czy rasę lub wiek i płeć człowieka, można by powiedzieć, że u wszystkich tych chorych aktywność „naturalnych zabójców" jest wyraźnie słabsza niż u osób zdrowych.

We współczesnej literaturze medycznej zwraca się uwagę na prognostyczne znaczenie komórek „naturalnych zabójców", pozwalających przewidzieć nawroty choroby, słabą odpowiedź na leczenie i czas przeżycia chorego. Zahamowana czynność tych komórek świadczy o rozwoju raka i jego wejściu w stadium przerzutowe. Wśród raków, o których wiadomo, że towarzyszy im niska aktywność „naturalnych zabójców",

---

* Komórki wchodzące w skład systemu obronnego układu odpornościowego – przyp. tłum.

znajdują się: rak sutka, rak prostaty, RAK NEREK, RAK ŻOŁĄDKA, rak płuc, rak okrężnicy, RAK MÓZGU i białaczka. Przeanalizujmy aktywność „naturalnych zabójców" w dwóch najpowszechniejszych typach nowotworów złośliwych: raku sutka i raku prostaty.

W raku sutka między aktywnością komórek „naturalnych zabójców" i maksymalną średnicą raka obserwuje się ujemną korelację. Aktywność tych komórek umożliwia przewidywanie postępów choroby i stopień jej rozprzestrzeniania w organizmie chorej kobiety. Skuteczność niszczenia komórek rakowych jest o wiele niższa u kobiet z zaawansowaną chorobą (stadium II, III i IV) niż u chorych z nowotworem w stadium I.

W wypadku raka prostaty istnieją podstawy, by sądzić, że zmiany aktywności „naturalnych zabójców" mówią zarówno o prawdopodobieństwie przerzutów, jak i o stopniu potencjalnej odpowiedzi na leczenie. W obu wypadkach odpowiada to rokowaniom na podstawie markerów nowotworowych raka prostaty (PSA i TPS). Zarówno u leczonych, jak i u nieleczonych chorych na raka prostaty niższej aktywności komórek „naturalnych zabójców" towarzyszyło większe prawdopodobieństwo inwazji komórek rakowych do krwiobiegu (podczas gdy, jak wiadomo, przeżycie chorego zależy w dużym stopniu od utrzymania raka w miejscu jego powstania). Stopień aktywności „naturalnych zabójców" odzwierciedla też reakcję organizmu na leczenie: u osób w okresie remisji, poddawanych właściwemu leczeniu, następuje normalizacja aktywności tych komórek. W rezultacie badania laboratoryjne mające na celu określenie aktywności „naturalnych zabójców" są często, przynajmniej w wypadku raka prostaty, lepszym źródłem informacji na temat rokowania choroby niż rutynowo stosowane badania markerów nowotworowych.

Na aktywność „naturalnych zabójców" mogą mieć wpływ uwarunkowania genetyczne danej grupy krwi. Wprawdzie na zmienność osobniczą funkcjonowania tych komórek może wpływać wiele czynników, jednakże okazuje się, że i tutaj mają wiele do powiedzenia antygeny grupowe. Wyraźny związek między ekspresją antygenu Lewis i wrażliwością na niszczące działanie „naturalnych zabójców" zaobserwowano na komórkach będących celem ich działania (co oznacza, że antygeny Lewis obecne na powierzchni komórki zmniejszają prawdopodobieństwo jej zniszczenia w rezultacie działania „naturalnych zabójców"). Antygeny A i 0 obecne na powierzchni komórki zwiększają też odporność na rozpuszczenie, podczas gdy antygeny nowotworowe T i Tn (patrz str. 219) zwiększają wrażliwość komórek rakowych na zniszczenie w wyniku działania „naturalnych zabójców". Tak więc obecność antygenów grupowych na powierzchni komórki będącej potencjalnym obiektem ataku „naturalnych zabójców" najwyraźniej upośledza skuteczność tych komórek. Wprawdzie nie dysponujemy jeszcze jednoznacznymi danymi na ten temat, ale wydaje się, że w grupie krwi AB aktywność „naturalnych zabójców" jest wyższa niż w samej grupie A lub też w grupach AB i 0 potraktowanych jako całość. Ogólnie biorąc, najniższą aktywność „naturalnych zabójców" obserwuje się w grupie A. Również układ Rh może mieć wpływ na aktywność „naturalnych zabójców". Wprawdzie w niektórych badaniach nie znaleziono takiej zależności, ale część badaczy zaobserwowała, że komórki naturalnych zabójców są skuteczniejsze u osób z grupą krwi Rh–[17-26].

## Terapie antynowotworowe

### Wszystkie grupy krwi:
**Istotna uwaga na temat leczenia:**
Bez wątpienia najlepiej chronić się przed nowotworami, ODŻYWIAJĄC SIĘ ZGODNIE ZE SWOJĄ GRUPĄ KRWI i unikając nadmiernych stresów. W ciągu wielu lat praktyki udało mi się rozwinąć odpowiednie metody suplementacji. Pragnę jednak stanowczo podkreślić, że żadna z sugestii zawartych w tym rozdziale nie ma na celu zastąpienia zaleceń chirurgów i onkologów. Z mojego doświadczenia wynika, że w obliczu takiego przeciwnika, jakim jest nowotwór, najlepiej stosować różne niezależne i wzajemnie

się uzupełniające strategie leczenia. Moi pacjenci poddają się leczeniu zgodnemu z tym, co w danym momencie może zaproponować nowoczesna medycyna. To samo radzę moim czytelnikom. Strategie, które tu omówimy, są metodami pomocniczymi, atakującymi raka od strony chwilowo niedostrzeganej lub ignorowanej przez medycynę konwencjonalną. Niektóre z tych punktów widzenia już znalazły się w centrum zainteresowania badaczy i sądzę, że w końcu zostaną włączone do głównego nurtu medycyny. Tymczasem jednak patrzmy na proponowane tu strategie jako na dodatkowe ogrodzenie mające oddzielić nasz organizm od złego, jakim jest nowotwór.

Nie radzę, by czytelnicy ze zdiagnozowanym rakiem ograniczali się do tych metod. Z mojego doświadczenia wynika, że najlepsze skutki daje połączenie najnowszych osiągnięć medycyny konwencjonalnej z najlepszymi metodami medycyny naturalnej.

*Protokoły stosowane przy grupie krwi A:*
• zapobiegający nowotworom
• wspomagający chemioterapię
• pooperacyjny
• rekonwalescencyjny po wyniszczającej chorobie

*Protokoły stosowane przy grupie krwi B:*
• zapobiegający nowotworom
• wspomagający chemioterapię
• pooperacyjny
• rekonwalescencyjny po wyniszczającej chorobie

*Protokoły stosowane przy grupie krwi AB:*
• zapobiegający nowotworom
• wspomagający chemioterapię
• pooperacyjny
• rekonwalescencyjny po wyniszczającej chorobie

*Protokoły stosowane przy grupie krwi 0:*
• zapobiegający nowotworom
• wspomagający chemioterapię

• pooperacyjny
• rekonwalescencyjny po wyniszczającej chorobie

## Tematy pokrewne

Choroby autoagresyjne
Odporność
Rak (różnych narządów)

**Bibliografia**

1. Sarafian V, Dimova P, Georgiev I, Taskov H. ABH blood group antigen significance as markers of endothelial differentiation of mesenchymal cells. *Folia Med. (Plovdiv).* 1997;39:5–9.
2. Palli D, Caporaso NE, Shiao YH, Et al. Diet *Helicobacter pylori,* and p53 mutations in gastric cancer: a molecular epidemiology study in Italy. *Cancer Epidemiol Biomarkers Prev.* 1996:1065–1069.
3. Kawaguchi T. [Adhesion molecules and carbohydrates in cancer metastasis]. *Rinsho Byori.* 1996;44:1138–1146.
4. Ichikawa D, Handa K, Hakomori S. Histo-blood group A/B antigen deletion/reduction vs. Continuous expression in human tumor cells as correlated with their malignancy. *Int J Cancer.* 1998;76:284–289.
5. Sarafian V, Popov A, Taskov H. Expression of A, B, and H blood group antigens and carcinoembryonic antigen in human tumours. *Zentralbl Pathol.* 1993;139:351–354.
6. Vowden P, Lowe AD, Lennox ES, Bleehen NM. Thyroid blood group isoantigen expression: a parallel with ABH isoantigen expression in the distal colon. *Br J Cancer.* 1986;53:721–725.
7. Hirohashi S. Tumor-associated carbohydrate antigens related to blood group carbohydrates. *Gan To Kagaku Ryoho.* 1986;13(pt 2):1395–1401.
8. Kurtenkov O, Klaamas K, Miljukhina L. The lower level of natural anti-Thomsen-Friedenreich antigen (TFA) agglutinins in sera of patients with gastric cancer related to AB0 (H) blood group phenotype. *Int J Cancer.* 1995;60:781–785.
9. Oleksowicz L, Bhagwati N, DeLeon-Fernandez M. Deficient activity of von Willebrand's factor-cleaving protease in patients with disseminated malignancies. *Cancer Res.* 1999;59:2244–2250.
10. Ciardiello F, Tortora G. Interactions between the epidermal growth factor receptor and type I protein kinase A: biological significance and therapeutic implications. *Clin Cancer Res.* 1998;4:821–828.
11. Shapiro WR, Shapiro JR. Biology and treatment of malignant glioma [review]. *Oncology (Huntingt).* 1998;12:233–240.
12. Kurpad SN, Zhao XG, Wikstrand CJ, Batra SK, McLendon RE, Bigner DD. Tumor antigens in astrocytic gliomas. *Glia.* 1995;15:244–256.

13. Neal DE, Mellon K. Epidermal growth factor receptor and bladder cancer: a review. *Urol Int.* 1992;48:365–371.
14. Defize LH, Arndt-Jovin DJ, Jovin TM, et al. A431 cell variants lacking the blood group A antigen display increased high affinity epidermal growth factor-receptor number, protein-tyrosine kinase activity, and receptor turnover. *J Cell Biol.* 1988;107:939–949.
15. Engelmann B, Schumacher U, Haen E. Epidermal growth factor binding sites on human erythrocytes in donors with different AB0 blood groups. *Am J Hematol.* 1992;39:239–241.
16. Ueda M, Ueki M, Terai Y, et al. Biological implications of growth factors on the mechanism of invasion in gynecological tumor cells. *Gynecol Obstet Invest.* 1999;48:221–228.
17. Brenner BG, Margolese RG. The relationship of chemotherapeutic and endocrine intervention on natural killer cell activity in human breast cancer. *Cancer.* 1991;68:482–488.
18. Garner WL, Minton JP, James AG, Hoffmann C. Human breast cancer and impaired NK cell function. *J Surg Oncol.* 1983;24:64–66.
19. Parra S, Pinochet R, Vargas R, Sepulveda C, Miranda D, Puente J. Natural killer cytolytic activity in renal and prostatic cancer [in Spanish]. *Rev Med Chil.* 1994;122:630–637.
20. Aparicio-Pages NM, Verspaget HW, Pena SA, Lamers CB. Impaired local natural killer cell activity in human colorectal carcinomas. *Cancer Immunol Immunother.* 1989;28:301–304.
21. Fulton A, Heppner G, Roi L, Howard L, Russo J, Brennan M. Relationship of natural killer cytotoxicity to clinical and biochemical parameters of primary human breast cancer. *Breast Cancer Res Treat.* 1984;4:109–116.
22. Lasek W, Jakobisiak M, Płodziszewska M, Górecki D. The influence of AB0 blood groups, Rh antigens and cigarette smoking on the level of NK activity in normal population. *Arch Immunol Ther Exp (Warsz.).* 1989;37:287–294.
23. Hersey P, Edwards A, Trilivas C, Shaw H, Milton GW. Relationship of natural killer-cell activity to rhesus antigens in man. *Br J Cancer.* 1979;39:234–240.
24. Blottiere HM, Burg C, Zennadi R, et al. Involvement of histo-blood-group antigens in the susceptibility of colon carcinoma cells to natural killer-mediated cytotoxicity. *Int J Cancer.* 1992;52:609–618.
25. Lasek W, Jakobisiak M, Płodziszewska M, Górecki D. The influence of AB0 blood groups, Rh antigens and cigarette smoking on the level of NK activity in normal population. *Arch Immunol Ther Exp (Warsz.)* 1989;37:287–294.
26. Pross HF, Baines MG. Studies of human natural killer cells. I. In vivo parameters affecting normal cytotoxic function. *Int J Cancer.* 1982;29:383–390.

**NOWOTWÓR JAJNIKA** – *patrz Rak jajnika*

**NOWOTWÓR MACICY** – *patrz Rak macicy*

**NOWOTWÓR MÓZGU** – *patrz Rak mózgu: Glejak i inne nowotwory mózgu*

**NOWOTWÓR OKRĘŻNICY** – *patrz Rak okrężnicy*

**NOWOTWÓR PĘCHERZYKA ŻÓŁCIOWEGO** – *patrz Rak pęcherzyka żółciowego*

**NOWOTWÓR PIERSI** – *patrz Rak sutka*

**NOWOTWÓR PŁUC** – *patrz Rak płuc*

**NOWOTWÓR POCHWY** – *patrz Rak macicy i guzy dróg rodnych kobiety*

**NOWOTWÓR PROSTATY** – *patrz Rak prostaty*

**NOWOTWÓR PRZEŁYKU** – *patrz Rak przełyku*

**NOWOTWÓR SROMU** – *patrz Rak macicy i inne guzy dróg rodnych kobiety*

**NOWOTWÓR ŚLUZÓWKI MACICY** – *patrz Rak macicy: Rak śluzówki macicy*

**NOWOTWÓR TARCZYCY** – *patrz Rak tarczycy*

**NOWOTWÓR TRZUSTKI** – *patrz Rak trzustki*

**NOWOTWÓR WĄTROBY** – *patrz Rak wątroby*

**NOWOTWÓR ŻOŁĄDKA** – *patrz Rak żołądka*

**ODCHUDZANIE** – *patrz Otyłość*

## ODOSKRZELOWE ZAPALENIE PŁUC
– *patrz Choroby bakteryjne: Zapalenie płuc*

## Odporność

Układ odporności nabytej składa się z komórek, które reagują jedynie ze specyficznym antygenem, ujawniającym się albo na komórce organizmu intruza, albo na powierzchni komórki prezentującej ten antygen. Limfocyty B i T są jedynymi przedstawicielami tej grupy. Prekursorami limfocytów są tzw. komórki macierzyste, które różnicują się w komórki T lub B. Komórki T powstają w grasicy, zaś B w szpiku kostnym. Każdy limfocyt rozpoznaje tylko jeden antygen i tylko przez jeden może być aktywowany. Jeśli do organizmu człowieka dostaną się bakterie *Streptococcus*, do prawidłowej reakcji odpornościowej konieczne jest, by je „zauważył" limfocyt swoisty dla tego rodzaju bakterii. Limfocyty, które uczestniczą w procesie rozpoznawania antygenów, wytwarzaniu przeciwciał i zabijaniu komórek intruzów, są zobowiązane do reagowania na jeden konkretny antygen, ale za każdym razem, gdy się z nim zetknie. Mechanizm ten jest zatem nazywany pamięcią immunologiczną.

### Odporność komórkowa

Różne krwinki białe posługują się różnymi typami odpowiedzi immunologicznej. Granulocyty, najliczniejszy typ krwinek białych, dzielone są na podstawie zdolności do przyjmowania barwników o różnym pH. Granulocyty obojętnochłonne (neutrofile) barwią się barwnikami o odczynie obojętnym, kwasochłonne (eozynofile) – barwnikami o odczynie kwaśnym, a zasadochłonne (bazofile) – zasadowym. Każda z tych klas granulocytów pełni w krwiobiegu inne funkcje.

GRANULOCYTY OBOJĘTNOCHŁONNE (NEUTROFILE) – są głównym mechanizmem obronnym organizmu przed infekcjami bakteryjnymi. Określane też mianem neutrofilów wielojądrzastych, stanowią pierwszą linię obronną przeciw czynnikom

zakaźnym czy innym substancjom „niewłasnym", którym udało się przedrzeć do środowiska wewnętrznego organizmu. W warunkach normalnych każda poważniejsza infekcja sprawia, że organizm wytwarza ogromne ilości neutrofilów. Neutrofile mogą opuszczać naczynia krwionośne i wędrować w stronę zainfekowanej tkanki. Ropa powstająca w miejscu infekcji składa się przede wszystkim z neutrofilów.

Granulocyty obojętnochłonne powstają w szpiku kostnym i krążą w układzie krwionośnym. Po „dostrzeżeniu" miejsca infekcji wędrują w jego stronę i niszczą intruzów poprzez połykanie ich (fagocytozę) lub uwalnianie wolnorodnikowych substancji bakteriobójczych, które niszczą je na zewnątrz.

Liczba neutrofilów może też rosnąć pod wpływem stresu, takiego jak wysiłek fizyczny, ciąża, nadmierny chłód lub upał, czy wreszcie w odpowiedzi na jakiś stan emocjonalny. Neutrofile wywołują stan zapalny, przyczyniając się czasem do powstania reakcji autoagresyjnych. Najczęściej jednak przyczyną uaktywnienia się neutrofilów jest infekcja bakteryjna. Organizm o niskiej liczbie krwinek białych może nie dysponować zasobami neutrofilów wystarczających do zwalczenia infekcji bakteryjnych.

GRANULOCYTY KWASOCHŁONNE (EOZYNOFILE) przyczepiają się do mikroorganizmów podobnie jak neutrofile, czyli wykorzystując cząsteczki podobne do lektyn, zwane selektynami. Selektyny zachowują się podobnie jak lektyny, przyczepiając się do glikoprotein umiejscowionych na powierzchni komórki. Daje to neutrofilom i eozynofilom okazję do zniszczenia intruza bakteriobójczą substancją wolnorodnikową. Krew zdrowego człowieka zawiera 0–4% eozynofilów. Mogą one migrować z naczyń krwionośnych do zainfekowanych tkanek lub w stronę zapalenia w sposób, w jaki robią to neutrofile.

Najczęstszą przyczyną podwyższonego poziomu granulocytów kwasochłonnych jest reakcja na leki, ALERGIE i pasożyty. Można się go zatem spodziewać u osób cierpiących na alergie, takie jak ASTMA i KATAR SIENNY. Wydaje się też, że różne inne obce substancje, które są zdolne wywołać alergię poprzez uaktywnienie eozynofilów, w sposób ciągły stymulują wytwarzanie przeciwciał skierowanych przeciw antygenom obcych grup krwi.

GRANULOCYTY ZASADOCHŁONNE (BAZOFILE) stanowią 0–2% komórek krwi człowieka zdrowego. Morfologicznie ich komórki wyróżniają się obecnością licznych ziarnistości. We krwi bazofile występują w niewielkiej liczbie. Ich funkcja nie jest jeszcze w pełni wyjaśniona, wiadomo jednak, że biorą udział w nadwrażliwej odpowiedzi alergicznej. Komórki te wykazują powinowactwo chemiczne do przeciwciała zwanego IgE. Po przyczepieniu się do niego wydzielają heparynę i histaminę. Liczba bazofilów rośnie zwykle w przebiegu WRZODZIEJĄCEGO ZAPALENIA OKRĘŻNICY, pewnych typów BIAŁACZEK i niektórych postaci NIEDOKRWISTOŚCI. W przeciwieństwie do neutrofilów i eozynofilów, których życie mierzy się w godzinach, bazofile żyją latami.

## Monocyty i makrofagi: „padlinożercy"

Monocyty i makrofagi są dla układu odpornościowego czymś w rodzaju zakładu oczyszczania miasta. Są ze sobą nieodłącznie związane, przyjmując jeden kształt we krwi (monocyt), a drugi w tkankach (makrofag).

MONOCYTY stanowią 2–9% normalnej liczby leukocytów. Dojrzałe monocyty opuszczają szpik kostny i dostają się do krwiobiegu, w którym krążą około 14 godzin, nim wreszcie dostaną się do tkanki, w której przejdą transformację w makrofagi. Monocyty prezentują antygen dla komórek T i, podobnie do neutrofilów, potrafią fagocytować bakterie.

W pewnych warunkach (konflikt serologiczny) dochodzi w czasie ciąży do rozwoju choroby hemolitycznej płodu. Powstaje ona w wyniku uczulenia się układu odpornościowego matki na antygeny krwi dziecka. W wielu wypadkach przeciwciała matki skierowane przeciw antygenom A lub B dziecka są w stanie sprawić, że jego erytrocyty będą niszczone przez monocyty.

MAKROFAGI są przykładem komórek prezentujących antygeny, które pochłaniają intruza, trawią i prezentują, to jest udostępniają na swej powierzchni limfocytom T. Jeśli komórka T wykazuje antygenową swoistość w stosunku do bakterii (każda bakteria może być nosicielem różnych antygenów), ulega aktywacji. Jedną z najważniejszych cząsteczek używanych przez makrofagi do zabijania mikroorganizmów jest tlenek azotowy. Kiedy makrofag styka się z bakterią i interferonem, dochodzi do wzmożonej produkcji genu odpowiedzialnego za wytwarzanie tlenku azotowego, kiedy zaś styka się z miejscem infekcji lub

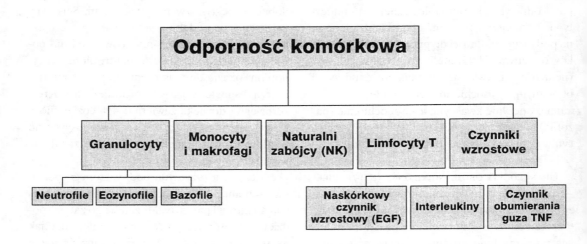

zapaleniem, uaktywniony zostaje gen odpowiedzialny za produkcję syntetazy tlenku azotowego, a aminokwas arginina zostaje przekształcony w cytrulinę, w trakcie czego uwalniany jest wolny tlenek azotowy.

Istnieją dowody wskazujące na to, że osoby noszące antygen B (grupy B i AB) mogą mieć trudności z kontrolowaniem czynności tlenku azotowego. Być może wyjaśnia to, czemu grupa krwi B sprzyja przewlekłym infekcjom wirusowym.

## „Naturalni zabójcy"

Komórki „naturalnych zabójców" (*natural killers*; NK) należą do limfocytów T i działają na pierwszej linii ochrony przed komórkami rakowymi i wirusami. Do ich zasadniczych czynności należy wywoływanie spontanicznej destrukcji komórek rakowych lub komórek zainfekowanych przez wirusy. NK nie zabijają kogo popadnie. Mają kilka bardzo wyspecjalizowanych, przypominających lektyny receptorów, które rozpoznają główne cząsteczki kompleksu zgodności tkankowej obecne na powierzchni komórek.

Najwyższą aktywność „naturalnych zabójców" obserwuje się u osób z grupą krwi AB, zaś najniższą w grupie A. Ogólnie rzecz biorąc, najniższa aktywność komórek NK wiąże się z grupą krwi A. Pewien wpływ na ich aktywność może też mieć czynnik Rh. Wprawdzie niektóre badania nie przyniosły potwierdzenia takiej hipotezy, ale część badaczy zaobserwowała, że komórki NK wykazują wyższą aktywność przeciw komórkom docelowym u osób z grupą krwi Rh–.

## Czynniki wzrostowe

Czynniki wzrostowe to białka, które przyczepiają się do receptorów na powierzchni komórki, przez co stymulują ją do proliferacji i/lub różnicowania. Liczne czynniki wzrostowe są naprawdę wszechstronne, pobudzając komórki najrozmaitszych typów; inne jednak są wyspecjalizowane i przypisane do konkretnego rodzaju komórki. Oto kilka powszechniejszych czynników wzrostowych i ich podstawowe zadania.

NASKÓRKOWY CZYNNIK WZROSTOWY (*epidermal growth factor*; EGF), podobnie jak wszystkie inne czynniki wzrostowe, przyczepia się do bardzo specyficznego receptora na powierzchni podlegających mu komórek. Czynnik ten hamuje wzrost niektórych nowotworów, czynność mieszków włosowych, a także zmniejsza wydzielanie kwasu żołądkowego. Receptor EGF przypomina antygen grupy A; w czasie doświadczeń przeciwciała anty-EGF przyczepiały się też do antygenów A. Może to wyjaśniać podwyższoną zachorowalność na pewne rodzaje nowotworów, którą obserwuje się u osób z grupą krwi A. Nie ma wątpliwości, że jest to też jedna z przyczyn niższego stężenia kwasu żołądkowego u tych osób.

INTERLEUKINA-1 (IL-1) jest jedną z najważniejszych interleukin dla układu odpornościowego. Głównym zadaniem IL-1 jest wspomaganie procesów aktywujących reakcję limfocytów T na antygen.

INTERLEUKINA-2 (IL-2) jest wytwarzana i wydzielana przez uaktywnione komórki T. Jest główną interleukiną odpowiedzialną za proliferację limfocytów T. IL-2 wywiera też wpływ na limfocyty B, makrofagi i komórki „naturalnych zabójców". Wytwarzanie IL-2 odbywa się przede wszystkim w limfocytach T pomocniczych CD4+.

INTERLEUKINA-4 (IL-4) pobudza proliferację limfocytów B, wzrost i działanie eozynofilów i komórek tucznych, a wreszcie ekspresję IgE na limfocytach B. Największą skłonność do wytwarzania IL-4 obserwuje się u alergików. Wiele lektyn pokarmowych stymuluje działalność IL-4, a to oznacza, że dla wielu osób alergiczna odpowiedź organizmu na lektyny pokarmowe może mieć większe znaczenie niż aglutynacyjne właściwości tychże lektyn.

INTERLEUKINA-8 (IL-8) działa jako substancja stymulująca chemotaksję leukocytów i komórek tkanki łącznej. IL-8 jest produkowana przez monocyty, neutrofile i komórki NK, działa też jako substancja wskazująca drogę neutrofilom, bazofilom i limfocytom T.

CZYNNIK OBUMIERANIA GUZA (KACHEKTYNA; TNF) występuje w dwóch odmianach, alfa i beta. TNF-alfa stanowi element głównej reakcji immunologicznej organizmu; zwiększa wrażliwość komórkową na czynniki wzrostowe i bierze udział w indukcji proliferacji. TNF-alfa jest kluczowym elementem procesu odrzucenia, do którego dochodzi, gdy w czasie transfuzji poda się komuś krew niewłaściwej grupy. TNF-beta może zabijać kilka typów komórek, część zaś stymuluje do różnicowania w inne formy, co kończy się ich śmiercią.

## Przeciwciała

Istnieją cztery klasy przeciwciał.

IMMUNOGLOBULINY G (IgG) to klasa przeciwciał występujących we krwi w największych ilościach. IgG są określane mianem przeciwciał wtórnej odpowiedzi humoralnej czy po prostu przeciwciałami pamięci. Na przykład, zetknąwszy się z wirusem odry, IgG nie tylko zwalcza go, ale zapamiętuje; staje się „pamięcią" limfocytów B, obecną w krwiobiegu w postaci przeciwciała IgG skierowanego przeciwko odrze. Od tej chwili chroni organizm przed ponowną infekcją wirusem odry.

IgG to jedyna klasa przeciwciał zdolna przekroczyć barierę łożyska. Dlatego też dopóki układ odpornościowy noworodka nie jest w stanie wytwarzać własnych przeciwciał, immunoglobuliny-G matki zapewniają mu jedyną ochronę immunologiczną. Tylko osoby z grupą krwi 0 wytwarzają zarówno immunoglobuliny anty-A, jak i immunoglobuliny anty-B. Przeciwciała te mogą działać na niekorzyść dziecka. Dzieje się tak wtedy, gdy w wyniku konfliktu serologicznego między matką o grupie krwi 0 i płodem o grupie krwi A lub B przez łożysko dostaną się do płodu przeciwciała skierowane przeciwko grupie krwi dziecka.

Krew grupy 0 zawiera nie tylko przeciwciała anty-A i anty-B, ale również trzecie, zwane anty--AB, również należące do immunoglobulin i reagujące zarówno z antygenem A, jak i B.

IMMUNOGLOBULINY M (IgM) to klasa immunoglobulin stanowiąca mniej więcej 10% całkowitej puli przeciwciał organizmu człowieka, będąca głównym elementem wczesnej odpowiedzi immunologicznej. Ponieważ produkcja IgM nie wymaga procesu zwanego „zmianą klasy przeciwciał", jest ono pierwszym przeciwciałem reagującym na infekcję. Immunoglobuliny M są jedynymi przeciwciałami wytwarzanymi przez płód, są też największą klasą przeciwciał. IgM przyczepiają się do antygenów na powierzchni komórek bakteryjnych, a z racji swego kształtu i wielkości znakomicie radzą sobie z ich aglutynacją. Są to jedyne przeciwciała zdolne zniszczyć komórki zawierające dany antygen bez pomocy komórek układu odpornościowego. Większość przeciwciał produkowanych przez organizm człowieka przeciwko antygenom innej grupy krwi (izoaglutynin) należy do klasy IgM. Siła aglutynacji czerwonych krwinek, jaką wykazują te przeciwciała, znakomicie uzewnętrznia się podczas określania grupy krwi. Kiedy na szkiełku podstawowym erytrocyty jakiejś grupy krwi zmiesza się z przeciwciałami IgM skierowanymi przeciw tejże grupie, aglutynacja jest tak gwałtowna, że jej wyniki można obejrzeć gołym okiem.

IMMUNOGLOBULINY A (IgA) to klasa przeciwciał nieosiągających wysokiego stężenia we krwi. Zamiast tego występują raczej na tkance śluzówkowej organizmu człowieka. IgA występują też licznie w ślinie, we łzach i w mleku matki (zwłaszcza siarze); są też głównym mechanizmem obronnym tkanek wyściełających oskrzeliki płuc, przewody nosowe, prostatę, pochwę i jelito. Zazwyczaj chronią organizm przed inwazją bakterii i wirusów.

Niedobór IgA to najczęstsza postać niedoboru immunologicznego. Niedobór ten ma charakter trwały i wymaga przedsięwzięcia pewnych środków zapobiegających infekcjom. Ogólnie rzecz biorąc, niedobór IgA występuje z różną częstotliwością (raz na 400 do 2000 przypadków), a wahania te mają charakter etniczny i rasowy. Wiele osób z niedoborem IgA to zupełnie zdrowi ludzie, którzy wcale nie chorują więcej od innych. Z kolei inni cierpią z powodu nawrotowych chorób uszu, zatok i płuc, które do tego źle się poddają klasycznemu leczeniu antybiotykami. U pacjentów z niedoborem IgA obserwuje się większą częstość występowania ALERGII, ASTMY, PRZEWLEKŁEJ BIEGUNKI (często związanej z zakażeniem pasożytami) i CHOROBY AUTOAGRESYJNEJ.

Stwierdzono, że poziom IgA jest niższy u niewydzielaczy. Prawdopodobnie pozwala to wyjaśnić, dlaczego niewydzielacze częściej zapadają na REUMATYCZNĄ CHOROBĘ SERCA i przewlekłą CHOROBĘ NEREK (zapalenie kłębuszków nerkowych): niski poziom IgA nie zapobiega wtargnięciu mikroorganizmów z jamy ustnej i układu trawiennego do układu krwionośnego.

IMMUNOGLOBULINY E (IgE) to przeciwciała alergii. Są one wytwarzane przez limfocyty B w odpowiedzi na konkretne alergeny. IgE mogą się łatwo przyłączać do alergenów, które pobudzają ich produkcję, ponieważ są „swoiste" w stosunku do tychże alergenów. Swoiste przeciwciała IgE wędrują w krwiobiegu i przyczepiają się do receptorów na powierzchni komórek tucznych. Każdy alergen (lateks, łupież zwierzęcy, pyłki różnych drzew) powoduje powstawanie swoistych przeciwciał IgE. Kiedy przeciwciało IgE ulokuje się już na komórce tucznej, może tam przebywać tygodnie, a nawet miesiące, zawsze gotowe go przyczepienia się do „swego" alergenu. Kiedy alergen wkracza do ustroju powtórnie, zaczyna się alergiczna reakcja łańcuchowa, która w końcu doprowadza do uwolnienia histamin z komórek tucznych. W zależności od alergenu produkowane są i uwalniane różne substancje chemiczne; biorą sobie one za cel jakieś miejsce organizmu, dając objawy, które mogą trwać od kilku minut do godziny.

Wykazano, że lektyny pokarmowe stymulują wytwarzanie interleukiny-4, która z kolei uaktywnia IgE. Być może właśnie to wyjaśnia, dla-

czego jednym z najczęstszych dobrodziejstw przejścia na dietę zgodną z grupą krwi jest osłabienie dolegliwości alergicznych, zatokowych i astmatycznych.

## Dopełniacz: broń chemiczna układu odpornościowego

Wprawdzie wiele mechanizmów obronnych będących częścią zdrowego układu immunologicznego to wynik działania szczególnych komórek, takich jak limfocyty czy neutrofile, istnieją też pewne mechanizmy chemiczne, bez których nie byłaby możliwa ani obrona komórkowa, ani humoralna. Jednym z najważniejszych jest kaskada enzymów wytwarzanych przez wątrobę. Nazwa „dopełniacz", ukuta przez Paula Ehrliha, miała opisać pewien rodzaj aktywności chemicznej surowicy krwi, której wynikiem było zwiększenie bakteriobójczych możliwości przeciwciał.

Wyobraźmy sobie układ dopełniacza jako kolekcję związków chemicznych przechowywaną w chwilowej bezczynności w surowicy krwi. Pod wpływem szeregu czynników stymulujących dopełniacz zaczyna się ujawniać, uaktywniony przez lawinę enzymatycznych reakcji. Przypomina to trochę wzajemne zawiadamianie się rodziców, że lekcje w szkole zostały odwołane. Pani X była w szkole i dowiedziała się, że jutro lekcji nie będzie, dlatego też sięga po słuchawkę i zawiadamia panią Y i pana Z. Każda z nich również zadzwoni do dwojga rodziców i tak dalej. Podobnie działa dopełniacz. Obcy antygen, czy raczej coś, do czego przyczepiło się przeciwciało, uaktywnia pierwszy enzym układu dopełniacza, ten zaś pobudza następny, i następny – każdy zaś poszerza skutek pierwszego. W końcu dochodzi do uwolnienia szeregu bardzo nieprzyjemnych enzymów. Rola układu dopełniacza jest złożona i istotna. Należy do niej:

NADZÓR NAD PROCESEM ZAPALNYM POPRZEZ USUWANIE IMMUNOLOGICZNYCH ŚMIECI. Wprawdzie jedną z głównych funkcji układu dopełniacza jest zabijanie, do równie istotnych należy też usuwanie kompleksów immunologicznych, czyli nierozpuszczalnych pozostałości po interakcji między antygenem i przeciwciałem. Kiedy przeciwciało otacza obcy antygen, kompleks ten zaczyna się wytrącać, zupełnie jak kryształki soli w roztworze nasyconym. Osad ten jest nazywany kompleksem immunologicznym. Nagromadzenie takich kompleksów we krwi lub tkankach może wywołać poważne problemy; jednym z zadań dopełniacza jest pomoc w pozbyciu się ich i rozpuszczeniu, co pozwoli im przyczepić się do erytrocytów, które następnie oddadzą je komórkom żernym, gdzie ich droga wreszcie się ostatecznie zakończy. W kilku chorobach autoagresyjnych niedobór dopełniacza może być czynnikiem ryzyka; tak np. dzieje się w wypadku TOCZNIA. Nagromadzenie kompleksów immunologicznych może odgrywać rolę w powstawaniu chorób autoagresyjnych.

POWLEKANIE INTRUZÓW TAK, ABY STALI SIĘ ZAUWAŻALNI. Niektóre białka dopełniacza mają zdolność opłaszczania mikroorganizmów (opsonizacja), co ułatwia białym krwinkom ich fagocytozę. Wiele białych krwinek (neutrofile, monocyty i makrofagi) ma na swej powierzchni selektyny dla konkretnych białek dopełniacza. Białka dopełniacza opłaszczają bakterie, a wówczas mogą się do nich przymocować również białe krwinki.

SAMODZIELNE ZABIJANIE INTRUZÓW. Inne enzymy układu dopełniacza posuwają się jeszcze dalej i same zabijają intruza, poprzez przyczepienie się do jego powierzchni i zrobienie w niej dziur. Błona komórkowa bakterii zostaje zaatakowana specjalnym kompleksem enzymatycznym, czymś w rodzaju cząsteczkowej rurki, która przebija się do wnętrza bakterii, powodując jej uszkodzenie.

FUNKCJA LATARNI MORSKIEJ. Inne białka dopełniacza przyczepiają się do intruza i działają jak latarnia morska dla takich komórek układu odpornościowego, jak komórki NK. Na komórkach limfocytów B niektóre białka dopełniacza reagują z kompleksami immunologicznymi zawierającymi składniki dopełniacza i uaktywniają produkcję przeciwciał skierowanych przeciw obcym substancjom.

NADZOROWANIE PRZEBIEGU ZAPALENIA. Aktywacja dopełniacza wywołuje produkcję substancji chemicznych związanych z odczynem zapalenia. Jedno z ważniejszych białek dopełniacza, C5a, pomaga zlokalizować elementy biorące udział w reakcji zapalnej w miejscu zapalenia. Wywołuje też degranulację neutrofilów i uwolnienie wolnych rodników, prostaglandyn i eikozanoidów. Wywołuje GORĄCZKĘ poprzez stymulowanie produkcji interleukin oraz degranulację komórek tucznych i bazofilów, w wyniku czego dochodzi do uwolnienia histaminy. Histamina uwalniająca się z komórek tucznych zwiększa przepuszczalność naczyń włosowatych, a to pozwala białym krwinkom opuścić układ krwionośny i wędrować w głąb tkanek. Udział dopełniacza w odczynie zapalnym wyjaśnia, dlaczego cholesterol związany z lipoproteinami o niskiej gęstości (LDL-C) jest „niedobry". LDL-C stymuluje dopełniacz do nasilenia odczynu zapalnego w ścianie tętnicy, to zaś powoduje jej uszkodzenie i w konsekwencji tworzenie się w tym miejscu płytek miażdżycowych.

Istnieją trzy drogi aktywacji dopełniacza:

- Klasyczna i najczęstsza, stymulowana przede wszystkim obecnością kompleksów immunologicznych złożonych z antygenu i przeciwciała.

- Droga alternatywna jest uruchamiana głównie poprzez obecność licznych cząsteczek wielocukrów, takich jak te, które występują na powierzchni bakterii. Prawdopodobnie jest to mechanizm starszy od poprzedniego; ma tę przewagę, że nie wymaga pomocy z zewnątrz (czyli udziału przeciwciał).

- Droga lektynowa została odkryta w latach osiemdziesiątych XX wieku. Jest ona podobna do klasycznej, z tym, że wywołuje ją lektyna surowicy krwi, znana jako lektyna wiążąca mannozę (MBL). MBL przyczepia się do wielocukrów mannozowych, występujących w dużych ilościach na powierzchni komórek bakteryjnych. MBL należy do klasy lektyn surowiczych, będącej elementem wrodzonego układu odpornościowego wielu zwierząt wyższych, w tym również człowieka.

Tę samą lektynę, lub bardzo podobną, zawierają również pory. Jednym z ważniejszych zadań MBL jest ochrona przed nawrotowymi infekcjami uszu u dzieci.

Nic dziwnego, wiele lektyn pokarmowych przyłącza mannozę, w tym również lektyna z dobrze znanego nam czosnku. Ponieważ pod tym względem lektyna czosnkowa działa jak MBL, jest możliwe, że dobrze znany efekt zdrowotny jedzenia czosnku nie jest skutkiem obecnej w nim naturalnej substancji antybakteryjnej o nazwie alicyna, ale raczej wynika z faktu, że zawarta w nim lektyna aktywuje układ dopełniacza. Najwyraźniej lecznicze właściwości jemioły zwyczajnej, znanej dobrze z dekoracji bożonarodzeniowych, stosowanej w Europie do alternatywnego leczenia niektórych rodzajów nowotworów, są również wynikiem działania zawartych w tej roślinie lektyn. Badania wykazały, że lektyna jemioły działa pobudzająco na wydzielanie układu dopełniacza, a także niektórych przeciwciał.

Istnieją dowody na to, że lektyny mogą mieć udział w procesie rozpoznawania się komórek lub komórek i różnych cząsteczek zawierających węglowodany. Wynikałoby z tego, że mogą uczestniczyć w procesach fizjologicznych organizmu. Wydaje się, że odgrywają ważną rolę w mechanizmach obronnych roślin, chroniąc je przed inwazją mikroorganizmów, pasożytów i owadów. Infekcja grzybicza lub zranienie rośliny powoduje wzrost stężenia lektyn; są one uważane za coś w rodzaju naturalnych insektycydów. Właśnie dlatego przykuły uwagę naukowców, którzy starają się tak zmodyfikować na drodze genetycznej pokarmy roślinne, by zawierały pewne konkretne lektyny. Planuje się, że rośliny takie nie tylko będą miały naturalną ochronę przed owadami, ale również będą zwalczały szkodliwe bakterie obecne w jelitach ludzi i zwierząt.

Istnieje coraz więcej doniesień sugerujących, że organizm używa lektyn (lub cząsteczek podobnych do lektyn) do najbardziej podstawowych funkcji życiowych. Biorą one udział w procesach, takich jak przyleganie komórek, nadzór nad odczynem zapalnym, rozprzestrzenianie się komórek nowotworowych, a nawet apoptoza (zaprogramowana śmierć) pewnych komórek układu odpornościowego.

## Status niewydzielacza i układ odpornościowy

Ogólnie rzecz ujmując, osoby niewydzielające do płynów ustrojowych antygenów układu grupowego AB0 są dużo bardziej narażone na choroby o podłożu immunologicznym niż wydzielacze, zwłaszcza jeśli czynnikiem prowokującym wystąpienie tej choroby jest organizm zakaźny. Niewydzielacze mają też wrodzone trudności z usuwaniem kompleksów immunologicznych z tkanek, a to zwiększa ryzyko, że ich własny układ odpornościowy zaatakuje tkanki zawierające te kompleksy. Innymi słowy, organizm niewydzielacza jest niejako predysponowany do tego, by własne tkanki postrzegać jako elementy obce.

Niewydzielacze padają ofiarą niemal każdej choroby o podłożu immunologicznym:

- Są bardziej podatni na odczyn zapalny niż wydzielacze.
- Łatwiej zapadają na oba typy CUKRZYCY.
- Niewydzielacze chorujący na cukrzycę typu I są podatniejsi na KANDYDOZĘ, zwłaszcza rozwijającą się w jamie ustnej i górnej części układu pokarmowego.
- Status niewydzielaczy stwierdzono w 80% przypadków FIBROMIALGII, niezależnie od grupy krwi.
- U niewydzielaczy występuje zwiększona skłonność do chorób, takich jak: ZESZTYWNIAJĄCE ZAPALENIE STAWÓW KRĘGOSŁUPA, łuszczyca stawowa, ZAPALENIE STAWÓW, ZESPÓŁ SJÖGRENA, STWARDNIENIE ROZSIANE I CHOROBA BASEDOWA.
- Statusowi niewydzielacza towarzyszy też większe ryzyko nawrotów ZAPALENIA UKŁADU MOCZOWEGO, a u 55–60% niewydzielaczy stany chorobowe nerek prowadzą do ich bliznowacenia, nawet wówczas, gdy leczone są antybiotykami.

**OSTEOARTROZA** – *patrz Zapalenie stawów: Zwyrodnieniowe*

**OSTEOPOROZA** – kruchość kości wywołana ich zrzeszotowieniem w wyniku odwapnienia; najczęściej spotykana u sportowców wyczynowych i osób starszych.

| Osteoporoza | RYZYKO ZACHOROWANIA | | |
|---|---|---|---|
| | NISKIE | UMIARKOWANE | ZNACZNE |
| Grupa A | | | |
| Grupa B | | | |
| Grupa AB | | | |
| Grupa 0 | | | |

## Objawy

- bóle krzyża,
- „malenie" (utrata pierwotnego wzrostu),
- pałąkowate wygięcie kręgosłupa,
- łamliwość kości,
- ból żeber,
- bóle brzucha,
- wypadanie zębów.

## Krótko o osteoporozie

Proces rozkładu i regeneracji kości zachodzi przez całe życie człowieka. W osteoporozie dochodzi do odwapnienia kości, czyli utraty wapnia, dzięki któremu są twarde, a także zahamowania ich regeneracji. W rezultacie szkielet staje się delikatny, a kości kruche i cienkie.

Utrata tkanki kostnej jest procesem nasilającym się z wiekiem, zwłaszcza w okresie menopauzalnym. W pewnym stopniu proces ten zachodzi u każdego człowieka, bez względu na płeć. Zważywszy jednak, że mężczyźni mają kościec masywniejszy średnio o 30%, a sam proces przebiega u nich znacznie wolniej, nie dziwi fakt, że osteoporoza jest problemem przede wszystkim kobiecym. Wśród kobiet nasilenie rzeszotowienia kości jest mniejsze u osób pochodzenia afrykańskiego lub mających ciemną karnację, jako że mają one średnio o 10% cięższe kości niż

osoby o korzeniach europejskich lub azjatyckich i jasnej skórze.

W krajach uprzemysłowionych złamanie kości biodrowej jest urazem wymagającym kosztownego leczenia i wyniszczającym, zdarzającym się u starszych kobiet z częstością właściwą dla epidemii. W samych tylko Stanach Zjednoczonych leczenie osteoporozy pochłania 7 miliardów dolarów z nakładów na zdrowie rocznie, przy czym 5 miliardów z tego idzie na leczenie złamania kości pasa biodrowego. Poza wysokimi kosztami leczenia uraz ten wyróżnia się też znaczną liczbą powikłań i wysoką śmiertelnością. Upadek jest u ludzi powyżej 75. roku życia, głównie kobiet, jedną z najważniejszych pośrednich przyczyn śmierci. Osoby ze złamanym biodrem wymagają hospitalizacji, a 12–20% umiera w ciągu roku od wypadku. Z tych, które przeżywają, 50% nie jest w stanie chodzić o własnych siłach.

## Główne czynniki ryzyka i przyczyny osteoporozy

- obecność podobnych przypadków w najbliższej rodzinie – np. matka chora na osteoporozę,
- delikatny kościec łatwo ulegający złamaniom,
- jasna karnacja,
- siedzący tryb życia,
- nadmierne spożycie alkoholu i kofeiny,
- niewielka masa mięśniowa,
- przyjmowanie leków o właściwościach odwapniających, takich jak kortyzon,
- wycięcie macicy w okresie przedmenopauzalnym lub wczesna menopauza,
- palenie tytoniu,
- zaburzenia łaknienia.

## Słów kilka o wapniu

Wapń to pierwiastek niezbędny do budowy kości i zębów, a także dla utrzymania ich wytrzymałości. W kościach i zębach zgromadzonych jest 99% zapasów wapnia w organizmie człowieka. Kości, które nie zawierają dość wapnia, stają się słabe. Zdolność organizmu do wchłaniania wapnia zależy od postaci, w jakiej jest przyjmowany, a także sposobu, w jaki jest wchłaniany i eliminowany.

Pewne składniki odżywcze mają bezpośredni wpływ na wchłanianie wapnia. Witamina D jest przekształcana w organizmie w hormon 1,25-dwuhydroksywitaminę $D_3$ (kalcytriol), który nadzoruje transport wapnia z układu trawiennego do krwiobiegu i dalej, do kości. Do przeprowadzenia tego procesu wystarczają normalne ilości witaminy D (5–10 mcg dziennie), powstającej po nasłonecznieniu i w wyniku spożywania pokarmów bogatych w witaminę D. Osoby, które nie wychodzą regularnie na słońce, powinny przyjmować nieco więcej witaminy D w pokarmie.

Innym pierwiastkiem mineralnym o dużym znaczeniu dla gęstości kośćca jest fosfor. Zarówno niedobór, jak i nadmiar fosforu może upośledzić procesy regeneracji kości. Magnez jest ważny ze względu na sposób, w jaki organizm ludzki utylizuje wapń i witaminę D. Kluczowe znaczenie dla formowania kości mają białka, jednakże ich nadmiar może spowodować utratę wapnia, który jest wówczas wydalany do moczu. Kiedy białko ulega wewnątrz organizmu rozkładowi, powstają kwasy organiczne, a organizm zużywa zasoby wapnia zgromadzone w kościach do neutralizacji tych kwasów. Tak więc, choć zbyt mała ilość białka w diecie może być dla kości szkodliwa, to zbyt wiele może je osłabić.

Odpływ wapnia z organizmu mogą też wywołać pewne lekarstwa. Utracie masy kośćca sprzyja na przykład nadmiar hormonów tarczycy. Pośród leków i terapii zmniejszających zasoby wapnia w organizmie człowieka należy: kortyzon, chemioterapia, długoterminowa kuracja litem, leki przeciwdrgawkowe i długotrwałe przyjmowanie środków zobojętniających kwas żołądkowy, ponieważ wiążą one fosforany. Do osteoporozy przyczyniają się też zaburzenia układu wydzielania wewnętrznego, w tym NADCZYNNOŚĆ TARCZYCY, nadczynność przytarczyc, zespół Cushinga i CUKRZYCA TYPU I.

## Związki osteoporozy z grupami krwi

Przyczyny tego, że największą zachorowalność na osteoporozę obserwuje się u osób z grupą krwi A, są dwie. Po pierwsze, istnieją dowody na to, że występująca w jelitach fosfataza zasadowa nie tylko nadzoruje rozkład tłuszczów, ale również wspomaga wchłanianie wapnia. Wiadomo, że u osób z grupą krwi A i AB poziom zasadowej fosfatazy jest niższy niż w pozostałych grupach, które znane są z większego stężenia fosfatazy i mniejszej podatności na osteoporozę[1].

W czasie badań na grupie leczących się alkoholików płci męskiej, którzy prawdopodobnie mieli za sobą długie okresy niedożywienia, okazało się, że gęstość kości była znacznie większa u pacjentów z grupą krwi 0. U chorych o innych grupach szybciej postępowało też odwapnienie związane z wiekiem. Badacze stwierdzili, że „wprawdzie alkoholizm jest jednym z czynników ryzyka w rozwoju osteoporozy, to u mężczyzn ważną rolę odgrywa też przynależność do tej czy innej grupy krwi układu AB0, od której zależy stopień mineralizacji kości, a także poziom resorpcji wapnia z kości, niezależnie od nadużywania alkoholu"[2].

## Terapie stosowane przy osteoporozie

*U wszystkich czterech grup krwi układu AB0 stosuje się następujące protokoły:*
- menopauzalny
- usprawniający metabolizm

## Tematy pokrewne

Cukrzyca
Stan okołomenopauzalny i menopauza
Otyłość

**Bibliografia**
1. Kolodchenko VP. [AB0, rhesus and MN system blood groups and spinal osteochondrosis]. *Tsitol Genet.* 1979;13:232–233.
2. Davidson BJ, MacMurray JP, Prakash V. AB0 blood group differences in bone mineral density of recovering alcoholic males. *Alcohol Clin Exp Res.* 1990;14:906–908.

**OTYŁOŚĆ** – stan, w którym waga ciała przekracza o ponad 25% normalny (zdrowy) stosunek wagi do wzrostu; ewentualnie udział procentowy tłuszczu większy od 30% u kobiet i większy niż 25% u mężczyzn.

| Otyłość | RYZYKO WYSTĄPIENIA | | |
|---|---|---|---|
| | NISKIE | UMIARKOWANE | ZNACZNE |
| Grupa A | | | |
| Grupa B | | | |
| Grupa AB | | | |
| Grupa 0 | | | |

## Objawy

* hipoglikemia,
* obrzęk,
* niski stosunek tkanki mięśniowej do tłuszczowej.

## Krótko o otyłości

Otyłość jest stosunkowo nowym zjawiskiem. Przez większą część historii gatunek ludzki toczył zajadłą walkę z głodem. Przeżywali zwykle ci, którzy mieli więcej ciała. Kobiety o szerokich biodrach i udach były bardziej zdolne do mobilizacji zapasów tłuszczu w czasie ciąży i do wytwarzania mleka w czasie karmienia dziecka. Tak więc większa masa ciała na wiele sposobów była korzystna, zapewniając zasoby energetyczne uruchamiane w nieuniknionych okresach głodu, zazwyczaj następujących po okresach obfitości. Był to jeden ze sposobów wynalezionych przez naturę w celu przetrwania ludzkiego gatunku.

W dzisiejszym świecie, a zwłaszcza w krajach Zachodu, niedożywienie nie polega na niedostatku jedzenia, ale na niezdolności naszego organizmu do utylizowania składników pokarmowych mu dostarczanych. Otyłość jest w rezultacie stanem nieodpowiedniego odżywiania, który prowadzi do niepożądanych zmian w równowadze hormonalnej organizmu. Te zmiany szkodzą równowadze metabolicznej – właśnie dlatego ludzie nie mogą schudnąć, nawet kiedy stosują bardzo drakońskie diety.

## Spirala otyłości

Człowiek otyły ma duże trudności z odzyskaniem właściwej wagi ciała przede wszystkim z powodu rozchwiania równowagi metabolicznej. Otyłości towarzyszy zwykle INSULINOOPORNOŚĆ, której towarzyszy hiperinsulinemia, której nasilenie odpowiada ilości tłuszczu. Im większe otłuszczenie, tym silniejsza insulinooporność.

Wiele metabolicznych reorganizacji służy jedynie dostosowaniu organizmu do dużej ilości tłuszczu. Kiedy człowiek chudnie, metabolizm z wolna się normalizuje.

Autorzy pewnej pracy poświęconej otyłości dzieci zaobserwowali istnienie różnych przeszkód w układzie wydzielania wewnętrznego, wpływających negatywnie m.in. na aktywację hormonu tarczycy, wydzielanie hormonu stresowego, poziom androgenów i hormonu wzrostowego, a wreszcie poziom insuliny. U dzieci tych wysokie było zarówno podstawowe, jak i stymulowane (cukrem lub skrobią) stężenie insuliny. Stan ten uzewnętrznia się również u dorosłych. Można wymienić kilka podstawowych płaszczyzn, na których procesy regulacji metabolizmu energetycznego przebiegają odmiennie w otyłości i u osób zdrowych.

OTYŁOŚĆ WYWOŁUJE OPORNOŚĆ NA LEPTYNĘ. Leptyna (nie lektyna!) jest hormonem pozostającym w związku z genem otyłości. Leptyna wpływa na komórki podwzgórza mózgu, by zareagowały na nadmiar tłuszczu w organizmie, wpływa też na wydajność jego spalania i uczucie sytości. U osób z nadwagą poziom leptyny znacznie rośnie, ale jej skuteczność się zmniejsza. W otyłości zwiększają się stężenia zarówno leptyny, jak i insuliny, co przywiodło badaczy do wniosku, że insulinooporność w jakiś sposób wiąże się z tym „hormonem otyłości”.

NADWAGA SPRZYJA OPORNOŚCI NA KORTYZOL. Osoby z nadwagą mają stale podwyższony poziom kortyzolu (hormonu stresowego). Tkanka tłuszczowa przyspiesza jego zużycie, prowadząc do produkcji kortyzonu, który z kolei stymuluje ACTH i utrzymuje pobudzenie kory nadnerczy. W rezultacie tyciu sprzyja już sam wysoki poziom kortyzolu. Jest to rodzaj błędnego koła. Kortyzol różni się od pozostałych hormonów steroidowych, takich jak hormony płciowe, między innymi przynależnością do glukokortykoidów. Nazwa ta oznacza, że jego podstawowe funkcje wymagają podnoszenia poziomu cukru we krwi kosztem tkanki mięśniowej. Wprawdzie w sytuacjach typu „walcz lub uciekaj" jest to funkcja ze wszech miar korzystna, to jednak na dłuższą metę o tyle niebezpieczna, że może prowadzić do insulinooporności i przewagi tkanki tłuszczowej nad mięśniową. Co więcej, badacze podejrzewają, że wysokie stężenie kortyzolu może zwiększać apetyt poprzez jakieś związki z leptyną. W badaniach na zwierzętach wykazano, że kortyzol jest głównym czynnikiem, który utrudnia leptynie hamowanie apetytu, zwiększanie metabolizmu i zmniejszanie masy ciała. Podobne obserwacje dotyczą ludzi. Ma to szczególnie duże znaczenie dla osób z grupą krwi A i B, u których podstawowy poziom kortyzolu jest wyższy niż u reszty.

NADWAGA WPŁYWA NA ZMNIEJSZENIE WYDZIELANIA HORMONU WZROSTOWEGO. W otyłości wydzielanie hormonu wzrostowego maleje, niedostateczna jest również skuteczność substancji stymulujących jego wydzielanie. Na procesy regulacji hormonalnej organizmu osoby otyłej wpływa też hiperinsulinemia i insulinooporność. W rezultacie dochodzi do nadprodukcji podobnego do insuliny czynnika wzrostowego IGF-1, który skutecznie hamuje wydzielanie hormonu wzrostowego. Zważywszy, że aktywność tego hormonu sprzyja szczupłej budowie ciała, wspomaga konwersję hormonu tarczycy do $T_3$ (czyli jego metabolicznie aktywnej postaci) i przyspiesza procesy sprzyjające spalaniu tłuszczów, niedobór hormonu wzrostowego ma zdecydowanie ujemny wpływ na budowę ciała i stosunek ilości tkanki tłuszczowej do tkanki mięśniowej.

Poza tymi konsekwencjami otyłości mamy jeszcze do czynienia z długotrwałą insulinoopornością, która może doprowadzić do stanu niebezpiecznego dla życia. Z czasem komórki beta trzustki, które są zmuszone do produkowania coraz to większych ilości insuliny, mogą przestać nadążać z produkcją, a wówczas może dojść do powstania prawdziwej cukrzycy. W stadium początkowym badania krwi wykażą zaledwie tendencję do wyższego niż normalnie poziomu cukru, objaw zbliżającej się lub przewlekłej hiperglikemii. Jeśli jednak ów stan hiperglikemii będzie się przeciągał, istnieje ryzyko, że przekształci się on w insulinoniezależną postać cukrzycy, tzw. cukrzycę typu II.

## Stosunek aktywnych tkanek ciała do tkanki tłuszczowej

Pierwszym aspektem metabolizmu, który należy rozważyć przy omawianiu otyłości, jest wielkość masy mięśniowej. Prawdziwym problemem dla zdrowia i metabolizmu nie jest sama tkanka tłuszczowa, ale zaburzenie proporcji między tkanką tłuszczową i tkanką mięśniową. Z tego punktu widzenia ważniejsze jest, by znać nie tylko ogólną masę ciała, ale również udział tkanki mięśniowej.

Podstawową miarą metabolizmu człowieka jest tak zwany wskaźnik PPM (podstawowa przemiana materii; ang. *basal metabolism rate*, BMR). PPM (BMR) to liczba kalorii spalanych w ciągu dnia przez odpoczywającego człowieka. PPM ma tendencję do obniżania się wraz z wiekiem człowieka, przy czym za ten spadek odpowiedzialna jest niemal wyłącznie redukcja tkanki mięśniowej. Wprawdzie niski wskaźnik PPM może świadczyć o dużych problemach z utratą wagi, to jednak z punktu widzenia zdrowia bardzo wysoki PPM też jest daleki od ideału, jako że może sygnalizować wzmożoną aktywność kataboliczną czy też inną postać gwałtownych przemian metabolicznych w organizmie. Jak zwykle w przypadku kwestii zdrowotnych, złotym środkiem jest PPM zrównoważony, co w naszym przypadku oznacza wartość jak najwyższą, ale w granicach zdrowego rozsądku.

Tkanką aktywną metabolicznie określa się tkankę mięśniową i tkanki narządów, takich jak wątroba, mózg i serce, które aktywnie zużywają zasoby energetyczne ciała. Często tkankę tę określa się po prostu mianem masy tkanki aktywnej. Wśród korzyści wynikających z dużej masy tkanki aktywnej wymienić można siłę, sprzyjającą lepszemu zdrowiu i spowolnieniu procesów starzenia, a także wyższy wskaźnik PPM, zwiększoną wydolność tlenową, sprawniejsze funkcjonowanie układu sercowo-naczyniowego, lepszą utylizację cukrów, zwiększony udział „dobrego" cholesterolu, znaczną gęstość kości i mniejszą skłonność do tycia.

Większy udział masy tkanki aktywnej przekłada się łatwo na tendencję do spalania tłuszczu, ponieważ im więcej mięśni, tym więcej tłuszczu zużywane jest do ich utrzymania nawet w stanie spoczynku.

Stosunek masy mięśni do masy tkanki tłuszczowej mówi nam wiele o kompozycji ciała, ale nietrudno wyobrazić sobie sytuację, gdy poprawa kompozycji może być tylko pozorna, ponieważ wiąże się z utratą masy mięśniowej. Jest to podstawowa wada drakońskich diet opartych na znacznym ograniczeniu spożycia kalorii. Diety te wprawdzie znacznie zmniejszają udział tkanki tłuszczowej, ale jednocześnie nie robią nic, by zwiększyć udział tkanki mięśniowej. W rezultacie tempo metabolizmu osób odchudzających się pozostaje niezmienione, a to zwiększa ich predyspozycje do tycia, gdy tylko na nowo zaczną jeść normalnie.

Innym ważnym czynnikiem jest stosunek ilości wody wewnątrzkomórkowej do ilości wody zewnątrzkomórkowej. Mówi on o stopniu uwodnienia komórek. W zdrowym organizmie istnieje tendencja do utrzymywania większej ilości wody wewnątrz komórek, a najlepsza wartość tego współczynnika mieści się w granicach 57–60%. Obrzęk polega na gromadzeniu się wody na zewnątrz komórek. U wielu osób otyłych obserwuje się duże ilości wody zewnątrzkomórkowej, będącej zwykle wynikiem jedzenia różnych „zakazanych" pokarmów, siedzącego trybu życia, toksyczności komórkowej i stresu. U tych osób obserwuje się udział wody zewnątrzkomórkowej w granicach 60–70%, a udział wody wewnątrzkomórkowej nie przekracza 40%, zwykle około 35%.

## Związki otyłości z grupami krwi

Przynależność do danej grupy krwi ma znaczenie dla równowagi metabolicznej. Wyróżniamy tu kilka mechanizmów:

1. WPŁYW LEKTYN POKARMOWYCH. Lektyny, które często charakteryzują się swoistością w stosunku do konkretnej grupy krwi, mają na receptory komórkowe tłuszczu wpływ podobny jak insulina. Jednakże, w przeciwieństwie do insuliny, która wywiera na nie wpływ krótkotrwały, przyczepiają się do nich i sygnalizują komórkom tłuszczowym, że powinny przestać spalać tłuszcze i zacząć je magazynować. W rezultacie spożywanie pokarmów zawierających te lektyny prowadzi do tego, że wszelkie nadprogramowe ilości węglowodanów organizm przetwarza w niepożądany tłuszcz. Tak więc spożywanie pokarmów zawierających lektyny, swoiste dla danej grupy krwi i naśladujące działanie insuliny, zwiększa ilość tkanki tłuszczowej.

2. WPŁYW GENETYCZNIE ZAPROGRAMOWANEJ OPORNOŚCI INSULINOWEJ NA WYDAJNOŚĆ METABOLICZNĄ. U wielu niewydzielaczy występuje insulinooporność, upośledzająca przemiany trójglicerydów, a tym samym zmniejszająca tempo przemiany materii. Powolny metabolizm sprzyja gromadzeniu płynów na zewnątrz komórek, a to prowadzi do obrzęków.

3. NIEPRAWIDŁOWA UTYLIZACJA ZASOBÓW ENERGETYCZNYCH: STRES I NIEWŁAŚCIWE ĆWICZENIA FIZYCZNE. Znaczny wpływ na metabolizm może mieć wysoki poziom kortyzolu; dotyczy to zwłaszcza osób z grupą krwi A i B, u których ilość tego hormonu gwałtownie rośnie pod wpływem stresu.

4. GENETYKA GRUP KRWI: zwiększona produkcja kortyzolu, którą obserwuje się szczególnie u osób z grupą krwi A i B w warunkach stresu, może upośledzać przemianę hormonów tarczycy. Badania wykazały też ogólnie niższy metabolizm hormonów tarczycy u osób z grupą krwi A.

## Terapie stosowane przy otyłości

### Wszystkie grupy krwi:

Poszczególne protokoły są jedynie uzupełnieniem do zalecanej diety zgodnej z grupą krwi.

*Protokoły stosowane przy grupie krwi A:*
- usprawniający metabolizm
- przeciwstresowy
- detoksykacyjny

*Protokoły stosowane przy grupie krwi B:*
- usprawniający metabolizm
- przeciwstresowy
- wspomagający działanie wątroby

*Protokoły stosowane przy grupie krwi AB:*
- usprawniający metabolizm
- detoksykacyjny
- wzmacniający układ odpornościowy

*Protokoły stosowane przy grupie krwi 0:*
- usprawniający metabolizm
- detoksykacyjny
- wzmacniający układ odpornościowy

**Tematy pokrewne**

Choroby tarczycy
Cukrzyca
Hipertrójglicerydemia
Insulinooporność

---

**PANIKA** – *patrz Zaburzenia lękowe*

**PLEŚNIAWKI** – *patrz Grzybice: Kandydoza jamy ustnej*

**PMS** – *patrz Zaburzenia cyklu miesiączkowego: Zespół napięcia przedmiesiączkowego*

**PODWYŻSZONA TEMPERATURA** – *patrz Gorączka*

**POKRZYWKA** – *patrz Alergie*

**POLIAMINY** – *patrz Toksyczne jelito: Samozatrucie enterotoksynami (poliaminy)*

**POLIPY OKRĘŻNICY** – zazwyczaj niezłośliwe, uszypułkowane uwypuklenia śluzówki okrężnicy.

| Polipy okrężnicy | RYZYKO WYSTĄPIENIA | | |
|---|---|---|---|
| | NISKIE | UMIARKOWANE | ZNACZNE |
| Grupa A | | | |
| Grupa B | | | |
| Grupa AB | | | |
| Grupa 0 | | | |

**Objawy**

- krwawienie z odbytnicy,
- kurcze, ból brzucha lub zaparcie,
- wypadanie polipów,
- biegunka.

**Krótko o polipach okrężnicy**

Polipy okrężnicy mogą przybierać wielorakie postaci, różnią się też wielkością; małe wyglądają jak kurzajki, duże przypominają owoc wiśni na szypułce. Polipy okrężnicy i odbytnicy są zazwyczaj łagodnymi zmianami nowotworowymi i nie dają poważniejszych objawów. Zawsze jednak powinny być traktowane serio, ponieważ z czasem mogą się zmienić w nowotwór złośliwy.

Prawdopodobieństwo wystąpienia polipów okrężnicy rośnie z wiekiem. W razie zaniechania usunięcia polipu ryzyko, że w ciągu 5 lat ulegnie on zrakowaceniu, wynosi 2,5%. Polipy średnicy większej niż 1 cm są pod tym względem bardziej niebezpieczne niż polipy mniejsze. Wykazano, że chirurgiczne usunięcie polipów znacznie zmniejsza ryzyko wystąpienia raka okrężnicy. Zarówno polipy, jak i rak okrężnicy, częściej występuje w krajach uprzemysłowionych.

Skłonność do polipów można często zaobserwować wśród osób spokrewnionych. Z tego punktu widzenia poważnym czynnikiem ryzyka jest wystąpienie polipów u najbliższych krewnych, rodzeństwa, rodziców lub dzieci. W grupie podwyższonego ryzyka, sięgającego wartości czterokrotnie przewyższającej średnie ryzyko w populacji, znajdują się osoby blisko spokrewnione z chorymi na ZAPALENIE JELIT, a także najbliżsi krewni pacjentów chorych na RAKA OKRĘŻNICY.

## Związki polipów okrężnicy z grupami krwi

Polipy okrężnicy charakteryzują się obfitą ekspresją antygenów AB0[1]. Osoby z grupą krwi A i AB częściej zapadają na polipy okrężnicy o skłonnościach do rakowacenia. Zmianie tej towarzyszy spadek liczby antygenów AB0. W miarę postępu choroby antygeny mogą zniknąć całkowicie z powierzchni komórek nowotworowych[2].

## Terapie stosowane przy polipach okrężnicy

### Wszystkie grupy krwi:

1. Poddawaj się regularnym badaniom. Polipy odbytnicy mogą być wyczuwalne, ale zazwyczaj wykrywane są podczas wziernikowania. Ponieważ polipy odbytnicy występują zazwyczaj w większej liczbie i mogą współistnieć z rakiem, konieczna jest pełna endoskopia okrężnicy, nawet jeśli zmiany zostały zidentyfikowane już na odcinku esicy. Rentgen z kontrastem barowym ukazuje polipy jako zaokrąglony ubytek cienia. Przydatna jest metoda podwójnego kontrastowania, jednakże najbardziej godna zaufania jest kolonoskopia za pomocą giętkiego włókna światłowodowego. Polipy są częstsze w okrężnicy niż w jelicie cienkim.

2. Nie pal! U palaczy wypalających 20 papierosów dziennie szanse rozwinięcia się polipów są 250% większe niż u osób niepalących, które poza tym podlegają podobnym czynnikom ryzyka.

3. Ogranicz picie alkoholu. Osoby pijące mają o 87% większe szanse zachorowania na polipy niż osoby niepijące. U pijących palaczy ryzyko to rośnie już do 400% (w porównaniu z niepalącymi abstynentami).

4. Jedz dużo bobu (grupa 0 i B) oraz pieczarek (grupa A i AB). Wykazano, że hodowlane pieczarki (*Agaricus bisporus*) i bób (*Vicia faba*) zawierają lektyny, które hamują rakowacenie komórek ściany okrężnicy[3].

*U wszystkich czterech grup krwi układu AB0 stosuje się następujące protokoły:*

• wspomagający zdrowie jelit
• zapobiegający nowotworom

## Tematy pokrewne

Odporność
Rak okrężnicy
Trawienie

### Bibliografia

1. Itzkowitz SH. Blood group-related carbohydrate antigen expression in malignant and premalignant colonic neoplasms. *J Cell Biochem Suppl.* 1992;16G:97–101.
2. Schoentag R, Primus FJ, Kuhns W. ABH and Lewis blood group expression in colerectal carcinoma. *Cancer Res.* 1987;47:1695–1700.
3. Jordinson M, El-Hariry I, Calnan D, Calam J, Pignatelli M. Vicia faba agglutinin, the lectin present in broad beans, stimulates differentation of undifferentiated colon cancer cells. *Gut.* 1994;44:709–714.

**PORONIENIE** – *patrz Niepłodność*

**POURAZOWE ZABURZENIA EMOCJONALNE** – *patrz Zaburzenia lękowe*

## *Probiotyki*

W 1910 roku rosyjski biolog Ilja Miecznikow zasugerował, że najlepszym sposobem na poprawienie stanu swojego zdrowia i wydłużenie życia jest zlikwidowanie toksycznego działania jelit. Większa część ówczesnego biologicznego establishmentu uznała go za szarlatana. „Oczyszczanie" jelit było w tym okresie czymś w rodzaju mody; sanatoria i zdrojowiska stanowiły ulubione miejsce odpoczynku wyższych sfer, a wątpliwej jakości eliksiry dosłownie zalały rynek. Kręgi medyczne, chorobliwie podejrzliwe w stosunku do każdej teorii, która nie zyskała ich aprobaty, zlekceważyły pomysł Miecznikowa i całą resztę podobnych idei – prawdziwa hańba, zważywszy, że okazał się wartościowy.

Miecznikow ukuł termin **probiotyk,** oznaczający coś, co „jest dobre dla życia". Termin ten posłużył mu do wyjaśnienia innej teorii, zakładającej, że starzenie jest procesem wywołanym przewlekłym kontaktem z toksynami powstającymi w jelicie wskutek zaburzenia równowagi tamtejszej flory bakteryjnej. Proces ten, sugerował Miecznikow, może zostać zahamowany przez zwykłe spożywanie bakterii kwasu mlekowego i produktów spożywczych przez nie zmodyfikowanych.

Dziś, prawie sto lat później, pogląd, że „przyjazne" bakterie jelitowe chronią komórki, usprawniają działanie układu odpornościowego i przyczyniają się do lepszego wykorzystania składników odżywczych, jest powszechnie akceptowany. Wiadomo też, że nad prawidłowym składem naszej przyjaznej flory bakteryjnej czuwają antygeny grup krwi.

Antygeny grup krwi to złożone cukry, potencjalne pożywienie bakterii. Antygeny różnych grup krwi złożone są z różnych cukrów, a bakterie są wybiórcze. W rzeczywistości wiele z nich dietę zgodną ze swoim typem stosuje przez całe życie, wykorzystując jako pokarm antygeny preferowanych przez siebie grup krwi. Kiedy zaczyna się robić tłoczno, bakterie te współzawodniczą o pokarm znacznie skuteczniej od potencjalnie szkodliwych mikroorganizmów i wkrótce wypierają je ze swego środowiska. Odpowiednie szczepy bakterii jelitowych, dopasowane do grupy krwi nosiciela, przemieniają antygeny grup krwi w krótkołańcuchowe kwasy tłuszczowe, bardzo korzystne dla organizmu człowieka.

Skąd wszakże wzięła się owa wybiórczość bakterii? Opiera się ona na koncepcji adherencji. Podobnie jak klucz pasujący tylko do jednego zamka, bakterie danego gatunku również będą przylegać do pewnej określonej konfiguracji cukrów, tworzących miejsce przymocowania komplementarne w stosunku do substancji obecnych na powierzchni komórki bakterii. Wprawdzie nie wszystkie potencjalne miejsca przyczepienia bakterii w jelitach mają „przynależność" do tej czy innej grupy krwi, jednakże proces adherencji przyjaznych (i nieprzyjaznych) bakterii podlega kontroli grup krwi. W rzeczywistości prawie 50% wszystkich szczepów bakteryjnych wykazuje większą lub mniejszą swoistość w stosunku do jakiejś grupy krwi.

Innym aspektem preferowania jakiejś grupy krwi przez bakterie jest ich aktywność, upodobniająca je do lektyn i sprawiająca, że dla jednej grupy krwi są przyjazne, a dla drugiej nie. Niektóre szczepy pożytecznych bakterii mogą aglutynować krwinki czerwone – czynność ta jest im narzucona właśnie przez grupę krwi.

Ogólnie jednak można powiedzieć, że na szeroko rozumianych efektach spożywania pokarmów otrzymanych w wyniku hodowli swoistych, przyjaznych bakterii zyskują wszystkie grupy krwi. Probiotyki są kołem ratunkowym dla potrzebującego pomocy układu, bowiem sprzyjają detoksykacji i zdrowieniu.

### Korzyści ze stosowania probiotyków

Regularne spożywanie „żywych biologicznie" pokarmów, to znaczy pokarmów zawierających pożyteczne bakterie (np. jogurtu) i zgodnych z daną grupą krwi niesie ze sobą rozliczne korzyści.

Przyjazne bakterie przywracają równowagę florze jelitowej, a to z kolei:
- zapobiega adherencji (przyleganiu) niepożądanych mikroorganizmów,
- przyczynia się do wytwarzania grupy substancji antybakteryjnych i przeciwgrzybiczych,
- zwiększa odporność na bakterie, takie jak *Eschericha coli, Salmonella, Shigella, Helicobacter pylori.*

Przyjazne bakterie zwiększają odporność organizmu, ponieważ:
- wspomagają antywirusowe działanie układu odpornościowego,
- zwiększają aktywność „naturalnych zabójców",
- zwiększają liczbę S-IgA (przeciwciał IgA w surowicy krwi),
- wytwarzają tlenek azotu,

- regulują odpowiedź immunologiczną na poziomie komórkowym,
- zapobiegają niektórym chorobom autoagresyjnym,
- wywołują przeciwciała anty-Tn,
- zmniejszają odpowiedź IgE,
- wzmacniają odpowiedź układu odpornościowego na zaaplikowane szczepionki,
- przeciwdziałają leukopenii (zmniejszeniu liczby białych krwinek) wywołanej szkodliwym promieniowaniem.

Można powiedzieć, że w wielu wypadkach przyjazne bakterie sprzyjają adaptacji układu odpornościowego. Wydaje się, że modulują nieswoistą odpowiedź układu immunologicznego, dostosowując ją do potrzeb organizmu zdrowego lub nadwrażliwego. Czynność ta jest postrzegana jako immunostymulacja w przypadku osób zdrowych i wyciszanie zapalnej odpowiedzi immunologicznej organizmu u osób nadwrażliwych.

Przyjazne bakterie sprzyjają detoksykacji, ponieważ:

- inaktywują i eliminują substancje kancerogenne,
- zmniejszają ilość mutagenów,
- zmniejszają aktywność dekarboksylazy ornitynowej,
- zmniejszają aktywność tryptofanazy,
- zmniejszają aktywność neuraminidazy,
- zmniejszają stężenie poliamin, krezoli i indoli,
- zmniejszają stężenia amoniaku,
- zmniejszają poziom azotanów i azotynów,
- wspomagają czynności wątroby i ułatwiają wydalanie kwasów żółciowych,
- wspomagają przemiany metaboliczne cholesterolu.

Przyjazne bakterie nie są też obojętne dla układu trawiennego:

- normalizują wielkość stolca i sprzyjają regularności wypróżnień,
- wytwarzają enzymy trawienne, które pomagają trawić białka, węglowodany i błonnik,
- zmniejszają przepuszczalność ściany jelita,
- zmniejszają nadwrażliwość pokarmową,
- zmniejszają nietolerancję laktozy,
- łagodzą stany zapalne jelita.

Przyjazne bakterie zwiększają biologiczną dostępność niektórych składników odżywczych poprzez:

- łagodzenie objawów złej absorpcji,
- zwiększanie wchłaniania cynku, wapnia, żelaza, miedzi, manganu i fosforu,
- zwiększają wytwarzanie witamin: A, $B_1$, $B_2$, $B_3$, $B_5$, $B_6$, $B_{12}$, K, kwasu foliowego, biotyny i tokoferoli.

## Probiotyki przyjazne dla zdrowia:

- pokarmy bogate w bakterie probiotyczne zawierają grupę potrzebnych dla zdrowia witamin, składników mineralnych i pomocniczych substancji fitochemicznych,
- wzbogacenie pokarmów w przyjazne bakterie to sposób na ułatwienie trawienia i zwiększenie dostępności składników odżywczych dla organizmu,
- kultury bakteryjne w pokarmach probiotycznych zwiększają dostępność biologiczną związków, takich jak izoflawony i bioflawonoidy,
- kultury bakteryjne sprzyjają uwalnianiu większych ilości aminokwasów i białek z pokarmów,
- pokarmy probiotyczne zawierają duże ilości witaminy K, tokoferoli i witaminy $B_{12}$,
- w pokarmach probiotycznych witamina C występuje w większych ilościach i jest bardziej stabilna niż w pokarmach normalnych,
- probiotyczne właściwości niektórych pokarmów zwiększają korzyści metaboliczne wynikające z ich spożywania,
- kultury bakteryjne w pożywieniu są potężną bronią przeciw utleniaczom,
- pokarmy probiotyczne mają duże właściwości antyrakowe,
- pokarmy probiotyczne mogą faktycznie usprawniać metabolizm i sprzyjać eliminacji substancji, takich jak alkohol,
- pokarmy probiotyczne przyczyniają się do dobrej kondycji serca na drodze kilku mechanizmów bazujących na swoistości grupowej tych bakterii,

- pokarmy probiotyczne dostarczają substratów odżywczych innym korzystnym bakteriom, a mianowicie tym, które żyją w układzie trawiennym człowieka (np. działają jako probiotyki umożliwiające namnażanie „dobrych" bakterii rezydujących w przewodzie pokarmowym).

## Tematy pokrewne

Choroby autoagresyjne (ogólnie)
Choroby bakteryjne (ogólnie)
Choroby pasożytnicze
Nowotwory (ogólnie)
Odporność
Toksyczne jelito
Trawienie
Wrzody
Zapalenie jelit
Zatrucie pokarmowe

## PROTETYCZNE ZAPALENIE JAMY USTNEJ – stan zapalny w obrębie jamy ustnej wywołany noszeniem protez zębowych.

| Protetyczne zapalenie jamy ustnej | RYZYKO ZACHOROWANIA | | |
|---|---|---|---|
| | NISKIE | UMIARKOWANE | ZNACZNE |
| Grupa A | | | |
| Grupa B | | | |
| Grupa AB | | | |
| Grupa 0 | | | |
| niewydzielacz | | | |

## Objawy

- zakażenie i zapalenie dziąseł pod protezami dentystycznymi

## Krótko o protetycznym zapaleniu jamy ustnej

Zapalenie to jest skutkiem rozprzestrzenienia się na całą jamę ustną infekcji rozwijającej się w przestrzeni między dziąsłami i protezą dentystyczną. Zakażenie to może mieć charakter bakteryjny lub grzybiczy. Bezpośrednią przyczyną stanu zapalnego dziąseł jest niewłaściwa higiena jamy ustnej lub skład klejów mocujących protezy.

## Związki protetycznego zapalenia jamy ustnej z grupami krwi

Protetyczne zapalenie jamy ustnej znacznie częściej rozwija się u osób z grupą krwi 0, u nich też przyjmuje najostrzejszą postać. Jedną z najpospolitszych przyczyn zapalenia jest zakażenie drożdżakami *Candida albicans*; najbardziej podatne na infekcje tymi grzybami są właśnie osoby z grupą krwi 0. Istnieją też doniesienia wskazujące, że w grupie tej częściej spotyka się nosicieli drożdżakowej infekcji jamy ustnej zwanej pleśniawkami. Zwiększoną podatność na zakażenie grzybami *Candida* obserwuje się również u niewydzielaczy[1,2].

Częstokroć kleje umocowujące protezy zębowe to gumy wykonane z glonów. Mają one w swoim składzie cukry złożone, często swoiste dla tej lub innej grupy krwi. Być może u osób z grupą krwi 0, zawierającą zarówno antygeny A, jak i B, są one rozpoznawane jako obce i jako takie wywołują reakcję obronną organizmu.

## Terapie stosowane przy protetycznym zapaleniu jamy ustnej

*Wszystkie grupy krwi:*
Przeciwzapalne:
1. Na ranki w obrębie jamy ustnej przykładaj popiół ze spalonego bakłażana.
2. Płukanka nr 1: Weź jeden lub dwa świeże owoce granatu. Wyrzuć skórkę, zachowaj nasiona; zmiażdż je, dodaj wody i gotuj na małym ogniu; przecedź mieszaninę, a otrzymany płyn ostudź; stosuj go do płukania jamy ustnej.
3. Płukanka nr 2: Rozgnieć dwie śliwki zamarynowane (namoczone) w occie (z pestkami), dodaj łyżkę stołową soli i 1 filiżankę wrzącej wody, wymieszaj; po ochłodzeniu stosuj do płukania ust.

*Protokoły stosowane przy grupie krwi A*
- antybakteryjny

*Protokoły stosowane przy grupie krwi B*
- antybakteryjny

*Protokoły stosowane przy grupie krwi AB*
- antybakteryjny

*Protokoły stosowane przy grupie krwi 0*
- antybakteryjny
- przeciwgrzybiczny

## Tematy pokrewne

Choroby bakteryjne (ogólnie)
Kandydoza
Odporność
Trawienie

**Bibliografia**

1. Tosh FD, Douglas LJ. Characterization of a fucosidebinding adhesin of *Candida albicans*. *Infect Immun.* 1992;60:4734–4739.
2. Thom SM, et al. Non-secretion of blood group antigens and susceptibility to infection by Candida species. *FEMS Microbiol Immunol.* 1989;1:401–405.

# PRÓCHNICA ZĘBÓW – psucie zębów wywołane kwasową erozją szkliwa zębowego.

| Próchnica zębów | RYZYKO ZACHOROWANIA | | |
|---|---|---|---|
| | NISKIE | UMIARKOWANE | ZNACZNE |
| Grupa A | | | |
| Grupa B | | | |
| Grupa AB | | | |
| Grupa 0 | | | |
| niewydzielacz | | | |

## Objawy

Procesy próchniczne w obrębie zębów zachodzą niepostrzeżenie, do chwili aż staną się zaawansowane. Do objawów próchnicy zębów zaliczyć można:
- ból zęba przy zetknięciu z potrawami gorącymi, zimnymi i słodkimi,
- zapalenie dziąseł,
- ból, rwanie i pulsowanie w obrębie szczęki.

## Krótko o próchnicy zębów

Jama ustna, podobnie jak inne części ciała pozostające w kontakcie ze środowiskiem zewnętrznym, jest daleka od sterylności. Wzdłuż dziąseł i między zębami gromadzą się bakterie, które na ogół nie są szkodliwe, a we właściwie zrównoważonym organizmie utrudniają wtargnięcie bardziej szkodliwym odmianom.

Nawet świeżo umyte zęby zostają natychmiast pokryte warstwą glikoproteinową nazywaną osadem nazębnym. Powstaje on ze składników śliny, które przywierają do powierzchni zęba. W skład tego osadu wchodzą białka, enzymy, przeciwciała i mucyny. Pokrywanie się zębów osadem jest pierwszym krokiem na drodze do powstania płytek nazębnych, jako że przywierają do niego najrozmaitsze bakterie. Bakterie te zapoczątkowują rozkład szkliwa i ZAPALENIE DZIĄSEŁ.

Próchnica zębów może być niezauważona aż do chwili, gdy osiągnie poważny stopień zaawansowania.

## Związki próchnicy zębów z grupami krwi

Obecne w ślinie i śluzie antygeny układu grupowego AB0 stanowią rodzaj kotwic, do których przyczepiają się bakterie właściwe dla danej grupy krwi. Badania wykazały niezbicie, że bakterie te wykorzystują antygeny krwi śliny i śluzu, aby umiejscowić się na danej tkance. Do śliny wydzielane są ogromne ilości antygenów, które prawdopodobnie służą niektórym szczepom bakterii za pożywkę i podłoże[1].

Z badań nad związkami między grupą krwi i skłonnością do próchnicy zębów wiadomo, że najbardziej zagrożone tą chorobą są osoby z grupą krwi 0, zwłaszcza niewydzielające antygenów do płynów ustrojowych. Najmniej zagrożone są te z grupą krwi A, szczególnie wydzielacze.

We wszystkich grupach krwi statusowi niewydzielacza towarzyszy większa skłonność do próchnicy zębów. Prawdopodobnie dzieje się tak dlatego, że obecność antygenów w ślinie zmniejsza zdolność bakterii do przyczepiania do powierzchni zęba. Co więcej, ślina niewydzielaczy charakteryzuje się niższym stężeniem przeciwciał klasy IgA, a to zmniejsza ich zdolność do zwalczania bakterii[2].

## Terapie stosowane przy próchnicy zębów

*Wszystkie grupy krwi:*
- Kultywuj dobre nawyki higieniczne: myj zęby po każdym posiłku, a raz dziennie czyść je nicią dentystyczną.
- Pamiętaj o regularnych odwiedzinach u dentysty w celu sprawdzenia stanu zębów i ich oczyszczenia.
- W razie bólu zęba: wmasuj w dziąsła olejek goździkowy lub zmiażdżony czosnek.
- Wybieraj najlepsze jakościowo (i najbezpieczniejsze) wypełnienia.

Najczęściej stosowanym wypełnieniem jest amalgamat srebra, zawierający sporą ilość rtęci. Zapytaj dentystę o mniej toksyczne wypełnienia, na przykład złote lub ceramiczne. Wiadomo, że takie nowe materiały na bazie cementu lub żywic są wprowadzane na rynek niemal codziennie, zastępując starsze, w tym również amalgamat.

*Protokoły stosowane przy grupie krwi A:*
- antybakteryjny

*Protokoły stosowane przy grupie krwi B:*
- antybakteryjny

*Protokoły stosowane przy grupie krwi AB:*
- antybakteryjny

*Protokoły stosowane przy grupie krwi 0:*
- antybakteryjny
- przeciwgrzybiczny

## Tematy pokrewne

Choroby bakteryjne (ogólnie)
Trawienie

### Bibliografia

1. Tabak LA, et al. Role of salivary mucins in the protection of the digestive tract. *J Oral Pathology.* 1982;11:1–17.
2. Arneberg P, Kornstad L, Nordbo H, Gjermo P. Less dental caries among secretors than among non-secretors of blood group substance. *Scand J Dent Res* 1976;84:362–366.

**PRZEKAŹNIKI NERWOWE** – *patrz Stres*

**PRZEŁYK BARRETTA** – stan przednowotworowy komórek błony śluzowej przełyku.

| Przełyk Barretta | ZAPADALNOŚĆ | | |
|---|---|---|---|
| | NISKA | UMIARKOWANA | ZNACZNA |
| Grupa A (przy zarzucaniu) | | | |
| Grupa B | | | |
| Grupa AB | | | |
| Grupa 0 | | | |

## Objawy

- zgaga,
- zarzucanie treści żołądkowej (refluks żołądkowo-przełykowy),
- trudności z przełykaniem,
- ból w klatce piersiowej,
- skurcz oskrzeli,
- zapalenie krtani,
- przewlekły kaszel,
- ubytki szkliwa zębowego.

## Krótko o przełyku Barretta

Mianem tym określa się zespół zmian przedrakowych w obrębie komórek śluzówki przełyku. Przełyk Barretta rozwija się u 10–20% osób cierpiących na chroniczne zarzucanie treści żołądkowej (REFLUKS ŻOŁĄDKOWO-PRZEŁYKOWY). Przełyk Barretta może doprowadzić do RAKA PRZEŁYKU i RAKA ŻOŁĄDKA.

Istnieją różne przyczyny zarzucania treści żołądkowej. Jedną z nich jest przepuklina rozworu przełykowego. Inną przyczyną może być infekcja bakteriami *Helicobacter pylori*. Zmniejszone napięcie więzadła przeponowo-przełykowego może też być wywołane paleniem papierosów, piciem nadmiernych ilości alkoholu i kawy. Dzieci do podrażnienia przełyku predysponuje: zespół Downa, opóźnienie umysłowe, porażenie mózgowe i zoperowana przetoka tchawicowo-przełykowa. Najpowszechniejszą jednak przyczyną notorycznych ataków ZGAGI są złe nawyki żywieniowe.

W Stanach Zjednoczonych w ostatnich dwóch dziesięcioleciach XX wieku zapadalność na raka przełyku rosła w tempie przekraczającym zapadalność na inne rodzaje nowotworów. Niestety, stwierdzenie raka przełyku w wyniku zmian typowych dla przełyku Barretta niesie zwykle chorym złe rokowania, głównie z powodu późnego rozpoznania choroby.

## Związki przełyku Barretta z grupami krwi

Przełyk Barretta można przede wszystkim łączyć z grupą krwi A, podobnie jak skłonność do zachorowania na raka żołądka i przełyku. Przełyk Barretta i rak przełyku wykazują też związki z fenotypem niewydzielacza grupy Lewis (a+b-)[1].

Rozwój przełyku Barretta powiązano też ze skłonnością do zakażenia *H. pylori,* którą to bakterię podejrzewa się o udział w powstawaniu wrzodów żołądka. *H. pylori* zagraża przede wszystkim osobom z grupą krwi 0, nie z A. Jednakże komórki w stadium przedrakowym wytwarzają olbrzymie ilości antygenów grupowych i wiele osób, które fenotypowo należą do grupy

krwi A, ma w rzeczywistości genotyp A0, a zatem wytwarzają nie tylko antygen A, ale również 0. Co więcej, niskie stężenie kwasu żołądkowego, charakterystyczne dla osób z grupą krwi A, pozwala na namnażanie *H. pylori*[2].

## Terapie stosowane przy przełyku Barretta

*Wszystkie grupy krwi:*
- Unikaj leżenia bezpośrednio po posiłku.
- Utrzymuj pozycję wyprostowaną, unikaj pochylania do przodu, które wywołuje zwiększone ciśnienie w jamie brzusznej.
- Nie noś ubrań ciasnych w pasie.
- Unikaj zażywania leków, które zwiększają nacisk na dolny zwieracz przełyku.
- Jeśli masz nadwagę, postaraj się schudnąć – zmniejszy to ciśnienie w obrębie jamy brzusznej.

*Protokoły stosowane przy grupie krwi A:*
- wspomagający zdrowie żołądka
- wzmacniający układ odpornościowy
- zapobiegający nowotworom

*Protokoły stosowane przy grupie krwi B:*
- wspomagający zdrowie żołądka
- wzmacniający układ odpornościowy

*Protokoły stosowane przy grupie krwi AB:*
- wspomagający zdrowie żołądka
- wzmacniający układ odpornościowy
- zapobiegający nowotworom

*Protokoły stosowane przy grupie krwi 0:*
- wspomagający zdrowie żołądka
- wzmacniający układ odpornościowy
- antybakteryjny

## Tematy pokrewne

Nowotwory (ogólnie)
Rak przełyku
Rak żołądka
Refluks żołądkowo-przełykowy
Trawienie

**Bibliografia**

1. Mufti SI, Zirvi KA, Garewal HS. Precancerous lesions and biologic markers in esophageal cancer. *Cancer Detect Prev.* 1991;15;291–301.
2. Torrado J, Ruiz B, Garay J, et al. Blood-group phenotypes, sulfomucins, and *Helicobacter pylori* in Barrett's esophagus. *Am J Surg Pathol.* 1997;21:1023–1029.

---

## PRZEROST GRUCZOŁU KROKOWEGO
*– patrz Przerost prostaty*

**PRZEROST PROSTATY** – stopniowe powiększanie się gruczołu krokowego, częste u mężczyzn powyżej 50. roku życia.

| Przerost prostaty | RYZYKO WYSTĄPIENIA | | |
|---|---|---|---|
| | NISKIE | UMIARKOWANE | ZNACZNE |
| Grupa A | | | |
| Grupa B | | | |
| Grupa AB | | | |
| Grupa 0 | | | |
| wydzielacze | | | |

### Objawy

- częsta potrzeba oddawania moczu, zwłaszcza w nocy,
- niecałkowite opróżnianie pęcherza,
- ucisk na cewkę moczową,
- infekcje dolnych dróg moczowych,
- ból i pieczenie w czasie oddawania moczu.

### Krótko o przeroście prostaty

Prostata to niewielki gruczoł, normalnie wielkości orzecha włoskiego. Jest on ulokowany poniżej pęcherza moczowego i otacza cewkę moczową. Jego zadanie polega na produkowaniu płynu, który wchodzi w skład nasienia. Powiększenie prostaty, albo inaczej łagodny przerost prostaty (gruczołu krokowego), pojawia się

przede wszystkim wskutek zmian hormonalnych zachodzących z wiekiem. Szacuje się, że objawy przerostu prostaty na określonym etapie życia dotykają 50% mężczyzn. Część uczonych sugeruje, że przerost prostaty może świadczyć o niskim stężeniu hormonów męskich.

### Związki przerostu prostaty z grupami krwi

Mężczyźni z grupą krwi A i AB są bardziej narażeni na wystąpienie raka prostaty. Zachorowalność na raka prostaty jest też większa u wydzielaczy niż u niewydzielaczy. Ponieważ łagodny przerost prostaty może być sygnałem początków rozwoju raka prostaty, osoby z grupą krwi A i B, a zwłaszcza wydzielacze, powinny zachować szczególną czujność.

### Terapie stosowane przy przeroście prostaty

*U wszystkich czterech grup krwi układu AB0 stosuje się następujące protokoły:*
- zdrowotny dla mężczyzn
- wzmacniający układ odpornościowy
- zapobiegający nowotworom

### Tematy pokrewne

Odporność
Rak prostaty

---

**PRZERZUTY** *– patrz Nowotwory (ogólnie)*

## Przetaczanie krwi (transfuzja)

Według amerykańskiego Departamentu Kontroli Żywności i Leków tamtejsze zasoby banków krwi są stosunkowo bezpieczne. Nawet w takiej sytuacji nie oznacza to jednak, że przetaczanie krwi nie wiąże się z zagrożeniem. Krew jest tkanką, a więc produktem żywego organizmu, a jej przetaczanie zawsze wiąże się z pewnym ryzykiem. Na przykład, niebezpieczeństwo zakażenia wirusem HIV odpowiedzialnym za AIDS waha się od 1 przypadku na 61 tysięcy jednostek krwi do 1 na 225 tysięcy jednostek. W krajach rozwiniętych daje to każdego roku 90–300 zakażeń na 18 mln jednostek. Jednakże ryzyko wynikłe z transfuzji jest o wiele mniejsze niż to, które wynika z niezastosowania jej w chwili, gdy jest niezbędna. Jak dotąd uważa się, że krwiodawstwo jest całkowicie bezpieczne (np. brak doniesień o zakażeniu AIDS u krwiodawców).

## Stosowanie własnej krwi (autotransfuzja)

Pacjenci, u których przewiduje się, że w trakcie operacji mogą potrzebować przetoczenia krwi, mogą podjąć decyzję o wcześniejszym oddaniu krwi na potrzeby tej operacji. Takie postępowanie zmniejsza do minimum zagrożenie infekcją lub innymi szkodliwymi reakcjami. Praktyka ta zmniejsza również zapotrzebowanie na krwiodawców. Co więcej, zapewnia szybsze uzupełnienie ubytków krwi po operacji, ponieważ krwiodawstwo pobudza szpik kostny do wytwarzania nowych komórek krwi.

Czynniki, które wykluczają daną osobę z grona dawców krwi dla innych, nie zawsze muszą go dyskwalifikować jako dawcę krwi dla nich samych. Na przykład, osoby, które przeszły zapalenie wątroby, mogą być dawcami krwi do autotransfuzji. W niektórych wypadkach przetaczanie własnej krwi może być niewskazane – dzieje się tak w wypadku chorych na ciężkie postaci choroby serca i naczyń, dla których utrata jednej czy dwóch jednostek krwi może się wiązać z pogorszeniem stanu zdrowia. Wprawdzie zasoby płynnych składników krwi odnawiają się u dawców w ciągu zaledwie 24 godzin, to jednak uzupełnienie erytrocytów może trwać nawet 2 miesiące. Dlatego chorym, którzy często oddają krew na potrzeby swojej późniejszej operacji, podaje się preparaty żelaza przyspieszające wytwarzanie krwinek czerwonych.

## Metody oszczędzania krwi pacjenta

W wypadku operacji długotrwałych, w trakcie których może dojść do znacznej utraty krwi, zespół operacyjny może zastosować metodę mającą na celu śródoperacyjne pobranie krwi, aby prztoczyć ją choremu jeszcze w czasie trwania operacji. Praktyka ta, określana jako oszczędzenie krwi pacjenta (*salvage*) jest powszechną praktyką w operacjach na otwartej klatce piersiowej. Inna metoda oszczędzania polega na filtrowaniu krwi. Przefiltrowaną krew przetacza się osobie, od której została uzyskana. Przeciwwskazaniem do stosowania metod oszczędzania krwi pacjenta są rak i infekcje.

## Hemodylucja

Rozcieńczenie krwi (hemodylucja) to metoda mająca na celu zapobieżenie nadmiernej utracie erytrocytów. Przed operacją pacjentowi pobiera się krew, zastępując ją płynami podawanymi dożylnie. Pobrana krew zostaje przetoczona pacjentowi po operacji, a w ten sposób nie dochodzi do utraty czerwonych krwinek.

## Bezpośrednie dawstwo krwi

W transfuzji bezpośredniej przyjaciele lub rodzina oddają krew na rzecz konkretnego pacjenta, zazwyczaj krewnego. Tacy dawcy muszą przejść wszystkie standardowe badania krwi i testy. Część osób może czuć się pewniej, otrzymując krew od kogoś sobie znanego, specjaliści jednak uważają, że spokrewnienie nie daje żadnych gwarancji. Wprawdzie procedura dopasowywania krwi może przebiegać łatwiej, ale z kolei u osoby pobierającej krew łatwiej też może dojść do odrzucenia przetoczonej krwi. Komplikacja ta pojawia się wówczas, gdy krew dawcy i biorcy zawiera pewne wspólne substancje tkankowe. W rezultacie limfocyty z krwi przetoczonej mnożą się i obracają przeciwko tkankom biorcy.

## Sztuczna krew

Nie wiadomo, czy naukowcom uda się kiedyś stworzyć substytut krwi, który przenosiłby tlen z równą skutecznością jak ona i mógłby być wykorzystywany w procesie przetaczania krwi. Tymczasem pracują nad pewnymi obiecującymi projektami i szukają nowych pomysłów. Należy jednak pamiętać, że krew jest niezwykle złożoną tkanką, tak więc stworzenie pełnego substytutu może się okazać niemożliwe.

## Farmakoterapia chorób krwi

Istnieje pewna liczba leków i czynników biologicznych, które mogą zmniejszyć potrzebę transfuzji lub posłużyć jako rozwiązanie alternatywne. Leki te zastępują lub ograniczają krwawienie albo też stymulują szpik kostny do wytwarzania większej liczby erytrocytów. Metody te stosuje się w odniesieniu do pacjentów z niedokrwistością lub przyjmujących leki, które powodują upośledzenie normalnej funkcji szpiku kostnego (takie jak AZT – lek przeciw AIDS).

---

**PRZEZIĘBIENIE** – wspólne określenie kilku pospolitych infekcji górnych dróg oddechowych.

## Objawy

- ogólnie złe samopoczucie,
- gorączka,
- niedrożność kanałów nosowych,
- kichanie,
- ból gardła.

## Związki przeziębienia z grupami krwi

Istnieją setki różnych szczepów wirusów przeziębienia i określenie ich specyficzności w stosunku do tej czy innej grupy krwi jest właściwie niemożliwe. Jednakże badania przeprowadzone w grupie brytyjskich rekrutów wskazują, że ogólnie mniejszą skłonność do przeziębień wykazują osoby z grupą krwi A, a to z kolei zgadza się z naszą wiedzą na ten temat, mówiącą, że u osób z tą właśnie grupą krwi odporność na pospolite wirusy jest większa. Również wpływ wirusów na grupę krwi AB jest słabszy. Przyczyną jest antygen A, którego obecność w obu tych grupach krwi utrudnia przyczepianie się różnych szczepów grypy do śluzówki gardła i górnych dróg oddechowych.

GRYPA, najpoważniejsze z tych wirusowych infekcji, również prędzej atakuje grupy 0 i B niż grupy A i AB. W swych najwcześniejszych stadiach często przypomina zwykłą infekcję górnych dróg oddechowych. Jednakże różni się od nich, przede wszystkim dlatego, że powoduje odwodnienie, bóle mięśniowe i poważne osłabienie organizmu.

Objawy przeziębienia lub grypy są wprawdzie bardzo dokuczliwe, ale właściwie są sygnałem, że twój organizm próbuje zwalczyć zagrażające mu wirusy.

## Terapie stosowane przy przeziębieniu

*Wszystkie grupy krwi:*

1. Postaraj się utrzymywać w dobrym zdrowiu, głównie poprzez odpowiedni relaks i aktywność fizyczną, ale również poprzez wypracowanie metod radzenia sobie z przeciwnościami codzienności. Stres jest głównym czynnikiem zubożającym zasoby układu odpornościowego. Zdrowy tryb życia uchroni cię przed częstymi infekcjami, a w wypadku grypy lub przeziębienia może skrócić czas trwania choroby.

2. Trzymaj się podstawowych zaleceń dietetycznych dla twojej grupy krwi. To sprawi, że odpowiedź twojego organizmu będzie optymalna, a ewentualne infekcje przeziębieniowe będą trwały krótko.

3. Przyjmuj suplement witaminy C lub zwiększ ilość tej witaminy w swej diecie. Niewielkie dawki jeżówki (*Echinacea purpurea*) działają zapobiegawczo przeciw przeziębieniom, a przynajmniej skracają czas trwania choroby.

4. Użyj nawilżacza do podniesienia wilgotności w mieszkaniu; pozwoli ci to uniknąć przesuszenia śluzówki gardła i nosa.

5. Bolące gardło płucz wodą z solą. Pół łyżeczki zwykłej soli kuchennej na pełną szklankę przyjemnie ciepłej wody to płukanka kojąca ból i oczyszczająca gardło. Innym skutecznym środkiem do płukania gardła, zwłaszcza jeśli masz skłonności do zapalenia migdałków, jest herbatka z równych części gorzknika kanadyjskiego (*Hydrastis canadensis*) i szałwii. Płucz gardło tym naparem co kilka godzin.

6. Przy niedrożnym nosie lub wodnistym katarze zastosuj lek antyhistaminowy, który zmniejszy reakcję tkanki śluzówki na infekcję wirusami i przyniesie ulgę w oddychaniu. Bądź jednak ostrożny przy stosowaniu leków antyhistaminowych sporządzonych na bazie wyciągów z prześli (*Ephedra*), często stosowanych w lekach dostępnych bez recepty. Efedryna podnosi bowiem ciśnienie krwi i sprawia, że chory budzi się w nocy; u mężczyzn może pogłębić problemy z prostatą.

Pamiętaj, że antybiotyki nie leczą schorzeń wirusowych.

*U wszystkich czterech grup krwi układu AB0 stosuje się następujące protokoły:*
- wzmacniający układ odpornościowy
- antywirusowy

## Tematy pokrewne

Choroby wirusowe
Choroby zakaźne
Grypa
Odporność

---

**PSUCIE ZĘBÓW** – *patrz Próchnica zębów*

**RAK CHŁONIAK** – nowotwór złośliwy tkanki limfatycznej.

| Chłoniak | RYZYKO ZACHOROWANIA | | |
|---|---|---|---|
| | NISKIE | UMIARKOWANE | ZNACZNE |
| Grupa A | | | |
| Grupa B | | | |
| Grupa AB | | | |
| Grupa 0 | | | |

## Objawy

- różne

## Krótko o chłoniakach

Istnieją dwa główne rodzaje chłoniaka. Chłoniak Hodgkina (choroba Hodgkina, ziarnica złośliwa) została nazwana imieniem doktora Thomasa Hodgkina, który w 1832 roku opisał ją jako pierwszy. Wszystkie inne chłoniaki określane są mianem nieziarniczych. Oba wymienione typy nowotworu można zazwyczaj rozróżnić mikroskopowo. W niektórych wypadkach wymagane są jeszcze dodatkowe analizy, pozwalające zidentyfikować swoiste chemiczne składowe komórek chłoniaka albo testy DNA.

*Chłoniak Hodgkina:* czyli ziarnica złośliwa, zaczyna się w tkance limfatycznej. Tkanka ta to węzły chłonne i inne narządy stanowiące część układu limfatycznego, który chroni organizm przeciw zarazkom. Ponieważ tkanka limfatyczna znajduje się w wielu częściach ciała, choroba Hodgkina może się rozpocząć w zasadzie wszędzie. Choroba ta powoduje, że tkanka się powiększa i naciska na struktury z nią sąsiadujące. Rak rozprzestrzenia się przez naczynia limfatyczne, a dostawszy się do naczyń krwionośnych, może dotrzeć do każdego zakątka ciała.

Nie istnieją testy, które pozwoliłyby wykryć chorobę Hodgkina wcześnie, do tego niektóre osoby na nią cierpiące w ogóle nie mają objawów. Do najczęstszych objawów należy niebolesne powiększenie węzłów chłonnych. U większości chorych jednak, zwłaszcza u dzieci, powiększenie węzłów chłonnych nie jest wynikiem raka, ale infekcji. Jeśli ty lub twoje dziecko macie węzły chłonne powiększone do około 2 centymetrów średnicy, a nie przechodzicie żadnej zauważalnej infekcji, lepiej, by obejrzał je lekarz.

Inne objawy choroby Hodgkina mogą być skutkiem opuchnięcia węzłów chłonnych wewnątrz klatki piersiowej, co powoduje nacisk na tchawicę. Do objawów tych należy kaszel i krótkość oddechu. U części chorych pojawiają się gorączka, zlewne poty nocne i chudnięcie. Gorączka może się pojawić i zniknąć po kilku dniach lub tygodniach.

*Chłoniaki nieziarnicze* to chłoniaki, które zaczynają się w tkance limfatycznej. Układ limfatyczny jest ważny ze względu na funkcję w wychwytywaniu zarazków i komórek nowotworowych, a także odprowadzania płynów z obszarów peryferyjnych i narządów wewnętrznych ciała. Inne rodzaje raka – np. płuc lub okrężnicy – rozwijają się w narządach, a dopiero później rozprzestrzeniają w obrębie tkanki limfatycznej. Jednakże chłoniaki nieziarnicze rozwijają się w układzie limfatycznym, a rozprzestrzeniają na inne narządy.

Chłoniaki nieziarnicze są na piątym miejscu co do częstości występowania w Stanach Zjednoczonych, nie wliczając w to raka skóry. Od początków lat siedemdziesiątych XX wieku częstość zachorowań na chłoniaki nieziarnicze zwiększyła się niemal dwukrotnie; obserwowany wzrost jednak nie tylko świadczył o faktycznym wzroście zapadalności na tę chorobę, ale też był wynikiem lepszych metod jej wykrywania. W latach dziewięćdziesiątych XX wieku tempo wzrostu zachorowalności zaczęło spadać i być może choroba ta znajduje się już w odwrocie.

Wprawdzie niektóre rodzaje chłoniaków nieziarniczych należą do najbardziej rozpowszechnionych nowotworów dziecięcych, jednakże 95% zachorowań odnotowuje się u dorosłych. Średni wiek, w którym dochodzi do rozpoznania tej choroby, określić można jako początek czwartej dekady życia. Ryzyko zachorowania na chłoniaki nieziarnicze rośnie z wiekiem; w największym zagrożeniu znajdują się ludzie starsi.

Można oczekiwać, że w ciągu najbliższych kilku lat starzejące się amerykańskie społeczeństwo będzie miało swój udział we wzroście zachorowalności na chłoniaki nieziarnicze. Nowotwory te częściej pojawiają się u mężczyzn niż u kobiet, a osoby o korzeniach kaukaskich padają ich ofiarą częściej niż Afrykanie i Azjaci.

Chłoniak nieziarniczy, w trakcie którego doszło do wyraźnego powiększenia węzłów chłonnych znajdujących się blisko powierzchni ciała (węzłów po obu stronach szyi, w pachwinach lub pod pachami czy ponad obojczykiem), jest zwykle łatwy do zauważenia przez samego pacjenta, jego rodzinę lub lekarza.

Kiedy zmiany zachodzą w tkance znajdującej się w obrębie jamy brzusznej, może dojść do opuchnięcia brzucha, bywa, że wygląda to jak ciąża. Czasem przyczyną jest zatrzymywanie wody. Nowotwór niszczy śluzówkę jamy brzusznej i sprawia, że organizm zatrzymuje ogromne ilości płynów. Kiedy chłoniak powoduje obrzęk tkanki limfatycznej w pobliżu jelit, może dojść do zablokowania drogi, którą normalnie usuwane są odchody. Ciśnienie lub zablokowanie mogą też spowodować dyskomfort i ból brzucha.

Kiedy chłoniak rozwija się w grasicy, podrażnienie lub nacisk na znajdującą się nieopodal tchawicę może wywołać kaszel, krótkość oddechu czy nawet uduszenie. Żyła próżna górna to duże naczynie krwionośne, którym przepływa krew z mózgu i ramion do serca. Przechodzi ona blisko grasicy i węzłów chłonnych obecnych w klatce piersiowej. Rozrastający się chłoniak może zgnieść tę żyłę. Pojawia się wówczas opuchlizna głowy i ramion znana jako zespół żyły próżnej górnej. Zmiany te mogą też mieć wpływ na mózg i mogą zagrażać życiu. Pacjenci z zespołem żyły próżnej muszą być niezwłocznie poddani leczeniu.

Poza objawami i sygnałami, które pojawiają się w wyniku rozrastającego się nowotworu, chłoniaki nieziarnicze mogą wywołać różne ogólne objawy, takie jak: niewyjaśnione chudnięcie, gorączka, zlewne poty („do ostatniej nitki"), zwłaszcza nocą, czy wreszcie silny świąd. Onkolodzy określają czasem te objawy mianem „symptomów B". Obecność symptomów B daje złe rokowania i wiąże się u niektórych pacjentów ze szczególnie dużym namnożeniem komórek rakowych.

## Związki chłoniaków z grupami krwi

Istnieją jedynie wstępne dane na temat związków grup krwi z chłoniakami. Wirus Epsteina--Barra może mieć udział w rozwoju choroby Hodgkina, stawiając osoby z grupą krwi B w gronie ludzi o nieznacznie podwyższonej skłonności do tej choroby. Grupie krwi 0 przypisuje się najlepsze rokowania. Aby jednak można było wyciągnąć bardziej definitywne konkluzje na ten temat, potrzebne są dalsze badania.

## Terapie stosowane przy chłoniakach

*Protokoły stosowane przy grupie krwi A:*
- zapobiegający nowotworom
- wspomagający chemioterapię
- pooperacyjny
- rekonwalescencyjny po wyniszczającej chorobie

*Protokoły stosowane przy grupie krwi B:*
- zapobiegający nowotworom
- wspomagający chemioterapię
- antywirusowy
- pooperacyjny
- rekonwalescencyjny po wyniszczającej chorobie

*Protokoły stosowane przy grupie krwi AB:*
- zapobiegający nowotworom
- wspomagający chemioterapię
- pooperacyjny
- rekonwalescencyjny po wyniszczającej chorobie

*Protokoły stosowane przy grupie krwi 0:*
- zapobiegający nowotworom
- wspomagający chemioterapię
- pooperacyjny
- rekonwalescencyjny po wyniszczającej chorobie

## Tematy pokrewne

Nowotwory (ogólnie)
Odporność
Wirus Epsteina–Barra

---

**RAK JAJNIKA** – nowotwór złośliwy jajnika.

| Rak jajnika | RYZYKO ZACHOROWANIA | | |
|---|---|---|---|
| | NISKIE | UMIARKOWANE | ZNACZNE |
| Grupa A | | | |
| Grupa B | | | |
| Grupa AB | | | |
| Grupa 0 | | | |
| Rh+ | | | |

## Objawy

- obrzęk brzucha,
- nienormalne krwawienia z pochwy,
- uczucie ciśnienia wewnątrz miednicy,
- ból krzyża,
- ból nogi,
- problemy trawienne, takie jak gazy, wzdęcie, niestrawność lub długotrwały ból żołądka.

## Krótko o raku jajnika

Rak jajnika jest szóstym co do częstości występowania nowotworem złośliwym u kobiet, a zarazem piątą najczęstszą przyczyną śmierci z powodu nowotworu. Rak jajnika powoduje więcej zejść śmiertelnych niż którykolwiek inny rak dróg rodnych. Większość kobiet, u których rozpoznano raka jajnika, jest w wieku postmenopauzalnym.

Szanse przeżycia są tym większe, im wcześniej choroba zostanie zdiagnozowana. W wypadku raka wykrytego i leczonego przed rozpoczęciem fazy przerzutowej szanse na przeżycie co najmniej 5 lat wynoszą 95%. Niestety, tylko 25%

przypadków raka jajnika zostaje zdiagnozowana w tym wczesnym stadium.

Jednym z czynników ryzyka są przypadki raka jajnika w rodzinie. W wypadku kobiety, której najbliższa krewna, np. matka lub siostra, chorowała na raka jajnika, ryzyko zachorowania na tę postać nowotworu rośnie z 1,4 do 5%. Przy dwóch lub większej liczbie chorych krewnych pierwszego rzędu zagrożenie rośnie do 7%. W rodzinach z zespołem dziedzicznego raka jajnika ryzyko zachorowania wynosi 40–50%.

Małe guzy jajników są trudne do rozpoznania, nawet dla bardzo doświadczonego lekarza. Wczesne guzy dają często objawy mało charakterystyczne. Należy do nich opuchnięcie brzucha (w związku z nagromadzaniem płynów), nienormalne krwawienia, zaburzenia trawienne. Większość z tych objawów może mieć zupełnie inne, mniej lub bardziej poważne przyczyny. Nim wreszcie rak jajnika zostanie wzięty pod uwagę jako potencjalna przyczyna tych nieswoistych objawów, może dojść do przerzutów. Co więcej, niektóre z raków jajnika mogą się bardzo szybko rozprzestrzeniać do sąsiadujących narządów. Wynika z tego, że zwracanie uwagi na objawy może zwiększyć szanse wczesnej diagnozy i skutecznego leczenia. Jeśli masz objawy, które mogą świadczyć o raku jajnika, zgłoś je natychmiast swemu lekarzowi.

## Związki raka jajnika z grupami krwi

U 175 kobiet z rozpoznanymi guzami i cystami jajnika zbadano udział poszczególnych grup krwi i porównano wyniki z próbą kontrolną. Okazało się, że największe prawdopodobieństwo rozwoju guza jajnika obserwuje się u kobiet z grupą krwi AB. Najmniejsze prawdopodobieństwo, że taki guz przekształci się w nowotwór złośliwy, charakteryzuje grupę krwi B. W układzie grupowym Rh większą zachorowalność na guzy i cysty jajnika odnotowano u kobiet z grupą Rh+[1].

W latach 1955–1979 w islandzkim Rejestrze Przypadków Raka zgłoszono 337 pacjentek z nowotworem jajnika. W wypadku 192 pacjentek znana była grupa krwi układu AB0. Stwierdzono, że wśród chorych przeważała grupa krwi A, z kolei pacjentek z grupą krwi B było mniej, niż oczekiwano.

## Terapie stosowane przy raku jajnika

*Wszystkie grupy krwi:*

*Monitorowanie*: u kobiet z grupy ryzyka, podejrzewanych o potencjalną skłonność do zachorowania na raka jajnika, np. tych, które miały w najbliższej rodzinie przypadki takiej choroby, można wykonywać okresowe transwaginalne badania USG i badania krwi. Sonografia transwaginalna pomaga znaleźć nieprawidłowości w budowie jajników, ale nie umożliwia rozróżnienia między zmianami złośliwymi i łagodnymi. Badanie krwi może obejmować pomiar ilości markera nowotworowego CA-125. Stężenie tego białka jest wyższe u kobiet chorych na raka jajnika. Należy jednak pamiętać, że niektóre nienowotworowe choroby jajników również mogą powodować podwyższenie stężenia CA-125, natomiast niektóre nowotwory jajnika mogą nie podwyższać stężenia markera CA-125 do poziomu wykrywalnego testem. Jeśli jednak testy dadzą wynik pozytywny, może zaistnieć konieczność wykonania badań radiologicznych, pobrania próbki płynu z jamy brzucha albo wycinka tkanki jajnika, ponieważ tylko wówczas można stwierdzić, czy faktycznie mamy do czynienia z rakiem.

*U wszystkich czterech grup krwi układu AB0 stosuje się następujące protokoły:*
- zapobiegający nowotworom
- wspomagający chemioterapię
- pooperacyjny
- rekonwalescencyjny po wyniszczającej chorobie

## Tematy pokrewne

Guzy dróg rodnych kobiety
Nowotwory (ogólnie)
Odporność

**Bibliografia**

1. Rybalka AN, Andreeva PV, Tikhonenko LF, Koval'chuk NA. [AB0 system blood groups and the rhesus factor in tumors and tumorlike processes of the ovaries]. *Vopr Onkol.* 1979;25:28–30.
2. Bjarnason O, Tulinius H. Tumours in Iceland. 9. Malignant tumours of the ovary. A histological classification, epidemiological considerations and survival. *Acta Pathol Microbiol Immunol Scand [A].* 1987;95:185–192.

# RAK KRWI*, CZYLI BIAŁACZKA – złośliwy nowotwór tkanek wytwarzających krew.

| Białaczka | RYZYKO ZACHOROWANIA | | |
|---|---|---|---|
| | NISKIE | UMIARKOWANE | ZNACZNE |
| Grupa A | | | |
| Grupa B | | | |
| Grupa AB | | | |
| Grupa 0 (mężczyźni) | | | |
| Typ A$_2$ | | | |

## Objawy

- chudnięcie,
- gorączka,
- utrata apetytu,
- niedokrwistość, niedobór erytrocytów, co powoduje:
  - zadyszkę (krótki oddech),
  - nadmierne zmęczenie,
  - bladość.

## Krótko o białaczce

Białaczka to nowotwór złośliwy białych komórek krwi. Rak ten zaczyna się w szpiku kostnym, ale może się rozprzestrzeniać z krwią na węzły limfatyczne, śledzionę, wątrobę, ośrodkowy układ nerwowy i inne narządy. Białaczka jest chorobą złożoną; wyróżnia się następujące białaczki:

*Ostre*, to znaczy szybko postępujące. Wprawdzie komórki rosną szybko, ale nie są w stanie dojrzeć.

*Przewlekłe* – komórki mają wygląd dojrzałych, ale nie są normalnie ukształtowane. Komórki żyją zbyt długo, a to powoduje nagromadzanie się pewnego rodzaju krwinek białych.

Białaczki *limfocytarne* to takie, które rozwijają się z limfocytów w szpiku kostnym.

Białaczki *szpikowe* rozwijają się z dwóch rodzajów białych krwinek: granulocytów lub monocytów.

Większość objawów ostrej białaczki wynika z niedoboru normalnych krwinek; ich produkcja w obrębie szpiku kostnego ulega upośledzeniu na rzecz krwinek zmienionych nowotworowo. W rezultacie w organizmie chorego zaczyna brakować normalnie funkcjonujących krwinek czerwonych, białych i płytek krwi. U osób takich pojawia się:

- niedokrwistość, niedobór krwinek czerwonych, nadmierne zmęczenie i bladość,
- powiększenie wątroby i śledziony, dwóch narządów położonych odpowiednio po prawej i lewej stronie brzucha. Powiększenie tych narządów może być odczuwane jako wrażenie „pełności" czy nawet opuchnięcia brzucha,
- powiększenie węzłów chłonnych, zaczerwienienie skóry, opuchnięcie dziąseł, ich ból i krwawienie – wszystkie te objawy związane są z rozprzestrzenianiem się białaczki.

## Związki białaczki z grupami krwi

U pacjentów z nowotworami krwi często obserwuje się brak antygenów A, B i 0 na powierzchni czerwonych krwinek. Dotyczy to zwłaszcza nowotworów o pochodzeniu szpikowym. Istnieją badania, z których wynika, że u 55% pacjentów z grupą krwi A, B lub AB zaobserwowano zmniejszoną

---

* Rak krwi jest nazwą potoczną, zastosowaną tu wyłącznie w celu zachowania spójności działu mówiącego o chorobach nowotworowych – przyp. tłum.

– w porównaniu do 127 osób zdrowych – ekspresję antygenów grupowych. W większości wypadków zmiany te nie były możliwe do wykrycia na drodze rutynowych badań serologicznych. U 28 pacjentów zaobserwowano zmianę pierwotną w postaci utraty antygenów A i B. U 17% utrata antygenów A i B była zmianą wtórną, konsekwencją utraty prekursora antygenu H (0). Zaburzenia w postaci zmian liczebnościowych dwóch antygenów, H (0) i A lub B, zaobserwowano u 10% chorych. Utrata antygenu H została wykryta u 21% chorych z grupą krwi 0, natomiast u żadnego z 51 zdrowych pacjentów z tą grupą krwi nie zaobserwowano takiej tendencji. Zaburzenia ekspresji antygenów układu grupowego AB0 mogą być uważane za powszechne zjawisko w nowotworach złośliwych pochodzenia szpikowego[1].

Białaczka ostra spotykana jest częściej u mężczyzn niemal w każdym wieku, a jej przyczyny pozostają właściwie niewyjaśnione. W trakcie pewnych badań na mieszkańcach północno--wschodniej Malezji miano wykazać, czy między mężczyznami i kobietami istnieje różnica, zależna od układu grupowego krwi AB0, w częstości występowania tej choroby. Porównano dystrybucję antygenów grup krwi u 109 mężczyzn i 79 kobiet z białaczką ostrą z ich dystrybucją u 1019 osób zdrowych. W populacji kontrolnej 39,7% osób miało grupę krwi 0. Wśród mężczyzn z ostrą białaczką 39,4% stanowili mężczyźni z grupą krwi 0, podczas gdy wśród chorych kobiet odsetek nosicielek krwi grupy 0 wynosił 24,1. Ta sama tendencja do mniejszego udziału kobiet ujawniła się, gdy podzielono chorych na: dorosłych i dzieci oraz na chorych z białaczką limfoblastyczną i szpikową, jednakże w tych wypadkach różnice nie były istotne statystycznie. Gdyby badania te znalazły potwierdzenie w innych studiach, sugerowałoby to istnienie jakiegoś genu „wrażliwego na płeć" na chromosomie 9., w pobliżu lokalizacji genu układu grupowego AB0, który w jakimś stopniu chroniłby kobiety z grupą krwi 0 przed ostrą białaczką. Istnienie takiego genu mogłoby też po części wyjaśnić, dlaczego ostra białaczka, a być może i inne nowotwory występujące u dzieci, częściej pojawiają się u osób płci męskiej[2].

U chorych z przewlekłą białaczką limfocytarną wykryto również wyraźnie większą częstość występowania fenotypu $A_2$[3].

## Terapie stosowane przy białaczce

*U wszystkich czterech grup krwi układu AB0 stosuje się następujące protokoły:*
- zapobiegający nowotworom
- wspomagający chemioterapię
- pooperacyjny
- rekonwalescencyjny po wyniszczającej chorobie

## Tematy pokrewne

Nowotwory (ogólnie)
Odporność

**Bibliografia**

1. Marsden KA, Pearse AM, Collins GG, Ford DS, Heard S, Kimber RI. Acute leukemia with t(1;3)(p36;q21), evolution to t(1;3)(p36;q21), t(14;17)(q32;q21), and loss of red cell A and Le(b) antigens. *Cancer Genet Cytogenet.* 1992;64:80–85.
2. Jackson N, Menon BS, Zarina W, Zawawi N, Naing NN. Why is acute leukemia more common in males? A possible sex-determined risk linked to the AB0 blood group genes. *Ann Hematol.* 1999;78:233–236.
3. Janardhana V, Propert DN, Green RE. AB0 blood groups in hematologic malignancies. *Cancer Genet Cytogenet.* 1991;51:113–120.
4. Bianco T, Farmer BJ, Sage RE, Dobrovic A. Loss of red cell A, B, and H antigens is frequent in myeloid malignancies. *Blood.* 2001;97:3633–3639.

# RAK MACICY I INNE GUZY DRÓG RODNYCH KOBIETY – zmiany nowotworowe macicy, jajników i pochwy.

| Guzy dróg rodnych kobiety | RYZYKO ZACHOROWANIA | | |
|---|---|---|---|
| | NISKIE | UMIARKOWANE | ZNACZNE |
| Grupa A | | | |
| Grupa B | | | |
| Grupa AB | | | |
| Grupa 0 | | | |

Drogi rodne kobiety zagrożone są ze strony nowotworów, takich jak: rak śluzówki macicy, rak jajników, rak szyjki macicy, rak sromu, rak pochwy, rak jajowodu i nabłoniak kosmówkowy złośliwy.

## Związki raka narządów rodnych z grupami krwi

W celu ustalenia różnic przeżywalności między pacjentkami o różnych grupach krwi przeprowadzono retrospektywną analizę danych dotyczących 968 kobiet leczonych z powodu nowotworów dróg rodnych. W polu zainteresowania badaczy znalazło się 237 przypadków raka śluzówki macicy, 92 przypadki raka jajników i 639 przypadków inwazyjnego raka szyjki macicy. W każdym przypadku ustalono fenotyp grupy krwi pacjentki, stadium raka i zastosowane leczenie. W przypadku raka śluzówki macicy stwierdzono wyższą 5-letnią i 10-letnią przeżywalność u osób z grupą krwi 0 niż u osób z grupą krwi A. Odkrycie to znajduje jeszcze dodatkowe potwierdzenie w postaci wyraźnie większej pięcioletniej przeżywalności pacjentek z rakiem jajników. W wypadku raka szyjki macicy analiza wykazała nieznacznie większą pięcioletnią przeżywalność u kobiet z grupą krwi 0. Badania potwierdziły istnienie związku między grupą krwi A i skłonnością do zapadania na raka dróg rodnych. Zarówno rak śluzówki macicy, jak i rak jajowodów częściej występowały u kobiet z grupą krwi A. Co więcej, ta właśnie grupa krwi częściej daje w wypadku tych nowotworów złe rokowania[1,2].

## Tematy pokrewne

Nowotwory (ogólnie)
Odporność

### Bibliografia

1. Marinaccio M, Traversa A, Carioggia E, et al. [Blood groups of the AB0 system and survival rate in gynecologic tumors]. *Minerva Ginecol.* 1995;47:69–76.
2. Milunicova A, Jandova A, Skoda V. [The secretion of ABH group substances by women with gynecologic carcinomas]. *Z Immunitatsforsch Allerg Klin Immunol.* 1969;139:90–93.

# RAK MACICY: RAK ŚLUZÓWKI MACICY – nowotwór złośliwy śluzówki macicy.

| Rak macicy | RYZYKO ZACHOROWANIA | | |
|---|---|---|---|
| | NISKIE | UMIARKOWANE | ZNACZNE |
| Grupa A | | | |
| Grupa B | | | |
| Grupa AB | | | |
| Grupa 0 | | | |
| niewydzielacze | | | |

## Objawy

• krwawienia postmenopauzalne

## Krótko o raku śluzówki macicy

Rak macicy jest najpowszechniejszym nowotworem złośliwym narządów rodnych kobiet, a w ogóle trzecim co do częstości występowania kobiecym nowotworem złośliwym (po raku sutka i raku okrężnicy i odbytnicy). Najczęściej występuje u kobiet po menopauzie, w przedziale wiekowym między 50. a 60. rokiem życia. Do czynników sprzyjających wystąpieniu tej choroby zaliczyć należy: OTYŁOŚĆ, CUKRZYCĘ, NADCIŚNIENIE, BEZPŁODNOŚĆ, w przeszłości NIEREGULARNE MIESIĄCZKI, późny początek MENOPAUZY (po 52. roku życia) i stosowanie terapii estrogenowej. Ogólnie rzecz ujmując, odsetek przeżyć pięcioletnich w wypadku raka śluzówki macicy jest dość wysoki.

Ponad 5 lat leczenia ma szansę przeżyć prawie 63% pacjentek, nie wykazując przy tym żadnych objawów choroby; 28% w ciągu tego okresu umiera; 9% przeżyje, ale z objawami choroby. W USA odsetek przeżyć pięcioletnich dla guza w I stadium sięga 90%.

Najczęstszym objawem raka śluzówki macicy jest krwawienie postmenopauzalne. Niezwłocznie udaj się do lekarza, jeśli zaobserwujesz u siebie takie właśnie objawy.

### Związki raka śluzówki macicy z grupami krwi

Normalna tkanka śluzówki macicy nie zawiera antygenów grup krwi, ale przeszło w połowie nowotworów złośliwych śluzówki można stwierdzić obecność tych substancji. W porównaniu ze zdrową tkanką śluzówki macicy tkanka zrakowaciała wykazuje zwiększoną ekspresję antygenów z układu grupowego Lewis, a szczególnie antygenu Lewis$_{(b)}$.

### Terapie stosowane przy raku macicy

*U wszystkich czterech grup krwi układu AB0 stosuje się następujące protokoły:*

- zapobiegający nowotworom
- wspomagający chemioterapię
- pooperacyjny
- rekonwalescencyjny po wyniszczającej chorobie

### Tematy pokrewne

Nowotwory (ogólnie)
Rak macicy i inne guzy dróg rodnych kobiety

**RAK MÓZGU** – *patrz Rak mózgu: Glejak i inne nowotwory mózgu*

## RAK MÓZGU: GLEJAK I INNE NOWOTWORY MÓZGU – nowotwory mózgu, rdzenia kręgowego i układu nerwowego.

| Glejak | RYZYKO | | |
|---|---|---|---|
| | NISKIE | UMIARKOWANE | ZNACZNE |
| Grupa A | | | |
| Grupa B | | | |
| Grupa AB | | | |
| Grupa 0 | | | |

### Objawy

- drętwienie i/lub słabość nóg,
- przyjmowanie dziwnej pozycji,
- ból głowy,
- mdłości,
- wymioty,
- niewyraźne widzenie.

### Krótko o glejaku

Glejak to wspólna nazwa trzech* nowotworów mózgu:

*Gwiaździak* (astrocytoma) – większość nowotworów mózgu ma swój początek w komórkach astrocytów. Takie nowotwory nazywa się gwiaździakami. Dużej części gwiaździaków nie można wyleczyć, ponieważ rozprzestrzeniają się w okolicznych zdrowych tkankach. Czasami gwiaździaki rozprzestrzeniają się wzdłuż rdzenia, korzystając z kanału, którym przepływa płyn mózgowo-rdzeniowy. Poza nielicznymi wyjątkami gwiaździaki nie rozprzestrzeniają się poza mózg i rdzeń kręgowy.

*Skąpodrzewiak* (oligodendroglioma) – nowotwory tego typu biorą początek z komórek glejowych skąpowypustkowych

---

* Według niektórych autorów można też wyróżnić: gąbczaka wielopostaciowego (*glioblastoma multiforte*) i rdzeniaka (*meduloblastoma*) – przyp. tłum.

(oligodendrocytów). Rozprzestrzeniają się i przenikają do tkanek sąsiednich w sposób podobny do astrocytów i, w większości wypadków, ich całkowite usunięcie nie jest możliwe. W niektórych przypadkach zachorowań na ten rodzaj glejaka obserwowano jednak przeżycie nawet 30–40-letnie. Skąpodrzewiak rozprzestrzenia się z płynem mózgowo-rdzeniowym, ale rzadko daje przerzuty poza mózg i rdzeń.

*Wyściółczak* (ependymoma) – ten rodzaj glejaka zaczyna się w komórkach zwanych ependymocytami. Wyściółczak może blokować ujścia płynu mózgowo-rdzeniowego z komór mózgowych, powodując znaczne ich powiększenie, jako wodogłowie. W przeciwieństwie do poprzednich glejaków nie rozprzestrzenia się i nie wnika do zdrowej tkanki mózgowej. W rezultacie niektóre (choć nie wszystkie) wyściółczaki daje się chirurgicznie usunąć i całkowicie wyleczyć. Glejakami o najlepszych rokowaniach dla pacjenta są wyściółczaki rdzenia kręgowego. Wyściółczak może się rozprzestrzeniać kanałem płynu mózgowo-rdzeniowego, ale nie daje przerzutów poza mózgiem i rdzeniem.

Wczesne rozpoznanie nowotworu mózgu zależy od miejsca jego lokalizacji. Nowotwory umiejscowione w najważniejszych obszarach mózgu mogą dawać objawy wcześniej niż nowotwory zlokalizowane w mniej istotnych obszarach. Nowotwory mózgu i rdzenia kręgowego często upośledzają swoiste funkcje nerwowe. Na przykład, nowotwory rdzenia kręgowego często wywołują drętwienie i/lub słabość obu nóg, a guzy umiejscowione w zwojach podstawy mózgu często wywołują nietypowe pozycje ciała. Nowotwory w obrębie mózgu mogą być przyczyną zwiększonego ciśnienia wewnątrz czaszki, to zaś powoduje bóle głowy, nudności, wymioty i nieostre widzenie. Ból głowy jest jednym z ważniejszych symptomów nowotworu mózgu, zdarza się u około 50% pacjentów.

## Związki nowotworów mózgu z grupami krwi

Między grupą krwi A i nowotworami mózgu i układu nerwowego zaobserwowano dodatnią, stałą i nieraz bardzo wyraźną korelację. Słabsze związki tego typu zaobserwowano w wypadku grupy krwi B, natomiast grupa krwi 0 daje w wypadku raka mózgu i innych nowotworów układu nerwowego dobre rokowania.

Co więcej, okazało się, że przynależność do danej grupy w obrębie układu AB0 jest przy glejakach dobrą cechą prognostyczną. W pewnych badaniach nad skąpodrzewiakiem wykazano, że pacjenci z grupą krwi A mieli dużo gorsze rokowania niż pacjenci z grupą krwi 0 lub B. Dane przeżyciowe w obrębie tej grupy wskazują, że w jej wypadku skąpodrzewiaki mózgu rokują znacznie gorzej, niż dotychczas sądzono[1].

W innych badaniach przeanalizowano statystycznie rozkład grup krwi wśród 271 pacjentów leczonych z powodu glejaka wielopostaciowego. Grupa kontrolna składała się z 500 pacjentów leczonych z powodu urazów czaszkowo-mózgowych. Porównanie obu grup wykazało istotną statystycznie różnicę w dystrybucji grup krwi układu AB0, a mianowicie wśród chorych na glejaka stosunkowo większy był udział osób z grupą krwi A, a mniejszy z grupą krwi 0[2].

Na podstawie czasu przeżycia pacjentów, którzy przeszli operację z powodu złośliwego glejaka (III–IV stopień złośliwości), oceniono skuteczność zastosowanej po operacji chemio- i immunoterapii. Oceniając różne schematy złożonego leczenia pooperacyjnego, uwzględniono grupę krwi pacjentów, ponieważ wiadomo, że wiele antybiotyków antyneoplastycznych zawiera struktury, które wchodzą w reakcję krzyżową z izoantygenami układu AB0. Wyniki badań pokazały, że u neuroonkologicznych pacjentów z grupą A (II) i AB (IV) obiecujące rezultaty dają polichemioterapia i podawanie lewamizolu. Lewamizol i antyneoplastyczny antybiotyk o nazwie Reumycyna okazały się faktycznie skuteczne u pacjentów z grupą krwi A (II) i mało wydajne u chorych z grupą krwi 0 (I). Uzyskane dane mogą dostarczyć wskazówek w zakresie ewentualnej chemioterapii[3].

Wyjątkiem w tym ogólnym schemacie podatności na nowotwory układu nerwowego jest gruczolak przysadki. Wykazano, że towarzyszy mu wyraźny wzrost częstości występowania grupy krwi 0. Wykonano analizę statystyczną na podstawie danych o 282 mieszkańcach Bostonu (wszystkich grup krwi) cierpiących na nowotwór mózgu i 55 089 osobach z grupy kontrolnej. Okazało się, że gruczolak przysadki występuje znacznie częściej u osób z grupą krwi 0 (prawie 62% gruczolaków) niż inne nowotwory mózgu, które „preferowały" grupę krwi A[4].

## Terapie stosowane przy glejaku i innych nowotworach mózgu

*U wszystkich czterech grup krwi układu AB0 stosuje się następujące protokoły:*
* zapobiegający nowotworom
* uzupełniający chemioterapię
* pooperacyjny
* rekonwalescencyjny po wyniszczającej chorobie

## Tematy pokrewne

Nowotwory (ogólnie)
Odporność

**Bibliografia**

1. Turowski K, Czochra M. [AB0 blood groups in glioblastoma multiforme]. *Neurol Neurochir Pol.* 1979;13:173–176.
2. Mork SJ, Lindegaard KF, Halvorsen TB, et al. Oligodendroglioma: incidence and biological behavior in a defined population. *J Neurosurg.* 1985;63:881–889.
3. Romodanov SA, Gnedkowa IA, Lisianyi NI, Glavatskii AI. [Efficacy of chemotherapy and immunochemotherapy in neuro-oncologic patients of various blood groups (AB0 system)]. *Zh Vopr Neurokhir Im N N Burdenko.* 1989;(1):17–20.
4. Mayr E, Diamond L, Levine RP, Mayr M. Suspected correlation between blood group frequency and pituitary adenoma. *Science.* 1956;(9):932–934.

**RAK ODBYTNICY** – *patrz Rak okrężnicy*

**RAK OKRĘŻNICY** – wraz z rakiem odbytnicy należy do częstszych nowotworów złośliwych człowieka.

| Rak okrężnicy | RYZYKO | | |
|---|---|---|---|
| | NISKIE | UMIARKOWANE | ZNACZNE |
| Grupa A | | | |
| Grupa B | | | |
| Grupa AB | | | |
| Grupa 0 | | | |

## Objawy

* krwawienie z odbytnicy,
* ból brzucha,
* zmiana nawyków defekacyjnych i/lub zmiana kształtu, wielkości i koloru stolca – zwłaszcza stopniowo rosnąca skłonność do zaparć i czarne stolce,
* ostre zaparcie: ból kolkowy, rosnące wzdęcie, niemożność oddania stolca lub gazów,
* utrata masy ciała,
* jadłowstręt.

## Krótko o raku okrężnicy

Dziewięć na dziesięć osób, u których wcześnie zdiagnozowano raka okrężnicy, przeżywa co najmniej pięć lat po rozpoznaniu. Jeśli jednak rak rozprzestrzeni się do sąsiednich narządów lub węzłów chłonnych, odsetek przeżyć pięcioletnich spada do 65%. Osoby, u których przerzuty dotarły do narządów odległych, takich jak wątroba czy płuca, mają już tylko 8% szans na przeżycie pięciu lub więcej lat.

Objawy pojawiają się stopniowo i zależą od lokalizacji raka, jego wielkości, rodzaju i powikłań. Często pierwsze sygnały ze strony raka okrężnicy pojawiają się wtedy, gdy zaczyna on uciskać sąsiadujące narządy, takie jak pęcherz moczowy lub żołądek albo kiedy dochodzi do perforacji jelit i zapalenia otrzewnej. Objawy mogą być różne, w zależności od umiejscowienia guza:

*Prawa strona:* poprzez ścianę brzucha można niekiedy wyczuć wyraźne zgrubienie; w wyniku anemii, będącej rezultatem utajonego krwotoku, pacjent czuje się zmęczony i osłabiony. Zmiana zwyczajów defekacyjnych jest objawem typowym dla stadium późnego choroby.

*Lewa strona:* Zmiana zwyczajów związanych z wypróżnieniem jest bardziej oczywista i może polegać na przemiennym pojawianiu się zaparcia lub rozwolnienia, a także krwawych stolców.

*Odbyt:* głównym objawem są stolce z krwią.

Rokowania zależą od stopnia rozprzestrzenia-nia choroby, umiejscowienia w obrębie brzucha, stopnia infiltracji powłok brzusznych oraz tego, czy przerzuty są miejscowe, czy dotarły już do odległych narządów. U pacjentów, u których rak jest ograniczony do śluzówki, przeżycie pięcioletnie sięga 70%. Przy przerzutach do węzłów chłonnych szanse pięcioletniego przeżycia znacznie spadają i wynoszą zaledwie 30%.

## Od polipu do raka

Grupa krwi A i AB powinna być uważana za czynnik ryzyka zachorowania na raka okrężnicy i odbytu[1].

Liczba antygenów grupowych wytwarzanych w tkankach okrężnicy jest najwyższa w jej górnych partiach (jelito ślepe) i maleje stopniowo w miarę posuwania się w stronę odbytu (esico--odbytnica), gdzie nie ma ich niemal wcale. W raku okrężnicy obserwuje się zjawisko odwrotne. Komórki górnej części okrężnicy tracą dotychczasową zdolność wytwarzania antygenów grupy AB0, natomiast zaczynają je wytwarzać komórki części zbliżonej do odbytu. Zdolność do naśladowania markerów na komórkach, która normalnie jest używana przez układ odpornościowy do oceny, czy dana komórka jest zdrowa, czy zmieniona, jest znakomitym sposobem na oszukanie odpowiedzi immunologicznej. Na przykład okazało się, że ekspresja antygenów grupowych pozostaje w ścisłej korelacji ze skutecznością komórek „naturalnych zabójców".

Im większa liczba antygenów grupy krwi na komórce rakowej, tym mniejsza agresywność komórek „naturalnych zabójców", których zadaniem jest ją zniszczyć[2,3,4].

Komórki rakowe często wytwarzają antygeny, które normalnie są produkowane jedynie w czasie rozwoju płodu, a w życiu samodzielnym ich ekspresja zostaje zahamowana. Zdarza się jednak również na odwrót: kiedy komórki zaczynają tracić genetyczną kontrolę nad sobą, mogą też tracić zdolność do wytwarzania antygenów, które normalnie występują w komórkach zdrowych.

Ponieważ proces wytwarzania antygenów jest nieodłącznie związany ze zdolnością komórek do przylegania do komórek sąsiednich, jest prawdopodobne, że pojawienie się (lub zniknięcie) antygenów na powierzchni komórek okrężnicy wpływa na zdolność nowotworu do rozprzestrzeniania[5]. Istnieją nawet doniesienia, że komórki raka okrężnicy i odbytnicy potrafią wytwarzać antygeny innych grup krwi niż grupa krwi gospodarza. Najwięcej doniesień dotyczy w tym wypadku wytwarzania antygenu B u chorych na raka okrężnicy należących do grupy A lub 0. Co więcej, w jednym z przypadków stwierdzenie nieuzasadnionego występowania antygenu B doprowadziło do zdiagnozowania nierozpoznanego wcześniej raka[6].

Komórki rakowe esico-okrężnicy, a więc obszaru, w którym do rozwoju raka dochodzi najczęściej, wytwarzają dużą liczbę antygenów A, nawet u osób, które mają inną grupę krwi. Wydaje się też, że liczba antygenów grupy A może być skorelowana ze skłonnościami do rozprzestrzeniania, czyli do dawania przerzutów.

## Grupy krwi i antygeny nowotworowe

W trakcie leczenia raka okrężnicy lekarze często monitorują antygen nowotworowy CEA. Jak większość antygenów nowotworowych CEA jest glikoproteiną, czyli należy do tej samej klasy cząsteczek co antygeny grup krwi. Wydaje się, że ekspresja antygenu grupy krwi A jest nieodłącznie związana z syntezą CEA.

W 1987 roku badano ekspresję antygenów grupy krwi w odniesieniu do wytwarzania CEA w komórkach ludzkiego raka okrężnicy u osób o różnych grupach krwi z układu AB0. Wszystkie komórki rakowe wytwarzały antygeny A i B, niezależnie od grupy krwi pacjenta. Jednakże w komórkach rakowych osób z grupą krwi 0 ekspresja antygenów A i B była niższa, za to wytwarzanie CEA większe. Komórki rakowe pacjentów z grupą krwi A charakteryzowały się słabym lub niezauważalnym wytwarzaniem antygenów A i B[7].

W roku 1995 w „Journal of Cell Biochemistry" ukazało się doniesienie o „zmienionej ekspresji substancji grupowych układu AB0 jako częstej cesze komórek ludzkiego raka okrężnicy", jednakże podkreślono, że mechanizm oddziaływania tych zmian strukturalnych na właściwości komórek nie jest jasny.

Pewne indukowane chemicznie nowotwory okrężnicy u szczurów mają cechy upodobniające je do raka okrężnicy u człowieka, a tym samym stanowią potencjalnie przydatny model do przewidywania rozwoju choroby ludzkiej. Używając przeciwciał wytworzonych w toku chemicznej indukcji nowotworów, badacze stwierdzili, że te same przeciwciała reagowały z determinantą antygenową (miejsce przyłączenia), która powstaje w liniach komórek pobranych od osób z grupą krwi A, a która nie pojawia się w hodowli komórek z grupy krwi B. Badacze zasugerowali, że „swoiste lektyny grupy krwi A mogą być użytecznym narzędziem dla wczesnej detekcji raka okrężnicy"[8].

Ciekawe, że antygeny A wytwarzane przez komórki raka w dolnej części okrężnicy są płodową odmianą komórek, normalnie niespotykaną w organizmach dorosłych. W trakcie badań odkryto w komórkach raka okrężnicy cztery warianty antygenu A, jednakże tylko jeden z nich znany był z komórek osobników dorosłych; pozostałe trzy spotykane były jedynie w komórkach tkanek płodowych[9]. Jest to istotne, bowiem jednym z ważniejszych zadań antygenów grupowych w rozwijającym się płodzie jest kształtowanie architektury tkanek i narządów płodu poprzez działanie jako miejsce przyczepienia lub odczepienia komórek. Powstaje pytanie, czy pojawienie się owych „płodowych" antygenów jest odpowiedzialne za wykształcenie się w komórkach rakowych zdolności do oderwania od miejsca powstania i rozprzestrzeniania po organizmie? Odpowiedzi na to pytanie mogą udzielić jedynie kolejne badania.

Istnieje dziwny, choć udokumentowany związek między ekspresją antygenów grupowych w komórkach nowotworów, zarówno łagodnych, jak złośliwych, tarczycy i dolnej części okrężnicy[10]. Osoby z grupą krwi A i historią rodzinną nowotworów tarczycy, złośliwych i łagodnych, mogą być szczególnie zagrożone ze strony raka okrężnicy.

## Grupy krwi i antygen Tn

Komórki złośliwego raka okrężnicy wytwarzają marker zwany antygenem nowotworowym T (od nazwiska Thomsena–Friedenreicha). W zdrowych komórkach wydzielanie tego antygenu jest zahamowane i pojawia się on tylko w komórkach, które skłaniają się ku złośliwości. Znalezienie go w tkankach zdrowych jest mało prawdopodobne, bowiem organizm człowieka wytwarza przeciw niemu przeciwciała. Jeszcze mniej prawdopodobne jest znalezienie w zdrowej komórce antygenu Tn, który jest prekursorem T.

Zasadniczo przyjmuje się, że uporządkowana ekspresja antygenów T na powierzchni komórki rakowej oznacza zazwyczaj nowotwór raczej o dobrych rokowaniach. Bez względu na raka i na tkankę, jeśli na powierzchni komórki rakowej przeważają antygeny Tn, oznacza to silnie inwazyjnego raka, o dużych skłonnościach do przerzutów. Poza rakiem okrężnicy Tn występuje też we WRZODZIEJĄCYM ZAPALENIU OKRĘŻNICY[11], co wyjaśnia, dlaczego wrzodziejące zapalenie okrężnicy jest czynnikiem ryzyka dla rozwoju raka okrężnicy.

Antygen T i antygen Tn wykazują strukturalne podobieństwo do antygenu A (nawet jeśli ten pochodzi od antygenu M). Nie dziwi zatem, że odpowiedź immunologiczna przeciwciał jest u osób z grupą krwi A słabsza niż w innych grupach. W rzeczy samej, antygeny T i Tn, a także A, są z punktu widzenia immunologii dość podobne, ponieważ zakończone są tym samym cukrem (N-acetylogalaktozamina), a zatem układ odpornościowy osoby z grupą krwi A może się względem nich łatwo pomylić. Odkrycia te doprowadziły badaczy do wniosku, że antygen Tn jest, ogólnie rzecz biorąc, antygenem A-podobnym. Postawić można następującą hipotezę: przy słabej działalności przeciwciał anty-T i anty-Tn, a także z racji skłonności układu odpornościowego osób z grupą krwi A do niereagowania na atak antygenów Tn, posiadanie grupy krwi A może być immunologiczną ułomnością, przeszkadzającą w zwalczaniu komórek noszących antygeny nowotworowe T i Tn.

## Antynowotworowa terapia raka okrężnicy

### Wszystkie grupy krwi:

Niech badania będą częścią obserwacji twego stanu zdrowia. Istnieją trzy rodzaje takich badań: badanie na utajoną krew w stolcu, wziernikowanie esicy i wziernikowanie okrężnicy.

Krew w stolcu może być objawem raka. W niektórych przypadkach jej przyczyną mogą być hemoroidy. Zdarza się jednak również, że rakowi okrężnicy nie towarzyszy krwawienie.

Wziernikowanie esicy, dające pogląd na stan dolnej części (ok. 1/3) okrężnicy, może nie wykryć raka położonego wyżej. „The New England Journal of Medicine" przedstawił wyniki dwóch dużych badań, z których wynikało, że w 5000 próbie pacjentów wziernikowanie esicy nie wykazało wielu stanów przedrakowych.

W wypadku raka okrężnicy najskuteczniejszym badaniem jest wziernikowanie okrężnicy. Jest to badanie całej okrężnicy, ok. półtora metra długości, za pomocą cienkiej, elastycznej i podświetlonej rurki, w poszukiwaniu skupiska zmienionych komórek, które mogłyby się przekształcić w raka.

### Protokoły stosowane przy grupie krwi A:

- zapobiegający nowotworom
- wspomagający chemioterapię
- wspomagający zdrowie jelit
- pooperacyjny
- rekonwalescencyjny po wyniszczającej chorobie

### Protokoły stosowane przy grupie krwi B:

- zapobiegający nowotworom
- wspomagający chemioterapię
- wspomagający zdrowie jelit
- pooperacyjny
- rekonwalescencyjny po wyniszczającej chorobie

### Protokoły stosowane przy grupie krwi AB:

- zapobiegający nowotworom
- wspomagający chemioterapię
- wspomagający zdrowie jelit
- pooperacyjny
- rekonwalescencyjny po wyniszczającej chorobie

### Protokoły stosowane przy grupie krwi 0:

- zapobiegający nowotworom
- wspomagający chemioterapię
- wspomagający zdrowie jelit
- pooperacyjny
- rekonwalescencyjny po wyniszczającej chorobie

## Tematy pokrewne

Choroba Crohna
Lektyny
Nowotwory (ogólnie)
Odporność
Polipy okrężnicy
Wrzodziejące zapalenie okrężnicy

**Bibliografia**

1. Slater G, Itzkowitz S, Azar S, Aufses AH Jr. Clinicopathologic correlations of AB0 and Rhesus blood type in colorectal cancer. *Dis Colon Rectum.* 1993;36:5–7.
2. Salem RR, Wolf BC, Sears HF, et al. Expression of colorectal carcinoma-associated antigens in colonic polyps. *J Surg Res.* 1993;55:249–255.
3. Blottiere HM, Burg C, Zennadi R, et al. Involvement of histo-blood-group antigens in the susceptibility of colon carcinoma cells to natural killer-mediated cytotoxicity. *Int J Cancer.* 1992;52:609–618.

4. Schoentag R, Primus FJ, Kuhns W. ABH and Lewis blood group expression in colorectal carcinoma. *Cancer Res.* 1987;47:1695–1700.

5. Kawaguchi T. [Adhesion molecules and carbohydrates in cancer metastasis]. *Rinsho Byori.* 1996;44:1138–1146.

6. Northoff H, Wolpl A, Bewersdorf H, Faulhaber JD. An AB0-blood group abnormality leading to the detecion of a colon-carcinoma. *Blut.* 1983;46:161–164.

7. Cooper HS, Marshall C, Ruggerio F, Steplewski Z. Hyperplastic polyps of the colon and rectum. An immunohisto-chemical study with monoclonal antibodies against blood groups antigens (sialosyl-Lea, Leb, Lex, Ley, A, B, H). *Lab Invest.* 1987;57:421–428.

8. Laferte S, Prokopishyn NL, Moyana T, Bird RP. Monoclonal antibody recognizing a determinant on type 2 chain blood group A and B oligosaccharides detects oncodevelopmental changes in azoxymethane-induced rat colon tumors and human colon cancer cell lines. *Cancer J Cell Biochem.* 1995;57:101–119.

9. Itzkowitz SH. Blood group-related carbohydrate antigen expression in malignant and premalignant colonic neoplasms. *J Cell Biochem Suppl.* 1992;16G:97–101.

10. Vowden P, Lowe AD, Lennox ES, Bleechen NM. Thyroid blood group isoantigen expression: a parallel with ABH isoantigen expression in the distal colon. *Br J Cancer.* 1986;53:721–725.

11. Freed DL, Green FH. Do dietary lectins protect against colonic cancer? *Lancet.* 1975;2:1261–1262.

**RAK OKRĘŻNICY-ESICY** – *patrz Rak okrężnicy*

**RAK PĘCHERZA** – nowotwór spotykany przede wszystkim u osób starszych, o którym sądzi się, że powstaje na skutek palenia tytoniu lub ekspozycji na chemiczne kancerogeny.

| Rak pęcherza | RYZYKO ZACHOROWANIA | | |
|---|---|---|---|
| | NISKIE | UMIARKOWANE | ZNACZNE |
| Grupa A | ▓ | | |
| Grupa B | ▓ | | ▓ |
| Grupa AB | ▓ | | |
| Grupa 0 | | ▓ | |
| niewydzielacz | ▓ | | ▓ |

**Objawy**

- krwinkomocz,
- krwiomocz,
- częste oddawanie moczu,
- ból i uczucie pieczenia w czasie oddawania moczu,
- ból w obrębie miednicy,
- namacalna masa w obrębie pęcherza.

**Krótko o raku pęcherza**

Rak pęcherza należy do najpospolitszych nowotworów złośliwych. W samych Stanach Zjednoczonych umiera nań co roku ok. 12 tysięcy osób. Choroba ta częściej dotyka mężczyzn niż kobiety. Wcześnie zdiagnozowany i leczony właściwie daje dobre rokowania. Odsetek osób przeżywających co najmniej 5 lat po wczesnym rozpoznaniu tego raka wynosi 94%. Jeśli jednak rak zdążył się rozprzestrzenić do narządów sąsiadujących, odsetek ten spada do 49%. Jeśli przerzuty dotarły do narządów położonych w znacznej odległości, szanse na przeżycie spadają do 6%.

Istnieją trzy rodzaje raka pęcherza:
- Rak komórkowy przejściowy jest najczęstszą postacią tej choroby, odpowiedzialną za 90% zachorowań. Istnieje kilka podgrup tej formy choroby, niektóre są bardziej inwazyjne, inne mniej.
- Rak płaskonabłonkowy jest przyczyną mniej więcej 8% przypadków. Badanie mikroskopowe wykazuje, że jego komórki bardzo przypominają komórki raka skóry. Niemal wszystkie raki tego typu mają skłonność do wnikania w głąb powłok pęcherza. Rak płaskonabłonkowy niesie zwykle złe rokowania, ponieważ łatwo przenika do innych tkanek i diagnozowany jest zazwyczaj w późniejszych stadiach.
- Rak gruczołowy odpowiada za około 1–2% zachorowań na raka pęcherza. On również ma tendencję do inwazji w głąb tkanek pęcherza.

Przyczyny raka pęcherza nie są w pełni poznane. Do czynników ryzyka należą: przewlekłe

ZAPALENIE PĘCHERZA, ALKOHOLIZM, palenie papierosów i wystawienie na działanie szkodliwego promieniowania i substancji chemicznych stosowanych w przemyśle – w procesach wytwórczych barwników, gumy, skóry, farb i materiałów tekstylnych.

We wczesnych stadiach rak pęcherza może nie wywoływać charakterystycznych objawów. Najwcześniejszym sygnałem może być krwinkomocz (obecność krwinek w moczu). Później pojawia się krwiomocz, częste oddawanie moczu połączone z bólem i uczuciem pieczenia. Ból w rejonie miednicy pojawia się w stadium zaawansowanym. Badanie dłonią pozwala czasem wyczuć guz.

Rak pęcherza jest diagnozowany cytoskopowo w trakcie badania, przez wprowadzenie soczewki do pęcherza, co umożliwia obejrzenie jego wnętrza. W wypadku zaobserwowania nieprawidłowości pobiera się wycinek. Śmiertelność u pacjentów z rakiem w stadium powierzchniowym jest nieznaczna. U pacjentów z rakiem w zaawansowanym stanie inwazyjnym, gdy dochodzi do zaatakowania tkanek mięśniowych pęcherza, rokowania są niekorzystne (zaledwie 50% przeżywa 5 lat lub więcej), przy czym należy pamiętać, że chemioterapia może te wyniki znacznie poprawić.

Wczesne powierzchniowe zrakowacenia (a także płytka inwazja w tkankę mięśniową pęcherza) mogą zostać usunięte przez wycięcie przezcewkowe i fulgurację*. Nawroty w obrębie pęcherza są stosunkowo częste, ale można je ograniczyć wlewami leków chemioterapeutycznych.

## Związki raka pęcherza z grupami krwi

U obu płci rak pęcherza wykazuje zdecydowaną preferencję grup B i A, a także osób niewydzielających antygenów do płynów ustrojowych. Jedno z badań przeprowadzonych na raku przejściowym wykazało silną reakcję komórek rakowych na przeciwciała skierowane przeciwko krwi grupy A[1]. Sugeruje to, że nowotwór ten może być podobny do antygenu A.

* Fulguracja – zniszczenie iskrą elektryczną – przyp. tłum.

*Protokoły stosowane przy grupie krwi A:*
• zapobiegający nowotworom
• wspomagający chemioterapię
• pooperacyjny
• rekonwalescencyjny po wyniszczającej chorobie

*Protokoły stosowane przy grupie krwi B:*
• zapobiegający nowotworom
• wspomagający chemioterapię
• antywirusowy
• pooperacyjny
• rekonwalescencyjny po wyniszczającej chorobie

*Protokoły stosowane przy grupie krwi AB:*
• zapobiegający nowotworom
• wspomagający chemioterapię
• pooperacyjny
• rekonwalescencyjny po wyniszczającej chorobie

*Protokoły stosowane przy grupie krwi 0:*
• zapobiegający nowotworom
• wspomagający chemioterapię
• pooperacyjny
• rekonwalescencyjny po wyniszczającej chorobie

## Tematy pokrewne

Odporność
Rak (ogólnie)
Zapalenie pęcherza

**Bibliografia**
1. Limas C, Lange P. Altered reactivity for A, B, H antigens in transitional cell carcinomas of the urinary bladder. A study of the mechanisms involved. *Cancer.* 1980;46:1366–1373.

# RAK PĘCHERZYKA ŻÓŁCIOWEGO –
inaczej rak woreczka żółciowego.

| Rak pęcherzyka żółciowego | RYZYKO | | |
|---|---|---|---|
| | NISKIE | UMIARKOWANE | ZNACZNE |
| Grupa A | ■ | ■ | |
| Grupa B | ■ | | |
| Grupa AB | ■ | | |
| Grupa 0 | ■ | | |

## Objawy

- ból brzucha,
- mdłości i/lub wymioty,
- żółtaczka,
- powiększenie pęcherzyka żółciowego.

## Krótko o raku pęcherzyka żółciowego

Rak pęcherzyka żółciowego to choroba ludzi w wieku zaawansowanym. W USA diagnozuje się rocznie 6–7 tysięcy nowych zachorowań, zazwyczaj u ludzi w wieku powyżej 70 lat. Zapada na niego trzy razy więcej kobiet niż mężczyzn. Jest częstszy wśród kobiet pochodzenia kaukaskiego niż u kobiet o rodowodzie afrykańskim. Częściej też zdarza się wśród osób o pochodzeniu meksykańskim i rodowitych Amerykanów niż w pozostałej części populacji amerykańskiej*.

Rak pęcherzyka żółciowego rzadko zostaje odkryty wcześnie, zanim zacznie się rozprzestrzeniać na inne tkanki i narządy. Rak we wczesnym stadium zostaje czasem odkryty przypadkowo, kiedy choremu usuwa się pęcherzyk żółciowy w ramach leczenia kamieni żółciowych. W późniejszych stadiach do objawów można zaliczyć również:

• *Ból brzucha:* ponad połowa chorych na raka pęcherzyka żółciowego odczuwa ból brzucha w trakcie badania lekarskiego. Ból jest zazwyczaj umiejscowiony w prawej górnej części brzucha.

• *Mdłości i/lub wymioty*: w trakcie wywiadu ponad połowa pacjentów zgłasza, że dokuczają im mdłości.

• *Żółtaczka:* niemal połowa osób chorych na raka pęcherzyka żółciowego ma żółtaczkę w chwili diagnozowania choroby.

• *Powiększenie pęcherzyka żółciowego:* czasami zablokowanie przewodu żółciowego powoduje powiększenie pęcherzyka żółciowego. To powiększenie lekarz może czasem wyczuć w czasie badania, można je również obejrzeć w trakcie USG.

## Związki raka pęcherzyka żółciowego z grupami krwi

Wydaje się, że rak pęcherzyka żółciowego częściej zdarza się u osób z grupą krwi B. Prawdopodobnie wiąże się to z ich podatnością na rozwój wirusów powolnych i chorób bakteryjnych, które osłabiają układ odpornościowy.

*U wszystkich czterech grup krwi układu AB0 stosuje się następujące protokoły:*
- zapobiegający nowotworom
- wspomagający chemioterapię
- wspomagający działanie wątroby
- pooperacyjny
- rekonwalescencyjny po wyniszczającej chorobie

## Tematy pokrewne

Choroba wątroby (ogólnie)
Kamienie żółciowe
Nowotwór (ogólnie)
Odporność

---

* W Polsce notuje się rocznie ok. 500 zachorowań u mężczyzn i 1500 u kobiet – przyp. tłum.

## RAK PŁUC – nowotwory złośliwe umiejscowione w obrębie płuc.

| Rak płuc | RYZYKO ZACHOROWANIA | | |
|---|---|---|---|
| | NISKIE | UMIARKOWANE | ZNACZNE |
| Grupa A (przed pięćdziesiątką) | | | |
| Grupa B (oskrzelowy) | | | |
| Grupa AB | | | |
| Grupa 0 | | | |

## Objawy

- kaszel, który nie przechodzi,
- ból w klatce piersiowej, często nasilający się przy głębokim wdechu,
- chrypka,
- chudnięcie i utrata apetytu,
- krwawa lub rudawa plwocina,
- krótkość oddechu,
- gorączka bez wyraźnej przyczyny,
- powtarzające się zapalenia oskrzeli i płuc,
- pojawienie się świszczącego oddechu.

## Krótko o raku płuc

Zarówno u mężczyzn, jak i u kobiet rak płuc jest jedną z głównych przyczyn śmierci z powodu nowotworów; nieznacznie częściej pojawia się jednak u mężczyzn. Na raka płuc umiera więcej osób niż łącznie na raka okrężnicy, piersi i prostaty. Rak płuc rzadko pojawia się u osób poniżej 40. roku życia. Średni wiek mężczyzn chorujących na tę chorobę to 60 lat.

Płuca są miejscem lokalizacji zarówno raka pierwotnego, jak i przerzutów z innych narządów (piersi, okrężnicy, nerek, tarczycy, jąder, kości i prostaty). Większość guzów złośliwych płuc wiąże się z nałogiem palenia papierosów; wyjaśnia to równoległy wzrost zachorowalności na tę chorobę i nikotynizmu u kobiet. Pierwotne nowotwory złośliwe płuc są najpospolitszą przyczyną śmierci z powodu raka.

Ponieważ rak płuc we wczesnych stadiach prawie nie daje żadnych objawów, na wczesne rozpoznanie może liczyć zaledwie 15% chorych. Większość raków płuc w stadium przedinwazyjnym przebiega bezobjawowo, dlatego każdy z wymienionych wcześniej symptomów powinno się natychmiast zgłosić lekarzowi. Wprawdzie często są one wynikiem jakiejś innej choroby, ale w przypadku stwierdzenia nowotworu wczesna diagnoza może uratować życie i zmniejszyć uciążliwość choroby.

## Związki raka płuc z grupami krwi

Wprawdzie istnieje silny związek między rakiem płuc i paleniem papierosów, ale podatność na zachorowanie na tę chorobę może być dodatkowo zależna od różnych środowiskowych i indywidualnych czynników. Trzeci czynnik, a mianowicie genetyka osób zapadających na tę chorobę, został oszacowany na podstawie próby złożonej z 263 pacjentów chorych na raka płuc. Okazało się, że stosunek grupy krwi A do grupy 0 był u chorych znacząco wyższy niż u 41 423 zdrowych dawców krwi, którzy posłużyli w tej analizie jako grupa kontrolna. Udział osób z grupą krwi A był szczególnie duży wśród pacjentów młodszych, przed 50. rokiem życia. W wypadku raka oskrzeli stwierdzono natomiast znacznie wyższy, niż oczekiwano, udział grupy krwi B. W rezultacie można stwierdzić, że układ grupowy krwi AB0 może mieć wpływ na zapadalność na raka płuc[1].

## Terapie stosowane przy raku płuc

*Uwaga!* Wprawdzie wydaje się, że istnieją różne wtórne i trzeciorzędne związki między rakiem płuc i grupami krwi, jednakże sugestia, że grupy krwi są istotnym czynnikiem w rozwoju tej choroby, byłaby myląca. Pierwotną i główną przyczyną raka płuc jest palenie papierosów; zaraz po nim plasuje się wdychanie niebezpiecznych substancji chemicznych.

*U wszystkich czterech grup krwi układu AB0 stosuje się następujące protokoły:*
- zapobiegający nowotworom
- wspomagający chemioterapię
- pooperacyjny
- rekonwalescencyjny po wyniszczającej chorobie

## Tematy pokrewne

Nowotwory (ogólnie)

### Bibliografia

1. Roots I, Drakoulis N, Ploch M, et al. Debrisoquine hydroxylation phenotype, acetylation phenotype, and AB0 blood groups as genetic host factors of lung cancer risk. *Klin Wochenschr.* 1988;66(suppl.):87–97.

**RAK POCHWY** – *patrz Rak macicy i inne guzy dróg rodnych kobiety*

**RAK PROSTATY** – znaczne namnożenie, w sposób niekontrolowany, nienormalnych komórek w gruczole krokowym.

| Rak prostaty | RYZYKO ZACHOROWANIA | | |
|---|---|---|---|
| | NISKIE | UMIARKOWANE | ZNACZNE |
| Grupa A | | | |
| Grupa B | | | |
| Grupa AB | | | |
| Grupa 0 | | | |
| wydzielacze | | | |

## Objawy

Do najpospolitszych objawów choroby prostaty, w tym również wczesnych objawów nowotworu tego gruczołu, należą:
- bolesne, częste, trudne do powstrzymania lub przerywane oddawanie moczu,
- trudności z całkowitym opróżnieniem pęcherza,
- częste oddawanie moczu w nocy,
- powolny wypływ moczu,
- ostry ból w obrębie miednicy lub odbytu,
- krew w moczu.

## Krótko o raku prostaty

W krajach Zachodu rak prostaty należy, obok nowotworów skóry, do najczęstszych chorób nowotworowych. W USA choroba ta zostaje stwierdzona u co szóstego mężczyzny, jednakże tylko co 30 umiera z jej powodu. Mężczyźni o afrykańskim rodowodzie częściej zapadają na tę chorobę niż mężczyźni o pochodzeniu kaukaskim i azjatyckim.

Rak prostaty rozwija się powoli, przechodząc przez cztery stadia.

*Stadium A:* rak jest bardzo mały, nie daje żadnych objawów, nie może być rozpoznany na podstawie badania *per rectum*. Badanie krwi, a także biopsja, może wykazać podwyższony poziom PSA, antygenu swoistego gruczołu krokowego.

*Stadium B* nadal może nie dawać żadnych zauważalnych objawów, jednakże badanie palcem *per rectum* pozwala lekarzowi wyczuć wyraźny wzgórek czy nienaturalne stwardnienie na którymś z zewnętrznych płatów prostaty. W tym stadium rak nie rozprzestrzenia się jeszcze poza prostatę. Stadium B raka dzieli się na dwie podgrupy: do podgrupy B-1 zalicza się nowotwory ograniczone do jednego płata prostaty, zaś do B-2 te, które zajęły oba płaty.

*Stadium C:* na tym etapie istnieje duże ryzyko, że nowotwór rozprzestrzenił się już poza gruczoł krokowy i zaczął atakować sąsiednie tkanki. Mogą się pojawić problemy w trakcie oddawania moczu. Rak w stadium C jest wyczuwalny poprzez badanie *per rectum*, może być też zdiagnozowany na podstawie innych standardowych badań. Spośród dwóch etapów stadium C mniej groźny jest etap C-1, charakteryzujący się stosunkowo nieznacznym zaatakowaniem tkanek sąsiednich. W stadium C-2 rak wywołuje częściową niedrożność cewki moczowej i ujawnia się upośledzeniem oddawania moczu.

*Stadium D:* nastąpiły przerzuty do innych tkanek, często znacznie oddalonych od prostaty, jak węzły chłonne, płuca i kości. To najpoważniejsze stadium raka prostaty, ze względów praktycznych dzielone na następujące podstadia. W pierwszym, D-0, poza podwyższonym poziomem PSA w tkankach, nie ma innych objawów przerzutów. W stadium D-1 widać wyraźnie, że rak dał przerzuty do węzłów chłonnych w bezpośredniej okolicy gruczołu. W stadium D-2 rak rozprzestrzenia się do innych narządów i tkanek, a więc węzłów chłonnych, kości i innych.

## Główne czynniki ryzyka i przyczyny raka prostaty

Choroby prostaty, zwłaszcza rak, nie zawsze są oczywiste, jako że nawet znane czynniki ryzyka są dość słabo rozumiane. Na przykład wiadomo, że Afroamerykanie częściej chorują na raka prostaty niż osoby o rodowodzie kaukaskim, ale może to być związane z czynnikami środowiskowymi, a nie genetycznymi, jako że z kolei u Afrykańczyków rak prostaty występuje stosunkowo rzadko. Również rzadko choroba ta dotyka osoby o hiszpańskich i japońskich korzeniach. Większą, w stosunku do reszty populacji, zachorowalność na raka prostaty obserwuje się też u górników pracujących w kopalniach kadmu, jednakże przyczyna tego nie jest znana. Niewyjaśnioną kwestią pozostaje też, dlaczego podobna tendencja występuje u mężczyzn po wasektomii.

## Związki raka prostaty z grupami krwi

Najbardziej zagrożeni tą chorobą są mężczyźni z grupą krwi A i AB. U mężczyzn wydzielających antygeny do płynów organicznych rak prostaty występuje częściej niż u niewydzielaczy.

## Terapie stosowane przy raku prostaty

*Wszystkie grupy krwi:*
Test na antygen swoisty gruczołu krokowego (PSA) jest prostym i niedrogim badaniem krwi. Białko to, obecne w dużych ilościach w nasieniu,

powstaje wprawdzie w prostacie, ale wraz z krwią jest też rozprowadzane po całym organizmie. Kiedy poziom PSA jest podwyższony, istnieją podstawy do zdiagnozowania raka prostaty. W wyniku badania podaje się stężenie PSA we krwi (ng/ml). W zasadzie uważa się, że przy stężeniu do 4 ng/ml nie ma powodu do niepokoju, jednakże lekarzy interesują też skokowe zmiany stężenia PSA. Na przykład, jeśli jednego roku stężenie PSA wynosi 2,5 ng/ml, a następnego już 3,5 ng/ml, to zmiana ta jest niepokojąca, mimo że ogólnie poziom jest w normie.

*U wszystkich czterech grup krwi układu AB0 stosuje się następujące protokoły:*
- zapobiegający nowotworom
- wspomagający chemioterapię
- pooperacyjny
- rekonwalescencyjny po wyniszczającej chorobie

## Tematy pokrewne

Łagodny przerost prostaty
Nowotwory (ogólnie)

---

**RAK PRZEŁYKU** – nowotwór złośliwy śluzówki i ścian przełyku.

| Rak przełyku | RYZYKO | | |
|---|---|---|---|
| | NISKIE | UMIARKOWANE | ZNACZNE |
| Grupa A | | | |
| Grupa B | | | |
| Grupa AB | | | |
| Grupa 0 | | | |

## Objawy

- utrudnione przełykanie,
- ból w klatce piersiowej,
- chudnięcie,
- paraliż strun głosowych i chrypka.

## Krótko o raku przełyku

W Polsce zapada co roku na ten rodzaj raka około 1300 osób. Rak ten występuje mniej więcej trzy razy częściej u mężczyzn niż u kobiet i trzy razy częściej u osób o afrykańskim rodowodzie niż u osób o rodowodzie kaukaskim. Rozróżnia się dwa główne typy raka przełyku. Czasami zmiany obejmują tylko śluzówkę przełyku i dają rak płaskonabłonkowy. Rak ten może się rozwinąć w dowolnym miejscu na całej długości przełyku. Kiedy indziej rakowaceniu ulegają tkanki w pobliżu wlotu do żołądka i jest to rak gruczołowy. Początek dają mu często komórki zmienione w przebiegu choroby o nazwie PRZEŁYK BARRETTA. Rak gruczołowy rozwija się wówczas, gdy komórki nabłonka zostaną uszkodzone w wyniku zarzucania kwasu żołądkowego.

Rak przełyku uzewnętrznia się, kiedy pojawiają się przewlekłe trudności z przełykaniem. Są one skutkiem rakowego nacieczenia przełyku, w wyniku którego jego światło wyraźnie się zmniejsza. Cechą pierwszego stadium są trudności z połykaniem pokarmów stałych i wrażenie, że pokarm utknął gdzieś w połowie drogi do żołądka. Drugie stadium to trudności z połykaniem pokarmów rozdrobnionych. Wreszcie pojawia się afagia, czyli niemożność połykania pokarmów, nawet w stanie płynnym, a także śliny. Taki postęp trudności z przełykaniem sugeruje istnienie rosnącego, złośliwego raka przełyku, a nie np. pierścienia naczyniowego czy skurczu lub innego typu łagodnego zwężenia światła przewodu. Ból w klatce piersiowej zazwyczaj promieniuje do pleców.

Niemal uniwersalnym objawem jest chudnięcie, nawet wówczas, gdy pacjent ma dobry apetyt. Ucisk na nerw krtaniowy wsteczny może wywołać paraliż strun głosowych lub chrypkę.

Naukowcy uważają, że palenie i picie mocnych alkoholów może powodować uszkodzenia śluzówki przełyku. Taki sam wpływ może wywierać przewlekłe podrażnienie śluzówki wskutek zarzucania kwasu żołądkowego. Istnieją też dowody, że ryzyko zapadnięcia na raka rośnie w obecności pewnych wirusów.

## Związki raka przełyku z grupami krwi

Największą zachorowalność na raka przełyku obserwuje się wśród osób z grupą krwi A i AB.

U nawet 20% chorych na przewlekłą chorobę refluksową przełyku dochodzi do powstania stanu przedrakowego zwanego PRZEŁYKIEM BARRETTA. Rak przełyku może się rozwinąć nawet u 10% tych chorych. Co więcej, rokowania osób, u których rak przełyku jest wynikiem zrakowacenia zmian typowych dla przełyku Barretta, są zdecydowanie złe, ponieważ rak zostaje odkryty w późnym stadium.

*Protokoły stosowane przy grupie krwi A:*
- zapobiegający nowotworom
- wspomagający chemioterapię
- wspomagający zdrowie żołądka
- pooperacyjny
- rekonwalescencyjny po wyniszczającej chorobie

*Protokoły stosowane przy grupie krwi B:*
- zapobiegający nowotworom
- wspomagający chemioterapię
- wspomagający zdrowie jelit
- pooperacyjny
- rekonwalescencyjny po wyniszczającej chorobie

*Protokoły stosowane przy grupie krwi AB:*
- zapobiegający nowotworom
- wspomagający chemioterapię
- wspomagający zdrowie jelit
- pooperacyjny
- rekonwalescencyjny po wyniszczającej chorobie

*Protokoły stosowane przy grupie krwi 0:*
- zapobiegający nowotworom
- wspomagający chemioterapię
- wspomagający zdrowie jelit
- pooperacyjny
- rekonwalescencyjny po wyniszczającej chorobie

## Tematy pokrewne

Refluks żołądkowo-przełykowy
Nowotwory (ogólnie)
Odporność
Przełyk Barretta

---

## RAK SKÓRY: CZERNIAK – nowotwór złośliwy skóry.

| Czerniak | RYZYKO ZACHOROWANIA | | |
|---|---|---|---|
| | NISKIE | UMIARKOWANE | ZNACZNE |
| Grupa A | | | |
| Grupa B | | | |
| Grupa AB | | | |
| Grupa 0 | | | |

## Objawy

* zmiana w obrębie znamion barwnikowych typu hipo- i hiperpigmentacji,
* krwawienie,
* łuszczenie,
* zmiana wielkości i zmiana ukształtowania.

## Krótko o czerniaku

Średni wiek dla osób zapadających na raka skóry to 53 lata, jednakże dla osób pochodzenia kaukaskiego okres najwyższej zachorowalności to przedział od 25 do 29 lat. Ponad 50% wszystkich chorych na czerniaka jest w wieku od 20 do 40 lat. Jedyną znaną predyspozycją genetyczną do zachorowania na tę chorobę jest rodzinna skłonność do dysplazji znamion barwnikowych (zespół zmian atypowych). Jeśli w rodzinie osoby, w której stwierdzono podejrzaną zmianę, była choć jedna osoba ze stwierdzonym nowotworem skóry, ryzyko rozwoju czerniaka jest bardzo duże. Pigmentacja (fototyp) skóry jest jedynym genetycznym czynnikiem ryzyka. Ryzyko zachorowania podwaja się u osób, które w wieku młodzieńczym przeszły wielokrotne oparzenia słoneczne z następującym po nich łuszczeniem skóry. Czynnikiem ryzyka jest też jasna cera, piegi, niebieskie oczy i blond włosy. Zwiększone ryzyko występuje też u osób, które już kiedyś miały znamiona atypowe (np. dysplastyczne) i tych, które były narażone na choćby krótkotrwałe działanie promieni UV.

Naglącym objawem jest każda zmiana w obrębie znamienia barwnikowego, w tym również jego bladnięcie, ciemnienie, krwawienie, łuszczenie, zmiana średnicy i zmiany powierzchni. Czerniak najczęściej powstaje w skórze, ale może się rozwinąć w każdej pigmentowanej tkance. Czerniak może dawać przerzuty do każdej części ciała. Plama soczewicowata jest zmianą naskórkową będącą najwolniej rosnącym czerniakiem złośliwym, o najmniejszej tendencji do przerzutów. Najczęściej pojawia się na twarzy i wygląda z początku jak okrągła plamka o pigmentacji od jasnego brązu po czerń. Istnieje też oczna odmiana czerniaka, która rozwija się w obrębie gałki ocznej; jest to postępująca zmiana o charakterze złośliwym.

## Związki czerniaka z grupami krwi

Kiedy dane na temat 168 pacjentów chorych na czerniaka przeanalizowano pod kątem ich przynależności do różnych grup krwi, okazało się, że 39,9% osób ma grupę krwi A, 7,7% ma grupę B, 3% AB i 49,4% grupę krwi 0. Wprawdzie w grupie 0 zachorowalność na tę postać raka była wyższa niż w ogólnie pojętej populacji pochodzenia kaukaskiego, jednakże różnica nie była istotna statystycznie. U pacjentów z grupą krwi A średnia przeżywalność wynosiła 67,7 miesiąca, podczas gdy u pacjentów z grupą krwi 0 wielkość ta była niższa i wynosiła 46,6 miesiąca. Podwyższona przeżywalność w grupie krwi A była istotna statystycznie tylko u kobiet i tylko wtedy, gdy płcie rozpatrywano oddzielnie. Jednakże według Clarka grupa krwi A miała duży, 24-procentowy udział w stosunkowo wczesnych zmianach skóry, podczas gdy u osób z grupą krwi 0 zmiany te występowały rzadziej (9,8%). U kobiet średnia przeżywalność wynosiła 86 miesięcy, podczas gdy u mężczyzn 44[1].

U 191 niespokrewnionych kobiet i mężczyzn chorych na czerniaka zbadano 15 polimorficznych układów grupowych krwi (AB, MNSs, Rh, P, Kell, Duffy, Kidd, Hp, Gc, Gm, Inv, aP, PGM1, EsD i 6-PGD). Wyniki porównano z odpowiednimi fenotypami i częstościami genów na tym samym obszarze (Nadrenia–Palatynat). Jedyną wykrytą zależnością okazał się polimorfizm w obrębie układu AB0 i Gm: częstość fenotypów 0 i Gm (-1) była u pacjentów znacznie wyższa niż u osób z grupy kontrolnej. Obserwacje te potwierdzają inne odkrycia z obszaru Niemiec oraz Bułgarii[2].

## Terapie stosowane przy czerniaku

### Wszystkie grupy krwi:
ZAPOBIEGANIE

Nie wystawiaj się na działanie promieni UV, wchodzących w skład światła słonecznego. Najlepszym zabezpieczeniem przed słońcem jest właściwe ubranie. Noś ubrania uszyte z materiałów ściśle tkanych. Ubrania uszyte z materiałów o luźnym splocie lub mokre przepuszczają do 30% więcej promieniowania UV niż materiały o ścisłym splocie. Noś bluzki z długim rękawem i długie spodnie. Noś kapelusz z dużym rondem, które osłoni szyję i uszy (baseballówka chroni jedynie przód twarzy). Stosuj krem z mocnym filtrem na odsłonięte części ciała.

Nie wychodź z domu bez nałożenia odpowiedniego kremu. Emulsje przeciwsłoneczne dzieli się zazwyczaj na dwa rodzaje, w zależności od zawartości filtra fizycznego lub chemicznego. Filtry fizyczne odbijają promieniowanie UV, natomiast filtry chemiczne absorbują je. Do filtrów fizycznych można zaliczyć takie substancje, jak tlenek cynku i dwutlenek tytanowy. Wprawdzie, ogólnie rzecz biorąc, kremy z filtrami fizycznymi są skuteczniejsze pod względem blokowania różnych typów promieniowania ultrafioletowego, to mogą się topić na cieple i/lub odbarwiać ubranie. Filtry chemiczne stają się niewidoczne po rozprowadzeniu na skórze, a ponieważ są niewidoczne, łatwo w czasie smarowania ominąć jakąś partię ciała, co wyraźnie zmniejsza ich skuteczność. Kremy tego rodzaju są często wodoodporne. Wiele filtrów chemicznych może wywołać podrażnienie oka; większe prawdopodobieństwo takiej alergicznej reakcji występuje w zetknięciu z filtrami chemicznymi.

Wybieraj zawsze krem do opalania z faktorem (*sun protection factor;* SPF) wynoszącym co najmniej 15. Liczba ta oznacza, że krem tego typu daje 15 razy większą ochronę przed promieniami UV niż naturalna ochrona skóry. Dla osób z bardzo jasną karnacją najlepszy jest faktor 30–40.

## Terapia stosowana przy raku skóry

Standardowym postępowaniem w wypadku wczesnych stadiów tej choroby jest pobranie wycinka znamienia podejrzanego o zmiany nowotworowe i poddanie go analizie histopatologicznej. Chirurg wycina zmianę skórną, która może być czerniakiem, starając się wyciąć ją jak najgłębiej, a także pobrać tkanki leżące na samym jego wierzchu. Wycinek skóry wysyłany jest do laboratorium, gdzie patolog bada próbkę pod mikroskopem i ocenia, z jakiego typu zmianami mamy do czynienia. Jeśli tkanka wykazuje cechy czerniaka, chirurg wycina też skórę pozostałą wokół miejsca po nowotworze, oczyszczając w ten sposób ranę z pozostałości po chorej tkance, a tym samym upewniając się, że skóra wokół raka nie uległa zrakowaceniu.

*U wszystkich czterech grup krwi układu AB0 stosuje się następujące protokoły:*
- zapobiegający nowotworom
- wspomagający chemioterapię
- poprawiający stan skóry
- pooperacyjny
- rekonwalescencyjny po wyniszczającej chorobie

## Tematy pokrewne

Nowotwory (ogólnie)
Odporność

**Bibliografia**

1. Karakousis CP, Evlogimenos E, Suh O. Blood groups and malignant melanoma. *J Surg Oncol.* 1986;33:24–26.
2. Walter H, Brachtel R, Hilling M. On the incidence of blood group O and Gm(-1) phenotypes in patients with malignant melanoma. *Hum Genet.* 1977;49:71–81.

# RAK SROMU – patrz *patrz Rak macicy i inne guzy dróg rodnych kobiety*

# RAK SUTKA – choroba nowotworowa zlokalizowana w piersi, gruczołach mlecznych i węzłach chłonnych.

| Rak sutka | RYZYKO | | |
|---|---|---|---|
| | NISKIE | UMIARKOWANE | ZNACZNE |
| Grupa A | | | |
| Grupa B | | | |
| Grupa AB | | | |
| Grupa 0 | | | |
| wydzielacz | | | |

## Objawy

- nowy guzek lub zgrubienie; większe prawdopodobieństwo że mamy do czynienia z nowotworem jest wtedy, gdy guzek nie jest bolesny, twardy i ma dość nieregularne kształty. Niektóre jednak postaci nowotworów mogą być bolesne, miękkie i zaokrąglone. Innymi objawami raka sutka są:
- opuchlizna zlokalizowana w obrębie piersi,
- podrażnienie skóry lub wgłębienie,
- tkliwość sutka lub jego wklęśnięcie,
- zaczerwienienie lub łuskowaty wygląd skóry sutka lub piersi,
- wydzielina inna niż mleko.

## Krótko o raku sutka

Rak sutka jest najpowszechniejszym rakiem występującym u kobiet. Wprawdzie umieralność na tę chorobę w niektórych populacjach powoli spada, ale wciąż jest to potencjalnie śmiertelna dolegliwość. Choć stosowane metody leczenia mogą się nieco różnić, pewne procedury, takie jak wycięcie guzka (zazwyczaj z otaczającymi go tkankami), amputacja piersi, chemioterapia, naświetlania i terapia hormonalna należą do standardowych działań, choć stosowanych w różnych kombinacjach.

Odsetek przeżyć pięcioletnich zależy bardzo od stopnia zaawansowania raka:

80% – średnica guzka wynosi poniżej 2 cm, bez przerzutów,

65% – średnica guzka powyżej 2 cm, bez przerzutów,

40% – średnica guzka powyżej 5 cm, bez przerzutów,

10% – przerzuty do innych narządów.

## Związki raka piersi z grupami krwi

Na podatność na raka piersi i rokowania z nim związane ma wpływ układ grupowy AB0.

W 1984 naukowcy odkryli gen odpowiedzialny za podatność na raka piersi związanego z układem krwi AB0. Jest on zlokalizowany na prążku q34 chromosomu 9. Odkrycie tej genetycznej zależności potwierdza to, co można było wywnioskować ze stale przybywających dowodów statystycznych na temat związków tego raka z grupami krwi[1]. Według niektórych badaczy grupy krwi mają zatem wartość prognostyczną.

Z bogatego piśmiennictwa naukowego wynika, że wśród kobiet chorujących na raka piersi przeważają pacjentki z grupą krwi A. Trend ten utrzymuje się również wśród kobiet, które nie należą do grupy podwyższonego ryzyka. A zatem jednym z głównych czynników ryzyka zapadnięcia na szybko postępującego raka piersi jest posiadanie grupy krwi A. Zaobserwowano, że kobiety z tą grupą krwi mają też często mniejsze szanse na wyleczenie. Z drugiej zaś strony grupa krwi 0 daje pewien stopień odporności na raka piersi. Wśród osób chorych zaobserwowano też, że kobiety z grupą krwi 0 rzadziej umierają na raka piersi. Grupa krwi AB jest nieco bardziej odporna niż A, ale w wypadku zachorowania nadal towarzyszą jej złe rokowania i duże ryzyko wczesnej śmierci. Kobiety z grupą krwi B znajdują się w grupie o niższym ryzyku, a najlepiej widać to wśród kobiet, w których rodzinie nie zdarzały się przypadki zachorowania na tę chorobę. Jeśli jednak w danej rodzinie znane były przypadki raka piersi, ochrona, jaką normalnie daje grupa krwi, przestaje działać. Wśród kobiet, które raka piersi mają lub miały, kobiety z grupą krwi B częściej mają nawroty.

Związek między grupą krwi A i rakiem piersi poddano ocenie na podstawie danych uzyskanych od 648 pacjentek z rodzinną historią zachorowań na tę chorobę, 1897 pacjentek z dolegliwościami internistycznymi, 4577 kontraktowych dawców krwi i 14 508 honorowych dawców krwi. Kobiety z historią rodzinną choroby podzielono na trzy grupy, w których ryzyko zapadnięcia na raka sutka przez osoby najbliżej spokrewnione z osobą chorą sięgało od 11 do 32%. W grupie, w której ryzyko to było stosunkowo niewielkie, autorzy zaobserwowali, że w porównaniu z każdą z grup kontrolnych przeważają kobiety z grupą krwi A. Również w całej grupie chorych na raka piersi udział procentowy osób z grupą krwi A był większy niż w grupie chorych na inne dolegliwości[2].

Do zapadania na raka piersi słabe inklinacje mają kobiety niewydzielające antygenów do płynów ustrojowych[3].

## Antynowotworowa terapia raka sutka

*Wszystkie grupy krwi:*
Pamiętaj o badaniach okresowych mających na celu wychwycenie raka w jego najwcześniejszym stadium. Im wcześniej zdiagnozowany, tym większe szanse na wyzdrowienie. Amerykańskie Towarzystwo Przeciwrakowe zaleca, aby trzymać się następujących kroków zapobiegawczych:
• Kobiety powyżej 40. roku życia powinny co roku wykonywać mammografię.
• Kobiety między 20. i 39. rokiem życia powinny być poddawane profesjonalnemu badaniu piersi co 3 lata. Po czterdziestce takie

badanie, wykonane przez pracownika służby zdrowia, powinno być powtarzane co roku.

Wszystkie kobiety powyżej 20. roku życia powinny badać piersi samodzielnie, co miesiąc. Najlepszą porą na taką samokontrolę są dni bezpośrednio po miesiączce.

*U wszystkich czterech grup krwi układu AB0 stosuje się następujące protokoły:*
• zapobiegający nowotworom
• pooperacyjny
• rekonwalescencyjny po wyniszczającej chorobie

## Tematy pokrewne

Odporność
Rak (ogólnie)

**Bibliografia**
1. Skolnick MH, Thompson EA, Bishop DT, Cannon LA. Possible linkage of a breast cancer-susceptibility locus to the AB0 locus; sensitivity of LOD scores to a single new recombinant observation. *Genet Epidemiol.* 1984;1:363–373.
2. Anderson DE, Haas C. Blood type A and familial breast cancer. *Cancer.* 1984;54:1845–1849.
3. Nagata C, Kabuto M, Kurisu Y, Shimizu H. Decreased serum estradiol concentration associated with high dietary intake of soy products in premenopausal Japanese women. *Nutr Cancer* 1997;29:228–233.

**RAK SZYJKI MACICY** – *patrz Rak macicy i inne guzy dróg rodnych kobiety*

**RAK ŚLUZÓWKI MACICY** – *patrz Rak macicy: Rak śluzówki macicy*

**RAK TARCZYCY** – nowotwory gruczołu tarczycowego.

| Rak tarczycy | RYZYKO ZACHOROWANIA | | |
|---|---|---|---|
| | NISKIE | UMIARKOWANE | ZNACZNE |
| Grupa A | | | |
| Grupa B | | | |
| Grupa AB | | | |
| Grupa 0 | | | |

## Objawy

* zgrubienie lub opuchlizna w przedniej lub w innych częściach szyi

## Krótko o raku tarczycy

Rak tarczycy objawia się zrakowaceniem tkanek gruczołu tarczycowego. Częściej pojawia się u kobiet niż u mężczyzn. Większość pacjentów mieści się w przedziale wiekowym między 25. i 65. rokiem życia. Większe prawdopodobieństwo wystąpienia choroby obserwuje się u osób, które znalazły się w zasięgu promieniowania radioaktywnego lub też, z przyczyn medycznych, miały naświetlaną głowę i szyję, choć rak może się u nich rozwinąć dopiero po 20, lub więcej, latach.

Rozróżnia się cztery główne rodzaje raka tarczycy: rak brodawczakowaty, rak pęcherzykowy, rak rdzeniasty i rak niezróżnicowany (anaplastyczny):

*Rak brodawczakowaty:* najpospolitsza postać raka tarczycy jest spotykana 2–3 razy częściej u kobiet niż u mężczyzn. Choć najczęściej jest rozpoznawany u osób młodych, to jednak najpoważniejszy przebieg ma u osób starszych. Najczęściej obserwuje się go u osób napromieniowanych lub cierpiących na chorobę Hashimoto.

*Rak pęcherzykowaty:* odpowiedzialny za około 25% nowotworów złośliwych tarczycy, najbardziej zagraża osobom starszym. Również i on częściej występuje u kobiet niż u mężczyzn, a przyczyną jego wystąpienia jest zazwyczaj napromieniowanie. Ponieważ rozprzestrzenia się poprzez krew, zatem może wywoływać przerzuty do odległych narządów, a tym samym jest stosunkowo niebezpieczny.

*Rak rdzeniasty:* ma wyraźne podłoże genetyczne, bowiem jest związany z nieprawidłowościami w obrębie genu.

*Rak niezróżnicowany (anaplastyczny):* to rak szybko rosnący, z tendencją do przerzutów do innych narządów.

## Związki raka tarczycy z grupami krwi

Skłonność do raka tarczycy obserwuje się u osób z grupą krwi A, natomiast wydaje się, że osoby z grupą krwi 0 są pod tym względem stosunkowo bezpieczne. Podobnie jak w innych rodzajach nowotworów, w raku tarczycy również obserwuje się różnice na poziomie antygenowym między komórkami zdrowymi i zaatakowanymi przez chorobę. Do zasadniczych zmian można zaliczyć utratę antygenów A i B oraz podniesienie stężenia antygenów Tn, które są charakterystyczne dla raka tarczycy i wskazują na skłonność do rakowacenia tkanki[1,2,3].

## Terapie stosowane przy raku tarczycy

*Wszystkie grupy krwi:*
W wypadku raka tarczycy stosuje się cztery konwencjonalne metody leczenia:

* operację (wycięcie nowotworu i/lub gruczołu tarczycy),
* naświetlanie (zastosowanie dużych dawek promieniowania rentgenowskiego lub innego promieniowania wysokoenergetycznego w celu zabicia komórek rakowych),
* terapię hormonalną (leczenie hormonami, które mają zatrzymać wzrost komórek rakowych),
* chemioterapię (stosowanie leków niszczących komórki rakowe).

Dodatkowo można zalecić następujący sposób odżywiania: spożywanie pokarmów bogatych w jod, krzem i fosfor (np. kelp i rodymenia, kard, zielone liście rzepy, żółtka jaj, zarodki pszenne, ikra dorsza, lecytyna, masło orzechowe, nasiona i orzechy, surowe mleko kozie).

*U wszystkich czterech grup krwi układu AB0 stosuje się następujące protokoły:*

- zapobiegający nowotworom
- wspomagający chemioterapię
- pooperacyjny
- rekonwalescencyjny po wyniszczającej chorobie

## Tematy pokrewne

Choroby tarczycy: Choroba Basedowa
Choroby tarczycy: Choroba Hashimoto
Choroby tarczycy: Nadczynność
Choroby tarczycy: Niedoczynność
Nowotwory (ogólnie)
Odporność

**Bibliografia**

1. Vowden P, Lowe AD, Lennox ES, Bleehen NM. Thyroid blood group isoantigen expression: a parallel with ABH isoantigen expression in the distal colon. *Br J Cancer.* 1986;53:721–72.
2. Klechova L, Gosheva-Antonowa T. [AB0 and Rh blood group factors in thyroid gland diseases]. *Vutr Boles.* 1980;19:75–79.
3. Toyoda H, Kawaguchi Y, Shirasawa K, Muramatsu A. Familial medullary carcinoma of the thyroid through 3 generations. *Acta Pathol Jpn.* 1977;27:111–121.

---

## RAK TRZUSTKI – złośliwy guz trzustki.

| Rak trzustki | RYZYKO ZACHOROWANIA | | |
|---|---|---|---|
| | NISKIE | UMIARKOWANE | ZNACZNE |
| Grupa A | | | |
| Grupa B | | | |
| Grupa AB | | | |
| Grupa 0 | | | |

## Objawy

- żółtaczka,
- ból brzucha (żołądka) albo ból w obrębie górnej połowy pleców,
- szybkie chudnięcie, któremu towarzyszy utrata apetytu i znaczne zmęczenie,
- problemy trawienne, którym towarzyszą jasne, obfite i tłuste stolce,
- obrzęk pęcherzyka żółciowego,
- skrzepy,
- cukrzyca.

## Krótko o raku trzustki

W ciągu minionych 40 lat zachorowalność na raka trzustki wzrosła trzykrotnie. Wprawdzie nie znamy przyczyny tego zjawiska, ale wiadomo, że do czynników ryzyka należą: przewlekłe zapalenie trzustki, palenie papierosów, niektóre związki chemiczne, kawa, alkohol i cukrzyca (u kobiet). Rak trzustki jest nowotworem stosunkowo rzadkim, odpowiedzialnym za 2–3% zachorowań na raka. Jednocześnie jednak jest on odpowiedzialny za 10% śmiertelnych zejść z powodu raka okolic brzucha. Jest 3–4 razy częstszy u mężczyzn niż u kobiet, występuje między 35. i 70. rokiem życia, z maksimum w okolicach sześćdziesiątki.

Rak trzustki to nowotwór złośliwy, który szybko daje przerzuty, w chwili zdiagnozowania zazwyczaj niemożliwy do usunięcia operacyjnego. Rokowania są bardzo niekorzystne; pięcioletnie przeżycie obserwuje się zaledwie u 9%, a do rzadkości należy dłuższe niż 5 lat.

W chwili gdy zaczynają się pojawiać typowe objawy raka trzustki, nowotwór jest zazwyczaj już duży i zdążył dać przerzuty do innych narządów.

## Związki raka trzustki z grupami krwi

Zachorowalność na raka trzustki jest największa u osób z grupą krwi B i grupą krwi A. Grupie krwi 0 można przypisać najmniejsze ryzyko. Ponieważ sok trzustkowy jest bogaty w antygeny grup krwi, ekspresja antygenów grupy krwi A i B musi mieć jakiś wpływ na hamowanie odpowiedzi układu odpornościowego.

Nie ma wielu danych na temat związków między grupami krwi układu AB0 i rakiem trzustki. W trakcie pewnych badań porównano skład serologiczny grupy 224 pacjentów z histopatologicznie potwierdzonym rakiem trzustki z udziałem procentowym różnych grup krwi w dwóch populacjach kontrolnych: 7086 pacjentów chorujących na różne inne choroby i 7320 honorowych dawców krwi. Okazało się, że po porównaniu z grupami kontrolnymi zwiększoną liczbę zachorowań na raka trzustki można było przypisać grupie krwi B, natomiast wyraźnie mniejszą zachorowalność zaobserwowano u osób z grupą krwi 0.

## Terapie stosowane przy raku trzustki

*Wszystkie grupy krwi:*
Jeśli w twojej najbliższej rodzinie były przypadki raka trzustki, bądź czujny i pamiętaj:
- unikaj ekspozycji na metale,
- ogranicz lub wyklucz ze swojej diety alkohol i kawę,
- nie pal.

*U wszystkich czterech grup krwi układu AB0 stosuje się następujące protokoły:*
- zapobiegający nowotworom
- wspomagający chemioterapię
- wspomagający działanie wątroby
- pooperacyjny
- rekonwalescencyjny po wyniszczającej chorobie

## Tematy pokrewne

Choroba wątroby
Nowotwory (ogólnie)
Odporność

# RAK W OBRĘBIE GŁOWY, SZYI I ŚLINIANEK – w większości nowotwory okolic jamy ustnej.

| Rak w obrębie głowy, szyi i ślinianek | RYZYKO ZACHOROWANIA | | |
|---|---|---|---|
| | NISKIE | UMIARKOWANE | ZNACZNE |
| Grupa A | | | |
| Grupa B | | | |
| Grupa AB | | | |
| Grupa 0 | | | |
| niewydzielacze | | | |
| wydzielacze (ślina) | | | |
| Typ $A_2$ | | | |

## Związki raka w obrębie głowy z grupami krwi

*Uwaga! Wprawdzie nad tymi rodzajami raka i ich związkami z grupami krwi przeprowadzono badania statystyczne, jednakże nadal mało wiemy na temat tych związków i ich znaczenia dla procesu leczenia. Wiele z tych badań budzi sprzeczne oceny lub stało się podstawą do dalszej analizy.*

Rak wargi związany jest z grupą krwi A. Rak języka, dziąseł i policzka również wykazuje związki z grupą krwi A. Nowotwór ślinianek wydaje się mieć silną afiliację z grupą krwi A i słabą z grupą krwi B, jednakże badania na ten temat są wciąż jeszcze nieliczne i wykazują czasami sprzeczne wyniki[1].

Wydaje się, że grupa krwi 0 jest przed nowotworami tego rodzaju stosunkowo dobrze zabezpieczona. Rak ślinianek natomiast wydaje się być związany ze statusem wydzielacza.

Ogólnie rzecz mówiąc, stopień nasilenia wszelkich chorób w obrębie jamy ustnej jest wyższy u osób niewydzielających antygenów układu grupowego AB0. Dlatego nie dziwi fakt, że u niewydzielaczy również przebieg stanów przedrakowych lub rakowych w obrębie tkanek jamy ustnej i przełyku jest poważniejszy niż u wydzielaczy. Ta podatność na choroby jamy ustnej znajduje na przykład odzwierciedlenie w częstości występowania dysplazji nabłonka, która spotykana jest niemal wyłącznie u niewydzielaczy[2].

Nowotwory krtani i dolnej części gardła są związane z grupami krwi A, B i AB. U chorych na raka głośni najczęściej występuje grupa krwi $A_2$ (mniej popularny wariant grupy A).

W obrębie głowy i szyi dość częste są zmiany strukturalne komórek wywołane rakiem płasko-komórkowym. Każda grupa krwi układu AB0 znajduje odzwierciedlenie w budowie normal-nej tkanki tego obszaru. Jednakże, kiedy rozwi-ja się rak płaskonabłonkowy, mniej więcej u 1/3 pacjentów z grupą krwi A i AB zanika całkowi-cie antygen grupy A w tym rejonie, a we wszyst-kich komórkach rakowych uzewnętrznia się an-tygen grupy krwi 0. Nowotwory te dają zazwy-czaj złe rokowania. W komórkach tych nowotworów uzewnętrzniają się też zazwyczaj antygeny nowotworowe T i Tn.

W postaciach łagodnych nowotworu ślinianek (gruczolakotorbielak limfatyczny; guz Warthina) w nabłonku i zaatakowanych komórkach nabłon-kowych występują antygeny układu AB0, a ich utrata sygnalizuje zezłośliwienie nowotworu. Nieobecność antygenów grupowych w komór-kach raka gruczolakowatotorbielowatego i ra-kach niezróżnicowanych ślinianek przyusznych stanowi potwierdzenie koncepcji, że w złośliwych nowotworach pochodzenia nabłonkowego zani-kają antygeny grup krwi[3].

## Terapie stosowane przy nowotworach w obrębie głowy

*Protokoły stosowane przy grupie krwi A:*
- zapobiegający nowotworom
- wspomagający chemioterapię
- pooperacyjny
- rekonwalescencyjny po wyniszczającej chorobie

*Protokoły stosowane przy grupie krwi B:*
- zapobiegający nowotworom
- wspomagający chemioterapię
- pooperacyjny
- zwalczający zmęczenie

*Protokoły stosowane przy grupie krwi AB:*
- zapobiegający nowotworom
- wzmacniający układ odpornościowy
- pooperacyjny
- zwalczający zmęczenie

*Protokoły stosowane przy grupie krwi 0:*
- zapobiegający nowotworom
- wspomagający chemioterapię
- pooperacyjny
- rekonwalescencyjny po wyniszczającej chorobie

## Tematy pokrewne

Nowotwory (ogólnie)

### Bibliografia

1. Garrett JV, Nicholson A, Whittaker JS, Ridway JC. Blood-groups and secretor status in patients with salivary-gland tumours. *Lancet.* 1971;2:1177–1179.
2. Vidas I, Delajlija M, Temmer-Vuksan B, Stipetic-Mravak M, Cindric N, Marieie D. Examining the secretor status in the saliva of patients with oral pre-cancerous lesions. *J Oral Rehabil.* 1999;26:177–182.
3. Woltering EA, Tuttle SE, James AG, Sharma HM. AB0 (H) cell surface antigens in benign and malignant parotid neoplasms. *J Surg Oncol.* 1983;24:177–179.

**RAK WĄTROBY** – złośliwy guz wątroby.

| Rak wątroby | RYZYKO ZACHOROWANIA | | |
|---|---|---|---|
| | NISKIE | UMIARKOWANE | ZNACZNE |
| Grupa A | | | |
| Grupa B | | | |
| Grupa AB | | | |
| Grupa 0 | | | |

## Objawy

Rak wątroby zostaje zwykle wykryty późno, ponieważ z rzadka tylko daje objawy we wczesnych stadiach. Są to:
- chudnięcie,
- utrata apetytu,
- ból w obrębie brzucha,
- nagła żółtaczka.

## Krótko o raku wątroby

Rakowi wątroby można zapobiegać. Na całym świecie stosuje się szczepienia przeciw zapaleniu wątroby typu B i C, które również zmniejszają ryzyko zapadnięcia na raka wątroby. Od czasu wynalezienia szczepionki przeciw zapaleniu wątroby typu B należy nią szczepić szczególnie dzieci. Prezerwatywy i strzykawki jednorazowe również zmniejszają ryzyko zarażenia zapaleniem wątroby. Nadużywanie alkoholu sprzyja rozwojowi **marskości** wątroby, jednego z czynników ryzyka zachorowania na raka tego narządu. W niektórych krajach zmiana sposobu przechowywania zbóż może zmniejszyć kontakty ludzi z aflatoksynami. Ryzyko zachorowania na raka wątroby mogą też zmniejszyć prawa chroniące pracowników przed szkodliwymi chemikaliami. Takie środki zapobiegawcze zostały już podjęte w niektórych krajach.

Strzeż się także:
- Steroidów anabolicznych; są to hormony męskie, przepisywane czasem z przyczyn medycznych. Niektórzy sportowcy przyjmują je, by zwiększyć wydajność mięśni.
- Arszeniku; w niektórych częściach świata tą substancją zwiększającą ryzyko zapadnięcia na raka wątroby jest skażona woda pitna.
- Tytoniu; istnieją dane, że palenie tytoniu zwiększa ryzyko zachorowania na raka wątroby. Palenie tytoniu jest rakotwórcze i ściśle wiąże się ze zwiększoną zapadalnością na inne nowotwory.

## Związki raka wątroby z grupami krwi

Wśród chorych na raka wątroby można zaobserwować większy udział osób z grupą krwi A.

Tak ma się rzecz m.in. w wypadku naczyniaka krwionośnego wątroby.

## Terapie stosowane przy raku wątroby

### Wszystkie grupy krwi:

Większości nowotworów wątroby można uniknąć, trzymając się diety zgodnej z grupą krwi, nie nadużywając alkoholu i unikając szkodliwych substancji chemicznych.

### U wszystkich czterech grup krwi układu AB0 stosuje się następujące protokoły:
- zapobiegający nowotworom
- wspomagający chemioterapię
- wspomagający działanie wątroby
- pooperacyjny
- rekonwalescencyjny po wyniszczającej chorobie

## Tematy pokrewne

Choroby wątroby
Nowotwory (ogólnie)
Odporność

---

**RAK ŻOŁĄDKA** – różne rodzaje raka żołądka.

| Rak żołądka | RYZYKO ZACHOROWANIA | | |
|---|---|---|---|
| | NISKIE | UMIARKOWANE | ZNACZNE |
| Grupa A | | | |
| Grupa B | | | |
| Grupa AB | | | |
| Grupa 0 | | | |

## Objawy

- chudnięcie,
- niedokrwistość z powodu braku żelaza.

## Krótko o raku żołądka

W Stanach Zjednoczonych rak żołądka jest odpowiedzialny za 13 tysięcy zejść śmiertelnych i 24 tysiące nowych przypadków rocznie. Co roku na świecie umiera na tę chorobę około miliona ludzi. Wprawdzie w USA w okresie od lat czterdziestych do dziewięćdziesiątych XX wieku zapadalność na raka żołądka wyraźnie spadła, jednakże choroba ta nadal zbiera znaczne żniwo. Najczęściej rozpoznawana jest u osób po 55. roku życia. U mężczyzn zachorowalność na raka żołądka jest dwa razy większa niż u kobiet, a osoby o korzeniach afrykańskich chorują częściej niż ludzie pochodzenia kaukaskiego. Wiadomo też, że rak żołądka szczególnie często występuje w niektórych częściach świata – Japonii, Korei, niektórych krajach Europy Wschodniej i Ameryce Łacińskiej. Tradycyjna dieta tych krajów zawiera wiele potraw suszonych, wędzonych, solonych i marynowanych. Naukowcy uważają, że spożywanie pokarmów zakonserwowanych tymi sposobami może przyczynić się do rozwoju raka żołądka. Świeże pokarmy, zwłaszcza świeże owoce i warzywa, mogą chronić przed tą chorobą.

Nowotwór żołądka może dawać niewielkie objawy. Wszystkie pospolite objawy związane z tą chorobą mogą się nasilać, ale ogólnie rzecz biorąc, zazwyczaj nie są tak dolegliwe jak te, które wywołują wrzody żołądka. Najczęściej zauważanymi objawami są przerzuty, choć sam rak wydaje się nie wykazywać żadnych poważniejszych oznak. W przebiegu choroby można zaobserwować spadek wagi i niedokrwistość z powodu braku żelaza.

## Związki raka żołądka z grupami krwi

Rak żołądka był jedną z pierwszych chorób, którym udowodniono zależność od grupy krwi. Po raz pierwszy związek ten zaobserwowano w latach pięćdziesiątych XX wieku[1,2,3]. Z początku sądzono, że czynnikiem wywołującym tę chorobę u osób z grupą krwi A może być niskie stężenie kwasu żołądkowego, jednakże okazało się, że większe znaczenie mogą mieć inne przyczyny. Okazało się, że genetyczna skłonność komórek żołądka do rakowacenia związana jest z locus grupy krwi układu AB0 położonym na chromosomie 9q34. W tym wypadku do genetycznej mutacji w tkankach żołądka przyczynia się allel A, co jest kolejnym przykładem sytuacji, kiedy związek między grupą krwi i chorobą nie jest wynikiem fizycznej ekspresji grup krwi, ale raczej genetycznego dziedzictwa.

## Antygen Thomsena–Friedenreicha

Wiele komórek nowotworowych, takich jak komórki raka żołądka, charakteryzuje się obecnością markera nowotworowego o nazwie antygen Thomsena–Friedenreicha (T). W normalnych zdrowych komórkach wytwarzanie tego antygenu ulega supresji, jednakże uaktywnia się, kiedy komórka zmierza w stronę złośliwości. Antygen w zdrowej komórce jest taką rzadkością, że u większości ludzi występują przeciwciała anty-T.

W komórkach rakowych żołądka antygen T pojawia się w dużych ilościach. U mniej więcej 1/3 Japończyków antygen T występuje w wyraźnie zdrowej tkance żołądka i może to wyjaśnić, dlaczego obserwowana w tym kraju zachorowalność na raka żołądka jest najwyższa w świecie[4].

Antygen Thomsena–Friedenreicha wykazuje pewne strukturalne podobieństwo do antygenu A. Być może właśnie to najlepiej wyjaśnia, dlaczego spośród wszystkich grup właśnie osoby z grupą krwi A mają najmniejsze ilości przeciwciał anty-T. Ponieważ zazwyczaj sok żołądkowy zawiera duże ilości antygenów grup krwi, nie można wykluczyć, że organizm osób z grupą krwi A i AB ma trudności z rozpoznaniem markerów nowotworowych T, a w przypadku rozpoznania – z uruchomieniem systemu obronnego[5,6].

## Terapie stosowane przy raku żołądka

*U wszystkich czterech grup krwi układu AB0 stosuje się następujące protokoły:*
- zapobiegający nowotworom
- wspomagający chemioterapię

- pooperacyjny
- rekonwalescencyjny po wyniszczającej chorobie

## Tematy pokrewne

Nowotwory (ogólnie)
Odporność
Przełyk Barretta

**Bibliografia**

1. Aird I, Bental HH, Mehigan JA, Roberts JA Fraser. *Brit Med. J.* 1954;(2):315.
2. Walther WW, Raeburn C, Case J. *Lancet.* 1956;(2):970.
3. Wallace J. *Brit Med J.* 1954;(2):254.
4. Hirohashi S. Tumor-associated carbohydrate antigens related to blood group carbohydrates. *Gan To Kagaku Ryoho.* 1986;13(2):1395–1401.
5. Kurtenkov O, Klaamas K, Miljukhina L. The lower level of natural anti-Thomsen-Friedenreich antigen (TFA) agglutinins in sera of patients with gastric cancer related to AB0(H) blood group phenotype. *Int J Cancer.* 1995;60:781–785.
6. Clausen H, Stroud M, Parker J, Springer G, Hakomon S. Monoclonal antibodies directed to the blood group A associated structure, galactosyl-A: specificity and relation to the Thomsen-Friedenreich antigen. *Mol Immunol.* 1988;25:199–204.

---

**REFLUKS ŻOŁĄDKOWO-PRZEŁY-KOWY** – przewlekły stan, w którym dochodzi do cofania kwasu solnego z żołądka do przełyku.

| Refluks żołądkowo--przełykowy | RYZYKO ZACHOROWANIA | | |
|---|---|---|---|
| | NISKIE | UMIARKOWANE | ZNACZNE |
| Grupa A | | | |
| Grupa B | | | |
| Grupa AB | | | |
| Grupa 0 | | | |
| niewydzielacz | | | |

## Objawy

- uczucie pieczenia w górnej części brzucha i w klatce piersiowej (zgaga),
- całkowite lub częściowe zwracanie treści żołądkowej do ust,
- kwaśny smak w ustach,
- wzdęcie, gazy i nudności.

## Krótko o refluksie żołądkowo-przełykowym

W samych Stanach Zjednoczonych refluks żołądkowo-przełykowy, zwany czasem chroniczną zgagą, dotyka codziennie około 20 milionów osób. Dolegliwość ta może mieć różne przyczyny, między innymi przepuklinę rozworu przełykowego. Zazwyczaj przyczyną większości przypadków zgagi są jednak niewłaściwe nawyki żywieniowe. Przy zachwianej równowadze kwasowej kwas cofa się z żołądka do przełyku przez wrażliwy na bodźce otwór, który znajduje się między nimi. Mniej więcej u 10–20% osób cierpiących na chroniczny refluks rozwija się PRZEŁYK BARRETTA (stan przedrakowy wywołany zmianami śluzówki przełyku), z kolei u 5–10% osób z przełykiem Barretta istnieje zwiększone prawdopodobieństwo powstania RAKA PRZEŁYKU i RAKA ŻOŁĄDKA.

W przeszłości refluks przypisywano wyłącznie przepuklinie rozworu przełykowego, dziś jednak wiemy, że niesłusznie. Wielu pacjentów z przepukliną rozworu przełykowego w ogóle nie ma żadnych objawów, z kolei u wielu chorych na refluks badanie radiograficzne nie wykazało żadnych śladów przepukliny.

W powstanie refluksu żołądkowo-przełykowego może być zaangażowanych kilka czynników:

- dysfunkcja dolnego zwieracza przełyku,
- osłabienie sprężystości zwieracza wskutek picia alkoholu, stosowania narkotyków, palenia itp.,
- leżenie, zginanie, przepuklina rozworu w sytuacji, gdy treść żołądkowa zalega w pobliżu ujścia żołądka do przełyku,
- zwiększenie ciśnienia żołądkowego, np. wskutek ciąży lub otyłości.

Refluksowe zapalenie przełyku może być wywołane infekcją opryszczkową lub KANDYDOZĄ, a także uszkodzeniem śluzówki wskutek zgagi lub szkodliwych substancji chemicznych.

## Związki refluksu z grupami krwi

Najbardziej narażone na rozwój refluksu żołądkowo-przełykowego są osoby z grupą krwi 0, ponieważ z natury mają one większą ilość kwasu solnego w żołądku. Kiedy jednak refluks pojawia się u osób z grupą krwi A, istnieje większe prawdopodobieństwo, że rozwinie się w przełyk Barretta albo nawet w raka przełyku. Największe prawdopodobieństwo wystąpienia chronicznego refluksu obserwuje się wśród niewydzielaczy[1,2].

## Terapie stosowane przy refluksie żołądkowo-przełykowym

*Protokoły stosowane przy grupie krwi A:*
• wspomagający zdrowie żołądka
• wzmacniający układ odpornościowy
• wspomagający zdrowie zatok

*Protokoły stosowane przy grupie krwi B:*
• wspomagający zdrowie żołądka
• przeciwstresowy

*Protokoły stosowane przy grupie krwi AB:*
• wspomagający zdrowie żołądka
• wzmacniający układ odpornościowy
• wspomagający zdrowie zatok

*Protokoły stosowane przy grupie krwi 0:*
• wspomagający zdrowie żołądka
• przeciwzapalny

## Tematy pokrewne

Odporność
Przełyk Barretta
Trawienie

**Bibliografia**

1. Torrado J, Ruiz B, Garay J. et al. Blood-group phenotypes, sulfomucins, and *Helicobacter pylori* in Barrett's esophagus. *Am J Surg Pathol.* 1997;21:1023–1029.
2. Mufti SI, Zirvi KA, Garewal HS. Precancerous lesions and biologic markers in esophageal cancer. *Cancer Detect Prev.* 1991;15:291–301.

**REUMATYZM** – *patrz Zapalenie stawów: Reumatoidalne*

## ROZEDMA PŁUC (PRZEWLEKŁE ZAPALENIE OSKRZELI Z ROZEDMĄ)

– trwałe uszkodzenie pęcherzyków płucnych, zmniejszające wydolność płuc.

| Rozedma płuc | RYZYKO ZACHOROWANIA | | |
|---|---|---|---|
| | NISKIE | UMIARKOWANE | ZNACZNE |
| Grupa A | | | |
| Grupa B | | | |
| Grupa AB | | | |
| Grupa 0 | | | |
| niewydzielacz | | | |

## Objawy

• przewlekły kaszel,
• odkasływanie dużej ilości śluzu,
• brak tchu przy wysiłku,
• postępujące upośledzenie zdolności wdychania powietrza.

## Krótko o rozedmie płuc

Najczęstszą przyczyną rozedmy płuc jest palenie papierosów, które powoduje upośledzenie procesów chemicznych stanowiących podstawową ochronę płuc w warunkach naturalnych. W celu zwalczenia infekcji i uszkodzeń tkanek układ odpornościowy wytwarza enzymy nazywane proteazami, z których najważniejsze to elastaza i trypsyna. Jednakże jeśli jest ich zbyt wiele, zaczynają atakować zdrowe komórki tkanki płucnej, upośledzając integralność elastyny, składnika niezbędnego dla sprężystości tkanki płucnej. Dochodzi do stanu zapalnego i zniszczenia ścian pęcherzyków płucnych, do których uchodzą oskrzeliki, najmniejsze przewody doprowadzające powietrze do płuc (w rzadkiej postaci rozedmy, zwanej niedoborem alfa-1-antytrypsyny, choroba ogarnia zarówno ściany pęcherzyków, jak i ściany oskrzelików, zazwyczaj w dolnej części płuc).

W miarę trwania choroby ściany pęcherzyków tracą elastyczność. W uszkodzonych rejonach tworzą się pęcherze rozedmowe, czyli kieszenie zawierające powietrze wyłączone z cyrkulacji, których obecność zmniejsza ilość wydychanego powietrza i upośledza normalne czynności oddechowe. Aż do późnych stadiów choroby sam wdech nie jest jednak upośledzony i poziom tlenu i dwutlenku węgla utrzymuje się w normie.

W USA rozedma jest drugą po zawale serca przyczyną inwalidztwa i jedną z ważniejszych przyczyn śmierci. W przeszłości była chorobą przede wszystkim męskiej części populacji, niewątpliwie dlatego, że właśnie mężczyźni palili więcej papierosów. Od upowszechnienia się palenia papierosów wzrosła wśród kobiet zachorowalność na rozedmę płuc w populacji żeńskiej.

Standardową miarą postępowania choroby jest badanie natężonej objętości wydechowej płuc (*forced expiratory volume;* FEV) mierzonej w procentach natężonej pojemności życiowej płuc (*forced volume capacity*; FVC).

## Związki rozedmy płuc z grupami krwi

Większą zachorowalnością na rozedmę płuc charakteryzują się osoby, których organizm nie wydziela antygenów układu AB0 do płynów ustrojowych (niewydzielacze). Badania wykazały, że niewydzielacze mają znacząco niższą niż inne grupy średnią wartość natężonej objętości wydechowej płuc w pierwszej sekundzie (mierzonej w procentach natężonej pojemności życiowej; $FEV_1/FVC\%$) i stosunkowo duża ich część wykazuje wartości odbiegające od normy,

i wynoszące poniżej 68 ($FEV_1/FVC\%$). Różnice te utrzymywały się, kiedy przeanalizowano te średnie wielkości albo wskaźnik odchylenia na tle innych czynników znanych z powodowania niedrożności dróg oddechowych. W świetle znanych związków między przewlekłym zapaleniem oskrzeli z rozedmą i wrzodem trawiennym oraz statusem niewydzielacza i wrzodem dwunastnicy sugeruje to, że zdolność do wydzielania antygenów układu AB0 do wydzieliny układu oddechowego i pokarmowego może wywierać ochronny efekt na nabłonkową warstwę narządów ogólnie, a na płuca czy konkretną część jelita w szczególności[1].

Badania nad palaczami wykonane jako część rozleglejszych studiów o nazwie Northwick Park Heart Study pokazały, że u wydzielaczy antygenów AB0 średni szczytowy przepływ wydechowy jest znacząco wyższy niż u niewydzielaczy, a wielkość ta nie zależała od innych czynników, o których wiadomo, że wpływają na szczytowy przepływ wydechowy[2].

Potwierdzający tę obserwację spadek skuteczności działania płuc zaobserwowano też u nosicieli allelu A, zwłaszcza starszych palących mężczyzn o pochodzeniu kaukaskim[3,4].

## Terapie stosowane przy rozedmie

### Wszystkie grupy krwi:

Rozedma płuc jest nieodwracalna. Jednym sposobem na jej uniknięcie jest wystrzeganie się owych nieodwracalnych uszkodzeń.

- Jeśli palisz, postaraj się skończyć z tym nałogiem.
- Unikaj kurzu, dymu, zanieczyszczeń środowiskowych i innych substancji drażniących.

### U wszystkich czterech grup krwi układu AB0 stosuje się protokół:

- wzmacniający płuca

## Tematy pokrewne

Rak płuc
Zapalenie oskrzeli

**Bibliografia**

1. Cohen BH, Bias WB, Chase GA, et al. Is ABH nonsecretor status a risk factor for obstructive lung disease? *Am J Epidemiol.* 1980;111:285–291.
2. Haines AP, Imeson JD, Meade TW. ABH secretor status and pulmonary function. *Am J Epidemiol.* 1982;115:367–370.
3. Menkes HA, Cohen BH, Beaty TH, Newill CA, Khoury MJ. Risk factors, pulmonary function, and mortality. *Prog Clin Biol Res.* 1984;147:501–521.
4. Khoury MJ, Beaty TH, Newill CA, Bryant S, Cohen BH. Genetic-environmental interactions in chronic airways obstruction. *Int J Epidemiol.* 1986;15:65–72.

---

## ROZSZCZEP KRĘGOSŁUPA – *patrz Wady (braki) wrodzone*

## RÓŻYCZKA – wirusowa choroba zakaźna o łagodnym przebiegu.

| Różyczka | RYZYKO ZACHOROWANIA | | |
|---|---|---|---|
| | NISKIE | UMIARKOWANE | ZNACZNE |
| Grupa A | | | |
| Grupa B | | | |
| Grupa AB | | | |
| Grupa 0 | | | |

## Objawy

* złe samopoczucie,
* obrzęk węzłów chłonnych,
* wysypka.

## Krótko o różyczce

Różyczka jest zakaźną chorobą wirusową o zazwyczaj łagodnych objawach ogólnosystemowych. Jeśli jednak matka przeszła różyczkę w ciągu pierwszego trymestru ciąży, choroba ta może wywołać poważne powikłania ciąży (poronienie, śmierć płodu) lub wady wrodzone noworodka. Ponieważ w łagodnym przebiegu różyczki często nie zostaje ona zdiagnozowana, trudno stwierdzić, ile dokładnie osób choruje na różyczkę. Według danych szacunkowych 10–15% kobiet nie przechodzi różyczki w dzieciństwie, a to czyni je podatnymi na powikłania w okresie ciąży.

Epidemie różyczki pojawiają się regularnie wiosną, co mniej więcej 6–9 lat, dlatego w niektórych krajach wprowadzono obowiązkowe szczepienia dzieci płci żeńskiej. Wydaje się, że przejście choroby daje odporność na całe życie.

## Związki różyczki z grupami krwi

Istnieje udokumentowany przypadek dziecka, u którego w wyniku noworodkowej infekcji różyczką doszło do zaburzenia ekspresji antygenów grupy krwi. Zaobserwowano to, kiedy dziecko osiągnęło wiek 4 miesięcy. W okresie noworodkowym, w ciągu pierwszych 8 tygodni życia, krew dziecka była testowana wielokrotnie, z różnych przyczyn, i zaliczona do grupy A. Jednakże w okresie późniejszym okazało się, że komórki krwi dziewczynki nie ulegają aglutynacji ani w obecności surowicy krwi A, ani w obecności surowicy krwi AB. Jest to pierwszy zanotowany taki przypadek. Dotychczas zaburzona ekspresja grupy krwi A (utrata zdolności aglutynacyjnych) była powiązana z chorobą nowotworową krwi[1].

## Terapie stosowane przy różyczce

*Wszystkie grupy krwi*:
Szczepionka różyczki nie powinna być podawana osobom z wadliwie działającym lub zmienionym układem odpornościowym (jak w wypadku BIAŁACZKI, CHŁONIAKA czy innych złośliwych zmian nowotworowych), osobom przechodzącym poważną chorobę gorączkową, osobom w trakcie długotrwałej terapii kortykosteroidami lub naświetlaniem, a wreszcie chorym leczonym chemioterapią.

*U wszystkich czterech grup krwi układu AB0 stosuje się następujące protokoły:*
* antywirusowy
* wzmacniający układ odpornościowy

## Tematy pokrewne

Choroby wirusowe (ogólnie)
Odporność

**Bibliografia**

1. Sherman LA, Silberstein LE, Berkman EM. Eltered blood group expression in a patient with congenital rubella infection. *Transfusion.* 1984;24:267–269.

---

**RZEŻĄCZKA** – *patrz Choroby bakteryjne: Rzeżączka*

**SALMONELLA** – *patrz Choroby bakteryjne (ogólnie)*

**SARKOIDOZA** – *patrz Choroby autoagresyjne: Sarkoidoza*

**SCHIZOFRENIA** – choroba psychiczna o podłożu psychozy.

| Schizofrenia | RYZYKO ZACHOROWANIA | | |
|---|---|---|---|
| | NISKIE | UMIARKOWANE | ZNACZNE |
| Grupa A | | | |
| Grupa B | | | |
| Grupa AB | | | |
| Grupa 0 | | | |

## Objawy

- utrata kontaktu z rzeczywistością,
- halucynacje (omamy; wrażenie postrzegania bez przyczyny zewnętrznej),
- urojenia (wiara w rzeczy niemające podstaw w rzeczywistości),
- nieprawidłowy tok myślenia,
- spłycenie afektu (ograniczenie zakresu emocji),
- zmniejszenie motywacji,
- zaburzenia zachowań w pracy i w społeczności.

## Krótko o schizofrenii

Schizofrenia występuje na świecie z częstością około 1%, aczkolwiek istnieją też miejsca o większej lub mniejszej częstości występowania tej choroby. W Stanach Zjednoczonych chorzy na schizofrenię zajmują 25% wszystkich miejsc szpitalnych i są odpowiedzialni za 20% wszystkich zwolnień chorobowych. Schizofrenia jest chorobą bardziej rozpowszechnioną od choroby Alzheimera, cukrzycy czy stwardnienia rozsianego. Wydaje się, że najczęściej dotyka niższe klasy społeczno-ekonomiczne na obszarach miejskich, być może dlatego, że jej upośledzające oddziaływanie przyczynia się do bezrobocia i ubóstwa. Podobnie, znaczna liczba przypadków schizofrenii wśród osób samotnych może odzwierciedlać skutek, jaki choroba ta, lub jej pierwsze zwiastuny, wywierają na społeczne funkcjonowanie człowieka. Typowo początek choroby przypada na wiek 18–25 lat u mężczyzn i 26–45 lat u kobiet, nierzadko jednak zaczyna się w dzieciństwie, w okresie dojrzewania lub nawet w wieku podeszłym.

Podatność na schizofrenię może wynikać z predyspozycji genetycznych, komplikacji w życiu płodowym, okołoporodowych i poporodowych lub infekcji wirusowych. U potomstwa zwiększone ryzyko zachorowania na schizofrenię wiąże się z przejściem przez matkę grypy w drugim trymestrze ciąży, a także konflikt serologiczny w układzie Rh w drugiej lub następnych ciążach.

## Związki schizofrenii z grupami krwi

Przebadano grupy krwi i status wydzielacza 210 pacjentów schizofreników urodzonych w Budapeszcie. Pacjentów podzielono na grupy w zależności od postaci choroby – przewlekłej, fazowej i nawrotowej. W schizofrenii ciągłej przeważali pacjenci z grupą krwi A, zaś chorych z grupą krwi 0 było mniej niż normalnie. Większy udział procentowy grupy 0, a mniejszy grupy A zaobserwowano w schizofrenii fazowej, a w schizofrenii nawrotowej największy udział mieli niewydzielacze z grupą krwi 0[1].

W pewnych badaniach, które mogą stanowić klucz do wyjaśnienia powstawania schizofrenii, podzielono pacjentów zgodnie z ich grupą krwi. Między chorymi z grupą krwi A i chorymi z grupą krwi 0 znaleziono kilka istotnych różnic: stosunek albuminy do fibrynogenu, poziom fibrynogenu i lepkość krwi. Zaobserwowane u pacjentów zmiany czynników lepkości krwi (stopień lepkości osocza i krwi, agregacja erytrocytów, wyraźna płynność sztucznie wywołanych skrzepów) i czynników biochemicznych (poziom fibrynogenu, stosunek albuminy do fibrynogenu i stosunek albuminy do globuliny) sugerują, że lęki o podłożu depresyjnym i schizoidalnym, a szczególnie lęki depresyjne, bywają współbieżne z patologicznymi zmianami płynności krwi i koagulacji. Zaobserwowano znaczące statystycznie różnice między wynikami uzyskanymi dla pacjentów i osób zdrowych. Podobnie duże różnice zaobserwowano między niektórymi czynnikami lepkości i funkcjami w grupach pacjentów z lekami depresyjnymi i schizoidalnymi. Wyniki te pozwalają spojrzeć na schizofrenię w nowy sposób: po pierwsze, istnieją fizjologiczne różnice między osobami zdrowymi i cierpiącymi na przewlekłe zaburzenia lękowe; po drugie, istnieją fizjologiczne różnice między osobami cierpiącymi na lęki depresyjne i schizoidalne. Wprawdzie nie istnieją jeszcze dowody na to, że zmiany lepkości krwi mogą być skutkiem lub przyczyną stanu psychicznego, ale ich obecność może wpływać na układ sercowo-naczyniowy i być przyczyną wtórnych zaburzeń funkcjonowania różnych narządów. Korelacja ta może też być pomocna w wyjaśnieniu roli lęku w zaburzeniach sercowo-naczyniowych i mózgowych na podstawie parametrów biologicznych. Wprawdzie w badaniach tych nie znalazły się wnioski na temat czynników ryzyka, wydaje się prawdopodobne, że dla osób z grupą krwi A i osób z grupą krwi 0 upatrywać ich należy w różnicach lepkości krwi[2].

*U wszystkich czterech grup krwi układu AB0 stosuje się następujące protokoły:*
- wspomagający zdrowie układu nerwowego
- przeciwstresowy
- usprawniający procesy umysłowe

**Tematy pokrewne**

Depresja dwubiegunowa
Depresja jednobiegunowa
Stany lękowe
Stres
Zaburzenia krzepliwości

**Bibliografia**

1. Faludi G. [Relationship between schizphrenia, AB0 system and secretory system]. *Encephale.* 1981;7:143–152.
2. Dintendast L, Zador I. Blood rheology in patients with depressive and schizoid anxiety. *Biorheology.* 1976;(13):33–36.

**SHIGELLA** – *patrz Choroby bakteryjne: Zakażenie bakteriami czerwonki*

## STAN OKOŁOMENOPAUZALNY I MENOPAUZA – stan będący wynikiem zmian hormonalnych towarzyszących menopauzie.

| Stan okołomenopauzalny i menopauza | RYZYKO WYSTĄPIENIA | | |
|---|---|---|---|
| | NISKIE | UMIARKOWANE | ZNACZNE |
| Grupa A | | | |
| Grupa B | | | |
| Grupa AB | | | |
| Grupa 0 | | | |

## Objawy

Objawy i ich nasilenie mogą być bardzo różne. Niektóre kobiety poza stopniowym zanikiem miesiączki prawie nie mają objawów, inne mają różnorakie dolegliwości, a więc:

- uderzenia gorąca,
- bezsenność,
- suchość pochwy,
- nietrzymanie moczu,
- suchość skóry,
- zmienność nastrojów,
- tycie.

## Krótko o menopauzie

Menopauza to proces, który zachodzi w ciągu kilku lat – najczęściej między 47. i 55. rokiem życia, aczkolwiek dokładne ramy czasowe są różne dla poszczególnych kobiet. Owe ramy czasowe określane są mianem okresu okołomenopauzalnego.

Aczkolwiek spadek wydzielania hormonów jest zjawiskiem normalnym, kończącym okres rozrodczy w życiu kobiety, to jednak podnosi on ryzyko zachorowania na niektóre choroby. Na przykład OSTEOPOROZA, czyli rzeszotowienie kości, które może wywołać łamliwość kości, a nawet być przyczyną śmierci, jest właśnie wynikiem niedoborów estrogenu.

Objawy okołomenopauzalne i menopauzalne, a także ich nasilenie, są różne dla różnych kobiet. Niektóre kobiety poza stopniowym zanikiem miesiączki prawie nie mają objawów, inne mają różnorakie dolegliwości.

## Związki menopauzy z grupami krwi

Wprawdzie nie istnieją badania, które dowodziłyby bezpośrednich związków między grupami krwi i stanem menopauzalnym, wiadomo, że kobiety z grupą krwi A i AB są w tym okresie bardziej podatne na zachorowanie na RAKA SUTKA. Zważywszy, że istnieje związek między podwyższonym poziomem estrogenu i rakiem sutka, nie czyni ich to dobrymi kandydatkami do klasycznej hormonalnej terapii zastępczej.

## Terapie stosowane w okresie okołomenopauzalnym i menopauzalnym

### Wszystkie grupy krwi:

Skutecznym środkiem zastępczym w stosunku do klasycznej substytucyjnej terapii hormonalnej mogą być dostępne od niedawna fitoestrogeny, substancje podobne do estrogenu i progesteronu, ale pochodzące z roślin, przede wszystkim soi, lucerny i jamsów. Wiele z tych preparatów występuje w postaci kremów, którymi należy kilka razy dziennie smarować skórę. Fitoestrogeny są bogate w jedną z frakcji estrogenu, tak zwany estriol, natomiast estrogeny zwierzęce bazują na estradiolu. Fachowa literatura pokazuje wyraźnie, że podawanie estriolu zmniejsza częstość występowania raka sutka. Fitoestrogeny są słabsze od estrogenów syntetycznych, ale zdecydowanie są skuteczne przeciw różnym dolegliwościom menopauzalnym, w tym również uderzeniom gorąca i suchości pochwy. Co więcej, jako słaby suplement estrogenu nie będą działały hamująco na naturalne wydzielanie estrogenów, co często ma miejsce w wypadku estrogenów syntetycznych. Ciekawe, że w Japonii, gdzie typowa dieta zawiera duże ilości fitoestrogenów, w języku tradycyjnym w zasadzie nie istnieje słowo na określenie menopauzy. Bez wątpienia powszechność stosowania produktów sojowych, które zawierają fitoestrogeny – genisteinę i daidzeinę – skutecznie niweluje przykre objawy menopauzy.

Dodatkowo pewne złagodzenie objawów menopauzy można też uzyskać poprzez:

1. Ubieranie się „na cebulkę", tak by w razie potrzeby móc zdjąć jakąś warstwę ubrania i w ten sposób unikać przegrzania.

2. Unikanie kofeiny i alkoholu, które mogą wywołać u niektórych kobiet uderzenia gorąca.

3. Stosowanie ciepłych kąpieli, które mogą pomóc zmniejszyć podwyższoną temperaturę ciała.

4. Stosowanie niehormonalnych kremów nawilżających, takich jak Replens, Moist Again czy Gyne-Moistrin dla zwalczenia suchości i swędzenia pochwy.

*U wszystkich czterech grup krwi układu AB0 stosuje się następujące protokoły:*

- menopauzalny
- równoważący dla kobiet
- usprawniający metabolizm

**Tematy pokrewne**

Odporność
Osteoporoza
Rak sutka

---

**STRES** – stan wywoływany zachwianiem równowagi hormonów stresowych.

| Stres | RYZYKO WYSTĄPIENIA | | |
|---|---|---|---|
| | NISKIE | UMIARKOWANE | ZNACZNE |
| Grupa A | | | |
| Grupa B | | | |
| Grupa AB | | | |
| Grupa 0 | | | |

**Objawy**

- niestrawność,
- przerywany lub niespokojny sen,
- niezdolność do przypomnienia sobie snów,
- bezdech periodyczny we śnie,
- trudności z zaaklimatyzowaniem do upałów i mrozów,
- napięcie mięśniowe,
- przewidywalny spadek zasobów energetycznych w ciągu dnia,
- zimne dłonie.

**Krótko o stresie**

W warunkach stresu emocjonalnego lub fizjologicznego organizm broni się, zmieniając swoją polaryzację poprzez przesunięcia punktu równowagi w obrębie wegetatywnego (autonomiczne-go) układu nerwowego, który właściwie składa się z dwóch gałęzi. Współczulna część układu wegetatywnego jest odpowiedzialna za pierwotną reakcję typu „walcz lub uciekaj". Przywspółczulna gałąź układu wegetatywnego odpowiada za rozluźnienie układu nerwowego po zakończeniu gwałtownej reakcji układu współczulnego. Odpowiednie funkcjonowanie obu układów ma dla zdrowia człowieka zasadnicze znaczenie. Obie gałęzie wegetatywnego układu nerwowego komunikują się z układem wydzielania wewnętrznego i narządami, co pomaga w ich właściwym funkcjonowaniu i pozwala im reagować na cały zestaw najrozmaitszych sytuacji i wyzwań.

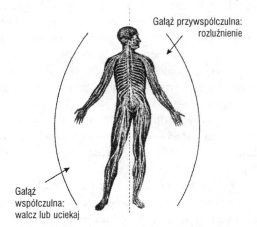

Gałąź przywspółczulna: rozluźnienie

Gałąź współczulna: walcz lub uciekaj

Sprawne działanie wegetatywnego układu nerwowego zależy od równowagi między układem współczulnym i przywspółczulnym

Przez większą część czasu obie gałęzie układu wegetatywnego są antagonistami i najlepiej działają, gdy są w takim właśnie stanie zrównoważonej opozycji w stosunku do siebie. Na przykład, układ współczulny wywołuje przyspieszenie pracy serca, natomiast przywspółczulny ją spowalnia i rozluźnia mięśnie ścian tętnic, tak że krew przepływa łatwiej, natleniając mięsień sercowy.

Kluczem do prawidłowego funkcjonowania układu nerwowego jest równowaga. Problemy zaczynają się wówczas, gdy jedna z dwóch gałęzi układu wegetatywnego dłuższy czas zachowuje dominację nad drugą. Chroniczny stres działa jak odważnik na wadze – przechyla szalę na stronę układu współczulnego, oczywiście kosztem przy-współczulnego. Ponieważ wiele normalnych funkcji organizmu wymaga udziału układu przy-współczulnego, przedłużająca się dominacja układu współczulnego musi w końcu doprowadzić do załamania nerwowej homeostazy organizmu. Mechanika normalnej odpowiedzi na sytuację stresową wymaga synchronizacji trzech narządów wydzielniczych: podwzgórza, przysadki i nadnerczy. Nazywane to jest osią podwzgórza, przysadki i nadnerczy (oś HPA).

W warunkach stresu podwzgórze mózgu uwalnia hormon, którego funkcją jest spowodowanie wydzielanie kortykotropiny. Hormon ten pobudza przysadkę do wydzielania hormonu adrenokortykotropowego (ACTH). ACTH sygnalizuje nadnerczom konieczność wydzielenia hormonów stresowych – adrenaliny i kortyzolu. Kiedy stres się kończy, podwzgórze otrzymuje informację, że może przestać uwalniać hormon uwalniający kortykotropinę. Homeostaza, czyli równowaga, zostaje przywrócona.

Dwa typy hormonów stresowych, o których mowa, to katecholaminy i kortyzol; właśnie te hormony pozostają w najsilniejszym związku z grupami krwi.

W odpowiedzi na stres gruczoły nadnerczowe uwalniają dwie katecholaminy: epinefrynę, bardziej znaną pod nazwą adrenalina, oraz norepinefrynę, zwaną noradrenaliną. Kiedy te dwa silne związki zostaną uwolnione do krwiobiegu, szybciej zaczyna bić serce, rośnie ciśnienie krwi, spada aktywność trawienna, rośnie pobudzenie i czujność, a wszystkie zasoby organizmu ulegają takiemu przesunięciu, by mogły służyć ucieczce, walce, ćwiczeniom czy innej fizycznej aktywności. Katecholaminy można zatem porównać do sił szybkiego reagowania, służących układowi nerwowemu do wywołania natychmiastowej, krótkotrwałej odpowiedzi na stres.

Kortyzol, z kolei, bardziej można porównać do armii okupacyjnej – przygotowanej na długotrwałe działanie. Kortyzol to hormon kataboliczny; jeśli zaistnieje taka potrzeba, będzie zamieniał białka tkanki mięśniowej w energię

(tłuszcz zostawi na później). W każdej sytuacji traumatycznej nadnercza dosłownie zalewają resztę narządów kortyzolem. Zimno, głód, krwotok, OPERACJA, infekcja, urazy, ból i nadmierny wysiłek fizyczny, na przykład podczas ćwiczeń, napotka reakcję w postaci kortyzolu. Także wysiłek umysłowy i stres emocjonalny wywołują podwyższenie poziomu tego hormonu. Kortyzol zarządza wieloma potężnymi mechanizmami działającymi w organizmie, nastawionymi na zapewnienie człowiekowi przetrwania.

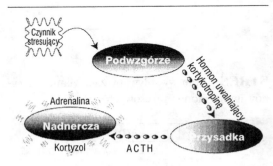

ODPOWIEDŹ NA STRES
OŚ PODWZGÓRZE–PRZYSADKA–NADNERCZA

W warunkach stresu podwzgórze mózgu uwalnia hormon, który ma spowodować wydzielanie kortykotropiny. Hormon ten pobudza przysadkę do wydzielania hormonu adrenokortykotropowego (ACTH). ACTH sygnalizuje nadnerczom konieczność wydzielenia hormonów stresowych – adrenaliny i kortyzolu.

Kortyzol jest związkiem niezbędnym dla życia. Ponieważ umożliwia ratunek w sytuacji zagrożenia, gdyby nasze nadnercza przestały go wytwarzać, pierwszy większy stres zakończyłby się dla nas tragicznie. Tak więc kortyzol jest hormonem o kluczowym znaczeniu dla człowieka. Jednakże stanowi on również broń obosieczną. Przewlekłe lub nadmierne wytwarzanie kortyzolu zaburza równowagę wielu ważnych narządów i układów. Podczas gdy właściwy poziom kortyzolu zmniejsza odczyn zapalny oraz skłonność do alergii, a także pomaga w leczeniu tkanek, niewłaściwa jego ilość może wywołać efekt zupełnie przeciwny. WRZODY, NADCIŚNIENIE, CHOROBA SERCA, atrofia mięśni, STARZENIE się skóry, zwiększone ryzyko złamań kości i bezsenność to zaledwie niektóre z kosztów kortyzolowej intoksykacji. Przewlekła nadprodukcja kortyzolu upośledza też poważnie układ odpornościowy, a to czyni nas podatnymi na infekcje wirusowe. Wysokie stężenie kortyzolu może wywoływać dzienne zaburzenia funkcji poznawczych. W rzeczywistości okazuje się, że osoby cierpiące na chorobę Alzheimera oraz starczą demencję mają chronicznie podwyższone stężenie kortyzolu.

## Stres a skuteczność układu odpornościowego

Badania dowodzą niezbicie, że stres, w zasadzie w każdej postaci, powoduje chwilowe osłabienie układu odpornościowego. Stres przewlekły wywołuje długotrwałe skutki. Na przykład, stres wpływa silnie na komórki „naturalnych zabójców" (NK), odpowiedzialne za niszczenie komórek zainfekowanych wirusami i rakowych. Chroniczny stres, niezależnie od przyczyny (kontakt z metalami ciężkimi, zanieczyszczenie środowiska, hałas o szerokim spektrum frekwencji dźwięków, bezsenność, przepracowanie, wyzwania emocjonalne, stresujące zdarzenia, brak ruchu, złe odżywianie, inne), zawsze zmniejsza aktywność komórek NK[1].

Ciężki stres może tę aktywność ograniczyć nawet o 50%. W rzeczywistości wpływ sytuacji stresowej na aktywność komórek „naturalnych zabójców" jest poważniejszym zjawiskiem niż niektóre z ludzkich najgorszych przyzwyczajeń, takich jak nadużywanie alkoholu i palenie papierosów[2]. Co więcej, liczba przeciwciał IgA, występujących normalnie w śluzach układu trawiennego, jamy ustnej, płuc, dróg moczowych i innych jam ciała i będących prawdopodobnie jednym z najważniejszych aspektów odpowiedzi humoralnej, znacznie maleje wskutek stresu[3].

## Stres i zdrowie układu sercowo-naczyniowego

Stres i emocje z nim związane mają istotny wpływ na rozwój choroby sercowo-naczyniowej. Klinika Mayo wykazała, że stres o podłożu psychicznym jest najlepszym indykatorem ewentu-

alnych przyszłych epizodów sercowo-naczyniowych, takich jak nagła śmierć sercowa i zawał serca. Wykazano, że w porównaniu z pacjentami spokojnymi pacjenci pozostający w stanie stresu byli w ciągu 6 miesięcy od opuszczenia szpitala po hospitalizacji częściej przyjmowani do szpitala i częściej mieli nawroty epizodów sercowych (nagła śmierć, ZAWAŁ MIĘŚNIA SERCOWEGO, zatrzymanie pracy serca wymagające reanimacji). Stres emocjonalny okazał się bardziej przewidywalnym wskaźnikiem zagrożenia rakiem i chorobą serca niż palenie. Wśród osób, które nie były w stanie skutecznie opanować sytuacji stresotwórczych, śmierć była o 40% częstszym zjawiskiem niż wśród pozostałych, wolnych od stresu osób[4,5].

## Związki stresu z grupami krwi

Choć stres powoduje wzrost wydzielania kortyzolu u ludzi z każdą grupą krwi, grupa krwi A i w nieco mniejszym stopniu grupa krwi B zaczyna ze znacznie wyższego poziomu podstawowego. Na szczęście grupa ta ma również większe możliwości w zakresie rozkładu i eliminowania katecholamin, takich jak adrenalina[6], dlatego powrót do normalnego poziomu hormonów następuje w tej grupie szybciej niż w innych.

W sytuacji stresowej osoby z grupą krwi 0, a w nieco mniejszym stopniu również osoby z grupą krwi AB, wytwarzają więcej katecholamin (adrenalina i noradrenalina), a to pozwala im szybciej i skuteczniej reagować na zagrożenie. Ich powrót do normalności jest jednak trudniejszy niż w wypadku osób z grupą krwi A, ponieważ ich organizm wolniej rozkłada katecholaminy. Enzym o nazwie oksydaza monoaminowa jest odpowiedzialny za, między innymi, rozkład lub inaktywację adrenaliny i noradrenaliny. Kiedy zmierzono aktywność MAO w płytkach krwi, okazało się, że w grupie krwi 0 poziom tego enzymu jest najniższy. Wyjaśnia to obserwowane w tej grupie trudności z eliminacją katecholamin[7] i odzyskaniem normalnego poziomu ich aktywności, w sytuacji gdy stres minął.

## Terapie stosowane przy stresie

*U wszystkich czterech grup krwi układu AB0 stosuje się protokół:*

- przeciwstresowy

## Tematy pokrewne

Choroba sercowo-naczyniowa
Nowotwory (ogólnie)
Odporność

### Bibliografia

1. Glaser R, Kiecolt-Glaser JK, Malarkey WB, Sheridan JF. The influence of psychological stress on the immune response to vaccines. *Ann N Y Acad Sci.* 1998;840:649–655.
2. Kusaka Y, Morimoto K. Does lifestyle modulate natural killer cell activities [review, in Japanese]? *Nippon Eiseigaku Zasshi.* 192;46:1035–1042.
3. Irwin M, Patterson T, Smith TL, et al. Reduction of immune function in life stress and depression. *Biol Psychiatry.* 190;27:22–30.
4. Allison TG, Williams DE, Miller TD, et al. Medical and economics costs of psychologic distress in patients with coronary artery disease. *Mayo Clin Proc.* 1995;70:734–42.
5. Eysenck HJ. Personality, stress and cancer: prediction and prophylaxis. *Br J Med Psychol.* 1988;61(pt 1):57–75.
6. Goldin LR, Gershon ES, Targum DS, Sparkes RS, McGinniss M. Segregation and linkage studies of plasma dopamine-beta-hydroxylase (DBH), erythrocyte catechol-O-methyltransferase (COMT), and platelet monoamine oxidase (MAO): possible linkage between the AB0 locus and a gene controlling DBH activity. *AM J Hum Genet.* 1982;34:250–262.
7. Losong AH, Roberge AG. Cortisol and catecholamines response to venisection by humans with different blood groups. *Clin Biochem.* 1985;18:67–69.

---

## STWARDNIAJĄCE ZAPALENIE DRÓG ŻÓŁCIOWYCH

**STWARDNIAJĄCE ZAPALENIE DRÓG ŻÓŁCIOWYCH** – choroba o podłożu auto-agresyjnym dotykająca przewody żółciowe, występująca często razem z zapaleniem okrężnicy

| Stwardniające zapalenie dróg żółciowych | RYZYKO ZACHOROWANIA | | |
|---|---|---|---|
| | NISKIE | UMIARKOWANE | ZNACZNE |
| Grupa A | | | |
| Grupa B | | | |
| Grupa AB | | | |
| Grupa 0 | | | |
| niewydzielacz | | | |

## Objawy

- suchość oczu i jamy ustnej,
- gorączka,
- ból (w prawej górnej ćwierci tułowia),
- żółtaczka,
- zapalenie okrężnicy.

## Krótko o stwardniającym zapaleniu dróg żółciowych

Jest to autoimmunologiczna choroba przewodów żółciowych, której często towarzyszy zapalenie okrężnicy. Stwierdzono, że częściej występuje u mężczyzn, a jej początek przypada średnio na okres między 35. i 40. rokiem życia. Istnieje hipoteza, że przyczyną stwardniającego zapalenia dróg żółciowych może być jakaś wcześniejsza infekcja przewodów żółciowych, z następującym po niej omyłkowym atakiem układu odpornościowego na zdrowe komórki. Konwencjonalne leczenie stwardniającego zapalenia dróg żółciowych nie jest bardzo skuteczne i w wielu wypadkach jedynym ratunkiem jest dla pacjentów transplantacja wątroby.

## Związki stwardniającego zapalenia dróg żółciowych z grupami krwi

Zbadano rozmieszczenie węglowodanowych antygenów układów grupowych AB0, Lewis i Kell w komórkach dróg żółciowych i okrężnicy 11 pacjentów cierpiących na pierwotne stwardniające zapalenie dróg żółciowych (PSC). W porównaniu z grupą kontrolną, złożoną z pacjentów chorych na zapalenie jelit, nabłonek dróg żółciowych chorych na PSC wybarwiał się odmiennie. U chorych z zastoinową chorobą wątroby zwiększyła się ekspresja antygenów Le. Podobny nietypowy schemat barwienia nabłonka okrężnicy przeciwciałami anty-A i anty-B wykazało 91% pacjentów z PSC; dla porównania, w grupie osób zdrowych udział procentowy osób z nietypowym barwieniem nabłonka okrężnicy wyniósł 33%, a w grupie osób cierpiących na zapalenie jelita 42%[1]. To sugeruje, że zachorowanie na PSC może być wyższe wśród osób z grupą krwi A, B i AB.

## Terapie stosowane przy stwardniającym zapaleniu dróg żółciowych

*U wszystkich czterech grup krwi układu AB0 stosuje się następujące protokoły:*
- wspomagający działanie wątroby
- wzmacniający układ odpornościowy
- przeciwzapalny
- detoksykacyjny

## Tematy pokrewne

Choroba wątroby
Choroby autoagresyjne (ogólnie)
Wrzodziejące zapalenie okrężnicy
Zapalenie

**Bibliografia**

1. Bloom S, Heryet A, Fleming K, Chapman RW. Inappropriate expression of blood group antigens on biliary and colonic epithelia in primary sclerosing cholangitis. *Gut.* 1993;34:977–983.

---

## STWARDNIENIE ROZSIANE – *patrz*
*Choroby autoagresyjne: Stwardnienie rozsiane (SM)*

## STWARDNIENIE TĘTNIC – *patrz Miażdżyca tętnic; Choroba wieńcowa*

## STWARDNIENIE ZANIKOWE BOCZNE (ALS) – zwane też czasem chorobą Lou Gehriga; choroba o nieznanej etiologii prowadząca do zwyrodnienia tkanki nerwowo-mięśniowej.

| Stwardnienie zanikowe boczne (SLA) | RYZYKO ZACHOROWANIA/NASILENIE | | |
|---|---|---|---|
| | NISKIE | UMIARKOWANE | ZNACZNE |
| Grupa A | | | |
| Grupa B | | | |
| Grupa AB | | | |
| Grupa 0 | | | |
| niewydzielacz | | | |

## Objawy

- słabość kończyn,
- utrata zdolności manualnych,
- kurcze mięśni,
- trudności z przełykaniem,
- zaburzenia mowy,
- kurcze i drgawki mięśni.

### Krótko o stwardnieniu zanikowym bocznym

Jest to wyniszczająca choroba nerwowo-mięśniowa, która dotyka ludzi w sile wieku. Jest zagadką od chwili odkrycia, czyli od przeszło 100 lat. Przyczyna tej śmiertelnej choroby, zwanej czasami chorobą Lou Gehriga, pozostaje nadal niewyjaśniona. ALS to postępująca choroba wyspecjalizowanych komórek nerwowych zwanych neuronami motorycznymi. Neurony motoryczne kontrolują działanie mięśni podległych woli. ALS powoduje stopniową dezintegrację górnych neuronów motorycznych wychodzących z górnych partii mózgu i dolnych neuronów motorycznych, które wychodzą z dolnych partii mózgu i rdzenia kręgowego. Zmiany te sprawiają, że neurony nie mogą przekazywać sygnałów chemicznych będących podstawą funkcjonowania mięśni prążkowanych.

ALS osłabia mięśnie zależne od woli, określane też mianem mięśni szkieletowych. Końcowym skutkiem choroby jest całkowity paraliż. Uszkodzenie górnych neuronów motorycznych prowadzi do osłabienia, spastyczności mięśni i wygórowanych odruchów. Uszkodzenie dolnych neuronów motorycznych prowadzi do zaniku mięśni i fascykulacji (drgania pęczkowe mięśni), a także do ich osłabienia i zmniejszenia odruchów. Uszkodzeniu dolnych neuronów motorycznych w obrębie rdzenia przedłużonego (opuszka) towarzyszy osłabienie mięśni odpowiedzialnych za mowę, żucie i przełykanie. Zmiany w neuronach motorycznych w obrębie rdzenia kręgowego prowadzą do degeneracji mięśni kończyn, szyi i tułowia.

U niektórych osób pierwszym przejawem ALS jest osłabienie kończyn, utrudniające chodzenie i wykonywanie czynności wymagających sprawności manualnej. Taki początek ALS określa się czasem jako **kończynowy**. U innych do pierwszych objawów należą problemy z przełykaniem i mową i taki początek ALS określa się jako **opuszkowy**. U wielu chorych pojawiają się drgawki, spazmy i kurcze, którym towarzyszy niezmiennie spadek masy mięśniowej. Ponieważ ALS jest chorobą postępującą, większość chorych doświadcza w końcu wszystkich tych objawów. Na żadnym etapie choroby nie występują chroniczne bóle.

## Związki ALS z grupami krwi

ALS częściej pojawia się wśród osób z grupą krwi B i jest kolejnym dowodem na jej podatność na nietypowe, chroniczne choroby o podłożu wirusowym i neurologicznym. Być może właśnie przynależność do grupy krwi B może wyjaśnić, dlaczego zachorowalność na ALS jest u Żydów aszkenazyjskich wyraźnie większa niż w innych grupach etnicznych. Niektórzy badacze uważają, że przyczyną ALS jest młodzieńcza infekcja jakimś wirusem przypominającym przeciwciało grupy B. Osoby z grupą krwi B nie mogą zwalczyć tego wirusa, ponieważ nie wytwarzają przeciwciał anty-B. Wirus taki może się zatem namnażać bezobjawowo przez 20 lub więcej lat. Gdyby tak było, to w potencjalnym zagrożeniu znajdowałaby się również grupa krwi AB. Wydaje się również, że osoby z grupą krwi 0 i A są stosunkowo bezpieczne, ponieważ chronią je ich przeciwciała anty-B.

## Terapie stosowane w stwardnieniu zanikowym bocznym (ALS)

*Wszystkie grupy krwi*

Istnieją podstawy, by sądzić, że terapia aminokwasami o łańcuchach rozgałęzionych (takimi jak leucyna, izoleucyna i walina) może spowolnić tempo degeneracji tkanek mięśniowej i nerwowej. W toku mojej praktyki zaobserwowałem to u niektórych pacjentów, jednakże nie u wszystkich. Kuracja taka nie jest kosztowna (aminokwasy te są powszechnie stosowane przez kulturystów) i bezpieczna, dlatego na pewno warta wypróbowania.

- Suplementy aminokwasów o łańcuchach rozgałęzionych: po 1000 mg leucyny, izoleucyny i waliny – trzy razy dziennie.
- Metylokobalamina: 400 mcg dziennie

*Protokoły stosowane przy grupie krwi A:*
- wzmacniający układ odpornościowy
- wspomagający zdrowie układu nerwowego

*Protokoły stosowane przy grupie krwi B:*
- wspomagający zdrowie układu nerwowego
- antywirusowy
- wzmacniający układ odpornościowy

*Protokoły stosowane przy grupie krwi AB:*
- wzmacniający układ odpornościowy
- wspomagający zdrowie układu nerwowego

*Protokoły stosowane przy grupie krwi 0:*
- wspomagający układ odpornościowy
- wspomagający zdrowie układu nerwowego

## Tematy pokrewne

Choroby autoagresyjne (ogólnie)
Zapalenie stawów: Reumatoidalne

**SYNDROM X** – *patrz Insulinooporność*

**ŚRÓDMIĄŻSZOWE ZAPALENIE PĘ-CHERZA** – *patrz Zapalenie pęcherza*

**ŚWINKA** – *patrz Choroby wirusowe: Nagminne zapalenie przyusznic*

**ŚWISZCZĄCY ODDECH** – *patrz Astma*

**TĘGORYJEC** – *patrz Choroby pasożytnicze: Zakażenie tęgoryjcem (Ancylostomatoza)*

**TĘTNIAK AORTY BRZUSZNEJ** – rozdęcie aorty spowodowane słabością jej ściany.

| Tętniak aorty brzusznej | RYZYKO ZACHOROWANIA/NASILENIE | | |
|---|---|---|---|
| | NISKIE | UMIARKOWANE | ZNACZNE |
| Grupa A | | | |
| Grupa B | | | |
| Grupa AB | | | |
| Grupa 0 | | | |
| Podtyp MN | | | |

## Objawy

- brak objawów aż do stanu poważnego,
- ból brzucha promieniujący w stronę pleców lub pachwiny.

## Krótko o tętniaku aorty brzusznej

Mianem tym określa się stałe rozszerzenie aorty brzusznej, powodujące przynajmniej 50-procentowe zwiększenie średnicy naczynia w stosunku do spodziewanego rozmiaru. U większości chorych choroba przebiega bezobjawowo aż do chwili, gdy stan jest poważny. Czasem (przy dużym tętniaku) daje się wyczuć w obrębie jamy brzusznej sprężysty guz, przyczynę bólu promieniującego w stronę krzyża lub pachwiny. Tętniak może wystąpić u osób z przepukliną, ale także u chorych z ZATOREM (zaczopowaniem) lub ZAKRZEPICĄ. Do powstania tętniaka może dojść na dowolnym odcinku aorty,

jednakże 75% tętniaków lokuje się właśnie w odcinku brzusznym tego naczynia. Na pozostałe 25% składają się tętniaki piersiowego odcinka aorty, w tym również te, które ulokowane są na odcinku zstępującym tętnicy piersiowej.

## Czynniki ryzyka i przyczyny tętniaka aorty brzusznej

Największy wkład w degenerację tętnic ma NADCIŚNIENIE i palenie papierosów. Do mniej częstych przyczyn powstawania tętniaków należą: uraz, zapalenie tętnic i tętniak bakteryjny.

## Związki z grupami krwi

W grupie krwi A i AB istnieje większe prawdopodobieństwo wystąpienia chorób naczyniowych i nadciśnienia, a także skrzepów, co wiąże się z wysokim stężeniem czynników krzepnięcia krwi.

## Terapie stosowane w wypadku tętniaka aorty brzusznej

*Protokoły stosowane przy grupie krwi A:*
- sercowo-naczyniowy
- przeciwstresowy
- wzmacniający układ odpornościowy

*Dodatkowo:*
ekstrakt z miłorzębu *Gingko biloba* lub aspiryna w niskich dawkach: 1 raz dziennie (nie brać obu naraz)

*Protokoły stosowane przy grupie krwi B:*
- sercowo-naczyniowy
- krwiotwórczy
- przeciwstresowy

*Protokoły stosowane przy grupie krwi AB:*
- sercowo-naczyniowy
- przeciwstresowy

*Dodatkowo:*
ekstrakt z miłorzębu *Gingko biloba* lub aspiryna w niskich dawkach: 1 raz dziennie (nie brać obu naraz)

*Protokoły stosowane przy grupie krwi 0:*
- sercowo-naczyniowy
- krwiotwórczy
- przeciwstresowy

## Tematy pokrewne

Choroba sercowo-naczyniowa
Krzepliwość krwi
Stres
Tętniak mózgu
Udar

**TĘTNIAK MÓZGU** – rozdęcie aorty mózgowej spowodowane słabością ściany naczynia.

| Tętniak mózgu | RYZYKO ZACHOROWANIA/NASILENIE | | |
|---|---|---|---|
| | NISKIE | UMIARKOWANE | ZNACZNE |
| Grupa A | | | |
| Grupa B | | | |
| Grupa AB | | | |
| Grupa 0 | | | |
| Podtyp MN | | | |

## Objawy

- nagłe i zazwyczaj silne bóle głowy,
- mdłości,
- zaburzenia widzenia,
- wymioty,
- utrata przytomności.

## Krótko o tętniaku mózgu

Mianem tym określa się chorobę tętnicy mózgowej spowodowaną osłabieniem ściany naczynia krwionośnego. Przyczyną choroby może być wada wrodzona lub utrzymujące się długi czas nadciśnienie, miażdżyca tętnic (nagromadzenie blaszek miażdżycowych w tętnicach) ewentualnie uraz głowy. Tętniak mózgu zdarza się częściej u dorosłych niż u dzieci i nieznacznie częściej u kobiet niż mężczyzn; może jednak wystąpić w każdym wieku.

Przed rozerwaniem tętniaka chory może odczuwać nagłe i niezwykle silne bóle głowy, mdłości, zaburzenia widzenia, może też wymiotować lub stracić przytomność. Zdarzają się też osoby, które bezobjawowo przechodzą ten etap choroby. Rozerwanie tętniaka mózgu jest niebezpieczne i zwykle wiąże się z krwawieniem w mózgu lub na obszarze otaczającym mózg, co prowadzi do powstania krwiaka śródmózgowego (skrzepu wewnątrz czaszki). W przebiegu choroby obserwuje się też ponowne krwawienie, wodogłowie (nadmierne gromadzenie płynu mózgowo-rdzeniowego), skurcze naczyń krwionośnych i tętniaki mnogie.

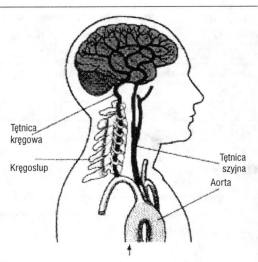

Droga zaopatrzenia mózgu w krew

## Związki tętniaka mózgu z grupami krwi

W grupie krwi 0 i w mniejszym stopniu w grupie krwi B prawdopodobieństwo wystąpienia tętniaka mózgu jest większe niż w innych grupach. Wiąże się to z niewystarczającym poziomem czynników krzepliwości krwi. W badaniach przeprowadzonych na próbie 150 pacjentów z tętniakiem tętniczo-żylnym stwierdzono niewielką liczbę osób z grupą krwi A, w przeciwieństwie do osób z grupą krwi 0 i B, które stanowiły większość. Zaobserwowano tę prawidłowość zarówno dla mężczyzn, jak i dla kobiet, przy czym dla kobiet była nawet jeszcze bardziej uderzająca[1].

W innych badaniach wśród 482 udarów, które były wynikiem wylewu krwi do mózgu, stwierdzono większy udział pacjentów z grupą krwi 0 i B, a mniejszy przedstawicieli pozostałych grup krwi[2].

Według dość odległych badań z 1967 roku znaczny udział osób z grupą krwi 0 i B zaobserwowano wśród 150 szwedzkich pacjentów cierpiących z powodu tętniaka mózgu (wylewu krwi do mózgu). Ten fakt znów wskazuje na słabsze krzepnięcie krwi w grupie 0 i B jako na przyczynę występowania tej choroby[3].

## Terapie stosowane w wypadku tętniaka mózgu

### Wszystkie grupy krwi:
Dla wzmocnienia naczyń krwionośnych w mózgu można zwiększyć ilość spożywanych niebiesko/czerwono/fioletowych owoców, takich jak jagody, wiśnie i jeżyny. Zawierają one przeciwutleniacze, które mogą pomóc w przywróceniu integralności układu krwionośnego.

### Protokoły stosowane przy grupie krwi A:
- sercowo-naczyniowy
- przeciwstresowy
- wzmacniający układ odpornościowy

*Dodatkowo:*
ekstrakt z miłorzębu *Gingko biloba* lub aspiryna w niskich dawkach: 1 raz dziennie (nie brać obu naraz)

### Protokoły stosowane przy grupie krwi B:
- sercowo-naczyniowy
- przeciwstresowy

### Protokoły stosowane przy grupie krwi AB:
- sercowo-naczyniowy
- przeciwstresowy
- wzmacniający układ odpornościowy

*Dodatkowo:*
ekstrakt z miłorzębu *Gingko biloba* lub aspiryna w niskich dawkach: 1 raz dziennie (nie brać obu naraz)

### Protokoły stosowane przy grupie krwi 0:
- sercowo-naczyniowy
- przeciwstresowy

## Tematy pokrewne

Choroba sercowo-naczyniowa
Krew: Zaburzenia krzepliwości
Stres
Tętniak aorty brzusznej
Udar

**Bibliografia**

1. Ionescu DA, Ghitescu M, Marcu I, Xenakis A. Erythrocyterheology in acute cerebral thrombosis. Effects of ABO blood groups. *Blut.* 1979;39:351–357.
2. Ionescu DA, Marcu I, Bicescu E. Cerebral thrombosis, cerebral haemorrhage, and ABO blood-groups. *Lancet.* 1976;1:278–280.
3. Strong RR, Age, sex and ABO blood group distribution of 150 patients with cerebral arteriovenous aneurysms. *J Med Genet.* 1967;29–30.

**TLENEK AZOTU** – *patrz Stres*

**TOCZEŃ** – *patrz Choroby autoagresyjne: Toczeń rumieniowaty uogólniony*

**TOCZEŃ RUMIENIOWATY** – *patrz Choroby autoagresyjne: Toczeń rumieniowaty uogólniony*

## TOKSYCZNE JELITO: SAMOZATRUCIE ENTEROTOKSYNAMI (INDYKAN W MOCZU)

**TOKSYCZNE JELITO: SAMOZATRU-CIE ENTEROTOKSYNAMI (INDYKAN W MOCZU)** – stan będący wynikiem procesów gnilnych w jelitach, zazwyczaj wywołany nadmiernym namnożeniem mikroorganizmów i możliwy do zmierzenia poziomem indykanu w moczu.

| Toksyczne jelito (indykan w moczu) | RYZYKO ZACHOROWANIA | | |
|---|---|---|---|
| | NISKIE | UMIARKOWANE | ZNACZNE |
| Grupa A | | | |
| Grupa B | | | |
| Grupa AB | | | |
| Grupa 0 | | | |

### Objawy

• wykrywalne testem na indykan w moczu

### Krótko o samozatruciu enterotoksynami

Normalnie krew i przewód pokarmowy są codziennie skutecznie oczyszczane przez wątrobę i nerki. Do samozatrucia enterotoksynami dochodzi wówczas, gdy potrzeby przerastają możliwości tych narządów albo gdy z innych przyczyn nie mogą one wykonywać swoich funkcji.

Jednym z prostszych sposobów pomiaru stopnia toksyczności jelita jest próba Obermayera na ilość indykanu w próbce pobranej z pierwszego porannego moczu. Indykan jest produktem konwersji innego związku chemicznego, a mianowicie indolu*, który jest markerem niepełnego rozkładu białka.

Wysoki poziom indykanu w moczu (*indicanuria*) jest skutkiem wchłaniania indolu i indykanu z jelita i ich eliminacji przez nerki. Indol powstaje w wyniku procesów gnilnych z nadmiaru tryptofanu, pobranego z pokarmem i nie wchłoniętego w przewodzie pokarmowym. Indykan powstaje w jelitach, skąd zostaje wchłonięty do krwi i wydalony przez nerki.

Wykazano, że indykan jest czynnikiem kancerogennym, to znaczy substancją, która sama w sobie nie jest kancerogenem, ale wzmacnia kancerogenne działanie innych substancji chemicznych. Wysoki poziom indykanu w moczu sygnalizuje też, że w jelitach zmarnowaniu ulegają duże ilości białka.

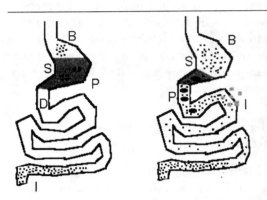

**PRZYCZYNY WYSOKIEGO STĘŻENIA INDYKANU W MOCZU**

Wysokie stężenie indykanu w moczu jest zwykle objawem procesów gnilnych zachodzących w górnej części jelita. Po lewej: w zdrowym układzie trawiennym duża ilość kwasu żołądkowego (S) stanowi barierę dla bakterii (B), uniemożliwiającą im wtargnięcie do jelita cienkiego (D). Wysokie stężenie kwasu żołądkowego ułatwia też trawienie białek (P). Część bakterii może się wprawdzie dostać do dolnych części jelita (I) z okrężnicy, jednakże nie zasiedlają one jelita cienkiego. Po prawej: W chorym układzie pokarmowym niewielka ilość kwasu żołądkowego (S) nie stanowi skutecznej bariery dla bakterii (B), które zatem mogą skolonizować jelito cienkie. Niskie stężenie kwasu żołądkowego nie sprzyja pełnemu rozkładowi białek (P), które stają się atrakcyjnym źródłem pożywienia dla bakterii zarówno tych, którym udało się przedrzeć przez barierę kwasu żołądkowego, jak i tych, które zasiedlają jelito grube. W wyniku prowadzonych przez nie procesów rozkładu resztek białka (gnicie) powstają produkty uboczne zwane indolami, które następnie są wchłaniane przez ścianę jelita do krwiobiegu i eliminowane w postaci indykanu przez nerki.

Co ważniejsze, indykan w moczu jest markerem choroby i procesów gnilnych w jelitach. Samozatrucie produktami procesów gnilnych w jelitach może prowadzić do wielu różnych objawów i przyczyniać się do powstania różnorodnych chorób. Do najpospolitszych objawów toksycznego jelita należą: NIESTRAWNOŚĆ, CUCHNĄCY ODDECH, kandydozy, brak energii, BÓLE

---

* Substancje białkowe, które zalegają przewód pokarmowy, są rozkładane przez bakterie gnilne. W procesie tym powstają związki chemiczne o właściwościach trujących: skatol, indol, fenol, kadaweryna, tyramina i inne. Część z nich zostaje wydalona z kałem, część jednak ulega wchłonięciu przez tkanki i zatruwa organizm – przyp. tłum.

GŁOWY i rozdrażnienie, problemy stawowe, CHO-
ROBY AUTOAGRESYJNE i ZESPÓŁ NAPIĘCIA PRZED-
MIESIĄCZKOWEGO.

## Główne czynniki ryzyka i przyczyny samozatrucia enterotoksynami (indykan)

1. Podeszły wiek: nawet połowa hospitalizowanych osób w podeszłym wieku wydala nienormalnie duże (w porównaniu do osób młodszych)
ilości indykanu z moczem. Może to być wynik
związanej z wiekiem utraty skuteczności procesów trawiennych, na przykład wskutek zmniejszenia ilości kwasu żołądkowego.

2. Niedobór kwasu żołądkowego: kwasowa
kąpiel w żołądku jest znakomitą barierą uniemożliwiającą wtargnięcie bakterii do jelita cienkiego. Osłabienie procesu wytwarzania kwasu
żołądkowego jest częstym zjawiskiem u osób
w podeszłym wieku, zwłaszcza starszych kobiet.
Ponieważ jedną z najważniejszych czynności żołądka jest rozkład białek, niskie stężenie kwasu
żołądkowego uniemożliwia pełny ich rozkład,
a tym samym skuteczne ich wchłanianie. Pozostałe, niestrawione resztki służą jako pożywienie
dla bakterii, które dotarły do jelita przez osłabioną barierę kwasu żołądkowego lub migrują z jelita grubego.

3. Używanie antybiotyków: antybiotyki, zwłaszcza dwóch lub więcej na raz, mogą predyspono-
wać układ pokarmowy chorego do procesów gnilnych i wytwarzania indykanu. Do leków tych
zaliczamy kanamycynę, antygrzybiczny Metroni-
dazol, Cefotaksim i Bactrim (trimetoprim i sulfo-
metoksazol).

4. Niewłaściwa dieta: lektyny pokarmowe mogą spowodować niedostateczne wchłanianie białek i tym samym prowadzić do podwyższenia poziomu indykanu w moczu. Uważa się, że jest to
wynik upośledzenia działania trypsyny (enzym
rozkładający białka) pod wpływem lektyn. Prze-
wlekłemu zaparciu towarzyszy zwykle namnażanie bakterii w jelicie cienkim i rozkład gnilny
tryptofanu do indolu.

5. Upośledzenie czynności wątroby lub nerek:
osoby z przewlekłym, aktywnym ZAPALENIEM

WĄTROBY, bez marskości, wykazują wysoki poziom indykanu w moczu. Jak stwierdzono w czasie badań przeprowadzonych po 10 latach od
powstania choroby, u 34 osób całkowicie wyle-
czonych, które wykazywały normalizację funkcjonowania wątroby, normalne parametry testów
wątrobowych i detoksykacyjnych, normalizacji
uległa też ilość indykanu w moczu. Wysoki poziom indykanu w moczu wykazują też chorzy na
mocznicę (stan wywołany toksynami z rozkładu
białek).

5. Sacharyna: sacharyna, sztuczna substancja
słodząca, powoduje zjawiskowe wręcz podniesienie ilości indykanu w moczu. Badania wykazały,
że przypadki liczne RAKA PĘCHERZA u zwierząt
można przypisać podawaniu im tzw. słodzików.
Z rakiem pęcherza skorelowany jest także wysoki poziom indykanu.

6. Choroba trzewna i zapalenie jelit: podwyższone ilości indykanu w moczu zaobserwowano
w większości stanów zapalnych jelita, w tym również w chorobie trzewnej, WRZODZIEJĄCYM ZAPA-
LENIU OKRĘŻNICY i CHOROBIE CROHNA.

7. Duża ilość metioniny w pożywieniu: stężenie indykanu w moczu mogą podnieść przyjmowane z pożywieniem duże ilości zawierającego
siarkę aminokwasu o nazwie metionina. Metionina zwiększa też stężenie innej klasy toksyn
zwanych poliaminami. Do pokarmów zawierających duże ilości metioniny zaliczają się: mleko,
kazeina, białko jaja, suszone ryby, sezam, gluten
pszenicy i zarodki pszenicy. I w tym wypadku
ubocznym produktem jest zaburzenie czynności
jelit i patogenne namnożenie bakterii prowadzące do nadprodukcji indykanu.

## Związki samozatrucia enterotoksynami (indykan) z grupami krwi

Na procesy prowadzące do samozatrucia podatne są wszystkie osoby niestosujące diety właściwej dla swej grupy krwi. Warto jednak zauważyć, że niski poziom kwasu żołądkowego jest cechą charakterystyczną osób z grupą krwi A i AB,
a to może być czynnik sprzyjający rozwojowi
choroby.

## Terapie stosowane przy samozatruciu enterotoksynami (indykan)

*U wszystkich czterech grup krwi układu ABO stosuje się następujące protokoły:*

- detoksykacyjny
- wspomagający zdrowie jelit
- wspomagający działanie wątroby

## Tematy pokrewne

Choroby bakteryjne (ogólnie)
Trawienie

## TOKSYCZNE JELITO: SAMOZATRUCIE ENTEROTOKSYNAMI (POLIAMINY) – stan będący wynikiem nadmiernej produkcji lub przyjmowania poliamin.

| Toksyczne jelito: zatrucie poliaminami | RYZYKO ZACHOROWANIA | | |
|---|---|---|---|
| | NISKIE | UMIARKOWANE | ZNACZNE |
| Grupa A | | | |
| Grupa B | | | |
| Grupa AB | | | |
| Grupa O | | | |

## Objawy

- kurcze lub wzdęcia z gazami,
- niemożność schudnięcia,
- zmęczenie,
- wysypka i swędzenie,
- ból głowy,
- niskie stężenie cukru we krwi,
- zimne dłonie i stopy,
- brak popędu płciowego.

## Krótko o poliaminach

Poliaminy zaliczane są do klasy amin biogennych i normalnie w niewielkim stężeniu wystę-

pują we wszystkich komórkach zwierzęcych i roślinnych. W normalnie funkcjonującym organizmie mają one kluczowe znaczenie dla utrzymania wysokiego tempa metabolizmu. Pewnej ilości poliamin potrzebują nie tylko jelito, ale także wszystkie inne narządy (do wzrostu, odnawiania i przemiany komórek). Poliaminy niezbędne są do wszelkich procesów wzrostowych, prawidłowego funkcjonowania układu nerwowego i rozwoju dzieci.

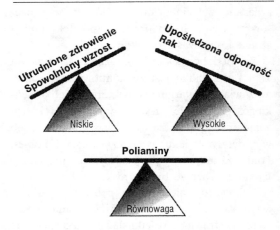

ZMIANY POZIOMU POLIAMIN W ORGANIZMIE

W organizmie zdrowym poliaminy pozostają w równowadze, zapewniając komórce sprawny przebieg procesów naprawczych (trójkąt na samym dole). Zarówno nadmiar, jak i niedobór poliamin prowadzi do zachwiania tej równowagi (dwa górne trójkąty). Może dojść do osłabienia odporności oraz rozwoju raka (z prawej) lub upośledzenia procesów wzrostu i naprawy (z lewej).

Wiele podręczników biochemii określa poliaminy jako „białka martwego mięsa". Mówi się tak dlatego, że uszkodzenie lub śmierć tkanki powoduje pękanie struktur białkowych, a bakterie lub enzymy zawarte w jedzeniu przekształcają następnie kawałki białek w poliaminy. Właśnie dlatego poliaminy występują w dużych ilościach w tkankach pacjentów o poważnych ranach i w pokarmach poddanych obróbce zmieniającej ich budowę morfologiczną (jak gwałtowne mrożenie). Wprawdzie zwolennicy wegetarianizmu posługują się poliaminami jako usprawiedliwieniem dla swego wegeterianizmu, jednakże poliaminy występują równie obficie w mięsach i owocach morza, co warzywach, ziarnach zbóż, owocach i kiełkach.

Problemy z poliaminami pojawiają się wówczas, gdy ich stężenie osiąga poziom upośledzający wzrost i metabolizm. Stężenie poliamin wewnątrz komórki jest podporządkowane ścisłym procesom regulacyjnym i waha się w zakresie od minimum potrzebnego do wzrostu komórki do maksimum, określającego poziom ich potencjalnej toksyczności.

Poliaminy są przez nasz organizm syntetyzowane, mogą jednak być też wchłaniane z jelita, z pożywienia bogatego w te związki lub w postaci produktów syntezy bakterii jelitowych wytwarzających je z aminokwasów pokarmowych. Zgodnie z tym podziałem wyróżnia się poliaminy egzogenne (powstające w świetle jelita, a więc niejako „poza organizmem") oraz endogenne (wytwarzane w wątrobie lub innych narządach). Bakterie mogą wytwarzać poliaminy z aminokwasów pokarmowych. Do bakterii, które potrafią wytwarzać poliaminy, zalicza się: *Bacillus, Clostridium, Enterobacteriaceae, Enterococcus, Klebsiella, Morganella i Proteus.* Często proces powstawania poliamin zaczyna się dużo wcześniej niż przed jedzeniem. Pokarmy mrożone, puszkowane i w ogóle przetworzone są dosłownie naszpikowane poliaminami.

Endogenne poliaminy powstają z aminokwasu ornityna, dzięki enzymowi o nazwie dekarboksylaza ornitynowa (ODC). Poliaminy może wytwarzać niemal każda tkanka, jednakże największą ich ilość produkuje wątroba. Jak wspomniano, u ludzi punktem wyjściowym do syntezy poliamin jest ornityna. Jest to aminokwas endogenny (inaczej nie niezbędny*), powstający w organizmie z innych aminokwasów, w serii przemian zwanej cyklem ornitynowym. Na drodze tej ornityna powstaje wskutek przekształcenia jednego z dwóch aminokwasów: argininy lub cytruliny.

Arginina jest również aminokwasem endogennym, z tym że najnowsze badania podają w wątpliwość twierdzenie, że dorosłe ssaki są w stanie wytworzyć całą potrzebną im argininę w procesach endogennych. To jeden z najbardziej uniwersalnych aminokwasów komórek zwierzęcych, służący za prokursor nie tylko poliamin, ale również białek, tlenku azotowego, mocznika, proliny i glutamatu. Arginina jest niezbędna dla syntezy kreatyny, głównego źródła wysokoenergetycznego fosforanu umożliwiającego regenerację zasobów energetycznych w mięśniach i ulubionej odżywki wszystkich kulturystów.

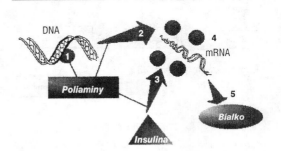

Poliaminy stymulują wzrost komórki poprzez dwa oddzielne mechanizmy. Pierwszy z nich (1) polega na bezpośrednim oddziaływaniu poliamin na konkretne geny promujące wzrost komórki. Drugi mechanizm wspomaga procesy wytwarzania różnych niezbędnych do wzrostu białek komórkowych. W procesie tym poliaminy wzmacniają efekt DNA (2) i insuliny (3) poprzez stabilizację RNA przenośnikowego (4). W rezultacie dochodzi do wytwarzania większej ilości białek (5).

W wyniku dekarboksylacji enzymem ODC powstaje putrescyna, która następnie może zostać przetworzona w dwie inne poliaminy, sperminę i spermidynę. Każda z nich ma na organizm nieco inny wpływ. Ponieważ zaś obie wytwarzane są z putrescyny, a putrescyna powstaje z ornityny dzięki działaniu ODC, zatem blokada ODC jest zwykle skutecznym sposobem na zahamowanie syntezy tych trzech poliamin.

ODC jest pierwszym enzymem biorącym udział w biosyntezie poliamin w komórkach ssaków i bywa określana mianem enzymu limitującego, ponieważ od niej zależy produkcja poliamin.

Nadzorowanie ODC (a w rezultacie również poliamin) jest procesem niezwykle subtelnym i precyzyjnym. Wzrost i różnicowanie komórki

---

* Czyli taki, którego organizm nie musi pobierać z pożywieniem – przyp. tłum.

zależy od dokładnej kontroli poziomu obecnych w niej poliamin. ODC jest enzymem efemerycznym, który nie trwa w komórce długo: inne enzymy szybko ją rozkładają. Tempo rozkładu enzymów mierzone jest czasem półrozpadu, tzn. czasem potrzebnym, aby z danej ilości enzymu została tylko połowa. Czas półrozpadu ODC należy do najkrótszych czasów półrozpadu enzymów ssaków i stanowi klucz do precyzyjnej regulacji ilości wytwarzanych endogennie poliamin.

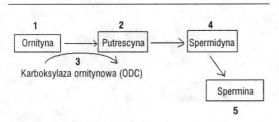

SYNTEZA POLIAMIN

Punktem początkowym do syntezy poliamin jest aminokwas ornityna (1). Jest on przekształcany w putrescynę (2) na drodze enzymatycznej, z udziałem enzymu ODC (3). Z putrescyny powstają inne poliaminy: spermidyna (4) i spermina (5).

Inhibicja ODC prowadzi do zahamowania syntezy poliamin i zatrzymania wzrostu komórki; pod wpływem poliamin egzogennych, pokarmowych może to czasem ulec odwróceniu. Nie dziwi, że komórki ssaków są wyposażone w bardzo skuteczny mechanizm transportujący, pozwalający wychwytywać te egzogenne poliaminy i zaprzęgać je do pracy.

Poliaminy są niezbędne do proliferacji i różnicowania komórek. Wysoki poziom poliamin występuje u dzieci, kulturyści zaś sądzą, że potrzebują ich dużo. Dotychczas uważano, że większa część poliamin biorących udział w procesach wzrostowych pochodzi z procesów syntezy zachodzących w jelicie. Najnowsze badania wykazują, że poliaminy zmagazynowane w jelicie cienkim to przede wszystkim poliaminy egzogenne, pochodzące z pożywienia.

Mechanizm stymulacji wzrostu komórki przez poliaminy jest daleki od poznania. Na razie wiadomo tylko, że mają one silny stabilizujący wpływ na materiał genetyczny komórki (DNA). Jednym z możliwych mechanizmów jest działanie poprzez wpływ na aktywność genów wywołujących procesy wzrostowe. Wielkość i ładunek elektryczny poliamin pozwala im reagować z tak wielkimi cząsteczkami jak DNA i RNA i z łatwością przechodzić przez błony fosfolipidowe na zewnątrz i wewnątrz komórek.

## Poliaminy i procesy wzrostowe komórki

Wydaje się, że istnieje silny związek między poliaminami, RNA i insuliną. Insulina, która wewnątrz komórki ma za zadanie przede wszystkim uaktywniać jej procesy wzrostowe, robi to przede wszystkim poprzez stymulowanie rybosomów, komórkowych fabryk białka. Rybosomy do produkcji danego białka wykorzystują informacje przeniesione przez RNA przenośnikowy (mRNA), dostarczający im kopię informacji zapisanych w materiale genetycznym DNA. Wydaje się, że poliaminy stabilizują i wzmacniają informację zawartą w mRNA, a w rezultacie zwiększa to ilość zsyntetyzowanych białek.

Mleko człowieka zawiera duże ilości poliamin, a zwłaszcza sperminy; uważa się, że mają one działanie ochronne, zabezpieczające przeciw alergiom. Z badań wynika, że mleko matki dostarcza ludzkim noworodkom i niemowlętom wystarczające ilości sperminy i spermidyny, które być może wpływają na proces dojrzewania przewodu pokarmowego dziecka. W pewnych badaniach zmierzono stężenie poliamin w mleku matczynym 60 kobiet, między pierwszym i ostatnim tygodniem sześciomiesięcznego okresu karmienia piersią i porównano do ilości poliamin w 18 odżywkach sztucznych. Okazało się, że w odżywkach ilość sperminy i spermidyny jest wyraźnie mniejsza.

W ciągu pierwszego tygodnia od narodzin ilość putrescyny w mleku matczynym pozostaje na bardzo niskim poziomie, natomiast stężenie sperminy i spermidyny rośnie wyraźnie w ciągu trzech pierwszych dni, osiągając poziom 12 razy wyższy niż pierwszego dnia. W odżywkach mlecznych dla niemowląt stężenie poliamin jest mniej więcej 10 razy niższe niż w mleku kobiecym.

U kobiety, która w czasie ciąży spożywa mało produktów białkowych, następuje zmniejszenie aktywności ODC, a to prowadzi do obniżenia poziomu poliamin w łożysku. Wykazano, że może to doprowadzić do ograniczenia procesów wzrostowych u płodu. Być może właśnie dlatego potomstwo ściśle wegetariańskich par osiąga często wzrost niższy od średniej występującej w danej populacji.

Odpowiednie ilości poliamin, zwłaszcza putrescyny, są ważne dla utrzymania zdrowej struktury i działania śluzówki jelita, procesu, który, zdaje się, prócz putrescyny wymaga również witaminy D. U zwierząt doświadczalnych długotrwałe stosowanie diet niskopoliaminowych powoduje stopniowe kurczenie się śluzówki zarówno jelita cienkiego, jak i okrężnicy.

Poliaminy są niezwykle ważnymi czynnikami wzrostowymi organizmu niemowlęcia. Ich wysokie stężenie w mleku matczynym wyjaśnia prawdopodobnie, dlaczego karmione piersią dzieci są średnio nieco większe niż dzieci karmione odżywkami, a w późniejszym okresie rzadziej zapadają na ALERGIE POKARMOWE.

## Poliaminy a nowotwory

Komórki rakowe są żarłocznymi konsumentami poliamin. W rzeczy samej strategia oparta na odcięciu ich od dopływu poliamin wydaje się być nową, obiecującą metodą leczenia nowotworów, a zwłaszcza tych, które są hormonalnie wrażliwe, jak rak prostaty czy sutka. Wiele leków przeciwrakowych opiera się na mechanizmie blokowania zdolności komórek nowotworowych do utylizacji poliamin. Ogólnie rzecz ujmując, działają one poprzez inhibicję ODC, enzymu biorącego udział w syntezie poliamin. Jeden z tych leków, DFMO (alfa-difluorometyloornityna), wydaje się być bardzo obiecująca w leczeniu raka prostaty.

Poza stymulowaniem wzrostu komórkowego wysokie stężenie poliamin upośledza też przeciwrakową odpowiedź organizmu, za którą odpowiedzialne są wyspecjalizowane w tym kierunku komórki „naturalnych zabójców" (NK). Za-

hamowanie wytwarzania i wchłaniania poliamin, a także zwiększenie procesów ich rozkładu, prowadzi do podwyższenia poziomu NK.

Wiadomo, że pacjenci chorzy na raka i poddawani chemioterapii powinni unikać niektórych witamin, takich jak np. kwas foliowy. Wiadomo też, że wiele osób stosuje suplementy witaminy $B_6$ (pirydoksalu), zalecane przez wielu jej zwolenników. Tymczasem istnieją dowody na to, że witamina ta ma niezwykle silny wpływ stymulujący na ODC, a w rezultacie na syntezę poliamin. Wynika z tego, że $B_6$ powinna zniknąć z listy suplementów osób chorych na raka, a także osób do tej choroby predysponowanych.

Zmiany aktywności ODC i tempa syntezy poliamin, a także zmiany ekspresji antygenów grup krwi, uważane są za dwa najważniejsze markery biologiczne stanu przedrakowego okrężnicy. To było podstawą hipotezy, że monitorowanie tych dwóch czynników może być skutecznym narzędziem do wczesnego wykrywania raka okrężnicy i zapobiegania mu.

Poliaminy produkowane przez bakterie jelitowe, albo obecne w pokarmach, są ważnym czynnikiem stymulującym wzrost nowotworowy. Badania wykazały, że systematyczna blokada poliamin z użyciem leków hamujących aktywność ODC, przy jednoczesnym wyeliminowaniu pobierania poliamin egzogennych (dieta bezpoliaminowa i odkażenie przewodu pokarmowego) powoduje zahamowanie przerzutów nowotworowych.

Prawdopodobnie typowy dla organizmów dziecięcych wysoki poziom poliamin tłumaczy, dlaczego pewne rodzaje nowotworów, a zwłaszcza BIAŁACZKA i CHŁONIAK, są szczególnie agresywne u dzieci. Istnieją dane sugerujące, że czynnikiem pobudzającym gwałtowny rozwój tych postaci raka może być właśnie wysokie stężenie poliamin.

## Poliaminy w pożywieniu

Stężenie poliamin w pokarmach nieświeżych może osiągać poziom toksyczny. Mięso ryb, łatwiej ulegające psuciu niż jakiekolwiek inne, jest bardzo podatne na inwazję mikroorganizmów. Właśnie dlatego świeża ryba przechowywana w temperaturze ok. 15°C zachowa świeżość przez najwyżej 1 dzień. Istnieje nawet specjalna jednostka chorobowa, „zatrucie mięsem ryb tuńczykowatych", wywoływana toksycznym poziomem poliamin. Ryby te (makrela, tuńczyk, tasergal, ryby latające), a także inne szybkie ryby, jak koryfena, sardynka, sardela i śledź, bardzo szybko ulegają procesom gnilnym.

Tkanki tych ryb zawierają stosunkowo duże ilości aminokwasu o nazwie histydyna. Rozkład bakteryjny przekształca histydynę w histaminę. Histamina może osiągnąć znaczne stężenia bez żadnych „efektów zapachowych", które ostrzegałyby, że ryba nie jest już pierwszej świeżości. Są osoby, które twierdzą, że wyczuwają ostry, pieprzowy smak związany z tym rodzajem procesów dekompozycji mięsa ryb i owoców morza.

Histamina w postaci doustnej ma stosunkowo małą toksyczność i w większości przypadków nie wywołuje żadnych obserwowalnych objawów zatrucia. W mięsie ryb występuje jednak również putrescyna, a ta wzmacnia efekt działania histaminy i powoduje gwałtowną reakcję alergiczną. Zarówno histamina, jak i putrescyna są chemicznie stabilne i nie ulegają rozkładowi ani podczas obróbki cieplnej, ani podczas innych metod przetwarzania.

Objawy zatrucia tuńczykowatymi pojawiają się już po 10 minutach, a najpóźniej w ciągu 2 godzin od spożycia skażonego mięsa. Większość ostrych objawów znika w ciągu 16–24 godzin. Objawy przypominają ciężką reakcję alergiczną, z uderzeniem krwi do głowy, uciskiem w klatce piersiowej, poceniem, mdłościami, wymiotami, mrowieniem, wysypką, silnym bólem głowy, krótkością oddechu, zawrotami głowy, pulsowaniem krwi, pragnieniem i biegunką.

Parakwat, środek chwastobójczy, którym niektóre kraje (w tym Meksyk i USA) spryskiwały plantacje marihuany w latach siedemdziesiątych XX wieku, jest poważnym kancerogenem raka płuc. Jak wykazano, jego kancerogenne właściwości są wynikiem wywoływanej przezeń koncentracji poliamin w płucach.

Wykazano, że większość lektyn pokarmowych to silne stymulatory wytwarzania poliamin w jelicie. Prawdopodobnie dzieje się tak dlatego, że komórki ścian jelita starają się syntetyzować duże ilości poliamin w celu naprawienia szkód wywołanych lektynami. Lektyny niszczą bowiem palcowate wyrostki śluzówki jelita zwane mikrokosmkami.

Liczne lektyny pokarmowe sprzyjają powiększeniu różnych narządów, w tym również wątroby, trzustki i śledziony. Powiększenie to może być wynikiem napływu poliamin do tych narządów.

Wzrost produkcji poliamin indukuje lektyna zarodka pszenicy. Włączenie lektyny zarodka pszenicy do diety zwierząt doświadczalnych zmniejsza ich zdolność do trawienia i utylizacji białka i negatywnie wpłynęło na ich procesy wzrostowe. W wyniku przyłączenia się i wchłaniania przez komórki jelita cienkiego lektyna zarodka pszennego spowodowała silny, poliaminozależny wzrost tkanek jelita cienkiego, wynikający ze zwiększenia w nich zawartości białek, RNA i DNA. Spora ilość tej lektyny została wchłonięta przez ścianę jelita do krwiobiegu, gdzie została odłożona w ścianach naczyń krwionośnych i limfatycznych. Lektyna zarodka pszenicy indukowała też powiększenie trzustki. Podobne efekty zaobserwowano też po zastosowaniu lektyn niektórych roślin motylkowych.

## Terapie przeciw zatruciu poliaminami

### Wszystkie grupy krwi:

- Unikaj gum, karagenu i dużych ilości pektyn.
- Unikaj spożywania warzyw puszkowanych i wekowanych: szok, jakiemu poddawane są tkanki roślin przygotowywanych w ten sposób, umożliwił uwolnienie wielu poliamin, już przed pasteryzacją lub w jej trakcie.
- Unikaj aminokwasów, takich jak ornityna cysteina i metionina. Pierwszy z nich jest bezpośrednim prekursorem putrescyny, zaś metionina i cysteina biorą udział w syntezie poliamin.

*U wszystkich czterech grup krwi układu AB0 stosuje się następujące protokoły:*

- detoksykacyjny
- wspomagający zdrowie jelit
- wspomagający działanie wątroby
- antybakteryjny

### Tematy pokrewne

Choroby bakteryjne (ogólnie)
Choroba wątroby
Odporność
Trawienie

## TORBIELOWATOŚĆ PIERSI (DYSPLAZJA WŁÓKNISTO-TORBIELOWATA SUTKA, MASTOPATIA) – zapalenie i wrażliwość w miejscu torbielowatych zmian kobiecej piersi.

| Torbielowatość piersi | RYZYKO ZACHOROWANIA | | |
|---|---|---|---|
| | NISKIE | UMIARKOWANE | ZNACZNE |
| Grupa A | ▒ | | |
| Grupa B | ▒ | | |
| Grupa AB | ▒ | | |
| Grupa O | | ▒ | |
| niewydzielacz | ▒ | | |

### Objawy

Objawy towarzyszące torbielowatości zazwyczaj pojawiają się w drugiej połowie cyklu miesiączkowego. Należą do nich:

- ból,
- opuchnięcie,
- nadzwyczajna czułość (tkliwość) piersi,
- namacalne torbiele,
- równoczesne objawy typowe dla napięcia przedmiesiączkowego: wzdęcie, apetyt na słodycze, niepokój/wahania nastroju.

### Krótko o torbielowatości piersi

Torbielowatość piersi jest jedną z najpospolitszych chorób piersi u kobiet i rozwija się u około 20% kobiet w okresie przedmenopauzalnym. Normalny cykl miesiączkowy jest odpowiedzialny za dwufazową stymulację kobiecych piersi: najpierw poprzez pobudzenie tkanki piersi pod wpływem estrogenów, a następnie proliferację tkanki gruczołowej pod wpływem progesteronu. Większość kobiet nie zauważa tych zmian, ale u niektórych kobiet objawy piersiowe bywają zarówno wyraźne, jak i nieprzyjemne. Do pospolitych przyczyn łagodnych zmian prowadzących do guzowatości piersi zaliczamy:

- wypełnione płynem torbiele powstające prawdopodobnie wskutek zablokowania przewodów mlecznych,
- twarde gruczolakomięśniaki, powstające w wyniku nadmiernej proliferacji komórek nabłonka pęcherzyków gruczołów mlecznych.

Często pod wpływem zmian hormonalnych tuż przed miesiączką łagodne torbiele powiększają się i stają się bolesne. Jeśli guzek jest nienaturalnie twardy lub nieregularny, może się okazać, że trzeba będzie zastosować biopsję (igłową lub chirurgiczną) do wykluczenia ryzyka raka. Do innych łagodnych zmian guzowatych należy martwica tkanki tłuszczowej i *adenosis sclerosans*, charakteryzująca się łagodną proliferacją i włóknieniem nabłonka przewodów mlecznych, której towarzyszą zmiany typu guzków możliwych do zdiagnozowania jedynie drogą biopsji. Do możliwych przyczyn powstawania łagodnych torbieli zaliczyć można niewydolność lutealną w produkcji progesteronu, zwiększoną ilość estrogenu, nadmierne wydzielanie mleka, nadwrażliwość na estrogen, wrażliwość na metyloksantyny, a wreszcie tłuszcze pokarmowe.

Poza torbielami inną zauważalną cechą torbielowatości piersi jest włóknienie (fibroza), w wyniku którego można wyczuć na piersi sprężyste zgrubienia, nieruchome i twarde w dotyku. Fibroza piersi nie jest szkodliwa. Guzowatość piersi jest zjawiskiem pospolitym, na różnych etapach życia dotyka nawet 90% kobiet, zazwyczaj jednak w drugiej połowie wieku produktywnego. Z nielicznymi wyjątkami guzowatość piersi nie zwiększa zagrożenia rakiem sutka.

Znacznie bardziej niebezpiecznym stanem jest atypowy rozrost komórek nabłonka przewodów i zrazików. Badacze sugerują, że zmiany te zwiększają ryzyko zachorowania na raka sutka 3–5-krotnie, zwłaszcza dotyczy to kobiet, w których rodzinie stwierdzono hiperplazję atypową. Według Amerykańskiego Towarzystwa Przeciwrakowego około 70% biopsji wykonanych dla ewentualnego zdiagnozowania łagodnych zmian hiperplastycznych w ogóle nie zawiera komórek hiperplastycznych, około 26% zazwyczaj wykazuje zwykłą hiperplazję, zaś tylko 4% ma faktycznie hiperplazję atypową. Kobiety z rodzinną historią w zakresie hiperplazji atypowej powinny częściej wykonywać badania piersi.

## Związki torbielowatości piersi z grupami krwi

Brak ekspresji antygenów A i B w komórkach piersi uważany jest za marker łagodnych zmian proliferacyjnych przewodów mlecznych towarzyszących torbielowatości piersi. Wczesna utrata antygenów może świadczyć o ewentualnym związku między torbielowatością piersi i rakiem sutka. Jednakże w wypadku piersi brak ekspresji antygenów AB w zmianach proliferacyjnych piersi nie nie jest bynajmniej dowodem na złośliwość tych zmian[1].

## Terapie stosowane przy torbielowatości piersi

### Wszystkie grupy krwi:

- Zachowaj właściwą wagę ciała. Nadwaga może spowodować nadmierny ciężar piersi, a co za tym idzie, sprawić ból i zwiększyć tkliwość piersi.
- Stosuj ciepłe kompresy, przykładając je do miejsc bolących.
- Noś podtrzymujący biustonosz; noszenie wygodnych, ale jednocześnie podtrzymujących biustonoszy może być pomocne, zwłaszcza

jeśli masz duży biust i jesteś osobą aktywną fizycznie.
- Ogranicz spożycie soli, a zwłaszcza w końcowym okresie cyklu miesiączkowego. Sód zawarty w soli powoduje magazynowanie wody w organizmie, w tym również w piersiach.
- Poddaj się zabiegowi drenażu torbieli. Jeśli przyczyną bólu piersi są wypełnione płynem torbiele, po poddaniu się zabiegowi ich osuszania metodą aspiracji igłowej poczujesz natychmiastową ulgę.

*U wszystkich czterech grup krwi układu AB0 stosuje się następujący protokół:*
- równoważący dla kobiet

## Tematy pokrewne

Odporność
Rak piersi
Zaburzenia cyklu miesiączkowego: Zespół napięcia przedmiesiączkowego

**Bibliografia**

1. Strauchen JA, Bergman SM, Hanson TA. Expression of A and B isoantigens in benign and malignant lesions of the breast. *Cancer.* 1980;45:2149–2155.

## Trawienie

Grupy krwi wywierają silny wpływ na cały ekosystem mikrobiologiczny przewodu pokarmowego. Nie tylko kontrolują stężenie soków trawiennych i enzymów potrzebnych do skutecznego metabolizowania pokarmów, ale wręcz programują cechy komórek całego naszego układu trawiennego.

Wiele pokarmów zawiera składniki, które mogą reagować bezpośrednio z antygenami grup krwi, wywołując stan zapalny i wytwarzanie toksyn. Inne pokarmy odnajdują słabe miejsca organizmu i działają wzmacniająco.

Dobre trawienie nie wynika jedynie ze spożywania właściwych pokarmów, ale również z ich odpowiedniego dostosowania i zbalansowania, tak by współpraca różnych ważnych składowych, takich jak soki trawienne i hormony, została zoptymalizowana w celu możliwie najlepszego wchłaniania i wydalania.

Poniżej przedstawiona została krótka podróż po układzie trawiennym, jasno uzmysławiająca znaczenie, jakie dla jego działania mają grupy krwi.

## Grupy krwi, smak i ślina

Pokarm ulega wstępnej, mechanicznej obróbce w jamie ustnej pod wpływem żucia. Następnie pokarm przesuwa się do żołądka, jelit i okrężnicy, nigdy jednak nie przekracza bariery, która odgranicza wrogi, obcy świat środowiska zewnętrznego od krwiobiegu. Pokarm podlega przetwarzaniu pod wpływem kwasów, enzymów i bakterii, aż ulega tak znacznemu rozkładowi, że przestaje przypominać zjedzone produkty. Wtedy, i tylko wtedy, zostaje przetransportowany do wnętrza organizmu, w postaci aminokwasów, trójglicerydów i cukrów prostych.

Jak wykazał Pawłow, trawienie rozpoczyna się już wtedy, gdy posiłek leży na talerzu, a na psychikę człowieka wpływają zapach, kolor i wygląd potrawy; pobudzają one mózg do podjęcia czynności, które wymagane są do zwiększenia ilości soków trawiennych. Następuje ono, zanim pokarm dotrze do przewodu trawiennego. Jest to pierwsza faza procesu trawienia, tak zwana „psychiczna". Właśnie dlatego tak ważne jest, aby nie jeść w pośpiechu.

Smak jest zmysłem chemicznym, podobnie jak zapach. Według jednej z teorii mamy tylko cztery rodzaje receptorów smaku, po jednym dla smaków: kwaśnego, słodkiego, słonego i gorzkiego. Bardziej złożone smaki powstają wskutek nałożenia się tych czterech podstawowych wrażeń. Różne receptory smaku znajdują się w różnych miejscach jamy ustnej. Czubek języka jest najbardziej wrażliwy na smak słodki i słony. Boki języka odbierają wrażenia kwaśne, natomiast substancje gorzkie stymulują przede wszystkim receptory położone w głębi gardła i na podniebieniu miękkim, nad językiem. To, co postrzegamy jako smak potrawy, jest w gruncie rzeczy serią złożonych chemicznych interakcji między kubkami smakowymi na języku, śliną i układem nerwowym.

Ślina jest wodnistą wydzieliną zawierającą duże ilości enzymów i hormonów nie tylko pomocnych w procesie trawienia pokarmów, ale również chroniących przed chorobami i utrzymujących w zdrowiu układ pokarmowy. Zawiera ona śluzowate glikoproteiny zwane mucynami, pomaga zwilżyć i nasączyć pokarm, który gryziemy, tak że łatwiej go połknąć. Ślina chroni też zęby i miękkie tkanki jamy ustnej przed inwazją najrozmaitszych bakterii i wirusów.

Ślina powstaje w wysoce wyspecjalizowanych gruczołach znajdujących się pod językiem i po bokach jamy ustnej. Gruczoły te nazywane są śliniankami, odpowiednio: podżuchwowo-podjęzykowymi i przyusznymi. Mucyny zawierają duże ilości glikoprotein, dlatego nie powinno nas dziwić, że antygeny grupowe układu AB0 są obficie wydzielane przez ślinianki podjęzykowe i zazwyczaj występują w ludzkiej ślinie w dużych ilościach[1].

Istnieją dowody, że antygeny grup krwi mają duży wpływ na naszą zdolność odczuwania smaku. Być może prawdą jest nawet, że te same pokarmy mogą smakować inaczej osobom z różnymi grupami krwi[2]. Wiadomo, że obecne w ślinie antygeny A, B i 0 wchodzą w reakcje chemiczne z komórkami smakowymi, a w różnych kubkach smakowych antygeny grupowe grup krwi występują w innych stężeniach. Antygen 0 reaguje z większością komórek. Żucie pokarmu powoduje zwiększenie jego powierzchni, a zarazem ułatwia dostęp enzymom trawiennym i kwasom. Kiedy pokarm zostanie zmiażdżony, enzymy zawarte w ślinie rozpoczną proces trawienia cukrów i skrobi; w rzeczywistości niewielkie ich ilości przedostaną się przez tkanki jamy ustnej.

Żucie stymuluje też naskórkowy czynnik wzrostu, hormon polipeptydowy wspomagający

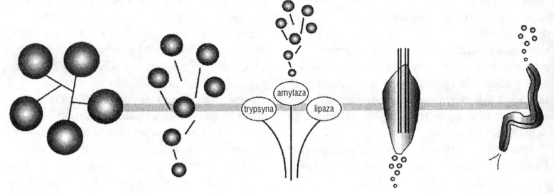

1. Do żołądka zostają wprowadzone białka pokarmowe, duże cząsteczki złożone z długich łańcuchów aminokwasów.

2. Pepsyna rozkłada białka na mniejsze cząstki zwane polipeptydami.

3. Polipeptydy zostają przetransportowane do jelita cienkiego, gdzie enzymy trzustkowe, trypsyna, amylaza i lipaza kończą dzieło rozkładu białka rozpoczęte w żołądku, a mianowicie rozkładają polipeptydy do aminokwasów.

4. Aminokwasy zostają przetransportowane do wątroby, gdzie sole zawarte w żółci rozkładają je do maleńkich kropelek. Zwiększa to ich powierzchnię, a enzymom stwarza optymalne warunki do pracy. Wątroba jest główną fabryką chemiczną organizmu człowieka, syntetyzującą wiele białek i tłuszczów.

5. Składniki odżywcze przetworzone w wątrobie zostają wchłonięte do krwiobiegu; produkty odpadowe zostają przesunięte do jelita grubego, skąd są wydalane na zewnątrz.

PRZEBIEG PROCESU TRAWIENIA

proces wzrostu i regeneracji zewnętrznych warstw tkanek. Występuje on w tkankach powszechnie, w znacznym stężeniu w ślinie, w prostacie i w dwunastnicy. Receptor ludzkiego czynnika wzrostowego (EGF-R) jest specyficzny w stosunku do węglowodanu, który bardzo przypomina antygen grupy krwi A. Ekspresja EGF-R odgrywa ważną rolę w rozwoju różnych postaci nowotworów, w tym również nowotworu jamy ustnej, mózgu, trzustki, piersi, płuc, okrężnicy i odbytnicy. Na nowotwory te częściej zapadają osoby z grupą krwi A[4].

Podobnie jak większość rejonów ciała narażonych na zetknięcie ze środowiskiem zewnętrznym, jama jest daleka od sterylności. Wzdłuż dziąseł i między zębami gromadzą się bakterie, które na ogół nie są szkodliwe, a we właściwie zrównoważonym organizmie utrudniają wtargnięcie bardziej szkodliwym odmianom.

Antygeny grup krwi znajdujące się w ślinie stanowią kotwicę, do której przyczepiają się te bakterie swoiste dla tej czy innej grupy krwi. Z badań wynika, że wykorzystują one antygeny śluzu lub śliny do przymocowania się do tkanek. W pewnych badaniach posunięto się jeszcze dalej, stwierdzając, że „liczba antygenów grupowych w ekosystemie organizmu człowieka i ich oczywisty wpływ na układy bakteryjne zdają się podawać w wątpliwość ideę, że ich pierwotna funkcja miała jakikolwiek związek z czerwonymi komórkami krwi"[5].

### Grupy krwi i mucyny

Cała śluzówka jelita pokryta jest ochronną warstewką zwaną mucyną. Mucyny występują powszechnie w śluzowatej wydzielinie śluzówki, stanowiąc wybiórczą barierę chroniącą przed patogenami i substancjami szkodliwymi.

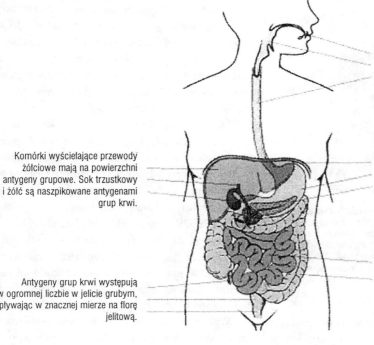

W ślinie i śluzach występuje duża liczba antygenów grup krwi. Wpływa to na budowę mucyn spotykanych w całym układzie trawiennym i pełniących tam funkcje ochronne przed bakteriami.

Mnóstwo antygenów grup krwi występuje na śluzówce żołądka. Antygeny grup krwi mają też wpływ na soki trawienne, gastrynę, pepsynę i histaminę.

Liczne antygeny grupowe przyczepione są do ścianek jelita cienkiego, gdzie dochodzi do oddziaływań między nimi a składnikami odżywczymi i enzymami.

Komórki wyściełające przewody żółciowe mają na powierzchni antygeny grupowe. Sok trzustkowy i żółć są naszpikowane antygenami grup krwi.

Antygeny grup krwi występują w ogromnej liczbie w jelicie grubym, wpływając w znacznej mierze na florę jelitową.

GRUPA KRWI A UKŁAD TRAWIENNY

Mucyna składa się z bardzo dużych cząsteczek glikoprotein, zwanych mukopolisacharydami, luźno powiązanych z atomami siarki. Cząsteczki te mają kształt przypominający nieco piórko, a to pozwala im przyłączać wodę – ta właśnie czynność jest przyczyną wielkiej różnorodności właściwości śluzu: od płynnej wydzieliny towarzyszącej przeziębieniu po gęsty śluz spotykany w zapaleniu oskrzeli, cała różnica polega tylko na zawartości wody.

Różnice wykazują też mucyny spotykane u różnych ludzi. Wiele spośród glikoprotein wchodzących w ich skład jest w gruncie rzeczy antygenami układu AB0. Grupa krwi jest najważniejszym pojedynczym czynnikiem wpływającym na budowę mucyny[6]. Skład mucyny może się zmienić diametralnie w różnych stanach chorobowych. Zmieniając ilość siarki w mucynie, organizm potrafi ograniczyć zdolność bakterii

do użytkowania glikoprotein z śluzu, dosłownie je głodząc.

Wbudowane w mucynę antygeny grup krwi mogą działać jako miejsca kontaktu z bakteriami takimi jak *H. pylori* i, na przykład, wirusami grypy. Istnieje coraz więcej danych sugerujących niezwykle ważną rolę mucyn w tym, co określa się zjawiskiem rozpoznawania: wędrówką obronnych limfocytów z migdałków lub gruczołów limfatycznych w jelitach w stronę miejsca, w którym doszło do infekcji[7].

Często antygeny grup krwi współdziałają z przyjaznymi bakteriami w sposób przypominający symbiozę. Wiele spośród produktów końcowych takich bakterii ułatwia utrzymanie w zdrowiu śluzówki układu pokarmowego lub wspomaga metabolizm innych bakterii, które nie korzystają wprawdzie z antygenów grup krwi, ale za to potrafią metabolizować powstające w tym procesie substancje chemiczne. Spośród pospolitych bakterii

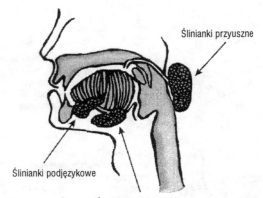

Ślinianki przyuszne

Ślinianki podjęzykowe

Ślinianki podjęzykowo-podżuchwowe

Ślina powstaje w wyspecjalizowanych gruczołach znajdujących się pod językiem i po bokach szczęki. Gruczoły te nazywane są ślinian-kami, odpowiednio: podjęzykowymi, podżuchwowo-podjęzykowymi i przyusznymi. Mucyny zawierają duże ilości glikoprotein, dlatego nie powinno nas dziwić, że antygeny grupowe układu ABO są obficie wydzielane przez ślinianki podjęzykowe i zazwyczaj występują w ludzkiej ślinie w dużych ilościach.

układu trawiennego warto wymienić odżywiające się antygenami organizmy *Bifidobacterium* (korzy-stające z antygenów B, ale nieruszające A) oraz *Ruminococcus* (który zazwyczaj wykorzystuje za-równo A, jak i B).

## Grupy krwi i immunoglobulina A

Istnieje pięć klas przeciwciał wytwarzanych przez organizm człowieka w celu ochrony przed szkodliwymi czynnikami. Najbardziej zaangażowa-nym w zdrowie układu trawiennego przeciwciałem jest immunoglobulina A (IgA; słowa immunoglo-bulina i słowa przeciwciało można używać wymien-nie). W przeciwieństwie do większości innych prze-ciwciał, spotykanych przede wszystkim w krwiobie-gu, IgA skupia się przede wszystkim w układzie trawiennym. Jest ona głównym przeciwciałem w płynach ustrojowych organizmu człowieka i wy-stępuje w ślinie, mleku i śluzówce dróg oddecho-wych oraz układu pokarmowego. W czasie infekcji śluzówki liczba przeciwciał IgA gwałtownie rośnie.

Przeciwciała IgA są luźno wkomponowane w śluzówkę jelita. Zazwyczaj jeden koniec czą-steczki jest przyczepiony do ściany jelita, a drugi,

swobodny wystaje w stonę światła jelita. Przeciw-ciała IgA otaczają mikroorganizmy, takie jak bak-terie, i chronią organizm człowieka przed infekcja-mi, uniemożliwiając im przyczepienie się do ślu-zówki i wtargnięcie do wnętrza organizmu. Kompleks złożony z IgA i otoczonego przez nią mikroorganizmu (tzw. kompleks immunologiczny) pobudza wydzielanie całej serii enzymów, których zadaniem jest zniszczyć najeźdźcę.

Niedobór IgA jest najczęstszą postacią niedo-boru przeciwciał, dotykającą ponad 9% miesz-kańców Europy Północnej. Wykazano, że niedo-bór tego przeciwciała czyni chorego podatnym na zbliżoną do celiakii chorobę jelit, a także to-czeń, anemię złośliwą, lambliozę, a nawet zapa-lenie jelit. W trakcie włoskich badań wykazano, że 8% z 56 dzieci obarczonych niskim stężeniem IgA cierpi też na celiakię jelita cienkiego, a wszystkie mają w osoczu przeciwciała antyglu-tenowe i antygliadynowe (dwa pospolite białka spotykane w ziarnach)[8].

Wykazano, że niektóre lektyny pokarmowe zwiększają stężenie IgA do nienormalnego po-ziomu. W pewnych badaniach dowiedziono, że po zażyciu pokarmu zawierającego niektóre lektyny, w tym lektyny groszku i orzechów ziem-nych, pięć na sześć osób wykazuje zwiększone stężenie IgA w ślinie. Co ciekawe, wprawdzie w licznych badaniach okazało się, że dwa po-spolite składniki pszenicy, gluten i gliadyna, zwiększają stężenie IgA, to jednak we wspo-mnianym doświadczeniu nie wykazano, by lek-tyny zarodka pszenicy miały jakikolwiek wpływ na ilość tego przeciwciała[9].

W badaniach na grupie 310 osób stwierdzo-no, być może bez wielkiego zaskoczenia, że or-ganizm osób z grupą krwi 0 ma skłonność do wytwarzania większych ilości IgA niż organi-zmy osób z innymi grupami krwi[10]. Wyższe stę-żenie przeciwciał sugeruje większe ryzyko CHO-ROBY AUTOAGRESYJNEJ, czyli takiej, w której or-ganizm chorego wytwarza przeciwciała, które próbują atakować komórki własnego ciała. Grupa krwi 0 jest zatem kojarzona ogólnie z większą liczbą zachorowań na choroby auto-immunologiczne.

## Układ grupowy AB0 i trawienie

Po przełknięciu, zmiażdżony pokarm przesuwa się w dół przełyku, czyli przewodu łączącego jamę ustną z żołądkiem. Przełyk jest narządem dość umięśnionym, a jego ruchy ułatwiają pokarmowi przesuwanie się w dół.

Pokarm, który dotarł do żołądka, zaczyna podlegać procesom rzeczywistego trawienia. W śluzówce żołądka występuje więcej antygenów grup krwi niż w jakimkolwiek innym narządzie układu pokarmowego. Co więcej, na dużą część hormonów i wydzielin bezpośredni wpływ ma genetyka grup krwi układu AB0[11]. Pod wpływem stymulacji z układu nerwowego żołądek wydziela płyn zwany sokiem żołądkowym. Sok żołądkowy składa się z wody, kwasu solnego i enzymów. W jego skład wchodzą też antygeny grup krwi, w ilościach większych niż w jakiejkolwiek innej wydzielinie układu trawiennego. Kwas solny niszczy zarazki w pokarmie, chroniąc w ten sposób jelito przed infekcjami. To właśnie kwas solny jest przyczyną refluksu i uczucia zgagi w przełyku.

Podobnie jak reszta układu pokarmowego, wnętrze żołądka pokryte jest ochronną warstwą nabłonka. Błona śluzowa żołądka zawiera liczne zagłębienia, zwane gruczołami cewkowatymi, które wydzielają kwas i enzymy trawienne. Komórki, z których zbudowane są ściany gruczołów cewkowatych, mają zdolność wytwarzania śluzu chroniącego żołądek przed działaniem własnego soku trawiennego.

Podstawę gruczołów stanowią komórki zwane dennymi, których zadaniem jest wydzielanie różnych enzymów rozkładających białka. Najnowsze badania wykazały, że w wydzielinach żołądkowych znajdują się duże ilości antygenów grup krwi układu AB0. Wprawdzie antygeny te występują w wydzielinach trawiennych pospolicie, to jednak ich najwięcej wydzielają komórki denne gruczołów enzymatycznych[12].

Wydzielanie soków trawiennych może następować pod wpływem sygnałów pochodzących z mózgu albo z samego żołądka. Ten drugi rodzaj stymulacji określany jest mianem odruchów żołądkowych i wiąże się z mechanicznym rozciąganiem ściany żołądka, stymulacją wydzielania pod wpływem samego pokarmu czy wreszcie stymulacją chemiczną pod wpływem aminokwasów i kwasów żołądkowych już wydzielonych przez gruczoły trawienne. Bodziec nerwowy aktywuje komórki wyspecjalizowane w wydzielaniu hormonu o nazwie gastryna, który z kolei stymuluje komórki ścian gruczołów do wydzielania większej ilości kwasu.

Kiedy pokarm dostaje się do żołądka, kwas żołądkowy ulega alkalizacji wskutek zetknięcia z białkami. Ten wzrost zasadowości żołądka powoduje uwalnianie gastryny, a ona stymuluje wydzielanie kwasu. Kiedy białka zostaną strawione, kwasowość żołądka wzrasta, a to hamuje wydzielanie gastryny i powstrzymuje dalsze wydzielanie kwasu żołądkowego. Histamina (dobrze znana alergikom) również oddziałuje na komórki wydzielające kwas solny. Być może właśnie dlatego u chorych na przewlekłą alergię częściej rozwijają się wrzody żołądka. Wprawdzie mechanizm ten nie jest jeszcze w pełni poznany, ale wydaje się, że dopóki receptory histaminowe komórek wydzielniczych żołądka są zajęte, dopóty komórki te nie są w stanie odebrać sygnałów pobudzających je do wydzielania kwasu, nawet tak silnych jak gastryna. Dlatego też medycyna konwencjonalna leczy wrzody żołądka lekami zwanymi blokerami histaminowymi.

Białka pokarmowe to wielkocząsteczkowe związki chemiczne, złożone z długich łańcuchów aminokwasowych. Białko w żołądku podlega działaniu enzymu pepsyny, która „tnie" je na mniejsze fragmenty zwane polipeptydami. Enzym ten, powstający z tzw. prekursora pepsyny, o nazwie pepsynogen, tnie wiązania peptydowe, którymi aminokwasy łączą się ze sobą, i uwalnia pojedyncze aminokwasy, które następnie mogą zostać przetransportowane przez ścianę jelita do krwiobiegu. Wprawdzie białka niemal całkowitemu rozkładowi ulegają właśnie w żołądku, ale tylko 15% aminokwasów jest z niego wchłaniana; reszta zostaje wchłonięta w górnej części jelita cienkiego. Do aktywacji pepsyny potrzebny jest kwas solny, aby zaś ona mogła wykonać dobrze swą pracę, jego stężenie powinno być dość znaczne: optymalny odczyn dla jej działania jest na tyle niski, że jeśli żołądek nie jest zabezpieczony odpowiednią warstwą ochronną, może to zapoczątkować proces trawienia jego własnych tkanek.

Kwas solny nie tylko bierze udział w trawieniu białek, ale służy też jako bariera dla większości bakterii. Jest to bardzo ważna funkcja: mieszanina pokarmów połykanych przez człowieka nie jest sterylna, a skoro górna część jelita cienkiego ma odgrywać rolę wchłaniającą, to obecność w niej dużych ilości bakterii byłaby niewskazana. Jednym z głównych problemów wynikających z niedostatecznej kwasowości żołądka (hipochloridii) jest nadmierny wzrost i nagromadzenie bakterii w żołądku i w górnej części jelita cienkiego.

## Grupa krwi a jelito cienkie

Do skutecznego działania jelito cienkie potrzebuje pomocy dwóch innych narządów. Wątroba produkuje żółć, która jest magazynowana w pęcherzyku (woreczku) żółciowym, a następnie przepływa przewodem żółciowym łączącym ten pęcherzyk z dwunastnicą. Sole obecne w żółci rozbijają tłuszcze na maleńkie kropelki, to zaś zwiększa powierzchnię aktywną tłuszczu, umożliwiając skuteczniejszą pracę enzymom. W przeciwieństwie do żołądka, który do optymalnego działania wymaga środowiska kwaśnego, jelito cienkie najlepiej działa w środowisku zasadowym. Żółć zatem neutralizuje kwas żołądkowy, sprawiając, że w dwunastnicy panuje środowisko zasadowe.

Przeszło 99% całego procesu wchłaniania odbywa się w jelicie cienkim. Jest to długa, umięśniona tuba, mierząca około sześciu metrów. Można w niej wydzielić trzy części: część najbliższą żołądka zwaną dwunastnicą; część środkową zwaną jelitem czczym; a wreszcie część końcową zwaną jelitem krętym.

Uwolnienie zawartości żołądka – w postaci kwaśnej papki, czyli miazgi pokarmowej – do jelita cienkiego stanowi sygnał do rozpoczęcia wydzielania do krwi hormonów, które biorą udział w następnej fazie trawienia, a mianowicie cholecystokininy (CCK) i sekretyny.

CCK działa na trzustkę, która zaczyna wydzielać enzymy, a także na przewód żółciowy, który wydziela żółć. W rzeczywistości CCK pomaga trawić tłuszcz, węglowodany i białka, jest też obecna stosunkowo w dużym stężeniu w mózgu, gdzie, być może, odgrywa rolę czynnika kontrolującego apetyt. Przypuszcza się też, że CCK stymuluje włókna nerwowe w ścianie żołądka, powodując skurcze i wrażenie jego wypełnienia.

Okazało się, że pewne lektyny pokarmowe, w tym również lektyny nasion soi, fasoli kidney i pszenicy wpływają na stężenie cholecystokininy. Soja, orzeszki ziemne i fasola kidney zwiększają wydzielanie CCK, natomiast aglutyniny ziarna pszenicy wpływają na zmniejszenie jej stężenia. W wypadku grupy krwi A i AB szczególnie skuteczna w stymulowaniu wydzielania cholecystokininy jest właśnie soja.

Sekretyna pobudza wątrobę do wytwarzania żółci i trzustkę do wydzielania soku trzustkowego. Sok trzustkowy i żółć zawierają duże ilości antygenów grup krwi układu AB0[13].

## Grupy krwi i wchłanianie

Trzustka wspomaga trawienie poprzez wytwarzanie enzymów trypsyny, amylazy i lipazy. Trypsyna (i kilka innych enzymów, w tym również peptydaza) kończą dzieło trawienia białek, które zaczęło się w żołądku, rozkładając polipeptydy na aminokwasy. Aminokwasy mogą teraz zostać przetransportowane do wątroby lub w inne miejsca organizmu.

Wątroba jest główną fabryką chemiczną organizmu człowieka, wytwarza dużą część potrzebnych mu białek i tłuszczów. Krew zawierająca składniki odżywcze wchłonięte z jelita cienkiego musi najpierw przejść sieć specjalnych zbiorników zwanych zatokami. W zatokach znajdują się elementy układu odpornościowego zwane komórkami Kupffera, rozpoznające i niszczące te mikroorganizmy, które przedostały się do krwi wraz z wchłanianymi substancjami odżywczymi. Wątroba jest też zdolna do chemicznej detoksykacji zadziwiająco szerokiej gamy trucizn.

Wątroba wspomaga proces wchłaniania tłuszczów poprzez produkowanie soli występujących w żółci, których zadanie polega na emulsyfikacji tłuszczów. Sole żółciowe to steroidy o właściwościach detergentów. Emulgując tłuszcze, żółć ułatwia ich trawienie i wchłanianie przez ściany jelita.

Na powierzchni komórek wyściełających przewód żółciowy występują antygeny grup krwi. Co więcej, dość bogatym źródłem antygenów grupowych jest również sama żółć[14]. Wiadomo, że komórki guzów złośliwych wątroby i okrężnicy również prezentują na swej powierzchni duże ilości antygenów grupowych, a to jest objaw dość wyjątkowy; zazwyczaj komórki nowotworowe raczej tracą zdolność wyrażania antygenów, niż ją nabywają[15].

## Grupy krwi i nabłonek jelitowy

Wnętrze jelita cienkiego pokryte jest warstwą komórek zwaną nabłonkiem. Powierzchnia tej tkanki jest pokryta maleńkimi palczastymi wyrostkami, zaledwie widocznymi gołym okiem, zwanymi kosmkami jelitowymi. Kosmki jelitowe ogromnie zwiększają powierzchnię wchłaniania jelita, co więcej, pokryte są tysiącami mikrokosmków, które tę powierzchnię zwiększają jeszcze bardziej.

Do mikrokosmków jelitowych przymocowana jest ogromna liczba antygenów grup krwi, które kontrolują proces przyswajania, wchodząc w różne interakcje ze składnikami odżywczymi i enzymami[16].

W pobliżu ściany każdego kosmka przebiega tętnica, do której wchłaniany jest pokarm. W obrębie nabłonka znajdują się bardzo wyspecjalizowane komórki, które rozkładają pokarm na cząsteczki, bowiem tylko w takiej postaci może być on wchłaniany do krwiobiegu i przesyłany do wątroby w celu dalszej obróbki.

Z tłuszczami jednak organizm obchodzi się trochę inaczej. W kosmkach znajdują się specjalne przewody limfatyczne zwane naczyniami mleczowymi. Naczynia mleczowe pomagają w procesie wchłaniania tłuszczów i kierują je do układu limfatycznego i układu krążenia, z którym następnie są one rozprowadzane po całym organizmie.

Enzym amylaza, produkowany przez trzustkę, ale wykorzystywany w obrębie jelita cienkiego, kończy proces rozkładu wielocukrów do cukrów prostych, takich jak glukoza i maltoza, proces, który rozpoczyna się w ustach. Na powierzchni mikrokosmków jelitowych odbywa się proces, w wyniku którego specjalne enzymy, zwane disacharadyzami, trawią odpowiednie dla siebie dwucukry (takie jak laktaza, sacharaza, maltaza) na cukry proste. Istnieją podstawy, by sądzić, że stężenie dwucukrów jelitowych jest najwyższe u osób z grupą krwi A, a to wydaje się o tyle uzasadnione, że właśnie ta grupa ludzi ma większą niż inne grupy krwi zdolność metabolizowania węglowodanów złożonych[17].

## Grupy krwi i okrężnica

Okrężnica człowieka jest jak ciepłokrwista rafa koralowa, środowisko życia licznej i zróżnicowanej flory bakteryjnej. W rzeczy samej, ocenia się, że z organizmem jednego człowieka związane jest 10 razy więcej bakterii niż jest na świecie ludzi. Ta normalna flora bakteryjna zamieszkuje skórę i jelito człowieka.

W jelicie grubym cały nacisk położony jest na wydalanie, jednakże nawet tu zachodzą jeszcze niewielkie procesy wchłaniania – przede wszystkim elektrolitów, takich jak sód i potas oraz nielicznych witamin. W śluzówce jelita grubego występują duże ilości antygenów grup krwi układu AB0.

Grupa krwi ma znaczny wpływ na rozwój tych czy innych szczepów bakterii jelitowych w jelicie grubym. Liczne bakterie odżywiają się antygenami grup krwi, a te występują powszechnie w całym ludzkim jelicie grubym. Górna część okrężnicy zawiera ich ogromną liczbę, ta zaś maleje stopniowo aż do zera na krańcu okrężnicy. Jest to prawdopodobnie związane z faktem, że antygeny stanowią pokarm dla bakterii jelitowych; w miarę jak substancje odpadowe przesuwają się w dół jelita, w masie kałowej znajduje się coraz mniej substancji odżywczych przydatnych bakteriom;

innym aspektem tego zjawiska jest wyczerpanie zasobu antygenów grup krwi.

Skład normalnej flory bakteryjnej jest różny dla poszczególnych osób; niektóre gatunki bakterii występują jedynie przejściowo. Większość jednak jest dość stała – doświadczenia na zwierzętach wykazały, że dokonanie zmian w składzie flory bakteryjnej zdrowego człowieka jest zadaniem trudnym do wykonania. Wiele pospolitych bakterii wybiera na siedlisko życia okrężnicę osób z konkretną grupą krwi[18]. Czasami jest to uzasadnione budową zewnętrzną bakterii, które przypominają antygeny grup krwi i przez to są przez układ immunologiczny gospodarza postrzegane jako „ja". Bywa też, że jakieś bakterie po prostu preferują konkretny antygen i odżywiają się śluzem zawierającym właśnie te, a nie inne antygeny grup krwi[19]. Niektóre bakterie wybierają śluz zawierający konkretne antygeny, ponieważ wytwarzają lektyny, którymi mogą się za ich pośrednictwem przyczepiać do ścian okrężnicy; lektyny te są zazwyczaj swoiste dla danej grupy krwi[20].

Poza przejściowym zainfekowaniem mikroorganizmami znajdującymi się w pokarmie, żołądek i dwunastnica są zazwyczaj sterylne, jako że nieliczne bakterie są w stanie przeżyć w kwaśnym środowisku soku żołądkowego. Wiadomo dziś, że środkowa i dolna część jelita cienkiego zamieszkana jest przez liczne i rozmaite bakterie, w tym również pałeczki kwasu mlekowego (*Lactobacillae*). Większość gatunków należących do tego rodzaju ma zdolność fermentowania laktozy, stąd ich nazwa rodzajowa: *Lactobacillus*. Rodzaj ten zawiera też gatunki wchodzące w skład normalnej flory bakteryjnej ludzkiej pochwy. Zdolność do wytwarzania kwasu mlekowego z glukozy pozwala im zakwasić zajmowane środowisko; taki odczyn otoczenia powstrzymuje wzrost wielu bakterii chorobotwórczych. Pałeczki kwasu mlekowego są generalnie uważane za niegroźne dla człowieka, z rzadka tylko wywołują infekcje czy choroby.

Odchody, jeden z głównych produktów układu trawiennego, powstają w jelicie grubym z produktów odpadowych, takich jak śluz, bakterie i błonnik. Kał zawiera niewiele, lub nie zawiera wcale, substancji odżywczych; żołądek i jelito cienkie wykonują swoją pracę bardzo skutecznie, zapewniając spożywanemu pokarmowi możliwie najlepsze wykorzystanie.

Okrężnica składa się z czterech głównych części: wstępującej, która biegnie pionowo w górę i znajduje się z prawej strony jamy brzusznej; poprzecznicy, rozciągającej się w poprzek ciała, z prawej ku lewej; zstępującej, która wzdłuż lewej strony brzucha schodzi pionowo ku dołowi; a wreszcie esicy, ulokowanej tuż koło końca okrężnicy zstępującej. Wyrostek robaczkowy to mały, palczasty twór odchodzący od okrężnicy wstępującej. Ściany okrężnicy zawierają trzy warstwy mięśni, które są przyczyną powstawania chwilowych uwypukleń okrężnicy.

Zasadniczą rolą okrężnicy jest wchłonięcie resztki wody z wodnistej masy, która pozostała po tym, jak jelito cienkie wchłonęło wszystkie substancje odżywcze. Zawartość jelita cienkiego jest naprawdę wodnista: umożliwia to enzymom i kwasom możliwie najlepsze wykorzystanie ich właściwości. Kiedy jednak zwartość jelita cienkiego przesunie się do okrężnicy, zaczyna się stopniowy proces zagęszczania kału. Dzieje się to dzięki komórkom w ścianie okrężnicy, które zaczynają „odpompowywać" z odchodów wodę. W miarę przesuwania się odchodów wzdłuż okrężnicy jej zawartość robi się coraz gęstsza. W chwili osiągnięcia końcowego odcinka, u wejścia do odbytnicy, ilość wody zawartej w odchodach jest tak niewielka, że ustalają się one i mogą zostać wydalone na zewnątrz jako stolec.

Okrężnica pracuje najlepiej, gdy jest lekko wypełniona. Do tego służy błonnik pokarmowy, zapewniający niestrawne substancje objętościowe, które działają poprzez mechaniczne stymulowanie perystaltyki jelit. Wprawdzie błonnik nie zawiera składników odżywczych, jednakże włókno w nim zawarte poprawia zdrowie jelit, zapewniając kałowi odpowiednią objętość, bez której nie mógłby się szybko przesuwać wzdłuż okrężnicy. Włókna błonnika pomagają też organizmowi eliminować z ustroju toksyny, które się do nich przyczepiają. Wprawdzie człowiek nie trawi celulozy, głównego składnika błonnika pokarmowego, ale bakterie obecne w jego jelitach mają takie możliwości. Ta fermentacja bakteryjna włókien celulozy prowadzi do powstania zdrowych, krótkołańcuchowych kwasów tłuszczowych, które następnie mogą być wykorzystane przez komórki nabłonka jelita do ich własnych potrzeb. Błonnik pokarmowy stymuluje też żołądek do opróżnienia i zwiększa tempo przesuwania się miazgi pokarmowej przez jelito cienkie. Wykazano, że zwiększa to tolerancję glukozy i umożliwia trawienie skrobi.

Osoby spożywające duże ilości przetworzonych produktów spożywczych (w tym również zawierających cukier i białą mąkę) i stroniące od błonnika są szczególnie podatne na wszelkie dolegliwości jelitowe. W rzeczywistości choroby okrężnicy i odbytnicy znacznie częściej występują w Ameryce niż Afryce, gdzie jada się pokarm zawierający średnio siedmiokroć więcej błonnika.

Istnieją dwa główne rodzaje błonnika: rozpuszczalny i nierozpuszczalny. Włókna rozpuszczalne to na przykład pektyny obecne w owocach i pewne naturalne gumy. Owoce, warzywa, nasiona, ryż brunatny, jęczmień i owies są istotnym źródłem błonnika rozpuszczalnego. Jedną z jego zalet jest to, że działa zmiękczająco na masę kałową. Poza tym poprzez swoje właściwości chemiczne zapobiega lub hamuje wchłanianie pewnych substancji do krwiobiegu. Do włókien nierozpuszczalnych zaliczamy celulozę i ligninę. Pełne ziarna i łupiny nasion, owoców, roślin motylkowych i innych pokarmów są głównymi źródłami nierozpuszczalnego błonnika, który działa jak gąbka i absorbuje wielekroć więcej wody niż sam waży i pęcznieje wewnątrz jelit. W rezultacie proces wydalania jest też o wiele skuteczniejszy.

Zróżnicowanie gatunkowe bakterii okrężnicy i obecność różnych antygenów grup krwi należą do najpoważniejszych argumentów za tym, że różnym grupom krwi służą odmienne rodzaje błonnika. Sygnałem, że spożywasz błonnik niewłaściwego rodzaju, mogą być gazy lub wzdęcia.

Być może najlepszym źródłem rozpuszczalnego błonnika właściwego dla wszystkich grup krwi jest niezbyt jeszcze popularny arabinogalaktan (AG), substancja pozyskiwana z modrzewia zachodniego. Arabinogalaktan modrzewiowy jest też suplementem skutecznie wspomagającym układ odpornościowy. W układzie trawiennym AG zwiększa stężenie krótkołańcuchowych kwasów tłuszczowych, takich jak kwas masłowy, który jest ważnym źródłem energii dla komórek jelita. Wyciąg z modrzewia zachodniego pomaga też zmniejszyć stężenie amoniaku, szkodliwego produktu ubocznego metabolizmu białek, wydalanego przez nerki. Zdolność tego włókna do zwiększania wydalania amoniaku jest tak duża, że po pewnych badaniach zasugerowano, że należałoby go używać jako substancji wspomagającej dializowanie chorych na nerki.

Antygeny grupowe krwi są czynnikiem o kluczowym znaczeniu dla zdrowia układu trawiennego, dając niewidzialne wskazówki na temat każdego aspektu procesu trawiennego. Postępując zgodnie z tymi wskazówkami, a więc odżywiając się zgodnie ze swoją grupą krwi, zapewniamy sobie najskuteczniejsze wchłanianie substancji odżywczych i unikamy chorób, które dotykają większą część ludzkiej populacji.

## Tematy pokrewne

Alergie pokarmowe
Biegunka
Celiakia (choroba trzewna)
Choroba Crohna
Choroby bakteryjne (ogólnie)
Choroba wątroby
Lektyny
Protetyczne zapalenie jamy ustnej
Próchnica zębów
Przełyk Barretta
Refluks żołądkowo-przełykowy
Toksyczne jelito
Wrzody
Wrzodziejące zapalenie jelit
Zaparcie

**Bibliografia**

1. Tabak LA, et al. Role of salivary mucins in the protection of the digestive tract. *J Oral Pathology.* 1982;11:1–17.
2. Smith DV, Klevitsky R, Akeson RA, Shipley MT. Taste bud expression of human blood group antigens. *J Comp Neurol.* 1994;343:130–142.
3. Ushiyama I, Kane M, Yamamoto Y, Nishi K. Expression of blood group related carbohydrate antigens in salivary glands and male reproductive organs from rats, cats and humans [poster EN0514]. Located at: Shiga University of Medical Science, Otsu, Shiga, Japan.
4. Ciardello F, Tortora G. Interactions between the epidermal growth factor receptor and type I protein kinase A: biological significance and therapeutic implications. *Clin Cancer Res.* 1998;4:821–828.
5. Garratty G. Blood group antigens as tumor markers, parasitic/bacteria/viral receptors, and their association with immunologically important proteins. *Clin Chim Acta.* 1988;17:147–155.
6. Lesuffleur T, Zweibaum A, Real FX. Mucins in normal and neoplastic human gastrointestinal tissues. *Crit Rev Oncol Hematol.* 1994;17:153–180.
7. Nieuw Amerongen AV, Bolscher JG, Bloemena E, Veerman EC. Sulfomucins in the human body. *Biol Chem.* 1998;379:1–18.
8. Meini A, Pillan NM, Villanacci V, Monafo V, Ugazio AG, Plebani A. Prevalence and diagnosis of celiac disease in IgA-deficient children. *Ann allergy Asthma Immunol.* 1996;77:33–336.
9. Gibbons RJ, Dankers I. Immunosorbent assay of interactions between human parotid immunoglobulin A and dietary lectins. *Arch Oral Biol.* 1986;31:477–481.
10. Prokop O, Kohler W, Rackwitz A, Paunowa R, Barthold E. [Secretory antibodies in saliva against group C streptococci]. *Immunitatsforsch Immunobiol.* 1977;153:428–434.
11. Greenwell P. Blood group antigens: molecules seeking a function? *Glyconjugate Journal.* 1997;14:159–173.
12. Li R, Zhang L, Wu M. [Distribution of ABH substances in normal secretor human tissue cells by avidin-biotin complex method]. *Hua Hsi I Ko ta Hsueh Hsueh Pao.* 1994;25:375–379.
13. Mikkat U, Damm I, Schroder G, et al. Effect of the lectins wheat germ agglutinin (WGA) und Ulex europaeus agglutinin (UEA-I) on the alpha-amylase secretion of rat pancreas in vitro and in vivo. *Pancreas.* 1998;16:529–538.
14. Okada Y, Jinno K, Moriwaki S, et al. Blood group antigens in the intrahepatic biliary tree. I. Distribution in the normal liver. *J Hepatol.* 1988;6:63–70.
15. Greenwel P. Blood group antigens: molecules seeking a function? *Glyconjugate Journal.* 1997;14:159–173.
16. Li R, et al. Subcellular localization of blood group substances ABH in human gastrointestinal tracts [in Chinese]. *Chung Kuo I Ksheh Ko Hsueh Yuan Pao.* 1996;18:49–53.
17. Kelly JJ, Alpers DH. Blood group antigenicity of purified human intestinal disaccharidases. *J Biol Chem.* 1973;248:8216–8221.
18. Stepan J, Graubaum HJ, Meurer W, Wagenknecht C. Isoenzymes of alkaline phosphatase-reference values in young people and effects of protein diet [in German]. *Experientia.* 1976;32:832–834.
19. Davidson BJ, MacMurray JP, Prakash V. AB0 blood group differences in bone mineral density of recovering alcoholic males. *Alcohol Clin Exp. Res.* 1990;14:906–908.
20. Langman MJ, Leuthold E, Robson EB, Harris J, Luffman JE, Harris H. Influence of diet on the „intestinal" component of alkaline phosphatase in people of different AB0 blood groups and secretor status. *Nature.* 1996;212:41–43.

---

**TRÓJGLICERYDY** – *patrz Nadmiar trójglicerydów we krwi*

**TYFUS** – *patrz Choroby bakteryjne: Dur brzuszny*

**UBYTKI ZĘBOWE** – *patrz Próchnica zębów*

**UCZULENIA NA CZYNNIKI ŚRODOWISKA** – *patrz Alergie środowiskowe*

**UCZULENIA POKARMOWE** – *patrz Alergie pokarmowe*

**UDAR (UDAR NACZYNIOWY MÓZGU; APOPLEKSJA)** – skutek gwałtownego odcięcia drogi dopływu krwi do części mózgu, zazwyczaj w wyniku krwotoku do mózgu lub skrzepu.

| Udar | RYZYKO ZACHOROWANIA | | |
|---|---|---|---|
| | NISKIE | UMIARKOWANE | ZNACZNE |
| Grupa A (skrzepy) | | | |
| Grupa B | | | |
| Grupa AB | | | |
| Grupa O (krwotok) | | | |

## Objawy

• nagłe zdrętwienie, osłabienie lub paraliż mięśni twarzy, ręki lub nóg – zazwyczaj z jednej strony ciała,

- utrata mowy, trudności z mówieniem lub rozumieniem mowy,
- nagła zmiana jakości widzenia (obraz zamazany, podwójny, niewyraźny),
- zawroty głowy, utrata równowagi lub utrata koordynacji ruchowej,
- nagły silny ból głowy bez wyraźnej przyczyny,
- trudności z przełykaniem.

## Krótko o udarze mózgu

W krajach uprzemysłowionych udar jest jedną z głównych przyczyn śmierci i kalectwa. Liczba przypadków śmiertelnych wprawdzie maleje, ale zapadalność na udar mózgu stale rośnie. Po 55. roku życia ryzyko wystąpienia udaru podwaja się z każdym następnym dziesięcioleciem życia. Prawie 35% udarów pojawia się między 75. a 84. rokiem życia, przy czym częstość występowania choroby jest o 30% większa u mężczyzn niż u kobiet. W porównaniu z przedstawicielami rasy kaukaskiej osoby o korzeniach afrykańskich są o 60% bardziej narażone na wystąpienie udaru i 2,5 raza bardziej narażone na śmierć z jego przyczyny. Głównymi czynnikami ryzyka są: NADCIŚNIENIE, MIAŻDŻYCA, CHOROBA SERCA, migotanie przedsionków, CUKRZYCA.

## Związki udaru z grupami krwi

Określenie „udar" obejmuje zmiany chorobowe wywołane utworzeniem się skrzepów krwi w mózgu, ale również wystąpieniem krwawienia lub wylewu. Razem wszystkie te wypadki określane są mianem udaru naczyniowego mózgu. Grupy krwi A i AB mają, ogólnie rzecz biorąc, tendencję do problemów natury skrzepowej, podczas gdy grupy krwi 0 i B częściej ulegają udarom z powodu nadmiernego krwawienia lub złego krzepnięcia.

Tezę tę poddano weryfikacji w serii kilku niezależnych badań, z których największe przeprowadzono na grupie 1460 pacjentów po udarze, i opublikowanych w brytyjskim czasopiśmie medycznym „Lancet". W 329 wypadkach udowodniono, że przyczyną śmierci była ZAKRZEPICA (skrzep w mózgu). Wśród wypadków tych osoby z grupą krwi A i AB przeważały nad osobami z grupą krwi 0 i B. W 482 przypadkach, będących wynikiem krwotoku wewnątrzczaszkowego, zaobserwowano odwrócenie proporcji i przewagę pacjentów z grupą krwi 0 i B nad pacjentami z grupą krwi A i AB[1-6].

## Terapie stosowane przy udarze

*U wszystkich czterech grup krwi układu AB0 stosuje się następujące protokoły:*
- przeciwstresowy
- sercowo-naczyniowy
- usprawniający metabolizm

## Tematy pokrewne

Choroba niedokrwienna serca
Choroba sercowo-naczyniowa
Choroba wieńcowa
Krew: Zaburzenia krzepliwości
Miażdżyca tętnic obwodowych

**Bibliografia**

1. Sostaric V, Bozicevic D, Brinar V, Grbavac Z. Hereditary antigen characteristics of blood in ischemic cerebrovascular accident. *Neurol Croat.* 1991;40:3–11.
2. Ionescu DA, Ghitescu M, Marcu I, Xenakis A. Erythrocyte rheology in acute cerebral thrombosis. Effects of AB0 blood groups. *Blut.* 1979;39:351–357.
3. Ionescu DA, Marcu I, Bicescu E. Cerebral thrombosis, cerebral haemorrhage, and AB0 blood-groups. *Lancet.* 1976;1:278–280.
4. Strang RR. Age, sex, and AB0 blood group distributions of 150 patients with cerebral arteriovenous aneurysms. *J Med Genet.* 1967;4:29–30.
5. Ismagilov MF, Petrova SE. [AB0 blood group system and vegetative-vascular disorders in children]. *Zh Nevropatol Psikhiatr.* 1981;81:1487–1488.
6. Colonia VJ, Roisenberg I. Investigation of association between AB0 blood groups and coagulation, fibrinolysis, total lipids, cholesterol, and triglycerides. *Hum Genet.* 1979;48:221–230.

# URAZ MIĘŚNIOWO-SZKIELETOWY

– uszkodzenie mięśnia lub kośćca.

| Uraz mięśniowo--szkieletowy | RYZYKO WYSTĄPIENIA | | |
|---|---|---|---|
| | NISKIE | UMIARKOWANE | ZNACZNE |
| Grupa A (zapalenie pochewki ścięgna) | | | |
| Grupa B | | | |
| Grupa AB | | | |
| Grupa 0 (zerwanie ścięgna) | | | |

## Objawy

- ból,
- obrzęk,
- sztywność,
- niemożność ruszania urażoną kończyną.

## Krótko o urazach mięśniowo-szkieletowych

Regeneracja uszkodzeń, takich jak skręcenia stawów, naderwania i rany wymaga udziału wielu układów i narządów, a więc układów krążenia, odpornościowego, a wreszcie różnych złożonych mechanizmów komórkowych. Wszystko jest potrzebne do wytworzenia nowej tkanki.

## Związki urazów mięśniowo-szkieletowych z grupami krwi

Poszczególne grupy krwi różnią się podatnością na pospolite urazy mięśniowo-szkieletowe.

Zbadano rozkład grup krwi u 917 pacjentów z różnymi urazami mięśniowo-szkieletowymi. Rozkład ten wśród osób z zerwaniem ścięgna Achillesa i przewlekłym zapaleniem ścięgna Achillesa różnił się od rozkładu spotykanego w grupie osób zdrowych, ale nie był skorelowany z żadnym innym analizowanym urazem mięśniowo-szkieletowym. W grupie kontrolnej stosunek liczbowy osób z grupą krwi A do tych z grupą krwi 0 wynosił 1,42. W grupie z zerwanym ścięgnem Achillesa wartość ta wynosiła 1,0, a w grupie z chronicznym zapaleniem pochewki ścięgna

Achillesa wynosiła 0,70. Związek między urazami ścięgna Achillesa i grupami układu AB0 był znany już wcześniej. Być może istnieje jakieś sprzężenie genetyczne między grupami krwi i strukturą cząsteczkową tkanki ścięgna Achillesa[1].

Wyniki badań przeprowadzonych w Amerykańskim Instytucie Traumatologii wśród pacjentów leczonych z powodu podskórnego (spontanicznego) zerwania ścięgna wykazały, że 53% chorych miało grupę krwi 0; był to udział procentowy znacznie wyższy, niż ten, który występował w populacji zdrowej (31,1%). Udział osób z grupą krwi 0 wśród osób z wielokrotnym zerwaniem ścięgna i ponownym zerwaniem ścięgna wyniósł ponad 70%. Na tej podstawie badacze zasugerowali, że istnieje korelacja między układem grupowym AB0 i tendencją do zerwania ścięgna. Osoby z grupą krwi 0 wykazywały większą skłonność do tego urazu, natomiast wydaje się, że osoby z grupą krwi A były przed nim w jakiś sposób zabezpieczone[2].

## Terapie stosowane przy urazach mięśniowo--szkieletowych

*U wszystkich czterech grup krwi układu AB0 stosuje się następujące protokoły:*

- wzmacniający układ odpornościowy
- menopauzalny (dla kobiet)
- przeciwzapalny
- przeciwartretyczny

## Tematy pokrewne

Krew: Zaburzenia krzepliwości
Zapalenie
Zapalenie stawów

**Bibliografia**

1. Kujala UM, Jarvinen M, Natri A, et al. AB0 blood groups and musculoskeletal injuries. *Injury.* 1992;23:131–133.
2. Jozsa L, Barzo M, Balint JB. [Correlations between the AB0 blood group system and tendon rupture]. *Magy Traumatol Orthop Helyreallito Seb.* 1990;33:101–104.

# WADY (BRAKI) WRODZONE – uszkodzenia organizmu, często ciężkie lub śmiertelne, wynikające z nieprawidłowego rozwoju płodu.

## Krótko o wadach wrodzonych

Obecność wad wrodzonych można wykryć u płodu za pomocą badania USG, punkcji owodni lub badania próbki kosmówki. Położnik może skierować na te badania na podstawie różnych objawów: pośladkowego ułożenia płodu; wielowodzia, czyli nadmiernej ilości płynu owodniowego, która może sugerować trudności z połykaniem będące wynikiem uszkodzenia ośrodkowego układu nerwowego lub zablokowania układu pokarmowego, np. w wyniku wrodzonego zarośnięcia przełyku; małowodzia, które może być wynikiem anomalii w rozwoju układu moczowego dziecka.

Do najpowszechniejszych wad wrodzonych należą:

*Bezmózgowie*: uszkodzenie cewy nerwowej, w rezultacie którego mózg płodu jest słabo wykształcony lub niewykształcony.

*Mukowiscydoza*: niezdolność trzustki do wytwarzania enzymów trawiennych.

*Zespół Downa*: obecność dodatkowego chromosomu w każdej komórce somatycznej.

*Rozszczep kręgosłupa*: uszkodzenie cewy nerwowej prowadzące do deformacji kręgosłupa.

## Główne czynniki ryzyka i przyczyny wad wrodzonych

Do rozwoju wad wrodzonych może dojść z przyczyn natury genetycznej, żywieniowej (niedobory kwasu foliowego w okresie ciąży) i środowiskowej (narażenie ciężarnej na szkodliwe substancje i warunki).

## Związki wad wrodzonych z grupami krwi

Konflikt serologiczny między matką o grupie krwi 0 i ojcem z grupą krwi A był sugerowany jako przyczyna kilku częstych wad wrodzonych, w tym również formowania zaśniadu groniastego, złośliwego nabłoniaka kosmówkowego, rozszczepu kręgo-słupa i bezmózgowia. Według niektórych autorów uszkodzenia te są wynikiem niezgodności grupy krwi matki z tkankami układu nerwowego i krwi płodu.

## Czynnik Rh i żółtaczka hemolityczna noworodków

W trakcie choroby hemolitycznej noworodków dochodzi do niszczenia krwinek czerwonych dziecka, co jest bezpośrednim skutkiem konfliktu krwi w układzie Rh. Choroba ta dotyka jedynie te dzieci Rh-dodatnie (po ojcu), których matki są Rh-ujemne.

Mniej więcej 50 lat temu naukowcy zauważyli, że kobiety, których krew nie zawiera czynnika Rh, miewają często kłopoty okołoporodowe ze swymi Rh-dodatnimi dziećmi. W przeciwieństwie do głównych układów grupowych, gdzie przeciwciała skierowane są przeciw innym grupom krwi już w chwili narodzin, w tym układzie Rh-negatywne osoby nie wytwarzają przeciwciał anty-Rh do chwili, aż zostaną na nie uwrażliwione. Do takiego uwrażliwienia dochodzi często w wyniku przeniknięcia krwi dziecka do organizmu matki, np. w czasie porodu. Na szczęście organizm matki ma wówczas zbyt mało czasu, by wytworzyć przeciwciała i pierwsze dziecko zwykle nie ponosi żadnych konsekwencji. Jeśli jednak następny płód znów dziedziczy po ojcu Rh-pozytywność, matka – tym razem uwrażliwiona już od początku – wytwarza przeciwciała skierowane przeciw krwi dziecka. Może to doprowadzić do poważnych wad wrodzonych, a nawet śmierci płodu lub noworodka. Na szczęście od pewnego czasu w stosunku do kobiet rodzących dziecko w warunkach konfliktu serologicznego stosuje się specjalną szczepionkę, a mianowicie gammaglobulinę anty-D.

## Terapie zapobiegające wadom wrodzonym

*U wszystkich czterech grup krwi układu AB0 stosuje się następujące protokoły:*
- równoważący dla kobiet
- zdrowotny dla mężczyzn

## Tematy pokrewne

Bezpłodność

**WIRUS EPSTEINA-BARRA** – *patrz Choroby wirusowe: Mononukleoza zakaźna.*

**WŁÓKNIAKOMIĘŚNIAKI MACICY** – łagodne nowotwory macicy.

| Włókniakomięśniaki macicy | RYZYKO ZACHOROWANIA | | |
|---|---|---|---|
| | NISKIE | UMIARKOWANE | ZNACZNE |
| Grupa A | | | |
| Grupa B | | | |
| Grupa AB | | | |
| Grupa 0 | | | |
| niewydzielacz | | | |

## Objawy

- nadmiernie obfite miesiączki,
- niedokrwistość,
- upławy,
- bóle lub skurcze macicy.

## Krótko o włókniakomięśniakach macicy

Włókniakomięśniaki macicy, zwane czasem mięśniakami, to łagodne guzy macicy, występujące u ponad 25% kobiet w wieku ponad 35 lat. Mogą przebiegać bezobjawowo i często po raz pierwszy zostają zdiagnozowane w trakcie badania ginekologicznego. Z drugiej zaś strony mięśniaki macicy mogą być przyczyną nadzwyczaj obfitych miesiączek, bólu w obrębie miednicy i wzdęcia. Ich wzrost nasila się w okresie ciąży i kuracji estrogenowej, mają zaś skłonność do zanikania w okresie pomenopauzalnym. Włókniakomięśniaki mogą rosnąć w stronę światła jamy miednicy lub też utrzymywać się w ścianie macicy. Te łagodne nowotwory rozwijają się często u młodych kobiet. Ich wzrost jest dodatnio skorelowany z pobudzeniem estrogenowym i na ogół cofa się po ciąży i menopauzie. Ryzyko zachorowania na włókniakomięśniaki macicy dotyczy też kobiet w późnym wieku produktywnym i przedmenopauzalnym.

## Związki włókniakomięśniaków z grupami krwi

Mięśniaki macicy najczęściej rozwijają się u osób z grupą krwi A i AB, być może dlatego, że czynniki wzrostu komórkowego odpowiedzialne za proliferację tkanki macicy ulegają stymulacji antygenem A. Wykazano, że gwałtownie rosnąca tkanka śluzówki macicy jest hojnie zaopatrzona w antygeny grup krwi, podczas gdy w zdrowej tkance śluzówki macicy antygeny nie występują.

*Protokoły stosowane przy grupie krwi A:*
- wzmacniający układ odpornościowy
- równoważący dla kobiet

*Dodatkowe zalecenia:*
Tkliwość i uczucie ciężaru i ucisku można czasem zlikwidować ćwiczeniami jogi.

*Protokoły stosowane przy grupie krwi B:*
- wzmacniający układ odpornościowy
- równoważący dla kobiet

*Protokoły stosowane przy grupie krwi AB:*
- wzmacniający układ odpornościowy
- równoważący dla kobiet

*Dodatkowe zalecenia:*
Tkliwość i uczucie ciężaru i ucisku można czasem zlikwidować ćwiczeniami jogi.

*Protokoły stosowane przy grupie krwi 0:*
- wzmacniający układ odpornościowy
- równoważący dla kobiet

## Tematy pokrewne

Krew: Zaburzenia krzepliwości
Stan okołomenopauzalny i menopauza
Odporność

**WRZODY DWUNASTNICY** – wrzód w obrębie górnej części przewodu pokarmowego, powstający w śluzówce pod wpływem kontaktu z kwasami i pepsyną.

| Wrzody dwunastnicy | RYZYKO ZACHOROWANIA | | |
|---|---|---|---|
| | NISKIE | UMIARKOWANE | ZNACZNE |
| Grupa A | | | |
| Grupa B | | | |
| Grupa AB | | | |
| Grupa 0 | | | |
| niewydzielacze | | | |

## Objawy

- nadbrzuszny ból (często piekący, ćmiący lub niewyraźny, ulegający pewnemu złagodzeniu po zjedzeniu czegoś lub zażyciu leków antacydowych),
- tkliwość w okolicy nadbrzusza, szczególnie w środkowej okolicy brzucha.

## Krótko o wrzodach dwunastnicy

Wrzody dwunastnicy powstają wówczas, gdy skutek działania kwasu żołądkowego i pepsyny jest silniejszy od naturalnej zdolności organizmu do obrony przed nimi za pomocą wydzielanego śluzu. Wrzody te występują zazwyczaj w górnej części dwunastnicy. Wrzody te to zazwyczaj okrągłe lub owalne rany w błonie śluzowej, nie większe od 1 cm średnicy, zwykle chroniczne lub powracające (60% wyleczeń towarzyszy nawrót w ciągu 1 roku, natomiast przed upływem 2 lat nawrót choroby staje się udziałem 80–90% pacjentów).

## Główne czynniki ryzyka i przyczyny wrzodów dwunastnicy

Czynnikami predysponującymi człowieka do wrzodów są m.in.: obecność takich przypadków w najbliższej rodzinie, palenie papierosów, stres psychiczny lub emocjonalny, złość, lęki. Ze współczesnych danych szacunkowych wynika, że wrzodów dwunastnicy doświadczy orientacyjnie nawet 10% populacji. Choroba częściej zdarza

się u mężczyzn i jest bardziej powszechna niż wrzody żołądka.

Dodatkowymi przyczynami i czynnikami pogarszającymi sytuację są:

1. Nienormalny rozrost flory bakteryjnej wytwarzającej ureazę. Ureaza przetwarza mocznik obecny w żołądku na lokalne ogniska amoniaku i dwutlenek węgla, ten zaś wędruje w głąb śluzówki i hamuje działanie komórek wydzielających śluz. Przemianom metabolicznym bakterii towarzyszy też wydzielanie proteazy i fosfolipazy, które uszkadzają strukturę śluzu, osłabiają jego właściwości ochronne w stosunku do śluzówki.

2. Niedożywienie, a szczególnie nieodpowiedni poziom cynku, witaminy A, glutaminy i witaminy E.

3. Palenie papierosów (nikotyna zwiększa wydzielanie kwasu żołądkowego i opóźnia opróżnianie żołądka i dwunastnicy, ponieważ spowalnia perystaltykę jelit).

4. Aspiryna, która podrażnia śluzówkę i zwiększa jej przepuszczalność.

5. Kofeina i alkohol, które stymulują wydzielanie kwasu.

## Związki wrzodów dwunastnicy z grupami krwi

Związek między grupą krwi 0 i wrzodami dwunastnicy został odkryty w 1936 roku i był wśród pierwszych odkrytych przez badaczy związków między grupą krwi i chorobą[1]. Badania nad korelacją między układem grupowym AB0 i rakiem żołądka, wrzodami dwunastnicy i wrzodami żołądka wykazały, że poziom wolnego kwasu solnego jest statystycznie wyższy u osób z grupą krwi 0 niż u osób z grupą krwi A[2]. Co więcej, wykazano, że wrzody dwunastnicy częściej występują u niewydzielaczy[3].

## Terapie stosowane przy wrzodach dwunastnicy

*U wszystkich czterech grup krwi układu AB0 stosuje się następujące protokoły:*

- antybakteryjny
- wspomagający zdrowie żołądka
- wspomagający zdrowie jelit

## Tematy pokrewne

Choroby bakteryjne (ogólnie)
Rak żołądka
Trawienie
Wrzody trawienne
Wrzody żołądka: *Helicobacter pylori*

**Bibliografia**

1. Shahid A, Zuberi SJ, Siddiqui AA, Waqar MA. Genetic markers and duodenal ulcer. *JPMA J Pak Med Assoc.* 1997;47:135–137.
2. Pals G, Defize J, Pronk JC, et al. Relations between serum pepsinogen levels, pepsinogen phenotypes, ABO blood groups, age and sex in blood donors. *Ann Hum Biol.* 1985;12:403–411.
3. Kolster J, Castro D, Kolster C, Quintero M, Callegari C. [HLA, blood group, secretory factor, pepsinogen I, and *Helicobacter* pylori in duodenal ulcer patients]. *G E N.* 1993;47:247–256.

---

**WRZODY TRAWIENNE** – ubytki śluzówki w górnej części przewodu trawiennego (przełyk, żołądek, dwunastnica), w miejscach, gdzie styka się ona z kwasem żołądkowym i pepsyną.

| Wrzody trawienne | RYZYKO ZACHOROWANIA | | |
|---|---|---|---|
| | NISKIE | UMIARKOWANE | ZNACZNE |
| Grupa A | | | |
| Grupa B | | | |
| Grupa AB | | | |
| Grupa 0 | | | |
| niewydzielacze | | | |

## Objawy

* nadbrzuszny ból (często pogarszający się po zjedzeniu czegoś i niemalejący po zażyciu leków antacydowych),
* krwawienie (25% chorych),
* jadłowstręt,
* mdłości i wymioty.

## Krótko o wrzodach trawiennych

Wrzody trawienne występują zazwyczaj u osób w wieku około 50 lat lub starszych i mniej więcej tak samo często u mężczyzn co u kobiet. Znakomita większość wrzodów trawiennych lokuje się w jamie żołądka. Łagodne wrzody niemal zawsze towarzyszą nieżytowi żołądka. W przeciwieństwie do wrzodów dwunastnicy, które zdają się być reakcją na wysokie stężenie kwasu żołądkowego i pepsynę, wrzody trawienne są raczej związane z brakiem warstwy ochronnej ze strony komórek śluzówki, jako że chorzy z wrzodami trawiennymi mają tendencję do normalnego, a nawet mniejszego niż normalny poziomu kwasu żołądkowego. Istnieje też silny związek między wrzodami trawiennymi a stosowaniem aspiryny, steroidów i niesteroidowych leków przeciwzapalnych.

## Główne czynniki ryzyka i przyczyny wrzodów trawiennych

* zmniejszone wydzielanie substancji chroniących śluzówkę żołądka,
* nienormalne namnożenie flory bakteryjnej,
* niedożywienie, a zwłaszcza niedostateczny poziom cynku, witaminy A i glutaminy,
* palenie papierosów (nikotyna zwiększa wydzielanie kwasu żołądkowego i opóźnia opróżnianie żołądka i dwunastnicy, ponieważ spowalnia perystaltykę jelit).

## Związki wrzodów trawiennych z grupami krwi

U 202 poborowych przyjętych do szpitala w Helsinkach z powodu długotrwałych bólów w górnej części brzucha przeanalizowano przebieg choroby wrzodowej i bezwrzodowej postaci dyspepsji. Aktywną chorobę wrzodową stwierdzono u 48 osób, nieaktywna postać choroby wrzodowej została zdiagnozowana u 77 pacjentów, zaś dyspepsja niewrzodowa wystąpiła u 52 pacjentów (w 25 przypadkach przyczyną objawów była inna choroba i chorzy ci zostali wykluczeni z badanej grupy). Grupą kontrolną było 30 młodych zdrowych mężczyzn bez objawów gastrycznych. Stan śluzówki żołądka i dwunastnicy, schemat wydzielania żołądkowego i rozmieszczenie niektórych markerów genetycznych u pacjentów sugerował, że u młodych pacjentów wrzody trawienne i niewrzodowa forma dyspepsji to dwie zupełnie odrębne jednostki chorobowe. Na koniec badacze stwierdzili, że prócz najbardziej przewidywalnego wyznacznika ryzyka wystąpienia choroby wrzodowej, jakim jest nieżyt żołądka o podłożu bakteryjnym (*Helicobacter pylori*), dobrym indykatorem zwiększonego ryzyka wystąpienia wrzodów trawiennych jest także fenotyp $Le_{a+}$, status niewydzielacza i grupa krwi $0$[1].

U 121 zdrowych greckich ochotników obu płci, w wieku 20–70 lat i reprezentujących różne grupy krwi, przeprowadzono test radioimmunologiczny surowicy w celu ustalenia stężenia gastryny. Próbki pobierano na czczo od wszystkich uczestników badania, następnie od 42 ochotników w 10 i 40 minut po posiłku. Stwierdzono, że po posiłku średnie stężenie gastryny rosło u przedstawicieli wszystkich grup, z tym że u osób z grupą krwi 0 i B wzrost ten był zauważalny już w 10 minut po posiłku, a u osób z grupą krwi A i AB nie ujawniał się nawet po 40 minutach[2].

## Terapie stosowane przy wrzodach trawiennych

*U wszystkich czterech grup krwi układu AB0 stosuje się następujące protokoły:*
• antybakteryjny
• wspomagający zdrowie żołądka

## Tematy pokrewne

Choroby bakteryjne (ogólnie)
Rak żołądka
Trawienie
Wrzody dwunastnicy

**Bibliografia**

1. Cederberg A, Varis K, Salmi HA, Sipponen P, Harkonen M, Sarna S. Young onset peptic ulcer disease and non-ulcer dyspepsia are separate entities. *Scand J Gastroenterol Suppl.* 1991;186:33–44.
2. Melissinos K, Alegakis G, Archimandritis AJ, Theodoropoulos G. Serum gastrin concentrations in healthy people of the various AB0 blood groups. *Acta Hepatogastroenterol (Stuttg).* 1978;25:482–486.

## WRZODY ŻOŁĄDKA: *Helicobacter pylori* – kolonizacja układu pokarmowego bakteriami coraz częściej uznawanymi za główną przyczynę nienadżerkowego zapalenia żołądka.

| Wrzody żołądka: *Helicobacter pylori* | RYZYKO ZACHOROWANIA | | |
|---|---|---|---|
| | NISKIE | UMIARKOWANE | ZNACZNE |
| Grupa A | | | |
| Grupa B | | | |
| Grupa AB | | | |
| Grupa 0 | | | |
| niewydzielacze | | | |

## Objawy

Większość pacjentów z nieżytem wywołanym infekcją *H. pylori* nie ma żadnych objawów.

## Krótko o wrzodach wywołanych przez *H. pylori*

Od pewnego czasu w środowisku medycznym panuje zgoda, że większość przypadków wrzodów żołądka jest wywołana infekcją bakteriami z gatunku *H. pylori*. Istnieją silne podstawy, by łączyć tę infekcję również z pojawiającym się często po niej rakiem żołądka, choć mechanizm tego procesu nie jest jeszcze w pełni zrozumiany. Najwyraźniej jednak infekcja *H. pylori* i towarzyszące jej zapalenie zwiększa proliferację komórek żołądka i inicjuje wczesne zmiany przedrakowe. Wydaje się, że najbardziej narażone na rozwój raka żołądka są osoby z grupą krwi A.

W 1994 roku Światowa Organizacja Zdrowia ogłosiła, że *H. pylori* jest głównym kancerogenem w wypadku gruczolakoraka żołądka i guzów podśluzówkowej warstwy limfoidalnej żołądka. Wprawdzie dokładny mechanizm zakażenia nie jest znany, bakterię tę wyhodowano z wymazów ze stolca, śliny i osadu zębowego, a to sugeruje drogę transmisji z ust do ust lub zakażenie fekaliami. Zakażenia *H. pylori* mają tendencję do skupiania się w rodzinach, a także wśród mieszkańców ośrodków opiekuńczych. Wydaje się, że zagrożeni są też lekarze i pielęgniarki, co więcej, bakterie mogą zostać wszczepione poprzez użycie niewłaściwie odkażonych wzierników.

## Związki wrzodów żołądka z grupami krwi

W początkach lat pięćdziesiątych XX wieku stwierdzono, że wśród chorych na różne postacie wrzodów żołądka dominują osoby z grupą krwi 0, w proporcji mniej więcej 2 : 1. Odkrycie to zostało w ciągu minionych 20 lat potwierdzone przeszło 25 razy, w rezultacie jego konkluzje nie są kwestionowane[1,2].

Z kolei część badań sugeruje, że wrzody żołądka i dwunastnicy najczęściej atakują osoby ze statusem niewydzielacza substancji antygenowej układu AB0. Część badaczy sugeruje, że status wydzielacza może wpływać negatywnie na gęstość kolonizujących bakterii lub ich zdolność do przyczepiania się do komórek dwunastnicy i żołądka. Ponieważ niewydzielacze nie wydzielają antygenów grup krwi do płynów ustrojowych i śluzowych wydzielin układu pokarmowego, ich możliwości obrony przed przyczepieniem *H. pylori* jest bardziej ograniczony. Brak antygenów w wydzielinie przyczynia się do kolonizacji układu pokarmowego bakteriami *H. pylori*.

Te z antygenów, które unoszą się swobodnie w śluzie, przyczepiają się do *H. pylori*, zanim jeszcze bakteria przyczepi się do tkanek. Wydzielacze mają zdolność umieszczania czegoś w rodzaju biologicznych wabików czy fałszywych metabolicznych celów, które opóźniają przyczepienie się *H. pylori* do ściany dwunastnicy lub żołądka. Niewydzielacze nie mają tak skutecznych metod na pobudzenie agresywnej odpowiedzi immunologicznej przeciw temu organizmowi[3-10].

## Terapie stosowane przy inwazji *Helicobacter pylori*

### Protokoły stosowane przy grupie krwi A:
* antybakteryjny
* wspomagający zdrowie żołądka
* zapobiegający nowotworom

### Protokoły stosowane przy grupie krwi B:
* antybakteryjny
* wspomagający zdrowie żołądka
* wspomagający zdrowie jelit

### Protokoły stosowane przy grupie krwi AB:
* antybakteryjny
* wspomagający zdrowie żołądka
* zapobiegający nowotworom

### Protokoły stosowane przy grupie krwi 0:
* antybakteryjny
* wspomagający zdrowie żołądka
* wspomagający zdrowie jelit

## Tematy pokrewne

Choroby bakteryjne (ogólnie)
Rak żołądka
Trawienie
Wrzody dwunastnicy
Wrzody trawienne

**Bibliografia**

1. Mentis A, Blackwell CC, Weir DM, Spiliadis C, Dailianas A, Skandalis N. AB0 blood group, secretor status and detection of *Helicobacter pylori* among patients with gastric of duodenal ulcer. *Epidemiol Infect.* 1991;106:221–229.
2. Alkout AM, Blackwell CC, Weir DM. Increased inflammatory responses of persons of blood group 0 to *Helicobacter pylori. J Infect Dis.* 2000;181:1364–1369.
3. Suadicani P, Hein HO, Gyntelberg F. Genetic and lifestyle determinants of peptic ulcer. A study of 3,387 men aged 54 to 74 years: The Copenhagen Male Study. *Scand J Gastroenterol.* 1999;34:12–17.

4. Hein HO, Suadicani P, Gyntelberg F. Genetic markers for stomach ulcer. A study of 3,387 men aged 54 to 74 years from The Copenhagen Male Study. *Ugeskr Leager.* 1998;160:5045–5046.
5. Dickey W, Collins JS, Watson RG, Sloan JM, Porter KG. Secretor status and *Helicobacter pylori* infection are independent risk factors for gastroduodental disease. *Gut.* 1993;34:351–353.
6. Sumii K, Inbe A, Uemura N, et al. Multiplicative effect of hyperpepsinogenemia I and non-secretor status on the risk of duodenal ulcer in siblings. *Gastroenterol Jpn.* 1990;25:157–161.
7. Oberhuber G, Kranz A, Dejaco C, et al. Blood groups Lewis(b) and ABH expression in gastric mucosa: lack of inter-relation with *Helicobacter pylori* colonisation and occurence of gastric MALT lymphoma. *Gut.* 1997;41:37–42.
8. Su B, Hellstrom PM, Rubio C, et al. Type I *Helicobacter pylori* shows Lewis(b)-independent adherence to gastric cells requiring de novo proteins synthesis in both host and bacteria. *J Infect Dis.* 1998;178:1379–1390.
9. Alkout AM, Blackwell CC, Weir DM, et al. Isolation of a cell surface component of *Helicobacter pylori* that binds H type 2, Lewis(a), and Lewis(b) antigens. *Gastroenterology.* 1997;112:1179–1187.
10. Klaamas K, Kurtenkov O, Ellamaa M, Wadstrom T. The *Helicobacter pylori* seroprevalence in blood donors related to Lewis (a,b) histo-blood group phenotype. *Eur J Gastroenterol Hepatol.* 1997;9:367–370.

---

# WRZODZIEJĄCE ZAPALENIE OKRĘŻNICY – zapalenie śluzówki jelita grubego.

| Wrzodziejące zapalenie okrężnicy | RYZYKO ZACHOROWANIA | | |
|---|---|---|---|
| | NISKIE | UMIARKOWANE | ZNACZNE |
| Grupa A | | | |
| Grupa B | | | |
| Grupa AB | | | |
| Grupa 0 | | | |

## Objawy

- krwiste, rzadkie stolce,
- ból brzucha,
- gorączka,
- chudnięcie.

## Krótko o wrzodziejącym zapaleniu okrężnicy

Jak wskazuje sama nazwa, wrzodziejące zapalenie okrężnicy obejmuje jedynie jelito grube, choć może czasem „promieniować" nawet na końcowy odcinek jelita cienkiego. W przeciwieństwie do CHOROBY CROHNA, wrzodziejące zapalenie okrężnicy atakuje śluzówkę, czyli warstwę wyściełającą, skierowaną do światła jelita. W chorobę Crohna zaangażowane są wszystkie warstwy ściany jelita, może się ona też rozwinąć na całym jego odcinku, od przełyku do odbytu. Zarówno choroba Crohna, jak i wrzodziejące zapalenie okrężnicy zwiększa ryzyko zachorowania na raka okrężnicy.

## Związki wrzodziejącego zapalenia okrężnicy z grupami krwi

Istnieją dowody, że pacjenci chorzy na wrzodziejące zapalenie okrężnicy mają podwyższony poziom przeciwciał skierowanych przeciw innym grupom krwi[1]. Świadczy to prawdopodobnie o tym, że bakterie obecne w jelitach wytwarzają z mucyn śluzówki jakieś substancje podobne do antygenów grupowych. Wyjaśniałoby to fakt, że leki sulfonowe, działające poprzez zmniejszanie liczby bakterii jelitowych, są na ogół skuteczne w zwalczaniu wrzodziejącego zapalenia okrężnicy. Wiadomo, że flora jelitowa ulega zaburzeniu wskutek zapalenia jelit, i uważa się, że wrzodziejące zapalenie jelit może się rozwinąć w wyniku jakiejś nadwrażliwości o podłożu alergicznym na bakterie jelitowe[2].

Ograniczenie liczby bakterii jelitowych zmniejsza pobudzenie układu odpornościowego. Jednakże wiadomo, że u chorych na wrzodziejące zapalenie okrężnicy niektóre szczepy bakterii są zdolne zmienić mucynę w antygeny przypominające antygeny innych grup krwi i właśnie to jest prawdziwą przyczyną reakcji odpornościowej pojawiającej się w trakcie zapalenia jelit. Tak więc bakterie, które w śluzówce chorych z grupą krwi A wytwarzają antygeny B, mogą sprawić, że ich układ odpornościowy zaatakuje śluzówkę własnego jelita, traktując ją jak tkankę obcą, np. omyłkową transfuzję. Takie przypadki były relacjonowane w literaturze fachowej. Znaleziono też kilka szczepów bakterii, do których należy też pałeczka odmieńca pospolitego, *Proteus vulgaris*, typowego komensala ludzkiego układu pokarmowego, zdolnych do wytworzenia antygenu B (pseudo-B) ze śluzówki okrężnicy.

Bakterie jelitowe mogą śluzówkę jelita degradować do dużych ilości antygenów zarówno A, jak i B. Na podstawie tej obserwacji można postawić hipotezę, że zachorowalność na wrzodziejące zapalenie okrężnicy będzie większa u osób z grupą krwi 0, jedyną, która w sposób naturalny zawiera przeciwciała anty-A i anty-B. Wprawdzie badania naukowe częściowo poparły już to twierdzenie, ale potrzebne są w tym zakresie kolejne, szersze i bardziej szczegółowe badania[3]. Tymczasem faktem jest, że choć u chorych z grupą krwi 0, zwłaszcza tych ze statusem niewydzielaczy, zapalenie jelit przyjmuje zazwyczaj bardziej agresywną postać niż w innych grupach krwi[4], to jednak właściwa dieta skutecznie eliminuje to zagrożenie.

## Terapie stosowane przy wrzodziejącym zapaleniu okrężnicy

### Wszystkie grupy krwi:

Leczenie konwencjonalne opiera się na stosowaniu aminosalicylatów (ASA) i kortykosteroidów. Podstawą leczenia są od dawna stosowane antybiotyki sulfonowe i leki nowszej generacji, takie jak preparaty 5-ASA (mesalamina i olsalazyna). Ostre nawroty choroby leczone są kortykosteroidami, jednakże ich długotrwałe stosowanie może wywołać poważne zatrucie. W wypadku chorych wymagających długiego stosowania leków steroidowych dobre wyniki dają substancje immunosupresyjne, takie jak azatiopryna i 6-merkaptopuryna, które zmniejszają potrzebną dawkę steroidów. Jednakże na pierwsze pozytywne wyniki stosowania tej kuracji trzeba nieraz czekać kilka miesięcy.

Wprawdzie wielu gastroenterologów nadal nie uznaje jedzenia za czynnik mogący wywołać nadwrażliwość, jednakże należałoby się poważnie zastanowić, czy samo leczenie farmakologiczne jest w stanie skutecznie wyleczyć zapalenie jelita.

Wiele hydrokoloidów (gum spożywczych) spotykanych w pokarmach przetworzonych przemysłowo pogłębia skutki działania lektyn pokarmowych. Przykładem takim może być karagen, stosowany do wywołania u zwierząt doświadczalnych symptomów przypominających chorobę wrzodową okrężnicy. Ponieważ karagen jest substancją skutecznie stabilizującą białka mleka, używa się go w produkcji produktów spożywczych. Jednakże wyniki badań na ludziach nie potwierdzają tych spostrzeżeń: nawet przy dużych dawkach karagenu u zdrowych ochotników nie zaobserwowano żadnych zmian zapalnych[5]. Jednakże działanie lektyn pokarmowych wzmacniają tylko hydrokoloidy, takie jak karagen, ale również białka obecne w mleku, a to oznacza, że nawet duże dawki karagenu, podawanego bez mleka i produktów mlecznych, mogą nie być wystarczające do wywołania niedomagań u osób zdrowych.

Osoby z grupą krwi 0 mają skłonności do silnej wrzodowej postaci zapalenia okrężnicy, której towarzyszy krwawienie w czasie wydalania. Prawdopodobnie krwawienie u osób z tą grupą krwi wiąże się z brakiem odpowiednich czynników krzepliwości. U osób z grupą krwi A, AB i B rozwija się bardziej powierzchniowa warstwa zapalenia okrężnicy, która nie wywołuje tak silnych krwawień.

Tak czy inaczej, najlepiej trzymać się sposobu odżywiania właściwego dla naszej grupy krwi. Można w ten sposób uniknąć wielu lektyn pokarmowych pogarszających objawy, a nawet stwierdzić, że ich nasilenie słabnie.

### Protokoły stosowane przy grupie krwi A:
• wspomagający zdrowie jelit
• wspomagający zdrowie żołądka
• przeciwstresowy

### Protokoły stosowane przy grupie krwi B:
• wspomagający zdrowie jelit
• przeciwzapalny
• przeciwstresowy

*Protokoły stosowane przy grupie krwi AB:*

- wspomagający zdrowie jelit
- wspomagający zdrowie żołądka
- przeciwstresowy

*Protokoły stosowane przy grupie krwi 0:*

- wspomagający zdrowie jelit
- przeciwzapalny
- przeciwgrzybiczny

*Dodatkowo:* unikać gum spożywczych, takich jak karagen, ghatti czy akacja, które często są stosowane w przemyśle spożywczym. Szukać produktów mlecznych stabilizowanych innymi metodami.

## Tematy pokrewne

Choroba Crohna
Odporność
Trawienie

### Bibliografia

1. Chiba M, Nakajima K, Arakawa H, Masamune O, Narisawa T. Anti-erythrocyte antibodies in ulcerative colitis: case report and discussion on the pathophysiology of antierythrocyte antibody. *Gastroenterol Jpn.* 1988;23:564–569.
2. Hentges DJ ed. *Human Intestinal Microflora in Health and Disease.* New York: Academic Press, 1983.
3. Vesely KT. Frequency of blood groups of the ABC and Rho(D) system in patients with viral hepatitis, cirrhosis of the liver, bile stones, pancreatitis, urolithiasis, and ulcerative colitis. *Rev Czech Med.* 1970;16:60–71.
4. Tandon OP, Bhatia S, Tripathi RL, Sharma KN. Phagocytic response of leucocytes in secretors and non-secretors of ABH (0) blood group substances. *Indian J Physiol Pharmacol.* 1979;23:321–324.
5. Bonfils S. Carrageenan in the human gut. *Lancet.* 1970;ii:414.

**WRZÓD ŻOŁĄDKA** – *patrz Wrzody trawienne*

**WSTRZĄS TOKSYCZNY** – *patrz Choroby bakteryjne: Zapalenie płuc*

**WYMIOTY** – *patrz Mdłości*

**WYPADANIE ZASTAWKI DWUDZIELNEJ** – *patrz Choroba sercowo-naczyniowa*

**WYSOKI CHOLESTEROL** – *patrz Hipercholesterolemia (wysoki poziom cholesterolu we krwi)*

**WYSOKIE CIŚNIENIE** – *patrz Nadciśnienie*

**WYSOKIE TRÓJGLICERYDY** – *patrz Nadmiar trójglicerydów we krwi*

**WYSYPKA** – *patrz Alergie środowiskowe*

**YERSINIA** – *patrz Choroby bakteryjne: Dżuma*

## ZABURZENIA CYKLU MIESIĄCZKOWEGO: BOLESNA MIESIĄCZKA – bóle brzucha w czasie krwawienia miesięcznego.

| Bolesna miesiączka | RYZYKO WYSTĄPIENIA | | |
|---|---|---|---|
| | NISKIE | UMIARKOWANE | ZNACZNE |
| Grupa A | | | |
| Grupa B | | | |
| Grupa AB | | | |
| Grupa 0 | | | |

### Objawy

Dolegliwości zaczynają się już przed wystąpieniem samej miesiączki albo z chwilą jej rozpoczęcia i zazwyczaj kończą się w ciągu 2–3 dni od jej wystąpienia. Do objawów można zaliczyć:

- przewlekły ból w dole brzucha,
- nagłe ostre bóle kurczowe,
- ból promieniujący w stronę krzyża i nóg,
- skrzepy w krwi miesięcznej,
- zespół napięcia przedmiesiączkowego.

### Krótko o bolesnej miesiączce

Bolesna miesiączka może mieć charakter pierwotny (czynnościowy) lub wtórny (nabyty). Dla tej części kobiet, u których występuje, jest normalnym elementem cyklu miesiączkowego i nie stanowi objawu żadnej choroby układu rozrodczego. Może się jednak wiązać z niedostatecznym funkcjonowaniem wątroby, zaparciami (w czasie których w jelicie dochodzi do wtórnej absorpcji estrogenów) i nadmierną ilością estrogenu w stosunku do progesteronu.

Z wtórnymi bolesnymi miesiączkami mamy do czynienia wówczas, gdy sygnalizują one możliwą do zidentyfikowania przyczynę dolegliwości, na przykład endometriozę, włókniakomięśniaki macicy, stan zapalny w obrębie dróg rodnych kobiety czy wreszcie zapalenie wywołane stosowaniem wewnątrzmacicznej wkładki antykoncepcyjnej. Większość kobiet cierpiących na bolesne miesiączki miewa też objawy zespołu napięcia przedmiesiączkowego, a wówczas oba zespoły łączą się, dając szczególnie duże nasilenie dokuczliwych objawów.

## Związki bolesnych miesiączek z grupami krwi

Wprawdzie nie przeprowadzono żadnych badań dotyczących związków między grupami krwi i bolesnymi miesiączkami, ale wiadomo, że niektóre potencjalne ich przyczyny, takie jak endometrioza i włókniakomięśniaki macicy, wykazują dodatnią korelację z grupą krwi A i AB.

## Terapie stosowane przy bolesnej miesiączce

*U wszystkich czterech grup krwi układu AB0 stosuje się następujące protokoły:*
• równoważący dla kobiet
• przeciwzapalny

## Tematy pokrewne

Rak macicy i inne guzy dróg rodnych kobiety
Zaburzenia krzepnięcia krwi

---

# ZABURZENIA CYKLU MIESIĄCZKOWEGO: BRAK MIESIĄCZKI – brak krwawienia miesięcznego.

| Brak miesiączki | RYZYKO WYSTĄPIENIA | | |
|---|---|---|---|
| | NISKIE | UMIARKOWANE | ZNACZNE |
| Grupa A | | | |
| Grupa B | | | |
| Grupa AB | | | |
| Grupa 0 | | | |

## Objawy

• brak miesiączki do 14. roku życia,
• opóźnienie dojrzewania (rozwoju piersi i owłosienia łonowego) u nastolatki,
• brak miesiączkowania przez co najmniej 6 miesięcy przed wejściem w okres okołomenopauzalny.

## Krótko o cyklu miesiączkowym

Przeciętny cykl miesiączkowy trwa około 28 dni i można w nim wyodrębnić cztery etapy.

ETAP 1, początek cyklu, to sama miesiączka, trwająca około 5 dni. W czasie miesiączki dochodzi do złuszczenia śluzówki macicy, to znak, że w czasie ostatniego cyklu żadne z jaj nie zostało zapłodnione. W czasie miesiączki hormony żeńskie (estrogen i progesteron) osiągają najniższe stężenie w czasie cyklu, będące sygnałem dla podwzgórza i przysadki mózgowej, że należy zacząć wydzielać hormon folikulotropowy (FSH) i hormon luteinizujący (LH). FSH jest hormonem stymulującym rozwój pęcherzyków jajnikowych (pęcherzyków Graafa) i pobudza dojrzewanie jajeczka, które ma zostać uwolnione w czasie owulacji. LH jest hormonem stymulującym wydzielanie estrogenu przez jajniki i odpowiedzialnym za uwalnianie jajeczek (owulację). Dalsze etapy: zob. wykres na str. 326.

## Krótko o braku miesiączki

Pierwotny brak miesiączki definiuje się jako nieobecność cyklu miesiączkowego do 14. roku życia. Towarzyszy temu niedorozwój wtórnych cech płciowych, takich jak piersi i owłosienie łonowe. Czasem termin ten rozszerza się do 16. roku życia, jeśli nie ma krwawień miesięcznych nawet wówczas, gdy pojawiają się piersi i owłosienie. Schemat pojawiania się miesiączki jest zwykle wspólny dla blisko spokrewnionych kobiet: jeśli matka zaczynała późno miesiączkować, istnieje duże prawdopodobieństwo, że to samo spotka córkę.

Poza tym, a także ciążą i MENOPAUZĄ, które powinny być rozpatrywane oddzielnie, inne przyczyny braku miesiączki są naturalne. Na przykład, miesiączka może się nie pojawiać przez kilka miesięcy po porodzie. Z kolei niektóre kobiety na jakiś czas przestają miesiączkować po zaprzestaniu przyjmowania doustnych środków antykoncepcyjnych; w tym wypadku miesiączka pojawia się zwykle w ciągu pół roku.

Na miesiączkowanie może też mieć wpływ STRES. Do zaburzenia cyklu miesiączkowego przyczyniają się przepracowanie, kryzys osobisty, bezsenność i niewłaściwe nawyki żywieniowe.

Brak miesiączki może też być sygnałem zaburzeń układu wydzielniczego, a więc na przykład choroby nadnerczy, CUKRZYCY czy NIEDOCZYNNOŚCI TARCZYCY.

Negatywny wpływ na regularność miesiączkowania mogą też mieć leki psychotropowe, przeciwdrgawkowe, chemioterapia i leki blokujące działanie estrogenu, takie jak Tamoxifen.

Jeśli brakowi miesiączki towarzyszy rozwój nadmiernego owłosienia na twarzy i reszcie ciała, czasem razem z wypryskami i tłustą cerą, to być może jest to jakaś choroba nadnerczy, w wyniku której dochodzi do nadmiernego wydzielania hormonów męskich.

### Związki zaburzeń miesiączkowych z grupami krwi

Związki z fenotypem grupy krwi układu AB0 i genotypem hemoglobiny-E przebadano u 290 dziewcząt należących do mongolskiej populacji etnicznej w północno-wschodnich Indiach. Badania wykazały, że na wiek pierwszej miesiączki wpływał zarówno nieprawidłowy genotyp hemoglobiny E, jak i fenotyp grupy krwi układu AB0. Markery genetyczne odgrywają zatem kluczową rolę w kwestii wzrostu i rozwoju człowieka[1].

### Terapie stosowane przy braku miesiączki

*U wszystkich czterech grup krwi układu AB0 stosuje się protokół:*
• równoważący dla kobiet

### Tematy pokrewne

Choroby tarczycy: Niedoczynność
Stres
Zaburzenia lękowe

**Bibliografia**
1. Balgir RS. Menarcheal age in relation to AB0 blood group phenotypes and haemoglobin-E genotypes. *J Assoc Phisicians India.* 1993;41:210–211.

## ZABURZENIA CYKLU MIESIĄCZKOWEGO: OBFITE MIESIĄCZKI – krwawienia miesięczne o znacznym nasileniu.

| Obfite miesiączki | RYZYKO WYSTĄPIENIA | | |
|---|---|---|---|
| | NISKIE | UMIARKOWANE | ZNACZNE |
| Grupa A | | | |
| Grupa B | | | |
| Grupa AB | | | |
| Grupa 0 | | | |

### Objawy

• nadmierne krwawienia miesiączkowe

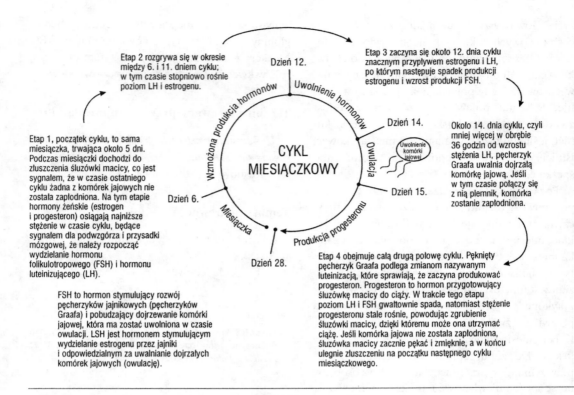

Etap 2 rozgrywa się w okresie między 6. i 11. dniem cyklu; w tym czasie stopniowo rośnie poziom LH i estrogenu.

Dzień 12.

Etap 3 zaczyna się około 12. dnia cyklu znacznym przypływem estrogenu i LH, po którym następuje spadek produkcji estrogenu i wzrost produkcji FSH.

Uwolnienie hormonów

Wzmożona produkcja hormonów

Dzień 14.

Około 14. dnia cyklu, czyli mniej więcej w obrębie 36 godzin od wzrostu stężenia LH, pęcherzyk Graafa uwalnia dojrzałą komórkę jajową. Jeśli w tym czasie połączy się z nią plemnik, komórka zostanie zapłodniona.

Etap 1, początek cyklu, to sama miesiączka, trwająca około 5 dni. Podczas miesiączki dochodzi do złuszczenia śluzówki macicy, co jest sygnałem, że w czasie ostatniego cyklu żadna z komórek jajowych nie została zapłodniona. Na tym etapie hormony żeńskie (estrogen i progesteron) osiągają najniższe stężenie w czasie cyklu, będące sygnałem dla podwzgórza i przysadki mózgowej, że należy rozpocząć wydzielanie hormonu folikulotropowego (FSH) i hormonu luteinizującego (LH).

CYKL MIESIĄCZKOWY

Owulacja

Uwolnienie komórki jajowej

Dzień 6.

Miesiączka

Produkcja progesteronu

Dzień 15.

Dzień 28.

Etap 4 obejmuje całą drugą połowę cyklu. Pęknięty pęcherzyk Graafa podlega zmianom nazywanym luteinizacją, które sprawiają, że zaczyna produkować progesteron. Progesteron to hormon przygotowujący śluzówkę macicy do ciąży. W trakcie tego etapu poziom LH i FSH gwałtownie spada, natomiast stężenie progesteronu stale rośnie, powodując zgrubienie śluzówki macicy, dzięki któremu może ona utrzymać ciążę. Jeśli komórka jajowa nie została zapłodniona, śluzówki macicy zacznie pękać i zmięknie, a w końcu ulegnie złuszczeniu na początku następnego cyklu miesiączkowego.

FSH to hormon stymulujący rozwój pęcherzyków jajnikowych (pęcherzyków Graafa) i pobudzający dojrzewanie komórki jajowej, która ma zostać uwolniona w czasie owulacji. LSH jest hormonem stymulującym wydzielanie estrogenu przez jajniki i odpowiedzialnym za uwalnianie dojrzałych komórek jajowych (owulację).

## Krótko o obfitych miesiączkach

Obfite miesiączki w zasadzie mieszczą się w definicji „nienormalnego krwawienia" – oznaczającego krwawienie przedłużające się, nadmierne lub nieregularne w stosunku do normalnego cyklu miesiączkowego. Dla zdiagnozowania dolegliwości kluczowe znaczenie ma ustalenie, czy krew nie pochodzi z moczowodu lub odbytu.

Obfite miesiączki mogą mieć różnorodne przyczyny, często na tyle odmienne, że trzeba je traktować jako zupełnie odrębne zespoły. Nienormalne krwawienie maciczne oznacza krwawienie, którego przyczyną nie jest bezpośrednia, mechaniczna obecność nowotworu, stanu zapalnego czy ciąża, ale np. niezrównoważona estrogenowa stymulacja w wyniku nowotworu lub jakiejś choroby, prowadząca do rozrostu śluzówki macicy, a następnie jej złuszczania i krwawień.

Do przyczyn obfitych krwawień można też zaliczyć NIEDOCZYNNOŚĆ TARCZYCY, brak owulacji, torbielowatość jajników, raka jajników, otyłość, polipy wewnątrzmaciczne, rozwój nowotworu śluzówki macicy i włókniakomięśniaki. Do czynników ryzyka należy OTYŁOŚĆ, brak owulacji i zastępcza terapia hormonalna bez zastosowania związków o działaniu zbliżonym do progesteronu.

## Związki obfitych miesiączek z grupami krwi

Związany z grupą krwi wpływ na jej krzepnięcie mogą mieć doustne środki antykoncepcyjne, co jest szczególnie ważne dla osób z grupą krwi 0.

W testach klinicznych nad środkami antykoncepcyjnymi porównano wyniki między losowo dobranymi próbami obejmującymi 67 kobiet otrzymujących 50 mcg etynyloestradiolu i 1,0 mg noretindronu oraz 61 kobietami otrzymującymi 35 mcg etynyloestradiolu i 0,5 noretindronu. Ustalono grupę krwi każdej uczestniczki badań. Analiza wzajemnych relacji między antytrombiną III (czynnik krzepliwości krwi), rodzajem środka antykoncepcyjnego i grupą krwi wykazała, że po zastosowaniu preparatów o największym procentowym udziale estrogenu najwyraźniejszy spadek krzepliwości krwi występuje w grupie krwi 0[1].

## Terapie stosowane przy obfitych miesiączkach

*U wszystkich czterech grup krwi układu AB0 stosuje się następujące protokoły:*
- równoważący dla kobiet
- krwiotwórczy

## Tematy pokrewne

Guzy nowotworowe dróg rodnych kobiety
Krew: Zaburzenia krzepliwości
Stan okołomenopauzalny i menopauza

**Bibliografia**

1. Burkman RT, Bell WR, Zacur HA, Kimball AW. Oral contraceptives andantithrombin III: variations by dosage and AB0 blood group. *Am J Obstet Gynecol.* 1991;164(1):1453–1458.

## ZABURZENIA CYKLU MIESIĄCZKOWEGO: ZESPÓŁ NAPIĘCIA PRZEDMIESIĄCZKOWEGO (PMS) – cały zespół objawów, które pojawiają się w okresie między 7. a 14. dniem przed krwawieniem miesięcznym.

| Zespół napięcia przedmiesiączkowego | RYZYKO WYSTĄPIENIA | | |
|---|---|---|---|
| | NISKIE | UMIARKOWANE | ZNACZNE |
| Grupa A | | | |
| Grupa B | | | |
| Grupa AB | | | |
| Grupa 0 | | | |

## Objawy

- podenerwowanie,
- drażliwość,
- niestabilność emocjonalna,
- depresja,
- bóle głowy,
- obrzęk,
- wezbranie i tkliwość piersi,
- zachcianki pokarmowe.

## Krótko o zespole napięcia przedmiesiączkowego

Wprawdzie większe lub mniejsze fizyczne i psychiczne zmiany zwiastujące zbliżającą się miesiączkę obserwuje u siebie większość kobiet, to jednak u około 10% objawy te są na tyle poważne, że upośledzają ich normalne funkcjonowanie. Zespołowi napięcia przedmiesiączkowego może towarzyszyć ponad 150 różnych objawów, w tym również napięcie, drażliwość, tkliwość piersi, wzdęcia i zaburzenia żołądkowe.

Poważne objawy PMS, takie jak depresja, drażliwość i niestabilność emocjonalna określane są mianem przedmiesiączkowej dysforii nastroju. Niesie ona z sobą ryzyko zachorowania na inne choroby, na przykład depresję. Kofeina i picie dużych ilości wody mogą nasilić objawy PMS, natomiast stres – wpłynąć na ich uzewnętrznienie. Nasilenie objawów rośnie z wiekiem.

## Związki PMS z grupami krwi

Wprawdzie nie ma dowodów na związek zespołu przedmiesiączkowego z grupą krwi, jednakże liczne objawy PMS częściej spotykane są w grupie A i B, zwłaszcza w sytuacjach stresowych.

## Terapie stosowane przy zespole napięcia przedmiesiączkowego

*U wszystkich czterech grup krwi układu AB0 stosuje się następujące protokoły:*
- równoważący dla kobiet
- przeciwstresowy
- zwalczający zmęczenie

**Tematy pokrewne**

Depresja jednobiegunowa/dwubiegunowa
Lektyny
Stres
Trawienie

---

# ZABURZENIA ILOŚCI PRZEKAŹNIKÓW NERWOWYCH – *patrz Stres*

# ZABURZENIA KRZEPLIWOŚCI KRWI
*– patrz Krew: Zaburzenia krzepliwości*

## ZABURZENIA LĘKOWE – grupa zaburzeń obejmujących chroniczny, obezwładniający strach, nerwowość i długotrwałą bezsenność.

| Zaburzenia lękowe | RYZYKO ZACHOROWANIA/NASILENIE | | |
|---|---|---|---|
| | NISKIE | UMIARKOWANE | ZNACZNE |
| Grupa A | | | |
| Grupa B | | | |
| Grupa AB | | | |
| Grupa 0 | | | |

### Objawy

• różne

### O zaburzeniach lękowych

Termin „zaburzenia lękowe" jest ogólnym określeniem odnoszącym się do kilku różnych stanów:

**Napady paniki:** krótkotrwałe napady panicznego lęku, którym towarzyszy krótkość oddechu, palpitacje serca, hiperwentylacja (nadmiernie szybkie oddychanie), oszołomienie i silne poty.

**Fobia:** irracjonalny strach, który utrudnia normalne działanie i negatywnie wpływa na jakość życia. Przykładem fobii może być agorafobia (lęk przed otwartą przestrzenią i wychodzeniem z domu) i fobia społeczna (lęk przed kontaktami z innymi ludźmi).

**Zaburzenia obsesyjno-kompulsywne**: powracające lub stałe wyobrażenia, myśli i idee, które wywołują powtarzające się rytualne zachowania narzucone sobie przez chorego.

**Zaburzenia stresowe posttraumatyczne** – krańcowo silna i zazwyczaj chroniczna reakcja emocjonalna na traumatyczne wydarzenie, zwykle wpływająca negatywnie na codzienne życie chorego; jest klasyfikowana jako zaburzenie lękowe, ponieważ wywołuje podobne objawy.

**Zaburzenia lękowe uogólnione** – wyraźnie wyodrębniona choroba psychiczna, często rozpoczynająca się w dzieciństwie, przejawiająca się nadmierną, niekontrolowaną obawą.

Istnieje silny związek między zaburzeniami lękowymi i depresją. W jednym z doniesień naukowych stwierdzono, że przeszło połowa chorych na depresję spełniała też kryteria typowe dla zaburzeń lękowych. Kombinacja DEPRESJI i zaburzeń lękowych jest główną przyczyną zarówno nadużywania leków i używek, jak i samobójstw.

Od 20 do 75% osób doznających ataków paniki doświadcza też silnej depresji. Depresję spotyka się też u ponad 2/3 pacjentów z zaburzeniami obsesyjno-kompulsywnymi.

Uogólnione zaburzenia lękowe i fobia społeczna to stany chorobowe, które zazwyczaj poprzedzają depresję, natomiast panika i agorafobia raczej pojawiają się w jej następstwie. Osoby cierpiące na zaburzenia stresowe posttraumatyczne są 4–7 razy bardziej narażone na depresję niż osoby zdrowe.

Zgodnie z pewnymi badaniami przeprowadzonymi w 2000 roku na grupie nastolatków, zaburzenia lękowe pozostają w związku z rozwijającą się w wieku dorosłym DEPRESJĄ MANIAKALNĄ, a depresja maniakalna w okresie dojrzewania zwiększa ryzyko pojawienia się zaburzeń lękowych u dorosłych.

Lęki są być może skutkiem zaburzenia działania systemu przekaźników nerwowych. Do czynników ryzyka należą problemy natury społecznej i finansowej, choroby, podobne choroby w rodzinie oraz brak pomocy społecznej.

## Związki zaburzeń lękowych z grupami krwi

Istnieje wiele badań wskazujących na to, że osoby z grupą krwi A są bardziej podatne na zaburzenia lękowe niż przedstawiciele innych grup. Najprawdopodobniej wiąże się to z wyższym stężeniem kortyzolu i niskim stężeniem melatoniny[1].

W pewnych badaniach określono grupę krwi u: 72 (35 kobiet i 37 mężczyzn) pacjentów z neurozą obsesyjno-kompulsywną; 73 (35 kobiet i 38 mężczyzn) pacjentów z fobią; 75 (54 kobiety i 21 mężczyzn) z histerią oraz 600 osób (268 kobiet i 332 mężczyzn) wybranych losowo z populacji. Wyniki wskazały na istnienie dodatniej asocjacji między neurozą obsesyjno-kompulsywną i grupą krwi A, a także odpowiadającej jej negatywnej asocjacji z grupą krwi 0. Co więcej, na dystrybucję choroby wewnątrz układu grupowego AB0 nie miała wpływu płeć osób badanych. Autorzy podkreślili też, że ich odkrycia potwierdzają pogląd, iż na kliniczne rodzaje neurozy mogą mieć wpływ czynniki genetyczne[2].

## Terapie stosowane w zaburzeniach lękowych

*U wszystkich czterech grup krwi układu AB0 stosuje się następujące protokoły:*
- przeciwstresowy
- usprawniający procesy umysłowe

## Tematy pokrewne

Depresja jednobiegunowa
Psychoza maniakalno-depresyjna
Stres
Zaburzenia obsesyjno-kompulsywne

### Bibliografia

1. Catapano F, Monteleone P, Fuschino A, Maj M, Kemali D. Melatonin and cortisol secretion in patients with primary obsessive-compulsive disorder. *Psychiatry Res.* 1992;44:217–225.

2. Rinieris P, Rabavilas A, Lykouras E, Stefanis C. Neuroses and AB0 blood types. *Neuropsychobiology*. 1983;9:16–18.

**ZABURZENIA UWAGI** – zespoły obejmujące zaburzenia koncentracji uwagi i nadpobudliwość psychoruchową ze skłonnością do nieuwagi i roztargnienia.

| Zaburzenia uwagi | RYZYKO ZACHOROWANIA/NASILENIE | | |
|---|---|---|---|
| | NISKIE | UMIARKOWANE | ZNACZNE |
| Grupa A | | | |
| Grupa B | | | |
| Grupa AB | | | |
| Grupa 0 | | | |

## Objawy

- nadczynność ruchowa,
- niestabilność emocjonalna,
- upośledzenie czynności ruchowych,
- niemożność skupienia uwagi,
- zaburzenia koncentracji i niezdolność do kończenia czynności rozpoczętych,
- trudności z nauką.

## Krótko o zaburzeniach uwagi

Zaburzenia uwagi i nadpobudliwość ruchowa należą do tych dolegliwości, które w krajach uprzemysłowionych są diagnozowane niezwykle często i zbyt często poddawane leczeniu farmakologicznemu. Ponieważ ich objawy są trudne do sprecyzowania, często przypisuje się je zachowaniom, które od czasu do czasu pojawiają się u wszystkich dzieci. W niektórych krajach powszechne zainteresowanie towarzyszące tym zaburzeniom skłania rodziców i nauczycieli do naciskania na lekarzy, by zapisywali dzieciom preparaty farmaceutyczne takie jak Ritalin* czy

* Ritalin jest pochodną amfetaminy; w Polsce został wycofany – przyp. tłum.

Depakote, gdy dziecko jest nadmiernie ruchliwe i ma kłopoty z nauką. Badania przeprowadzone na grupie piątoklasistów szkoły podstawowej w dwóch różnych amerykańskich miastach wykazały, że 18–20% chłopców przyjmowało Ritalin. Odzwierciedla to znakomicie ogólną tendencję do leczenia farmaceutycznego dzieci, które stwarzają choćby najmniejsze problemy. Abstrahując od stopnia nasilenia trudności, należy zawsze pamiętać, że leki psychotropowe działają jedynie doraźnie, poprzez zmniejszenie objawów, nie rozwiązując w żadnym stopniu samego problemu. Tymczasem lekceważy się udokumentowane przyczyny leżące u podłoża tych zaburzeń, takie jak podwyższony poziom hormonów stresowych, zespoły autoagresyjne i niewłaściwa, wysokocukrowa dieta.

Prawdziwe przypadki nadpobudliwości psychoruchowej i zaburzeń koncentracji uwagi powinny być jednak potraktowane serio. Dziecko opanowane którąś z tych dolegliwości może doświadczać trudności, które znajdują potem kontynuację w życiu dorosłym. Nadpobudliwość psychoruchowa u dorosłych często nie zostaje właściwie rozpoznana.

## Główne czynniki ryzyka i przyczyny zaburzeń uwagi

Wśród przyczyn zaburzeń uwagi należy wymienić podwyższony poziom hormonów stresowych i zespoły autoimmunologiczne. W czasie ciąży należy zdecydowanie unikać palenia papierosów, jako że nałóg ten przyczynia się do zaburzeń koncentracji uwagi u dzieci[1]. Także ołów i inne metale ciężkie kojarzone są z zespołami zaburzenia uwagi. Tam, gdzie wydaje się, że dziecku nadpobudliwemu nie pomagają żadne terapie, należy rozważyć zagadnienie ewentualnego zatrucia metalami ciężkimi, a pomóc tu może doświadczony lekarz dietetyk.

## Związki zaburzeń uwagi z grupami krwi

Z nadpobudliwością psychoruchową wiąże się wysoki poziom katecholaminy i wahania poziomu DOPAMINY. Liczne z objawów towarzyszących zaburzeniom uwagi często są spotykane w grupie krwi 0. Badania wykazują, że dzieci nadpobudliwe cierpią też z powodu nadwrażliwości i alergii, zaburzeń działania układu odpornościowego, również często spotykanych u osób z grupą krwi 0[2].

Zaburzenia koncentracji uwagi i nadpobudliwość psychoruchowa są też ściśle związane z przewlekłymi infekcjami uszu, chorobą, która najczęściej trapi dzieci z grupą krwi A. Istnieją nowe doniesienia, że zmniejszony poziom C4B, lub jego dopełniacza, białka odpowiedzialnego za niszczenie bakterii, może być markerem nadpobudliwości psychomotorycznej. Często stężenie owego dopełniacza we krwi dzieci z grupy A jest niskie. Istnieją też dowody na to, że u dzieci z grupą krwi A nadczynność ruchowa wiąże się z wysokim poziomem kortyzolu.

## Terapie stosowane przy zaburzeniach uwagi

### Wszystkie grupy krwi:

W niektórych krajach Ritalin jest lekiem rutynowo stosowanym przy wszelkich objawach nadpobudliwości psychoruchowej. Raz jeszcze warto więc podkreślić, że farmaceutyki oddziałują jedynie na objawy, nie likwidując problemu i nie wpływając na żadną z dobrze poznanych asocjacji choroby, a więc na przykład podwyższony poziom hormonów stresowych czy zespoły autoagresyjne czy wreszcie niewłaściwą dietę.

Wapń: 500–750 mg dziennie

### Protokoły stosowane przy grupie krwi A:

* usprawniający procesy umysłowe
* przeciwstresowy

**Dodatkowo:** wyciąg z bakopy drobnolistnej (*Bacopa monnieri*), klasycznego leku ajurwedy, o silnym działaniu przeciwutleniającym w obrębie mózgu

### Protokoły stosowane przy grupie krwi B:

* usprawniający procesy umysłowe
* przeciwstresowy
* przeciwalergiczny

*Protokoły stosowane przy grupie krwi AB:*
- usprawniający procesy umysłowe
- przeciwstresowy

*Dodatkowo:* magnez 500 mg dziennie

*Protokoły stosowane przy grupie krwi 0:*
- usprawniający procesy umysłowe
- przeciwstresowy
- przeciwalergiczny

*Dodatkowo:* Pycnogenol (wyciąg z sosny śródziemnomorskiej) 60–100 mg dziennie przez 2 tygodnie, później dawkę zmniejszyć o połowę. Witamina $B_6$: 20–30 mg/kg masy ciała.

## Tematy pokrewne

Alergie
Odporność
Stres

### Bibliografia

1. Locong AH, Roberge AG. Cortisol and catecholamines response to venisection by humans with different blood groups. *Clin Biochem.* 1985;18:67–69.
2. Scerbo AS, Kolko DJ. Salivary testosterone and cortisol in disruptive children: relationship to aggressive, hyperactive, and internalizing behaviors. *J Am Acad Child Adolesc Psychiatry.* 1994;33:1174–1184.

## ZAKAŻENIE GRONKOWCEM – *patrz*

*Choroby bakteryjne: Zakażenie gronkowcem*

## ZAKAŻENIE PACIORKOWCOWE – zakażenie kulistymi bakteriami Gram-dodatnimi z rodzaju *Streptococcus* (paciorkowce; streptokoki).

| Zakażenie paciorkowcowe | RYZYKO ZACHOROWANIA | | |
|---|---|---|---|
| | NISKIE | UMIARKOWANE | ZNACZNE |
| Grupa A | ▓ | ▓ | |
| Grupa B | ▓ | | |
| Grupa AB | ▓ | ▓ | |
| Grupa 0 | | ▓ | |

## Objawy

- angina paciorkowcowa (ostre bakteryjne zapalenie migdałków),
- płonica,
- infekcje skóry (liszajec, róża, zapalenie tkanki łącznej),
- zapalenie płuc, septyczne zapalenie stawów.

## Krótko o zakażeniu paciorkowcowym

Za większość zakażeń paciorkowcowych odpowiedzialne są paciorkowce grupy A, choć inne grupy serologiczne (B, C, D, G) bakterii tego rodzaju również mogą wywoływać infekcje. Grupa G, na przykład, jest odpowiedzialna za groźne zakażenia noworodków i choroby kobiet ciężarnych, osób w podeszłym wieku i osłabionych innymi chorobami. Kobiety ciężarne przekazują bakterie noworodkom w czasie porodu. Paciorkowce z grupy B są najczęstszą przyczyną infekcji krwi i zapalenia opon mózgowych u noworodków.

## Związki zakażenia paciorkowcowego z grupami krwi

Badano zdolność agregacyjną szczepów *Streptococcus rattus*, *S. mutans* i *S. salivarius* pod wpływem śliny osób z grupą krwi A, B i 0. Okazało się, że ślina osób z grupą krwi A ma znacznie wyższą aktywność agregacyjną w stosunku do szczepu *S. rattus* niż ślina osób z grupą krwi B. Z kolei *S. mutans* i *S. salivarius* łatwiej ulegały skupianiu w ślinie grupy krwi B, przy czym najwyraźniej zaobserwowano to dla *S. mutans*[1].

N-acetylo-D-galaktozamina, węglowodan swoisty dla grupy krwi A, hamował agregację *S. rattus*, ale nie innych szczepów. D-galaktoza, węglowodan swoisty dla grupy krwi B, hamowała agregację *S. mutans*, ale nie *S. rattus* czy *S. salivarius*. L-fukoza, specyficzna dla grupy krwi 0, nie hamowała agregacji żadnego szczepu. Obserwacje te sugerują, że substancje grupowe krwi mogą mieć wpływ na agregację bakterii[2].

W zakrojonych na dłuższą metę badaniach zakażeń okołoporodowych spowodowanych infekcją organizmu matki paciorkowcami grupy B zebrano dane epidemiologiczne, w tym również informacje na temat grupy krwi, dotyczące 1062 pacjentek. Wykazano, że na tle ogółu populacji wśród kobiet zainfekowanych znacząco większy udział mają osoby z grupą krwi B. Prawdopodobieństwo zakażenia u kobiet z grupą krwi B było dwa razy wyższe niż u kobiet z grupą krwi 0 lub A. Badacze sugerują, że paciorkowce grupy B mogą mieć na swej powierzchni antygen przypominający antygen grupy B. Wówczas można by spekulować, czy to właśnie mutacja w stronę podobieństwa do grupy krwi B sprawiła, że paciorkowce z grupy B stały się ważnymi patogenami okresu noworodkowego dzieci[3].

### Terapie stosowane przy zakażeniu paciorkowcowym

*U wszystkich czterech grup krwi układu AB0 stosuje się następujące protokoły:*
- antybakteryjny
- wspomagający leczenie antybiotykami
- wzmacniający układ odpornościowy

### Tematy pokrewne

Choroby bakteryjne (ogólnie)
Gorączka reumatyczna/reumatyczna choroba
   serca

**Bibliografia**

1. Haverkorn MJ, Goslings WR. Streptococci, AB0 blood groups, and secretor status. *Am J Hum Genet.* 1969;21:360–375.

2. Ligtenberg AJ, Veerman EC, de Graaff J, Nieuw Amerongen AV. Saliva-induced aggregation of oral streptococci and the influence of blood group reactive substances. *Arch Oral Biol.* 1990;35(suppl):141S–143S.

3. Regan JA, Chao S, James LS. Maternal AB0 blood group type B: a risk factor in the development of neonatal group B streptococcal disease. *Pediatrics.* 1978;62:504–509.

**ZAKRZEPICA** – *patrz Udar*

## Zapalenie

Określenie to jest bardzo obrazowe i funkcjonuje w literaturze medycznej od I wieku n.e., kiedy to rzymski lekarz Celsus po raz pierwszy sprecyzował, co ono oznacza, wymieniając najważniejsze jego cechy: *calor* (gorąco), *ruber* (zaczerwienienie), *tumor* (opuchnięcie), *dolor* (ból). Do listy tej znany patolog niemiecki Rudolf Virchow dodał jeszcze jeden objaw: *functio laesa* (utrata czynności).

Odczyn zapalny jest sam w sobie zjawiskiem pozytywnym. Bez odpowiednio silnej reakcji zapalnej na infekcję i stymulacji do naprawy tkanek nie mielibyśmy wielkich szans na przeżycie. Odczyn zapalny może być reakcją na: uszkodzenie tkanki, złamanie kości i zmiany związane z ranami, oparzeniami, infekcjami oraz alergiami. Jednocześnie odczyn zapalny drzemie w każdej żywej komórce, niczym komórkowa biochemiczna bomba zegarowa. Z powodu zapaleń umiera więcej ludzi niż z powodu wszystkich innych chorób razem wziętych; nie dziwi to, zwłaszcza gdy uświadomimy sobie, w skład ilu nazw chorób wchodzi słowo „zapalenie".

Odczyn zapalny wiąże się ściśle z odpowiedzią immunologiczną, która rozpoczyna leczenie i naprawę uszkodzonej tkanki. W reakcję zapalną zaangażowane są praktycznie wszystkie krwinki białe (neutrofile, limfocyty, eozynofile, bazofile i monocyty), a także płytki krwi i komórki żerne. Komórki te albo zawierają, albo wytwarzają ponad 100 substancji chemicznych, zwanych mediatorami stanu zapalnego (*patrz* ODPORNOŚĆ)

Odczyn zapalny kieruje cząsteczki obronne układu odpornościowego w stronę uszkodzonych tkanek poprzez zwiększenie dopływu krwi do obszarów zmienionych chorobowo i zwiększenie przepuszczalności naczyń włosowatych. W rezultacie przez zewnętrzną ich warstwę przechodzą większe cząsteczki niż normalnie, a do zainfekowanych tkanek nieustannie wędrują nowe substancje.

W odczynie zapalnym ważną rolę odgrywają cytokiny, w tym również interleukina-1 (IL-1) i interleukina-6 (IL-6), które stymulują wydzielanie białek ostrej fazy, takich jak dopełniacz, i działają jako pyrogeny – czynniki gorączkotwórcze. Czynnik obumierania nowotworu sprawia, że leukocyty przywierają do ścian naczyń krwionośnych, wykorzystując obecne na swej powierzchni cząsteczki adhezyjne, takie jak selektyny. Z chwilą przylgnięcia do ściany naczynia leukocyty zostają pobudzone do dalszej migracji przez substancje chemiczne wytwarzane przez komórki znajdujące się w miejscu uszkodzenia. Jeśli odczyn zapalny powstaje w odpowiedzi na infekcję, pierwsza reakcja będzie pochodziła od komórek fagocytarnych wrodzonej odpowiedzi immunologicznej, które przyczepią się do mikroorganizmów nie wybiórczo, ewentualnie poprzez receptory układu dopełniacza lub przeciwciała, jeśli te zdołały już „opłaszczyć" intruza. Przyczepione komórki fagocytarne wyciągają swe długie „ramiona", by otoczyć komórkę bakterii lub wirus, aż wreszcie łączą się, tworząc wewnątrz komórki coś w rodzaju worka, w którym znajduje się pochłonięty mikroorganizm. W tym momencie krwinka biała zaczyna wydzielać silne enzymy, których zadaniem jest zniszczenie mikroba. Enzymy te zalicza się do klasy lizozymów lub peroksydaz; działają one poprzez wytwarzanie niezwykle reaktywnej postaci tlenu, który albo łączy się z błoną powierzchniową komórki mikroorganizmu, albo bezpośrednio niszczy jego materiał genetyczny.

Jeśli infekcja trwa, odpowiedź fagocytarna zostaje uzupełniona elementami odporności nabytej, a więc przeciwciałami i komórkami tucznymi, robiącymi użytek ze swoich pakietów histaminowych ziarnistości. Histamina odgrywa ważną rolę w wielu różnych rodzajach odczynu zapalnego, w tym również w alergii. Leki antyhistaminowe, które w okresie nasilenia aktywności alergenów są oparciem dla wielu osób, działają też skutecznie jako czynniki antyzapalne, poprzez redukcję wydzielania histaminy.

Przedłużający się odczyn zapalny może być groźniejszy niż infekcja pierwotna, która go wywołała. Układ o takiej złożoności, z tyloma graczami odgrywającymi różne role, może być trudny do kontrolowania. Wiele substancji chemicznych biorących udział w odpowiedzi immunologicznej to związki żrące, a ich głównym zadaniem jest zabicie intruza. Przy nadmiernie silnej reakcji zapalnej powstaje nadmiar tych substancji, w wyniku którego dochodzi do nadprogramowego uszkodzenia tkanek w obrębie odczynu zapalnego.

Być może fakt, że osoby z grupą krwi 0 są bardziej podatne na powikłania stanu zapalnego niż osoby o innych grupach krwi, wiąże się z tym, że antygen ich grupy krwi zawiera fukozę. Cukry z tej grupy służą za cząsteczki adhezyjne dla przypominających lektyny cząsteczek występujących na krwinkach białych (selektyn), które umożliwiają migrację białych krwinek z układu krwionośnego do obszaru zapalenia[1].

Odczyn zapalny pojawia się również wtedy, gdy uszkodzenie jakiejś tkanki mobilizuje czynniki krzepnięcia krwi, wywołujące krzepnięcie lub koagulacyjną kaskadę. Na drodze tego wieloetapowego procesu powstaje plazmina, która nadzoruje proces rozpuszczania skrzepu i uaktywnia układ dopełniacza oraz kininy zapalne. Te ostatnie wywołują delikatne kurcze mięśni, zwiększają przepuszczalność naczyń, stymulują cząsteczki adhezyjne do ekspresji na komórkach nabłonka i powodują ból oraz swędzenie.

Na ogół największe ilości czynnika VII, jednego z ważniejszych czynników krzepnięcia, spotyka się w krwi grupy A, jednakże w ostrej fazie zapalenia najwięcej go jest w krwi osobników o grupie B[2]. Tak więc grupa krwi B jest bardziej podatna na silne odczyny zapalne spowodowane urazami i ranami.

Jedną z najważniejszych substancji reakcji zapalnej układu odpornościowego jest fibrynogen, białko ostrej fazy, którego ilość rośnie w odpowiedzi na uraz, odczyn zapalny tkanki i ciążę, jak również wprowadzenie biologicznych stymulatorów, takich jak czynnik wzrostowy, prostaglandyny zapalne i niektóre toksyny bakteryjne. Fibrynogen jest wytwarzany w wątrobie i przenoszony przez płytki krwi. To lepka substancja szybko znajduje sobie drogę do różnorakich powierzchni, a więc obcych materiałów i dolnych warstw ścian naczyń krwionośnych. W odpowiedzi na zapalenie fibrynogen wędruje do tkanek, gdzie zostaje przekształcony w fibrynę.

Podobnie jak stresowi, zawałowi serca, cukrzycy i innym chorobom, tak i chorobie tarczycy towarzyszą różnice w gęstości krwi, zwłaszcza kiedy krew grupy A porówna się z krwią grupy 0. U chorych na tarczycę osób z grupą krwi A występuje wyższe stężenie fibrynogenu, a niższy jest stosunek albumina/fibrynogen. W trakcie procesu zapalnego zużywany jest fibrynogen, czynnik von Willebranda i czynnik VIII, pełniące funkcję „klejów adhezyjnych", dzięki którym powstaje skrzep złożony z kolagenu, płytek krwi i fibryny[3].

**Tematy pokrewne**

Choroba Crohna
Choroba tarczycy
Choroby autoagresyjne (ogólnie)
Lektyny
Odporność
Reumatoidalne zapalenie stawów
Wrzodziejące zapalenie okrężnicy
Zesztywniające zapalenie stawów kręgosłupa

**Bibliografia**

1. Listinsky JJ, Siegal GP, Listinsky CM. Alpha-L-fucose: a potentialy critical molecule in pathologic processes including neoplasia. *Am J Clin Pathol.* 1998;110:425–440.
2. O'Donnell J, Tuddenham EG, Manning R, et al. High prevalance of elevated factor VIII levels in patients referred for thrombophilia screening: role of increased synthesis and relationship to the acute phase reaction. *Thromb Haemost.* 1997;77:825–828.
3. Dintenfass L, Forbes CD. Effect of fibrinogen on aggregation of red cells and on apparent viscosity of artificial thrombi in haemophilia, myocardial infarction, thyroid disease, cancer and control systems: effect of AB0 blood groups. *Microvasc Res.* 1975;9:107–118.

**ZAPALENIE DZIĄSEŁ** – *patrz Choroba ozębnej*

**ZAPALENIE JELIT** – *patrz Wrzodziejące zapalenie okrężnicy; Choroba Crohna*

**ZAPALENIE NEREK** – *patrz Zapalenie pęcherza*

**ZAPALENIE OKRĘŻNICY, WRZODZIEJĄCE** – *patrz Wrzodziejące zapalenie okrężnicy*

**ZAPALENIE OPON MÓZGOWYCH** – *patrz Choroby bakteryjne: Zapalenie opon mózgowych*

**ZAPALENIE OSKRZELI** – stan zapalny błony śluzowej oskrzeli.

| Zapalenie oskrzeli | NASILENIE/PODATNOŚĆ | | |
|---|---|---|---|
| | NISKA | UMIARKOWANA | ZNACZNA |
| Grupa A (nasilenie) | | | |
| Grupa B | | | |
| Grupa AB | | | |
| Grupa 0 | | | |
| niewydzielacze (podatność) | | | |

**Objawy**

- długotrwały, wilgotny kaszel,
- wrażenie ucisku wokół klatki piersiowej,
- świszczący oddech,
- gorączka.

## Krótko o zapaleniu oskrzeli

Zapalenie oskrzeli to ostry lub przewlekły stan zapalny przewodów doprowadzających powietrze do płuc. W trakcie choroby zwiększa się wydzielanie śluzu, chory kaszle, ma gorączkę, czuje ból w klatce piersiowej, ma obolałe gardło i trudności z oddychaniem. Ostra postać choroby jest zwykle skutkiem infekcji i często bywa powikłaniem grypy lub przeziębienia.

Nadmierna produkcja flegmy powoduje jej zaleganie w drogach oddechowych. W 95% przypadków ostre zapalenie oskrzeli jest wynikiem infekcji wirusowej rozprzestrzeniającej się w populacji ludzkiej drogą oddechową. W niektórych wypadkach mikroorganizmem odpowiedzialnym za wywołanie choroby jest *Mycoplasma* lub *Chlamydia*. Kaszel może trwać około 7–10 dni, ale często przeciąga się na 3 tygodnie; u 25% chorych nie kończy się przed upływem miesiąca.

Przewlekła postać choroby to zapalenie i degeneracja oskrzeli. Częstą przyczyną jest dym papierosowy. W rzeczy samej palenie papierosów jest najczęstszą przyczyną przewlekłego zapalenia oskrzeli. Do innych czynników ryzyka zaliczyć należy zanieczyszczenie środowiska i powtarzające się infekcje dróg oddechowych.

Powikłaniem towarzyszącym zapaleniu oskrzeli bywa, zwłaszcza u palaczy, ROZEDMA PŁUC, czyli choroba polegająca na pękaniu pęcherzyków płucnych. Przewlekłe zapalenie oskrzeli prowadzi do zaburzeń wymiany gazów w płucach i wywołuje nieuleczalne zmiany w drogach oddechowych. Przewlekła forma zapalenia oskrzeli jest więc znacznie bardziej niebezpieczna niż ostra, nie jest jednak zakaźna.

## Związki zapalenia oskrzeli z grupami krwi

Ogólnie rzecz ujmując, osoby z grupą krwi A i AB częściej chorują na zapalenie oskrzeli niż osoby z grupą krwi 0 i B. Może to być wynik niewłaściwego odżywiania, w rezultacie którego w drogach oddechowych uwalniana jest zbyt duża ilość śluzu. Zalegający śluz ułatwia namnażanie się bakterii „naśladujących" antygeny grupowe, takich jak podobne do antygenu A pneumokoki, które atakują grupy A i AB, lub podobne do antygenu B pałeczki grypy, które atakują osoby z grupą krwi B i AB.

W 1951 roku opublikowano wyniki 400 pośmiertnych autopsji wykonanych w Szpitalu Dziecięcym w Glasgow. Wynikało z nich, że wśród niemowląt poniżej 2. roku życia, które zmarły na odoskrzelowe zapalenie płuc, przeważały dzieci z grupą krwi A[1].

Osobom niewydzielającym antygenów do płynów ustrojowych (niewydzielacze) zagraża przede wszystkim chroniczna postać choroby. W badaniach przeprowadzonych na grupie palaczy w Londynie okazało się, że wydzielacze antygenów AB0 mają lepsze wyniki badań spirometrycznych niż niewydzielacze. Wykryta zależność była wolna od wszelkich związków z innymi czynnikami wpływającymi na szczytowy przepływ płucny[2].

Badacze zaczynają dopiero odkrywać nowe i coraz bardziej złożone związki między grupami krwi i stanem zdrowia człowieka. Wydaje się, na przykład, że obdarzone grupą krwi A dzieci ojców z grupą krwi A i matek z grupą krwi 0 częściej umierają na odoskrzelowe zapalenie płuc we wczesnym dzieciństwie. Uważa się, że być może w chwili porodu dochodzi do reakcji uczulającej między przeciwciałami anty-A matki i dziecka, co zmniejsza jego zdolność do zwalczania pneumokoków. Nie ma jeszcze żadnych wiarygodnych danych, które potwierdziłyby tę teorię, ale informacja ta może podziałać pobudzająco na badania w kierunku wynalezienia ewentualnej szczepionki.

## Terapie stosowane przy zapaleniu oskrzeli

*U wszystkich czterech grup krwi układu AB0 stosuje się następujące protokoły:*
- wzmacniający płuca
- antybakteryjny
- wzmacniający układ odpornościowy

## Tematy pokrewne

Choroby zakaźne
Grypa
Przeziębienie
Zapalenie płuc

**Bibliografia**

1. Struthers D. *Brit J Prev Soc Med.* 1951.
2. Haines AP, Imeson JD, Meade TW. ABH secretor status and pulmonary function. *Am J Epidemiol.* 1982;115:367–370.

# ZAPALENIE PĘCHERZA – przewlekła infekcja pęcherza moczowego.

| Zapalenie pęcherza | RYZYKO ZACHOROWANIA | | |
|---|---|---|---|
| | NISKIE | UMIARKOWANE | ZNACZNE |
| Grupa A | | | |
| Grupa B | | | |
| Grupa AB | | | |
| Grupa 0 | | | |
| niewydzielacz | | | |

## Objawy

- bolesne, częste oddawanie niewielkich ilości moczu,
- uczucie ucisku w obrębie miednicy,
- bóle krzyża (w połączeniu z innymi objawami),
- niewielka gorączka (w połączeniu z innymi objawami).

## Krótko o zapaleniu pęcherza

Zapalenie pęcherza jest wynikiem infekcji bakteryjnej tego narządu. Wydaje się, że główną przyczyną choroby jest aktywność seksualna i niedostateczna higiena osobista. Zapalenie pęcherza towarzyszy często rozpoczęciu życia płciowego, zmianie partnerów lub niezwykle częstym stosunkom. W badaniach wykazano, że zapalenie pęcherza jest 12,8 raza częstsze w normalnej populacji niż wśród zakonnic (żyjących w celibacie).

Do zapalenia pęcherza dochodzi również wówczas, gdy dostaną się doń bakterie żyjące normalnie w jelicie i pochwie. Dzieje się tak wtedy, gdy do pochwy przedostaną się odchody. Jest to zatem kwestia higieny, aczkolwiek na zapalenie pęcherza może zachorować nawet osoba skrupulatnie przestrzegająca czystości. Za najczęstszą przyczynę tej choroby uważa się najpospolitszą bakterię jelitową, a mianowicie *Escherichia coli*.

W wypadku niepełnego wyleczenia bakterie, które wywołały wcześniejszą infekcję, mogą być przyczyną nawrotów choroby. Nawroty zapalenia pęcherza mogą być również wynikiem nowych infekcji, innymi bakteriami. Do czynników ryzyka zalicza się wcześniejsze zapalenia dróg moczowych, CUKRZYCĘ, ciążę, niezwykle dużą aktywność płciową, stosowanie środków plemnikobójczych lub krążków domacicznych, a wreszcie ukryte zmiany dróg moczowych, takie jak guzy, zwężenia i niecałkowite opróżnianie pęcherza.

Przyczyny najpoważniejszej postaci choroby, tzw. śródmiąższowego zapalenia pęcherza, są słabo rozumiane, ale zaliczyć do nich można prawdopodobnie poważne infekcje dróg moczowych i zwiększoną przepuszczalność ścian pęcherza na czynniki drażniące, takie jak mocznik.

## Związki zapalenia pęcherza z grupami krwi

Istnieje wiele dowodów na to, że najbardziej podatne na zapalenie pęcherza są osoby z grupą krwi B i AB. Wiąże się to z faktem, że bakterie najczęściej odpowiedzialne za tę chorobę (*E. coli, Pseudomonas, Klebsiella*) mają budowę zbliżoną do antygenu B, a jak wiadomo, organizm osób z grupą krwi B i AB nie wytwarza przeciwciał anty-B. Wydaje się również, że istnieje pewien dodatni związek między skłonnością do infekcji dróg moczowych a statusem niewydzielacza i niezdolnością do wytwarzania hemaglutyniny anty-B. Mówiąc ściślej, istnieją przesłanki, by sądzić, że u kobiet zwiększone prawdopodobieństwo zachorowania na nawrotowe infekcje dróg moczowych występuje u osób z grupą krwi B i AB oraz statusem niewydzielacza[1].

Z dostępnych badań wynika również, że w układzie grupowym AB0 niewydzielacze przeważają też wśród osób z bliznami nerkowymi, będącymi wynikiem nawrotowych zapaleń dróg moczowych i odmiedniczkowego zapalenia nerek[2,3,4]. Stwierdzono, że blizny nerkowe powstają u 55–60% niewydzielaczy, nawet wówczas, gdy stosowane jest właściwe leczenie antybiotykami; podobne blizny nerkowe powstają zaledwie u 16% osób wydzielających antygeny układu AB0 do płynów ustrojowych[5].

Wydaje się, że tendencja do bliznowacenia nerek wiąże się nie tyle z agresywnością choroby bakteryjnej, ile z siłą odpowiedzi immunologicznej, z jaką się ona spotyka u niewydzielaczy. Wśród osób cierpiących na nawrotowe zapalenia dróg moczowych poziom C-reaktywnych białek fazy ostrej, tempo opadania erytrocytów, a wreszcie temperatura ciała są znacznie wyższe u niewydzielaczy niż u wydzielaczy. U niewydzielaczy blizny nerkowe są zatem wtórnym skutkiem fazy ostrej odpowiedzi immunologicznej[6].

Wydaje się, że również same nawrotowe zakażenia dróg moczowych zagrażają przede wszystkim niewydzielaczom. W badaniach nad kobietami cierpiącymi na takie właśnie dolegliwości stwierdzono, że 29% chorych miało fenotyp niewydzielacza Lewis$_{(a+b-)}$, zaś 26% miało fenotyp recesywny Lewis$_{(a-b-)}$. Kiedy potraktowano oba fenotypy jako całość, wskaźnik potencjalnego zagrożenia ze strony nawracających infekcji dróg moczowych u osób bez fenotypu wydzielacza (Lewis$_{(a-b+)}$) wynosił 3, wskazując na większą podatność niewydzielaczy[7,8,9,10,11].

Wśród kobiet chorych na zakażenie dróg moczowych istnieje generalnie zgodność między stopniem ekspresji antygenów układu AB0 a fenotypem danej osoby i zależy on od tego, czy jest ona wydzielaczem, czy nie. U kobiet ze statusem wydzielaczy determinanty A, B, 0 występowały w większym stężeniu, co więcej, na komórkach tkanek pochwy i w śluzie stwierdzono u nich antygeny układu grupowego Lewis. Próbki pobrane od niewydzielaczy zawierały mniej antygenów Le$_{(a)}$ i Le$_{(x)}$, zaś u wydzielaczy większy stopień ekspresji przejawiały antygeny Le$_{(b)}$ i Le$_{(y)}$. U kobiet z tą samą grupą krwi i tym samym statusem stopień ekspresji antygenów różnił się. Porównanie grupy pacjentek i grupy kontrolnej kobiet zdrowych nie wykazało znaczących różnic ani pod względem ogólnego poziomu ekspresji antygenów, ani pod względem udziału fenotypów układu AB0 czy statusu wydzielacza. Odkrycia te stanowią potwierdzenie naszych wcześniejszych obserwacji na zdrowych kobietach, sugerują też, że antygeny obecne na komórkach tkanek pochwy i w śluzie kobiet po zakażeniach dróg moczowych mogą być pochodzenia heterogennego[12].

Porównano udział poszczególnych grup krwi w grupie 137 pacjentów z ostrą postacią odmiedniczkowego zapalenia nerek, przewlekłym zakażeniem górnej części dróg moczowych, zapaleniem pęcherza i bakteriomoczem bezobjawowym ze składem serologicznym grupy kontrolnej złożonej ze zdrowych osób. Zidentyfikowane uropatogeny podzielono na kategorie zgodnie z grupą krwi pacjenta. Stwierdzono istnienie korelacji między zdiagnozowanym przewlekłym zapaleniem górnej części dróg moczowych i grupą krwi B. Na podstawie analiz laboratoryjnych u osób z grupą krwi B stwierdzono większą, niż oczekiwano liczbę infekcji szczepami *Pseudomonas, Klebsiella i Proteus,* natomiast w grupie krwi A stwierdzono mniejszą od spodziewanej liczbę zakażeń bakteriami z rodzaju *Proteus*[13].

U osób z grupą krwi AB stwierdzono podwyższoną zachorowalność na zakażenia wywołane bakteriami *E. coli* i *Klebsiella pneumoniae.* Wyniki te sugerują, że grupa krwi może odgrywać rolę w odpowiedzi organizmu na inwazję bakteryjną, być może wpływa też na przebieg zakażenia pewnymi bakteriami gram-ujemnymi.

W innych badaniach grupę krwi układu AB0 i Rh ustalono dla 280 pacjentów ośrodka nefrologicznego i porównano z kontrolną grupą 4089 dawców krwi. U kobiet cierpiących na odmiedniczkowe zapalenie nerek grupa krwi A występowała rzadziej niż w populacji kontrolnej (w stosunku 56,7% : 41,8%, z prawdopodobieństwem błędu mniejszym od 5%), zaś grupa krwi 0 była jeszcze rzadsza (20,0% : 39,9%). Natomiast wśród chorych z nerką torbielowatą podwyższenie liczby osób z grupą krwi B (30% : 12,6%) osiągnęło poziom znaczący statystycznie.

Wcześniejsze badania potwierdzają te odkrycia. Z badań opublikowanych przez Robinsona i jego współpracowników[15] wynika, że osoby z grupą krwi B i AB wykazują podwyższoną podatność na zakażenia gram-ujemnymi enteropatogenami (poza szczepem *Shigella*). Dotyczyło to szczególnie bakterii *E. coli* i *Salmonella* w populacji o afrykańskim i portorykańskim pochodzeniu. U osób z grupą krwi B i AB, niezależnie od ich pochodzenia etnicznego, prawdopodobieństwo wystąpienia zakażenia *E. coli* było o 55% większe niż u osób z grupą krwi A i 0. Badacze stwierdzili, że w układzie grupowym AB0 podwyższone (aczkolwiek nieznaczące statystycznie) ryzyko odmiedniczkowego zapalenia nerek wywołanego zakażeniem *E. coli* występuje u osób z grupą krwi B i AB. Cruz-Cooke ze współpracownikami[16] stwierdził zaś, że u osób z grupą krwi B prawdopodobieństwo zakażenia dróg moczowych bakteriami *E. coli* jest 50% większe niż u osób z inną grupą krwi. Z kolei Kinane i współpracownicy[1] donoszą, że u kobiet, które nie tylko nie wytwarzały antygenów B (grupa krwi B i AB), ale również posiadały status niewydzielacza, prawdopodobieństwo wystąpienia nawrotowych zakażeń dróg moczowych było wyższe niż u kobiet, które charakteryzowały się tylko jedną z tych dwóch właściwości.

## Terapie stosowane przy zapaleniu pęcherza

*U wszystkich czterech grup krwi układu AB0 stosuje się następujące protokoły:*

- antybakteryjny
- wspomagający zdrowie układu moczowego

## Tematy pokrewne

Choroby bakteryjne (ogólnie)
Lektyny
Odporność
Rak pęcherza

### Bibliografia

1. Kinane DF, Blackwell CC, Brettle RP, Weir DM, Winstanley FP, Elton RA. AB0 blood group, secretor state, and susceptibility to recurrent urinary tract infection in women. *Br Med. J (Clin Res Ed.)* 1982;285(6334):7–9.
2. May SJ, Blackwell CC, Brettle RP, Mac Callum CJ, Weir DM. Non-secretion of AB0 blood group antigens: a host factor predisposing to recurrent urinary tract infections and renal scarring. *FEMS Microbiol Immunol.* 1989;1:383–387.
3. Lomberg H, Hellstrom M, Jodal U, Svanborg Eden C. Secretor state and renal scarring in girls with recurrent pyelonephritis. *FEMS Microbiol Immunol.* 1989;1:371–375.
4. Lomberg H, de Man P, Svanborg Eden C. Bacterial and host determinants of renal scarring. *APMIS.* 1989;97:193–199.
5. Jacobson SH, Lomberg H. Overrepresentation of blood group non-secretors in adults with renal scarring. *Scand J Urol Nephrol.* 1990;24:145–150.
6. Lomberg H, Jodal U, Leffler H, De Man P, Svanborg C. Blood group non-secretors have an increased inflammatory response to urinary tract infection. *Scand J Infect Dis.* 1992;24:77–83.
7. Sheinfeld J, Schaeffer AJ, Cordon-Cardo C, Rogatko A, Fair WR. Association of the Lewis blood-group phenotype with recurrent urinary tract infections in women. *N Engl J Med.* 1989;320:773–777.
8. Similar findings by other researchers support this over representation of recurrent UTI among non-secretors both in women and children.
9. May SJ, Blackwell CC, Brettle RP, MacCallum CJ, Weir DM. Non-secretion of AB0 blood group antigens: a host factor predisposing to recurrent urinary tract infections and renal scarring. *FEMS Microbiol Immunol.* 1989;1:383–387.
10. Stapleton A, Nudelman E, Clausen H, Hakomon S, Stamm WE. Binding of uropathogenic *Escherichia coli* R45 to glycolipids extracted from vaginal epithelial cells is dependent on histo-blood group secretor status. *J Clin Invest.* 1992;90:965–972.
11. Jantausch BA, Criss VR, O'Donnell R, et al. Association of Lewis blood group phenotypes with urinary tract infection in children. *J Pediatr.* 1994;124:863–868.
12. Lavas EL, Venegas MF, Duncan JL, et al. Blood group antigen expression on vaginal cells and mucus in women with and without a history of urinary tract infections. *J Urol.* 1994;152(pt1):345–349.
13. Ratner JJ, Thomas VL, Forland M. Relationships between human blood groups, bacterial pathogens, and urinary tract infections. *Am J Med. Sci.* 1986;292:87–91.

14. Voigtmann B, Burchardt U. AB0 blood groups in patients with nephropathies [in German]. *Z Gesamte Inn Med.* 1991;46:156–159.
15. Robinson MG, Tolchin D, Halpern C. Enteric bacterial agents and the AB0 blood groups. *Am J Hum Genet.* 1971;23:135–145.
16. Cruz-Cooke R. Blood groups and urinary microorganisms. *J Med. Genet.* 1965;(2):185–188.

## ZAPALENIE PŁUC – *patrz Choroby bakteryjne: Zapalenie płuc*

## ZAPALENIE POCHWY – *patrz Grzybice: Kandydoza pochwy*

## ZAPALENIE STAWÓW: REUMATOIDALNE – bolesna, wyniszczająca choroba zapalna, w wyniku której może dojść do trwałego uszkodzenia, a nawet zniszczenia wielu stawów.

| Zapalenie stawów: reumatoidalne | RYZYKO ZACHOROWANIA/NASILENIE | | |
|---|---|---|---|
| | NISKIE | UMIARKOWANE | ZNACZNE |
| Grupa A | | | |
| Grupa B | | | |
| Grupa AB | | | |
| Grupa 0 | | | |
| niewydzielacze | | | |

### Objawy

- opuchlizna i sztywność stawów,
- krańcowe wyniszczenie,
- ból,
- gorączka,
- opuchlizna,
- zaczerwienienie zaatakowanych stawów.

### Krótko o reumatoidalnym zapaleniu stawów

Reumatoidalne zapalenie stawów to chroniczna choroba autoagresyjna, która dotyka osoby dorosłe w różnym wieku. Stawy najczęściej atakowane to: stawy dłoni, stóp, nadgarstków, łokci i kolan; wyniszczający wpływ choroby daje się jednak odczuć w całym organizmie. Do najbardziej dokuczliwych objawów należą bolesna opuchlizna i sztywność stawów, które z czasem mogą doprowadzić do krańcowego wycieńczenia chorego.

Reumatoidalne zapalenie stawów nie wynika prawdopodobnie z jednej przyczyny, jest raczej kombinacją czynników genetycznych i środowiskowych, które pobudzają nienormalną reakcję immunologiczną organizmu – kiedy to układ odpornościowy atakuje swoje własne tkanki.

### Najważniejsze czynniki ryzyka i przyczyny reumatoidalnego zapalenia stawów

Ogólnie rzecz ujmując, reumatoidalne zapalenie stawów uważa się za chorobę autoagresyjną. Oto czynniki, które prawdopodobnie przyczyniają się do jej rozwoju:
- wrażliwość na pokarmy,
- zatrucie metalami ciężkimi,
- dieta bogata w tłuszcze,
- niedoczynność tarczycy,
- zniszczenia wywołane wolnymi rodnikami.

### Związki reumatoidalnego zapalenia stawów z grupami krwi

W wypadku reumatoidalnego zapalenia stawów związki z grupą krwi 0 były rozważane w wielu mechanizmach powstawania choroby. Badania przeciwciał skierowanych przeciwko tkance łącznej stawów, występujących w typowym przebiegu zapalenia, wykazały, że różnią się one w dużym stopniu od normalnych przeciwciał. W cząsteczkach tych ostatnich łańcuch boczny tworzy cukier galaktoza. Wydaje się, że przeciwciała powstające wskutek zapalenia reumatoidalnego stawów są jakby uszkodzone. Zamiast galaktozy mają N-acetyloglukozaminę, cukier o dużym powinowactwie do lektyny obecnej w zarodkach pszenicy. Wydaje się, że dieta wolna od produktów pszennych łagodzi nieco negatywne skutki działania tych przeciwciał[1].

Tak więc skuteczność glukozaminy i chondroityny, dwóch cukrów powszechnie stosowanych w medycynie alternatywnej do leczenia zapalenia stawów, być może wynika z faktu, że blokują lektyny. Warto jeszcze raz podkreślić, że glukozamina bardzo skutecznie wiąże lektynę zarodka pszennego, natomiast chondroityna przypomina antygen grupy A, ale występujący w bardzo długich łańcuchach (spolimeryzowany). Tak czy inaczej obie te substancje mogą służyć jako zastępczy cel dla lektyn, które dzięki temu nie reagują z tkanką objętą stanem zapalnym. W rzeczywistości podstawą tej „kuracji przeciwartretycznej" może być fakt, że jej chemiczne skutki są podobne do diety ubogiej w lektyny. Zmienione przeciwciało występujące w tkankach zaatakowanych przez reumatoidalne zapalenie stawów, zwane czasem „immunoglobuliną bezgalaktozową", wykazuje też znaczną reaktywność z lektyną soczewicy (*Lens culinaria*). Stwierdzono, że znakomity model ludzkiego reumatoidalnego zapalenia stawów można uzyskać doświadczalnie, wstrzykując lektynę soczewicy w stawy królików[2].

Związki reumatoidalnego zapalenia stawów z grupą krwi 0 mogą być skutkiem stanu zapalnego jelita. Z obserwacji klinicznych wynika, że zapalenie jelita powszechnie towarzyszy zapaleniu stawów i na odwrót. Z pewnych badań wysunięto wniosek, że translokację zarówno pokarmowych, jak i endogennych (powstających w jelitach) chorobotwórczych antygenów do tkanek peryferyjnych umożliwia interakcja między lektynami pokarmowymi i erytrocytami oraz limfocytami (mediatorami reakcji immunologicznej). W rezultacie tej translokacji dochodzi do trwałego antygenowego pobudzenia tkanek peryferyjnych. Podejrzewa się, że u osobników z wrodzoną skłonnością do reumatoidalnego zapalenia stawów taka antygenowa stymulacja może w końcu, na zasadzie biochemicznej mimikry, sprowokować wystąpienie objawów choroby. Obecność obcych peptydów, podobnych strukturalnie do peptydów endogennych, może spowodować, że przeciwciała lub limfocyty T obrócą się również przeciw peptydom endogennym, łamiąc barierę tolerancji immunologicznej. Wysunięto sugestię, że eliminując z diety lektyny pokarmowe, wpływające na funkcjonalne i strukturalne właściwości erytrocytów i limfocytów, hamuje się stymulację antygenową (zarówno patogeniczną, jak i pokarmową), a w rezultacie osłabia objawy choroby u chorych z reumatoidalnym zapaleniem stawów[3,4].

Przeanalizowano też kliniczne i genetyczne dane 47 pacjentów chorych na reumatoidalne zapalenie stawów, którzy zostali poddani endoskopowemu badaniu górnego odcinka szlaku żołądkowo-jelitowego. Okazało się, że 53% chorych na reumatoidalne zapalenie stawów ma również WRZODY TRAWIENNE i/lub nadżerki w żołądku. U 60% chorych z wrzodami i/lub nadżerkami stwierdzono rodzinne skłonności do zapadania na chorobę wrzodową żołądka.

Wprawdzie większość pacjentów z wrzodami i/lub nadżerkami przyjmowała regularnie aspirynę lub indometacynę, to liczba pacjentów z nieprawidłowymi i prawidłowymi wynikami endoskopii stosująca również niesterydowe leki przeciwzapalne, takie jak ibuprofen, była porównywalna. U 19 spośród 25 pacjentów z wrzodami i/lub nadżerkami (76%) stwierdzono grupę krwi 0. U pacjentów z nieprawidłowymi, a także prawidłowymi wynikami endoskopii równie często występowały dolegliwości żołądkowo-jelitowe i utajona krew w stolcu. Należy zatem wnosić, że ani jedno, ani drugie nie jest typowym objawem choroby górnego odcinka szlaku żołądkowo-jelitowego w przypadku reumatoidalnego zapalenia stawów. Stwierdzono, że badania przesiewowe grup krwi mogą być pomocne w stwierdzeniu, u których pacjentów z reumatoidalnym zapaleniem stawów może dojść do powstania wrzodów trawiennych i/lub nadżerek[5].

Badacze stwierdzili też, że związek istniejący między aktywnym zakażeniem *Helicobacter pylori*, grupą krwi 0 i wrzodami trawiennymi może być pomocny w zidentyfikowaniu tych chorych przyjmujących niesterydowe leki przeciwzapalne, którzy znajdują się w grupie szczególnie zagrożonej wrzodami trawiennymi[6].

## Leczenie reumatoidalnego zapalenia stawów

### Protokoły stosowane przy grupie krwi A:

- przeciwartretyczny
- rekonwalescencyjny po wyniszczającej chorobie
- wspomagający zdrowie jelit
- [w razie konieczności operacji] pooperacyjny

### Protokoły stosowane przy grupie krwi B:

- przeciwartretyczny
- rekonwalescencyjny po wyniszczającej chorobie
- wspomagający zdrowie jelit
- [w razie konieczności operacji] pooperacyjny

### Protokoły stosowane przy grupie krwi AB:

- przeciwartretyczny
- rekonwalescencyjny po wyniszczającej chorobie
- wspomagający zdrowie jelit
- [w razie konieczności operacji] pooperacyjny

### Protokoły stosowane przy grupie krwi 0:

- przeciwartretyczny
- rekonwalescencyjny po wyniszczającej chorobie
- przeciwzapalny

**Dodatkowo:** Pewne zdolności inhibicyjne w stosunku do enzymu COX2, który jest substancją docelową większości nowoczesnych leków przeciwartretycznych, ma imbir.

Dwa razy dziennie po 500 mg standaryzowanego wyciągu z imbiru; ewentualnie 1 łyżeczka do herbaty świeżego soku imbirowego dwa lub trzy razy dziennie.

## Tematy pokrewne

Choroby autoagresyjne
Zapalenie
Zapalenie stawów: Zwyrodnieniowe

### Bibliografia

1. Tertti R, Jarvinen H, Lahesmaa R, Yli-Kerttula U, Toivanen A. AB0 and Lewis blood groups in reactive arthritis. *Rheumatol Int.* 1992;12:103–105.

2. Hoss VK, Raabe G, Muller P. [Lectin arthritis: a new arthritis model]. *Allerg Immunol (Leipz).* 1976;22:311–316.
3. Braun J, Sieper J. Rheumatologic manifestations of gastrointestinal disorders. *Curr Opin Rheumatol.* 1999;11:68–74.
4. Cordain L, Toohey L, Smith MJ, Hickey MS. Modulation of immune function by dietary lectins in rheumatoid arthritis. *Br J Nutr.* 2000;83:207–217.
5. Semble EL, Turner RA, Wu WC. Clinical and genetic characteristics of upper gastrointestinal disease in rheumatoid arthritis. *J Rheumatol.* 14;692–699.
6. Henriksson K, Uribe A, Sandstedt B, Nord C. *Helicobacter pylori* infection, AB0 blood group, and effect of misoprostol on gastroduodenal mucosa in NSAID-treated patients with rheumatoid arthritis. *Dig Dis Sci.* 1993;38:1688–1696.

## ZAPALENIE STAWÓW: ZWYRODNIENIOWE (OSTEOARTROZA LUB CHOROBA ZWYRODNIENIOWA STAWÓW)

– stan chorobowy charakteryzujący się zapaleniem i uszkodzeniem kości i stawów.

| Zwyrodnieniowe zapalenie stawów | RYZYKO ZACHOROWANIA/NASILENIE | | |
|---|---|---|---|
| | NISKIE | UMIARKOWANE | ZNACZNE |
| Grupa A | | | |
| Grupa B | | | |
| Grupa AB | | | |
| Grupa 0 | | | |

## Objawy

- ból przy poruszaniu,
- stan zapalny stawów,
- sztywność stawów.

### Krótko o chorobie zwyrodnieniowej stawów

Do zwyrodnieniowego zapalenia stawów dochodzi wówczas, gdy przedwczesnemu zużyciu i zwyrodnieniu ulegną chrząstki stawowe. Wprawdzie choroba ta wiąże się z procesem starzenia i uszkodzeniami stawów, jednak jej prawdziwa przyczyna pozostaje nieznana.

Pierwsze oznaki choroby pojawiają się około 20. roku życia. Już po dwudziestu latach od pierwszych jej przejawów większość chorych ma zmiany patologiczne w tych stawach, na które ma wpływ ciężar ciała.

W przeciwieństwie do innych stanów zapalnych stawów, takich jak np. reumatoidalne zapalenie stawów, choroba zwyrodnieniowa stawów nie jest chorobą ogólnoustrojową, nie rozprzestrzenia się na pozostałe części organizmu, ale ogranicza do jednego lub kilku uszkodzonych stawów. Zwyrodnieniowe zapalenie stawów przejawia się różnie, w zależności od stawu, w którym się rozwinęło. Powszechnie występuje w stawach: palców, stóp, kolan, bioder i kręgosłupa.

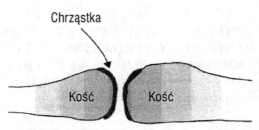

Zwyrodnieniowe zapalenie stawów pojawia się wówczas, gdy zniszczeniu ulegnie warstwa chrząstki wyściełającej staw. Chrząstka jest zbitą tkanką łączną, która działa jak poduszka między dwiema kośćmi. W stawie pozbawionym tej ochrony dwie kości trą o siebie, wywołując silny ból.

## Najważniejsze czynniki ryzyka i przyczyny choroby zwyrodnieniowej stawów

Choroba zwyrodnieniowa stawów występuje niemal u wszystkich kręgowców, w tym również u zwierząt żyjących w wodzie, których stawy nie są narażone na tak silne przeciążenia jak na lądzie. Nie stwierdzono jej natomiast ani u nietoperzy, ani u leniwców, zwierząt znanych z tego, że większą część czasu spędzają, wisząc głową w dół. Ogólnie rzecz ujmując, przyczyny choroby nie są znane, ale uważa się, że jej rozwojowi sprzyja nadmierne używanie stawów. Ciekawe jednak, że ani u osób obsługujących młoty pneumatyczne, ani u długodystansowców nie stwierdzono, by choroba ta występowała częściej niż w innych, kontrolnych grupach, w tej samej kategorii wiekowej i płciowej.

Amerykańskie i brytyjskie analizy zdjęć rentgenowskich wykazały, że na chorobę zwyrodnieniową stawów cierpi blisko 50% dorosłych mieszkańców tych krajów. Wprawdzie choroba ta dotyka w równym stopniu kobiety i mężczyzn, to jednak u tych ostatnich zaczyna się wcześniej.

## Związki choroby zwyrodnieniowej stawów z grupami krwi

Po porównaniu z kontrolną grupą dawców krwi z tego samego obszaru stwierdzono, że brak wśród chorych na zwyrodnieniowe zapalenie stawów osób z grupą krwi 0 jest zastanawiający. Wysunięto też sugestie, że skłonność do powstawania tej choroby w prawidłowo rozwiniętych stawach biodrowych może mieć korzenie genetyczne[1].

W innych badaniach dokonano analizy porównawczej dystrybucji grup krwi układu AB0 wśród 1731 pacjentów z objawami choroby zwyrodnieniowej kręgosłupa. Okazało się, że choroba ta (zapalenie kości i stawów) była znacznie rzadsza u osób z grupą krwi 0, a częsta u osób z grupą krwi A. Ujawnione zależności mogą być traktowane jako dowód na to, że na rozwój choroby zwyrodnieniowej kręgosłupa może mieć wpływ genotyp, a także któryś z mechanizmów determinujących odpowiedź immunologiczną występującą w tej chorobie[2].

NOTA NA TEMAT DANYCH KLINICZNYCH: GRUPA KRWI A I AB

Osoby z grupą krwi A i AB, a więc z grupy ryzyka powstawania skrzepów, powinny pamiętać, że żylny zakrzep z zatorami (zakrzepica żył kończyn dolnych) jest częstą komplikacją operacji mającej na celu zastąpienie stawu biodrowego protezą. Z 79 pacjentów, u których przeprowadzono operację zastąpienia stawu biodrowego lub kolanowego, 41 – z niezerową grupą krwi – miało (w porównaniu z osobami z grupą krwi 0) wyraźnie podwyższony poziom białek biorących udział w krzepnięciu krwi. Autorzy badań sugerują, że przynależność do grupy krwi 0 może być postrzegana jako jeden z czynników ryzyka u pacjentów poddawanych operacji stawu kolanowego lub biodrowego[3].

## Terapie stosowane w zwyrodnieniowym zapaleniu stawów

### Wszystkie grupy krwi:

Umiarkowane właściwości hamowania enzymu COX2, który jest celem wielu nowoczesnych leków przeciwartretycznych, wykazuje imbir.

- Standaryzowany wyciąg z imbiru: 500 mg dwa razy dziennie, w przerwach między posiłkami, albo 1 łyżeczka świeżego soku z imbiru dwa lub trzy razy dziennie.
- Kombinacja glukozaminy i siarczanu chondroityny: 650 mg dwa razy dziennie
- Unikać solaniny (spotykanej w roślinach psiankowatych*).

### U wszystkich czterech grup krwi układu AB0 stosuje się następujące protokoły:

- przeciwartretyczny
- przeciwzapalny
- wspomagający zdrowie jelit
- [w razie konieczności operacji] pooperacyjny

## Tematy pokrewne

Choroby autoagresyjne
Zapalenie stawów, reumatoidalne
Zapalenie

**Bibliografia**

1. Lourie JA. Is there an association between AB0 blood groups and primary osteoarthrosis of the hip? *Ann Hum Biol*. 1983;10:381–383.
2. Ritsner MS, Shmidt IR, Shekhner IA, Gurkov IV, Stankov IA. Analysis of the distribution of AB0 system blood groups among patients with spinal osteochondrosis syndromes. *Zh Nevropatol Psikhiatr.* 1979;79:409–413.

3. Iturbe T, Cornudella R, De Miguel R, Varo MJ, Gutierrez M. AB0 blood group and improvement of preoperative fragment prothrombin 1,2 in orthopaedic surgery. *Lancet.* 1999;353:2158.

# ZAPALENIE UCHA ŚRODKOWEGO (DZIECIĘCE ZAPALENIE UCHA) – infekcja w obrębie ucha wewnętrznego, najczęściej spotykana u małych dzieci.

| Zapalenie ucha środkowego | RYZYKO ZACHOROWANIA | | |
|---|---|---|---|
| | NISKIE | UMIARKOWANE | ZNACZNE |
| Grupa A | ■ | | ■ |
| Grupa B | | | ■ |
| Grupa AB | | | ■ |
| Grupa 0 | ■ | | |
| niewydzielacz | ■ | ■ | |

## Objawy

Objawy ostrej postaci zapalenia ucha środkowego pojawiają się zazwyczaj nagle. Mogą do nich należeć:

- ból,
- kaszel,
- niedrożność nosa,
- gorączka,
- drażliwość,
- wyciek z ucha,
- utrata apetytu,
- wymioty.

## Krótko o zapaleniu ucha środkowego

Na przewlekłe zapalenie ucha środkowego cierpi około 2/3 dzieci w wieku do 6 lat; jest ono przyczyną 50% wszystkich wizyt u pediatrów. U większości z tych dzieci występuje alergia na określone czynniki środowiskowe i pokarmowe.

---

* A więc np. w pomidorach i ziemniakach. Solanina jest silnie trującym glikozydem, w znacznym stężeniu występuje w pędach roślin psiankowatych. Spożyta, np. z kiełkującymi ziemniakami, może spowodować poważne zatrucia – przyp. tłum.

Badania wykazały, że płyn uszny dzieci, które przeszły przewlekłe zapalenie ucha środkowego, nie zawiera pewnych substancji chemicznych, zwanych dopełniaczem lub komplementem, które służą do zaatakowania i zniszczenia bakterii. Inne badania wykazały, że w płynie usznym dzieci cierpiących na przewlekłe zapalenie ucha środkowego nie występuje pewna lektyna surowicy, określana mianem białka wiążącego mannozę. Lektyna ta normalnie przyczepia się do cząsteczek mannozy obecnych na powierzchni komórek bakterii i aglutynuje je, umożliwiając szybsze ich usuwanie. Stężenie obu opisanych czynników obronnych w końcu powraca do normy, co wyjaśnia, dlaczego częstość zachorowań na infekcje uszne maleje wraz z wiekiem dziecka.

Infekcje uszne są niezwykle bolesne. Większość z nich to rezultat cofania się płynów i gazów do ucha środkowego wskutek zatkania trąbki Eustachiusza, przewodu łączącego ucho z układem oddechowym. Trąbka Eustachiusza może też być opuchnięta w wyniku odczynu alergicznego, osłabienia tkanek ją otaczających czy wreszcie infekcji.

## Antybiotyki nie są rozwiązaniem

Zgodnie z danymi Amerykańskiej Akademii Pediatrii infekcja ucha jest najpospolitszą przyczyną przepisywania dzieciom antybiotyków: w USA każdego roku diagnozuje się 20–25 milionów przypadków tej choroby u dzieci. W związku z tym rośnie obawa przed antybiotykami, których nadmierne stosowanie sprawia, że bakterie wywołujące zapalenie ucha – a także inne poważne, a nawet poważniejsze choroby – uodparniają się. Właśnie z tego powodu lekarze i rodzice zaczęli poszukiwać innych sposobów leczenia tej choroby.

Dlaczego antybiotyki przestają być skuteczne? Pierwsze dziecięce zapalenie ucha leczone jest zazwyczaj łagodnym antybiotykiem, np. amoksycyliną. Przy kolejnej infekcji znów podawana jest amoksycylina. Każda następna infekcja jest na ten lek coraz bardziej oporna; wkrótce amoksycylina przestaje działać. Zaczyna się proces „zbrojeń", czyli stosowania coraz to silniejszych leków

i coraz bardziej inwazyjnych metod leczenia. Kiedy w końcu okazuje się, że antybiotyki nie działają, przeprowadza się zabieg nacięcia błony bębenkowej. W czasie tego zabiegu w błonie bębenkowej implantuje się maleńkie dreny, które zwiększają wentylację i odpływ płynów z ucha środkowego do gardła.

## Główne czynniki ryzyka i przyczyny zapalenia ucha środkowego

Do najważniejszych czynników ryzyka zaliczyć można pobyt w żłobku i przedszkolu, sztuczne karmienie niemowląt, dym papierosowy, płeć męską i rodzinną skłonność do chorób ucha środkowego. Zapalenie ucha środkowego pojawiające się w pierwszym roku życia dziecka jest czynnikiem ryzyka zapaleń nawrotowych. Zwiększone ryzyko zachorowania wiąże się też z przypadkami tej choroby u rodzeństwa.

### Związki zapalenia ucha środkowego z grupami krwi

Niewłaściwie odżywiane dzieci z grupą krwi A i AB mają trudności z nadmiarem śluzu w drogach oddechowych – a to jest czynnik ryzyka infekcji usznych. U dzieci z grupą krwi A najczęstszym winowajcą są produkty nabiałowe; dzieci z grupą krwi AB mogą przejawiać nadwrażliwość pokarmową nie tylko na mleko, ale również na kukurydzę. Ogólnie rzecz ujmując, u dzieci tych częściej mogą się pojawiać infekcje gardła i dróg oddechowych, często rozprzestrzeniające się potem na uszy. Ponieważ organizm dzieci z grupą krwi A i AB ma skłonność do tolerowania dość szerokiej gamy bakterii, niektóre z ich problemów zdrowotnych mogą wynikać z nie dość agresywnej odpowiedzi układu immunologicznego na infekcję.

Określono grupę krwi 610 pacjentów ze zdiagnozowanym zapaleniem ucha środkowego i porównano wyniki z danymi zdrowej grupy kontrolnej; przewaga osób z grupą krwi A i mała liczba osób z grupą krwi 0 okazały się wielkościami znaczącymi statystycznie. W rezultacie wysunięto wniosek, że różnice w udziale pacjentów o różnych grupach krwi mogą wskazywać na podłoże dziedziczne zapalenia ucha środkowego[1].

Kolejne badania, które wskazują na znaczenie czynników genetycznych, przeprowadzono na 225 dzieciach w wieku od zapłodnienia po 7. rok życia. Celem badań było ustalenie związków poszczególnych czynników ryzyka z grupą krwi A matki. Sama grupa krwi A matki stanowiła czynnik ryzyka o wartości relatywnej 2,82. Liczony oddzielnie przypadek zachorowań na ostre zapalenie ucha przed 1. rokiem życia wskazywał na relatywne zagrożenie o wartości 6,13. Jednakże kiedy zmierzono ryzyko dla tych dwóch czynników łącznie (grupa krwi A matki i przypadek ostrego zapalenia ucha środkowego przed ukończeniem 1. roku życia), okazało się, że skoczyło ono do wysokości 26,77. Badacze wysunęli na tej podstawie wniosek, że wpływ grupy krwi A na skłonności do zapalenia ucha środkowego jest na tyle znaczący, iż daje to podstawy do przeprowadzenia dalszych badań[2].

Wydaje się, że u dzieci z grupą krwi 0 i B zapalenie ucha środkowego rozwija się rzadziej, a kiedy już do niego dojdzie, jest bardziej podatne na leczenie. Do wyeliminowania problemu zachorowań na tę chorobę wystarcza często sama zmiana sposobu odżywiania.

## Terapie stosowane przy zapaleniu ucha środkowego

*Protokoły stosowane przy grupie krwi A:*
• wzmacniający układ odpornościowy
• antybakteryjny

*Protokoły stosowane przy grupie krwi B:*
• antywirusowy

*Protokoły stosowane przy grupie krwi AB:*
• wzmacniający układ odpornościowy
• antybakteryjny

*Protokoły stosowane przy grupie krwi 0*
• wzmacniający układ odpornościowy
• antybakteryjny

*Dodatkowo:*

U dzieci z grupą krwi 0 większości infekcji usznych można zapobiec przez zwykłe karmienie niemowląt piersią, a nie pokarmem sztucznym. Karmienie piersią przez okres około jednego roku pozwala na właściwy rozwój układu odpornościowego i trawiennego u dziecka. Dzieci z grupą krwi 0 unikają też infekcji usznych po wyeliminowaniu z diety pszenicy i produktów mlecznych. Najmłodsze dzieci z tą grupą krwi wykazują niezwykle silną nadwrażliwość na te pokarmy, ale ich układ immunologiczny ulega szybko zrównoważeniu dzięki zastosowaniu wyższych dawek wysokobiałkowych pokarmów, takich jak ryby i chude czerwone mięso.

## Tematy pokrewne

Lektyny
Choroby bakteryjne (ogólnie)
Zapalenie ucha zewnętrznego

### Bibliografia

1. Mortensen EH, Lildholdt T, Gammelgard NP., Christensen PH. Distribution of AB0 blood groups in secretory otitis media and cholesteatoma. *Clin Otolaryngol.* 1983;8:263–265.
2. Gannon MM, Jagger C, Haggard MP. Material blood group in otitis media with effusion. *Clin Otolaryngol.* 1994;19:327–331.

## ZAPALENIE UCHA ZEWNĘTRZNEGO
– zakażenie albo zapalenie kanału usznego.

| Zapalenie ucha zewnętrznego | RYZYKO ZACHOROWANIA | | |
|---|---|---|---|
| | NISKIE | UMIARKOWANE | ZNACZNE |
| Grupa A | | | |
| Grupa B | | | |
| Grupa AB | | | |
| Grupa 0 | | | |
| niewydzielacz | | | |

## Objawy

- swędzenie,
- ból przy pociąganiu lub naciskaniu małżowiny usznej,
- obfity wyciek z ucha,
- kanał uszny jest opuchnięty, wyraźnie wypełniony wydzieliną ropną.

## Krótko o zapaleniu ucha zewnętrznego

Zapalenie ucha zewnętrznego to infekcja lub stan zapalny kanału usznego. Bywa czasami nazywane „uchem pływaka", ponieważ czynnikiem ułatwiającym rozwój tego stanu jest wilgoć w kanale usznym. Inne czynniki sprzyjające wywiązaniu się tej choroby to: uszkodzenie kanału (na przykład wskutek nadmiernego czyszczenia wacikami); przedostanie się do ucha substancji drażniących, na przykład farby do włosów. Przewlekłe zapalenie ucha zewnętrznego może być skutkiem egzemy, zapalenia skóry, neurodermitu, chronicznego ZAPALENIA UCHA ŚRODKOWEGO, a wreszcie nadwrażliwości na leki miejscowe.

Infekcja ucha może być lokalna lub ogólna i częściej zdarza się w miesiącach letnich. Mikroorganizmami najczęściej związanymi z zapaleniem ucha zewnętrznego są: *Pseudomonas, Escherichia coli, Proteus vulgaris i Staphylococcus aureus.*

## Związki zapalenia ucha zewnętrznego z grupami krwi

W celu ustalenia, czy istnieje związek między grupą krwi i infekcjami kanału usznego zbadano stopień ekspresji antygenów grup krwi układu AB0 w kanale ucha zewnętrznego. Przetestowano rozwój bakterii *Pseudomonas aeruginosa* w różnych roztworach cukru. Stwierdzono, że bakteria ta wykazuje swoistość w stosunku do cukru N-acetylogalaktozaminy, stanowiącego zakończenie antygenu grupy A. Wysunięto wniosek, że chorzy z krwią grupy A mogą mieć genetyczne skłonności do tej postaci zapalenia ucha zewnętrznego[1].

## Terapie stosowane przy zapaleniu ucha zewnętrznego

*Wszystkie grupy krwi:*

Aby uniknąć czynników sprzyjających rozwojowi infekcji bakteryjnych kanału usznego:

1. Używaj woskowych lub silikonowych zatyczek do uszu, które mogą być łatwo dostosowane do kształtu twego ucha; można je kupić w aptekach.

2. Do pływania zakładaj nieprzepuszczalny czepek, który zapobiegnie wlewaniu się wody do kanału usznego.

3. Nie pływaj w brudnej wodzie.

4. Pływaj z głową nad powierzchnią wody.

W celu wyleczenia łagodnej postaci „ucha pływaka" należy przede wszystkim postarać się oczyścić i wysuszyć kanał uszny, tak by nie uszkodzić nabłonka kanału.

1. Wstrząśnij energicznie głową, by uwolnić z ucha resztki wody.

2. Osusz ucho: weź czystą chusteczkę do nosa, zwiń każdy rożek w szpic i delikatnie umieść każdy z nich w kanale usznym na 10 sekund. Powtórz zabieg z drugim uchem, używając nowej chusteczki.

3. Zastosuj dousznie dostępne bez recepty leki miejscowe. Wkraplaj je do ucha, aby pohamować proces infekcji.

4. Nie usuwaj wosku z uszu. Pokrywa on kanał uszny i chroni jego powierzchnię przed zetknięciem z wilgocią.

*U wszystkich czterech grup krwi układu AB0 stosuje się następujące protokoły:*

- antybakteryjny
- przeciwgrzybiczny

## Tematy pokrewne

Choroby bakteryjne (ogólnie)
Zapalenie ucha środkowego

**Bibliografia**

1. Steuer MK, Hofstadter F, Probster L, Beuth J, Strutz J. Are ABH antigenic determinants on human outer ear canal epithelium responsible for Pseudomonas aeruginosa infections? *ORL J Otorhinolaryngol Relat Spec.* 1995;57:148–152.

## ZAPALENIE UKŁADU MOCZOWEGO
*– patrz Zapalenie pęcherza*

## ZAPALENIE WĄTROBY – *patrz Choroby wirusowe: Zapalenie wątroby typu B i C*

## ZAPALENIE ZATOK PRZYNOSOWYCH
– ostre lub przewlekłe zapalenie zatok nosowych.

| Zapalenie zatok przynosowych | RYZYKO ZACHOROWANIA | | |
|---|---|---|---|
| | NISKIE | UMIARKOWANE | ZNACZNE |
| Grupa A | | | |
| Grupa B | | | |
| Grupa AB | | | |
| Grupa 0 | | | |

### Objawy

- obfita, gęsta, zabarwiona wydzielina z nosa,
- nieprzyjemny posmak wydzieliny spływającej do ust,
- kaszel,
- zaczerwienienie okolic zatok,
- ból głowy,
- niedrożność nosa,
- obrzęk twarzy,
- ból zęba.

### Krótko o zapaleniu zatok przynosowych

Podstawowym zadaniem zatok przynosowych jest ogrzewanie, nawilżanie i filtrowanie powietrza dostającego się do jamy nosa. Zatoki odgrywają też pewną rolę w wokalizacji pewnych dźwięków. Zapalenie zatok przynosowych, które często wywiązuje się zimą, może trwać miesiące lub nawet lata, jeśli nie jest odpowiednio leczone. Wprawdzie PRZEZIĘBIENIE jest najczęstszą przyczyną ostrej postaci zapalenia zatok, ale są na nie narażeni również alergicy. ALERGIE są w stanie wywołać zapalenie zatok i śluzówki nosa, które utrudnia oczyszczanie zatok z rozwijających się w nich bakterii i zwiększa prawdopodobieństwo wystąpienia wtórnego, bakteryjnego zapalenia zatok.

### Związki zapalenia zatok przynosowych z grupami krwi

Osoby z grupą krwi B i w nieco mniejszym stopniu osoby z grupą krwi 0 należą do najbardziej zagrożonych zapaleniem zatok przynosowych o podłożu alergicznym.

### Terapie stosowane przy zapaleniu zatok przynosowych

*U wszystkich czterech grup krwi układu AB0 stosuje się następujące protokoły:*
- wspomagający zdrowie zatok
- przeciwalergiczny
- antybakteryjny

### Tematy pokrewne

Alergie (ogólnie)
Choroby bakteryjne
Odporność

## ▪ ZAPARCIE

| Częsta przyczyna | Grupa krwi 0 | Grupa krwi A | Grupa krwi B | Grupa krwi AB |
|---|---|---|---|---|
| Hemoroidy, czyli żylaki odbytu | ••••••• | •••• | ••• | ••• |
| Niedostateczna ilość błonnika w pożywieniu | •••••• | • | •••• | • |
| Stres | • | ••••••• | •••• | •• |
| Zaburzenie regularności rytmu | • | ••••••• | •••• | •• |
| Choroba | •••••• | ••• | ••• | ••• |

• = stopień zagrożenia

Z zaparciem mamy do czynienia wtedy, gdy stolce są niezwykle twarde lub częstotliwość wypróżnień pacjenta zmieniła się na rzadszą. Najbardziej przewlekłe zaparcia powstają pod wpływem złych nawyków i nieregularnych posiłków, z małą ilością błonnika pokarmowego i wody. Do innych przyczyn zaliczyć można nawykowe stosowanie środków przeczyszczających, pośpiech i stres w ciągu dnia, a także podróż, która zmienia gwałtownie dotychczasowy cykl snu i posiłków. Zaparcie mogą wywołać też brak ruchu, choroba o ostrym przebiegu, hemoroidy i niektóre lekarstwa.

Nie ma grupy krwi, która w określonych warunkach nie byłaby podatna na zaparcia. W zasadzie zaparcie nie jest chorobą, ale ostrzeżeniem, że z układem trawiennym dzieje się coś złego. Większość przyczyn można zazwyczaj znaleźć w sposobie odżywiania, odpowiadając sobie na następujące pytania:

- Czy pokarmy, które spożywasz, zawierają wystarczającą ilość błonnika?
- Czy pijesz dość dużo płynów – zwłaszcza wody i soków?
- Czy gimnastykujesz się regularnie?

Kiedy pojawia się zaparcie, wiele osób po prostu bierze środek przeczyszczający. To jednak nie likwiduje przyczyn jego powstania. Prawdziwe rozwiązanie problemu leży we właściwym odżywianiu. Osoby z grupą krwi A, B i AB mogą uzupełnić dietę błonnikiem nieprzetworzonych otrąb. Osoby z grupą krwi 0, poza jedzeniem dużej ilości owoców i warzyw, mogą przyjmować w formie suplementacji maślany, naturalne związki zwiększające objętość stolca i będące dobrym substytutem otrąb (które dla osób z tą grupą krwi nie są wskazane).

*U wszystkich czterech grup krwi układu AB0 stosuje się następujące protokoły:*
- wspomagający zdrowie jelit
- wspomagający działanie wątroby
- detoksykacyjny

### Tematy pokrewne

Choroba Crohna
Hemoroidy
Lektyny
Polipy okrężnicy
Rak okrężnicy
Stres
Trawienie
Wrzodziejące zapalenie okrężnicy

---

**ZARZUCANIE WSTECZNE TREŚCI ŻOŁĄDKOWEJ** – *patrz Refluks żołądkowo--przełykowy*

**ZATOR** – *patrz Udar*

**ZATRUCIE CIĄŻOWE (STAN PRZEDRZUCAWKOWY)** – zespół niebezpiecznych objawów chorobowych w końcowych tygodniach ciąży.

| Zatrucie ciążowe | RYZYKO WYSTĄPIENIA | | |
|---|---|---|---|
| | NISKIE | UMIARKOWANE | ZNACZNE |
| Grupa A | | | |
| Grupa B | | | |
| Grupa AB | | | |
| Grupa 0 | | | |

## Objawy

- podwyższone ciśnienie w czasie dwóch pomiarów wykonanych w odstępie sześciogodzinnym,
- obrzęk,
- gwałtowne, nadmierne przybranie na wadze,
- ból żołądka,
- ból głowy,
- zaburzenia widzenia,
- lęk.

## Krótko o zatruciu ciążowym

Zatrucie ciążowe to zaburzenie przejawiające się podwyższonym ciśnieniem, potliwością dłoni i stóp oraz białkomoczem. Choroba pojawia się w trzecim trymestrze ciąży, zazwyczaj po 20. tygodniu. Przyczyna zatrucia nie jest znana, natomiast wiadomo, że najczęściej pojawia się u pierwiastek noszących ciążę mnogą, które jeszcze przed zajściem w ciążę miały wysokie ciśnienie. Co więcej, zatrucie ciążowe najczęściej dotyka kobiety po 35. roku życia. Ciężkie zatrucie może prowadzić do poważnych problemów zdrowotnych matki i dziecka – również do PORONIENIA. Zatrucie ciążowe określane też bywa mianem stanu przedrzucawkowego lub rzucawki, w zależności od nasilenia.

## Związki zatrucia ciążowego z grupami krwi

Istnieje korelacja dodatnia między grupą krwi 0 u matki i prawdopodobieństwem wystąpienia zatrucia oraz ewentualną utratą dziecka. Zagadnienie, czy jest to wynik konfliktu krwi między matką i dzieckiem, pozostaje niewyjaśnione[1].

## Terapie stosowane przy zatruciu ciążowym

### Wszystkie grupy krwi:

Jeszcze przed zajściem w ciążę należy przedsięwziąć pewne środki zapobiegawcze, a więc między innymi należy:

- przestawić się na jedzenie zgodne z grupą krwi,
- schudnąć (w przypadku otyłości),
- gimnastykować się zgodnie z planem dostosowanym do grupy krwi, aby podbudować układ sercowo-naczyniowy i utrzymać ciśnienie krwi na normalnym poziomie.

*U wszystkich czterech grup krwi układu AB0 stosuje się następujące protokoły:*

- wspomagający działanie wątroby
- detoksykacyjny

## Tematy pokrewne

Choroba sercowo-naczyniowa
Insulinooporność
Niepłodność
Otyłość

**Bibliografia**

1. Lauritsen JG, Grunnet N, Jensen OM. Materno-fetal AB0 incompatibility as a cause of spontaneous abortion. *Clin Genet.* 1975;7:308–316.

---

**ZATRUCIE POKARMOWE** – choroba pokarmowa wywołana toksynami bakteryjnymi i pasożytniczymi lub innymi substancjami chemicznymi.

| Zatrucie pokarmowe | RYZYKO ZACHOROWANIA | | |
|---|---|---|---|
| | NISKIE | UMIARKOWANE | ZNACZNE |
| Grupa A (Salmonella) | | | |
| Grupa B (Shigella) | | | |
| Grupa AB (Salmonella) | | | |
| Grupa 0 | | | |
| niewydzielacz | | | |

## Objawy

Różne zatrucia pokarmowe mogą mieć różne objawy, ale do najczęstszych należą:

- nudności,
- wymioty,
- biegunka,
- gorączka,
- trudności oddechowe.

## Krótko o zatruciu pokarmowym

Co roku jakąś formą zatrucia pokarmowego dotkniętych zostają setki milionów ludzi. Należy pamiętać, że prawie wszystkie produkty spożywcze – a więc mięso, drób, ryby, produkty nabiałowe, owoce i warzywa – mogą zawierać substancje szkodliwe dla zdrowia.

Wprawdzie liczba możliwych przyczyn zatrucia jest ogromna, ale wymienione poniżej należą do najpospolitszych.

### SALMONELLA

*Salmonella* to bakteria odpowiedzialna za prawie połowę wszystkich zatruć pokarmowych. Na ogół znaleźć ją można we wszystkich surowych produktach pochodzenia zwierzęcego: mięsie, jajach, mięsie drobiowym. Szczególnie łatwo rozwija się w mięsie indyczym i kurzym. Objawy salmonellozy, takie jak m.in. nudności, biegunka i gorączka, pojawiają się w ciągu 12–48 godzin od spożycia skażonego pożywienia, ale nie muszą się one rozwinąć u wszystkich. Wydaje się, że najczęściej ofiarą choroby padają małe dzieci, osoby starsze i chorzy. Jednakże nawet u tych, którzy przechodzą zatrucie stosunkowo lekko, nieprzyjemne i osłabiające objawy mogą trwać przez kilka nawet dni.

### STAPHYLOCOCCUS AUREUS

Gronkowiec złocisty jest odpowiedzialny za nieco ponad 25% wszystkich zatruć pokarmowych. Do skażenia pokarmu może dojść podczas jego przygotowywania. Gronkowiec żyje w nosach i gardłach większości ludzi. Kichnięcie lub kasłanie może doprowadzić do skażenia pokarmu, co najbardziej niebezpieczne jest w wypadku produktów białkowych, takich jak mięso czy lody. Do objawów zatrucia gronkowcem należą biegunka, mdłości i wymioty. Nie wywołuje ich sama bakteria, ale toksyny, które wytwarza. Gotowanie, które zabija bakterie, nie niszczy toksyn przez nie wytworzonych.

### CLOSTRIDIUM PERFRINGENS

Laseczka zgorzeli gazowej, *C. perfringens*, powoduje 1–10% wszystkich zatruć pokarmowych. Zazwyczaj rezyduje w miejscach, gdzie obróbce poddawane są duże ilości mięsa, np. w restauracjach. Podobnie jak gronkowiec, laseczka zgorzeli wytwarza toksyny i zarodniki odporne na działanie wysokiej temperatury. Bakteria wywołuje stosunkowo niegroźne zatrucie, które trwa od 12 do 24 godzin i zazwyczaj nie wymaga interwencji lekarza.

### ESCHERICHIA COLI

Przeważająca liczba zatruć pałeczkami okrężnicy, *E. coli*, wywołana jest niedostatecznie długą obróbką cieplną mięsa mielonego. Wszystkie wielkie epidemie escherichiozy, które nawiedziły niedawno Stany Zjednoczone, wywołane były zatruciami wskutek spożycia niedosmażonych hamburgerów. Skutkiem epidemii, która wybuchła w 1993 roku, było ponad 600 przypadków zachorowań i cztery przypadki śmiertelne. Jednakże infekcja pałeczką okrężnicy nie szerzy się wyłącznie poprzez produkty pochodzenia zwierzęcego. W 1996 roku w Japonii 6 tysięcy dzieci w wieku szkolnym zatruło się szczepem O157:H7 *Escherichia* po zjedzeniu zatrutych kiełków rzodkiewki. Wprawdzie entuzjaści diety wegetariańskiej podkreślają nieustannie, że mięso może wywołać zatrucie pałeczką okrężnicy, ale od 1995 roku to właśnie surowe kiełki były przyczyną 13 dużych epidemii salmonellozy lub escherichiozy. Uważa się, że ich przyczyną nie były raczej żadne nieprawidłowości w procesie dystrybucji, ale skażenie samych kiełków.

### CLOSTRIDIUM BOTULINUM

Najgroźniejsze w skutkach zatrucie pokarmowe wywołuje pałeczka jadu kiełbasianego, *C. botulinum*. Jest ono również najrzadsze: w USA, na przykład, liczba zatruć w ciągu roku nie przekracza 100. Jednym z bardziej znanych sygnałów, że pożywienie mogło zostać skażone, to wydęcie dna puszki. Toksyna odpowiedzialna za uwypuklenie opakowania jest wytwarzana przez bakterię *Clostridium botulinum*, występującą powszechnie w glebie, wodzie i nawozie. Poza wzdętymi puszkami wystrzegaj się również pękniętych słoików i odkręconych pokrywek. Botulizm może wywoływać różne objawy, od zaburzonego widzenia i trudności z oddychaniem po śmierć.

### BACILLUS CEREUS

Wiele osób uważa, że szkodliwość bakterii wiąże się ze spożywaniem mięsa, drobiu, ryb i nabiału. Tymczasem pałeczka *B. cereus* występuje równie dobrze w pokarmach skrobiowych, takich jak kluski, co mięsach i produktach drobiowych. W USA, na przykład, odsmażany ryż został wielokrotnie zidentyfikowany jako źródło zatrucia *B. cereus*. Resztki ryżu, nieprzechowywane w warunkach chłodniczych, a następnie odgrzewane zbyt krótko, by zniszczyć bakterie, okazały się jedną z głównych przyczyn zatrucia tym mikroorganizmem.

## Związki zatrucia pokarmowego z grupami krwi

Każdy może się zatruć jedzeniem, ale pewne grupy krwi są na zatrucia bardziej podatne z natury. Na przykład osoby z grupą krwi A i AB łatwiej padają ofiarą bakterii *Salmonella*, które namnażają się w produktach pozostawionych przez dłuższy czas bez przykrycia i w cieple. Co więcej, kiedy już bakterie zadomowią się w organizmie, osoby z grupą krwi A i AB będą miały większe trudności z ich pozbyciem się. Można oczekiwać, że osoby z grupą krwi B, które na ogół są bardziej podatne na choroby zapalne, mogą ciężej przechodzić czerwonkę bakteryjną, której zarazki (*Shigella*) spotyka się na produktach roślinnych. Jeśli chodzi o bakterie *E. coli*, to na zatrucie tymi bakteriami narażone są wszystkie grupy krwi[2,3,4,5,6].

## Terapie stosowane przy zatruciu pokarmowym

### Wszystkie grupy krwi:

Zgodnie z danymi Ośrodków Zwalczania Chorób w Atlancie (USA) nawet 85% zatruć pokarmowych można by uniknąć, gdyby ludzie przestrzegali podstawowych zaleceń higienicznych, a także wytycznych dotyczących prawidłowego przygotowania, przechowywania i podawania pożywienia.

### Aby uniknąć zatrucia salmonellą:

• Przed obróbką cieplną umyj mięso i drób zimną wodą.

• Gotuj/piecz drób do chwili, aż mięso straci różową barwę. Możesz użyć specjalnego termometru do pieczenia mięsa – wnętrze potrawy powinno osiągnąć 82–85°C. Upewnij się, że termometr tkwi w najgrubszej partii mięsa kurczaka – w udzie, z dala od kości – ponieważ tylko tak wskazać może prawdziwą temperaturę potrawy.

• Nie używaj do obróbki owoców i warzyw tych samych przyborów kuchennych, którymi posługiwałeś się w trakcie sprawiania surowego mięsa i drobiu. Jeśli, na przykład, przygotowujesz kurczaka w jarzynach, użyj innego noża i deski do mięsa, a innego do pokrojenia warzyw.

• Wszystkie sprzęty, które miały styczność z surowym mięsem, umyj dokładnie gorącą wodą z detergentem. Mycie naczyń w zmywarce jest wystarczająco bezpieczne.

• Drewniane deski do krojenia będą czyste, jeśli codziennie przemyjesz je rozcieńczonym roztworem wybielacza; chlor w nim zawarty powinien zabić pozostałości bakterii.

• Nie zostawiaj niedogotowanego mięsa na późniejsze „dojście". Podgrzanie mięsa i pozostawienie go na „jutrzejszego grilla" może być niebezpieczne, zwłaszcza że mięso „podpieczone" nie osiąga temperatury koniecznej do zabicia zarazków. W podgrzanym mięsie bakterie będą się namnażać bez większych przeszkód.

• Przechowuj mięso na najniższej półce lodówki, aby puszczając soki, nie zanieczyszczało produktów spożywczych leżących pod nim. Mięso połóż na talerzu, nawet jeśli jest zapakowane; uchroni to lodówkę przed zabrudzeniem.

**Aby uniknąć zatrucia bakteriami gronkowca złocistego i zgorzeli gazowej:**

• Nie przechowuj ani surowych, ani ugotowanych potraw poza lodówką przez dłuższy czas. W zakresie temperatur od 5–60°C bakterie rozwijają się szybko, a zatem wytwarzają duże ilości toksyn.
• Mrożonki rozmrażaj w lodówce, nie w temperaturze pokojowej; unikniesz zbytniego ich ogrzania.
• Dania, które zamierzasz podać, serwuj gorące, świeżo zdjęte z kuchenki. Nawet tak niewinne z pozoru danie jak zapiekanka z ryżu może stać się trująca, jeśli potrzymasz ją w temperaturze pokojowej dłużej niż dwie godziny.
• Resztki jedzenia chowaj do lodówki najszybciej, jak to możliwe.
• Przygotowując posiłki dla większej liczby ludzi pamiętaj, by niezjedzone przez nich resztki podzielić na małe porcje, które schłodzą się w lodówce szybko, osiągając temperaturę ograniczającą namnażanie się bakterii.

**Aby uniknąć zatrucia bakteriami *E. coli*:**

• Unikaj spożywania niedosmażonych hamburgerów lub innych potraw z mielonej wołowiny w restauracjach (tatar!).
• Napoje, takie jak mleko, soki i jabłecznik, pij tylko pasteryzowane.
• Myj dokładnie owoce, kiełki i warzywa, zwłaszcza jeśli mają być jedzone na surowo.
• Po obróbce surowego mięsa myj dokładnie ręce, deski do krojenia i narzędzia kuchenne, najlepiej w gorącej wodzie z dodatkiem detergentu.
• Nigdy nie kładź smażonych hamburgerów lub kotletów mielonych na talerzu, na którym leżały produkty surowe.

*Protokoły stosowane przy grupie krwi A:*
• antybakteryjny
• wspomagający zdrowie jelit

*Protokoły stosowane przy grupie krwi B:*
• antybakteryjny
• wzmacniający układ odpornościowy

*Protokoły stosowane przy grupie krwi AB:*
• antybakteryjny
• wspomagający zdrowie jelit

*Protokoły stosowane przy grupie krwi 0:*
• antybakteryjny
• wzmacniający układ odpornościowy

## Tematy pokrewne

Choroby bakteryjne (ogólnie)
Choroby bakteryjne: Eszerichioza
Choroby zakaźne
Odporność
Toksyczne jelito (poliaminy)

**Bibliografia**

1. Springer GF. Role of human cell surface structures in interactions between man and microbes. *Naturwissenschaften.* 1970;57:162–171.
2. Yang N, Boettcher B. Development of human AB0 blood group A antigen on *Escherichia coli* Y1089 and Y1090. *Immunol Cell Biol.* 1992;70(pt 6):411–441.
3. Lindstedt R, Larson G, Falk P, et al. The receptor repertoire defines the host range for attaching *Escherichia coli* strains that recognize globo-A. *Infect Immun.* 1991;59:1086–1092.
4. Gabr NS, Mandour AM. Relation of parasitic infection to blood group in El Minia Governorate, Egypt. *J Egypt Soc Parasitol.* 1991;21:679–683.
5. Wittels EG, Lichtman HC. Blood group incidence and *Escherichia coli* bacterial sepsis. *Transfusion.* 1986;26:533–535.
6. Black RE, Levine MM, Clements ML, Hughes T, O'Donnell S. Association between 0 blood group and occurrence and severity of diarrhoea due to *Escherichia coli. Trans R Soc Trop Med. Hyg.* 1987;81:10–123.

**ZAWAŁ SERCA** – *patrz Zawał mięśnia sercowego*

## ZAWAŁ MIĘŚNIA SERCOWEGO (*atak serca*) – ostra niewydolność serca połączona z powstaniem nieodwracalnych zmian martwiczych mięśnia serca.

| Zawał serca | RYZYKO ZACHOROWANIA | | |
|---|---|---|---|
| | NISKIE | UMIARKOWANE | ZNACZNE |
| Grupa A | | | |
| Grupa B | | | |
| Grupa AB | | | |
| Grupa 0 | | | |
| niewydzielacz | | | |

### Objawy

Około 2/3 pacjentów doświadcza objawów nadchodzącego zawału serca na kilka dni do kilku tygodni przed zawałem. Do objawów tych zaliczyć należy:
- niestabilną lub nasilającą się dusznicę bolesną,
- krótki oddech,
- zmęczenie.

Do objawów samego zawału należą:
- głęboki, podmostkowy, trzewny ból, opisywany czasem jako ucisk, często promieniujący w stronę kręgosłupa, szczęki lub lewej ręki,
- uczucie lęku i przeczucie nadchodzącego końca,
- nudności i wymioty (ewentualnie).

### Krótko o zawałach serca

Do zawału mięśnia sercowego dochodzi wskutek niedotlenienia mięśnia, które wywołuje znaczne jego zbliznowacenie lub nawet śmierć. Krew bogata w tlen może zostać zablokowana przez skrzep w tętnicy sercowej, zwykle w wyniku miażdżycowego zwężenia naczynia – choroby znanej jako CHOROBA WIEŃCOWA SERCA. Choroba wieńcowa serca nie zawsze prowadzi do jego zawału, jednakże osoby ze zwężeniem tętnic są bardziej niż inne narażone na zawał serca.

### Związki zawałów serca z grupami krwi

Związki między grupami krwi i wszelkimi postaciami i objawami CHOROBY SERCA, w tym również zawału serca, były wielokrotnie obiektem badań naukowych.

Opublikowane w „Journal of the American Medical Association" badania na 255 kobietach, pomyślane jako studium skutków palenia na częstość zawału serca u kobiet, wykazały, że z chorobą tą wiąże się też kilka innych czynników. Należały do nich: NADCIŚNIENIE, DUSZNICA BOLESNA, rodzinna skłonność do zawałów, cukrzyca i grupa krwi A. Badania potwierdziły liczne wcześniejsze doniesienia, że wśród osób z grupą krwi A choroba serca zdarza się częściej[1].

W 1985 roku przeprowadzono badania nad grupami krwi i zawałem serca u dwóch różniących się wiekiem grup pacjentów, 65-latków (i starszych) oraz ludzi, którzy jeszcze nie przekroczyli tej granicy. Przewaga osób z grupą krwi A wśród chorych z zawałem serca została oceniona jako „znacząca statystycznie" w obu grupach wiekowych. Badania te były o tyle unikatowe, że wykluczały wszelkie inne czynniki ryzyka, a więc palenie, NADCIŚNIENIE, CUKRZYCĘ i WYSOKI POZIOM CHOLESTEROLU. Kiedy badacze przyjrzeli się bliżej starszej populacji, przewaga osób z grupą krwi A była jeszcze lepiej widoczna. W rezultacie autorzy stwierdzili, że wyniki „potwierdzają z pewnością istnienie jakiegoś czynnika genetycznego związanego z grupą A i niezależnego od innych czynników ryzyka"[2].

Badania pozwalają wysunąć dalsze wnioski, a mianowicie, że u osób z fenotypem niewydzielacza ryzyko zawału serca jest też wyższe niż normalnie. Jest to szczególnie prawdziwe w odniesieniu do recesywnych grup krwi układu Lewis, do tego bardziej do mężczyzn niż kobiet. Wydzielacze układu AB0 zdają się mieć nieznaczną, genetycznie uwarunkowaną odporność na chorobę serca, podczas gdy osoby Le-ujemne są zagrożone najbardziej[3].

Przestudiowano też stosunek całkowitej fosfatazy zasadowej i cholesterolu do statusu wydzielacza lub niewydzielacza u zdrowiejących pacjentów pozawałowych. Poziom cholesterolu i fosfatazy zasadowej wykazał znacznie większy udział wydzielaczy (98) niż niewydzielaczy (56) wśród chorych z grupą krwi A i 0. Grupę krwi 0 charakteryzował też znacznie wyższy poziom fosfatazy zasadowej, a niższy cholesterolu. U niewydzielaczy stwierdzono znacznie wyższy poziom cholesterolu, natomiast u grupy krwi A zaobserwowano wyższy poziom fosfatazy[4,5].

## Terapie stosowane przy zawale serca

*U wszystkich czterech grup krwi układu AB0 stosuje się następujące protokoły:*
- sercowo-naczyniowy
- wzmacniający układ odpornościowy
- przeciwstresowy

## Tematy pokrewne

Cukrzyca typu II
Dusznica bolesna
Hipercholesterolemia
Krew: Zaburzenia krzepliwości
Miażdżyca
Nadciśnienie
Otyłość

**Bibliografia**

1. Stolley PD, Shapiro S. Myocardial infarction in women under 50 years of age. *JAMA*. 1983;250:2801–2806.
2. Platt D, Muhlberg W, Kiehl L, Schmitt-Ruth R. AB0 blood group system, age, sex, risk factors and cardiac infarction. *Arch Gerontol Geriatr.* 1985;4:241–249.
3. Hein HO, Sorensen H, Suadicani P, Gyntelberg F. The Lewis blood group – a new genetic marker of ischaemic heart disease. *J Intern Med.* 1992;232:481–487.
4. Mehta NJ, Rege DV, Kulkarni MB. Total serum alkaline phosphatase (SAP) and serum cholesterol in relation to secretor status and blood groups in myocardial infarction patients. *Indian Heart J.* 1989;41:82–85.
5. Bayer PM, Hotschek H, Knoth E. Intestinal alkaline phosphatase and the AB0 blood group system – a new aspect. *Clin Chim Acta.* 1980;108:81–87.

# ZESPÓŁ CHRONICZNEGO ZMĘCZENIA

– zespół wielu objawów, do których należą m.in.: ból głowy, ból mięśni, zmęczenie, objawy przypominające grypę, gorączka, opuchnięcie węzłów chłonnych, przygnębienie i dolegliwości ze strony układu trawiennego.

| Zespół chronicznego zmęczenia | RYZYKO ZACHOROWANIA | | |
|---|---|---|---|
| | NISKIE | UMIARKOWANE | ZNACZNE |
| Grupa A | | | |
| Grupa B | | | |
| Grupa AB | | | |
| Grupa 0 | | | |

## Objawy

- różne

## Krótko o zespole chronicznego zmęczenia

Co jest przyczyną zespołu chronicznego zmęczenia (*chronic fatigue syndrome;* CFS)? Niektórzy specjaliści sądzą, że jego przyczyną jest choroba wirusowa, która wywołuje długotrwałą odpowiedź immunologiczną – samo zmęczenie jest objawem wtórnym. Inni uważają, że zmiany neurochemiczne, które zachodzą w organizmie wskutek depresji, mogą powodować zaburzenia snu, obniżenie progu odczuwania bólu i upośledzenie funkcji odpornościowych. Jeszcze inni są przekonani, że poczucie zmęczenia bierze się z pierwszego zaburzenia snu, które wpływa na układ odpornościowy i wywołuje drażliwość oraz bóle mięśniowe.

Wprawdzie CFS stwarza pozory choroby wirusowej lub autoagresyjnej, prawdziwa przyczyna zespołu może leżeć w upośledzeniu czynności metabolicznych wątroby. Innymi słowy, wątroba nie jest w stanie pełnić funkcji odtruwających, a to wywołuje problemy natury odpornościowej.

U 54% chorych przejawiających symptomy zespołu chronicznego zmęczenia stwierdzono niedobory magnezu i stres oksydacyjny. Szczegółowa analiza dostępnej literatury fachowej sugeruje, że pewne znaczenie dla rozwoju CFS mogą mieć różne niedobory pokarmowe, w tym niedobór witaminy B i C, składników mineralnych, takich jak magnez, sód i cynk, a wreszcie organicznych składników pokarmowych, takich jak L-tryptofan, L-karnityna, koenzym $Q_{10}$ i niezbędnych kwasów tłuszczowych. W wypadku CFS każdy z tych składników może występować w krańcowo niskich ilościach, co zdaje się jest raczej skutkiem procesu chorobowego niż nieprawidłowości w odżywianiu.

Ośrodek Zwalczania Chorób w Atlancie definiuje CFS na podstawie następujących kryteriów:

### KRYTERIA GŁÓWNE

* pojawienie się zmęczenia powoduje 50% ograniczenie aktywności chorego przez co najmniej 6 miesięcy,
* wykluczenie ewentualnych innych chorób wywołujących objawy zmęczenia.

### KRYTERIA DODATKOWE
(obecność przynajmniej 8 z 11 wymienionych objawów)
*Objawy*
* lekko podwyższona temperatura,
* nawracające zapalenia gardła,
* bolesne węzły chłonne,
* osłabienie mięśni,
* bóle mięśniowe,
* przedłużające się zmęczenie po wysiłku,
* nawracające bóle głowy,
* „wędrujące" bóle stawów,
* problemy neurologiczne lub psychologiczne,
* zaburzenia snu,
* nagłe pojawienie się zespołu objawów.

## Związki z układem immunologicznym

Do najważniejszych składników układu odpornościowego borykających się z infekcją wirusową należą komórki zwane „naturalnymi zabójcami" (NK). W pewnym uproszczeniu można powiedzieć, że komórki te działają jak maleńkie rzepy krążące w układzie odpornościowym. Gdy w ich zasięgu znajdzie się komórka zainfekowana wirusem, przyczepiają się do niej i niszczą ją w proce-

sie zwanym lizą. Przy znaczeniu, jakie mają komórki „naturalnych zabójców" w walce z wirusami, nie dziwi fakt, że badania medyczne stale wskazują na ich udział w ochronie przed CFS.

Niski poziom aktywności komórek „naturalnych zabójców" wiąże się też z zaawansowaniem CFS. Im niższa aktywność komórek NK, tym poważniejsze objawy choroby. Być może, że istnieje związek między aktywnością komórek NK i rodzinną historią zachorowań na CFS. Badacze stwierdzili, że aktywność tych komórek jest znacznie niższa u osób, u których dalszych krewnych stwierdzono CFS – nawet jeśli u nich samych dolegliwość ta nie wystąpiła[1,2,3,4,5,6].

## Związki CFS z grupami krwi

Największą podatność na CFS obserwuje się u osób z grupą krwi 0 i B. W wypadku grupy krwi 0 CFS może wynikać z niedoborów pokarmowych i toksyczności wątroby.

W wypadku grupy krwi B zespół chronicznego zmęczenia może być wynikiem infekcji wirusowej, a także niedoborów pokarmowych.

Przy grupie krwi A i AB ryzyko zachorowania na CFS rośnie w okresie osłabionej odporności, zwłaszcza wtedy, gdy maleje liczba „naturalnych zabójców" (NK).

## Terapie stosowane przy zespole chronicznego zmęczenia

*Protokoły stosowane przy grupie krwi A:*
* zwalczający zmęczenie
* wzmacniający układ odpornościowy
* przeciwstresowy

*Protokoły stosowane przy grupie krwi B:*
* zwalczający zmęczenie
* antywirusowy
* wspomagający działanie wątroby

*Protokoły stosowane przy grupie krwi AB:*
* zwalczający zmęczenie
* wzmacniający układ odpornościowy
* antywirusowy

*Protokoły stosowane przy grupie krwi 0:*
- zwalczający zmęczenie
- wzmacniający układ odpornościowy
- wspomagający działanie wątroby

## Tematy pokrewne

Choroba autoagresyjna (ogólnie)
Choroby wirusowe (ogólnie)
Odporność
Rak (ogólnie)

**Bibliografia**

1. Fulcher KY, White PD. Randomised controlled trial of graded exercise in patients with teh chronic fatigue syndrome. *BMJ.* 1997;314:1647–1652.
2. McCully KK, Sisto SA, Natelson BH. Use of exercise for treatment of chronic fatigue syndrome [review]. *Sports Med.* 1996;21:35–48.
3. Sharpe M, Hawton K, Simkin S, et al. Cognitive behaviour therapy for the chronic fatigue syndrome: a randomized controlled trial. *BMJ.* 1996;312:22–26.
4. Shaw DL et al. Management of fatigue: A physiologic approach. *Am J Med. Sci.* 1962;243:758.
5. Crescente FJ. Treatment of fatigue in a surgical practice. *J Abdom Surg.* 1962;4:73.
6. Cos IM, Campbell MJ, Dowson D. Red blood cell magnesium and chronic fatigue syndrome. *Lancet.* 1991;337:757–760.

---

**ZESPÓŁ DOWNA** – *patrz Wady (braki) wrodzone*

## ZESPÓŁ JAJNIKÓW WIELOTORBIE-LOWATYCH (ZESPÓŁ STEINA I LEVENTHALA)

– choroba wieloukładowa, której towarzyszy insulinooporność i nadmierne wytwarzanie androgenów.

| Zespół jajników wielotorbielowatych | RYZYKO ZACHOROWANIA | | |
|---|---|---|---|
| | NISKIE | UMIARKOWANE | ZNACZNE |
| Grupa A | | | |
| Grupa B | | | |
| Grupa AB | | | |
| Grupa 0 | | | |

## Objawy

- męski typ owłosienia,
- otyłość,
- cukrzyca,
- insulinooporność.

## Krótko o zespole jajników wielotorbielowatych

Zespół ten, zwany też zespołem Steina i Leventhala, wywołany jest nadmierną produkcją hormonów przez jajniki. Do objawów tej choroby należy BRAK MIESIĄCZKI lub nieregularne krwawienia. Zespół jajników wielotorbielowatych (*polycystic ovary syndrome*) powoduje stałą produkcję estrogenu i nieustanną stymulację śluzówki macicy. Zwiększa to ryzyko wystąpienia raka macicy. W celu uregulowania cyklu wytwarzania estrogenu stosuje się czasem doustne środki antykoncepcyjne.

INSULINOOPORNOŚĆ, zjawisko częste u kobiet z zespołem Steina i Leventhala, bywa przyczyną CHOROBY SERCA, OTYŁOŚCI i innych problemów natury hormonalnej.

Innym czynnikiem odgrywającym rolę w tym zespole są niewystarczające zasoby luteiny, o której wiadomo, że hamuje tworzenie torbieli. Jajnik jest narządem niezwykle czynnym metabolicznie, a uwolnienie komórki jajowej wymaga, by pęcherzyk wydzielił specjalne enzymy pozwalające jej przedrzeć się do warstwy zewnętrznej. Normalnie objawy zapalne wywołane taką akcją neutralizuje tkanka jajnika, która zawiera sporo luteiny. Jeśli jednak zasoby luteiny nie są wystarczające, w tkance jajnika tworzą się cysty. Luteina jest żółtym barwnikiem, często spotykanym w roślinach (*luteus* – łac. żółty, złocisty).

## Związki zespołu jajników torbielowatych z grupami krwi

Wprawdzie nie prowadzono żadnych badań bezpośrednio w celu ustalenia, czy istnieje jakiś związek między grupami krwi i zespołem jajników wielotorbielowatych, ale wydaje się, że grupa A i AB jest bardzo podatna na główne czynniki ryzyka, takie jak insulinooporność i otyłość.

## Terapie stosowane przy zespole jajników wielotorbielowatych

*U wszystkich czterech grup krwi układu AB0 stosuje się następujące protokoły:*
• równoważący dla kobiet
• usprawniający metabolizm

## Tematy pokrewne

Insulinooporność
Otyłość
Zaburzenia cyklu miesiączkowego

---

## ZESPÓŁ NAGŁEJ ŚMIERCI NIEMO-WLĄT (SIDS) – niewytłumaczalna nagła śmierć zdrowego niemowlęcia.

| Zespół nagłej śmierci niemowląt | RYZYKO WYSTĄPIENIA | | |
|---|---|---|---|
| | NISKIE | UMIARKOWANE | ZNACZNE |
| Grupa A | | | |
| Grupa B | | | |
| Grupa AB | | | |
| Grupa 0 | | | |
| niewydzielacz (przyczyna bakteryjna) | | | |

## Objawy

Dzieci umierające na zespół nagłej śmierci niemowląt (*sudden infant death syndrome*; SIDS) wydają się zdrowe, ale zdarza się, że w ostatnich dwóch tygodniach życia przeszły lekką infekcję oddechową lub pokarmową.

## Krótko o zespole nagłej śmierci niemowląt

Z zespołem nagłej śmierci niemowląt mamy do czynienia wtedy, gdy u dziecka poniżej 1. roku życia dochodzi do śmierci, która nie daje się wyjaśnić nawet po szczegółowym dochodzeniu,

na które składają się dokładna autopsja, wizja lokalna i analiza danych klinicznych. Zespół nagłej śmierci niemowląt został po raz pierwszy zdefiniowany w 1969 roku, a w 1989 roku definicja ta została poprawiona. Wśród możliwych przyczyn śmierci wymieniane są: nieprawidłowości mechanizmów kontroli oddychania i procesów rozbudzenia, nieprawidłowości ośrodkowego układu nerwowego, arytmia serca i inne.

Zespół nagłej śmierci niemowląt może zaistnieć wówczas, gdy dojdzie do nałożenia się kilku elementów, takich jak czynnik zakaźny, zmiany klimatyczne, czynniki środowiskowe. Najczęściej na SIDS umierają dzieci o korzeniach tubylczo-amerykańskich i afrykańskich. Czynnikiem ryzyka może też być pora roku – późna jesień i zima. Wykazano też, że istnieje korelacja między SIDS i porą doby – między północą a 6.00 rano. Do innych czynników można zaliczyć niską wagę urodzeniową i wewnątrzmaciczne opóźnienie wzrostu.

Pewne czynniki ze strony matki też mogą zwiększać zagrożenie SIDS. Należą do nich palenie papierosów, używanie w ciąży narkotyków, takich jak kokaina lub opiaty (opium), wreszcie anemia matki w czasie ciąży.

Istnieje nieco sprzecznych doniesień na temat potencjalnego udziału bakterii (*Clostridium botulinum, C. difficile,* egzogenna *Escherichia coli* i *Staphylococcus aureus*). *S. aureus* jest mikroorganizmem pospolitym, a jego toksyny są bardzo silne. Skoro toksyna zespołu szoku toksycznego wytwarzana przez *S. aureus* może zabić nawet dorosłego, zdrowego wcześniej człowieka, może też łatwo zabić małe dziecko.

## Związki zespołu nagłej śmierci niemowląt z grupami krwi

Opierając się na wrażliwości niemowląt na inne infekcje, badacze sugerują, że ich podatność na zasiedlenie bakteriami wytwarzającego toksyny gronkowca złocistego (*S. aureus*) może się wiązać z grupą krwi. Wydaje się, że antygen grupy krwi układu Lewis działa jak receptor niektórych mikroorganizmów. Komórki nabłonkowe prezentujące duże ilości antygenów Lewis przyłączają znacznie więcej toksycznych *S. aureus* niż komórki prezentujące niskie stężenie tego antygenu. Antygen Lewis jest obecny w wydzielinach prawie 90% niemowląt w wieku do 3 miesięcy, a więc wieku, w którym SIDS występuje najczęściej[1].

Badacze uważają, że *S. aureus* pasuje do matematycznego modelu nagłej śmierci niemowląt. Bakterie gronkowca i/lub ich toksyny zostały zidentyfikowane w dużej części przypadków SIDS. Obecność bakterii gronkowca u zdrowych dzieci była skorelowana z wiekiem 2–4 miesiące życia, czyli czynnikiem ryzyka wymienianym we wszystkich epidemiologicznych badaniach nad zespołem nagłej śmierci niemowląt. Odpowiada to wiekowi dziecka, w którym komórki 80–90% niemowląt prezentują antygeny Lewis, znane z tego, że należą do receptorów *S. aureus*[2].

## Terapie stosowane u matek, których niemowlęta zmarły na SIDS

(Przed, w czasie i po ciąży):
*U wszystkich czterech grup krwi układu AB0 stosuje się następujące protokoły:*
• wzmacniający układ odpornościowy
• wspomagający zdrowie układu nerwowego

## Tematy pokrewne

Choroby bakteryjne (ogólnie)
Odporność

**Bibliografia**
1. Grzeszczuk J. Lewis antigens as a possible cause of sudden death of previously healthy adults and infants and of diseases and phenomena linked to tissue ischemia. *Med. Hypotheses.* 1997;49:525–527.
2. Saadi AT, Weir DM, Poxton IR, et al. Isolation of an adhesin from *Staphylococcus aureus* that binds Lewis a blood group antigen and its relevance to sudden infant death syndrome. *FEMS Immunol Med Microbiol.* 1994;8:315–320.

**ZESPÓŁ NAPIĘCIA PRZEDMIESIĄCZ-KOWEGO** – *patrz Zaburzenia cyklu miesiączkowego: Zespół napięcia przedmiesiączkowego (PMS)*

**ZESPÓŁ SJÖGRENA** – *patrz Choroby autoagresyjne: Zespół Sjögrena*

## ZESZTYWNIAJĄCE ZAPALENIE STAWÓW KRĘGOSŁUPA (ZZSK) – inaczej

choroba Bechterewa) przewlekła choroba ogólnoustrojowa o podłożu reumatycznym powodująca stan zapalny szkieletu osiowego i dużych stawów peryferyjnych.

| Zesztywniające zapalenie stawów kręgosłupa | RYZYKO ZACHOROWANIA/NASILENIE | | |
|---|---|---|---|
| | NISKIE | UMIARKOWANE | ZNACZNE |
| Grupa A | | | |
| Grupa B | | | |
| Grupa AB | | | |
| Grupa 0 | | | |
| Podtyp MN | | | |
| niewydzielacz | | | |

## Objawy

ZZSK rozwija się stopniowo i podstępnie. Do początkowych objawów można zaliczyć:
• bóle pleców na odcinku krzyżowo-biodrowym i lędźwiowym; podobne do rwy kulszowej,
• sztywność kręgosłupa po nocy,
• przeszkadzające w zaśnięciu bóle nocne i sztywność kręgosłupa.

W miarę postępowania choroby objawy mogą się nasilać aż do następujących:
• ból rozprzestrzeniający się na całą długość kręgosłupa,
• często w połowie pleców i szyi, czasem w biodrach i ramionach,
• zmęczenie,
• chudnięcie i anoreksja,
• lekka anemia,
• ból przy oddychaniu lub niemożność wzięcia głębokiego wdechu,

- ograniczona ruchomość kręgosłupa, pochylona postawa, zaokrąglona linia pleców, kołyszący chód.

## Krótko o zesztywniającym zapaleniu stawów kręgosłupa

ZZSK jest chroniczną i zazwyczaj postępującą chorobą artretyczną, która dotyka stawy kręgosłupa i przylegającą do nich tkankę łączną.

ZZSK zdarza się trzy razy częściej u mężczyzn niż u kobiet i najczęściej zaczyna się już w wieku 20–40 lat. Wydaje się, że choroba ma podłoże genetyczne. ZZSK jest 10–20 razy częstsze u najbliższych krewnych osób chorych na tę chorobę niż ogólnie w populacji. U chorych na ZZSK wykazano podwyższony poziom antygenu HLA-B27.

Rozmaite reumatyczne objawy mają też choroby żołądkowo-jelitowe, istnieją też objawy żołądkowo-jelitowe w chorobach reumatoidalnych. Zmiany zwyrodnieniowe kręgosłupa pozostają w ścisłym związku z układem trawiennym. W niektórych stawach ze zmianami reumatycznymi odkryto obecność DNA bakteryjnego.

## Związki ZZSK z grupami krwi

Stwierdzono, że w obrębie układu grupowego AB0 częściej na ZZSK zapadają niewydzielacze. Związek między niewydzielaniem antygenów i skłonnością do zapadania na ZZSK podtrzymuje hipotezę, że u podłoża tej choroby może leżeć infekcja[1].

Istnieją bakterie, o których wiadomo, że powodują reaktywne zapalenie stawów i właśnie one mogą mieć udział w patogenezie ZZSK. Podatność na czynniki zakaźne ma związek z układem grupowym AB0 albo ze statusem wydzielacza lub niewydzielacza, albo i z jednym, i z drugim. W celu określenia zależności między grupą krwi i zapaleniem kręgosłupa przeprowadzono badania na 87 pacjentach z ZZSK oraz 32 z innymi rodzajami zmian zwyrodnieniowych kręgosłupa. W całej badanej próbie dominowały osoby niewydzielające antygenów (47%), a w samej grupie chorych na ZZSK stwierdzono 49%

wydzielaczy; w próbie kontrolnej, osób zdrowych, liczba osób niewydzielających była znacznie mniejsza (27%)[2].

## Terapie stosowane w zesztywniającym zapaleniu stawów kręgosłupa

### Wszystkie grupy krwi

- Plan leczenia musi uwzględniać nie tylko zapobieganie deformacji, jej opóźnianie i korektę zniekształceń, ale również społeczne i psychiczne potrzeby pacjenta oraz konieczność rehabilitacji. Dla odzyskania właściwej postawy i prawidłowej ruchomości stawów niezastąpione są codzienne ćwiczenia i różne zajęcia wspomagające (np. trening postawy i ćwiczenia lecznicze), które wzmacniają mięśnie przeciwstawne kierunkowi potencjalnej deformacji (tzn. raczej mięśnie prostowniki niż zginacze). Czytanie w leżeniu na brzuchu rozciąga mięśnie szyi, a tym samym ułatwia utrzymanie giętkości szyi.
- Ćwiczenia rozciągające i starania, by utrzymać właściwą postawę, są absolutnie niezbędne dla utrzymania ruchomości dotkniętych stawów jak najdłużej.
- Czasem w celu zastąpienia stawu silnie dotkniętego zmianami albo w celu wzmocnienia kręgosłupa stosuje się operację.

### Protokoły stosowane przy grupie krwi A:
- przeciwartretyczny
- antybakteryjny
- wspomagający zdrowie jelit
- [w razie konieczności leczenia antybiotykami] antybiotykowy
- [w razie konieczności przeprowadzenia operacji] pooperacyjny

### Protokoły stosowane przy grupie krwi B:
- przeciwartretyczny
- przeciwzapalny
- antybakteryjny
- [w razie konieczności leczenia antybiotykami] antybiotykowy

- [w razie konieczności przeprowadzenia operacji] pooperacyjny

*Protokoły stosowane przy grupie krwi AB:*
- przeciwartretyczny
- antybakteryjny
- wzmacniający układ odpornościowy
- [w razie konieczności leczenia antybiotykami] antybiotykowy
- [w razie konieczności przeprowadzenia operacji] pooperacyjny

*Protokoły stosowane przy grupie krwi 0:*
- przeciwartretyczny
- antybakteryjny
- przeciwzapalny
- [w razie konieczności leczenia antybiotykami] antybiotykowy
- [w razie konieczności przeprowadzenia operacji] pooperacyjny

## Tematy pokrewne

Choroby autoagresyjne
Reumatoidalne zapalenie stawów

### Bibliografia

1. Shinebaum R. AB0 blood group and secretor status in the spondyloarthropathies. *FESM Microbiol Immunol.* 1989;1:389–395.

2. Shinebaum R, Blackwell CC, Forster PJ, Hurst NP, Weir DM, Nuki G. Non-secretion of AB0 blood group antigens as a host susceptibility factor in the spondyloarthropathies. *Br Med J (Clin Res Ed).* 1987;294:208–210.

---

**ZGAGA** – *patrz Refluks żołądkowo-przełykowy*

**ZŁOŚLIWOŚĆ GUZA** – *patrz Nowotwory (ogólnie)*

**ZMĘCZENIE** – *patrz Zespół chronicznego zmęczenia*

**ZMIANY OCZNE** – *patrz Jaskra*

**ZMIANY SKÓRNE** – *patrz Rak skóry: Czerniak*

**ŻÓŁKNIĘCIE SKÓRY** – *patrz Choroba wątroby*

**ŻÓŁTACZKA** – *patrz Choroba wątroby*

**ŻÓŁTACZKA HEMOLITYCZNA NOWORODKÓW** – *patrz Wady (braki) wrodzone*

**ŻYLAKI ODBYTU** – *patrz Hemoroidy*

**ŻYLNY ZAKRZEP** – *patrz Krew: Zaburzenia krzepliwości*

Część trzecia

# W harmonii z grupą krwi

# Rozdział 1

# Protokoły leczenia
# w zależności od grupy krwi

Zamieszczone poniżej protokoły to nic innego jak 30 strategii zdrowotnych dla czterech grup krwi, które powinny być stosowane w dodatku do właściwej diety, ćwiczeń fizycznych i ogólnych zaleceń medycznych. Sugestie co do ich stosowania znajdzie Czytelnik w podrozdziale „Terapie" w części drugiej książki.

Można je też stosować oddzielnie, w postaci samodzielnej kuracji wspomagającej zdrowie i dobre samopoczucie.

Uwaga! Żaden z tych protokołów nie został pomyślany jako substytut niezbędnej opieki medycznej. Mają one raczej wspomagać leczenie i przynosić ogólne korzyści zdrowotne.

## Protokoły

1. Antybakteryjny
2. Antywirusowy
3. Detoksykacyjny
4. Krwiotwórczy
5. Menopauzalny
6. Pooperacyjny
7. Poprawiający stan skóry
8. Przeciwalergiczny
9. Przeciwartretyczny
10. Przeciwgrzybiczny
11. Przeciwstresowy
12. Przeciwzapalny
13. Rekonwalescencyjny po wyniszczającej chorobie
14. Równoważący dla kobiet
15. Sercowo-naczyniowy
16. Usprawniający metabolizm
17. Usprawniający procesy umysłowe
18. Wspomagający chemioterapię
19. Wspomagający działanie wątroby
20. Wspomagający leczenie antybiotykami
21. Wspomagający zdrowie jelit
22. Wspomagający zdrowie układu moczowego
23. Wspomagający zdrowie układu nerwowego
24. Wspomagający zdrowie zatok
25. Wspomagający zdrowie żołądka
26. Wzmacniający płuca
27. Wzmacniający układ odpornościowy
28. Zapobiegający nowotworom
29. Zdrowotny dla mężczyzn
30. Zwalczający zmęczenie

## 1. ANTYBAKTERYJNY
*Okres stosowania: 3 tygodnie*

### Grupa krwi A

- *Berberis aquifolium*, 250–500 mg: 1–2 kapsułki dwa razy dziennie
- Brodaczka (porost) (*Usnea barbata*), wyciąg alkoholowy: 7–10 kropel na ciepłą wodę przed posiłkami
- *Baptisia tinctorialis* (lek homeopatyczny) (6c–30c): 3–5 granulek dziennie między posiłkami

### Grupa krwi B

- Wrośniak różnobarwny (*Coriolus versicolor*), 300 mg: 1–2 kapsułki dziennie
- Cytryniec chiński (*Schisandra chinensis*), 250–500 mg: 1–2 kapsułki dziennie
- Żeń-szeń syberyjski (*Eleutherococcus senticosus*), 500 mg: 1–2 kapsułki dziennie

### Grupa krwi AB

- Traganek (*Astragalus membranaceus*), 500 mg: 1–2 kapsułki dwa razy dziennie
- Ligustr z gatunku *Ligustrum lucidum*, 250–500 mg: 1–2 kapsułki dziennie między posiłkami

### Grupa krwi 0

- Traganek (*Astragalus membranaceus*), 500 mg: 1–2 kapsułki dwa razy dziennie
- *Picrorhiza kurroa*, 400 mg: 1–2 kapsułki dziennie

### Niewydzielacze
*Dodatkowo:*

- Witamina A, 10 000 IU: 1 kapsułka dziennie
- Cynk: 15 mg, dziennie

### Zalecenia ogólne do stosowania u wszystkich grup krwi

- Witamina C (z wiśni aceroli lub owoców dzikiej róży), 250 mg: 1 kapsułka, dwa razy dziennie
- Arabinogalaktan (z modrzewia *Larix officinalis*) „ARA6": 1 łyżka stołowa dwa razy dziennie w soku lub wodzie
- Suplement probiotyczny, najlepiej właściwy dla danej grupy krwi

## 2. ANTYWIRUSOWY
*Okres stosowania: 2 tygodnie*

### Grupa krwi A

- Żeń-szeń (*Panax ginseng*), 250 mg: 1–2 kapsułki dziennie
- Lipa (*Tilia* sp), herbatka: 1–3 filiżanki dziennie
- Rdest wielokwiatowy (*Polygonum multiflorum*), 250 mg: 1–2 kapsułki dziennie
- Noni (*Morinda citrifolia*) wyciąg z owoców, 250 mg: 1–2 kapsułki dziennie

### Grupa krwi B

- Wrośniak różnobarwny (*Coriolus versicolor*) 300 mg: 1–2 kapsułki dziennie
- Żeń-szeń syberyjski (*Eleutherococcus senticosus*), 500 mg: 1–2 kapsułki dziennie
- *Tribulus terrestris*, wyciąg z owoców (20% furanosteroli), 50 mg: 1–2 kapsułki dziennie
- Chlorella (*Chlorella regularis*), 200 mg: 1–2 kapsułki dziennie

### Grupa krwi AB

- Lipa (*Tilia sp*) herbatka: 1–3 filiżanki dziennie
- L-arginina, 500 mg: 1–2 kapsułki dziennie
- Chlorella (*Chlorella regularis*), 200 mg: 1–2 kapsułki dziennie
- Żeń-szeń syberyjski (*Eleutherococcus senticosus*), 500 mg: 1–2 kapsułki dziennie

### Grupa krwi 0

- Traganek (*Astragalus membranaceus*), 500 mg: 1–2 kapsułki dwa razy dziennie
- *Picrorhiza kurroa*, 400 mg: 1–2 kapsułki dziennie
- L-glutamina, 500 mg: 1–2 kapsułki dziennie

### Niewydzielacze
*Dodatkowo:*

- Witamina A, 10 000 IU: 1 kapsułka dziennie
- Cynk, 15 mg: raz dziennie

### Zalecenia ogólne do stosowania u wszystkich grup krwi

- Witamina C (z aceroli lub owoców dzikiej róży) 250 mg: 1 kapsułka dwa razy dziennie

- Arabinogalaktan z modrzewia (*Larix officinalis*) „ARA6": 1 łyżka stołowa dwa razy dziennie rozpuszczona w soku lub wodzie
- Bez lekarski, wyciąg („Proberry Capsules"): 1–2 kapsułki dwa razy dziennie

## 3. DETOKSYKACYJNY
*Okres stosowania: 1 tydzień*

### Grupa krwi A
- Przytulia czepna (*Galium aparine*) *herbatka:* 2–3 łyżeczki ziela zalać gorącą wodą i parzyć 10 do 15 minut. Pić 1–2 filiżanki dziennie.
- Mniszek (*Taraxacum officinale*), 250 mg: 1 kapsułka dwa razy dziennie (grupa krwi MN)
- Sproszkowane figi: 1 łyżka stołowa przed snem rozpuszczona w dużej szklance wody
- Masaż suchą szczotką: Tuż przed kąpielą zacznij masaż od stóp, posuwając się w stronę serca. Szczotkuj skórę od kończyn do centrum tułowia. Wykonuj delikatne koliste ruchy, masując brzuch, piersi i klatkę piersiową. Najlepsza szczotka do masażu to szczotka z roślinnych włókien, nie za sztywnych i niezbyt miękkich. Nie powinna drapać, ale powinno się odczuwać wyraźnie jej ruch na skórze.

### Grupa krwi B
- Przewiercień (*Bupleurum chinense*), 500 mg: 1 kapsułka dwa razy dziennie
- Siemię lniane (*Linum usitatissimum*): 1 łyżkę stołową dodać do szklanki wody, zostawić na noc do napęcznienia, wypić rano
- L-glutation, 100 mg: 1 kapsułka dwa razy dziennie
- Kąpiel w soli Epsom: Weź prysznic, wyszoruj wannę do czysta. Napuść najgorętszej wody, jaką jesteś w stanie wytrzymać. Zacznij od 1/4 filiżanki soli z Epsom, stopniowo dodawaj aż do czterech i kąp się w tym roztworze co najmniej 1/2 godziny. Jeśli poczujesz zawroty głowy, wypuść wodę i przed wstaniem poczekaj, aż miną.

### Grupa krwi AB
- Korzeń łopianu (*Arctium* sp) herbatka: 1–3 filiżanki dziennie
- Krwawnik pospolity (*Achillea millefolium*), 250 mg: 1–2 kapsułki dziennie
- Siemię lniane (*Linum usitatissimum*): 1 łyżka stołowa dodana do szklanki wody, zostawić do napęcznienia na noc, wypić rano
- Masaż suchą szczotką: Tuż przd kąpielą zacznij masaż od stóp, posuwając się w stronę serca. Szczotkuj skórę od kończyn do centrum tułowia. Wykonuj delikatne koliste ruchy, masując brzuch, piersi i klatkę piersiową. Najlepsza szczotka do masażu to szczotka z roślinnych włókien, nie za sztywnych i niezbyt miękkich. Nie powinna drapać, ale powinno się odczuwać wyraźnie jej ruch na skórze.

### Grupa krwi 0
- Morszczyn (*Fucus vesiculosus*), 100 mg: 1–2 kapsułki z posiłkami 2–3 razy dziennie
- Standaryzowany wyciąg z czosnku (*Allium sativum*), 400 mg: 1 kapsułka dwa razy dziennie
- Sproszkowane suszone śliwki: 1 łyżka stołowa przed snem rozpuszczona w dużej szklance wody
- Sauna i kąpiele w stopniu odpowiadającym twojej budowie i samopoczuciu

### Niewydzielacze
*Dodatkowo:*
- Preparat blokujący lektyny („Deflect") właściwy dla danej grupy krwi: 2 kapsułki z posiłkami 2–3 razy dziennie

### Zalecenia ogólne do stosowania u wszystkich grup krwi
- Suplement probiotyczny, najlepiej właściwy dla danej grupy krwi
- Preparat złożony z *Phyllanthus emblica, Terminalia belerica*, *Terminalia chebula*, 650–1000 mg: 1 kapsułka dwa razy dziennie

## 4. KRWIOTWÓRCZY
*Okres stosowania: 4 tygodnie*

## 5. MENOPAUZALNY
*Okres stosowania: 6 tygodni*

### Grupa krwi A

- Floradix „Liquid Iron and Herbs": 1–2 łyżeczki dziennie
- Metylokobalamina („aktywna $B_{12}$"), 500 mcg: 2 kapsułki dziennie między posiłkami
- Kwas foliowy, 400 mcg: 1 tabletka dziennie
- Betaina HCl, 250 mg: 1 kapsułka podczas głównego posiłku
- Noni (*Morinda citrifolia*) wyciąg z owoców, 250 mg: 1–2 kapsułki dziennie

### Grupa krwi B

- Cytrynian żelazowy, 50 mg: 1–2 kapsułki dwa razy dziennie
- Płynny chlorofil: 1 łyżka stołowa dziennie
- Kwas foliowy, 400 mcg: 1 tabletka dziennie

### Grupa krwi AB

- Cytrynian żelazowy, 50 mg: 1–2 kapsułki dwa razy dziennie
- Szczaw kędzierzawy (*Rumex crispus*), 250 mg: 1–2 kapsułki dziennie
- Metylokobalamina („aktywna $B_{12}$"), 500 mcg: 2 kapsułki dziennie między posiłkami

### Grupa krwi 0

- Wyciąg z wątroby (najlepiej roztwór wodny), 500 mg: 1–2 kapsułki dwa razy dziennie między posiłkami
- Cytrynian miedzi, 3 mg: 1 kapsułka dziennie (przez 2–3 tygodnie)
- Liście pokrzywy (*Urtica dioica*), 500 mg: 1 kapsułka dwa razy dziennie
- Pirydoksyna (witamina $B_6$), 50–200 mg: dziennie

### Zalecenia ogólne do stosowania u wszystkich grup krwi

- Witamina C (z aceroli lub owoców dzikiej róży), 250 mg: 1 kapsułka dwa razy dziennie

### Grupa krwi A

- Pluskwica (*Cimicifuga racemosa*), standaryzowany do 2,5% glikozydów trójterpenowych: 1–2 kapsułki dwa razy dziennie[1]
- *Mitchella repens*, wyciąg alkoholowy: 10 kropel na ciepłą wodę dwa razy dziennie
- Izoflawony sojowe, 50 mg: 1 kapsułka dziennie
- Witamina $B_6$ (pirydoksyna), 50 mg: dziennie
- Rumianek, herbatka (*Matricaria chamomilla*): 1–3 filiżanki dziennie

### Grupa krwi B

- Serdecznik pospolity (*Leonurus cardiaca*), wyciąg alkoholowy: 10–15 kropel dziennie
- Magnez, 350 mg: 2 kapsułki dwa razy dziennie
- Metylokobalamina („aktywna $B_{12}$"), 400 mcg: 1 kapsułka przed snem
- Dzięgiel chiński; *dong quai* (*Angelica sinensis*) 250 mg: 1–2 kapsułki dziennie

### Grupa krwi AB

- Pluskwica (*Cimicifuga racemosa*), standaryzowany do 2,5% glikozydów trójterpenowych: 1–2 kapsułki dwa razy dziennie[1]
- Witamina $B_6$ (pirydoksyna), 50 mg: dziennie
- Metylokobalamina („aktywna $B_{12}$"), 400 mcg: 1 kapsułka przed snem
- Szałwia, herbatka (*Salvia officinalis*): 1–2 filiżanki dziennie

### Grupa krwi 0

- Niepokalanek mnisi (*Vitex agnus-castus*), standaryzowany, 400 mg: 1 kapsułka dwa razy dziennie
- Skrzyp polny (*Equisetum arvense*), 500 mg: 1 kapsułka dwa razy dziennie
- Mangan, 10 mg: 1 kapsułka dziennie
- Werbena (*Verbena officinalis*), herbatka: 1–2 filiżanki dziennie

**Niewydzielacze i inne podtypy**

*Dodatkowo:*

- Witamina A, 10 000 IU: 1 kapsułka dziennie
- Bor, 1 mg: 1 kapsułka dziennie

**Zalecenia ogólne do stosowania u wszystkich grup krwi**

- Wapń, 1000 mg (najlepiej z roślin morskich)
- Witamina D, 400 IU: dziennie (800 IU dziennie dla niewydzielaczy)
- Multiwitamina, najlepiej właściwa dla danej grupy krwi

Przypisy:
1 Nie przyjmuj pluskwicy, jeśli masz wysokie ciśnienie krwi lub chorobę serca.

## 6. POOPERACYJNY
*Zacząć stosować 2 tygodnie przed operacją i skończyć 2 tygodnie po niej*

**Grupa krwi A**

- Gotu kola (*Centella asiatica*), 100 mg: 1–2 kapsułki dwa razy dziennie[1]
- Witamina E, 400 IU: 1 kapsułka dziennie
- Kasztanowiec (*Aesculus hippocastanum*), 90 mg: 1 kapsułka dziennie
- Rumianek (*Matricaria chamomilla*), wyciąg alkoholowy: 25 kropel na ciepłą wodę 2–3 razy dziennie

**Grupa krwi B**

- Korzeń *Rehmannia glutinosa*, 200 mg: 1 kapsułka dziennie
- *Atractylodis macrocephalae*, 250 mg: 1 kapsułka dziennie
- L-arginina, 250 mg: 1–2 kapsułki dwa razy dziennie
- Babka lancetowata (*Plantago lanceolate*), 250 mg: 1 kapsułka dziennie

**Grupa krwi AB**

- Traganek (*Astragalus membranaceus*), 500 mg: 1–2 kapsułki dwa razy dziennie

- Gotu kola (*Centella asiatica*), 100 mg: 1–2 kapsułki dwa razy dziennie[1]
- Rumianek (*Matricaria chamomilla*) ziołowy wyciąg alkoholowy: 25 kropel na ciepłą wodę dwa lub trzy razy dziennie
- Skrzyp polny (*Equisetum arvense*), 500 mg: 1 kapsułka dwa razy dziennie

**Grupa krwi 0**

- Kasztanowiec (*Aesculus hippocastanum*), 90 mg: 1 kapsułka dziennie
- Korzeń *Rehmannia glutinosa*, 200 mg: 1 kapsułka dziennie
- Miedź, 2 mg: 1 kapsułka dziennie
- Skrzyp polny (*Equisetum arvense*), 500 mg: 1 kapsułka dwa razy dziennie

**Zalecenia ogólne do stosowania u wszystkich grup krwi**

- Witamina C (z aceroli lub owoców dzikiej róży), 250 mg: 1 kapsułka dwa razy dziennie
- Cynk, 25 mg: 1 kapsułka dziennie
- Bromelina (enzym ananasa), 500 mg: 1 kapsułka dwa razy dziennie po operacji

Przypisy:
1 Nie stosuj gotu kola, jeśli jesteś w ciąży.

## 7. POPRAWIAJĄCY STAN SKÓRY
*Okres stosowania: 4 tygodnie*

**Grupa krwi A**

- Pantetyna, 500 mg: 1 kapsułka dwa razy dziennie
- Korzeń łopianu (*Arctium* sp) herbatka: 1–3 filiżanki dziennie
- Witamina A, 10 000 IU: 1 kapsułka dziennie
- Tulasi (Holy Basil) (*Ocimum sanctum*) wyciąg z liści, 50 mg: 1–2 kapsułki dwa razy dziennie

**Grupa krwi B**

- OPC (proantocyjanidy oligomeryczne), 100 mg: 1 kapsułka dziennie
- Kwas pantotenowy (witamina $B_5$), 500 mg: dwa razy dziennie

- Kolcorośl (sarsaparyla) (*Smilax officinalis*), 250 mg: 1–2 kapsułki dziennie

### Grupa krwi AB

- OPC (proantocyjanidy oligomeryczne), 100 mg: 1 kapsułka dziennie
- Witamina A, 10 000 IU: 1 kapsułka dziennie
- Koniczyna łąkowa (*Trifolium pratense*), wyciąg alkoholowy: 5 kropel raz lub dwa razy dziennie

### Grupa krwi 0

- Kwas pantotenowy (witamina B₅), 500 mg: dwa razy dziennie
- Witamina A, 10 000 IU: 1 kapsułka dziennie
- Biotyna, 2 mg: 2 kapsułki dziennie

### Niewydzielacze
*Dodatkowo:*

- Suplement probiotyczny, najlepiej właściwy dla danej grupy krwi
- Balsam z leptospermum (*Leptospermum sp*) (5%): miejscowo, dwa razy dziennie

### Zalecenia ogólne do stosowania u wszystkich grup krwi

- Oczar wirginijski, miejscowo (*Hammamelis virginiana*)
- Nagietek lekarski (*Calendula officinales*), miejscowo, w razie potrzeby
- Cynk, 15 mg: 1 kapsułka dwa razy dziennie
- Krem z niacynamidem (4%): miejscowo, dwa razy dziennie

## 8. PRZECIWALERGICZNY
*Okres stosowania: 4 tygodnie*

### Grupa krwi A

- Głóg (*Crataegus* sp), wyciąg standaryzowany, 100 mg: 1–2 kapsułki dwa razy dziennie
- Witamina C (z aceroli lub owoców dzikiej róży), 250 mg: 1 kapsułka dziennie
- Kwercetyna, 500 mg: 1 kapsułka z posiłkami 2–3 razy dziennie

- Liść pokrzywy (*Urtica dioica*), 500 mg: 1–2 kapsułki dwa razy dziennie między posiłkami

### Grupa krwi B

- Cytrynian potasowy, 99 mg: 1–2 kapsułki dwa razy dziennie
- MSM (metylosulfonylometan), 500 mg: 1–2 kapsułki dwa razy dziennie
- Magnez, 650 mg: 1 kapsułka dwa razy dziennie
- Kwas pantotenowy (witamina B₅), 500 mg: dwa razy dziennie

### Grupa krwi AB

- Boswelia (*Boswellia serrata*), 400 mg (standaryzowany, aby zawierał 37,5% kwasu bosweliowego): 2 kapsułki dwa razy dziennie
- Kwiat magnolii (*Magnolia lilflora*), 50 mg: 1–2 kapsułki dwa razy dziennie
- Kwercetyna, 500 mg: 1 kapsułka z posiłkami, 2–3 razy dziennie

### Grupa krwi 0

- Boswelia (*Boswellia serrata*), 400 mg (standaryzowany, aby zawierał 37,5% kwasu bosweliowego): 2 kapsułki dwa razy dziennie
- Herbata yerba maté (*Ilex paraguariensis*): 1–3 filiżanki dziennie
- Liść pokrzywy (*Urtica dioica*), 500 mg: 1–2 kapsułki dwa razy dziennie między posiłkami
- Kwas pantotenowy (witamina B₅), 500 mg: dwa razy dziennie

### Niewydzielacze
*Dodatkowo:*

- Cytryniec chiński (*Schizandra chinensis*), 450 mg: 1 kapsułka dwa razy dziennie
- Witamina C (z aceroli lub owoców dzikiej róży), 250 mg: 1 kapsułka dziennie

### Zalecenia ogólne do stosowania u wszystkich grup krwi

- Bromelina (enzym ananasa), 500 mg: 1–3 tabletki cztery razy dziennie między posiłkami, stopniowo zmniejszając dawkę

## 9. PRZECIWARTRETYCZNY
*Okres stosowania: 12 tygodni*

### Grupa krwi A
- Siarczan chondroityny, 600 mg: 2 kapsułki dziennie między posiłkami
- Siarczan glukozaminy, 500 mg: 2–3 kapsułki dziennie między posiłkami
- Betaina HCl, 250 mg: 1 kapsułka z dużym posiłkiem
- Tran, kapsułki (3 gramy EPA plus DHA): 1 kapsułka dziennie[1]

### Grupa krwi B
- Siarczan glukozaminy, 500 mg: 3–4 kapsułki dziennie między posiłkami
- S-adenozylometionina (SAM), 400 mg: 1–2 kapsułki dziennie[2]
- Niacynamid (witamina $B_3$), 50 mg: 2 kapsułki dziennie[3]

### Grupa krwi AB
- Siarczan chondroityny, 600 mg: 2 kapsułki dziennie między posiłkami
- Niacynamid (witamina $B_3$), 50 mg: 2 kapsułki dziennie[3]

### Grupa krwi 0
- N-acetyloglukozamina, 250–500 mg: 3–4 kapsułki dziennie między posiłkami
- Boswelia (*Boswellia serrata*), 500 mg: 1–2 kapsułki podczas posiłków
- L-fenyloalanina, 250 mg: 1–2 kapsułki między posiłkami[4]
- Rhus tox (lek homeopatyczny), 6c–30c: 3–5 kuleczek między posiłkami, dziennie

### Niewydzielacze
*Dodatkowo:*
- Preparat blokujący lektyny („Deflect") właściwy dla danej grupy krwi: 2 kapsułki z posiłkami
- Bor, 1 mg: 1 kapsułka dziennie

### Zalecenia ogólne do stosowania u wszystkich grup krwi
- Witamina C (z aceroli lub owoców dzikiej róży), 250 mg: 1 kapsułka dwa razy dziennie

**Przypisy:**
1. Tran nie powinien być przyjmowany przez kobiety, które są w ciąży lub właśnie ją planują. Należy się wpierw skonsultować z lekarzem.
2. SAM może być szkodliwy dla chorych na parkinsonizm.
3. Niacynamid jest niemal zawsze bezpieczny, ale przy dawce większej od 1000 mg na dzień mogą się pojawić zaburzenia wątroby.
4. Osoby z fenyloketonurią nie mogą używać suplementów zawierających fenyloalaninę. Część badaczy sugeruje, że chorzy z dyskinezą późną mogą w jakiś nienormalny sposób przetwarzać fenyloalaninę. Póki nic więcej nie wiadomo, najlepiej wykluczyć fenyloalaninę z diety.

## 10. PRZECIWGRZYBICZNY
*Okres stosowania: 6 tygodni*

### Grupa krwi A
- Korzeń pokrzywy (*Urtica dioica*), „UDA Plus": 1–2 kapsułki dwa razy dziennie
- Oman wielki (*Inula helenium*), 500 mg: 1 kapsułka podczas posiłków 1–2 razy dziennie
- Kwas kaprylowy, 350 mg: 1–2 kapsułki dwa razy dziennie między posiłkami
- Betaina HCl, 250 mg: 1 kapsułka podczas głównego posiłku
- *Berberis aquifolium*, 250–500 mg: 1–2 kapsułki dwa razy dziennie

### Grupa krwi B
- Oregano (*Origanum vulgare*), wyciąg alkoholowy: 4–7 kropel dwa razy dziennie
- Tymianek (*Thymus vulgaris*), wyciąg alkoholowy: 5–10 kropel dwa razy dziennie
- Nasiona kolendry (*Coriandrum sativum*), wyciąg alkoholowy: 2–3 krople dwa razy dziennie
- Rozmaryn (*Rosmarinus officinalis*)
- Oliwa: 1 łyżka stołowa dwa razy dziennie między posiłkami

## Grupa krwi AB

- Tymianek (*Thymus vulgaris*), wyciąg alkoholowy: 5–10 kropel dwa razy dziennie
- Oman wielki (*Inula helenium*), 500 mg: 1 kapsułka podczas posiłków 1–2 razy dziennie
- Wiąz gładki (*Ulmus rubra*), 400 mg: 2–3 kapsułki z posiłkami 1–2 razy dziennie
- Oliwa: 1 łyżka stołowa dwa razy dziennie między posiłkami
- Betaina HCl, 250 mg: 1 kapsułka podczas głównego posiłku

## Grupa krwi 0

- Kwas kaprylowy, 350 mg: 1–2 kapsułki dwa razy dziennie między posiłkami
- *Eugenia* sp, 50 mg: 1 kapsułka dziennie
- Standaryzowany wyciąg z czosnku (*Allium sativum*), 400 mg: 1 kapsułka dwa razy dziennie
- Korzeń pokrzywy (*Urtica dioica*), „UDA Plus": 1–2 kapsułki dwa razy dziennie
- Morszczyn (*Fucus vesiculosus*), „Fucus Plus": 1 kapsułka z posiłkami 2–3 razy dziennie

## Niewydzielacze
*Dodatkowo:*

- Cynk, 15 mg: raz dziennie

## Zalecenia ogólne do stosowania u wszystkich grup krwi

- Arabinogalaktan z modrzewia (*Larix officinalis*) „ARA6": 1 łyżka stołowa dwa razy dziennie rozpuszczona w soku lub wodzie
- Suplement probiotyczny, najlepiej właściwy dla danej grupy krwi

## 11. PRZECIWSTRESOWY
*Okres stosowania: 8 tygodni*

## Grupa krwi A

- Rumianek (*Matricaria chamomilla*), wyciąg alkoholowy: 25 kropel na ciepłą wodę dwa lub trzy razy dziennie
- *Boerhaavia diffusa*, 250 mg: 1–2 kapsułki dwa razy dziennie

- Bakopa drobnolistna (*Bacopa monnieri*), 200 mg: 1–2 kapsułki dwa razy dziennie
- Joga lub *taichi*: 25–30 minut pięć razy tygodniowo
- *Avena sativa*, 750 mg: 1–2 kapsułki dwa razy dziennie
- Tulasi, *Holy Basil* (*Ocimum sanctum*) wyciąg z liści, 50 mg: 1–2 kapsułki dwa razy dziennie

## Grupa krwi B

- Kordyceps (*Cordyceps sinensis*), 500 mg: 1–2 kapsułki dwa razy dziennie
- GABA (kwas gammaaminomasłowy), 500 mg: 1 kapsułka dwa razy dziennie
- Inozytol, 500 mg: 1–2 kapsułki dwa razy dziennie
- Cytryniec chiński (*Schizandra chinensis*), wyciąg alkoholowy: 15–25 kropel dwa razy dziennie
- Medytacja, wizualizacja, śpiew: 25 minut dziennie

## Grupa krwi AB

- Kordyceps (*Cordyceps sinensis*), 500 mg: 1–2 kapsułki dwa razy dziennie
- Bakopa drobnolistna (*Bacopa monnieri*), 200 mg: 1–2 kapsułki dwa razy dziennie
- Chmiel (*Humulus sp*) liofilizowany, 250 mg: 1–2 kapsułki przed snem
- Traganek (*Astragalus membranaceus*), 500 mg: 1–2 kapsułki dwa razy dziennie
- Medytacja, wizualizacja, joga lub *taichi*: 25–30 minut pięć razy tygodniowo

## Grupa krwi 0

- Różeniec górski (*Rhodiola rosea*), 250 mg: 1–2 kapsułki trzy razy dziennie
- L-tyrozyna, 500 mg: 1 kapsułka dwa razy dziennie[1]
- Kozłek lekarski (*Valeriana officinalis*), 0,5% olejek, 500 mg: 1–2 kapsułki przed snem
- Aerobik, pływanie, jazda na rowerze: 25 minut cztery razy tygodniowo

## Niewydzielacze
*Dodatkowo:*

- Wyciąg z grzybów *maitake* (*Grifola frondosa*), 500 mg: 2–3 kapsułki dwa razy dziennie (niewydzielacze)

- 5-HTP (5-hydroksytryptofan), 150 mg: 1 kapsułka dwa razy dziennie (niewydzielacze)

**Zalecenia ogólne do stosowania u wszystkich grup krwi**
- Wapń, 1000 mg (najlepiej z roślin morskich)
- Multiwitamina (najlepiej właściwa dla danej grupy krwi)

Przypisy:
1  Nie przyjmuj suplementu L-tyrozyny, jeśli przyjmujesz inhibitory MAO.

## 12. PRZECIWZAPALNY
*Okres stosowania: 4–8 tygodni*

**Grupa krwi A**
- Kava-kava (*Piper mysticum*) wyciąg standaryzowany (30% kawalaktonów), 250 mg: 1 kapsułka dwa razy dziennie
- Tran, kapsułki (3 gramy EPA plus DHA): 1 kapsułka dziennie[1]
- Kora wierzby białej (*Salix alba*), 300 mg, wyciąg standaryzowany, 14% salicyny: 1 kapsułka raz lub dwa razy dziennie
- Boswelia (*Boswellia serrata*), 400 mg (standaryzowany, aby zawierał 37,5% kwasu boswelowego): 2 kapsułki dwa razy dziennie
- Tulasi (*Ocimum sanctum*) wyciąg z liści, 50 mg: 1–2 kapsułki dwa razy dziennie

**Grupa krwi B**
- MSM (metylosulfonylometan), 500 mg: 1–2 kapsułki dwa razy dziennie
- Vilcacora (*Uncaria tomentosa*), 500 mg: 1–2 kapsułki dwa razy dziennie
- OPC (proantocyjanidy oligomeryczne), 100 mg: 1 kapsułka dziennie
- Kurkuma *(Curcuma longa)*, 95% kurkuminoidów, 300–500 mg: 1 kapsułka raz lub dwa razy dziennie
- *Jiaogulan (Gynostemma pentaphyllum)*, 60 mg: 1–2 kapsułki dwa razy dziennie

**Grupa krwi AB**
- Boswelia (*Boswellia serrata*), 400 mg (standaryzowany, aby zawierał 37,5% kwasu boswelowego): 2 kapsułki dwa razy dziennie
- Kurkuma (*Curcuma longa*), 95% kurkuminoidów, 300–500 mg: 1 kapsułka raz lub dwa razy dziennie
- Wyciąg z borówki (*Vaccinium*), 25 mg antocyjanozydy obliczone jako antocyjanidy: 1–2 kapsułki dwa razy dziennie
- *Jiaogulan (Gynostemma pentaphyllum)*, 60 mg: 1–2 kapsułki dwa razy dziennie

**Grupa krwi 0**
- Siarczan glukozaminy, 500 mg: 1–2 kapsułki między posiłkami dwa razy dziennie
- Jukka (*Yucca brevifolia*), skoncentrowane saponiny jukki, 400–500 mg: 1–2 kapsułki dwa razy dziennie
- Korzeń imbiru (*Zingiber officinalis*)
- Pieprz kajeński (*Capsicum sp*), 300 mg: 1–2 kapsułki z posiłkami

**Niewydzielacze**
*Dodatkowo:*
- 5-HTP (5-hydroksytryptofan), 150 mg: 1 kapsułka dwa razy dziennie (niewydzielacze)
- Preparat blokujący lektyny („Deflect") właściwy dla danej grupy krwi: 2 kapsułki z posiłkami (niewydzielacze)

**Zalecenia ogólne do stosowania u wszystkich grup krwi**
- Bromelina (enzym ananasa), 500 mg: 1–3 tabletki cztery razy dziennie między posiłkami, zmniejszając dawkę i częstość przyjmowania w miarę poprawy

Przypisy:
1  Tranu nie powinny przyjmować kobiety w ciąży i planujące ciążę. Należy się wpierw skonsultować z lekarzem.

## 13. REKONWALESCENCYJNY PO WYNISZCZAJĄCEJ CHOROBIE

*Okres stosowania: 6 tygodni*

### Grupa krwi A

- *Ashwaganda* (*Withania somnifera*), 250 mg: 1 kapsułka dwa razy dziennie
- Kwas pantotenowy, 250 mg: 1–2 kapsułki dwa razy dziennie
- Cytrynian potasowy, 99 mg: dwa razy dziennie

### Grupa krwi B

- Fosfatydylocholina, 1–2 kapsułki dziennie
- Żeń-szeń syberyjski (*Eleutherococcus senticosus*), 250 mg: 1 kapsułka dwa razy dziennie
- Magnez, 350 mg: 1 kapsułka dwa razy dziennie

### Grupa krwi AB

- L-arginina, 500 mg: 1–2 kapsułki dziennie
- Kwas pantotenowy, 250 mg: 1–2 kapsułki dwa razy dziennie
- Cynk, 25 mg: 1 kapsułka dziennie

### Grupa krwi 0

- Liście gotu kola (*Centella asiatica*), 250 mg, wyciąg standaryzowany: 1 kapsułka dwa razy dziennie[1]
- L-karnityna, 50 mg: 1–2 kapsułki dwa razy dziennie
- Kolcorośl (sarsaparyla) (*Smilax* sp), wyciąg standaryzowany, 150 mg: 1 kapsułka dwa razy dziennie

### Niewydzielacze
*Dodatkowo:*

- Mniszek (*Taraxacum officinale*) 250 mg: 1 kapsułka dwa razy dziennie (grupa krwi MN)

### Zalecenia ogólne do stosowania u wszystkich grup krwi

- Multiwitaminy, najlepiej preparat właściwy dla danej grupy krwi

- Witamina C (z aceroli lub owoców dzikiej róży), 250 mg: 1 kapsułka dwa razy dziennie

Przypisy:
1 Nie należy stosować gotu kola podczas trwania ciąży.

## 14. RÓWNOWAŻĄCY DLA KOBIET

*Okres stosowania: 4 tygodnie*

### Grupa krwi A

- Rumianek (*Matricaria chamomilla*)
- Pluskwica (*Cimicifuga racemosa*), wyciąg standaryzowany do 2,5% glikozydów trójterpenowych: 1–2 kapsułki dwa razy dziennie[1]
- Nać pietruszki (*Petroselinum* sp), 400 mg: 1–2 kapsułki dwa razy dziennie
- Bernardynek (drapacz lekarski) (*Cnicus benedictus*) wyciąg alkoholowy: 5–10 kropel na ciepłą wodę dwa razy dziennie
- Olej z nasion czarnej porzeczki, kapsułki 500 mg: 2–3 kapsułki dziennie

### Grupa krwi B

- Niepokalanek mnisi (*Vitex agnus-castus*), 400 mg, standaryzowany: 1 kapsułka dwa razy dziennie
- Liść maliny (*Rubus* sp) wyciąg alkoholowy: 15–20 kropel dwa razy dziennie
- Serdecznik pospolity (*Leonurus cardiaca*) wyciąg alkoholowy: 10–15 kropel dziennie
- Olej z nasion czarnej porzeczki, kapsułki 500 mg: 2–3 kapsułki dziennie

### Grupa krwi AB

- Dzięgiel chiński; *dong quai* (*Angelica sinensis*), 500 mg: 1 kapsułka dwa razy dziennie
- Wyciąg z selerów 450 mg: 1 kapsułka dwa razy dziennie
- Nać pietruszki (*Petroselinum* sp), 400 mg: 1–2 kapsułki dwa razy dziennie
- Serdecznik pospolity (*Leonurus cardiaca*) wyciąg alkoholowy: 10–15 kropel na ciepłą wodę, dziennie

## Grupa krwi 0

- *Mitchella repens,* wyciąg alkoholowy: 10 kropel na ciepłą wodę dwa razy dziennie
- Witamina $B_6$ (5-fosforan pirydoksalu), 50 mg: 1–3 kapsułki dziennie
- Liść gotu kola (*Centella asiatica*), 250 mg wyciąg standaryzowany: 1 kapsułka dwa razy dziennie[2]
- Morszczyn (*Fucus vesiculosus*) 200 mg: 1 kapsułka dwa razy dziennie
- Bernardynek (drapacz lekarski) (*Cnicus benedictus*) wyciąg alkoholowy: 5–10 kropel na ciepłą wodę dwa razy dziennie

## Niewydzielacze
*Dodatkowo:*
- Suplement probiotyczny, najlepiej właściwy dla danej grupy krwi

## Zalecenia ogólne do stosowania u wszystkich grup krwi
- Kolendra, wyciąg (*Coriandrum sativum*) wyciąg alkoholowy: 7–10 kropel dwa razy dziennie
- Magnez, 650 mg: 1 kapsułka dwa razy dziennie (zmniejszyć dawkę, jeśli stolce staną się luźne)
- Hibiskus, herbatka: 1–2 filiżanki dziennie

**Przypisy:**
1 Nie przyjmuj pluskwicy, jeśli masz wysokie ciśnienie krwi lub chorobę serca.
2 Nie stosuj gotu kola, jeśli jesteś w ciąży.

## 15. SERCOWO-NACZYNIOWY
*Okres stosowania: 4–8 tygodni*

## Grupa krwi A
- Głóg (*Crataegus* sp) wyciąg standaryzowany, 100 mg: 1–2 kapsułki dwa razy dziennie
- Imbir (*Zingiber* sp), 1,5% niezbędnych kwasów tłuszczowych: 1–2 kapsułki dwa razy dziennie
- Pantetyna, 500 mg: 1 kapsułka dwa razy dziennie

- Miłorząb (*Gingko biloba*), 24% wyciąg standaryzowany, 60 mg: 1–2 kapsułki dziennie[1]
- Karczochy (*Cynara scolymnus*), 500 mg: 2 kapsułki dwa razy dziennie[2]

## Grupa krwi B
- OPC (proantocyjanidy oligomeryczne), 100 mg: 1 kapsułka dziennie
- Kwas alfaliponowy, 50 mg: 1 kapsułka dziennie
- Kurkuma (*Curcuma longa*), 95% kurkuminoidów, 300–500 mg: 1 kapsułka raz lub dwa razy dziennie
- Kozieradka pospolita (*Trigonella foenum-graecum*), 500 mg, odtłuszczone nasiona: 1–2 kapsułki dwa razy dziennie

## Grupa krwi AB
- Głóg (*Crataegus sp*), wyciąg standaryzowany, 100 mg: 1–2 kapsułki dwa razy dziennie
- OPC (proantocyjanidy oligomeryczne), 100 mg: 1 kapsułka dziennie
- Standaryzowany wyciąg z czosnku (*Allium sativum*), 400 mg: 1 kapsułka dwa razy dziennie
- Pantetyna, 500 mg: 1 kapsułka dwa razy dziennie

## Grupa krwi 0
- Arjuna (*Terminalia arjuna*), 2% kwas arjunolowy, 250 mg: dwa razy dziennie
- Koleus (*Coleus forskohlii*), wyciąg standaryzowany, 125 mg: 1 kapsułka dwa razy dziennie
- L-karnityna, 50 mg: 1–2 kapsułki dwa razy dziennie
- *Guggul* (*Commiphora mukul*), standaryzowany do 25 mg guggulsteronów typu E i Z: 1 kapsułka raz lub dwa razy dziennie
- Karczochy (*Cynara scolymnus*), 500 mg: 2 kapsułki dwa razy dziennie[2]

## Niewydzielacze
*Dodatkowo:*
- Koenzym $Q_{10}$, 30 mg: 1 kapsułka dwa razy dziennie z tłustym posiłkiem (niewydzielacze)
- Rdest wielkokwiatowy (*Polygonum multiflorum*) 250 mg: 1 kapsułka dwa razy dziennie (niewydzielacze)

- N-acetyloglukozamina, 250 mg: 1 kapsułka z posiłkami (grupa krwi NN), 2–3 razy dziennie
- Mniszek (*Taraxacum officinale*), 250 mg: 1 kapsułka dwa razy dziennie (grupa krwi MN)

**Zalecenia ogólne do stosowania u wszystkich grup krwi**

- Kwas foliowy, 400 mcg: 2 tabletki dziennie
- Suplement probiotyczny, najlepiej właściwy dla danej grupy krwi

Przypisy:
1 Miłorząb nie jest pożądany dla osób cierpiących na zaburzenia krzepliwości krwi.
2 Osoby z chorym pęcherzykiem żółciowym mogą stosować karczochy jedynie za pozwoleniem lekarza.

## 16. USPRAWNIAJĄCY METABOLIZM
*Okres stosowania: 4 tygodnie*

**Grupa krwi A**

- Gotu kola (*Centella asiatica*), 100 mg: 1–2 kapsułki dwa razy dziennie[1]
- Preparat mieszany z *Phyllanthus emblica, Terminalia belerica, Terminalia chebula*, 500 mg: 1 kapsułka dwa razy dziennie
- L-tyrozyna, 250 mg: 1–2 kapsułki dwa razy dziennie

**Grupa krwi B**

- Arbuz, nasiona, 300 mg: 1–2 kapsułki dwa razy dziennie
- Korzeń imbiru (*Zingiber officinalis*), 500 mg: 1–2 kapsułki podczas posiłów
- Kozieradka pospolita (*Trigonella foenum-graecuni*), 500 mg, odtłuszczone nasiona: 1–2 kapsułki dwa razy dziennie

**Grupa krwi AB**

- L-cysteina, 500 mg: 1 kapsułka dwa razy dziennie
- Preparat mieszany z *Phyllanthus emblica, Terminalia belerica, Terminalia chebula*, 500 mg: 1 kapsułka dwa razy dziennie

**Grupa krwi 0**

- Morszczyn (*Fucus vesiculosus*), 200 mg: 1 kapsułka dwa razy dziennie
- Mniszek (*Taraxacum officinale*), 250 mg: 1 kapsułka dwa razy dziennie
- *Guggul* (*Commiphora mukul*), standaryzowany do 25 mg guggulsteronów typu E i Z: 1 kapsułka raz lub dwa razy dziennie

**Zalecenia ogólne do stosowania u wszystkich grup krwi**

- Preparat blokujący lektyny („Deflect") właściwy dla danej grupy krwi: 2 kapsułki z posiłkami
- Zielona herbata: 1–3 filiżanki dziennie

Przypisy:
1 Nie stosuj gotu kola, jeśli jesteś w ciąży.

## 17. USPRAWNIAJĄCY PROCESY UMYSŁOWE
*Okres stosowania: 4 tygodnie*

**Grupa krwi A**

- Bakopa drobnolistna (*Bacopa monnieri*) 200 mg: 1–2 kapsułki dwa razy dziennie
- OPC (proantocyjanidy oligomeryczne), 100 mg: 1 kapsułka dziennie
- Metylokobalamina („aktywna B"$_{12}$), 400 mcg: 1 kapsułka przed snem
- *Boerhaavia diffusa*, 250 mg: 1–2 kapsułki dwa razy dziennie

**Grupa krwi B**

- Żeń-szeń syberyjski (*Eleutherococcus senticosus*), 250 mg: 1 kapsułka dwa razy dziennie
- Inozytol, 500 mg: 1–2 kapsułki dwa razy dziennie
- Trybulus (*Tribulus terrestris*), 150 mg: 1 kapsułka dziennie
- Miłorząb (*Gingko biloba*), 24% wyciąg standaryzowany, 60 mg: 1–2 kapsułki dziennie[1]

**Grupa krwi AB**

- Bakopa drobnolistna (*Bacopa monnieri*), 200 mg: 1–2 kapsułki dwa razy dziennie
- Żeń-szeń syberyjski (*Eleutherococcus senticosus*), 250 mg: 1 kapsułka dwa razy dziennie
- OPC (proantocyjanidy oligomeryczne), 100 mg: 1 kapsułka dziennie
- Chlorowodorek tiaminy (witamina B₁), 50 mg: 1 kapsułka dwa razy dziennie

**Grupa krwi 0**

- Różeniec górski (*Rhodiola rosea*), 250 mg: 1–2 kapsułki dwa razy dziennie
- Chlorowodorek tiaminy (witamina B₁), 50 mg: 1 kapsułka dwa razy dziennie
- *Phyllanthus emblica*, 250 mg: 1–2 kapsułki dziennie
- Kwas foliowy, 400 mcg: 2 tabletki dziennie

**Zalecenia ogólne do stosowania u wszystkich grup krwi**

- Multiwitamina, najlepiej właściwa dla danej grupy krwi

Przypis:
1 Miłorząb nie jest dobry dla osób z zaburzeniami krzepliwości krwi.

---

## 18. WSPOMAGAJĄCY CHEMIOTERAPIĘ

*Okres stosowania: 3 tygodnie, przerwa na 1 tydzień i od nowa*

**Grupa krwi A**

- Traganek (*Astragalus membranaceus*), 500 mg: 1–2 kapsułki dwa razy dziennie
- Wrośniak różnobarwny (*Coriolus versicolor*), 300 mg: 1–2 kapsułki dziennie

**Grupa krwi B**

- Przewiercień (*Bupleurum chinense*), 500 mg: 1 kapsułka dwa razy dziennie
- Wyciąg z grzybów maitake (*Grifola frondosa*), 500 mg: 2–3 kapsułki dwa razy dziennie (niewydzielacze)

**Grupa krwi AB**

- Traganek (*Astragalus membranaceus*), 500 mg: 1–2 kapsułki dwa razy dziennie
- Wrośniak różnobarwny (*Coriolus versicolor*), 300 mg: 1–2 kapsułki dziennie

**Grupa krwi 0**

- Standaryzowany wyciąg z czosnku (*Allium sativum*), 400 mg: 1 kapsułka dwa razy dziennie
- Cytryniec chiński (*Schizandra chinensis*), wyciąg alkoholowy: 15–25 kropel dwa razy dziennie

**Niewydzielacze**

*Dodatkowo:*

- Witamina A, 10 000 IU: 1 kapsułka dziennie

**Zalecenia ogólne do stosowania u wszystkich grup krwi**

- Suplement probiotyczny, najlepiej właściwy dla danej grupy krwi
- Arabinogalaktan z modrzewia (*Larix officinalis*) „ARA6": 1 łyżka stołowa dwa razy dziennie rozpuszczona w soku lub wodzie
- Zielona herbata: 1–3 filiżanki dziennie

---

## 19. WSPOMAGAJĄCY DZIAŁANIE WĄTROBY

*Okres stosowania: 4 tygodnie*

**Grupa krwi A**

- *Eclipta alba*, 300 mg: 1–2 kapsułki dziennie
- Wyciąg z karczochów (*Cynara scolymnus*), 160 mg standaryzowany: 1 kapsułka dwa razy dziennie
- L-glutation, 500 mg: 1 kapsułka dwa razy dziennie
- Kwas alfaliponowy, 100 mg: 1 kapsułka dwa razy dziennie

**Grupa krwi B**

- Wyciąg z buraka, 100 mg: 2 kapsułki dwa razy dziennie
- Lukrecja (*Glycyrrhiza* sp), herbatka: 1 filiżanka raz lub dwa razy dziennie[1]

- Cytrynian potasowy, 99 mg: 1 kapsułka dziennie
- Kurkuma (*Curcuma longa*), 95% kurkuminoidów, 300–500 mg: 1 kapsułka raz lub dwa razy dziennie
- Kozieradka pospolita (*Trigonella foenum- -graecuni*), 500 mg, odtłuszczone nasiona: 1–2 kapsułki dwa razy dziennie

## Grupa krwi AB

- Wyciąg z buraka, 100 mg: 2 kapsułki dwa razy dziennie
- Ostropest plamisty (*Silybum marianum*), 175 mg: 2–3 kapsułki dziennie
- Kwas alfaliponowy, 100 mg: 1 kapsułka dwa razy dziennie
- Kurkuma (*Curcuma longa*), 95% kurkuminoidów, 300–500 mg: 1 kapsułka raz lub dwa razy dziennie
- Przewiercień (*Bupleurum chinense*), 500 mg: 1 kapsułka dwa razy dziennie

## Grupa krwi 0

- Ostropest plamisty, wyciąg (*Silybum marianum*), 175 mg: 2–3 kapsułki dziennie
- Karczochy, wyciąg (*Cynara scolymnus*), 160 mg, standaryzowany, aby zawierał 13%–18% kwasu kawowego w przeliczeniu na kwas chlorogenowy: 1–2 kapsułki dziennie
- Phyllanthus (*Phyllanthus amarus*), 500 mg: 1–2 kapsułki dziennie

## Niewydzielacze
*Dodatkowo:*

- Mniszek, korzeń (*Taraxacum officinale*), 200 mg: 1–2 kapsułki dwa razy dziennie

## Zalecenia ogólne do stosowania u wszystkich grup krwi

- L-glutation, 500 mg: 1 kapsułka dwa razy dziennie

**Przypisy:**

1  Lukrecja może wywołać zatrzymywanie wody w tkankach. Powinna być stosowana z suplementem potasowym lub w połączeniu z dietą wysokopotasową.

---

## 20. WSPOMAGAJĄCY LECZENIE ANTYBIOTYKAMI
*Okres stosowania: 4 tygodnie*[1]

### Grupa krwi A

- Bromelina (enzym ananasa), 500 mg: 1–2 kapsułki z każdą dawką antybiotyku
- Jeżówka (*Echinacea purpurea*), wyciąg alkoholowy: 15 kropel dwa razy dziennie

### Grupa krwi B

- Kwas alfaliponowy, 100 mg: 2 kapsułki dziennie
- *Baptisia tinctoris* (lek homeopatyczny) (6c): 2–3 kuleczki dwa razy dziennie

### Grupa krwi AB

- Bromelina (enzym ananasa), 500 mg: 1–2 kapsułki z każdą dawką antybiotyku
- Huang Lian (*Coptidis Rhizoma*), 200 mg: 1 kapsułka dziennie[2]

### Grupa krwi 0

- Enzymy proteolityczne (pankreatyna 4x): 1 kapsułka z każdą dawką antybiotyku
- Morszczyn (*Fucus vesiculosus*), 150 mg: 1 kapsułka dziennie

### Niewydzielacze
*Dodatkowo:*

- Glutation, 100 mg: 1 kapsułka dwa razy dziennie
- Kwas kaprylowy, 250 mg: 1 kapsułka z posiłkami

### Zalecenia ogólne do stosowania u wszystkich grup krwi

- Suplement probiotyczny, najlepiej właściwy dla danej grupy krwi
- Arabinogalaktan z modrzewia (ARA6): 1 łyżka stołowa dziennie
- Multiwitamina, najlepiej właściwa dla danej grupy krwi

**Przypisy:**

1 Unikać suplementacji wapniem, jeśli stosuje się antybiotyki tetracyklinowe i chinolinowe.

2 Regularne stosowanie Huang Lian (*Coptidis Rhizoma*) w dużych dawkach (ponad 3 gramy dziennie) może wywołać biegunkę.

## 21. WSPOMAGAJĄCY ZDROWIE JELIT
*Okres stosowania: 4 tygodnie*

### Grupa krwi A
- Kwercetyna, 500 mg: 1 kapsułka z posiłkami
- Olej z nasion czarnej porzeczki, kapsułki, 500 mg: 2–3 kapsułki dziennie
- *Aloe vera*, 200 mg: 1 kapsułka podczas posiłków
- Proszek z topinambura (*Helianthus tuberosus*), 750 mg: 1 kapsułka dwa razy dziennie
- Proszek z cykorii (*Cichorium intybus*), 400 mg: 1 kapsułka dwa razy dziennie
- Korzeń łopianu (*Arctium* sp), herbatka: 1–3 filiżanki dziennie

### Grupa krwi B
- Magnez, 350 mg: 1 kapsułka dwa razy dziennie
- Tokotrienole ryżowe, 50 mg: 1–2 kapsułki dziennie
- Oman wielki (*Inula helenium*), 500 mg: 1 kapsułka z posiłkami
- Chlorofil w płynie: 1 łyżeczka dwa razy dziennie

### Grupa krwi AB
- Bydlęca siara, 500 mg: 1–2 kapsułki dwa razy dziennie
- Mniszek (*Taraxacum officinale*) 300 mg: dwa razy dziennie
- Standaryzowany wyciąg z czosnku (*Allium sativum*), 400 mg: 1 kapsułka dwa razy dziennie
- Kwercetyna, 500 mg: 1 kapsułka podczas posiłków

### Grupa krwi 0
- L-glutamina, 200 mg: 1–2 kapsułki dwa razy dziennie

- Bydlęca siara, 500 mg: 1–2 kapsułki dwa razy dziennie
- NAG (N-acetyloglukozamina), 200 mg: 1 kapsułka dwa razy dziennie
- Proszek z cykorii (*Cichorium intybus*), 400 mg: 1 kapsułka dwa razy dziennie

### Niewydzielacze
*Dodatkowo:*
- Kwas kaprylowy, 350 mg: 1–2 kapsułki dwa razy dziennie między posiłkami

### Zalecenia ogólne do stosowania u wszystkich grup krwi
- *Ghee* (klarowane masło): 1 łyżeczka dwa razy dziennie
- Odpowiedni dla grupy krwi preparat blokujący lektyny „Deflect": 1 kapsułka z posiłkami 2–3 razy dziennie
- Arabinogalaktan z modrzewia (*Larix officinalis*) „ARA6": 1 łyżka stołowa dwa razy dziennie rozpuszczona w soku lub wodzie
- Suplement probiotyczny, najlepiej właściwy dla danej grupy krwi

## 22. WSPOMAGAJĄCY ZDROWIE UKŁADU MOCZOWEGO
*Okres stosowania: 4 tygodnie*

### Grupa krwi A
- Żurawina, kapsułki 500 mg: 1–2 kapsułki dwa razy dziennie
- Mącznica lekarska (*Arctostaphylos uva-ursi*), 150–250 mg: 1–2 kapsułki dwa razy dziennie
- Znamiona kukurydzy, 150 mg: 1 kapsułka dziennie
- Brodaczka (porost) (*Usnea barbata*), wyciąg alkoholowy: 7–10 kropel na ciepłą wodę przed posiłkami

### Grupa krwi B
- Żurawina, kapsułki, 500 mg: 1–2 kapsułki dwa razy dziennie

- Koncentrat *Barosma betulina,* 250 mg: 1–2 kapsułki dwa razy dziennie
- Mącznica lekarska (*Arctostaphylos uva-ursi*), 150–250 mg: 1–2 kapsułki dwa razy dziennie

## Grupa krwi AB

- Żurawina, kapsułki 500 mg: 1–2 kapsułki dwa razy dziennie
- Gwiazdnica pospolita (*Stellaria media*), herbatka: 1–2 filiżanki dziennie
- Nać pietruszki (*Petroselinum* sp), 400 mg: 1–2 kapsułki dwa razy dziennie

## Grupa krwi 0

- Bromelina (enzym ananasa), 500 mg: 1–2 kapsułki dwa razy dziennie
- Mącznica lekarska (*Arctostaphylos uva-ursi*), 150–250 mg: 1–2 kapsułki dwa razy dziennie
- Skrzyp polny (*Equisetum arvense*) 500 mg: 1 kapsułka dwa razy dziennie

## Niewydzielacze

*Dodatkowo:*

- Witamina A, 10 000 IU: 1 kapsułka dziennie
- Preparat blokujący lektyny, właściwy dla danej grupy krwi („Deflect"): 1 kapsułka z posiłkami 2–3 razy dziennie

**Zalecenia ogólne do stosowania u wszystkich grup krwi**

- Witamina C (z aceroli lub owoców dzikiej róży), 250 mg: 1 kapsułka dwa razy dziennie
- Suplement probiotyczny, najlepiej właściwy dla danej grupy krwi

---

## 23. WSPOMAGAJĄCY ZDROWIE UKŁADU NERWOWEGO

*Okres stosowania: 4 tygodnie*

## Grupa krwi A

- Metylokobalamina („aktywna $B_{12}$"), 400 mcg: 1 kapsułka przed snem
- Dwuwinian choliny, 500 mg: 1–2 kapsułki dziennie

- DHA (kwas dokozaheksaenowy), 100 mg: 1 kapsułka dwa razy dziennie
- Vinpocetin, 25 mg: 1 kapsułka dwa razy dziennie

## Grupa krwi B

- NADH (Dinukleotyd nikotynoamidoadeninowy), 50 mg: 1 tabletka dwa razy dziennie
- DHA (kwas dokozaheksaenowy), 100 mg: 1 kapsułka dwa razy dziennie
- Inozytol, 250 mg: 1–2 kapsułki dziennie
- Bernardynek (drapacz lekarski) (*Cnicus benedictus*) 250 mg: 1–2 kapsułki dziennie

## Grupa krwi AB

- DHA (kwas dokozaheksaenowy), 100 mg: 1 kapsułka dwa razy dziennie
- Dwuwinian choliny, 500 mg: 1–2 kapsułki dziennie
- Vinpocetin, 25 mg: 1 kapsułka dwa razy dziennie
- L-glutamina, 250 mg: 1 kapsułka dwa razy dziennie

## Grupa krwi 0

- Metylokobalamina („aktywna $B_{12}$"), 400 mcg: 1 kapsułka przed snem
- Bernardynek (drapacz lekarski) (*Cnicus benedictus*) 250 mg: 1– 2 kapsułki dziennie
- NADH (dinukleotyd nikotynoamidoadeninowy), 50 mg: 1 tabletka, dwa razy dziennie
- Fosfatydyloseryna, 100 mg: 2 kapsułki dziennie

**Zalecenia ogólne do stosowania u wszystkich grup krwi**

- Wyciąg *Avene sativa,* 250 mg: 1–2 kapsułki dziennie

---

## 24. WSPOMAGAJĄCY ZDROWIE ZATOK

*Okres stosowania: 4 tygodnie*

## Grupa krwi A

- *Collinsonia canadensis* (ang. *stone root*) 200 mg: 1–2 kapsułki dwa razy dziennie

- Liść pokrzywy (*Urtica dioica*), 500 mg: 1–2 kapsułki dwa razy dziennie między posiłkami

**Grupa krwi B**

- Kwiat magnolii (*Magnolia lilflora*), 50 mg: 1–2 kapsułki dwa razy dziennie
- *Baptisia tinctoria* (ang. *wild indigo*), wyciąg alkoholowy: 3–7 kropel dwa razy dziennie

**Grupa krwi AB**

- *Collinsonia canadensis* (ang. *stone root*), 200 mg: 1–2 kapsułki dwa razy dziennie
- Liść pokrzywy (*Urtica dioica*), 500 mg: 1–2 kapsułki dwa razy dziennie między posiłkami

**Grupa krwi 0**

- Liść pokrzywy (*Urtica dioica*), 500 mg: 1–2 kapsułki dwa razy dziennie między posiłkami
- MSM (metylosulfonylometan), 500 mg: 1–2 kapsułki dwa razy dziennie

**Niewydzielacze**
*Dodatkowo:*

- Witamina A, 10 000 IU: 1 kapsułka dziennie
- Bez lekarski, koncentrat, „Proberry": 1 łyżeczka dwa razy dziennie

**Zalecenia ogólne do stosowania u wszystkich grup krwi**

- Witamina C (z aceroli lub owoców dzikiej róży), 250 mg: 1 kapsułka dwa razy dziennie
- „Neti Pot" – rodzaj kubeczka do oczyszczania przewodu nosowego.
- *Eriodictyon californicum*, wyciąg alkoholowy: 10–15 kropel dwa razy dziennie na ciepłą wodę
- Olejek anyżkowy (*Pimpinella anisum*): dodawać do nebulizera

---

## 25. WSPOMAGAJĄCY ZDROWIE ŻOŁĄDKA
*Okres stosowania: 4 tygodnie*

---

**Grupa krwi A**

- Brodaczka (porost) (*Usnea barbata*), wyciąg alkoholowy: 7–10 kropel na ciepłą wodę przed posiłkami

- Goryczka żółta (*Gentiana lutea*) wyciąg alkoholowy: 5 kropel na ciepłą wodę przed posiłkami
- Natrium carbonicum (6c) (homeopatyczna sól ustrojowa): 2–5 tabletek między posiłkami

**Grupa krwi B**

- Prawoślaz lekarski (*Althea officinalis*) 250 mg: 1 kapsułka z posiłkami 1–2 razy dziennie
- Sproszkowana kapusta, 400 mg: 1 kapsułka z posiłkami 1–2 razy dziennie
- Kozieradka pospolita (*Trigonella foenum-graecurn*), 500 mg odtłuszczone nasiona: 1 kapsułka dwa razy dziennie
- L-glicyna, 250 mg: 1 kapsułka dwa razy dziennie

**Grupa krwi AB**

- Wiąz gładki (*Ulmus rubra*), 250 mg: 1 kapsułka dwa razy dziennie
- Nać pietruszki (*Petroselinum sp*), 400 mg: 1–2 kapsułki dwa razy dziennie
- Lukrecja (*Glycyrrhiza* sp), 150 mg, kapsułki lub tabletki do żucia: jedna przed posiłkami[1]

**Grupa krwi 0**

- Morszczyn (*Fucus vesiculosus*), 100 mg: 1–2 kapsułki z posiłkami 2–3 razy dziennie
- Lukrecja (*Glycyrrhiza* sp), 150 mg kapsułki lub tabletki do żucia: jedna przed posiłkami[1]
- Bodziszek (*Geranium maculatum*), 250 mg: 1 kapsułka z posiłkami 1–2 razy dziennie
- L-glicyna, 250 mg: 1 kapsułka dwa razy dziennie

**Niewydzielacze**
*Dodatkowo:*

- Preparat blokujący lektyny, właściwy dla danej grupy krwi („Deflect"): 1 kapsułka z posiłkami 2–3 razy dziennie
- Suplement probiotyczny, najlepiej właściwy dla danej grupy krwi

**Zalecenia ogólne do stosowania u wszystkich grup krwi**

- Korzeń imbiru (*Zingiber officinalis*), 200 mg: 1 kapsułka przed posiłkami

Przypisy:
1 Deglicyryzowana (DGL) nie daje skutków ubocznych.

## 26. WZMACNIAJĄCY PŁUCA

*Okres stosowania: 6 tygodni*

### Grupa krwi A

- Kwercetyna, 500 mg: 1 kapsułka podczas posiłków
- Chrzan, korzeń (*Cochlearia armoracia*), świeży: 0,5–1 łyżeczka dwa razy dziennie
- *Tribulus terrestris* (ang. *caltrop*), 150 mg: 1 kapsułka dziennie
- MSM (metylosulfonylometan), 500 mg: 1–2 kapsułki dwa razy dziennie

### Grupa krwi B

- N-acetylocysteina, 500 mg: 1 kapsułka dwa razy dziennie
- Tymianek (*Thymus vulgaris*), wyciąg alkoholowy: 5–10 kropel dwa razy dziennie
- Imbir (*Zingiber* sp), 1,5% olejek: 1–2 kapsułki dwa razy dziennie

### Grupa krwi AB

- Kwercetyna, 500 mg: 1 kapsułka z posiłkami 2–3 razy dziennie
- Imbir (*Zingiber* sp), 1,5% olejek: 1–2 kapsułki dwa razy dziennie
- Szanta zwyczajna (*Marrubium vulgare*), wyciąg alkoholowy: 7–10 kropel dziennie
- MSM (metylosulfonylometan), 500 mg: 1-2 kapsułki dwa razy dziennie

### Grupa krwi 0

- N-acetylocysteina 500 mg: 1 kapsułka dwa razy dziennie
- *Noni* (*Morinda citrifolia*), wyciąg z owoców 250 mg: 1–2 kapsułki dziennie
- Dziewanna drobnokwiatowa (*Verbascum thapsus*), herbatka: 1–2 filiżanki dziennie

### Niewydzielacze

*Dodatkowo:*

- Witamina A, 10 000 IU: 1 kapsułka dziennie
- Koenzym $Q_{10}$, 3 mg: 1–2 razy dziennie podczas posiłków

### Zalecenia ogólne do stosowania u wszystkich grup krwi

- Arabinogalaktan z modrzewia (*Larix officinalis*) „ARA6": 1 łyżka stołowa dwa razy dziennie rozpuszczona w soku lub wodzie
- Cynk 15 mg: dziennie
- Witamina C (z aceroli lub owoców dzikiej róży), 250 mg: 1 kapsułka dwa razy dziennie

## 27. WZMACNIAJĄCY UKŁAD ODPORNOŚCIOWY

*Okres stosowania: 4 tygodnie*

### Grupa krwi A

- Cynk, 25 mg: 1 kapsułka dziennie
- Witamina A, 10 000 IU: 1 kapsułka dziennie
- Traganek (*Astragalus membranaceus*), 500 mg: 1–2 kapsułki dwa razy dziennie
- Witamina C (najlepiej z aceroli lub owoców dzikiej róży), 250 mg: 1 kapsułka dziennie

### Grupa krwi B

- Wyciąg z grzybów *maitake* (*Grifola frondosa*), 500 mg: 2–3 kapsułki dwa razy dziennie
- Kordyceps (*Cordyceps sinensis*), 500 mg: 1–2 kapsułki dwa razy dziennie
- Chiński jęczmień (*Coix lacryma-jobi*), 250 mg: 1–2 kapsułki dwa razy dziennie
- L-arginina, 250 mg: 1–2 kapsułki dwa razy dziennie
- Szałwia (*Salvia officinalis*), wyciąg alkoholowy: 7–15 kropel dwa razy dziennie

### Grupa krwi AB

- Cynk, 25 mg: 1 kapsułka dziennie
- Traganek (*Astragalus membranaceus*), 500 mg: 1–2 kapsułki dwa razy dziennie
- Lakownica (grzyb *reishi*) (*Ganoderma senensis*), 500 mg: 1 kapsułka dwa razy dziennie
- Witamina C (z aceroli lub owoców dzikiej róży), 250 mg: 1 kapsułka dziennie

## Grupa krwi 0

- *Isatis tinctoris* (ang. *woad root*), 400 mg lub herbatka: 1 kapsułka dwa razy dziennie (zamiennie 1 filiżanka herbatki dwa razy dziennie)
- Lakownica (grzyb *reishi*) (*Ganoderma senensis*), 500 mg: 1 kapsułka dwa razy dziennie
- *Andrographis paniculata*, 350 mg: 1 kapsułka dwa lub trzy razy dziennie[1]
- *Ligusticum porteri* (ang. *osha root*), 250 mg: 1 kapsułka dwa razy dziennie[2]

### Niewydzielacze
*Dodatkowo:*

- Koncentrat bzu lekarskiego „Proberry": 1 łyżeczka dwa razy dziennie
- *Codonopsitis lanceolate*, 400 mg: 1 kapsułka dwa razy dziennie

### Zalecenia ogólne do stosowania u wszystkich grup krwi

- Arabinogalaktan z modrzewia (*Larix officinalis*) „ARA6": 1 łyżka stołowa dwa razy dziennie rozpuszczona w soku lub wodzie
- Suplement probiotyczny, najlepiej właściwy dla danej grupy krwi
- Multiwitamina, najlepiej właściwa dla danej grupy krwi

**Przypisy:**

1 Preparat *Andrographis paniculata* nie powinien być stosowany dłużej niż 3 tygodnie.
2 *Ligusticum porteri* jest, niestety, gatunkiem zagrożonym wyginięciem.

---

## 28. ZAPOBIEGAJĄCY NOWOTWOROM

*Okres stosowania: 4 tygodnie, przerwa 4 tygodnie, potem od nowa*

---

## Grupa krwi A

- Kwercetyna, 500 mg: 1 kapsułka dwa razy dziennie
- Wyciąg z grzybów *maitake* (*Grifola frondosa*), 500 mg: 2–3 kapsułki dwa razy dziennie

- Kurkuma (*Curcuma longa*), 95% kurkuminoidów, 300–500 mg: 1 kapsułka raz lub dwa razy dziennie
- Estragon (*Artemisia dracunculus*): 100 mg dziennie
- Korzeń łopianu (*Arctium* sp) herbatka: 1–3 filiżanki dziennie
- Noni (*Morinda citrifolia*) wyciąg z owoców, 250 mg: 1–2 kapsułki dziennie
- Winniczki (*Helix pomatia*), „Helix plus": 1–2 kapsułki dziennie

## Grupa krwi B

- Wrośniak różnobarwny (*Coriolus versicolor*), 300 mg: 1–2 kapsułki dziennie
- Traganek (*Astragalus membranaceus*), 500 mg: 1–2 kapsułki dwa razy dziennie
- Selen, 50 mcg: 1–2 kapsułki dwa razy dziennie
- Koper włoski (*Foeniculum vulgare*), 250 mg: 1– 2 kapsułki dziennie

## Grupa krwi AB

- Kwercetyna, 500 mg: 1 kapsułka dwa razy dziennie
- Selen, 50 mcg: 1–2 kapsułki dwa razy dziennie
- Kurkuma (*Curcuma longa*), 95% kurkuminoidów, 300–500 mg: 1 kapsułka raz lub dwa razy dziennie
- Bazylia (*Ocimum basilicum*), 100–250 mg: 1 kapsułka dziennie
- Winniczek (*Helix pomatia*), „Helix plus": 1–2 kapsułki dziennie

## Grupa krwi 0

- Wyciąg z grzybów *maitake* (*Grifola frondosa*), 500 mg: 2–3 kapsułki dwa razy dziennie
- Traganek (*Astragalus membranaceus*), 500 mg: 1–2 kapsułki dwa razy dziennie
- Rozmaryn (*Romarinus* sp) wyciąg 5:1 koncentrat, 50 mg: 1 kapsułka dziennie
- Estragon (*Artemisia dracunculus*): 100 mg dziennie

### Niewydzielacze
*Dodatkowo:*

- Suplement probiotyczny, najlepiej właściwy dla danej grupy krwi

**Zalecenia ogólne do stosowania u wszystkich grup krwi**

- Koenzym $Q_{10}$, 30 mg: 2 kapsułki dziennie
- Herbata zielona: 1–3 filiżanki dziennie
- Szczepionka przeciw durowi brzusznemu (injekcja): powtarzać co 3–5 lat
- Arabinogalaktan z modrzewia (*Larix officinalis*) „ARA6": 1 łyżka stołowa dwa razy dziennie rozpuszczona w soku lub wodzie

## 29. ZDROWOTNY DLA MĘŻCZYZN
*Okres stosowania: 4 tygodnie*

**Grupa krwi A**

- Korzeń pokrzywy (*Urtica dioica*), „UDA Plus", 200 mg: 1–2 kapsułki dwa razy dziennie
- Palma sabalowa (bocznia) (*Serenoa* sp), 50–100 mg wyciągu z owoców, tak standaryzowanego, aby zawierał 85–95% kwasów tłuszczowych i steroli: 1–2 kapsułki dwa razy dziennie
- *Chaemelirium luteum* (ang. *false unicorn root*), wyciąg alkoholowy: 10–15 kropel dwa razy dziennie na ciepłą wodę
- Pestki dyni (*Cucurbita pepo*): 1–3 garście dziennie

**Grupa krwi B**

- Palma sabalowa (bocznia) (*Serenoa* sp), 50–100 mg wyciągu z nasion, tak standaryzowanego, aby zawierał 85–95% kwasów tłuszczowych i steroli: 1–2 kapsułki dwa razy dziennie
- L-arginina, 250 mg: 1–2 kapsułki dwa razy dziennie
- *Myroxylon pereira* (ang. *peruvian balsam bark*), 50 mg: 1–2 kapsułki dziennie

**Grupa krwi AB**

- Palma sabalowa (bocznia) (*Serenoa* sp), 50–100 mg wyciągu z owoców, tak standaryzowanego, by zawierał 85–95% kwasów tłuszczowych i steroli: 1–2 kapsułki dwa razy dziennie
- L-arginina, 250 mg: 1–2 kapsułki dwa razy dziennie

- Likopen (barwnik m.in. pomidora), wyciąg, 3 mg: 1–2 kapsułki dziennie

**Grupa krwi 0**

- Korzeń pokrzywy (*Urtica dioica*), „UDA Plus", 200 mg: 1–2 kapsułki dwa razy dziennie
- *Pygeum africanum*, wyciąg, 50 mg: 1–2 kapsułki dziennie
- *Eclipta alba*, 100 mg: 1 kapsułka dwa razy dziennie
- *Agonandra racemosa* (ang. *man vine*), wyciąg alkoholowy: 6–15 kropel raz lub dwa razy dziennie
- Pestki dyni (*Cucurbita pepo*): 1–5 garści dziennie

**Zalecenia ogólne do stosowania u wszystkich grup krwi**

- Cynk, 25 mg: 1 kapsułka dziennie
- L-alanina, 250 mg: 1 kapsułka dwa razy dziennie
- L-glicyna, 250 mg: 1 kapsułka dwa razy dziennie

## 30. ZWALCZAJĄCY ZMĘCZENIE
*Okres stosowania: 4 tygodnie*

**Grupa krwi A**

- Metylokobalamina (aktywna witamina $B_{12}$), 400 mcg: 1 kapsułka przed snem
- *Ashwaganda* (*Withania somnifera*), 250 mg: 1 kapsułka dwa razy dziennie
- Dinukleotyd nikotynoamidoadeninowy (NADH), 10–20 mg: 1 kapsułka rano
- Kwas pantotenowy, 250 mg: 1–2 kapsułki dwa razy dziennie
- Witamina C (z aceroli lub owoców dzikiej róży), 250 mg: 1 kapsułka dwa razy dziennie

**Grupa krwi B**

- Żeń-szeń syberyjski (*Eleutherococcus senticosus*), 250 mg: 1 kapsułka dwa razy dziennie
- Magnez, 350 mg: 2 kapsułki dwa razy dziennie
- Melatonina, 3 mg: 1 kapsułka przed snem

- Lukrecja (*Glycyrrhiza* sp): 1 filiżanka dwa razy dziennie[1]
- Potas, 99 mg, dwa razy dziennie

## Grupa krwi AB

- Żeń-szeń (*Panax* sp), 250 mg: 1 kapsułka dwa razy dziennie
- Dinukleotyd nikotynoamidoadeninowy (NADH): 10–20 mg rano
- Lukrecja (*Glycyrrhiza* sp): 1 filiżanka dwa razy dziennie[1]
- Potas, 99 mg: 1 kapsułka dwa razy dziennie
- Witamina C (z aceroli lub owoców dzikiej róży), 250 mg: 1 kapsułka dwa razy dziennie

## Grupa krwi 0

- Metylokobalamina (aktywna $B_{12}$), 400 mcg: 1 kapsułka przed snem
- Różeniec górski (*Rhodiola rosea*), 250 mg: 1–2 kapsułki dwa razy dziennie
- L-tyrozyna, 250 mg: 1 kapsułka dwa razy dziennie

- Koleus (*Coleus forskohlii*), 150 mg: 1 kapsułka dwa razy dziennie
- Kolcorośl (sarsaparyla) (*Smilax* sp) wyciąg standaryzowany, 150 mg: 1 kapsułka dwa razy dziennie

### Niewydzielacze
*Dodatkowo:*

- Koenzym $Q_{10}$, 30 mg: 1 kapsułka dwa razy dziennie podczas obfitego posiłku (niewydzielacze)

### Zalecenia ogólne do stosowania u wszystkich grup krwi

- Multiwitamina, najlepiej właściwa dla danej grupy krwi
- Suplement probiotyczny, najlepiej właściwy dla danej grupy krwi

Przypisy:
1 Lukrecja może wywołać zatrzymywanie wody w tkankach. Powinna być stosowana z suplementem potasowym lub w połączeniu z dietą wysokopotasową.

# Rozdział 2

# Baza danych
# na temat pokarmów

## ⬛ MIĘSO

| Produkt | Grupa krwi A | Grupa krwi B | Grupa krwi AB | Grupa krwi 0 |
|---------|--------------|--------------|---------------|--------------|
| Baranina | UNIKAĆ: niewydolność wydzielnicza; może wywołać zachwianie równowagi jelitowej; podwyższa poziom poliamin; hamuje normalne funkcje żołądka lub wchłanianie<br><br>Niewydzielacze: OBOJĘTNY | KORZYSTNY: dużo składników odżywczych | OBOJĘTNY<br><br>Niewydzielacze: KORZYSTNY | KORZYSTNY: dostarcza wysokojakościowych białek; zwiększa masę mięśni |

## ▓ MIĘSO

| Produkt | Grupa krwi A | Grupa krwi B | Grupa krwi AB | Grupa krwi 0 |
|---|---|---|---|---|
| **Bekon/szynka/ /wieprzowina** | UNIKAĆ: wywołuje nienormalne reakcje we krwi; hamuje normalne funkcje żołądka lub wchłanianie | UNIKAĆ: wywołuje nienormalne reakcje we krwi | UNIKAĆ: zawiera składnik, który może modyfikować dotychczasową podatność na choroby | UNIKAĆ: wywołuje nienormalne reakcje we krwi; zawiera składnik, który może modyfikować dotychczasową podatność na choroby |
| **Cielęcina** | UNIKAĆ: niewydolność wydzielnicza; podwyższa poziom poliamin lub indykanu; hamuje normalne funkcje żołądka lub wchłanianie | OBOJĘTNY | UNIKAĆ: niewydolność wydzielnicza; podwyższa poziom poliamin lub indykanu; hamuje normalne funkcje żołądka lub wchłanianie | KORZYSTNY: dostarcza wysokojakościowych białek; zwiększa masę mięśni |
| **Cietrzew** | OBOJĘTNY | UNIKAĆ: wywołuje nienormalne reakcje we krwi | UNIKAĆ: wywołuje nienormalne reakcje we krwi | OBOJĘTNY |
| **Dziczyzna** | UNIKAĆ: niewydolność wydzielnicza; podwyższa poziom poliamin lub indykanu; hamuje normalne funkcje żołądka lub wchłanianie | KORZYSTNY: dużo składników odżywczych | UNIKAĆ: zawiera składnik, który może modyfikować dotychczasową podatność na choroby<br><br>Niewydzielacze: OBOJĘTNY | KORZYSTNY: dostarcza wysokojakościowych białek; zwiększa masę mięśni |
| **Jagnięcina** | UNIKAĆ: niewydolność wydzielnicza; może wywołać zachwianie równowagi jelitowej; podwyższa poziom poliamin lub indykanu; hamuje normalne funkcje żołądka lub wchłanianie | KORZYSTNY: dużo składników odżywczych | OBOJĘTNY<br><br>Niewydzielacze: KORZYSTNY | KORZYSTNY: dostarcza wysokojakościowych białek; zwiększa masę mięśni<br><br>Niewydzielacze: OBOJĘTNY |
| **Kaczka** | UNIKAĆ: niewydolność wydzielnicza; podwyższa poziom poliamin lub indykanu; hamuje normalne funkcje żołądka lub wchłanianie<br><br>Niewydzielacze: OBOJĘTNY | UNIKAĆ: wywołuje nienormalne reakcje we krwi | UNIKAĆ: zawiera składnik, który może modyfikować dotychczasową podatność na choroby | OBOJĘTNY |

## MIĘSO c.d.

| Produkt | Grupa krwi A | Grupa krwi B | Grupa krwi AB | Grupa krwi 0 |
|---|---|---|---|---|
| Konina | UNIKAĆ: niewydolność wydzielnicza; może wywołać zachwianie równowagi jelitowej; podwyższa poziom poliamin lub indykanu; hamuje normalne funkcje żołądka lub wchłanianie | UNIKAĆ: podwyższa poziom poliamin lub indykanu<br><br>Niewydzielacze: OBOJĘTNY | UNIKAĆ: niewydolność wydzielnicza; może wywołać zachwianie równowagi jelitowej | OBOJĘTNY |
| Kura rasy cornish | OBOJĘTNY | UNIKAĆ: zawiera lektynę lub inną aglutyninę | UNIKAĆ: zawiera lektynę lub inną aglutyninę | OBOJĘTNY |
| Kurczak | OBOJĘTNY | UNIKAĆ: zawiera lektynę lub inną aglutyninę | UNIKAĆ: zawiera lektynę lub inną aglutyninę | OBOJĘTNY |
| Mięso bawołu | UNIKAĆ: niewydolność wydzielnicza; może wywołać zachwianie równowagi jelitowej; podwyższa poziom poliamin lub indykanu; hamuje normalne funkcje żołądka lub wchłanianie | OBOJĘTNY | UNIKAĆ: zawiera składnik, który może modyfikować dotychczasową podatność na choroby | KORZYSTNY: dostarcza wysokojakościowych białek; zwiększa masę mięśni |
| Mięso bażanta | UNIKAĆ: niewydolność wydzielnicza; podwyższa poziom poliamin lub indykanu; hamuje normalne funkcje żołądka lub wchłanianie<br><br>Niewydzielacze: OBOJĘTNY | OBOJĘTNY | OBOJĘTNY | OBOJĘTNY<br><br>Niewydzielacze: KORZYSTNY |
| Mięso gęsi | UNIKAĆ: niewydolność wydzielnicza; podwyższa poziom poliamin lub indykanu; hamuje normalne funkcje żołądka lub wchłanianie<br><br>Niewydzielacze: OBOJĘTNY | UNIKAĆ: zawiera lektynę lub inną aglutyninę; podwyższa poziom poliamin lub indykanu | UNIKAĆ: niewydolność wydzielnicza; powoduje brak równowagi jelitowej | OBOJĘTNY |

## MIĘSO c.d.

| Produkt | Grupa krwi A | Grupa krwi B | Grupa krwi AB | Grupa krwi 0 |
|---|---|---|---|---|
| **Mięso młodego gołębia** | OBOJĘTNY | UNIKAĆ: niewydolność wydzielnicza; podwyższa poziom poliamin lub indykanu<br><br>Niewydzielacze: OBOJĘTNY | UNIKAĆ: zawiera lektynę lub inną aglutyninę; wywołuje nieprawidłowe reakcje we krwi | OBOJĘTNY<br><br>Niewydzielacze: KORZYSTNY |
| **Mięso indyka** | OBOJĘTNY<br><br>Niewydzielacze: KORZYSTNY | OBOJĘTNY | KORZYSTNY: zdrowa alternatywa dla bardziej powszechnych pokarmów, zaklasyfikowanych jako szkodliwe | OBOJĘTNY |
| **Mięso kozie** | UNIKAĆ: niewydolność wydzielnicza; powoduje brak równowagi jelitowej; podwyższa poziom poliamin lub indykanu; hamuje normalne funkcje żołądka lub wchłanianie | KORZYSTNY: dużo składników odżywczych | OBOJĘTNY | OBOJĘTNY |
| **Mięso królika** | UNIKAĆ: niewydolność wydzielnicza; może wywołać zachwianie równowagi jelitowej; hamuje normalne funkcje żołądka lub wchłanianie<br><br>Niewydzielacze: OBOJĘTNY | KORZYSTNY: dużo składników odżywczych | OBOJĘTNY<br><br>Niewydzielacze: KORZYSTNY | OBOJĘTNY<br><br>Niewydzielacze: KORZYSTNY |
| **Mięso kuropatwy** | UNIKAĆ: niewydolność wydzielnicza; podwyższa poziom poliamin lub indykanu; hamuje normalne funkcje żołądka lub wchłanianie<br><br>Niewydzielacze: OBOJĘTNY | UNIKAĆ: zawiera lektynę lub inną aglutyninę; podwyższa poziom poliamin lub indykanu | UNIKAĆ: zawiera lektynę lub inną aglutyninę | OBOJĘTNY<br><br>Niewydzielacze: KORZYSTNY |

## MIĘSO c.d.

| Produkt | Grupa krwi A | Grupa krwi B | Grupa krwi AB | Grupa krwi 0 |
|---------|--------------|--------------|---------------|--------------|
| **Mięso przepiórki** | UNIKAĆ: niewydolność wydzielnicza; może wywołać zachwianie równowagi jelitowej; podwyższa poziom poliamin lub indykanu; hamuje normalne funkcje żołądka lub wchłanianie<br><br>Niewydzielacze: OBOJĘTNY | UNIKAĆ: podwyższa poziom poliamin lub indykanu | UNIKAĆ<br><br>Niewydzielacze: OBOJĘTNY | UNIKAĆ<br><br>Niewydzielacze: OBOJĘTNY |
| **Mięso strusia** | OBOJĘTNY | OBOJĘTNY | OBOJĘTNY | OBOJĘTNY<br><br>Niewydzielacze: KORZYSTNY |
| **Mięso wiewiórki** | UNIKAĆ: niewydolność wydzielnicza; może wywołać zachwianie równowagi jelitowej; podwyższa poziom poliamin lub indykanu; hamuje normalne funkcje żołądka lub wchłanianie | UNIKAĆ: wywołuje nieprawidłowe reakcje we krwi; podwyższa poziom poliamin lub indykanu | UNIKAĆ: zawiera lektynę lub inną aglutyninę; wywołuje nieprawidłowe reakcje we krwi | OBOJĘTNY |
| **Mięso żółwia** | UNIKAĆ: wywołuje nieprawidłowe reakcje we krwi<br><br>Niewydzielacze: OBOJĘTNY | UNIKAĆ: wywołuje nieprawidłowe reakcje we krwi | UNIKAĆ: wywołuje nieprawidłowe reakcje we krwi | UNIKAĆ<br><br>Niewydzielacze: OBOJĘTNY |
| **Nerkówka** | UNIKAĆ: niewydolność wydzielnicza; może wywołać zachwianie równowagi jelitowej; podwyższa poziom poliamin lub indykanu; hamuje normalne funkcje żołądka lub wchłanianie | UNIKAĆ: podwyższa poziom poliamin lub indykanu<br><br>Niewydzielacze: OBOJĘTNY | UNIKAĆ: podwyższa poziom poliamin lub indykanu | KORZYSTNY: dostarcza wysokojakościowych białek; zwiększa masę mięśni |
| **Perliczka** | OBOJĘTNY | UNIKAĆ: zawiera lektynę lub inną aglutyninę | UNIKAĆ: zawiera lektynę lub inną aglutyninę | OBOJĘTNY |

## ■ MIĘSO c.d.

| Produkt | Grupa krwi A | Grupa krwi B | Grupa krwi AB | Grupa krwi 0 |
|---|---|---|---|---|
| Serca (wołowe) | UNIKAĆ: niewydolność wydzielnicza; może wywołać zachwianie równowagi jelitowej; podwyższa poziom poliamin lub indykanu; hamuje normalne funkcje żołądka lub wchłanianie | UNIKAĆ: podwyższa poziom poliamin lub indykanu<br><br>Niewydzielacze: OBOJĘTNY | UNIKAĆ: zawiera składnik, który może modyfikować dotychczasową podatność na choroby | KORZYSTNY: dostarcza wysokojakościowych białek; zwiększa masę mięśni |
| Wątroba (cielęca) | UNIKAĆ: niewydolność wydzielnicza; może wywołać zachwianie równowagi jelitowej; podwyższa poziom poliamin lub indykanu; hamuje normalne funkcje żołądka lub wchłanianie | OBOJĘTNY<br><br>Niewydzielacze: KORZYSTNY | OBOJĘTNY | KORZYSTNY: dostarcza wysokojakościowych białek; zwiększa masę mięśni<br><br>Niewydzielacze: OBOJĘTNY |
| Wołowina | UNIKAĆ: niewydolność wydzielnicza; może wywołać zachwianie równowagi jelitowej; podwyższa poziom poliamin lub indykanu; hamuje normalne funkcje żołądka lub blokuje wchłanianie | OBOJĘTNY | UNIKAĆ: zawiera składnik, który może modyfikować dotychczasową podatność na choroby | KORZYSTNY: dostarcza wysokojakościowych białek; zwiększa masę mięśni |

## ■ RYBY I OWOCE MORZA

| Produkt | Grupa krwi A | Grupa krwi B | Grupa krwi AB | Grupa krwi 0 |
|---|---|---|---|---|
| Aloza (puzanek) | UNIKAĆ: zawiera lektynę lub inną aglutyninę; inhibitor metaboliczny; hamuje normalne funkcje żołądka lub blokuje wchłanianie | KORZYSTNY: dużo składników odżywczych | KORZYSTNY: dużo składników odżywczych; zawiera składnik, który może pozytywnie modyfikować dotychczasową podatność na choroby | KORZYSTNY: dużo składników odżywczych; zwiększa masę mięśni |
| Barakuda | UNIKAĆ: zawiera lektynę lub inną aglutyninę; inhibitor metaboliczny; hamuje normalne funkcje żołądka lub blokuje wchłanianie | UNIKAĆ: wywołuje nienormalne reakcje we krwi<br><br>Niewydzielacze: OBOJĘTNY | UNIKAĆ: zawiera lektynę lub inną aglutyninę | UNIKAĆ: potęguje zachwianie równowagi jelitowej |
| Bass słoneczny | OBOJĘTNY | OBOJĘTNY | OBOJĘTNY | OBOJĘTNY |

## RYBY I OWOCE MORZA c.d.

| Produkt | Grupa krwi A | Grupa krwi B | Grupa krwi AB | Grupa krwi 0 |
|---|---|---|---|---|
| **Bassy** | UNIKAĆ: zawiera lektynę lub inną aglutyninę; inhibitor metaboliczny; hamuje normalne funkcje żołądka lub blokuje wchłanianie | UNIKAĆ: wywołuje nienormalne reakcje we krwi | UNIKAĆ: wywołuje nienormalne reakcje we krwi | KORZYSTNY: dużo składników odżywczych; zwiększa masę mięśni |
| **Bassy morskie (różne gatunki)** | OBOJĘTNY | UNIKAĆ: zawiera lektynę lub inną aglutyninę | UNIKAĆ: wywołuje nienormalne reakcje we krwi | KORZYSTNY<br><br>Niewydzielacze: OBOJĘTNY |
| **Bieługa** | UNIKAĆ: zawiera lektynę lub inną aglutyninę; inhibitor metaboliczny; hamuje normalne funkcje żołądka lub blokuje wchłanianie<br><br>Niewydzielacze: OBOJĘTNY | UNIKAĆ: podwyższa poziom poliamin lub indykanu | UNIKAĆ: podwyższa poziom poliamin lub indykanu | OBOJĘTNY |
| **Błyszczyk (*butterfish*)** | OBOJĘTNY | UNIKAĆ: podwyższa poziom poliamin lub indykanu<br><br>Niewydzielacze: OBOJĘTNY | OBOJĘTNY | OBOJĘTNY |
| **Brosma (*cusk*)** | OBOJĘTNY<br><br>Niewydzielacze: KORZYSTNY | OBOJĘTNY | OBOJĘTNY | OBOJĘTNY |
| **Czukuczan** | OBOJĘTNY<br><br>Niewydzielacze: KORZYSTNY | OBOJĘTNY | OBOJĘTNY | OBOJĘTNY |
| **Dorsz** | KORZYSTNY: dużo składników odżywczych; zawiera składnik, który pozytywnie modyfikuje dotychczasową podatność na choroby | KORZYSTNY: dużo składników odżywczych | KORZYSTNY: dużo składników odżywczych; zawiera składnik, który pozytywnie modyfikuje dotychczasową podatność na choroby | KORZYSTNY: dużo składników odżywczych; zwiększa masę mięśni |

## ■ RYBY I OWOCE MORZA c.d.

| Produkt | Grupa krwi A | Grupa krwi B | Grupa krwi AB | Grupa krwi 0 |
|---|---|---|---|---|
| **Flądra** | UNIKAĆ: zawiera lektynę lub inną aglutyninę; inhibitor metaboliczny; wywołuje nienormalne reakcje we krwi; hamuje normalne funkcje żołądka lub blokuje wchłanianie<br><br>Niewydzielacze: OBOJĘTNY | KORZYSTNY: dużo składników odżywczych<br><br>Niewydzielacze: OBOJĘTNY | UNIKAĆ: zawiera lektynę lub inną aglutyninę | OBOJĘTNY |
| **Głowacz** | OBOJĘTNY | OBOJĘTNY | OBOJĘTNY | OBOJĘTNY |
| **Granik** | UNIKAĆ: zawiera lektynę lub inną aglutyninę; inhibitor metaboliczny; wywołuje reakcje we krwi (nie-lektynowe); hamuje normalne funkcje żołądka lub blokuje wchłanianie<br><br>Niewydzielacze: OBOJĘTNY | KORZYSTNY: dużo składników odżywczych | KORZYSTNY: dużo składników odżywczych; zawiera składnik dodatnio modyfikujący wcześniejszą podatność na choroby | OBOJĘTNY |
| **Halibut** | UNIKAĆ: zawiera lektynę lub inną aglutyninę; inhibitor metaboliczny; hamuje normalne funkcje żołądka lub blokuje wchłanianie<br><br>Niewydzielacze: OBOJĘTNY | KORZYSTNY: dużo składników odżywczych<br><br>Niewydzielacze: NEUTRALNY | OBOJĘTNY: zawiera lektynę lub inną aglutyninę | WSKAZANY<br><br>Niewydzielacze: OBOJĘTNY |
| **Homar** | UNIKAĆ: niewydolność wydzielnicza; wywołuje nienormalne reakcje we krwi; hamuje normalne funkcje żołądka lub blokuje wchłanianie | UNIKAĆ: wywołuje nienormalne reakcje we krwi; podwyższa poziom poliamin i indykanu | UNIKAĆ: wywołuje nienormalne reakcje we krwi | OBOJĘTNY |
| **Ikra łososia** | OBOJĘTNY | UNIKAĆ: zawiera lektynę lub inną aglutyninę | UNIKAĆ: zawiera lektynę lub inną aglutyninę | UNIKAĆ<br><br>Niewydzielacze: OBOJĘTNY |

## ≋ RYBY I OWOCE MORZA c.d.

| Produkt | Grupa krwi A | Grupa krwi B | Grupa krwi AB | Grupa krwi 0 |
|---|---|---|---|---|
| Jesiotr | OBOJĘTNY | KORZYSTNY: dużo składników odżywczych | KORZYSTNY: dużo składników odżywczych; zawiera składnik, który może pozytywnie modyfikować dotychczasową podatność na choroby | KORZYSTNY: dużo składników odżywczych; zwiększa masę mięśni |
| Kalmar (*calamari*) | UNIKAĆ: zawiera lektynę lub inną aglutyninę; inhibitor metaboliczny; hamuje normalne funkcje żołądka lub blokuje wchłanianie | OBOJĘTNY | OBOJĘTNY | UNIKAĆ: zawiera lektynę lub inną aglutyninę |
| Karmazyn (okoń oceaniczny, *perch ocean*) | OBOJĘTNY | KORZYSTNY: dużo składników odżywczych | OBOJĘTNY | KORZYSTNY: dużo składników odżywczych; zwiększa masę mięśni |
| Karp | KORZYSTNY: zawiera składnik, który może modyfikować dotychczasową podatność na choroby | OBOJĘTNY<br><br>Niewydzielacze: KORZYSTNY | OBOJĘTNY | OBOJĘTNY |
| Kawior | UNIKAĆ: wywołuje nienormalne reakcje we krwi; hamuje normalne funkcje żołądka lub blokuje wchłanianie | KORZYSTNY<br><br>Niewydzielacze: OBOJĘTNY | OBOJĘTNY | OBOJĘTNY |
| Kleń | OBOJĘTNY | OBOJĘTNY | OBOJĘTNY | OBOJĘTNY |
| Koryfena (*mahimahi*) | OBOJĘTNY | KORZYSTNY: dużo składników odżywczych | KORZYSTNY: dużo składników odżywczych | OBOJĘTNY |
| Krab | UNIKAĆ: niewydolność wydzielnicza; wywołuje nienormalne reakcje we krwi; hamuje normalne funkcje żołądka lub blokuje wchłanianie | UNIKAĆ: wywołuje nienormalne reakcje we krwi | UNIKAĆ: zawiera składnik, który może modyfikować dotychczasową podatność na choroby | OBOJĘTNY<br><br>Niewydzielacze: UNIKAĆ |

## ▓ RYBY I OWOCE MORZA c.d.

| Produkt | Grupa krwi A | Grupa krwi B | Grupa krwi AB | Grupa krwi 0 |
|---|---|---|---|---|
| **Krewetka** | UNIKAĆ: niewydolność wydzielnicza; zaburza czynność układu sercowo-naczyniowego; hamuje normalne funkcje żołądka lub blokuje wchłanianie | UNIKAĆ: wywołuje nienormalne reakcje we krwi | UNIKAĆ: wzmacnia działanie toksyn pokarmowych; podwyższa poziom poliamin i indykanu; zawiera składnik, który może zwiększać dotychczasową podatność na choroby | OBOJĘTNY |
| **Kulbiniec** | OBOJĘTNY | OBOJĘTNY | OBOJĘTNY | OBOJĘTNY |
| **Kulbinowate** | OBOJĘTNY<br><br>Niewydzielacze: KORZYSTNY | OBOJĘTNY | OBOJĘTNY | OBOJĘTNY |
| **Lucjan czerwony** (*red snapper*) | KORZYSTNY: zawiera składnik, który może pozytywnie modyfikować dotychczasową podatność na choroby | OBOJĘTNY | KORZYSTNY: zawiera składnik, który może pozytywnie modyfikować dotychczasową podatność na choroby | KORZYSTNY: pobudza metabolizm<br><br>Niewydzielacze: OBOJĘTNY |
| **Łosoś** | KORZYSTNY: dużo składników odżywczych; zawiera składnik, który może pozytywnie modyfikować dotychczasową podatność na choroby | KORZYSTNY: dużo składników odżywczych<br><br>Niewydzielacze: OBOJĘTNY | KORZYSTNY: dużo składników odżywczych; zawiera składnik, który może pozytywnie modyfikować dotychczasową podatność na choroby | OBOJĘTNY |
| **Łupacz (plamiak)** | UNIKAĆ: zawiera lektynę lub inną aglutyninę; inhibitor metaboliczny; wywołuje nienormalne reakcje we krwi; hamuje normalne funkcje żołądka lub blokuje wchłanianie<br><br>Niewydzielacze: OBOJĘTNY | KORZYSTNY: dużo składników odżywczych | UNIKAĆ: zawiera lektynę lub inną aglutyninę | OBOJĘTNY |
| **Makrela** | KORZYSTNY: zawiera składnik, który może pozytywnie modyfikować dotychczasową podatność na choroby | KORZYSTNY: dużo składników odżywczych | KORZYSTNY: dużo składników odżywczych; zawiera składnik, który może pozytywnie modyfikować dotychczasową podatność na choroby | OBOJĘTNY<br><br>Niewydzielacze: KORZYSTNY |

## RYBY I OWOCE MORZA c.d.

| Produkt | Grupa krwi A | Grupa krwi B | Grupa krwi AB | Grupa krwi 0 |
|---------|--------------|--------------|---------------|--------------|
| **Małże** | UNIKAĆ: wywołuje nienormalne reakcje we krwi; hamuje normalne funkcje żołądka lub blokuje wchłanianie | UNIKAĆ: zawiera lektynę lub inną aglutyninę | UNIKAĆ: zawiera lektynę lub inną aglutyninę | OBOJĘTNY |
| **Medialuna** | OBOJĘTNY<br><br>Niewydzielacze: KORZYSTNY | OBOJĘTNY | OBOJĘTNY | OBOJĘTNY |
| **Miecznik** | OBOJĘTNY<br><br>Niewydzielacze: KORZYSTNY | OBOJĘTNY | OBOJĘTNY | KORZYSTNY: dostarcza wysokojakościowych białek; zwiększa masę mięśni |
| **Moron biały** (*perch white*) | OBOJĘTNY | OBOJĘTNY | OBOJĘTNY | KORZYSTNY: dużo składników odżywczych; zwiększa masę mięśni |
| **Morszczuk** | UNIKAĆ: zawiera lektynę lub inną aglutyninę; inhibitor metaboliczny; hamuje normalne funkcje żołądka lub blokuje wchłanianie<br><br>Niewydzielacze: OBOJĘTNY | KORZYSTNY: dużo składników odżywczych | UNIKAĆ: zawiera lektynę lub inną aglutyninę | OBOJĘTNY<br><br>Niewydzielacze: KORZYSTNY |
| **Okoń srebrny** | KORZYSTNY: zawiera składnik, który może pozytywnie modyfikować dotychczasową podatność na choroby | OBOJĘTNY | OBOJĘTNY | KORZYSTNY: dużo składników odżywczych; zwiększa masę mięśni |
| **Okoń żółty** | KORZYSTNY: zawiera składnik, który może pozytywnie modyfikować dotychczasową podatność na choroby | OBOJĘTNY | OBOJĘTNY | KORZYSTNY: dostarcza wysokojakościowych białek; zwiększa masę mięśni |

## RYBY I OWOCE MORZA c.d.

| Produkt | Grupa krwi A | Grupa krwi B | Grupa krwi AB | Grupa krwi 0 |
|---|---|---|---|---|
| Omułki (mule) | UNIKAĆ: zawiera lektynę lub inną aglutyninę; inhibitor metaboliczny; hamuje normalne funkcje żołądka lub blokuje wchłanianie<br><br>Niewydzielacze: OBOJĘTNY | UNIKAĆ: wywołuje reakcje we krwi; hamuje normalne funkcje żołądka lub blokuje wchłanianie | OBOJĘTNY | OBOJĘTNY<br><br>Niewydzielacze: UNIKAĆ |
| Orłoryb (*croaker*) | OBOJĘTNY | KORZYSTNY: dużo składników odżywczych | OBOJĘTNY | OBOJĘTNY |
| Ostrygi | UNIKAĆ: wywołuje nienormalne reakcje we krwi; hamuje normalne funkcje żołądka lub blokuje wchłanianie | UNIKAĆ: wywołuje nienormalne reakcje we krwi | UNIKAĆ: zawiera składnik, który może modyfikować dotychczasową podatność na choroby | OBOJĘTNY |
| Ośmiornica | UNIKAĆ: wywołuje reakcje we krwi (nie-lektynowe); hamuje normalne funkcje żołądka lub blokuje wchłanianie<br><br>Niewydzielacze: OBOJĘTNY | UNIKAĆ: wywołuje reakcje we krwi (nie-lektynowe) | UNIKAĆ: wywołuje reakcje we krwi (nie-lektynowe) | UNIKAĆ: powoduje podrażnienie żołądka; hamuje normalne funkcje żołądka |
| Pagrus (i inne praźmowate) (*porgy*) | OBOJĘTNY | KORZYSTNY: dużo składników odżywczych | KORZYSTNY: dużo składników odżywczych | OBOJĘTNY |
| Papugoryba | OBOJĘTNY | OBOJĘTNY | OBOJĘTNY | OBOJĘTNY |
| Pikerel (rodzaj amerykańskiego szczupaka) | KORZYSTNY: zawiera składnik, który może pozytywnie modyfikować dotychczasową podatność na choroby | KORZYSTNY: dużo składników odżywczych | KORZYSTNY: zawiera składnik, który może pozytywnie modyfikować dotychczasową podatność na choroby | OBOJĘTNY |

## RYBY I OWOCE MORZA c.d.

| Produkt | Grupa krwi A | Grupa krwi B | Grupa krwi AB | Grupa krwi 0 |
|---------|--------------|--------------|---------------|--------------|
| Płytecznik (*tilefish*) | UNIKAĆ: zawiera lektynę lub inną aglutyninę; inhibitor metaboliczny; hamuje normalne funkcje żołądka lub blokuje wchłanianie<br><br>Niewydzielacze: OBOJĘTNY | OBOJĘTNY | OBOJĘTNY | KORZYSTNY: dostarcza wysokojakościowych białek; zwiększa masę mięśni |
| Przegrzebek (*scallop*) | UNIKAĆ: wywołuje nienormalne reakcje we krwi; hamuje normalne funkcje żołądka lub blokuje wchłanianie<br><br>Niewydzielacze: OBOJĘTNY | OBOJĘTNY<br><br>Niewydzielacze: UNIKAĆ | OBOJĘTNY | OBOJĘTNY |
| Pstrąg tęczowy | KORZYSTNY: zawiera składnik, który może pozytywnie modyfikować dotychczasową podatność na choroby | UNIKAĆ: zawiera lektynę lub inną aglutyninę | UNIKAĆ: zawiera lektynę lub inną aglutyninę<br><br>Niewydzielacze: KORZYSTNY | KORZYSTNY: dostarcza wysokojakościowych białek; zwiększa masę mięśni |
| Pstrąg źródlany | OBOJĘTNY<br><br>Niewydzielacze: KORZYSTNY | UNIKAĆ: zawiera lektynę lub inną aglutyninę | UNIKAĆ: zawiera lektynę lub inną aglutyninę<br><br>Niewydzielacze: OBOJĘTNY | OBOJĘTNY |
| Rdzawiec (*pollack*) | KORZYSTNY: zawiera składnik, który może pozytywnie modyfikować dotychczasową podatność na choroby | UNIKAĆ: wywołuje nienormalne reakcje we krwi | OBOJĘTNY | UNIKAĆ: zawiera lektynę lub inną aglutyninę |
| Rekin | OBOJĘTNY | OBOJĘTNY | OBOJĘTNY | OBOJĘTNY |
| Sardela | UNIKAĆ: wywołuje nienormalne reakcje we krwi; hamuje normalne funkcje żołądka lub blokuje wchłanianie<br><br>Niewydzielacze: OBOJĘTNY | UNIKAĆ: wywołuje nienormalne reakcje we krwi; zawiera lektynę lub inną aglutyninę | UNIKAĆ: wywołuje nienormalne reakcje we krwi; zawiera lektynę lub inną aglutyninę | OBOJĘTNY<br><br>Niewydzielacze: UNIKAĆ |

## RYBY I OWOCE MORZA c.d.

| Produkt | Grupa krwi A | Grupa krwi B | Grupa krwi AB | Grupa krwi 0 |
|---|---|---|---|---|
| Sardynka | KORZYSTNY: zawiera składnik, który może pozytywnie modyfikować dotychczasową podatność na choroby | KORZYSTNY: dużo składników odżywczych | KORZYSTNY: dużo składników odżywczych; zawiera składnik, który może pozytywnie modyfikować dotychczasową podatność na choroby | OBOJĘTNY<br><br>Niewydzielacze: KORZYSTNY |
| Sebdak | OBOJĘTNY<br><br>Niewydzielacze: KORZYSTNY | OBOJĘTNY | OBOJĘTNY | OBOJĘTNY |
| Seriola | OBOJĘTNY | UNIKAĆ: wywołuje nienormalne reakcje we krwi<br><br>Niewydzielacze: OBOJĘTNY | UNIKAĆ: zawiera lektynę lub inną aglutyninę | KORZYSTNY: dostarcza wysokojakościowych białek; zwiększa masę mięśni |
| Sieja | KORZYSTNY: zawiera składnik, który może pozytywnie modyfikować dotychczasową podatność na choroby | OBOJĘTNY | OBOJĘTNY | OBOJĘTNY |
| Sierpik | OBOJĘTNY | OBOJĘTNY | OBOJĘTNY | OBOJĘTNY |
| Skalnik prążkowany (*bass striped*) | UNIKAĆ: zawiera lektynę lub inną aglutyninę; inhibitor metaboliczny; hamuje normalne funkcje żołądka lub blokuje wchłanianie | UNIKAĆ: wywołuje nienormalne reakcje we krwi | UNIKAĆ: wywołuje nienormalne reakcje we krwi | KORZYSTNY<br><br>Niewydzielacze: OBOJĘTNY |
| Skap | UNIKAĆ: zawiera lektynę lub inną aglutyninę; inhibitor metaboliczny; hamuje normalne funkcje żołądka lub blokuje wchłanianie<br><br>Niewydzielacze: OBOJĘTNY | OBOJĘTNY | OBOJĘTNY | OBOJĘTNY |

## ☒ RYBY I OWOCE MORZA c.d.

| Produkt | Grupa krwi A | Grupa krwi B | Grupa krwi AB | Grupa krwi 0 |
|---|---|---|---|---|
| **Skrzydlak** (**ślimak morski,** *conch*) | UNIKAĆ: wywołuje nienormalne reakcje we krwi; hamuje normalne funkcje żołądka lub blokuje wchłanianie; podwyższa poziom poliamin lub indykanu | UNIKAĆ: podwyższa poziom poliamin lub indykanu | UNIKAĆ: wywołuje nienormalne reakcje we krwi; hamuje normalne funkcje żołądka lub blokuje wchłanianie; podwyższa poziom poliamin lub indykanu | UNIKAĆ: potęguje zachwianie równowagi jelitowej |
| **Skubacz kalifornijski** (*opaleye fish*) | UNIKAĆ: wywołuje nienormalne reakcje we krwi; hamuje normalne funkcje żołądka lub blokuje wchłanianie<br><br>Niewydzielacze: OBOJĘTNY | OBOJĘTNY | OBOJĘTNY | OBOJĘTNY |
| **Sola** | UNIKAĆ: zawiera lektynę lub inną aglutyninę; inhibitor metaboliczny; hamuje normalne funkcje żołądka lub blokuje wchłanianie | KORZYSTNY<br><br>Niewydzielacze: OBOJĘTNY | UNIKAĆ: zawiera lektynę lub inną aglutyninę | KORZYSTNY: dużo składników odżywczych; zwiększa masę mięśni |
| **Sola szara** | UNIKAĆ: zawiera lektynę lub inną aglutyninę; inhibitor metaboliczny; wywołuje reakcje we krwi (nie-lektynowe); hamuje normalne funkcje żołądka lub blokuje wchłanianie | OBOJĘTNY | UNIKAĆ: zawiera lektynę lub inną aglutyninę | OBOJĘTNY |
| **Stynka** | OBOJĘTNY | OBOJĘTNY | OBOJĘTNY | OBOJĘTNY |
| **Sumik karłowaty** | UNIKAĆ: wywołuje nienormalne reakcje we krwi; hamuje normalne funkcje żołądka lub blokuje wchłanianie | OBOJĘTNY | OBOJĘTNY | UNIKAĆ<br><br>Niewydzielacze: OBOJĘTNY |
| **Szczupak** | OBOJĘTNY | KORZYSTNY: dużo składników odżywczych<br><br>Niewydzielacze: OBOJĘTNY | KORZYSTNY: dużo składników odżywczych; zawiera składnik, który może pozytywnie mody-fikować dotychczasową podatność na choroby | KORZYSTNY: dużo składników odżywczych; zwiększa masę mięśni |

# RYBY I OWOCE MORZA c.d.

| Produkt | Grupa krwi A | Grupa krwi B | Grupa krwi AB | Grupa krwi 0 |
|---|---|---|---|---|
| Szczupak amerykański (maskelung) | OBOJĘTNY<br><br>Niewydzielacze: KORZYSTNY | OBOJĘTNY | OBOJĘTNY | UNIKAĆ: potęguje zachwianie równowagi jelitowej; podwyższa poziom poliamin i indykanu |
| Śledź | UNIKAĆ: podwyższa poziom poliamin i indykanu; wywołuje nienormalne reakcje we krwi; hamuje normalne funkcje żołądka lub blokuje wchłanianie<br><br>Niewydzielacze: OBOJĘTNY | OBOJĘTNY | OBOJĘTNY<br><br>Niewydzielacze: KORZYSTNY | OBOJĘTNY<br><br>Niewydzielacze: KORZYSTNY |
| Tasergal (bluefish) | UNIKAĆ: wywołuje nienormalne reakcje we krwi; hamuje normalne funkcje żołądka lub blokuje wchłanianie<br><br>Niewydzielacze: OBOJĘTNY | OBOJĘTNY | OBOJĘTNY | OBOJĘTNY |
| Tilapia | OBOJĘTNY | OBOJĘTNY | OBOJĘTNY | OBOJĘTNY |
| Troć (trout sea) | KORZYSTNY: zawiera składnik, który może pozytywnie modyfikować dotychczasową podatność na choroby | UNIKAĆ: zawiera lektynę lub inną aglutyninę | UNIKAĆ: zawiera lektynę lub inną aglutyninę<br><br>Niewydzielacze: OBOJĘTNY | OBOJĘTNY |
| Tuńczyk | OBOJĘTNY | OBOJĘTNY | KORZYSTNY: zawiera składnik, który może pozytywnie modyfikować dotychczasową podatność na choroby | OBOJĘTNY |
| Uchowiec (abalone, ślimak Haliotis) | OBOJĘTNY | OBOJĘTNY | OBOJĘTNY | UNIKAĆ: może wywołać zachwianie równowagi jelitowej |

## RYBY I OWOCE MORZA c.d.

| Produkt | Grupa krwi A | Grupa krwi B | Grupa krwi AB | Grupa krwi 0 |
|---|---|---|---|---|
| Węgorz | UNIKAĆ: wywołuje nienormalne reakcje we krwi; zawiera lektynę lub inną aglutyninę; inhibitor metaboliczny; hamuje normalne funkcje żołądka lub blokuje wchłanianie | UNIKAĆ: zawiera lektynę lub inną aglutyninę | UNIKAĆ: zawiera lektynę lub inną aglutyninę | OBOJĘTNY |
| Winniczek (*Helix pomatia*) | KORZYSTNY: zawiera aglutyninę, która modyfikuje dotychczasową podatność na choroby | UNIKAĆ: zawiera lektynę lub inną aglutyninę<br><br>Niewydzielacze: OBOJĘTNY | KORZYSTNY: zawiera aglutyninę, która modyfikuje dotychczasową podatność na choroby | OBOJĘTNY |
| Witlinek (*whiting*) | KORZYSTNY: zawiera składnik, który może pozytywnie modyfikować dotychczasową podatność na choroby | OBOJĘTNY | UNIKAĆ: zawiera lektynę lub inną aglutyninę | OBOJĘTNY |
| Żaba | UNIKAĆ: wywołuje nienormalne reakcje we krwi; podwyższa poziom poliamin lub indykanu; hamuje normalne funkcje żołądka lub blokuje wchłanianie<br><br>Niewydzielacze: OBOJĘTNY | UNIKAĆ: wywołuje nienormalne reakcje we krwi | UNIKAĆ: zawiera lektynę lub inną aglutyninę | UNIKAĆ: potęguje zachwianie równowagi jelitowej |
| Żabnica (*monkfish*) | KORZYSTNY: zawiera składnik, który może pozytywnie modyfikować dotychczasową podatność na choroby | KORZYSTNY: zawiera składnik, który może pozytywnie modyfikować dotychczasową podatność na choroby | KORZYSTNY: zawiera składnik, który może pozytywnie modyfikować dotychczasową podatność na choroby | OBOJĘTNY |
| Żaglica (*sailfish*) | OBOJĘTNY | OBOJĘTNY | KORZYSTNY: dużo składników odżywczych; zawiera składnik, który może pozytywnie modyfikować dotychczasową podatność na choroby | OBOJĘTNY |

## NABIAŁ

| Produkt | Grupa krwi A | Grupa krwi B | Grupa krwi AB | Grupa krwi 0 |
|---|---|---|---|---|
| *Ghee* (klarowane masło) | OBOJĘTNY | OBOJĘTNY<br><br>Niewydzielacze: KORZYSTNY | OBOJĘTNY<br><br>Niewydzielacze: KORZYSTNY | OBOJĘTNY |
| Jogurt | OBOJĘTNY | KORZYSTNY: zapewnia optymalne proporcje aminokwasów (lizyny/argininy); zawiera żywe kultury bakterii | KORZYSTNY<br><br>Niewydzielacze: OBOJĘTNY | UNIKAĆ: wywołuje nienormalne reakcje we krwi |
| Kazeina | UNIKAĆ: wywołuje nienormalne reakcje we krwi | OBOJĘTNY | OBOJĘTNY | UNIKAĆ: wywołuje nienormalne reakcje we krwi |
| Kefir | OBOJĘTNY | KORZYSTNY: zapewnia optymalne proporcje aminokwasów (lizyny/argininy); zawiera żywe kultury bakterii | KORZYSTNY: zapewnia optymalne proporcje aminokwasów (lizyny/argininy); zawiera żywe kultury bakterii | UNIKAĆ: inhibitor metaboliczny |
| Lody | UNIKAĆ: wywołuje nienormalne reakcje we krwi; hamuje normalne funkcje żołądka lub blokuje wchłanianie | UNIKAĆ: wywołuje nienormalne reakcje we krwi | UNIKAĆ: wywołuje nienormalne reakcje we krwi | UNIKAĆ: wywołuje nienormalne reakcje we krwi; potęguje zachwianie równowagi jelitowej; podwyższa poziom poliamin i indykanu |
| Masło | UNIKAĆ: niewydolność wydzielnicza; wywołuje reakcje we krwi (nie-lektynowe) | OBOJĘTNY | UNIKAĆ: zawiera składnik, który może modyfikować dotychczasową podatność na choroby | OBOJĘTNY |
| Maślanka | UNIKAĆ: hamuje normalne funkcje żołądka lub blokuje wchłanianie | OBOJĘTNY | UNIKAĆ: podwyższa poziom poliamin i indykanu | UNIKAĆ: wywołuje reakcje we krwi (nie-lektynowe) |
| Mleko kozie | OBOJĘTNY<br><br>Niewydzielacze: UNIKAĆ | KORZYSTNY: zapewnia optymalne proporcje aminokwasów (lizyny/argininy) | KORZYSTNY: zapewnia optymalne proporcje aminokwasów (lizyny/argininy) | UNIKAĆ: wywołuje nienormalne reakcje we krwi |

## NABIAŁ c.d.

| Produkt | Grupa krwi A | Grupa krwi B | Grupa krwi AB | Grupa krwi 0 |
|---|---|---|---|---|
| Mleko krowie (chude lub 2%) | UNIKAĆ: wywołuje nienormalne reakcje we krwi; hamuje normalne funkcje żołądka lub blokuje wchłanianie | KORZYSTNY: zapewnia optymalne proporcje aminokwasów (lizyny/argininy)<br><br>Niewydzielacze: OBOJĘTNY | OBOJĘTNY | UNIKAĆ: wywołuje nienormalne reakcje we krwi; inhibitor metaboliczny |
| Mleko krowie (pełne) | UNIKAĆ: wywołuje nienormalne reakcje we krwi; hamuje normalne funkcje żołądka lub blokuje wchłanianie | KORZYSTNY: zapewnia optymalne proporcje aminokwasów (lizyny/argininy)<br><br>Niewydzielacze: OBOJĘTNY | UNIKAĆ: zawiera składnik, który może modyfikować dotychczasową podatność na choroby | UNIKAĆ: wywołuje nienormalne reakcje we krwi; zawiera składnik, który może modyfikować dotychczasową podatność na choroby |
| Ser amerykański | UNIKAĆ: wywołuje nienormalne reakcje we krwi; podwyższa poziom poliamin i indykanu | UNIKAĆ: wywołuje reakcje we krwi (nie-lektynowe); podwyższa poziom poliamin i indykanu | UNIKAĆ: wywołuje nienormalne reakcje we krwi | UNIKAĆ: wywołuje reakcje we krwi (nie-lektynowe); zawiera składnik, który może modyfikować dotychczasową podatność na choroby |
| Ser blue (niebieski, pleśniowy) | UNIKAĆ: wywołuje reakcje we krwi (nie-lektynowe); podwyższa poziom poliamin i indykanu; hamuje normalne funkcje żołądka lub blokuje wchłanianie | UNIKAĆ: podwyższa poziom poliamin i indykanu | UNIKAĆ: podwyższa poziom poliamin i indykanu | UNIKAĆ: wywołuje reakcje we krwi (nie-lektynowe); zawiera składnik, który może modyfikować dotychczasową podatność na choroby |
| Ser brie | UNIKAĆ: podwyższa poziom poliamin i indykanu; hamuje normalne funkcje żołądka lub blokuje wchłanianie | OBOJĘTNY | UNIKAĆ: podwyższa poziom poliamin i indykanu | UNIKAĆ: wywołuje reakcje we krwi (nie-lektynowe) |
| Ser camembert | UNIKAĆ: podwyższa poziom poliamin i indykanu; hamuje normalne funkcje żołądka lub blokuje wchłanianie | OBOJĘTNY<br><br>Niewydzielacze: UNIKAĆ | UNIKAĆ: podwyższa poziom poliamin i indykanu | UNIKAĆ: wywołuje reakcje ze strony krwi (nielektynowe) |
| Ser cheddar | UNIKAĆ: wywołuje nienormalne reakcje we krwi | OBOJĘTNY<br><br>Niewydzielacze: UNIKAĆ | OBOJĘTNY | UNIKAĆ: wywołuje nienormalne reakcje we krwi |

## NABIAŁ c.d.

| Produkt | Grupa krwi A | Grupa krwi B | Grupa krwi AB | Grupa krwi 0 |
|---|---|---|---|---|
| Ser colby | UNIKAĆ: hamuje normalne funkcje żołądka lub blokuje wchłanianie | OBOJĘTNY | OBOJĘTNY | UNIKAĆ: inhibitor metaboliczny |
| Ser edamski | UNIKAĆ: wywołuje nienormalne reakcje we krwi; hamuje normalne funkcje żołądka lub blokuje wchłanianie | OBOJĘTNY | OBOJĘTNY | UNIKAĆ: wywołuje nienormalne reakcje we krwi |
| Ser ementalski | UNIKAĆ: wywołuje nienormalne reakcje we krwi; podwyższa poziom poliamin i indykanu; hamuje normalne funkcje żołądka lub blokuje wchłanianie | OBOJĘTNY<br><br>Niewydzielacze: UNIKAĆ | OBOJĘTNY<br><br>Niewydzielacze: UNIKAĆ | UNIKAĆ: wywołuje nienormalne reakcje we krwi |
| Ser feta | OBOJĘTNY | KORZYSTNY: zapewnia optymalne proporcje aminokwasów (lizyny/argininy) | KORZYSTNY: zapewnia optymalne proporcje aminokwasów (lizyny/argininy) | OBOJĘTNY<br><br>Niewydzielacze: UNIKAĆ |
| Ser gouda | UNIKAĆ: wywołuje nienormalne reakcje we krwi; hamuje normalne funkcje żołądka lub blokuje wchłanianie | OBOJĘTNY | OBOJĘTNY | UNIKAĆ: wywołuje nienormalne reakcje we krwi; podwyższa poziom poliamin i indykanu |
| Ser gruyère | UNIKAĆ: wywołuje nienormalne reakcje we krwi; hamuje normalne funkcje żołądka lub blokuje wchłanianie | OBOJĘTNY | OBOJĘTNY | UNIKAĆ: wywołuje nienormalne reakcje we krwi; zawiera składnik, który może modyfikować dotychczasową podatność na choroby |
| Ser jarlsberg | UNIKAĆ: hamuje normalne funkcje żołądka lub blokuje wchłanianie | OBOJĘTNY<br><br>Niewydzielacze: UNIKAĆ | OBOJĘTNY | UNIKAĆ: potęguje zachwianie równowagi jelitowej; podwyższa poziom poliamin i indykanu |
| Ser kozi | OBOJĘTNY | KORZYSTNY: zapewnia optymalne proporcje aminokwasów (lizyny/argininy) | KORZYSTNY<br><br>Niewydzielacze: OBOJĘTNY | OBOJĘTNY<br><br>Niewydzielacze: UNIKAĆ |

## NABIAŁ c.d.

| Produkt | Grupa krwi A | Grupa krwi B | Grupa krwi AB | Grupa krwi 0 |
|---|---|---|---|---|
| Ser monterey | UNIKAĆ: wywołuje nienormalne reakcje we krwi; hamuje normalne funkcje żołądka lub blokuje wchłanianie | OBOJĘTNY<br><br>Niewydzielacze:<br>UNIKAĆ | OBOJĘTNY | UNIKAĆ: podwyższa poziom poliamin i indykanu |
| Ser mozzarella | OBOJĘTNY | KORZYSTNY: zapewnia optymalne proporcje aminokwasów (lizyny/argininy) | KORZYSTNY: zapewnia optymalne proporcje aminokwasów (lizyny/argininy) | OBOJĘTNY<br><br>Niewydzielacze:<br>UNIKAĆ |
| Ser münster | UNIKAĆ: wywołuje nienormalne reakcje we krwi; hamuje normalne funkcje żołądka lub blokuje wchłanianie | OBOJĘTNY<br><br>Niewydzielacze:<br>UNIKAĆ | OBOJĘTNY | UNIKAĆ: wywołuje nienormalne reakcje we krwi; zawiera składnik, który może modyfikować dotychczasową podatność na choroby |
| Ser neufchâtel | UNIKAĆ: wywołuje nienormalne reakcje we krwi; hamuje normalne funkcje żołądka lub blokuje wchłanianie | OBOJĘTNY<br><br>Niewydzielacze:<br>UNIKAĆ | OBOJĘTNY | UNIKAĆ: wywołuje nienormalne reakcje we krwi; zawiera składnik, który może modyfikować dotychczasową podatność na choroby |
| Ser parmezan | UNIKAĆ: podwyższa poziom poliamin i indykanu; hamuje normalne funkcje żołądka lub blokuje wchłanianie | OBOJĘTNY<br><br>Niewydzielacze:<br>UNIKAĆ | UNIKAĆ: podwyższa poziom poliamin i indykanu | UNIKAĆ: podwyższa poziom poliamin i indykanu |
| Ser provolone | UNIKAĆ: podwyższa poziom poliamin i indykanu; hamuje normalne funkcje żołądka lub blokuje wchłanianie | OBOJĘTNY<br><br>Niewydzielacze:<br>UNIKAĆ | UNIKAĆ: podwyższa poziom poliamin i indykanu | UNIKAĆ: podwyższa poziom poliamin i indykanu |
| Ser ricotta | OBOJĘTNY | KORZYSTNY: zapewnia optymalne proporcje aminokwasów (lizyny/argininy) | KORZYSTNY: zapewnia optymalne proporcje aminokwasów (lizyny/argininy) | UNIKAĆ: wywołuje nienormalne reakcje we krwi |
| Ser szwajcarski | UNIKAĆ: wywołuje nienormalne reakcje we krwi; hamuje normalne funkcje żołądka lub blokuje wchłanianie | OBOJĘTNY<br><br>Niewydzielacze:<br>UNIKAĆ | OBOJĘTNY<br><br>Niewydzielacze:<br>UNIKAĆ | UNIKAĆ: podwyższa poziom poliamin i indykanu |

## NABIAŁ c.d.

| Produkt | Grupa krwi A | Grupa krwi B | Grupa krwi AB | Grupa krwi 0 |
|---|---|---|---|---|
| Serek wiejski | UNIKAĆ: hamuje normalne funkcje żołądka lub blokuje wchłanianie<br><br>Niewydzielacze: OBOJĘTNY | KORZYSTNY: zapewnia optymalne proporcje aminokwasów (lizyny/argininy)<br><br>Niewydzielacze: OBOJĘTNY | KORZYSTNY: zapewnia optymalne proporcje aminokwasów (lizyny/argininy) | UNIKAĆ: inhibitor metaboliczny |
| Serwatka | UNIKAĆ: wywołuje nienormalne reakcje we krwi; hamuje normalne funkcje żołądka lub blokuje wchłanianie | OBOJĘTNY<br><br>Niewydzielacze: KORZYSTNY | OBOJĘTNY | UNIKAĆ: wywołuje nienormalne reakcje we krwi |
| Substytuty śmietanki do kawy | UNIKAĆ: wywołuje nienormalne reakcje we krwi; hamuje normalne funkcje żołądka lub blokuje wchłanianie | OBOJĘTNY | UNIKAĆ: podwyższa poziom poliamin i indykanu | UNIKAĆ: wywołuje nienormalne reakcje we krwi; potęguje zachwianie równowagi jelitowej; podwyższa poziom poliamin i indykanu |
| Śmietana | UNIKAĆ: hamuje normalne funkcje żołądka lub blokuje wchłanianie | OBOJĘTNY | OBOJĘTNY | UNIKAĆ: wywołuje nienormalne reakcje we krwi |
| Śmietana (chuda/bez-tłuszczowa) | OBOJĘTNY<br><br>Niewydzielacze: UNIKAĆ | OBOJĘTNY | KORZYSTNY: zapewnia optymalne proporcje aminokwasów (lizyny/argininy); zawiera żywe kultury bakterii | UNIKAĆ: zawiera składnik, który może modyfikować dotychczasową podatność na choroby |
| Twarożek homogenizo-wany | OBOJĘTNY | OBOJĘTNY | OBOJĘTNY | UNIKAĆ: zawiera składnik, który może modyfikować dotychczasową podatność na choroby |
| Twaróg | OBOJĘTNY | KORZYSTNY: zapewnia optymalne proporcje aminokwasów (lizyny/argininy) | KORZYSTNY: zapewnia optymalne proporcje aminokwasów (lizyny/argininy) | OBOJĘTNY<br><br>Niewydzielacze: UNIKAĆ |

## JAJA

| Produkt | Grupa krwi A | Grupa krwi B | Grupa krwi AB | Grupa krwi 0 |
|---------|-------------|-------------|--------------|-------------|
| Jajo gęsie | OBOJĘTNY | UNIKAĆ: wywołuje nienormalne reakcje we krwi | OBOJĘTNY | UNIKAĆ<br><br>Niewydzielacze: OBOJĘTNY |
| Jajo kacze | OBOJĘTNY | UNIKAĆ: wywołuje nienormalne reakcje we krwi | UNIKAĆ: zawiera lektynę lub inną aglutyninę | OBOJĘTNY |
| Jajo kurze | OBOJĘTNY | OBOJĘTNY | OBOJĘTNY<br><br>Niewydzielacze: KORZYSTNY | OBOJĘTNY |
| Jajo kurze: białko | OBOJĘTNY | OBOJĘTNY | KORZYSTNY: dużo składników odżywczych | OBOJĘTNY |
| Jajo kurze: żółtko | OBOJĘTNY | OBOJĘTNY | OBOJĘTNY<br><br>Niewydzielacze: KORZYSTNY | OBOJĘTNY |
| Jajo przepiórcze | OBOJĘTNY | UNIKAĆ: wywołuje nienormalne reakcje we krwi | OBOJĘTNY | UNIKAĆ<br><br>Niewydzielacze: OBOJĘTNY |

## ROŚLINY STRĄCZKOWE

| Produkt | Grupa krwi A | Grupa krwi B | Grupa krwi AB | Grupa krwi 0 |
|---------|-------------|-------------|--------------|-------------|
| Bób | KORZYSTNY: zawiera składnik, który albo blokuje syntezę poliamin, albo zmniejsza poziom indykanu<br><br>Niewydzielacze: OBOJĘTNY | KORZYSTNY | UNIKAĆ: zawiera lektynę lub inną aglutyninę<br><br>Niewydzielacze: OBOJĘTNY | OBOJĘTNY<br><br>Niewydzielacze: UNIKAĆ |
| Ciecierzyca | UNIKAĆ: zawiera lektynę lub inną aglutyninę; inhibitor metaboliczny | UNIKAĆ: zawiera lektynę lub inną aglutyninę | UNIKAĆ: zawiera lektynę lub inną aglutyninę; inhibitor metaboliczny | OBOJĘTNY<br><br>Niewydzielacze: UNIKAĆ |

## ROŚLINY STRĄCZKOWE c.d.

| Produkt | Grupa krwi A | Grupa krwi B | Grupa krwi AB | Grupa krwi 0 |
|---|---|---|---|---|
| Fasola adzuki | KORZYSTNY: zawiera składnik, który albo blokuje syntezę poliamin, albo zmniejsza poziom indykanu<br><br>Niewydzielacze: OBOJĘTNY | UNIKAĆ: zawiera lektynę lub inną aglutyninę | UNIKAĆ: zawiera lektynę lub inną aglutyninę | KORZYSTNY: zawiera aglutyninę, która modyfikuje podatność na choroby<br><br>Niewydzielacze: OBOJĘTNY |
| Fasola biała | OBOJĘTNY | OBOJĘTNY | OBOJĘTNY | OBOJĘTNY |
| Fasola cannellini | OBOJĘTNY | OBOJĘTNY | OBOJĘTNY | OBOJĘTNY |
| Fasola copper | UNIKAĆ: zawiera lektynę lub inną aglutyninę; inhibitor metaboliczny | OBOJĘTNY | OBOJĘTNY | UNIKAĆ: zawiera lektynę lub inną aglutyninę |
| Fasola czarna | KORZYSTNY: zawiera składnik, który albo blokuje syntezę poliamin, albo zmniejsza poziom indykanu<br><br>Niewydzielacze: OBOJĘTNY | UNIKAĆ: zawiera lektynę lub inną aglutyninę | UNIKAĆ: zawiera lektynę lub inną aglutyninę | OBOJĘTNY |
| Fasola czarne oczko | KORZYSTNY: zawiera składnik, który albo blokuje syntezę poliamin, albo zmniejsza poziom indykanu<br><br>Niewydzielacze: OBOJĘTNY | UNIKAĆ: zawiera lektynę lub inną aglutyninę | UNIKAĆ: zawiera lektynę lub inną aglutyninę | KORZYSTNY: zawiera aglutyninę, która modyfikuje podatność na choroby<br><br>Niewydzielacze: OBOJĘTNY |
| Fasola i kiełki fasoli mung | OBOJĘTNY | UNIKAĆ: zawiera lektynę lub inną aglutyninę | UNIKAĆ: zawiera lektynę lub inną aglutyninę | OBOJĘTNY |
| Fasola jicama | OBOJĘTNY | OBOJĘTNY | OBOJĘTNY<br><br>Niewydzielacze: UNIKAĆ | OBOJĘTNY |

# ROŚLINY STRĄCZKOWE c.d.

| Produkt | Grupa krwi A | Grupa krwi B | Grupa krwi AB | Grupa krwi 0 |
|---------|--------------|--------------|---------------|--------------|
| Fasola kidney (nerkowata) | UNIKAĆ: zawiera lektynę lub inną aglutyninę; inhibitor metaboliczny<br><br>Niewydzielacze: OBOJĘTNY | KORZYSTNY: zawiera składnik, który albo blokuje syntezę poliamin, albo zmniejsza poziom indykanu<br><br>Niewydzielacze: OBOJĘTNY | UNIKAĆ: zawiera lektynę lub inną aglutyninę | UNIKAĆ: zawiera lektynę lub inną aglutyninę; inhibitor metaboliczny |
| Fasola limeńska (lima) | UNIKAĆ: zawiera lektynę lub inną aglutyninę; inhibitor metaboliczny<br><br>Niewydzielacze: OBOJĘTNY | KORZYSTNY: zawiera składnik, który albo blokuje syntezę poliamin, albo zmniejsza poziom indykanu | UNIKAĆ: zawiera lektynę lub inną aglutyninę | OBOJĘTNY |
| Fasola navy | UNIKAĆ: zawiera lektynę lub inną aglutyninę; inhibitor metaboliczny<br><br>Niewydzielacze: OBOJĘTNY | KORZYSTNY: zawiera składnik, który albo blokuje syntezę poliamin, albo zmniejsza poziom indykanu<br><br>Niewydzielacze: OBOJĘTNY | KORZYSTNY<br><br>Niewydzielacze: OBOJĘTNY | UNIKAĆ: zawiera lektynę lub inną aglutyninę |
| Fasola northern | OBOJĘTNY | OBOJĘTNY | OBOJĘTNY | OBOJĘTNY |
| Fasola pinto | KORZYSTNY: zawiera składnik, który albo blokuje syntezę poliamin, albo zmniejsza poziom indykanu | UNIKAĆ: wywołuje nienormalne reakcje we krwi | KORZYSTNY: zawiera aglutyninę, która modyfikuje podatność na choroby | UNIKAĆ<br><br>Niewydzielacze: OBOJĘTNY |
| Fasola szparagowa | KORZYSTNY: zawiera składnik, który albo blokuje syntezę poliamin, albo zmniejsza poziom indykanu | OBOJĘTNY | OBOJĘTNY | OBOJĘTNY |
| Lecytyna sojowa w granulkach | KORZYSTNY: zawiera aglutyninę, która modyfikuje podatność na choroby<br><br>Niewydzielacze: OBOJĘTNY | UNIKAĆ: zawiera lektynę lub inną aglutyninę; inhibitor metaboliczny | OBOJĘTNY | OBOJĘTNY<br><br>Niewydzielacze: UNIKAĆ |

## ROŚLINY STRĄCZKOWE c.d.

| Produkt | Grupa krwi A | Grupa krwi B | Grupa krwi AB | Grupa krwi 0 |
|---|---|---|---|---|
| Mleko sojowe | KORZYSTNY: zawiera aglutyninę, która modyfikuje podatność na choroby<br><br>Niewydzielacze: OBOJĘTNY | UNIKAĆ: zawiera lektynę lub inną aglutyninę; inhibitor metaboliczny<br><br>Niewydzielacze: OBOJĘTNY | OBOJĘTNY<br><br>Niewydzielacze: UNIKAĆ | OBOJĘTNY<br><br>Niewydzielacze: UNIKAĆ |
| Nasiona tamaryndowca | UNIKAĆ: wywołuje nienormalne reakcje we krwi | OBOJĘTNY | OBOJĘTNY | UNIKAĆ: drażni śluzówkę żołądka; hamuje normalne funkcje żołądka; potęguje zachwianie równowagi jelitowej; podwyższa poziom poliamin i indykanu |
| Płatki sojowe | KORZYSTNY: zawiera aglutyninę, która modyfikuje podatność na choroby<br><br>Niewydzielacze: OBOJĘTNY | UNIKAĆ: zawiera lektynę lub inną aglutyninę; inhibitor metaboliczny | OBOJĘTNY | OBOJĘTNY<br><br>Niewydzielacze: UNIKAĆ |
| Ser sojowy | KORZYSTNY: zawiera aglutyninę, która modyfikuje podatność na choroby<br><br>Niewydzielacze: OBOJĘTNY | UNIKAĆ: zawiera lektynę lub inną aglutyninę; inhibitor metaboliczny | OBOJĘTNY<br><br>Niewydzielacze: UNIKAĆ | OBOJĘTNY<br><br>Niewydzielacze: UNIKAĆ |
| Soczewica | KORZYSTNY: zawiera aglutyninę, która modyfikuje podatność na choroby | UNIKAĆ: zawiera lektynę lub inną aglutyninę | OBOJĘTNY | UNIKAĆ<br><br>Niewydzielacze OBOJĘTNY |
| Soczewica czerwona | KORZYSTNY: zawiera aglutyninę, która modyfikuje podatność na choroby | UNIKAĆ: zawiera lektynę lub inną aglutyninę | OBOJĘTNY | UNIKAĆ<br><br>Niewydzielacze: OBOJĘTNY |
| Soczewica zielona | KORZYSTNY: zawiera aglutyninę, która modyfikuje podatność na choroby | UNIKAĆ: wywołuje kłaczkowanie lub wytrącanie składników surowicy krwi; zawiera lektynę lub inną aglutyninę | KORZYSTNY: zawiera aglutyninę, która modyfikuje podatność na choroby | UNIKAĆ<br><br>Niewydzielacze: OBOJĘTNY |

## ORZECHY I PESTKI c.d.

| Produkt | Grupa krwi A | Grupa krwi B | Grupa krwi AB | Grupa krwi 0 |
|---|---|---|---|---|
| Soja | KORZYSTNY: zawiera aglutyninę, która modyfikuje podatność na choroby<br><br>Niewydzielacze: OBOJĘTNY | OBOJĘTNY<br><br>Niewydzielacze: UNIKAĆ | KORZYSTNY<br><br>Niewydzielacze: OBOJĘTNY | OBOJĘTNY<br><br>Niewydzielacze: UNIKAĆ |
| Tempeh | KORZYSTNY: zawiera aglutyninę, która modyfikuje podatność na choroby<br><br>Niewydzielacze: OBOJĘTNY | UNIKAĆ: zawiera lektynę lub inną aglutyninę; inhibitor metaboliczny | KORZYSTNY<br><br>Niewydzielacze: OBOJĘTNY | OBOJĘTNY<br><br>Niewydzielacze: UNIKAĆ |
| Tofu | KORZYSTNY: zawiera aglutyninę, która modyfikuje podatność na choroby<br><br>Niewydzielacze: OBOJĘTNY | UNIKAĆ: zawiera lektynę lub inną aglutyninę; inhibitor metaboliczny | KORZYSTNY<br><br>Niewydzielacze: OBOJĘTNY | OBOJĘTNY<br><br>Niewydzielacze: UNIKAĆ |

## ORZECHY I PESTKI

| Produkt | Grupa krwi A | Grupa krwi B | Grupa krwi AB | Grupa krwi 0 |
|---|---|---|---|---|
| Bukiew (buczyna, nasiona buka) | OBOJĘTNY | OBOJĘTNY | OBOJĘTNY | UNIKAĆ: wywołuje nienormalne reakcje we krwi |
| Kasztan jadalny | OBOJĘTNY | OBOJĘTNY | KORZYSTNY: zawiera składnik, który albo blokuje syntezę poliamin, albo zmniejsza poziom indykanu | UNIKAĆ: wywołuje nienormalne reakcje we krwi |
| Liczi | OBOJĘTNY | OBOJĘTNY | OBOJĘTNY | UNIKAĆ: potęguje zachwianie równowagi jelitowej; podwyższa poziom poliamin i indykanu |

## ORZECHY I PESTKI c.d.

| Produkt | Grupa krwi A | Grupa krwi B | Grupa krwi AB | Grupa krwi 0 |
|---------|--------------|--------------|---------------|--------------|
| Mak | OBOJĘTNY | UNIKAĆ: zawiera lektynę lub inną aglutyninę | UNIKAĆ: zawiera lektynę lub inną aglutyninę | UNIKAĆ: wzmacnia działanie toksyn pokarmowych; zawiera składnik, który może modyfikować dotychczasową podatność na choroby |
| Masło sezamowe (tahini) | OBOJĘTNY | UNIKAĆ: zawiera lektynę lub inną aglutyninę | UNIKAĆ: zawiera lektynę lub inną aglutyninę | OBOJĘTNY |
| Migdały/Masło migdałowe | OBOJĘTNY | OBOJĘTNY | OBOJĘTNY | OBOJĘTNY |
| Mleko migdałowe | OBOJĘTNY | OBOJĘTNY | OBOJĘTNY | OBOJĘTNY<br><br>Niewydzielacze: UNIKAĆ |
| Nasiona krokoszu | OBOJĘTNY<br><br>Niewydzielacze: UNIKAĆ | UNIKAĆ: zawiera lektynę lub inną aglutyninę; wywołuje nienormalne reakcje we krwi | OBOJĘTNY | OBOJĘTNY<br><br>Niewydzielacze: UNIKAĆ |
| Nasiona sezamu | OBOJĘTNY | UNIKAĆ: zawiera lektynę lub inną aglutyninę; wywołuje nienormalne reakcje we krwi | UNIKAĆ: zawiera lektynę lub inną aglutyninę | OBOJĘTNY |
| Nasiona słonecznika/ /Masło słonecznikowe | OBOJĘTNY<br><br>Niewydzielacze: UNIKAĆ | UNIKAĆ: zawiera lektynę lub inną aglutyninę; wywołuje nienormalne reakcje we krwi | UNIKAĆ: zawiera lektynę lub inną aglutyninę | UNIKAĆ: zawiera lektynę lub inną aglutyninę |
| Orzech arachidowy/ /Masło orzechowe | KORZYSTNY: zawiera aglutyninę, która modyfikuje podatność na choroby | UNIKAĆ: zawiera lektynę lub inną aglutyninę | KORZYSTNY<br><br>Niewydzielacze: OBOJĘTNY | UNIKAĆ: zawiera lektynę lub inną aglutyninę |
| Orzech brazylijski | UNIKAĆ: wywołuje nienormalne reakcje we krwi | OBOJĘTNY | OBOJĘTNY<br><br>Niewydzielacze: UNIKAĆ | UNIKAĆ: wywołuje nienormalne reakcje we krwi |

## ORZECHY I PESTKI c.d.

| Produkt | Grupa krwi A | Grupa krwi B | Grupa krwi AB | Grupa krwi 0 |
|---|---|---|---|---|
| Orzech czarny | KORZYSTNY: zawiera składnik, który albo blokuje syntezę poliamin, albo zmniejsza poziom indykanu | KORZYSTNY: zawiera składnik, który albo blokuje syntezę poliamin, albo zmniejsza poziom indykanu | KORZYSTNY: zawiera składnik, który albo blokuje syntezę poliamin, albo zmniejsza poziom indykanu | KORZYSTNY: zawiera składnik, który albo blokuje syntezę poliamin, albo zmniejsza poziom indykanu |
| Orzech laskowy | OBOJĘTNY | UNIKAĆ: wywołuje nienormalne reakcje we krwi | UNIKAĆ: wywołuje nienormalne reakcje we krwi | OBOJĘTNY |
| Orzech makadamii | OBOJĘTNY | OBOJĘTNY | OBOJĘTNY | OBOJĘTNY |
| Orzech pekan/ /Masło z orzechów pekan | OBOJĘTNY | OBOJĘTNY | OBOJĘTNY | OBOJĘTNY |
| Orzech szary | OBOJĘTNY | OBOJĘTNY | OBOJĘTNY | OBOJĘTNY |
| Orzech włoski | KORZYSTNY: zawiera składnik, który albo blokuje syntezę poliamin, albo zmniejsza poziom indykanu | OBOJĘTNY

Niewydzielacze: KORZYSTNY | KORZYSTNY: zawiera składnik, który albo blokuje syntezę poliamin, albo zmniejsza poziom indykanu | KORZYSTNY: zawiera składnik, który albo blokuje syntezę poliamin, albo zmniejsza poziom indykanu |
| Orzechy nerkowca (cashew)/ /Masło z orzechów nerkowca | UNIKAĆ: wywołuje nienormalne reakcje we krwi; zawiera lektynę lub inną aglutyninę; inhibitor metaboliczny; hamuje normalne funkcje żołądka lub blokuje wchłanianie | UNIKAĆ: wywołuje nienormalne reakcje we krwi | OBOJĘTNY

Niewydzielacze: UNIKAĆ | UNIKAĆ: zawiera składnik, który może modyfikować dotychczasową podatność na choroby |
| Orzesznik (hikora) | OBOJĘTNY | OBOJĘTNY | OBOJĘTNY | OBOJĘTNY |
| Pestki dyni | KORZYSTNY: zawiera aglutyninę, która modyfikuje podatność na choroby | UNIKAĆ: wywołuje nienormalne reakcje we krwi

Niewydzielacze: OBOJĘTNY | UNIKAĆ: zawiera lektynę lub inną aglutyninę | KORZYSTNY: zawiera składnik, który pozytywnie modyfikuje dotychczasową podatność na choroby |
| Piniola | OBOJĘTNY | UNIKAĆ: wywołuje nienormalne reakcje we krwi | OBOJĘTNY | OBOJĘTNY |

## ORZECHY I PESTKI c.d.

| Produkt | Grupa krwi A | Grupa krwi B | Grupa krwi AB | Grupa krwi 0 |
|---|---|---|---|---|
| Pistacja | UNIKAĆ: wywołuje nienormalne reakcje we krwi; hamuje normalne funkcje żołądka lub blokuje wchłanianie | UNIKAĆ: wywołuje nienormalne reakcje we krwi | OBOJĘTNY<br><br>Niewydzielacze: UNIKAĆ | UNIKAĆ: podwyższa poziom poliamin i indykanu; hamuje normalne funkcje żołądka lub blokuje wchłanianie |
| Ser migdałowy | OBOJĘTNY | OBOJĘTNY | OBOJĘTNY | OBOJĘTNY<br><br>Niewydzielacze: UNIKAĆ |
| Siemię lniane | KORZYSTNY: zawiera składnik, który pozytywnie modyfikuje dotychczasową podatność na choroby | OBOJĘTNY | OBOJĘTNY | KORZYSTNY: zawiera składnik, który pozytywnie modyfikuje dotychczasową podatność na choroby<br><br>Niewydzielacze: OBOJĘTNY |

## ZBOŻA

| Produkt | Grupa krwi A | Grupa krwi B | Grupa krwi AB | Grupa krwi 0 |
|---|---|---|---|---|
| Amarant (szarłat spożywczy) | KORZYSTNY: zawiera aglutyninę, która pozytywnie modyfikuje dotychczasową podatność na choroby | UNIKAĆ: zawiera lektynę lub inną aglutyninę<br><br>Niewydzielacze: OBOJĘTNY | KORZYSTNY: zawiera aglutyninę, która pozytywnie modyfikuje dotychczasową podatność na choroby | OBOJĘTNY |
| Chleb esseński | KORZYSTNY: zdrowa alternatywa dla pospolitych zbóż zakwalifikowanych jako niepożądane<br><br>Niewydzielacze: OBOJĘTNY | KORZYSTNY: zdrowa alternatywa dla pospolitych zbóż zakwalifikowanych jako niepożądane | KORZYSTNY: zdrowa alternatywa dla pospolitych zbóż zakwalifikowanych jako niepożądane | KORZYSTNY: zdrowa alternatywa dla pospolitych zbóż zakwalifikowanych jako niepożądane |
| Chleb Ezechiela | KORZYSTNY: zdrowa alternatywa dla pospolitych zbóż zakwalifikowanych jako niepożądane<br><br>Niewydzielacze: OBOJĘTNY | KORZYSTNY: zdrowa alternatywa dla pospolitych zbóż zakwalifikowanych jako niepożądane<br><br>Niewydzielacze: OBOJĘTNY | KORZYSTNY: zdrowa alternatywa dla pospolitych zbóż zakwalifikowanych jako niepożądane | OBOJĘTNY |

## ZBOŻA c.d.

| Produkt | Grupa krwi A | Grupa krwi B | Grupa krwi AB | Grupa krwi 0 |
|---|---|---|---|---|
| Jęczmień | OBOJĘTNY | OBOJĘTNY | OBOJĘTNY | UNIKAĆ: inhibitor metaboliczny |
| Kasza gryczana | KORZYSTNY: zdrowa alternatywa dla pospolitych zbóż zakwalifikowanych jako niepożądane<br><br>Niewydzielacze: OBOJĘTNY | UNIKAĆ: zawiera lektynę lub inną aglutyninę | UNIKAĆ: zawiera lektynę lub inną aglutyninę | OBOJĘTNY<br><br>Niewydzielacze: UNIKAĆ |
| Kasza quinoa | OBOJĘTNY | OBOJĘTNY | OBOJĘTNY | OBOJĘTNY |
| Kaszka ryżowa | OBOJĘTNY | OBOJĘTNY | OBOJĘTNY | OBOJĘTNY |
| Kluski soba (100% mąki gryczanej) | KORZYSTNY: zdrowa alternatywa dla pospolitych zbóż zakwalifikowanych jako niepożądane | UNIKAĆ: zawiera lektynę lub inną aglutyninę | UNIKAĆ: zawiera lektynę lub inną aglutyninę | OBOJĘTNY<br><br>Niewydzielacze: UNIKAĆ |
| Kukurydza | OBOJĘTNY<br><br>Niewydzielacze: UNIKAĆ | UNIKAĆ: zawiera lektynę lub inną aglutyninę | UNIKAĆ: zawiera lektynę lub inną aglutyninę | UNIKAĆ: zawiera lektynę lub inną aglutyninę; inhibitor metaboliczny; zawiera składnik, który może modyfikować dotychczasową podatność na choroby |
| Kuskus | OBOJĘTNY<br><br>Niewydzielacze: UNIKAĆ | UNIKAĆ: wywołuje nienormalne reakcje we krwi | OBOJĘTNY | UNIKAĆ: zawiera lektynę lub inną aglutyninę; inhibitor metaboliczny; zawiera składnik, który może modyfikować dotychczasową podatność na choroby |
| Mąka/Makaron z karczochów | KORZYSTNY: zdrowa alternatywa dla pospolitych zbóż zakwalifikowanych jako niepożądane; zawiera składnik, który pozytywnie modyfikuje dotychczasową podatność na choroby | UNIKAĆ: zawiera lektynę lub inną aglutyninę<br><br>Niewydzielacze: OBOJĘTNY | UNIKAĆ: zawiera lektynę lub inną aglutyninę | OBOJĘTNY<br><br>Niewydzielacze: UNIKAĆ |

## ZBOŻA c.d.

| Produkt | Grupa krwi A | Grupa krwi B | Grupa krwi AB | Grupa krwi 0 |
|---|---|---|---|---|
| **Mąka glutenowa** | OBOJĘTNY<br><br>Niewydzielacze: UNIKAĆ | UNIKAĆ: wywołuje nienormalne reakcje we krwi | OBOJĘTNY | UNIKAĆ: zawiera lektynę lub inną aglutyninę; zawiera składnik, który może modyfikować dotychczasową podatność na choroby |
| **Mąka owsiana** | KORZYSTNY: zawiera składnik, który pozytywnie modyfikuje dotychczasową podatność na choroby<br><br>Niewydzielacze: OBOJĘTNY | KORZYSTNY: zawiera składnik, który albo blokuje syntezę poliamin, albo zmniejsza poziom indykanu | KORZYSTNY: zawiera składnik, który pozytywnie modyfikuje dotychczasową podatność na choroby | OBOJĘTNY<br><br>Niewydzielacze: UNIKAĆ |
| **Mąka sojowa/ /Chleb sojowy** | KORZYSTNY: zawiera aglutyninę, która modyfikuje dotychczasową podatność na choroby<br><br>Niewydzielacze: OBOJĘTNY | OBOJĘTNY<br><br>Niewydzielacze: UNIKAĆ | KORZYSTNY<br><br>Niewydzielacze: UNIKAĆ | OBOJĘTNY<br><br>Niewydzielacze: UNIKAĆ |
| **Mąka z pszenicy orkisz/ /produkty** | OBOJĘTNY | OBOJĘTNY | OBOJĘTNY | OBOJĘTNY<br><br>Niewydzielacze: UNIKAĆ |
| **Mąka żytnia (pełna)** | KORZYSTNY: zdrowa alternatywa dla pospolitych zbóż zakwalifikowanych jako niepożądane | UNIKAĆ: zawiera lektynę lub inną aglutyninę | KORZYSTNY: zdrowa alternatywa dla pospolitych zbóż zakwalifikowanych jako niepożądane | OBOJĘTNY |
| **Mleko ryżowe** | OBOJĘTNY | KORZYSTNY: zawiera aglutyninę, która pozytywnie modyfikuje dotychczasową podatność na choroby | KORZYSTNY: zawiera aglutyninę, która pozytywnie modyfikuje dotychczasową podatność na choroby | OBOJĘTNY |
| **Otręby pszenne** | UNIKAĆ: zawiera lektynę lub inną aglutyninę; inhibitor metaboliczny | UNIKAĆ: zawiera lektynę lub inną aglutyninę; inhibitor metaboliczny | OBOJĘTNY | UNIKAĆ: zawiera lektynę lub inną aglutyninę; inhibitor metaboliczny; zawiera składnik może modyfikować dotychczasową podatność na choroby |

## ZBOŻA c.d.

| Produkt | Grupa krwi A | Grupa krwi B | Grupa krwi AB | Grupa krwi 0 |
|---|---|---|---|---|
| Otręby ryżowe | OBOJĘTNY | KORZYSTNY: zawiera aglutyninę, która pozytywnie modyfikuje dotychczasową podatność na choroby | KORZYSTNY: zawiera aglutyninę, która pozytywnie modyfikuje dotychczasową podatność na choroby | OBOJĘTNY |
| Owies/Otręby owsiane/ /Owsianka | KORZYSTNY: zawiera składnik, który pozytywnie modyfikuje dotychczasową podatność na choroby<br><br>Niewydzielacze: OBOJĘTNY | KORZYSTNY: zawiera składnik, który albo blokuje syntezę poliamin, albo zmniejsza poziom indykanu<br><br>Niewydzielacze: OBOJĘTNY | KORZYSTNY: zawiera składnik, który pozytywnie modyfikuje dotychczasową podatność na choroby | OBOJĘTNY<br><br>Niewydzielacze: UNIKAĆ |
| Pieczywo bezglutenowe | OBOJĘTNY | OBOJĘTNY | OBOJĘTNY | OBOJĘTNY |
| Prażona kukurydza (popcorn) | OBOJĘTNY<br><br>Niewydzielacze: UNIKAĆ | UNIKAĆ: zawiera lektynę lub inną aglutyninę | UNIKAĆ: zawiera lektynę lub inną aglutyninę | UNIKAĆ: zawiera lektynę lub inną aglutyninę; inhibitor metaboliczny; zawiera składnik, który może modyfikować dotychczasową podatność na choroby |
| Proso | OBOJĘTNY | KORZYSTNY: zdrowa alternatywa dla pospolitych zbóż zakwalifikowanych jako niepożądane | KORZYSTNY: Zdrowa alternatywa dla pospolitych zbóż zakwalifikowanych jako niepożądane | OBOJĘTNY |
| Pszenica (produkty glutenowe) | OBOJĘTNY<br><br>Niewydzielacze: UNIKAĆ | UNIKAĆ: wywołuje nienormalne reakcje we krwi; zawiera lektynę lub inną aglutyninę; inhibitor metaboliczny | OBOJĘTNY<br><br>Niewydzielacze: UNIKAĆ | UNIKAĆ: zawiera lektynę lub inną aglutyninę; inhibitor metaboliczny; zawiera składnik, który może modyfikować dotychczasową podatność na choroby |
| Pszenica (produkty z mąki białej, oczyszczonej) | OBOJĘTNY<br><br>Niewydzielacze: UNIKAĆ | OBOJĘTNY<br><br>Niewydzielacze: UNIKAĆ | OBOJĘTNY<br><br>Niewydzielacze: UNIKAĆ | UNIKAĆ: zawiera lektynę lub inną aglutyninę; inhibitor metaboliczny; zawiera składnik, który może modyfikować dotychczasową podatność na choroby |

## ZBOŻA c.d.

| Produkt | Grupa krwi A | Grupa krwi B | Grupa krwi AB | Grupa krwi 0 |
|---|---|---|---|---|
| **Pszenica (produkty z mąki grahamowej)** | OBOJĘTNY<br><br>Niewydzielacze: UNIKAĆ | OBOJĘTNY<br><br>Niewydzielacze: UNIKAĆ | UNIKAĆ: zawiera lektynę lub inną aglutyninę | UNIKAĆ: zawiera lektynę lub inną aglutyninę; inhibitor metaboliczny; zawiera składnik, który może modyfikować dotychczasową podatność na choroby |
| **Pszenica (produkty z mąki razowej)** | UNIKAĆ: wywołuje nienormalne reakcje we krwi; zawiera lektynę lub inną aglutyninę | UNIKAĆ: wywołuje nienormalne reakcje we krwi | OBOJĘTNY<br><br>Niewydzielacze: UNIKAĆ | UNIKAĆ: zawiera lektynę lub inną aglutyninę; inhibitor metaboliczny; zawiera składnik, który może modyfikować dotychczasową podatność na choroby |
| **Pszenica (produkty z semoliny)** | OBOJĘTNY<br><br>Niewydzielacze: UNIKAĆ | OBOJĘTNY<br><br>Niewydzielacze: UNIKAĆ | OBOJĘTNY<br><br>Niewydzielacze: UNIKAĆ | UNIKAĆ: zawiera lektynę lub inną aglutyninę; inhibitor metaboliczny; zawiera składnik, który może modyfikować dotychczasową podatność na choroby |
| **Pszenica kamut** | OBOJĘTNY | UNIKAĆ: wywołuje nienormalne reakcje we krwi | UNIKAĆ: podwyższa poziom poliamin i indykanu | OBOJĘTNY |
| **Pszenica orkisz (pełna)** | OBOJĘTNY | KORZYSTNY<br><br>Niewydzielacze: OBOJĘTNY | KORZYSTNY<br><br>Niewydzielacze: OBOJĘTNY | OBOJĘTNY<br><br>Niewydzielacze: UNIKAĆ |
| **Pszeniczne pieczywo z ziarna kiełkowanego (nie Ezekiela i nie esseńskie)** | OBOJĘTNY | OBOJĘTNY<br><br>Niewydzielacze: UNIKAĆ | OBOJĘTNY | UNIKAĆ: zawiera lektynę lub inną aglutyninę; inhibitor metaboliczny; zawiera składnik, który może modyfikować dotychczasową podatność na choroby |
| **Ryż (biały/ /brązowy/ /basmati/chleb ryżowy)** | OBOJĘTNY | OBOJĘTNY | KORZYSTNY: zawiera aglutyninę, która pozytywnie modyfikuje dotychczasową podatność na choroby | OBOJĘTNY |

## ZBOŻA c.d.

| Produkt | Grupa krwi A | Grupa krwi B | Grupa krwi AB | Grupa krwi 0 |
|---------|--------------|--------------|---------------|--------------|
| Ryż dziki | OBOJĘTNY | UNIKAĆ<br><br>Niewydzielacze:<br>OBOJĘTNY | KORZYSTNY: zawiera aglutyninę, która pozytywnie modyfikuje dotychczasową podatność na choroby | OBOJĘTNY |
| Ryż preparowany | OBOJĘTNY | KORZYSTNY: zawiera aglutyninę, która pozytywnie modyfikuje dotychczasową podatność na choroby | KORZYSTNY: zawiera aglutyninę, która pozytywnie modyfikuje dotychczasową podatność na choroby | OBOJĘTNY |
| Ryżowe wafle/ /mąka | OBOJĘTNY | KORZYSTNY: zawiera aglutyninę, która pozytywnie modyfikuje dotychczasową podatność na choroby | KORZYSTNY: zawiera aglutyninę, która pozytywnie modyfikuje dotychczasową podatność na choroby | OBOJĘTNY |
| Sorgo | OBOJĘTNY | UNIKAĆ: zawiera lektynę lub inną aglutyninę<br><br>Niewydzielacze:<br>OBOJĘTNY | UNIKAĆ: podwyższa poziom poliamin i indykanu | UNIKAĆ: podwyższa poziom poliamin i indykanu |
| Tapioka | OBOJĘTNY | UNIKAĆ<br><br>Niewydzielacze:<br>OBOJĘTNY | UNIKAĆ: podwyższa poziom poliamin i indykanu | OBOJĘTNY<br><br>Niewydzielacze:<br>UNIKAĆ |
| Tef (miłka abisyńska) | UNIKAĆ: wywołuje nienormalne reakcje we krwi<br><br>Niewydzielacze:<br>OBOJĘTNY | UNIKAĆ: zawiera lektynę lub inną aglutyninę | UNIKAĆ: zawiera lektynę lub inną aglutyninę; wywołuje nienormalne reakcje we krwi | OBOJĘTNY |
| Zarodki pszenne | UNIKAĆ: wywołuje nienormalne reakcje we krwi; zawiera lektynę lub inną aglutyninę; inhibitor metaboliczny | UNIKAĆ: wywołuje nienormalne reakcje we krwi | OBOJĘTNY<br><br>Niewydzielacze:<br>UNIKAĆ | UNIKAĆ: zawiera lektynę lub inną aglutyninę; inhibitor metaboliczny; zawiera składnik, który może modyfikować dotychczasową podatność na choroby |
| Żyto/100% chleb żytni | KORZYSTNY: zdrowa alternatywa dla pospolitych zbóż zakwalifikowanych jako niepożądane | UNIKAĆ: zawiera lektynę lub inną aglutyninę | KORZYSTNY: zdrowa alternatywa dla pospolitych zbóż zakwalifikowanych jako niepożądane | OBOJĘTNY |

## WARZYWA (SOKI WARZYWNE)

| Produkt | Grupa krwi A | Grupa krwi B | Grupa krwi AB | Grupa krwi 0 |
|---|---|---|---|---|
| Agar | OBOJĘTNY<br><br>Niewydzielacze:<br>UNIKAĆ | OBOJĘTNY<br><br>Niewydzielacze:<br>UNIKAĆ | OBOJĘTNY<br><br>Niewydzielacze:<br>UNIKAĆ | OBOJĘTNY<br><br>Niewydzielacze:<br>UNIKAĆ |
| Aloes/<br>/aloesowa<br>herbatka/sok<br>aloesowy | KORZYSTNY: zawiera aglutyninę, która pozytywnie modyfikuje dotychczasową podatność na choroby<br><br>Niewydzielacze:<br>OBOJĘTNY | UNIKAĆ: zawiera lektynę lub inną aglutyninę | UNIKAĆ: zawiera składnik, który może modyfikować dotychczasową podatność na choroby | UNIKAĆ: zawiera lektynę lub inną aglutyninę; zawiera składnik, który może modyfikować dotychczasową podatność na choroby |
| Bakłażan | UNIKAĆ: zawiera lektynę lub inną aglutyninę; inhibitor metaboliczny | KORZYSTNY: zawiera aglutyninę, która pozytywnie modyfikuje dotychczasową podatność na choroby<br><br>Niewydzielacze:<br>OBOJĘTNY | KORZYSTNY: zawiera aglutyninę, która pozytywnie modyfikuje dotychczasową podatność na choroby | OBOJĘTNY<br><br>Niewydzielacze:<br>UNIKAĆ |
| Batat | UNIKAĆ: niewydolność wydzielnicza; zaburza równowagę jelitową; hamuje normalne funkcje żołądka lub blokuje wchłanianie | KORZYSTNY: zawiera składnik, który pozytywnie modyfikuje dotychczasową podatność na choroby | KORZYSTNY: zawiera składnik, który pozytywnie modyfikuje dotychczasową podatność na choroby | KORZYSTNY: zawiera składnik, który pozytywnie modyfikuje dotychczasową podatność na choroby<br><br>Niewydzielacze:<br>OBOJĘTNY |
| Boczniak ostrygowaty | OBOJĘTNY | OBOJĘTNY | OBOJĘTNY | OBOJĘTNY |
| Botwina | KORZYSTNY: zawiera składnik, który pozytywnie modyfikuje dotychczasową podatność na choroby | KORZYSTNY: zawiera składnik, który pozytywnie modyfikuje dotychczasową podatność na choroby | KORZYSTNY: zawiera składnik, który pozytywnie modyfikuje dotychczasową podatność na choroby | KORZYSTNY: zawiera składnik, który pozytywnie modyfikuje dotychczasową podatność na choroby |
| Brokuły | KORZYSTNY: zawiera składnik, który pozytywnie modyfikuje dotychczasową podatność na choroby | KORZYSTNY: zawiera składnik, który pozytywnie modyfikuje dotychczasową podatność na choroby | KORZYSTNY: zawiera składnik, który pozytywnie modyfikuje dotychczasową podatność na choroby | KORZYSTNY: zawiera składnik, który pozytywnie modyfikuje dotychczasową podatność na choroby |
| Brukiew | OBOJĘTNY | OBOJĘTNY | OBOJĘTNY | OBOJĘTNY |

## WARZYWA (SOKI WARZYWNE) c.d.

| Produkt | Grupa krwi A | Grupa krwi B | Grupa krwi AB | Grupa krwi 0 |
|---|---|---|---|---|
| Brukselka | OBOJĘTNY | KORZYSTNY: zawiera składnik, który pozytywnie modyfikuje dotychczasową podatność na choroby | OBOJĘTNY | OBOJĘTNY<br><br>Niewydzielacze: UNIKAĆ |
| Burak | OBOJĘTNY | KORZYSTNY: zawiera składnik, który pozytywnie modyfikuje dotychczasową podatność na choroby | KORZYSTNY<br><br>Niewydzielacze: OBOJĘTNY | OBOJĘTNY |
| Cebula (czerwona, hiszpańska, żółta, biała, zielona) | KORZYSTNY: zawiera składnik, który pozytywnie modyfikuje dotychczasową podatność na choroby | OBOJĘTNY<br><br>Niewydzielacze: KORZYSTNY | OBOJĘTNY | KORZYSTNY: zawiera składnik, który pozytywnie modyfikuje dotychczasową podatność na choroby |
| Chrzan | KORZYSTNY: zawiera składnik, który albo blokuje syntezę poliamin, albo zmniejsza poziom indykanu<br><br>Niewydzielacze: OBOJĘTNY | OBOJĘTNY | OBOJĘTNY | KORZYSTNY: zawiera składnik, który pozytywnie modyfikuje dotychczasową podatność na choroby |
| *Collard greens* (kapusta bezgłowa podobna do jarmużu) | KORZYSTNY: zawiera składnik, który pozytywnie modyfikuje dotychczasową podatność na choroby | KORZYSTNY: zawiera składnik, który pozytywnie modyfikuje dotychczasową podatność na choroby | KORZYSTNY: zawiera składnik, który albo blokuje syntezę poliamin, albo zmniejsza poziom indykanu | KORZYSTNY: zawiera składnik, który pozytywnie modyfikuje dotychczasową podatność na choroby |
| Cukinia | OBOJĘTNY | OBOJĘTNY | OBOJĘTNY | OBOJĘTNY |
| Cykoria | KORZYSTNY: zawiera składnik, który pozytywnie modyfikuje dotychczasową podatność na choroby | OBOJĘTNY | OBOJĘTNY | KORZYSTNY: zawiera składnik, który albo blokuje syntezę poliamin, albo zmniejsza poziom indykanu |
| Czerwona cykoria | OBOJĘTNY | OBOJĘTNY | OBOJĘTNY | OBOJĘTNY |

421

## WARZYWA (SOKI WARZYWNE) c.d.

| Produkt | Grupa krwi A | Grupa krwi B | Grupa krwi AB | Grupa krwi 0 |
|---|---|---|---|---|
| Czosnek | KORZYSTNY: zawiera aglutyninę, która pozytywnie modyfikuje dotychczasową podatność na choroby<br><br>Niewydzielacze: OBOJĘTNY | OBOJĘTNY<br><br>Niewydzielacze: KORZYSTNY | KORZYSTNY: zawiera aglutyninę, która pozytywnie modyfikuje dotychczasową podatność na choroby | OBOJĘTNY<br><br>Niewydzielacze: KORZYSTNY |
| Dymka | OBOJĘTNY | OBOJĘTNY | OBOJĘTNY | OBOJĘTNY |
| Dynia | KORZYSTNY: zawiera składnik, który pozytywnie modyfikuje dotychczasową podatność na choroby | UNIKAĆ<br><br>Niewydzielacze: OBOJĘTNY | OBOJĘTNY | KORZYSTNY: zawiera składnik, który pozytywnie modyfikuje dotychczasową podatność na choroby |
| Endywia | OBOJĘTNY | OBOJĘTNY | OBOJĘTNY | OBOJĘTNY |
| Eskariol | KORZYSTNY: zawiera składnik, który pozytywnie modyfikuje dotychczasową podatność na choroby | OBOJĘTNY | OBOJĘTNY | KORZYSTNY: zawiera składnik, który pozytywnie modyfikuje dotychczasową podatność na choroby |
| Groch (zielony, strączkowy) | OBOJĘTNY | OBOJĘTNY | OBOJĘTNY | OBOJĘTNY |
| Grzyby enoki | OBOJĘTNY | OBOJĘTNY | OBOJĘTNY | OBOJĘTNY |
| Grzyby boczniaki (abalone) | OBOJĘTNY | OBOJĘTNY | UNIKAĆ: wywołuje nienormalne reakcje we krwi | OBOJĘTNY |
| Grzyby maitake | KORZYSTNY: zawiera aglutyninę, która pozytywnie modyfikuje dotychczasową podatność na choroby | OBOJĘTNY | KORZYSTNY: zawiera aglutyninę, która pozytywnie modyfikuje dotychczasową podatność na choroby | OBOJĘTNY |
| Grzyby shiitake | UNIKAĆ: wywołuje nienormalne reakcje we krwi | KORZYSTNY: zawiera składnik, który pozytywnie modyfikuje dotychczasową podatność na choroby | UNIKAĆ: wywołuje nienormalne reakcje we krwi | UNIKAĆ: zawiera składnik, który może modyfikować dotychczasową podatność na choroby |
| Imbir | KORZYSTNY: zawiera składnik, który albo blokuje syntezę poliamin, albo zmniejsza poziom indykanu | KORZYSTNY: zawiera składnik, który pozytywnie modyfikuje dotychczasową podatność na choroby | OBOJĘTNY<br><br>Niewydzielacze: KORZYSTNY | KORZYSTNY: zawiera składnik, który pozytywnie modyfikuje dotychczasową podatność na choroby |

## WARZYWA (SOKI WARZYWNE) c.d.

| Produkt | Grupa krwi A | Grupa krwi B | Grupa krwi AB | Grupa krwi 0 |
|---------|--------------|--------------|---------------|--------------|
| Jałowiec | UNIKAĆ: niewydolność wydzielnicza; potęguje zachwianie równowagi jelitowej | UNIKAĆ: wywołuje nienormalne reakcje we krwi | OBOJĘTNY<br><br>Niewydzielacze: UNIKAĆ | UNIKAĆ: podrażnia układ pokarmowy; zaburza działanie układu pokarmowego |
| Jukka | UNIKAĆ: wywołuje nienormalne reakcje we krwi | OBOJĘTNY | OBOJĘTNY | UNIKAĆ: inhibitor metaboliczny |
| Kabaczek/ /patison | OBOJĘTNY | OBOJĘTNY | OBOJĘTNY | OBOJĘTNY |
| Kalafior | OBOJĘTNY | KORZYSTNY: zawiera składnik, który pozytywnie modyfikuje dotychczasową podatność na choroby | KORZYSTNY: zawiera składnik, który pozytywnie modyfikuje dotychczasową podatność na choroby | UNIKAĆ: inhibitor metaboliczny |
| Kalarepa | KORZYSTNY: zawiera składnik, który pozytywnie modyfikuje dotychczasową podatność na choroby | OBOJĘTNY | OBOJĘTNY | KORZYSTNY: zawiera składnik, który pozytywnie modyfikuje dotychczasową podatność na choroby |
| *Kale* (kapusta bezgłowa podobna do kapusty włoskiej) | KORZYSTNY: zawiera składnik, który pozytywnie modyfikuje dotychczasową podatność na choroby | KORZYSTNY | KORZYSTNY: zawiera składnik, który pozytywnie modyfikuje dotychczasową podatność na choroby | KORZYSTNY: zawiera składnik, który pozytywnie modyfikuje dotychczasową podatność na choroby |
| Kapar | UNIKAĆ: wywołuje kłaczkowanie lub wytrącanie składników surowicy krwi | OBOJĘTNY | UNIKAĆ: wywołuje kłaczkowanie lub wytrącanie składników surowicy krwi | UNIKAĆ: inhibitor metaboliczny |
| Kapusta (pekińska/ /czerwona/ /biała) | UNIKAĆ: wywołuje nienormalne reakcje we krwi; niewydolność wydzielnicza; potęguje zachwianie równowagi jelitowej | KORZYSTNY: zawiera składnik, który pozytywnie modyfikuje dotychczasową podatność na choroby<br><br>Niewydzielacze: OBOJĘTNY | OBOJĘTNY | OBOJĘTNY<br><br>Niewydzielacze: UNIKAĆ |
| Kapusta chińska | OBOJĘTNY | OBOJĘTNY | OBOJĘTNY | OBOJĘTNY |

## ■ WARZYWA (SOKI WARZYWNE) c.d.

| Produkt | Grupa krwi A | Grupa krwi B | Grupa krwi AB | Grupa krwi 0 |
|---|---|---|---|---|
| **Kapusta kwaszona** | UNIKAĆ: wywołuje nienormalne reakcje we krwi | OBOJĘTNY | OBOJĘTNY | OBOJĘTNY<br><br>Niewydzielacze: UNIKAĆ |
| **Karczochy** | KORZYSTNY: zawiera składnik, który pozytywnie modyfikuje dotychczasową podatność na choroby | UNIKAĆ<br><br>Niewydzielacze: OBOJĘTNY | UNIKAĆ: zawiera lektynę lub inną aglutyninę | KORZYSTNY: zawiera składnik, który pozytywnie modyfikuje dotychczasową podatność na choroby |
| **Kard** | KORZYSTNY: zawiera aglutyninę, która pozytywnie modyfikuje dotychczasową podatność na choroby | OBOJĘTNY | OBOJĘTNY | KORZYSTNY: zawiera składnik, który pozytywnie modyfikuje dotychczasową podatność na choroby |
| **Kiełki lucerny (alfalfa)** | KORZYSTNY: zawiera składnik, który pozytywnie modyfikuje dotychczasową podatność na choroby<br><br>Niewydzielacze: OBOJĘTNY | OBOJĘTNY | KORZYSTNY: zawiera składnik, który pozytywnie modyfikuje dotychczasową podatność na choroby | UNIKAĆ: zawiera składnik, który może modyfikować dotychczasową podatność na choroby |
| **Kiełki rzodkiewki** | OBOJĘTNY | UNIKAĆ: wywołuje nienormalne reakcje we krwi | UNIKAĆ: wywołuje nienormalne reakcje we krwi | OBOJĘTNY |
| **Kolokazja (liście)** | OBOJĘTNY | OBOJĘTNY | OBOJĘTNY<br><br>Niewydzielacze: UNIKAĆ | OBOJĘTNY<br><br>Niewydzielacze: UNIKAĆ |
| **Komonica jadalna** | OBOJĘTNY | OBOJĘTNY | OBOJĘTNY | OBOJĘTNY |
| **Koper włoski** | KORZYSTNY: zawiera składnik, który albo blokuje syntezę poliamin, albo zmniejsza poziom indykanu<br><br>Niewydzielacze: OBOJĘTNY | OBOJĘTNY | OBOJĘTNY | OBOJĘTNY |
| **Kotewka orzech wodny** | OBOJĘTNY | OBOJĘTNY | OBOJĘTNY | OBOJĘTNY |

## WARZYWA (SOKI WARZYWNE) c.d.

| Produkt | Grupa krwi A | Grupa krwi B | Grupa krwi AB | Grupa krwi 0 |
|---------|--------------|--------------|---------------|--------------|
| Liście gorczycy | OBOJĘTNY | KORZYSTNY: zawiera składnik, który pozytywnie modyfikuje dotychczasową podatność na choroby | KORZYSTNY: zawiera składnik, który pozytywnie modyfikuje dotychczasową podatność na choroby | UNIKAĆ<br><br>Niewydzielacze: OBOJĘTNY |
| Marchew | KORZYSTNY: zawiera aglutyninę, która pozytywnie modyfikuje dotychczasową podatność na choroby<br><br>Niewydzielacze: OBOJĘTNY | KORZYSTNY: zawiera składnik, który pozytywnie modyfikuje dotychczasową podatność na choroby | OBOJĘTNY | OBOJĘTNY<br><br>Niewydzielacze: KORZYSTNY |
| Mniszek | KORZYSTNY: zawiera składnik, który pozytywnie modyfikuje dotychczasową podatność na choroby | OBOJĘTNY | KORZYSTNY: zawiera składnik, który albo blokuje syntezę poliamin, albo zmniejsza poziom indykanu | KORZYSTNY: zawiera składnik, który albo blokuje syntezę poliamin, albo zmniejsza poziom indykanu |
| Morszczyn (kelp) | OBOJĘTNY | OBOJĘTNY | OBOJĘTNY | KORZYSTNY: pobudza metabolizm |
| Ogórek | OBOJĘTNY | OBOJĘTNY | KORZYSTNY: zawiera aglutyninę, która pozytywnie modyfikuje dotychczasową podatność na choroby | UNIKAĆ: zawiera lektynę lub inną aglutyninę |
| Oliwka czarna | UNIKAĆ: niewydolność wydzielnicza; zaburza równowagę jelitową; wywołuje nienormalne reakcje we krwi; hamuje normalne funkcje żołądka lub blokuje wchłanianie | UNIKAĆ: wywołuje nienormalne reakcje we krwi | UNIKAĆ: podwyższa poziom poliamin lub indykanu | UNIKAĆ: zawiera składnik, który może modyfikować dotychczasową podatność na choroby |
| Oliwka grecka/ /hiszpańska | UNIKAĆ: wywołuje nienormalne reakcje we krwi | UNIKAĆ: wywołuje nienormalne reakcje we krwi | OBOJĘTNY | OBOJĘTNY<br><br>Niewydzielacze: UNIKAĆ |
| Oliwka zielona | OBOJĘTNY<br><br>Niewydzielacze: UNIKAĆ | UNIKAĆ: wywołuje nienormalne reakcje we krwi | OBOJĘTNY | OBOJĘTNY<br><br>Niewydzielacze: UNIKAĆ |

## WARZYWA (SOKI WARZYWNE) c.d.

| Produkt | Grupa krwi A | Grupa krwi B | Grupa krwi AB | Grupa krwi 0 |
|---|---|---|---|---|
| Orlica pospolita (paproć) | OBOJĘTNY | OBOJĘTNY | OBOJĘTNY | OBOJĘTNY<br><br>Niewydzielacze: KORZYSTNY |
| Papryka (czerwona, kajeńska) | UNIKAĆ | KORZYSTNY: zawiera składnik, który pozytywnie modyfikuje dotychczasową podatność na choroby<br><br>Niewydzielacze: OBOJĘTNY | UNIKAĆ: wywołuje nienormalne reakcje we krwi | KORZYSTNY: zawiera składnik, który pozytywnie modyfikuje dotychczasową podatność na choroby |
| Papryka (zielona, żółta, jalapeño) | UNIKAĆ: wywołuje nienormalne reakcje we krwi<br><br>Niewydzielacze: OBOJĘTNY | KORZYSTNY<br><br>Niewydzielacze: OBOJĘTNY | UNIKAĆ: wywołuje nienormalne reakcje we krwi | OBOJĘTNY |
| Papryka chili | UNIKAĆ: wywołuje kłaczkowanie lub wytrącanie składników surowicy krwi<br><br>Niewydzielacze: OBOJĘTNY | OBOJĘTNY | UNIKAĆ: podrażnia przewód pokarmowy; hamuje normalne funkcje żołądka | OBOJĘTNY |
| Pasternak | KORZYSTNY: zawiera aglutyninę, która pozytywnie modyfikuje dotychczasową podatność na choroby | KORZYSTNY: zawiera aglutyninę, która pozytywnie modyfikuje dotychczasową podatność na choroby | KORZYSTNY: zawiera aglutyninę, która pozytywnie modyfikuje dotychczasową podatność na choroby | KORZYSTNY: zawiera aglutyninę, która pozytywnie modyfikuje dotychczasową podatność na choroby<br><br>Niewydzielacze: OBOJĘTNY |
| Pędy bambusa | OBOJĘTNY | OBOJĘTNY | OBOJĘTNY | OBOJĘTNY |
| Pędy młodej rzepy | KORZYSTNY: zawiera składnik, który pozytywnie modyfikuje dotychczasową podatność na choroby | OBOJĘTNY | OBOJĘTNY | OBOJĘTNY |

## WARZYWA (SOKI WARZYWNE) c.d.

| Produkt | Grupa krwi A | Grupa krwi B | Grupa krwi AB | Grupa krwi 0 |
|---|---|---|---|---|
| **Pieczarki hodowlane** | KORZYSTNY: zawiera aglutyninę, która pozytywnie modyfikuje dotychczasową podatność na choroby<br><br>Niewydzielacze: UNIKAĆ | OBOJĘTNY | OBOJĘTNY | UNIKAĆ<br><br>Niewydzielacze: OBOJĘTNY |
| **Pieczarki odmiany** *portobello* | OBOJĘTNY | OBOJĘTNY | OBOJĘTNY | OBOJĘTNY |
| **Piżmian (ketmia, okra)** | KORZYSTNY: zawiera aglutyninę, która pozytywnie modyfikuje dotychczasową podatność na choroby | OBOJĘTNY<br><br>Niewydzielacze: KORZYSTNY | OBOJĘTNY | KORZYSTNY: zawiera składnik, który pozytywnie modyfikuje dotychczasową podatność na choroby |
| **Pomidor/sok pomidorowy** | UNIKAĆ: zawiera lektynę lub inną aglutyninę; inhibitor metaboliczny; wywołuje nienormalne reakcje we krwi<br><br>Niewydzielacze: OBOJĘTNY | UNIKAĆ: wywołuje nienormalne reakcje we krwi<br><br>Niewydzielacze: OBOJĘTNY | OBOJĘTNY<br><br>Niewydzielacze: KORZYSTNY | OBOJĘTNY |
| **Por** | KORZYSTNY: zawiera aglutyninę, która pozytywnie modyfikuje dotychczasową podatność na choroby | OBOJĘTNY | OBOJĘTNY | UNIKAĆ: zawiera lektynę lub inną aglutyninę; inhibitor metaboliczny |
| **Rabarbar** | UNIKAĆ: niewydolność wydzielnicza | UNIKAĆ: wywołuje nienormalne reakcje we krwi | UNIKAĆ: zawiera składnik, który może modyfikować dotychczasową podatność na choroby | UNIKAĆ: podrażnia układ pokarmowy; hamuje normalne funkcje żołądka lub blokuje wchłanianie; zawiera składnik, który może modyfikować dotychczasową podatność na choroby |
| **Rokietta siewna (arugula)** | OBOJĘTNY | OBOJĘTNY | OBOJĘTNY | OBOJĘTNY |
| **Rukiew wodna** | OBOJĘTNY | OBOJĘTNY | OBOJĘTNY | OBOJĘTNY |

## WARZYWA (SOKI WARZYWNE) c.d.

| Produkt | Grupa krwi A | Grupa krwi B | Grupa krwi AB | Grupa krwi 0 |
|---|---|---|---|---|
| Rzepa | KORZYSTNY: zawiera aglutyninę, która pozytywnie modyfikuje dotychczasową podatność na choroby | OBOJĘTNY | OBOJĘTNY | KORZYSTNY: zawiera składnik, który albo blokuje syntezę poliamin, albo zmniejsza poziom indykanu |
| Rzodkiew daikon | OBOJĘTNY | OBOJĘTNY | OBOJĘTNY | OBOJĘTNY |
| Rzodkiewka | OBOJĘTNY | UNIKAĆ: wywołuje nienormalne reakcje we krwi | UNIKAĆ: wywołuje nienormalne reakcje we krwi | OBOJĘTNY |
| Salsefia | OBOJĘTNY | OBOJĘTNY | OBOJĘTNY | OBOJĘTNY |
| Sałata (poza rzymską) | OBOJĘTNY | OBOJĘTNY | OBOJĘTNY | OBOJĘTNY |
| Sałata rzymska | KORZYSTNY: zawiera składnik, który pozytywnie modyfikuje dotychczasową podatność na choroby | OBOJĘTNY | OBOJĘTNY | KORZYSTNY: zawiera składnik, który pozytywnie modyfikuje dotychczasową podatność na choroby<br><br>Niewydzielacze: OBOJĘTNY |
| Seler korzeniowy | OBOJĘTNY | OBOJĘTNY | OBOJĘTNY | OBOJĘTNY |
| Seler naciowy/ /sok z selera naciowego | KORZYSTNY: zawiera składnik, który pozytywnie modyfikuje dotychczasową podatność na choroby<br><br>Niewydzielacze: OBOJĘTNY | OBOJĘTNY | KORZYSTNY: zawiera składnik, który pozytywnie modyfikuje dotychczasową podatność na choroby | OBOJĘTNY |
| Słodka papryka pimento | OBOJĘTNY | OBOJĘTNY | OBOJĘTNY | OBOJĘTNY |
| Sok z kapusty | OBOJĘTNY | KORZYSTNY: zawiera składnik, który pozytywnie modyfikuje dotychczasową podatność na choroby<br><br>Niewydzielacze: OBOJĘTNY | KORZYSTNY: zawiera składnik, który pozytywnie modyfikuje dotychczasową podatność na choroby | OBOJĘTNY<br><br>Niewydzielacze: UNIKAĆ |

## WARZYWA (SOKI WARZYWNE) c.d.

| Produkt | Grupa krwi A | Grupa krwi B | Grupa krwi AB | Grupa krwi 0 |
|---|---|---|---|---|
| Sok z marchwi | KORZYSTNY: zawiera aglutyninę, która pozytywnie modyfikuje dotychczasową podatność na choroby<br><br>Niewydzielacze: OBOJĘTNY | OBOJĘTNY | KORZYSTNY: zawiera aglutyninę, która pozytywnie modyfikuje dotychczasową podatność na choroby | OBOJĘTNY |
| Sok z ogórka | OBOJĘTNY | OBOJĘTNY | OBOJĘTNY | UNIKAĆ: zawiera lektynę lub inną aglutyninę |
| Szalotka | OBOJĘTNY | OBOJĘTNY | OBOJĘTNY | OBOJĘTNY |
| Szparagi | OBOJĘTNY | OBOJĘTNY | OBOJĘTNY | OBOJĘTNY |
| Szpinak/sok ze szpinaku | KORZYSTNY: zawiera składnik, który pozytywnie modyfikuje dotychczasową podatność na choroby | OBOJĘTNY | OBOJĘTNY | KORZYSTNY: zawiera składnik, który pozytywnie modyfikuje dotychczasową podatność na choroby |
| Taro (bulwy kolokazji) | OBOJĘTNY | OBOJĘTNY | OBOJĘTNY<br><br>Niewydzielacze: UNIKAĆ | UNIKAĆ: inhibitor metaboliczny |
| Warzywa kwaszone | OBOJĘTNY<br><br>Niewydzielacze: UNIKAĆ | OBOJĘTNY | UNIKAĆ: podrażnia układ pokarmowy; hamuje normalne funkcje żołądka | UNIKAĆ: zawiera składnik, który może modyfikować dotychczasową podatność na choroby |
| Warzywa marynowane | UNIKAĆ: wywołuje nienormalne reakcje we krwi | OBOJĘTNY | UNIKAĆ: wywołuje nienormalne reakcje we krwi | UNIKAĆ: zawiera składnik, który może modyfikować dotychczasową podatność na choroby |
| Wodorosty | OBOJĘTNY | OBOJĘTNY | OBOJĘTNY | OBOJĘTNY |
| Ziemniak (różne odmiany) | UNIKAĆ: zawiera lektynę lub inną aglutyninę; inhibitor metaboliczny; wywołuje nienormalne reakcje we krwi | OBOJĘTNY<br><br>Niewydzielacze: UNIKAĆ | OBOJĘTNY | UNIKAĆ: zawiera lektynę lub inną aglutyninę; zawiera składnik, który może modyfikować dotychczasową podatność na choroby; inhibitor metaboliczny |

## OWOCE/SOKI OWOCOWE

| Produkt | Grupa krwi A | Grupa krwi B | Grupa krwi AB | Grupa krwi 0 |
|---|---|---|---|---|
| Agrest | OBOJĘTNY | OBOJĘTNY | KORZYSTNY: zawiera składnik, który albo blokuje syntezę poliamin, albo zmniejsza poziom indykanu | OBOJĘTNY |
| Ananas | KORZYSTNY: zawiera składnik, który pozytywnie modyfikuje dotychczasową podatność na choroby | KORZYSTNY: zawiera składnik, który pozytywnie modyfikuje dotychczasową podatność na choroby | KORZYSTNY: zawiera składnik, który pozytywnie modyfikuje dotychczasową podatność na choroby | OBOJĘTNY |
| Arbuz | OBOJĘTNY<br><br>Niewydzielacze: KORZYSTNY | KORZYSTNY: zawiera składnik, który pozytywnie modyfikuje dotychczasową podatność na choroby | KORZYSTNY: zawiera składnik, który pozytywnie modyfikuje dotychczasową podatność na choroby | OBOJĘTNY |
| Awokado | OBOJĘTNY | UNIKAĆ: zawiera lektynę lub inną aglutyninę | UNIKAĆ: zawiera lektynę lub inną aglutyninę | UNIKAĆ<br><br>Niewydzielacze: KORZYSTNY |
| Banan | UNIKAĆ: zawiera lektynę lub inną aglutyninę; inhibitor metaboliczny; wywołuje nienormalne reakcje we krwi<br><br>Niewydzielacze: OBOJĘTNY | KORZYSTNY: zawiera aglutyninę, która pozytywnie modyfikuje dotychczasową podatność na choroby<br><br>Niewydzielacze: OBOJĘTNY | UNIKAĆ: zawiera lektynę lub inną aglutyninę | KORZYSTNY: zawiera aglutyninę, która pozytywnie modyfikuje dotychczasową podatność na choroby |
| Bez koralowy (ciemnonlebie- ski; fioletowy) | OBOJĘTNY<br><br>Niewydzielacze: KORZYSTNY | OBOJĘTNY<br><br>Niewydzielacze: KORZYSTNY | OBOJĘTNY<br><br>Niewydzielacze: KORZYSTNY | OBOJĘTNY |
| *Boysenberry* | KORZYSTNY: zawiera składnik, który albo blokuje syntezę poliamin, albo zmniejsza poziom indykanu | OBOJĘTNY<br><br>Niewydzielacze: KORZYSTNY | OBOJĘTNY | OBOJĘTNY |
| Brzoskwinia | OBOJĘTNY | OBOJĘTNY | OBOJĘTNY | OBOJĘTNY |
| Cytryna/sok cytrynowy | KORZYSTNY: zawiera składnik, który pozytywnie modyfikuje dotychczasową podatność na choroby | OBOJĘTNY | KORZYSTNY: zawiera składnik, który pozytywnie modyfikuje dotychczasową podatność na choroby | OBOJĘTNY |

## OWOCE/SOKI OWOCOWE c.d.

| Produkt | Grupa krwi A | Grupa krwi B | Grupa krwi AB | Grupa krwi 0 |
|---|---|---|---|---|
| Czarna borówka (jagoda) | KORZYSTNY: zawiera składnik, który albo blokuje syntezę poliamin, albo zmniejsza poziom indykanu | OBOJĘTNY<br><br>Niewydzielacze: KORZYSTNY | OBOJĘTNY<br><br>Niewydzielacze: KORZYSTNY | KORZYSTNY: zawiera składnik, który albo blokuje syntezę poliamin, albo zmniejsza poziom indykanu |
| Czeremcha amerykańska (sok) | KORZYSTNY: zawiera składnik, który albo blokuje syntezę poliamin, albo zmniejsza poziom indykanu | OBOJĘTNY<br><br>Niewydzielacze: KORZYSTNY | KORZYSTNY: zawiera składnik, który albo blokuje syntezę poliamin, albo zmniejsza poziom indykanu | KORZYSTNY: zawiera składnik, który albo blokuje syntezę poliamin, albo zmniejsza poziom indykanu |
| Daktyl | OBOJĘTNY | OBOJĘTNY | OBOJĘTNY | OBOJĘTNY<br><br>Niewydzielacze: UNIKAĆ |
| Dynia piżmowa | OBOJĘTNY | OBOJĘTNY | OBOJĘTNY | OBOJĘTNY |
| Figa (świeża; suszona) | KORZYSTNY: zawiera składnik, który pozytywnie modyfikuje dotychczasową podatność na choroby | OBOJĘTNY<br><br>Niewydzielacze: KORZYSTNY | KORZYSTNY: zawiera składnik, który albo blokuje syntezę poliamin, albo zmniejsza poziom indykanu | KORZYSTNY: zawiera składnik, który albo blokuje syntezę poliamin, albo zmniejsza poziom indykanu |
| Granat | OBOJĘTNY | UNIKAĆ: zawiera lektynę lub inną aglutyninę | UNIKAĆ: zawiera lektynę lub inną aglutyninę | OBOJĘTNY<br><br>Niewydzielacze: KORZYSTNY |
| Grejpfrut | KORZYSTNY: zawiera składnik, który pozytywnie modyfikuje dotychczasową podatność na choroby | OBOJĘTNY | KORZYSTNY: zawiera składnik, który pozytywnie modyfikuje dotychczasową podatność na choroby | OBOJĘTNY |
| Gruszka/sok gruszkowy | OBOJĘTNY | OBOJĘTNY | OBOJĘTNY | OBOJĘTNY |
| Gruszka chińska | OBOJĘTNY | OBOJĘTNY | OBOJĘTNY | UNIKAĆ: zawiera lektynę lub inną aglutyninę |
| Gwajawa/sok (guava) | OBOJĘTNY | OBOJĘTNY<br><br>Niewydzielacze: KORZYSTNY | UNIKAĆ: wywołuje nienormalne reakcje we krwi | KORZYSTNY: zdrowa alternatywa dla bardziej powszechnych, a nie zalecanych, pokarmów |

## OWOCE/SOKI OWOCOWE c.d.

| Produkt | Grupa krwi A | Grupa krwi B | Grupa krwi AB | Grupa krwi 0 |
|---|---|---|---|---|
| Jabłko/sok jabłkowy | OBOJĘTNY | OBOJĘTNY | OBOJĘTNY | OBOJĘTNY<br><br>Niewydzielacze: UNIKAĆ |
| Jagoda hebanowca (hurma, persymona) | OBOJĘTNY | UNIKAĆ: zawiera lektynę lub inną aglutyninę | UNIKAĆ: zawiera lektynę lub inną aglutyninę | OBOJĘTNY |
| Jeżyna | KORZYSTNY: zawiera składnik, który albo blokuje syntezę poliamin, albo zmniejsza poziom indykanu | OBOJĘTNY<br><br>Niewydzielacze: KORZYSTNY | OBOJĘTNY<br><br>Niewydzielacze: KORZYSTNY | UNIKAĆ: zawiera lektynę lub inną aglutyninę |
| Jeżyna sinojagodowa | OBOJĘTNY | OBOJĘTNY | UNIKAĆ: wywołuje nienormalne reakcje we krwi | OBOJĘTNY |
| Kantalupa | OBOJĘTNY<br><br>Niewydzielacze: UNIKAĆ | OBOJĘTNY<br><br>Niewydzielacze: UNIKAĆ | OBOJĘTNY<br><br>Niewydzielacze: UNIKAĆ | UNIKAĆ: zaburza równowagę jelitową |
| Karambola | OBOJĘTNY | UNIKAĆ: zawiera lektynę lub inną aglutyninę | UNIKAĆ: wywołuje nienormalne reakcje we krwi | OBOJĘTNY |
| Kiwi | OBOJĘTNY | OBOJĘTNY | KORZYSTNY: zawiera składnik, który albo blokuje syntezę poliamin, albo zmniejsza poziom indykanu | UNIKAĆ: inhibitor metaboliczny |
| Kokos | UNIKAĆ: wywołuje nienormalne reakcje we krwi<br><br>Niewydzielacze: OBOJĘTNY | UNIKAĆ: wywołuje nienormalne reakcje we krwi | UNIKAĆ: wzmacnia działanie toksyn pokarmowych | UNIKAĆ: wzmacnia działanie toksyn pokarmowych; zawiera składnik, który może modyfikować dotychczasową podatność na choroby |
| Kumkwat | OBOJĘTNY | OBOJĘTNY | OBOJĘTNY | OBOJĘTNY |
| Limeta/sok z limety | KORZYSTNY: zawiera składnik, który pozytywnie modyfikuje dotychczasową podatność na choroby | OBOJĘTNY | OBOJĘTNY<br><br>Niewydzielacze: KORZYSTNY | OBOJĘTNY |

## OWOCE/SOKI OWOCOWE c.d.

| Produkt | Grupa krwi A | Grupa krwi B | Grupa krwi AB | Grupa krwi 0 |
|---|---|---|---|---|
| *Loganberry* | OBOJĘTNY | OBOJĘTNY | KORZYSTNY: zawiera składnik, który albo blokuje syntezę poliamin, albo zmniejsza poziom indykanu | OBOJĘTNY |
| **Malina** | OBOJĘTNY | OBOJĘTNY<br><br>Niewydzielacze: KORZYSTNY | OBOJĘTNY | OBOJĘTNY |
| **Mango/sok z mango** | UNIKAĆ: wywołuje nienormalne reakcje we krwi<br><br>Niewydzielacze: OBOJĘTNY | OBOJĘTNY | UNIKAĆ: podwyższa poziom poliamin lub indykanu | KORZYSTNY: zawiera składnik, który pozytywnie modyfikuje dotychczasową podatność na choroby |
| **Melon bożonarodze-niowy** | OBOJĘTNY | OBOJĘTNY | OBOJĘTNY | OBOJĘTNY |
| **Melon crenshaw** | OBOJĘTNY | OBOJĘTNY | OBOJĘTNY | OBOJĘTNY |
| **Melon hiszpański** | OBOJĘTNY | UNIKAĆ: zawiera lektynę lub inną aglutyninę | UNIKAĆ: wywołuje nienormalne reakcje we krwi | OBOJĘTNY |
| **Melon kanang** | OBOJĘTNY | OBOJĘTNY | OBOJĘTNY | OBOJĘTNY |
| **Melon kasaba** | OBOJĘTNY<br><br>Niewydzielacze: UNIKAĆ | OBOJĘTNY | OBOJĘTNY | OBOJĘTNY |
| **Melon miodowy** | UNIKAĆ: wywołuje nienormalne reakcje we krwi | OBOJĘTNY<br><br>Niewydzielacze: UNIKAĆ | OBOJĘTNY<br><br>Niewydzielacze: UNIKAĆ | UNIKAĆ: wzmacnia działanie toksyn pokarmowych |
| **Melon perski** | OBOJĘTNY | OBOJĘTNY | OBOJĘTNY | OBOJĘTNY |
| **Mleko kokosowe** | UNIKAĆ: wywołuje nienormalne reakcje we krwi<br><br>Niewydzielacze: OBOJĘTNY | UNIKAĆ: wywołuje nienormalne reakcje we krwi | UNIKAĆ: wywołuje nienormalne reakcje we krwi | UNIKAĆ: wzmacnia działanie toksyn pokarmowych; zawiera składnik, który może modyfikować dotychczasową podatność na choroby |

## OWOCE/SOKI OWOCOWE c.d.

| Produkt | Grupa krwi A | Grupa krwi B | Grupa krwi AB | Grupa krwi 0 |
|---|---|---|---|---|
| Morela/sok morelowy | KORZYSTNY: zawiera składnik, który pozytywnie modyfikuje dotychczasową podatność na choroby | OBOJĘTNY | OBOJĘTNY | OBOJĘTNY <br><br> Niewydzielacze: UNIKAĆ |
| Nektarynka | OBOJĘTNY | OBOJĘTNY | OBOJĘTNY | OBOJĘTNY |
| Owoc chlebowca | OBOJĘTNY | OBOJĘTNY | OBOJĘTNY | OBOJĘTNY |
| Owoc opuncji | OBOJĘTNY | UNIKAĆ: wywołuje nienormalne reakcje we krwi | UNIKAĆ: wywołuje nienormalne reakcje we krwi | OBOJĘTNY <br><br> Niewydzielacze: KORZYSTNY |
| Owoce morwy | OBOJĘTNY | OBOJĘTNY | OBOJĘTNY | OBOJĘTNY |
| Papaja/sok z papai | UNIKAĆ: wywołuje nienormalne reakcje we krwi | KORZYSTNY: zawiera składnik, który albo blokuje syntezę poliamin, albo zmniejsza poziom indykanu | OBOJĘTNY | OBOJĘTNY |
| Pigwa | OBOJĘTNY | OBOJĘTNY | UNIKAĆ: zawiera lektynę lub inną aglutyninę | OBOJĘTNY |
| Plantan (banan mączysty) | UNIKAĆ: wywołuje nienormalne reakcje we krwi | OBOJĘTNY | OBOJĘTNY | UNIKAĆ: zawiera lektynę lub inną aglutyninę |
| Pomarańcza | UNIKAĆ: podwyższa poziom poliamin lub indykanu | OBOJĘTNY | UNIKAĆ: podwyższa poziom poliamin lub indykanu | UNIKAĆ: podwyższa poziom poliamin lub indykanu; inhibitor metaboliczny |
| Porzeczka (czarna; czerwona) | OBOJĘTNY | OBOJĘTNY <br><br> Niewydzielacze: KORZYSTNY | OBOJĘTNY | OBOJĘTNY |
| Przepękla (gruszka balsamiczna) | UNIKAĆ: zawiera lektynę lub inną aglutyninę | UNIKAĆ: zawiera lektynę lub inną aglutyninę | UNIKAĆ: zawiera lektynę lub inną aglutyninę | UNIKAĆ: zawiera lektynę lub inną aglutyninę; zawiera składnik, który może modyfikować dotychczasową podatność na choroby |
| Rodzynka | OBOJĘTNY | OBOJĘTNY | OBOJĘTNY | OBOJĘTNY |

## OWOCE/SOKI OWOCOWE c.d.

| Produkt | Grupa krwi A | Grupa krwi B | Grupa krwi AB | Grupa krwi 0 |
|---|---|---|---|---|
| Sagowiec | OBOJĘTNY | OBOJĘTNY | UNIKAĆ: inhibitor metaboliczny | OBOJĘTNY |
| Sok ananasowy | KORZYSTNY: zawiera składnik, który pozytywnie modyfikuje dotychczasową podatność na choroby | KORZYSTNY: zawiera składnik, który pozytywnie modyfikuje dotychczasową podatność na choroby | OBOJĘTNY | KORZYSTNY: zawiera składnik, który pozytywnie modyfikuje dotychczasową podatność na choroby |
| Sok grejpfrutowy | KORZYSTNY: zawiera składnik, który pozytywnie modyfikuje dotychczasową podatność na choroby | OBOJĘTNY | OBOJĘTNY | OBOJĘTNY |
| Sok żurawinowy | OBOJĘTNY<br><br>Niewydzielacze: KORZYSTNY | KORZYSTNY: zawiera składnik, który pozytywnie modyfikuje dotychczasową podatność na choroby | KORZYSTNY: zawiera składnik, który albo blokuje syntezę poliamin, albo zmniejsza poziom indykanu | OBOJĘTNY |
| Śliwka (różne odmiany) | KORZYSTNY: zawiera składnik, który albo blokuje syntezę poliamin, albo zmniejsza poziom indykanu | KORZYSTNY: zawiera składnik, który albo blokuje syntezę poliamin, albo zmniejsza poziom indykanu | KORZYSTNY: zawiera składnik, który albo blokuje syntezę poliamin, albo zmniejsza poziom indykanu | KORZYSTNY: zawiera składnik, który albo blokuje syntezę poliamin, albo zmniejsza poziom indykanu |
| Śliwka suszona | KORZYSTNY: zawiera składnik, który albo blokuje syntezę poliamin, albo zmniejsza poziom indykanu | OBOJĘTNY | OBOJĘTNY<br><br>Niewydzielacze: UNIKAĆ | KORZYSTNY: zawiera składnik, który albo blokuje syntezę poliamin, albo zmniejsza poziom indykanu |
| Tangeryna | UNIKAĆ: wywołuje nienormalne reakcje we krwi; podwyższa poziom poliamin lub indykanu | OBOJĘTNY | OBOJĘTNY<br><br>Niewydzielacze: UNIKAĆ | UNIKAĆ: podwyższa poziom poliamin lub indykanu; inhibitor metaboliczny |
| Truskawka | OBOJĘTNY | OBOJĘTNY | OBOJĘTNY | OBOJĘTNY<br><br>Niewydzielacze: UNIKAĆ |
| Winogrona (wszelkie) | OBOJĘTNY | KORZYSTNY: zawiera składnik, który albo blokuje syntezę poliamin, albo zmniejsza poziom indykanu | KORZYSTNY: zawiera składnik, który albo blokuje syntezę poliamin, albo zmniejsza poziom indykanu | OBOJĘTNY |

## OWOCE/SOKI OWOCOWE c.d.

| Produkt | Grupa krwi A | Grupa krwi B | Grupa krwi AB | Grupa krwi 0 |
|---|---|---|---|---|
| Wiśnie (czereśnie) | KORZYSTNY: zawiera składnik, który albo blokuje syntezę poliamin, albo zmniejsza poziom indykanu | OBOJĘTNY<br><br>Niewydzielacze: KORZYSTNY | KORZYSTNY: zawiera składnik, który albo blokuje syntezę poliamin, albo zmniejsza poziom indykanu | KORZYSTNY: zawiera składnik, który albo blokuje syntezę poliamin, albo zmniejsza poziom indykanu |
| *Youngberry* | OBOJĘTNY | OBOJĘTNY | OBOJĘTNY | OBOJĘTNY |
| Żurawina | KORZYSTNY: zawiera składnik, który albo blokuje syntezę poliamin, albo zmniejsza poziom indykanu | KORZYSTNY: zawiera składnik, który albo blokuje syntezę poliamin, albo zmniejsza poziom indykanu | KORZYSTNY: zawiera składnik, który albo blokuje syntezę poliamin, albo zmniejsza poziom indykanu | OBOJĘTNY |

## OLEJE

| Produkt | Grupa krwi A | Grupa krwi B | Grupa krwi AB | Grupa krwi 0 |
|---|---|---|---|---|
| Olej arachidowy | UNIKAĆ: niewydolność wydzielnicza; zaburza czynność układu sercowo-naczyniowego<br><br>Niewydzielacze: OBOJĘTNY | UNIKAĆ: wywołuje nienormalne reakcje we krwi | OBOJĘTNY | UNIKAĆ: wzmacnia działanie toksyn pokarmowych; wywołuje nienormalne reakcje we krwi; inhibitor metaboliczny |
| Olej bawełniany | UNIKAĆ: niewydolność wydzielnicza; zaburza czynność układu sercowo-naczyniowego | UNIKAĆ: wywołuje nienormalne reakcje we krwi | UNIKAĆ: zawiera składnik, który może modyfikować dotychczasową podatność na choroby | UNIKAĆ: wzmacnia działanie toksyn pokarmowych; inhibitor metaboliczny |
| Olej canola (rzepakowy) | OBOJĘTNY | UNIKAĆ: wywołuje nienormalne reakcje we krwi | OBOJĘTNY | OBOJĘTNY<br><br>Niewydzielacze: UNIKAĆ |
| Olej kokosowy | UNIKAĆ: wywołuje nienormalne reakcje we krwi | UNIKAĆ: wywołuje nienormalne reakcje we krwi | UNIKAĆ: wzmacnia działanie toksyn pokarmowych | UNIKAĆ |
| Olej krokoszowy | OBOJĘTNY<br><br>Niewydzielacze: UNIKAĆ | UNIKAĆ: wywołuje nienormalne reakcje we krwi | UNIKAĆ: zawiera składnik, który może modyfikować dotychczasową podatność na choroby | UNIKAĆ: podwyższa poziom poliamin lub indykanu; hamuje normalne funkcje żołądka lub blokuje wchłanianie |

## OLEJE c.d.

| Produkt | Grupa krwi A | Grupa krwi B | Grupa krwi AB | Grupa krwi 0 |
|---|---|---|---|---|
| Olej kukurydziany | UNIKAĆ: niewydolność wydzielnicza; zaburza czynność układu sercowo-naczyniowego | UNIKAĆ: zawiera lektynę lub inną aglutyninę | UNIKAĆ: zawiera lektynę lub inną aglutyninę | UNIKAĆ: zawiera lektynę lub inną aglutyninę |
| Olej lniany | KORZYSTNY: zawiera składnik, który pozytywnie modyfikuje dotychczasową podatność na choroby | OBOJĘTNY<br><br>Niewydzielacze: KORZYSTNY | OBOJĘTNY | KORZYSTNY<br><br>Niewydzielacze: OBOJĘTNY |
| Olej migdałowy | OBOJĘTNY | OBOJĘTNY | OBOJĘTNY | OBOJĘTNY<br><br>Niewydzielacze: KORZYSTNY |
| Olej rycynowy | UNIKAĆ: niewydolność wydzielnicza | UNIKAĆ: wywołuje nienormalne reakcje we krwi | OBOJĘTNY | UNIKAĆ: zawiera lektynę lub inną aglutyninę |
| Olej sezamowy | OBOJĘTNY<br><br>Niewydzielacze: KORZYSTNY | UNIKAĆ: zawiera lektynę lub inną aglutyninę | UNIKAĆ: zawiera lektynę lub inną aglutyninę | OBOJĘTNY |
| Olej słonecznikowy | OBOJĘTNY | UNIKAĆ: zawiera lektynę lub inną aglutyninę | UNIKAĆ: zawiera lektynę lub inną aglutyninę | UNIKAĆ: wywołuje nienormalne reakcje we krwi |
| Olej sojowy | OBOJĘTNY | UNIKAĆ: zawiera lektynę lub inną aglutyninę | OBOJĘTNY | UNIKAĆ: wywołuje nienormalne reakcje we krwi |
| Olej z nasion ogórecznika | OBOJĘTNY | UNIKAĆ: wywołuje nienormalne reakcje we krwi | OBOJĘTNY | OBOJĘTNY<br><br>Niewydzielacze: UNIKAĆ |
| Olej z nasion porzeczki | KORZYSTNY: zawiera składnik, który pozytywnie modyfikuje dotychczasową podatność na choroby | OBOJĘTNY<br><br>Niewydzielacze: KORZYSTNY | OBOJĘTNY | OBOJĘTNY |
| Olej z orzechów włoskich | KORZYSTNY: zawiera składnik, który albo blokuje syntezę poliamin, albo zmniejsza poziom indykanu | OBOJĘTNY<br><br>Niewydzielacze: KORZYSTNY | KORZYSTNY: zawiera składnik, który albo blokuje syntezę poliamin, albo zmniejsza poziom indykanu | OBOJĘTNY<br><br>Niewydzielacze: KORZYSTNY |

## OLEJE c.d.

| Produkt | Grupa krwi A | Grupa krwi B | Grupa krwi AB | Grupa krwi 0 |
|---|---|---|---|---|
| Olej z wątroby dorsza | OBOJĘTNY<br><br>Niewydzielacze:<br>KORZYSTNY | OBOJĘTNY | OBOJĘTNY | OBOJĘTNY<br><br>Niewydzielacze:<br>UNIKAĆ |
| Olej z wiesiołka | OBOJĘTNY | OBOJĘTNY | OBOJĘTNY | UNIKAĆ: wzmacnia działanie toksyn pokarmowych |
| Olej z zarodków pszennych | OBOJĘTNY | OBOJĘTNY | OBOJĘTNY | UNIKAĆ: wywołuje nienormalne reakcje we krwi; wzmacnia działanie toksyn pokarmowych; podwyższa poziom poliamin lub indykanu |
| Oliwa | KORZYSTNY: zawiera składnik, który pozytywnie modyfikuje dotychczasową podatność na choroby | KORZYSTNY: zawiera składnik, który pozytywnie modyfikuje dotychczasową podatność na choroby | KORZYSTNY: zawiera składnik, który pozytywnie modyfikuje dotychczasową podatność na choroby | KORZYSTNY: zawiera składnik, który pozytywnie modyfikuje dotychczasową podatność na choroby |

## ZIOŁA I PRZYPRAWY

| Produkt | Grupa krwi A | Grupa krwi B | Grupa krwi AB | Grupa krwi 0 |
|---|---|---|---|---|
| Anyż | OBOJĘTNY | OBOJĘTNY | UNIKAĆ: wywołuje nienormalne reakcje we krwi | OBOJĘTNY |
| Bazylia | OBOJĘTNY | OBOJĘTNY | OBOJĘTNY | OBOJĘTNY<br><br>Niewydzielacze:<br>KORZYSTNY |
| Bergamota | OBOJĘTNY | OBOJĘTNY | OBOJĘTNY | OBOJĘTNY |
| Curry | OBOJĘTNY | KORZYSTNY: zawiera składnik, który albo blokuje syntezę poliamin, albo zmniejsza poziom indykanu | KORZYSTNY: zawiera składnik, który albo blokuje syntezę poliamin, albo zmniejsza poziom indykanu | KORZYSTNY: zawiera składnik, który albo blokuje syntezę poliamin, albo zmniejsza poziom indykanu |
| Cynamon | OBOJĘTNY | UNIKAĆ: wywołuje nienormalne reakcje we krwi | OBOJĘTNY | OBOJĘTNY<br><br>Niewydzielacze:<br>UNIKAĆ |
| Cząber | OBOJĘTNY | OBOJĘTNY | OBOJĘTNY | OBOJĘTNY |

## ZIOŁA I PRZYPRAWY c.d.

| Produkt | Grupa krwi A | Grupa krwi B | Grupa krwi AB | Grupa krwi 0 |
|---|---|---|---|---|
| Czekolada | OBOJĘTNY | OBOJĘTNY | OBOJĘTNY | OBOJĘTNY |
| Estragon | OBOJĘTNY | OBOJĘTNY | OBOJĘTNY | OBOJĘTNY<br><br>Niewydzielacze:<br>KORZYSTNY |
| Gałka muszkatołowa | OBOJĘTNY | OBOJĘTNY | OBOJĘTNY | UNIKAĆ<br><br>Niewydzielacze:<br>OBOJĘTNY |
| Golteria (*wintergreen*) | UNIKAĆ: wywołuje nienormalne reakcje we krwi<br><br>Niewydzielacze:<br>OBOJĘTNY | OBOJĘTNY | OBOJĘTNY | OBOJĘTNY |
| Gorczyca (suche nasiona) | KORZYSTNY: zawiera składnik, który albo blokuje syntezę poliamin, albo zmniejsza poziom indykanu | OBOJĘTNY | OBOJĘTNY | OBOJĘTNY |
| Goździk | OBOJĘTNY | OBOJĘTNY | OBOJĘTNY | OBOJĘTNY |
| Guarana | OBOJĘTNY | UNIKAĆ: podwyższa poziom poliamin lub indykanu; hamuje normalne funkcje żołądka lub blokuje wchłanianie | UNIKAĆ: podwyższa poziom poliamin lub indykanu; hamuje normalne funkcje żołądka lub blokuje wchłanianie | UNIKAĆ: wzmacnia działanie toksyn pokarmowych |
| Guma arabska | UNIKAĆ: wywołuje nienormalne reakcje we krwi; zawiera lektynę lub inną aglutyninę; inhibitor metaboliczny; podnosi aktywność i reaktywność lektyn | UNIKAĆ: wywołuje nienormalne reakcje we krwi | UNIKAĆ: wywołuje nienormalne reakcje we krwi | UNIKAĆ: wywołuje nienormalne reakcje we krwi |
| Kardamon | OBOJĘTNY | OBOJĘTNY | OBOJĘTNY | OBOJĘTNY |
| Kmin rzymski | OBOJĘTNY | OBOJĘTNY | OBOJĘTNY | OBOJĘTNY |
| Kminek zwyczajny | OBOJĘTNY | OBOJĘTNY | OBOJĘTNY | OBOJĘTNY |

## ZIOŁA I PRZYPRAWY c.d.

| Produkt | Grupa krwi A | Grupa krwi B | Grupa krwi AB | Grupa krwi 0 |
|---|---|---|---|---|
| Kolendra (liście) | OBOJĘTNY<br><br>Niewydzielacze:<br>KORZYSTNY | OBOJĘTNY | OBOJĘTNY | OBOJĘTNY |
| Kolendra (owoce) | OBOJĘTNY | OBOJĘTNY | OBOJĘTNY | OBOJĘTNY |
| Koperek | OBOJĘTNY | OBOJĘTNY | OBOJĘTNY | OBOJĘTNY |
| Kurkuma | KORZYSTNY: zawiera składnik, który albo blokuje syntezę poliamin, albo zmniejsza poziom indykanu | OBOJĘTNY | OBOJĘTNY<br><br>Niewydzielacze:<br>KORZYSTNY | KORZYSTNY: zawiera składnik, który albo blokuje syntezę poliamin, albo zmniejsza poziom indykanu<br><br>Niewydzielacze:<br>OBOJĘTNY |
| Kwiat muszkatołowy | OBOJĘTNY | OBOJĘTNY | OBOJĘTNY | UNIKAĆ: wywołuje nienormalne reakcje we krwi |
| Liść laurowy | OBOJĘTNY | OBOJĘTNY | OBOJĘTNY<br><br>Niewydzielacze:<br>KORZYSTNY | OBOJĘTNY<br><br>Niewydzielacze:<br>KORZYSTNY |
| Lukrecja (korzeń) | OBOJĘTNY | KORZYSTNY: zawiera składnik, który pozytywnie modyfikuje dotychczasową podatność na choroby | OBOJĘTNY | OBOJĘTNY<br><br>Niewydzielacze:<br>KORZYSTNY |
| Majeranek | OBOJĘTNY | OBOJĘTNY | OBOJĘTNY | OBOJĘTNY |
| Maranta | OBOJĘTNY | OBOJĘTNY | OBOJĘTNY | OBOJĘTNY |
| Mąka kukurydziana | OBOJĘTNY<br><br>Niewydzielacze:<br>UNIKAĆ | UNIKAĆ: zawiera lektynę lub inną aglutyninę | UNIKAĆ: zawiera lektynę lub inną aglutyninę | UNIKAĆ: zawiera lektynę lub inną aglutyninę; inhibitor metaboliczny; zawiera składnik, który może modyfikować dotychczasową podatność na choroby |

## ZIOŁA I PRZYPRAWY c.d.

| Produkt | Grupa krwi A | Grupa krwi B | Grupa krwi AB | Grupa krwi 0 |
|---|---|---|---|---|
| Mielona papryka chili | UNIKAĆ: wywołuje nienormalne reakcje we krwi<br><br>Niewydzielacze: OBOJĘTNY | OBOJĘTNY | OBOJĘTNY | OBOJĘTNY |
| Mięta pieprzowa | OBOJĘTNY | OBOJĘTNY | OBOJĘTNY | OBOJĘTNY |
| Mięta zielona | OBOJĘTNY | OBOJĘTNY | OBOJĘTNY | OBOJĘTNY |
| Oregano | OBOJĘTNY | OBOJĘTNY<br><br>Niewydzielacze: KORZYSTNY | KORZYSTNY: zawiera składnik, który albo blokuje syntezę poliamin, albo zmniejsza poziom indykanu | OBOJĘTNY<br><br>Niewydzielacze: KORZYSTNY |
| Owoc świętojański | OBOJĘTNY | OBOJĘTNY | OBOJĘTNY | KORZYSTNY: zdrowa alternatywa dla bardziej powszechnych pokarmów, zaklasyfikowanych jako szkodliwe<br><br>Niewydzielacze: OBOJĘTNY |
| Papryka | OBOJĘTNY | OBOJĘTNY | OBOJĘTNY | OBOJĘTNY |
| Pieprz (biały, czarny) | UNIKAĆ: wywołuje nienormalne reakcje we krwi | UNIKAĆ: wywołuje nienormalne reakcje we krwi; podwyższa poziom poliamin lub indykanu | UNIKAĆ: podrażnia żołądek; hamuje normalne funkcje żołądka | UNIKAĆ: podrażnia żołądek; hamuje normalne funkcje żołądka; zawiera składnik, który może modyfikować dotychczasową podatność na choroby |
| Pietruszka | KORZYSTNY: zawiera składnik, który albo blokuje syntezę poliamin, albo zmniejsza poziom indykanu<br><br>Niewydzielacze: OBOJĘTNY | KORZYSTNY: zawiera składnik, który albo blokuje syntezę poliamin, albo zmniejsza poziom indykanu | KORZYSTNY: zawiera składnik, który albo blokuje syntezę poliamin, albo zmniejsza poziom indykanu | KORZYSTNY: zawiera składnik, który pozytywnie modyfikuje dotychczasową podatność na choroby |
| Rodymenia | OBOJĘTNY | OBOJĘTNY | OBOJĘTNY | KORZYSTNY: pobudza metabolizm |
| Rozmaryn | OBOJĘTNY | OBOJĘTNY | OBOJĘTNY | OBOJĘTNY |

## ZIOŁA I PRZYPRAWY c.d.

| Produkt | Grupa krwi A | Grupa krwi B | Grupa krwi AB | Grupa krwi 0 |
|---|---|---|---|---|
| Senes | OBOJĘTNY<br><br>Niewydzielacze:<br>UNIKAĆ | OBOJĘTNY | OBOJĘTNY | OBOJĘTNY |
| Suszona papryka | UNIKAĆ: wywołuje nienormalne reakcje we krwi | OBOJĘTNY | UNIKAĆ: podrażnia żołądek; hamuje normalne funkcje żołądka | OBOJĘTNY |
| Szafran | OBOJĘTNY | OBOJĘTNY | OBOJĘTNY | OBOJĘTNY<br><br>Niewydzielacze:<br>KORZYSTNY |
| Szałwia | OBOJĘTNY | OBOJĘTNY | OBOJĘTNY | OBOJĘTNY |
| Szczypiorek | OBOJĘTNY | OBOJĘTNY | OBOJĘTNY | OBOJĘTNY |
| Tamaryndowiec (powidlnik) | OBOJĘTNY | OBOJĘTNY | OBOJĘTNY | OBOJĘTNY |
| Trybula | OBOJĘTNY | OBOJĘTNY | OBOJĘTNY | OBOJĘTNY |
| Tymianek | OBOJĘTNY | OBOJĘTNY | OBOJĘTNY | OBOJĘTNY |
| Wanilia | OBOJĘTNY | OBOJĘTNY | OBOJĘTNY | OBOJĘTNY<br><br>Niewydzielacze:<br>UNIKAĆ |
| Winian potasowy | OBOJĘTNY | OBOJĘTNY | OBOJĘTNY | OBOJĘTNY |
| Ziele angielskie | OBOJĘTNY | UNIKAĆ: wywołuje nienormalne reakcje we krwi | UNIKAĆ: wywołuje nienormalne reakcje we krwi | OBOJĘTNY |

## DODATKI

| Produkt | Grupa krwi A | Grupa krwi B | Grupa krwi AB | Grupa krwi 0 |
|---|---|---|---|---|
| Drożdże (piekarskie) | OBOJĘTNY | OBOJĘTNY | OBOJĘTNY | OBOJĘTNY |
| Drożdże (piwowarskie) | OBOJĘTNY<br><br>Niewydzielacze:<br>KORZYSTNY | OBOJĘTNY<br><br>Niewydzielacze:<br>KORZYSTNY | OBOJĘTNY<br><br>Niewydzielacze:<br>KORZYSTNY | OBOJĘTNY<br><br>Niewydzielacze:<br>KORZYSTNY |

## DODATKI c.d.

| Produkt | Grupa krwi A | Grupa krwi B | Grupa krwi AB | Grupa krwi 0 |
|---|---|---|---|---|
| Dżem/ /galaretka (z zalecanych owoców) | OBOJĘTNY | OBOJĘTNY | OBOJĘTNY | OBOJĘTNY |
| Glutaminian sodu | UNIKAĆ: podwyższa poziom poliamin lub indykanu | UNIKAĆ: podwyższa poziom poliamin lub indykanu; inhibitor metaboliczny | UNIKAĆ: wzmacnia działanie toksyn pokarmowych | UNIKAĆ<br><br>Niewydzielacze: OBOJĘTNY |
| Guma guarowa | UNIKAĆ: zawiera lektynę lub inną aglutyninę; inhibitor metaboliczny | UNIKAĆ: podwyższa poziom poliamin lub indykanu; inhibitor metaboliczny; hamuje normalne funkcje żołądka lub blokuje wchłanianie | UNIKAĆ: inhibitor metaboliczny | UNIKAĆ: wywołuje nienormalne reakcje we krwi |
| Karagen | UNIKAĆ: zawiera lektynę lub inną aglutyninę; inhibitor metaboliczny | UNIKAĆ: wywołuje nienormalne reakcje we krwi; inhibitor metaboliczny | UNIKAĆ: podwyższa poziom poliamin lub indykanu | UNIKAĆ: zawiera składnik, który może modyfikować dotychczasową podatność na choroby |
| Keczup | UNIKAĆ: wywołuje nienormalne reakcje we krwi; zawiera lektynę lub inną aglutyninę | UNIKAĆ: zawiera lektynę lub inną aglutyninę | UNIKAĆ: wzmacnia działanie toksyn pokarmowych | UNIKAĆ: zawiera lektynę lub inną aglutyninę |
| Majonez | UNIKAĆ: wywołuje nienormalne reakcje we krwi | OBOJĘTNY | OBOJĘTNY | OBOJĘTNY<br><br>Niewydzielacze: UNIKAĆ |
| Miso | KORZYSTNY: zawiera aglutyninę, która pozytywnie modyfikuje dotychczasową podatność na choroby | UNIKAĆ: zawiera lektynę lub inną aglutyninę | KORZYSTNY<br><br>Niewydzielacze: OBOJĘTNY | OBOJĘTNY<br><br>Niewydzielacze: UNIKAĆ |
| Musztarda (bez octu, bez pszenicy) | KORZYSTNY: zawiera składnik, który albo blokuje syntezę poliamin, albo zmniejsza poziom indykanu | OBOJĘTNY | OBOJĘTNY | OBOJĘTNY |
| Musztarda (bez octu, z pszenicą) | KORZYSTNY: zawiera składnik, który albo blokuje syntezę poliamin, albo zmniejsza poziom indykanu | OBOJĘTNY<br><br>Niewydzielacze: UNIKAĆ | OBOJĘTNY<br><br>Niewydzielacze: UNIKAĆ | UNIKAĆ: podrażnia żołądek; hamuje normalne funkcje żołądka lub blokuje wchłanianie |

## DODATKI c.d.

| Produkt | Grupa krwi A | Grupa krwi B | Grupa krwi AB | Grupa krwi 0 |
|---|---|---|---|---|
| Musztarda (z octem i pszenicą) | UNIKAĆ | OBOJĘTNY<br><br>Niewydzielacze: UNIKAĆ | UNIKAĆ: podrażnia żołądek; hamuje normalne funkcje żołądka lub blokuje wchłanianie | UNIKAĆ podrażnia żołądek; hamuje normalne funkcje żołądka lub blokuje wchłanianie |
| Musztarda (z octem, bez pszenicy) | OBOJĘTNY | OBOJĘTNY | UNIKAĆ: podrażnia żołądek; hamuje normalne funkcje żołądka lub blokuje wchłanianie | UNIKAĆ: podrażnia żołądek: hamuje normalne funkcje żołądka lub blokuje wchłanianie |
| Ocet (balsamiczny, biały, chiński) | UNIKAĆ: wywołuje nienormalne reakcje we krwi | OBOJĘTNY | UNIKAĆ: podrażnia żołądek; hamuje normalne funkcje żołądka lub blokuje wchłanianie | UNIKAĆ: podrażnia żołądek; hamuje normalne funkcje żołądka lub blokuje wchłanianie |
| Ocet (jabłkowy) | UNIKAĆ: wywołuje nienormalne reakcje we krwi | OBOJĘTNY | UNIKAĆ: podrażnia żołądek; hamuje normalne funkcje żołądka | OBOJĘTNY<br><br>Niewydzielacze: UNIKAĆ |
| Pektyna jabłkowa | OBOJĘTNY | OBOJĘTNY | OBOJĘTNY | OBOJĘTNY |
| Pikle | UNIKAĆ: wywołuje nienormalne reakcje we krwi | OBOJĘTNY<br><br>Niewydzielacze: UNIKAĆ | UNIKAĆ: podrażnia żołądek; hamuje normalne funkcje żołądka | UNIKAĆ: podrażnia żołądek; hamuje normalne funkcje żołądka |
| Sos do sałatek (z zalecanych produktów) | OBOJĘTNY | OBOJĘTNY | OBOJĘTNY | OBOJĘTNY |
| Sos sojowy | KORZYSTNY: zawiera aglutyninę, która pozytywnie modyfikuje dotychczasową podatność na choroby<br><br>Niewydzielacze: OBOJĘTNY | UNIKAĆ: zawiera lektynę lub inną aglutyninę | OBOJĘTNY | OBOJĘTNY<br><br>Niewydzielacze: UNIKAĆ |
| Sos worcester | UNIKAĆ: podwyższa poziom poliamin lub indykanu | UNIKAĆ: podwyższa poziom poliamin lub indykanu | UNIKAĆ: podwyższa poziom poliamin lub indykanu | UNIKAĆ: podwyższa poziom poliamin lub indykanu |
| Sól morska | OBOJĘTNY | OBOJĘTNY | OBOJĘTNY | OBOJĘTNY |

## DODATKI c.d.

| Produkt | Grupa krwi A | Grupa krwi B | Grupa krwi AB | Grupa krwi 0 |
|---------|--------------|--------------|---------------|--------------|
| Tamari (bezpszeniczne) | KORZYSTNY: zawiera aglutyninę, która pozytywnie modyfikuje dotychczasową podatność na choroby<br><br>Niewydzielacze: OBOJĘTNY | OBOJĘTNY | OBOJĘTNY | OBOJĘTNY<br><br>Niewydzielacze: UNIKAĆ |
| Żelatyna (czysta) | UNIKAĆ: zawiera lektynę lub inną aglutyninę; inhibitor metaboliczny | UNIKAĆ: podwyższa poziom poliamin lub indykanu; inhibitor metaboliczny; hamuje normalne funkcje żołądka lub blokuje wchłanianie | UNIKAĆ: inhibitor metaboliczny | OBOJĘTNY |

## SUBSTANCJE SŁODZĄCE

| Produkt | Grupa krwi A | Grupa krwi B | Grupa krwi AB | Grupa krwi 0 |
|---------|--------------|--------------|---------------|--------------|
| Aspartam | UNIKAĆ: wywołuje nienormalne reakcje we krwi; hamuje normalne funkcje żołądka lub blokuje wchłanianie | UNIKAĆ: hamuje normalne funkcje żołądka lub blokuje wchłanianie; inhibitor metaboliczny | UNIKAĆ: inhibitor metaboliczny | UNIKAĆ: inhibitor metaboliczny |
| Cukier (brązowy, biały) | OBOJĘTNY | OBOJĘTNY<br><br>Niewydzielacze: UNIKAĆ | OBOJĘTNY<br><br>Niewydzielacze: UNIKAĆ | OBOJĘTNY<br><br>Niewydzielacze: UNIKAĆ |
| Cukier inwertowany | OBOJĘTNY<br><br>Niewydzielacze: UNIKAĆ | UNIKAĆ: wywołuje nienormalne reakcje we krwi | UNIKAĆ: inhibitor metaboliczny | UNIKAĆ: inhibitor metaboliczny |
| Czarna melasa | KORZYSTNY: zawiera składnik, który pozytywnie modyfikuje dotychczasową podatność na choroby<br><br>Niewydzielacze: OBOJĘTNY | KORZYSTNY: zawiera składnik, który pozytywnie modyfikuje dotychczasową podatność na choroby | KORZYSTNY: zawiera składnik, który pozytywnie modyfikuje dotychczasową podatność na choroby | OBOJĘTNY |
| Dekstroza | OBOJĘTNY<br><br>Niewydzielacze: UNIKAĆ | UNIKAĆ: wywołuje nienormalne reakcje we krwi | UNIKAĆ: wzmacnia działanie toksyn pokarmowych | UNIKAĆ: inhibitor metaboliczny |

## SUBSTANCJE SŁODZĄCE c.d.

| Produkt | Grupa krwi A | Grupa krwi B | Grupa krwi AB | Grupa krwi 0 |
|---|---|---|---|---|
| Ekstrakt migdałowy | OBOJĘTNY | UNIKAĆ: podwyższa poziom poliamin lub indykanu | UNIKAĆ: podwyższa poziom poliamin lub indykanu; wywołuje kłaczkowanie lub wytrącanie białek surowicy krwi | OBOJĘTNY |
| Fruktoza | OBOJĘTNY | OBOJĘTNY<br><br>Niewydzielacze: UNIKAĆ | UNIKAĆ: inhibitor metaboliczny | UNIKAĆ: inhibitor metaboliczny |
| Maltodekstryna | OBOJĘTNY<br><br>Niewydzielacze: UNIKAĆ | UNIKAĆ: zawiera lektynę lub inną aglutyninę; podwyższa poziom poliamin lub indykanu | UNIKAĆ: inhibitor metaboliczny | UNIKAĆ: inhibitor metaboliczny |
| Melasa | OBOJĘTNY | OBOJĘTNY | OBOJĘTNY | OBOJĘTNY |
| Miód | OBOJĘTNY | OBOJĘTNY | OBOJĘTNY<br><br>Niewydzielacze: UNIKAĆ | OBOJĘTNY<br><br>Niewydzielacze: UNIKAĆ |
| Słód jęczmienny | KORZYSTNY: zdrowa alternatywa dla bardziej powszechnych pokarmów, zaklasyfikowanych jako szkodliwe<br><br>Niewydzielacze: OBOJĘTNY | UNIKAĆ: wywołuje nienormalne reakcje we krwi | UNIKAĆ: podwyższa poziom poliamin lub indykanu | OBOJĘTNY<br><br>Niewydzielacze: UNIKAĆ |
| Stevia (Stevia rebaudiana) | OBOJĘTNY | UNIKAĆ<br><br>Niewydzielacze: OBOJĘTNY | OBOJĘTNY | OBOJĘTNY<br><br>Niewydzielacze: UNIKAĆ |
| Sukanat | UNIKAĆ: wywołuje nienormalne reakcje we krwi | UNIKAĆ: wywołuje nienormalne reakcje we krwi | UNIKAĆ: inhibitor metaboliczny | OBOJĘTNY<br><br>Niewydzielacze: UNIKAĆ |
| Syrop klonowy | OBOJĘTNY | OBOJĘTNY | OBOJĘTNY<br><br>Niewydzielacze: UNIKAĆ | OBOJĘTNY<br><br>Niewydzielacze: UNIKAĆ |

## SUBSTANCJE SŁODZĄCE c.d.

| Produkt | Grupa krwi A | Grupa krwi B | Grupa krwi AB | Grupa krwi 0 |
|---|---|---|---|---|
| Syrop kukurydziany | OBOJĘTNY<br><br>Niewydzielacze: UNIKAĆ | UNIKAĆ: zawiera lektynę lub inną aglutyninę | UNIKAĆ: zawiera lektynę lub inną aglutyninę | UNIKAĆ: inhibitor metaboliczny; zawiera lektynę lub inną aglutyninę |
| Syrop ryżowy | OBOJĘTNY | OBOJĘTNY | OBOJĘTNY<br><br>Niewydzielacze: UNIKAĆ | OBOJĘTNY<br><br>Niewydzielacze: UNIKAĆ |

## NAPOJE

| Produkt | Grupa krwi A | Grupa krwi B | Grupa krwi AB | Grupa krwi 0 |
|---|---|---|---|---|
| Alka Seltzer | UNIKAĆ: niewydolność wydzielnicza; hamuje normalne funkcje żołądka lub blokuje wchłanianie<br><br>Niewydzielacze: OBOJĘTNY | UNIKAĆ: hamuje normalne funkcje żołądka lub blokuje wchłanianie; inhibitor metaboliczny<br><br>Niewydzielacze: OBOJĘTNY | OBOJĘTNY | KORZYSTNY: zawiera składnik, który pozytywnie modyfikuje dotychczasową podatność na choroby |
| Herbata (czarna naturalna, czarna bezkofeinowa) | UNIKAĆ: niewydolność wydzielnicza<br><br>Niewydzielacze: OBOJĘTNY | OBOJĘTNY<br><br>Niewydzielacze: UNIKAĆ | UNIKAĆ: zawiera składnik, który może modyfikować dotychczasową podatność na choroby | UNIKAĆ: zawiera składnik, który może modyfikować dotychczasową podatność na choroby |
| Kawa (naturalna, bezkofeinowa) | KORZYSTNY: zawiera aglutyninę, która pozytywnie modyfikuje dotychczasową podatność na choroby | OBOJĘTNY<br><br>Niewydzielacze: UNIKAĆ | UNIKAĆ: wywołuje nienormalne reakcje we krwi | UNIKAĆ: zawiera składnik, który może modyfikować dotychczasową podatność na choroby |
| Napoje gazowane (coca-cola, inne) | UNIKAĆ: niewydolność wydzielnicza; hamuje normalne funkcje żołądka lub blokuje wchłanianie | UNIKAĆ: hamuje normalne funkcje żołądka lub blokuje wchłanianie | UNIKAĆ: inhibitor metaboliczny | UNIKAĆ: hamuje normalne funkcje żołądka lub blokuje wchłanianie |
| Piwo | UNIKAĆ: wywołuje nienormalne reakcje we krwi<br><br>Niewydzielacze: OBOJĘTNY | OBOJĘTNY | OBOJĘTNY<br><br>Niewydzielacze: UNIKAĆ | UNIKAĆ: zawiera składnik, który może modyfikować dotychczasową podatność na choroby |

## NAPOJE c.d.

| Produkt | Grupa krwi A | Grupa krwi B | Grupa krwi AB | Grupa krwi 0 |
|---|---|---|---|---|
| Wino białe | OBOJĘTNY<br><br>Niewydzielacze: KORZYSTNY | OBOJĘTNY<br><br>Niewydzielacze: KORZYSTNY | OBOJĘTNY | UNIKAĆ: zawiera składnik, który może modyfikować dotychczasową podatność na choroby |
| Wino czerwone | KORZYSTNY: zawiera składnik, który albo blokuje syntezę poliamin, albo zmniejsza poziom indykanu | OBOJĘTNY<br><br>Niewydzielacze: KORZYSTNY | OBOJĘTNY<br><br>Niewydzielacze: KORZYSTNY | OBOJĘTNY<br><br>Niewydzielacze: KORZYSTNY |
| Woda sodowa | UNIKAĆ: niewydolność wydzielnicza | UNIKAĆ: hamuje normalne funkcje żołądka lub blokuje wchłanianie<br><br>Niewydzielacze: OBOJĘTNY | OBOJĘTNY | KORZYSTNY: zawiera składnik, który pozytywnie modyfikuje dotychczasową podatność na choroby |
| Wódka (destylowana) | UNIKAĆ: niewydolność wydzielnicza | UNIKAĆ: hamuje normalne funkcje żołądka lub blokuje wchłanianie<br><br>Niewydzielacze: OBOJĘTNY | UNIKAĆ<br><br>Niewydzielacze: OBOJĘTNY | UNIKAĆ: zawiera składnik, który może modyfikować dotychczasową podatność na choroby |
| Zielona herbata | KORZYSTNY: zawiera składnik, który albo blokuje syntezę poliamin, albo zmniejsza poziom indykanu | KORZYSTNY: zawiera składnik, który pozytywnie modyfikuje dotychczasową podatność na choroby | KORZYSTNY: zawiera składnik, który albo blokuje syntezę poliamin, albo zmniejsza poziom indykanu | KORZYSTNY: zawiera składnik, który albo blokuje syntezę poliamin, albo zmniejsza poziom indykanu |

# Rozdział 3

# Baza danych
# na temat suplementów

Poniższa lista ma ułatwić korzystanie z protokołów dla poszczególnych grup krwi i dostarczyć dodatkowe informacje na temat suplementów dla nich stosownych. Opisano krótko sposób, w jaki każdy z wymienionych suplementów oddziałuje na poszczególne grupy krwi. Poniższa lista nie została pomyślana jako wyczerpujące kompendium wiedzy na temat wszelkich suplementów i korzyści, jakie niosą, ale jako podręczna pomoc, mająca ułatwić osobom o różnych grupach krwi osiągnięcie możliwie najlepszej kondycji fizycznej i zdrowia.

| Nazwa zwyczajowa lub systematyczna | Zaobserwowane działanie korzystne | Zastosowanie podstawowe |
|---|---|---|
| Aloes | **Grupa A:** zdrowie jelit | Używany do leczenia niewielkich skaleczeń i oparzeń; dobry środek przeczyszczający |
| Arabinogalaktan | **U wszystkich grup krwi:** antybakteryjne, wspomagające leczenie antybiotykami, antywirusowe, przeciwnowotworowe, wspomagające chemioterapię, wzmacniające układ opornościowy, wzmacniające płuca, przeciwgrzybiczne | Stymulator układu odpornościowego i substancja ułatwiająca adaptację organizmu, a także źródło błonnika pokarmowego i środek pomocniczy w leczeniu zaburzeń trawiennych |
| Arginina | **Grupa B:** wspomagające: układ opornościowy; zdrowie mężczyzn; w stanach pooperacyjnych<br>**Grupa AB:** antywirusowe; wspomagające rekonwalescencję po długiej chorobie | Wspomaga układ odpornościowy; podnosi poziom tlenku azotu i wspomaga gojenie ran |

| Nazwa zwyczajowa lub systematyczna | Zaobserwowane działanie korzystne | Zastosowanie podstawowe |
|---|---|---|
| *Ashwaghanda* | **Grupa A:** wspomagające rekonwalescencję po długiej chorobie; zwalczające zmęczenie | Zioło adaptogenne, ułatwiające zdrową reakcję na sytuacje stresowe |
| *Atractylodes macrocephala* | **Grupa A:** wspomagające rekonwalescencję po operacji | Chroni wątrobę i zwiększa wydzielanie żółci i soku żołądkowego |
| Balsam peruwiański (*Myroxylon pereirae*) | **Grupa B:** wspomagające zdrowie mężczyzn | Stosowany do leczenia: astmy, zapalenia oskrzeli, kolki, kaszlu, egzemy, dny, świądu, grzybicy, zmian skórnych, bólu żołądka i zaburzeń horomonalnych |
| Bazylia | **Grupa AB:** zapobiegające nowotworom | Roślina tonizująca cały organizm. Może być stosowana do rozluźniania mięśni gładkich układu trawiennego i jako czynnik zapobiegający nowotworom |
| Beta karoten (patrz Witamina A) | | |
| Bez lekarski (koncentrat) | **Wszystkie grupy krwi:** antywirusowe **Niewydzielacze:** zwiększające odporność w leczeniu zatok | Naturalny lek o działaniu antywirusowym i przeciwutleniającym. Stosowany w zapaleniu oskrzeli, w przeziębieniach i bólu gardła, w grypie i infekcjach |
| Biotyna | **Grupa 0:** wspomaga zdrowie skóry | W dużych dawkach działa przeciwgrzybicznie |
| *Boerhaavia diffusa* | **Grupa A:** antystresowe; wspomagające procesy myślowe | Roślina o działaniu łagodzącym stres i ochronnym dla wątroby |
| Bor | **Niewydzielacze:** w zapaleniu stawów; wspomagająco w czasie menopauzy | Pomaga utrzymać zdrowie stawów. Wspomaga przemiany metaboliczne wapnia, magnezu, miedzi, fosforu i witaminy D |
| Borówka czernica | **Grupa A:** przeciwzapalne | Hamuje zlepianie płytek krwi. Wspomaga śluzówkę żołądka, a tym samym chroni go przed czynnikami szkodliwymi. Obniża poziom glukozy we krwi. Zapobiega szkodom wywoływanym przez wolne rodniki |
| *Boswelia serrata* | **Grupa A:** przeciwzapalne **Grupa AB:** antyalergiczne; przeciwzapalne **Grupa 0:** w leczeniu zapalenia stawów | Stosowane w leczeniu zapalenia stawów i innych stanów zapalnych |
| Brahmi (*Bacopa monniera*) | **Grupa A:** antystresowe; wspomagające czynności umysłowe **Grupa AB:** antystresowe | Przeciwutleniacz wspomagający czynności mózgu i układu nerwowego. Stosowany jako lek na długowieczność i wspomagający leczenie układu nerwowego po uszkodzeniu w wypadku i w wyniku udaru |
| Brodaczka (*Usnea sp.*) | **Grupa A:** antybakteryjnie; wspomagające zdrowie żołądka; wspomagające zdrowie dróg moczowych | Porost o silnym działaniu antybiotykowym – hamuje wzrost bakterii |

| Nazwa zwyczajowa lub systematyczna | Zaobserwowane działanie korzystne | Zastosowanie podstawowe |
|---|---|---|
| Burak (liście i korzeń) | **Grupa B:** wspomagające wątrobę<br>**Grupa AB:** wspomagające wątrobę | Roślina o właściwościach przeczyszczających, a tym samym wspomagająca działanie wątroby |
| Chlorella | **Grupa B:** antywirusowe<br>**Grupa AB:** antywirusowe | Modulator immunologiczny |
| Chlorowodorek betainy | **Grupa A:** w zapaleniu stawów; krwiotwórcze; przeciwgrzybiczne<br>**Grupa AB:** przeciwgrzybiczne | Stymuluje działanie żołądka. Bierze udział w rozkładzie białek, ułatwiając ich trawienie w jelicie cienkim |
| Chmiel zwyczajny | **Grupa AB:** antystresowe | Modulator układu nerwowego. Działa łagodząco na żołądek, ułatwia trawienie |
| Chrzan | **Grupa A:** wspomagające płuca | Stosowany w leczeniu zatok, zapalenia oskrzeli, przewlekłego zapalenia zatok, chorób płuc, przeziębień i bólu gardła, osteoporozy i reumatoidalnego zapalenia stawów |
| *Codonopsis sp.* | **Niewydzielacze:** wspomagające układ odpornościowy | Stosowany do leczenia cukrzycy, przewlekłego kaszlu i duszności, wypadającej macicy, braku apetytu, zmęczenia, biegunki i wymiotów |
| *Collinsonia canadensis* | **Grupa A:** wspomagające zdrowie zatok<br>**Grupa AB:** wspomagające zdrowie zatok | Wspomaga zdrowe funkcjonowanie zatok przynosowych. Stymuluje i tonizuje śluzówkę układu trawiennego. Wzmacnia budowę i usprawnia funkcjonowanie żył |
| Cynk | **Wszystkie grupy krwi:** wspomagające zdrowie mężczyzn; wzmacniające płuca; wspomagające zdrowie skóry; wspomagające rekonwalescencję po operacji<br>**Grupa A:** pobudzające układ odpornościowy.<br>**Grupa AB:** wspomagające rekonwalescencję po długiej chorobie; pobudzające układ odpornościowy<br>**Niewydzielacze:** antybakteryjne; antywirusowe; przeciwgrzybiczne | Umożliwia właściwe funkcjonowanie układu odpornościowego. Składnik ponad 300 enzymów niezbędnych do gojenia się ran, płodności, syntetyzowania białek, rozmnażania, zdrowia wzroku, odporności. Chroni przed skutkami działania wolnych rodników |
| Cytrynian miedzi | **Grupa 0:** krwiotwórcze; wspomagające rekonwalescencję po operacji | Utrzymuje zdrowie krwinek, jest potrzebny do absorbowania i wykorzystania żelaza. Wchodzi w skład enzymu antyoksydacyjnego, dyzmutazy ponadtlenkowej SOD |
| Cytrynian potasu | **Grupa A:** wspomagające rekonwalescencję po długiej chorobie<br>**Grupa B:** przeciwalergiczne; zwalczające zmęczenie; wspomagające wątrobę<br>**Grupa 0:** zwalczające zmęczenie | Wspomaga prawidłowe funkcjonowanie nerwów. Potrzebny w gospodarce wodnej organizmu, regulacji kwasowości, ciśnienia krwi i działania układu nerwowo-mięśniowego. Niezbędny w metabolizmie węglowodanów i białek |

| Nazwa zwyczajowa lub systematyczna | Zaobserwowane działanie korzystne | Zastosowanie podstawowe |
|---|---|---|
| Cytrynian wapnia | **Wszystkie grupy krwi:** antystresowe; wspomagająco w okresie menopauzy | Potrzebny do formowania kości i zębów, niezbędny do krzepnięcia krwi, a także przekazywania sygnałów w komórkach nerwowych oraz kurczenia mięśni |
| Cytrynian żelaza | **Grupa B:** krwiotwórcze<br>**Grupa AB:** krwiotwórcze | Wspomaga zdrowie krwi |
| Cytryniec chiński (*Schisandra chinensis*) | **Grupa B:** przeciwbakteryjne; antystresowe | Wspomaga właściwe funkcjonowanie układu nerwowego. Stosowany w leczeniu przeziębień, bólu gardła, zmęczenia, zapalenia wątroby i stresu |
| Czosnek (preparat chiński, wyciąg standaryzowany) | **Grupa AB:** wspomagające układ sercowo-naczyniowy<br>**Grupa 0:** wspomagające chemioterapię; detoksykacyjne; przeciwgrzybiczne | Preparat o działaniu przeciwbakteryjnym i przeciwgrzybiczym; stosowany też do leczenia nadciśnienia i wysokiego poziomu trójglicerydów |
| Czosnek (wyciąg standaryzowany) | **Grupa A:** wspomagające zdrowie jelit | Preparat o działaniu przeciwbakteryjnym; upłynnia krew |
| Deflect | **Wszystkie grupy krwi:** wspomagające zdrowie jelit; wspomagające metabolizm<br>**Niewydzielacze:** przeciwzapalne; w leczeniu zapalenia stawów; detoksykacyjne; wspomagające zdrowie żołądka; wspomagające zdrowie dróg moczowych | Działa jako „kozioł ofiarny", łącząc się z lektynami pokarmowymi, zanim jeszcze dostaną się do krwiobiegu |
| Dhea | **Grupa A:** antystresowe | Łagodzi hormonalne skutki starzenia i stresu |
| *Di huang – Rehmania glutinosa* (korzeń) | **Grupa B:** wspomagające po operacji<br>**Grupa 0:** wspomagające po operacji | Przyspiesza gojenie uszkodzonych kości i krzepnięcie krwi. Powszechnie stosowana w klinikach Orientu. Sprawdza się w leczeniu cukrzycy, zaparcia, zaburzeń układu moczowego, anemii, zawrotów głowy i nieregularnych miesiączek |
| Drapacz lekarski (*Cnicus benedictus*) | **Grupa A:** tonizujące dla kobiet<br>**Grupa 0:** tonizujące dla kobiet | Zmniejsza gorączkę. Stosowany do leczenia zaburzeń trawiennych, takich jak gazy, zaparcie, ból żołądka, a także choroby wątroby i pęcherzyka żółciowego |
| Drzewo herbaciane (olejek) | **Niewydzielacze:** wspomagające zdrowie skóry | Olejek z drzewa herbacianego działa jak lek grzybobójczy. Stosowany też przy egzemie dłoni |
| Dziewanna | **Grupa 0:** wspomagające płuca | Stosowana w leczeniu astmy, zapalenia oskrzeli, przewlekłej obturacyjnej choroby płuc, przeziębień, bólu gardła, kaszlu i nawracającego zapalenia ucha |

| Nazwa zwyczajowa lub systematyczna | Zaobserwowane działanie korzystne | Zastosowanie podstawowe |
|---|---|---|
| Dzięgiel chiński (*Dong quai, Angelica sinensis*) | **Grupa B:** wspomagające w okresie menopauzy <br> **Grupa AB:** tonizujące dla kobiet | Roślina tonizująca organizm kobiety. Stosowana do leczenia zaburzeń cyklu miesiączkowego, zatrzymania miesiączki, bolesnych miesiączek i krwawień macicznych. Tradycyjny lek na uderzenia gorąca w okresie okołomenopauzalnym. Zarówno u mężczyzn, jak i u kobiet odgrywa pozytywną rolę w leczeniu choroby sercowo-naczyniowej, w tym również w leczeniu wysokiego ciśnienia i zaburzeń krążenia w odcinkach peryferalnych układu |
| Dzika róża (patrz Witamina C – dzika róża) | | |
| „Dziki ogórek" – (*Marah sp.*) | **Grupa 0:** wspomagające zdrowie mężczyzn | Roślina działająca tonizująco na układ odpornościowy. Stosowana do leczenia infekcji, zaburzeń żołądkowo-jelitowych, dolegliwości nerkowych i wątrobowych |
| Dziki owies | **Wszystkie grupy krwi:** wspomagające zdrowie układu nerwowego <br> **Grupa A:** antystresowe | Zawiera substancje tonizujące układ nerwowy. Stosowany do leczenia stanów lękowych, egzemy, wysokiego poziomu cholesterolu i trójglicerydów, bezsenności i głodu nikotynowego. |
| Dzikie indygo (*Baptisia tinctoria*) | **Grupa B:** wspomagające zdrowie zatok | Modulator immunologiczny; stosowane w leczeniu przeziębień, bólu gardła, choroby Crohna, grypy i zapalenia zatok |
| Dzikie indygo (lek domowy) | **Grupa A:** antybakteryjne <br> **Grupa B:** wspomagające leczenie antybiotykami | Stosowane jako stymulant dla układu krążenia, lek antyseptyczny, przeczyszczający i wspomagający; ma właściwości przeciwbakteryjne |
| Dziurawiec | **Grupa A:** antystresowe | Działa przeciwdepresyjnie. Przyczynia się do równowagi neurotransmiterów. Stosowany w leczeniu stanów lękowych, opryszczki, stanów towarzyszących zakażeniu wirusem HIV oraz nawracających infekcji usznych |
| *Eclipta prostrata* | **Grupa A:** wspomagające wątrobę <br> **Grupa 0:** wspomagające zdrowie mężczyzn | Chroni wątrobę |
| Ekstrakt z nasion selera | **Grupa AB:** tonizujące dla kobiet | Stosowany do leczenia reumatoidalnego zapalenia stawów i infekcji dróg moczowych. Zawiera składnik, który działa przeciwzapalnie na tkanki |

| Nazwa zwyczajowa lub systematyczna | Zaobserwowane działanie korzystne | Zastosowanie podstawowe |
|---|---|---|
| Enzym ananasa (bromelina) | **Wszystkie grupy krwi:** przeciwalergiczne; przeciwzapalne; wspomagające rekonwalescencję po operacji **Grupa A:** wspomagające leczenie antybiotykami **Grupa 0:** wspomagające zdrowie dróg moczowych | Czynnik przeciwzapalny. Stosowana w leczeniu lżejszych urazów, zwłaszcza naciągnięć i zwichnięć, urazów mięśni, a także bólu i opuchlizny, które towarzyszą urazom sportowym. Przydatna w leczeniu dusznicy, astmy i infekcji układu moczowego |
| Enzymy trzustkowe | **Grupa 0:** wspomagające leczenie antybiotykami | Pomocne w trawieniu |
| Estragon | **Grupa A:** zapobiegające nowotworom **Grupa 0:** zapobiegające nowotworom | Jedna z ważniejszych przypraw. Wiadomo, że zawiera przeszło 50 różnych składników przeciwnowotworowych |
| GABA | **Grupa B:** antystresowe | Preparat o lekkim działaniu uspokajającym |
| Genisteina (wyciąg z soi) | **Grupa A:** zapobiegające nowotworom **Grupa AB:** zapobiegające nowotworom | Fitoestrogen. Izoflawony sojowe, genisteina i daidzeina zostały przebadane pod kątem właściwości antyoksydacyjnych i fitoestrogenowych. Okazało się, że są skutecznym inhibitorem aromatazy. Saponiny wspomagają czynność układu odpornościowego i przyczepiają się do cholesterolu, co zmniejsza jego wchłanianie w układzie trawiennym. Fitosterole i inne składniki soi sprzyjają spadkowi poziomu cholesterolu |
| Geranium | **Grupa 0:** zdrowie żołądka | Ściągające, hamowanie krwawienia z układu pokarmowego |
| Glutamina | **Grupa 0:** antywirusowe; wspomagające zdrowie jelit **Grupa AB:** wspomagające zdrowie układu nerwowego | Aminokwas potrzebny do produkcji neurotransmiterów z grupy GABA. Wspomaga przewodzenie nerwowe. Może mieć łagodzące działanie na jelita, służy jako źródło energii dla komórek wyścielających jelito. Wspomaga walkę z głodem alkoholowym, leczenie HIV, wrzodów trawiennych, wrzodziejącego zapalenia okrężnicy, zapalenia jelit |
| Głóg | **Grupa A:** antyalergiczne; wspomagające układ sercowo-naczyniowy **Grupa AB:** wspomagające układ sercowo-naczyniowy | Wspomaga funkcjonowanie serca. Stosowany w leczeniu dusznicy, miażdżycy, zastoinowej niewydolności serca i nadciśnienia. Poprawia przepływ krwi w tętnicach wieńcowych i wydajność skurczową serca |
| Goryczka | **Grupa A:** wspomagające zdrowie żołądka | Preparat o działaniu tonizującym działanie żołądka; zwiększa apetyt, ułatwia trawienie |

| Nazwa zwyczajowa lub systematyczna | Zaobserwowane działanie korzystne | Zastosowanie podstawowe |
|---|---|---|
| Gorzknik kanadyjski (*Hydrastis canadensis*) | Wszystkie grupy krwi: zwiększające odporność | Roślina o właściwościach przeciwbakteryjnych. Stosowana w leczeniu zapalenia śluzówki i innych stanów zapalnych, w chorobach górnych dróg oddechowych, grypie, zapalenia żołądka i jelit, zakaźnej biegunki, lambliozy, wrzodów trawiennych i krwawienia macicznego |
| Gotu kola (*Centella asiatica*) | Grupa A: wspomagające metabolizm; wspomagające rekonwalescencję pooperacyjną Grupa AB: wspomagające rekonwalescencję pooperacyjną Grupa 0: tonizujące dla kobiet; wspomagające metabolizm | Gwałtownie przyspiesza proces gojenia ran, stosowana w leczeniu przewlekłej niewydolności żylnej. Wspomaga procesy myślowe, leczy lżejsze oparzenia, przyspiesza gojenie, zmniejsza blizny |
| Goździk | Grupa 0: przeciwgrzybiczne | Zawiera składniki o działaniu przeciwzapalnym i przeciwwrzodowym. Zwiększa odporność na zakażenie drożdżakami *Candida albicans* |
| Grzyby *reishi* (*Gonoderma lucidum*) | Grupa AB: zwiększające odporność Grupa 0: zwiększające odporność | Przyczyniają się do długotrwałej odporności przeciwwirusowej, obniżenia ciśnienia krwi i poziomu lipidów frakcji LDL oraz trójglicerydów. Zmniejszają skłonność do zakrzepów |
| Guggul (preparat *Commiphora mukkul*) | Grupa 0: wspomagające układ sercowo-naczyniowy; wspomagające układ odpornościowy | Obniża poziom cholesterolu. Preparat lipidowy zapobiegający miażdżycy tętnic i chorobie serca. Bardzo skuteczny w obniżaniu poziomu LDL i trójglicerydów. Podnosi poziom dobrego cholesterolu (HDL). Jest najskuteczniejszym dotychczas naturalnym preparatem obniżającym poziom cholesterolu. W trakcie przeprowadzonych badań poziom cholesterolu spadał o 14–27% w ciągu 4–12 tygodni. W tym samym czasie poziom trójglicerydów malał o 22–30% |
| Gwiazdnica pospolita | Grupa AB: wspomagające zdrowie układu moczowego | Stymuluje wydzielanie żółci. Stosowana do leczenia astmy, niestrawności i chorób skórnych. Łagodzi uszkodzenia i chroni uszkodzoną śluzówkę |
| *Helonias dioica* | Grupa A: wspomagające zdrowie mężczyzn | Wspomaga procesy rozrodcze, zarówno u kobiet jak i u mężczyzn |
| Hibiskus | Wszystkie grupy krwi: tonizujące dla kobiet | Roślina ułatwiająca modulację układu rozrodczego kobiety |
| Huang lian (*Coptis chinensis*) | Grupa AB: wspomagające leczenie antybiotykami | Wykazano, że uniemożliwia gromadzenie się bakterii chorobotwórczych |

| Nazwa zwyczajowa lub systematyczna | Zaobserwowane działanie korzystne | Zastosowanie podstawowe |
|---|---|---|
| Imbir (korzeń) | **Wszystkie grupy krwi:** wspomagające zdrowie żołądka<br>**Grupa A:** wspomagające układ sercowo--naczyniowy<br>**Grupa B:** zwiększające odporność; wspomagające płuca<br>**Grupa AB:** wspomagające płuca<br>**Grupa 0:** przeciwzapalne | Roślina regulująca działanie żołądka. Stosowana w leczeniu jadłowstrętu, wzdęć, kurczów żołądkowych i jelitowych, ostrych przeziębień i bolesnej miesiączki |
| Indolo-3-karbinol | **Grupa A:** zapobiegające nowotworom; wspomagające chemioterapię<br>**Grupa AB:** zapobiegające nowotworom; wspomagające chemioterapię | Substancja spotykana w warzywach, takich jak kapusta, brukselka, kalafior, kard, *collards* i brokuły, pomagająca przekształcać niebezpieczny estrogen w związki mniej szkodliwe. Wykazano, że spowalnia wzrost komórek raka sutka |
| Inozytol | **Grupa B:** antystresowe; wspomagające procesy myślowe; wspomagające zdrowie układu nerwowego | Składnik błony komórkowej niezbędny dla utrzymania płynności cytoplazmy i funkcjonowania komórki |
| Jeżówka (*Echinacea angustifolia, E. purpurea*) | **Grupa A:** wspomagające leczenie antybiotykami | Modulator immunologiczny. Zwiększa wytwarzanie i aktywność białych krwinek. Stosowana do leczenia przeziębień i bólu gardła (doraźnie), a także innych infekcji i grypy |
| Jiaogulan (*Gynostemma pentaphyllum*) | **Grupa B:** przeciwzapalne<br>**Grupa AB:** przeciwzapalne | Preparat o działaniu przeciwzapalnym |
| Jukka | **Grupa 0:** przeciwzapalne | Roślina o właściwościach przeciwzapalnych |
| Kasztanowiec | **Grupa A:** wspomagające rekonwalescencję po operacji<br>**Grupa 0:** wspomagające rekonwalescencję po operacji | Stosowany w leczeniu żylaków, siniaków, przewlekłej niewydolności żylnej, puchliny, hemoroidów i mniejszych uszkodzeń tkanki |
| Kava-kava (*Piper methysticum*) | **Grupa A:** przeciwzapalne | Roślina o właściwościach uspokajających, hipnotycznych. Według niektórych wywołuje stan zadowolenia, lepsze samopoczucie, wyostrza umysł, poprawia pamięć i postrzeganie zmysłowe. Tradycyjnie stosowana do uśmierzania bólu. Laktony kavy-kavy zwalczają obawę, są analgetykami, mają działanie rozluźniające i przeciwdrgawkowe |
| Koenzym $Q_{10}$ | **Wszystkie grupy krwi:** przeciwnowotworowe<br>**Niewydzielacze:** wspomagające układ sercowo-naczyniowy; zwalczające zmęczenie; wspomagające płuca | Działa stymulująco na wewnątrzkomórkowe procesy energetyczne. Chroni przed dusznicą i zastoinową niewydolnością serca. Skuteczny przeciwutleniacz |
| Kolendra | **Wszystkie grupy krwi:** tonizujące dla kobiet<br>**Grupa B:** przeciwgrzybiczne | Pobudza apetyt, działa przeciwskurczowo i uspokajająco. Używana miejscowo do leczenia infekcji i bólu stawów |

| Nazwa zwyczajowa lub systematyczna | Zaobserwowane działanie korzystne | Zastosowanie podstawowe |
|---|---|---|
| Koleus (*Coleus forskohlii*) | Grupa 0: wspomagające układ sercowo--naczyniowy; zwalczające zmęczenie | Wspomaga proces wytwarzania energii w komórce. Może obniżać ciśnienie krwi poprzez rozluźnianie mięśniówki tętnic. Wywiera dodatni wpływ na mięsień sercowy; hamuje skupianie płytek krwi |
| Koniczyna łąkowa | Grupa A: wspomagające zdrowie skóry | Przeciwzakrzepowe i oczyszczające krew |
| Koper włoski | Grupa B: zapobiegające nowotworom | Stosowany w leczeniu kolki, niestrawności i zgagi. Nasiona są pospolitą przyprawą kuchenną, zwłaszcza do ryby. W niektórych kulturach stosuje się go na deser, po posiłku, do zapobiegania gazom i ułatwienia trawienia. W kulturze latynoamerykańskiej stosuje się go do zwiększenia wydzielania mleka. Powszechnie używa się go również do leczenia kaszlu i kolki u małych dzieci |
| Kora wierzby | Grupa A: przeciwzapalne | Roślina o właściwościach przeciwzapalnych; stosowana w leczeniu zapalenia kaletki, gorączki, ciśnieniowych bólów głowy, zapalenia stawów i reumatycznego zapalenia stawów |
| Kordyceps (*Cordyceps sinensis*) | Grupa B: antystresowe; wspomagające układ opornościowy Grupa AB: antystresowe | Czynnik o działaniu antymikrobiologicznym, stosowany do leczenia kaszlu, nocnych potów i infekcji bakteryjnych; przydany w procesie wychodzenia z przewlekłej choroby |
| Kozieradka pospolita | Grupa B: wspomagające układ sercowo--naczyniowy; wspomagające odporność; wspomagające wątrobę; wspomagające metabolizm | Stosowana w leczeniu zaburzeń trawiennych, miażdżycy tętnic, cukrzycy i podwyższonego poziomu trójglicerydów. Chińscy specjaliści używają jej do leczenia chorób nerek i zaburzeń czynnościowych męskiego układu rozrodczego |
| Kozłek lekarski (waleriana) | Grupa 0: antystresowe | Stosowany w leczeniu stanów lękowych i bezsenności |
| Krwawnik | Grupa AB: detoksykacyjne | Wspomaga zdrowie jelit |
| Kurkuma | Grupa A: zapobiegające nowotworom Grupa B: wspomagające układ sercowo--naczyniowy; wspomagające wątrobę Grupa AB: zapobiegające nowotworom; wspomagające wątrobę | Stosowana do leczenia wielu dolegliwości, w tym również złego widzenia, bólów reumatycznych i kaszlu. Chroni wątrobę i wzmacnia układ sercowo-naczyniowy |
| Kurkuma (świeże korzenie) | Grupa B: przeciwzapalne Grupa AB: przeciwzapalne | Stosowany w leczeniu wielu dolegliwości, w tym również zaburzeń wzroku, bólów reumatycznych i kaszlu. Zwiększa laktację. Chroni przed szkodami wywołanymi przez wolne rodniki. Zmniejsza odczyn zapalny poprzez zmniejszanie poziomu histaminy i, być może, poprzez zwiększanie wydzielania naturalnego kortyzonu przez nadnercza. Chroni wątrobę przed całą grupą substancji szkodliwych. Wykazano, że zmniejsza agregację płytek krwi, a to poprawia krążenie i przeciwdziała miażdżycy tętnic |

| Nazwa zwyczajowa lub systematyczna | Zaobserwowane działanie korzystne | Zastosowanie podstawowe |
|---|---|---|
| **Kutki** (*Picrorhiza kurroa*) | **Grupa 0:** antybakteryjne; antywirusowe | Lek chroniący wątrobę. Stosowany też w leczeniu astmy, ostrych i przewlekłych infekcji, stanów immunologicznych i chorób autoagresyjnych |
| **Kwas askorbinowy** (patrz Witamina C/ /dzika róża) | | |
| **Kwas foliowy** (patrz Witamina B) | | |
| **Kwas kaprylowy** | **Grupa A:** przeciwgrzybiczne **Grupa 0:** przeciwgrzybiczne **Niewydzielacze:** wspomagające leczenie antybiotykami; wspomagające zdrowie jelit | Substancja o działaniu przeciwgrzybicznym i antyseptycznym. W niewielkich ilościach jest wytwarzany w organizmie człowieka. Występuje w pocie i łoju, gdzie ma właściwości przeciwgrzybicze. Naturalny składnik oleju kokosowego, oleju palmowego, masła i innych produktów pochodzenia roślinnego i zwierzęcego. Otrzymywany syntetycznie z alkoholu kaprylowego, który występuje w oleju kokosowym |
| **Kwas liponowy** | **Grupa A:** wspomagające wątrobę **Grupa B:** wspomagające leczenie antybiotykami; wspomagające układ sercowo- -naczyniowy **Grupa AB:** wspomagające wątrobę | Kwas liponowy to substancja o charakterze witaminy, zawierająca siarkę i związana z procesem wytwarzania energii przez organizm. Skutecznie zwalcza skutki działania wolnych rodników, zarówno rozpuszczalnych w wodzie, jak i rozpuszczalnych w tłuszczach. Wspomaga wydalanie katecholamin. Zwiększa wrażliwość na insulinę |
| **Kwas nikotynowy** (patrz Witamina $B_3$) | | |
| **Kwas pantotenowy** (patrz Witamina $B_5$) | | |
| **Kwercetyna** | **Grupa A:** zapobiegające nowotworom; wspomagające zdrowie jelit; wzmacniające płuca **Grupa AB:** zapobiegające nowotworom; wspomagające zdrowie jelit | Przeciwutleniacz. Wykazuje działanie przeciwhistaminowe. Hamuje działanie reduktazy aldozowej, zmniejszając nagromadzanie sorbitolu, którego obecność łączona jest z powstawaniem uszkodzeń nerwów, nerek i wzroku u diabetyków |
| **Kwiat magnolii** | **Grupa B:** wspomagające zatoki **Grupa AB:** przeciwalergiczne | Lek na zatoki i alergie |
| **Lecytyna** | **Grupa B:** wspomagające rekonwalescencję po długiej chorobie **Grupa AB:** wspomagające układ nerwowy | Lek stosowany w zaburzeniach układu nerwowego i krążeniowego |

| Nazwa zwyczajowa lub systematyczna | Zaobserwowane działanie korzystne | Zastosowanie podstawowe |
|---|---|---|
| L-fenyloalanina | **Grupa 0:** w zapaleniu stawów | Stosowana do leczenia zapalenia stawów i kości, choroby Parkinsona i reumatoidalnego zapalenia stawów. Uważana za skuteczny lek przeciwdepresyjny, stosowana do tłumienia głodu alkoholowego. L-fenyloalanina ulega przekształceniu w L-tyrozynę (również aminokwas), a następnie w L-dopa, norepinefrynę i epinefrynę |
| L-glutation | **Wszystkie grupy krwi:** wspomagające wątrobę<br>**Grupa B:** detoksykacyjne<br>**Niewydzielacze/inne podtypy:** wspomagające leczenie antybiotykami | Jeden z najsilniejszych naturalnych przeciwutleniaczy |
| Lipa | **Grupa A:** antywirusowe<br>**Grupa B:** antywirusowe<br>**Grupa AB:** antywirusowe | O właściwościach przeciwzapalnych, wspomagająca też układ nerwowy |
| Liść karczocha | **Grupa A:** wspomagające: układ sercowo--naczyniowy; wątrobę<br>**Grupa 0:** wspomagające: układ sercowo--naczyniowy; wątrobę | Tonik pokarmowy, wspomagający działanie wątroby i ułatwiający odtrucie organizmu |
| Liść maliny | **Grupa B:** tonizujące dla kobiet | Zawiera substancje wpływające regulująco na organizm kobiety. Stosowany w ciąży i połogu |
| Lizyna | **Grupa B:** antystresowe<br>**Grupa AB:** antystresowe | Aminokwas z grupy niezbędnych, potrzebny w procesach wzrostowych. Ułatwia utrzymanie równowagi azotowej wewnątrz organizmu. Ułatwia absorpcję wapnia, a także jego lepsze wykorzystanie |
| L-karnityna | **Grupa 0:** wspomagające układ sercowo--naczyniowy; wspomagające rekonwalescencję po długiej chorobie | Wspomaga procesy energetyczne wewnątrz komórki; pomocna w niektórych rodzajach dystrofii mięśniowej |
| L-tryptofan (5ht) | **Niewydzielacze:** antystresowe; przeciwzapalne | Wpływa równoważąco na poziom neurotransmiterów |
| Lukrecja (dgl) (odglicyryzowana) | **Grupa B:** zwalczające zmęczenie; wspomagające wątrobę<br>**Grupa AB:** zwalczające zmęczenie; wspomagające zdrowie żołądka<br>**Grupa 0:** wspomagające zdrowie żołądka | Stosowana w leczeniu wrzodów żołądka, owrzodzenia jamy ustnej, niestrawności i zgagi |
| Łopian większy (korzeń) | **Grupa A:** zapobiegające nowotworom; wspomagające zdrowie jelit; wspomagające zdrowie skóry<br>**Grupa AB:** detoksykacyjne | Działa regulująco na układ odpornościowy i oczyszczająco na krew |

459

Baza danych na temat suplementów

| Nazwa zwyczajowa lub systematyczna | Zaobserwowane działanie korzystne | Zastosowanie podstawowe |
|---|---|---|
| Łupiny siemienia lnianego | Grupa A: wspomagające zdrowie jelit | Źródło błonnika, stosowany do leczenia zaparcia. Również działa upłynniająco na krew, chroni tętnice przed uszkodzeniami, hamuje skłonność do tworzenia zakrzepów, obniża poziom trójglicerydów, obniża poziom LDL we krwi. Preparat leczy nadciśnienie i zmniejsza ryzyko zawału serca i udaru |
| „Łzy Hioba" (*Coix lacryma-jobi*) | Grupa B: zwiększające odporność | Przeciwutleniacz |
| Ma huang (*Ephedra sinica*) | Grupa B: w alergiach | Lek zmniejszający przekrwienie śluzówki; stosowany w leczeniu astmy, kataru, przewlekłej obturacyjnej choroby płuc, odchudzaniu i nadmiernym wychudzeniu |
| Magnez | Wszystkie grupy krwi: tonizujące dla kobiet Grupa B: przeciwalergiczne; wspomagające rekonwalescencję po długiej chorobie; zwalczające zmęczenie; wspomagające jelita; wspomagające w okresie menopauzy | Stosowany w leczeniu układu nerwowego i trawiennego; potrzebny do budowy kości, białek i kwasów tłuszczowych, powstawania nowych komórek, aktywacji witamin z grupy B, rozluźniania mięśni i krzepnięcia krwi |
| Mahonia pospolita (*Mahonia aquifolium*) | Grupa A: antybakteryjne; przeciwgrzybiczne | Berberyna hamuje zdolność bakterii do przyczepiania się do komórek ludzkich, a to zapobiega infekcjom, zwłaszcza w obrębie gardła i dróg moczowych. Związek wspomagający właściwości immunologiczne komórek. Stosowany do leczenia infekcji, zakażenia pasożytami, zaburzeń trawiennych, łuszczycy i zakażenia dróg moczowych |
| Mangan | Grupa 0: wspomagające w okresie menopauzy Wszystkie grupy krwi: wspomagające zdrowie skóry | Pierwiastek potrzebny dla prawidłowego rozwoju skóry, kości i chrząstki, a także tolerancji glukozy. Przydatny w leczeniu hipoglikemii i osteoporozy |
| Mącznica lekarska | Grupa B: wspomagające układ moczowy | Wspomaga właściwe funkcjonowanie pęcherza moczowego |
| Melatonina | Grupa B: zwalczające zmęczenie | Wspomaga sen. Skraca czas potrzebny do zaśnięcia, zmniejsza liczbę przebudzeń w nocy, poprawia jakość snu. Może pomóc w przyhamowaniu czynności receptorów EGF |
| Metionina | Grupa B: w leczeniu zapalenia stawów | Niezbędny aminokwas; bierze udział w detoksykacji wątroby |
| Metykokobalamina (patrz Witamina $B_{12}$) | | |

| Nazwa zwyczajowa lub systematyczna | Zaobserwowane działanie korzystne | Zastosowanie podstawowe |
|---|---|---|
| Miłorząb | **Grupa A:** wspomagające układ sercowo-naczyniowy<br>**Grupa B:** usprawniające procesy myślowe | Poprawia ukrwienie mózgu. Stosowany w leczeniu choroby Alzheimera, miażdżycy tętnic, niewydolności mózgowo-naczyniowej, zastoinowej niewydolności serca, depresji, cukrzycy i impotencji/niepłodności |
| *Mitchella repens* | **Grupa A:** wspomagające w okresie menopauzy.<br>**Grupa 0:** tonizujące dla kobiet | Stosowany w leczeniu zaburzeń miesiączki i objawów okołomenopauzalnych |
| Mniszek | **Grupa A:** detoksykacyjne<br>**Grupa AB:** wspomagające zdrowie jelit<br>**Grupa 0:** wspomagające metabolizm<br>**Niewydzielacze:** wzmacniające układ sercowo-naczyniowy; wspomagające wątrobę | Liście mniszka stosowane są jako łagodny diuretyk, a także środek przeczyszczający, w leczeniu puchliny, niestrawności i zgagi. Działają wzmacniająco w okresie ciąży i połogu. Korzenie stosuje się do obniżenia głodu alkoholowego, a także w zaparciach, niestrawności, zgadze i dolegliwościach wątroby. Również korzeń ma pozytywne działanie na ciężarne i położnice |
| Morszczyn (kelp – *Fucus vesiculosus*) | **Grupa 0:** zwiększające odporność; tonizujące dla kobiet | Znany ze swej zdolności przyspieszania metabolizmu. Obfite źródło składników mineralnych, w tym jodu, potasu, magnezu, wapnia i żelaza. Jako źródło jodu uczestniczy w procesie wytwarzania hormonów tarczycy |
| MSM (metylosulfonylometan) | **Grupa A:** wspomagające płuca<br>**Grupa B:** antyalergiczne; przeciwzapalne<br>**Grupa AB:** wspomagające płuca<br>**Grupa 0:** wspomagające zdrowie zatok | Suplement skuteczny w zapobieganiu i leczeniu chorób stawów i płuc |
| N-acetylo-glukozamina (NAG) | **Grupa A:** w stanach zapalnych stawów<br>**Grupa B:** w stanach zapalnych stawów | Przyłącza lektyny, uczestniczy w rozkładzie wydzieliny śluzowej, chroni wątrobę |
| N-acetylo-l-cysteina (NAC) | **Grupa AB:** wspomagające procesy metaboliczne | Pomaga w rozkładzie wydzieliny śluzowej |
| Nagietek lekarski | **Wszystkie grupy krwi:** zdrowie skóry | Stosowany do leczenia stanów zapalnych, uczuleń i różnych zmian skórnych |
| Nasiona arbuza | **Grupa B:** pobudzające metabolizm | Diuretyk i modulator metaboliczny |
| Niepokalanek pieprzowy | **Grupa 0:** wspomagające w okresie menopauzy<br>**Grupa B:** tonizujące dla kobiet | Działa tonizująco na organizm kobiety. Działa na przysadkę mózgową – zwłaszcza na wydzielanie hormonu luteinizującego – zwiększając produkcję progesteronu i sprzyjając regulacji cyklu miesięcznego. Stosowany w leczeniu torbielowatości piersi, niepłodności kobiet, łagodzeniu skutków menopauzy, zaburzeniach miesiączki i napięciu przedmiesiaczkowym |

| Nazwa zwyczajowa lub systematyczna | Zaobserwowane działanie korzystne | Zastosowanie podstawowe |
|---|---|---|
| Niezbędne kwasy tłuszczowe | **Grupa A:** wspomagające układ sercowo--naczyniowy; wspomagające układ nerwowy<br>**Grupa B:** wspomagające układ nerwowy<br>**Grupa AB:** wspomagające układ sercowo--naczyniowy; wspomagające układ nerwowy<br>**Grupa 0:** przeciwzapalne; wspomagające zdrowie jelit | Stosowane w leczeniu choroby Crohna, nadciśnienia, wysokiego poziomu trójglicerydów we krwi, reumatoidalnego zapalenia stawów i wrzodziejącego zapalenia okrężnicy. Znajduje też zastosowanie w leczeniu pamięci, demencji i zaburzeń wzroku |
| Noni<br>(*Morinda citrifolia,*<br>*M. officinalis*) | **Grupa A:** krwiotwórcze; zapobiegające nowotworom<br>**Grupa 0:** wspomagające płuca | Roślina o właściwościach przeciwzapalnych i przeciwutleniajacych |
| Oczar wirginijski<br>(*Hamameli virginiana*) | **Wszystkie grupy krwi:** wspomagające zdrowie skóry | Roślina o właściwościach ściągających. Stosowana do leczenia hemoroidów, bolesnych guzów, ukłuć insektów i wrzodów |
| Olej z nasion czarnej porzeczki | **Grupa A:** tonizujące dla kobiet; wspomagające zdrowie jelit | Źródło kwasów tłuszczowych omega-6. Działa przeciwzapalnie. Stosowany do leczenia reumatoidalnego zapalenia stawów i zapaleń. Wspomaga też zdrowie nerek i krwi |
| Olej z wiesiołka | **Wszystkie grupy krwi:** tonizujące dla kobiet | Czynnik przeciwzapalny, upłynniający krew i rozszerzający naczynia krwionośne. Olej wiesiołkowy (EPO) zawiera kwas gammalinolenowy (GLA), kwas tłuszczowy przekształcany w organizmie człowieka w prostaglandyny, wspomagajace cykl miesięczny kobiet |
| Oman wielki | **Grupa A:** przeciwgrzybiczne<br>**Grupa B:** wspomagające zdrowie jelit<br>**Grupa AB:** przeciwgrzybiczne | Zwiększa wrażliwość na insulinę, obniża poziom kortyzolu, dostarcza błonnika pokarmowego potrzebnego do namnażania się pożytecznych bakterii |
| Oregano | **Grupa B:** przeciwgrzybiczne | Pospolita przyprawa; działa przeciwgrzybicznie i przeciwzapalnie |
| Osha (*Ligusticum porteri*) | **Grupa 0:** zwiększające odporność | Roślina o właściwościach przeciwwirusowych, stosowana w leczeniu opryszczki, bólu gardła, przeziębienia, grypy i jako środek wykrztuśny; stymulant układu odpornościowego |
| Ostropest plamisty | **Grupa AB:** wspomagające wątrobę<br>**Grupa 0:** wspomagające wątrobę | Stosowany jako ziele chroniące wątrobę i przeciwutleniacz |
| Palma sabalowa (*Serenoa repens*) | **Grupa A:** wspomagające zdrowie mężczyzn<br>**Grupa B:** wspomagające zdrowie mężczyzn<br>**Grupa AB:** wspomagające zdrowie mężczyzn | Lek na zaburzenia prostaty |
| Pantetyna (aktywna witamina B₅) | **Grupa A:** wspomagające układ sercowo--naczyniowy; wspomagające zdrowie skóry<br>**Grupa AB:** wspomagające układ sercowo--naczyniowy | Obniża poziom cholesterolu |

| Nazwa zwyczajowa lub systematyczna | Zaobserwowane działanie korzystne | Zastosowanie podstawowe |
|---|---|---|
| Pieprz kajeński | **Grupa 0:** przeciwzapalne | Stymulant procesów trawiennych; stosowany do leczenia chorób układu krążenia i jako remedium na bóle reumatyczne i artretyczne |
| Pietruszka (nać) | **Grupa A:** tonizujące dla kobiet<br>**Grupa B:** tonizujące dla kobiet<br>**Grupa AB:** tonizujące dla kobiet; wspomagające zdrowie żołądka; wspomagające zdrowie układu moczowego | Stosowana jako środek tonizujący działanie żołądka, przeciwutleniacz i diuretyk. Wspomaga wydalanie kwasu moczowego. Zwiększa laktację. Hamuje uwalnianie histaminy. Tonizuje działanie mięśni macicy |
| **Pirydoksal**<br>**(patrz Witamina B6)** | | |
| Pluskwica (*Cimcifuga racemosa*) | **Grupa A:** tonizujące dla kobiet; wspomagające w menopauzie<br>**Grupa AB:** wspomagające w menopauzie | Łagodnie rozluźnia mięśnie gładkie. Stosowana do likwidowania uderzeń gorąca i objawów napięcia przedmiesiączkowego |
| Pochrzyn włochaty (*Dioscorea villosa*) | **Grupa 0:** wspomagające w okresie menopauzy | Źródło progesteronu. Stosowany w leczeniu kurczów brzucha, wysokiego poziomu cholesterolu i trójglicerydów, objawów menopauzy, bólów mięśniowych i kurczów |
| Pokrzywa (korzeń) | **Grupa A:** wspomagające zdrowie mężczyzn; przeciwgrzybiczne<br>**Grupa 0:** wspomagające zdrowie mężczyzn; przeciwgrzybiczne | Ułatwia zdrową reakcję immunologiczną. Korzeń pokrzywy ma wpływ na hormony i białka przenoszące w organizmie człowieka hormony płciowe, takie jak testosteron i estrogen. Korzeń pokrzywy zawiera też „superlektynę" zwaną UDA, która hamuje rozwój wirusów |
| Pokrzywa (liście) | **Grupa A:** przeciwalergiczne; wspomagające zdrowie zatok<br>**Grupa AB:** wspomagające zdrowie zatok<br>**Grupa 0:** przeciwalergiczne; krwiotwórcze; wspomagające zdrowie zatok | Roślina o właściwościach przeciwzapalnych; stosowana do zwalczania kataru siennego, zapalenia zatok i przerostu prostaty |
| Prawoślaz lekarski | **Grupa B:** wspomagające zdrowie żołądka | Łagodny lek uśmierzający, łagodzący zdrowie śluzówki, między innymi układu trawiennego |
| Preparat floradix (płynne żelazo i zioła) | **Grupa A:** krwiotwórcze | Suplement stosowany w leczeniu anemii albo w sytuacji, gdy istnieje potrzeba zwiększenia liczby krwinek lub hemoglobiny |
| Preparat moducare (roślinne sterole i glukozydy sterolowe) | **Wszystkie grupy krwi:** wspomagające układ odpornościowy | Pobudza układ odpornościowy, działając jako substancja ułatwiająca adaptację organizmu. Roślinne sterole i glukozydy steroli wspomagają normalną, zrównoważoną odpowiedź limfocytów T pomocniczych typu I i II, która jest niezbędna do prawidłowego funkcjonowania układu odpornościowego. Zapobiegają nadmiernej reakcji odpornościowej |

| Nazwa zwyczajowa lub systematyczna | Zaobserwowane działanie korzystne | Zastosowanie podstawowe |
|---|---|---|
| Proantocjanidyny oligomeryczne | **Grupa A:** wspomagające procesy myślowe **Grupa B:** przeciwzapalne; wspomagające układ sercowo-naczyniowy; wspomagające zdrowie skóry **Grupa AB:** wspomagające procesy myślowe; wspomagające zdrowie skóry | Grupa składników odżywczych należąca do flawonoidów. Dwie podstawowe funkcje proantocjanidyn oligomerycznych to działanie przeciwutleniające, a także stabilizacja kolagenu i elastyny, dwóch zasadniczych składników tkanki łącznej |
| Probiotyki | **Wszystkie grupy krwi:** wspomagające leczenie antybiotykami; wspomagające układ sercowo-naczyniowy; wspomagające chemioterapię; detoksykacyjne; zwalczające zmęczenie; pobudzające układ odpornościowy; wspomagające zdrowie jelit, żołądka i układu moczowego, przeciwgrzybiczne **Niewydzielacze:** przeciwnowotworowe; wspomagające zdrowie skóry | Bakterie wywierające na organizm człowieka wpływ dodatni, takie jak *Lactobacillus acidophilus* i *Bifidobacterium bifidum*, nazywane są probiotykami. Bakterie probiotyczne korzystnie wpływają na mikroflorę bakteryjną jelit, hamują namnażanie się bakterii szkodliwych, wspomagają procesy trawienne, wzmacniają układ odpornościowy i zwiększają odporność na choroby. Osoby o bogatej florze bakteryjnej jelit są lepiej wyposażone do walki z bakteriami chorobotwórczymi |
| Przewiercień sierpowaty (*Bupleurum falcatum*) | **Grupa B:** wspomagające w chemioterapii; detoksykacyjne **Grupa AB:** wspomagające wątrobę | Chińskie ziele o działaniu przeciwzapalnym, adaptogennym i uspokajającym |
| Pygeum (wyciąg *Pygeum africanum*) | **Grupa 0:** wspomagające zdrowie mężczyzn | Zawiera składniki pozytywnie wpływające na prostatę |
| Rdest wielokwiatowy (He shou wu – *Polygonum multiflorum*) | **Grupa A:** antywirusowe **Niewydzielacze:** wspomagające układ sercowo-naczyniowy | Wschodni i zachodni zielarze zalecają rdest wielokwiatowy jako lek odmładzający, zwiększający energię życiową, tonizujący działanie nerek i wątroby, a wreszcie oczyszczający krew. Stosowany też jako lek na bezsenność, ból żołądka i cukrzycę. Zawiera glikozydy, które usprawiedliwiają jego skuteczność w leczeniu zaburzeń żołądkowych i zaparcia. Rdest wielokwiatowy może zawierać składniki o łagodnym działaniu nasercowym i przeciwzapalnym |
| Rozmaryn | **Grupa B:** przeciwgrzybiczne **Grupa 0:** zapobiegające nowotworom | Roślina o silnych właściwościach antybakteryjnych, rozluźnia mięśniówkę płuc. Może hamować rozwój nowotworów |
| Różeniec górski (*Rhodiola rosea*) | **Grupa 0:** przeciwstresowe; zwalczające zmęczenie; wspomagające procesy myślowe | Lek antystresowy. Zapobiega wywołanym stresem skutkom działania katecholaminy w sercu i stabilizuje kurczliwość serca |
| Rumianek | **Grupa A:** antystresowe; tonizujące dla kobiet; wspomagające w okresie menopauzy; wspomagające w rekonwalescencji po operacji **Grupa AB:** wspomagające w rekonwalescencji po operacji | Działa regulująco na układ nerwowy. Uspokaja i łagodzi stres; tradycyjny sposób na kolkę |

| Nazwa zwyczajowa lub systematyczna | Zaobserwowane działanie korzystne | Zastosowanie podstawowe |
|---|---|---|
| Sarsaparyla (kolcorośl – *Smilax sp.*) | **Grupa B:** wspomagające zdrowie skóry<br>**Grupa 0:** zwalczające zmęczenie | Modulator ogólnoustrojowy; stosowany w leczeniu zapalenia stawów, raka, chorób skórnych i łuszczycy |
| Serdecznik (*Leonurus cardiaca, L. Heterophyllus*) | **Grupa B:** tonizujące dla kobiet; wspomagające w okresie menopauzy<br>**Grupa AB:** tonizujące dla kobiet; wspomagające w okresie menopauzy | Roślina o właściwościach tonizujących i przeczyszczających, stosowana w leczeniu zaburzeń miesiączkowych i objawów menopauzy |
| Siarczan chondroityny | **Grupa A:** w zapaleniu stawów<br>**Grupa AB:** w zapaleniu stawów | Może mieć pewien dodatni wpływ na regenerację tkanki łącznej stawów. Siarczan chondroityny jest jednym z głównych składników chrząstki, stanowiąc element budowlany, utrzymując wodę i składniki odżywcze oraz pozwalając innym cząsteczkom przenikać przez chrząstkę |
| Siarczan glukozaminy | **Grupa 0:** przeciwzapalne | Wzmacnia tkankę łączną. Stosowany w leczeniu kamieni nerkowych i zapalenia kości i stawów oraz w leczeniu ran |
| Skrzyp polny | **Grupa AB:** wspomagające rekonwalescencję po operacji<br>**Grupa 0:** wspomagające w okresie menopauzy; wspomagające rekonwalescencję po operacji; wspomagające działanie dróg moczowych | Stosowany w leczeniu pękających paznokci, nadmiernego gromadzenia wody w tkankach (diuretyk), zapalenia kości i stawów i reumatoidalnego zapalenia stawów |
| Smółka (bydlęca) | **Grupa AB:** wspomagające zdrowie jelit | Modulator immunologiczny, charakteryzuje się znacznym stężeniem ważnych czynników immunologicznych i wzrostowych, wydzielanych przez gruczoły mleczne w ciągu pierwszych 3 dób po porodzie. Z najważniejszych warto wymienić IgG, IgA, IgE, IgD i IgM |
| Sumak jadowity (*Rhus toxicodendron* – preparat Rhus tox) | **Grupa 0:** zapalenie stawów | Lek homeopatyczny stosowany w leczeniu schorzeń skóry, bólów stawowych i reumatycznych |
| Szałwia | **Grupa B:** pobudzające układ odpornościowy<br>**Grupa AB:** wspomagające w okresie menopauzy | Antybakteryjne, zwłaszcza przeciw gronkowcowi złocistemu. Ma działanie antyseptyczne i przeciwskurczowe. Stymuluje mięśnie macicy |
| Szanta (*Marrubium vulgare*) | **Grupa AB:** wspomagające płuca | Środek wykrztuśny, gorzki tonik i lek przeciwbakteryjny. W niewielkich dawkach działa normalizująco na rytm serca. Środek rozszerzający naczynia krwionośne |
| Szczaw kędzierzawy (*Rumex crispus*) | **Grupa AB:** krwiotwórcze | Działa tonizująco na krew. Stosowany do leczenia tych zaburzeń funkcjonowania skóry, których przyczyną są trujące metabolity powstające wskutek chorej wątroby lub złego trawienia |

| Nazwa zwyczajowa lub systematyczna | Zaobserwowane działanie korzystne | Zastosowanie podstawowe |
|---|---|---|
| Tiamina (patrz Witamina B₁) | | |
| Tłuszcz rybi | **Grupa A:** przeciwzapalne; w leczeniu zapalenia stawów | Działają „upłynniająco" na krew i przeciwzapalnie. Stosowane w leczeniu choroby Crohna, nadciśnienia, wysokiego poziomu trójglicerydów i reumatoidalnego zapalenia stawów |
| Traganek | **Grupa A:** wspomagające: chemioterapię, układ opornościowy<br>**Grupa B:** przeciwnowotworowe<br>**Grupa AB:** antybakteryjnie; przeciwstresowe; wspomagające: chemioterapię, układ odpornościowy, rekonwalescencję po długiej chorobie<br>**Grupa 0:** antybakteryjnie; antywirusowe; zapobiegające nowotworom | Wpływa modulująco na układ odpornościowy. Zwiększa aktywność komórek NK („naturalnych zabójców"). Wspomaga leczenie choroby Alzheimera. Pomocny w chemioterapii i wspomaga układ odpornościowy. Zwalcza przeziębienie i ból gardła |
| Tribulus (*Tribulus terrestris*) | **Grupa B:** antybakteryjne | Roślina o właściwościach adaptogennych: ułatwia zdrową reakcję na stres |
| Triphala (*Emblica officinalis, Tenninalia chebula, T. Balerica*) | **Wszystkie grupy krwi:** detoksykacyjne<br>**Grupa A:** pobudzające metabolizm<br>**Grupa AB:** pobudzające metabolizm | Lek ajurwedyczny, działa detoksykacyjne i przyspiesza metabolizm |
| Tulasi (*Ocinum sanctum*) | **Grupa A:** przeciwzapalne; antystresowe; wspomagające zdrowie skóry | Zmniejsza poziom kortyzolu; zapobiega załamaniom o podłożu stresowym |
| Tymianek | **Grupa A:** wzmacniające płuca; przeciwgrzybiczne<br>**Grupa AB:** przeciwgrzybiczne | Roślina o właściwościach antybakteryjnych i przeciwgrzybicznych |
| Tyrozyna | **Grupa A:** pobudzające metabolizm<br>**Grupa 0:** antystresowe; zwalczające zmęczenie | Endogenny aminokwas, prekursor hormonu tarczycy |
| Urzet barwierski (*Qiung dai – Isatis tinctoria*) | **Grupa 0:** zwiększające odporność | Modulator immunologiczny |
| Urzet chiński (korzeń *Isatis indigotica*) | **Grupa 0:** pobudzające układ odpornościowy | Modulator immunologiczny |
| Vilcacora (*Uncaria tomentosa, U. guianensis*) | **Grupa B:** przeciwzapalne | Modulator immunologiczny. Stosowany do zwalczania zapalenia, reumatyzmu, wrzodów żołądka, guzów i czerwonki |
| Werbena | **Grupa 0:** wspomagające w okresie menopauzy | Roślina o właściwościach tonizujących układ nerwowy, uspokajających, przeciwskurczowych i obniżających ciśnienie |

| Nazwa zwyczajowa lub systematyczna | Zaobserwowane działanie korzystne | Zastosowanie podstawowe |
|---|---|---|
| Wiąz gładki | **Grupa AB:** wspomagające zdrowie mężczyzn; przeciwgrzybicze | Chroni układ trawienny. Stosowany do leczenia przeziębień, bólu gardła, kaszlu, choroby Crohna i nieżytu żołądka |
| Winniczek | **Grupa A:** zapobiegające nowotworom **Grupa AB:** zapobiegające nowotworom | Modulator immunologiczny |
| Witamina A | **Grupa A:** pobudzające układ odpornościowy; wspomagające zdrowie skóry **Grupa AB:** wspomagające zdrowie skóry **Grupa 0:** wspomagające zdrowie skóry **Niewydzielacze:** antybakteryjne; antywirusowe; wspomagające chemioterapię; wspomagające w okresie menopauzy; wzmacniające płuca; wspomagające zdrowie zatok; wspomagające zdrowie układu moczowego | Czynnik przeciwutleniający i pobudzający odporność. Niezbędny do prawidłowego formowania kości, białek i hormonu wzrostowego, a także do normalnego przebiegu procesów rozrodczych i laktacji |
| Witamina B (kwas foliowy) | **Wszystkie grupy krwi:** wspomagające układ sercowo-naczyniowy **Grupa A:** krwiotwórcze **Grupa B:** krwiotwórcze **Grupa 0:** wspomagające procesy myślowe | Niezbędna do prawidłowego działania leków antydepresyjnych, takich jak Prozac. Obniża poziom homocysteiny, działa krwiotwórczo. Stosowana w leczeniu choroby trzewnej, choroby Crohna, depresji i zapalenia dziąseł. Pomocna w okresie ciąży i połogu |
| Witamina B$_1$ (tiamina) | **Grupa AB:** wspomagające procesy myślowe **Grupa 0:** wspomagające procesy myślowe | Wpływa na zdrowie układu nerwowego. Bierze udział w metabolizmie węglowodanów, tłuszczu i białek. Niezbędna do funkcjonowania komórek człowieka. Stosowana w leczeniu fibromialgii, owrzodzeń o charakterze rakowatym i mniejszych uszkodzeń tkanek. Pomocna w zakażeniu HIV, a także w ciąży i połogu |
| Witamina B$_3$ (niacyna) | **Wszystkie grupy krwi:** wspomagające zdrowie skóry **Grupa B:** w leczeniu zapalenia stawów; wspomagające zdrowie układu nerwowego **Grupa AB:** w leczeniu zapalenia stawów | Organizm używa niacyny w procesie uwalniania energii z węglowodanów. Jest ona potrzebna do przekształcania węglowodanów w tłuszcze i metabolizmu alkoholu. B$_3$ w postaci niacyny reguluje poziom cholesterolu |
| Witamina B$_5$ (kwas pantotenowy) | **Grupa A:** wspomagające rekonwalescencję po długiej chorobie; zwalczające zmęczenie **Grupa B:** przeciwalergiczne; wspomagające zdrowie skóry **Grupa AB:** wspomagające rekonwalescencję po długiej chorobie. **Grupa 0:** przeciwalergiczne; wspomagające zdrowie skóry | Łagodzi skutki stresu, uaktywnia nadnercza |

| Nazwa zwyczajowa lub systematyczna | Zaobserwowane działanie korzystne | Zastosowanie podstawowe |
|---|---|---|
| Witamina B6 | **Grupa A:** wspomagające w okresie menopauzy<br>**Grupa AB:** wspomagające w okresie menopauzy<br>**Grupa 0:** tonizujące dla kobiet; krwiotwórcze | Uczestniczy w metabolizmie białek. Potrzebna do produkcji i rozkładu wielu aminokwasów. Bierze udział w wytwarzaniu serotoniny, melatoniny i dopaminy. Potrzebna do formowania pewnych neuroprzekaźników, a zatem jest składnikiem niezbędnym do regulacji procesów myślowych i nastrojów |
| Witamina B12, metylokobalamina | **Grupa A:** krwiotwórcze; wspomagające procesy myślowe; zwalczające zmęczenie; wspomagające układ nerwowy<br>**Grupa B:** wspomagające w okresie menopauzy<br>**Grupa AB:** krwiotwórcze; wspomagające w okresie menopauzy; wspomagające układ nerwowy<br>**Grupa 0:** zwalczające zmęczenie | Metylokobalamina jest formą B12 potrzebną dla zdrowia układu nerwowego |
| Witamina C (najlepiej wyciąg z dzikiej róży) | **Wszystkie grupy krwi:** w leczeniu zapalenia stawów; krwiotwórcze; wspomagające rekonwalescencję po długiej chorobie; wzmacniające płuca; wspomagające zdrowie zatok; wspomagające rekonwalescencję po operacji; wspomagające zdrowie dróg moczowych<br>**Grupa A:** antyalergiczne; zwalczające zmęczenie; pobudzające układ odpornościowy<br>**Grupa AB:** zwalczające zmęczenie; pobudzające układ odpornościowy<br>**Niewydzielacze/podtypy:** antyalergiczne | |
| Witamina D | **Wszystkie grupy krwi:** wspomagające w okresie menopauzy | Podstawowa rola witaminy D to utrzymywanie właściwego poziomu wapnia we krwi. Odbywa się to poprzez zwiększanie wchłaniania wapnia i zmniejszanie wydalania tego pierwiastka w układzie moczowym. Witamina D odgrywa też rolę w odporności i tworzeniu czerwonych krwinek |
| Witamina E | **Wszystkie grupy krwi:** wspomagające rekonwalescencję po operacji | Silny przeciwutleniacz, chroniący błony komórkowe i inne składniki organizmu oparte na lipidach, takie jak cholesterol LDL. Wspomaga leczenie ran i ogranicza zrosty pooperacyjne |
| Witamina K | **Grupa 0:** wspomagające rekonwalescencję po operacji | Niezbędna do właściwego formowania kości i krzepnięcia krwi. W obu wypadkach odbywa się to poprzez udział w transportowaniu wapnia |
| Wrośniak różnobarwny (*Trametes versicolor*) | **Grupa A:** wspomagające chemioterapię<br>**Grupa B:** antybakteryjne; antywirusowe; przeciwnowotworowe<br>**Grupa AB:** wspomagające chemioterapię | Ekstrakt z wrośniaka różnobarwnego należy do najlepiej przebadanych leczniczych substancji całkowicie naturalnych. Wykazano jego działanie przeciwnowotworowe. Wyraźne działanie immunostymulacyjne wykazano w wielu publikacjach opartych na badaniach klinicznych |

| Nazwa zwyczajowa lub systematyczna | Zaobserwowane działanie korzystne | Zastosowanie podstawowe |
|---|---|---|
| Wyciąg z wątroby | **Grupa 0:** krwiotwórcze | Stosowany w leczeniu niedokrwistości |
| Yerba santa (*Eriodictyon californicum*) | **Wszystkie grupy krwi:** wspomagające zdrowie zatok<br>**Grupa 0:** przeciwalergiczne | Łagodny lek obkurczający i wykrztuśny |
| Zielona herbata | **Wszystkie grupy krwi:** zapobiegające nowotworom; wspomagające chemioterapię; wspomagające metabolizm | Przeciwutleniacz. Zmniejsza ryzyko zachorowania na raka, zapalenie dziąseł, obniża poziom cholesterolu i trójglicerydów i leczy nadciśnienie. Wspomaga układ odpornościowy i zapobiega chorobie sercowo-naczyniowej |
| Złocień maruna | **Wszystkie grupy krwi:** wspomagające metabolizm | Lek przeciwmigrenowy |
| Znamię kukurydzy | **Grupa A:** wspomagające zdrowie dróg moczowych | Suplement działający tonizująco na układ moczowy |
| Żagwica listkowata – (grzyb *maitake* – *Grifola frondosa*) – wyciąg | **Grupa A:** zapobiegające nowotworom<br>**Grupa B:** wspomagające chemioterapię; wspomagające układ opornościowy<br>**Grupa 0:** zapobiegające nowotworom<br>**Niewydzielacze:** przeciwstresowe | Modulator immunologiczny. Stosowany w leczeniu cukrzycy, wysokiego poziomu cholesterolu, chorób pochodnych zakażenia HIV, nadciśnienia, wysokiego poziomu trójglicerydów i infekcji. Lek pomocniczy w chemioterapii |
| Żeń-szeń chiński (*Panax ginseng*) | **Grupa A:** antywirusowe<br>**Grupa AB:** zwalczające zmęczenie | Substancja adaptogenna, ułatwia zdrową reakcję organizmu na stres. Stosowana w leczeniu choroby serca, nadmiernej reakcji stresowej, cukrzycy, zaburzeń trawiennych, osłabienia po chorobie, urazie lub operacji, a także skutków starzenia |
| Żeń-szeń syberyjski (*Eleutherococcus senticosus*) | **Grupa B:** przeciwbakteryjne; antywirusowe; wspomagające rekonwalescencję po długiej chorobie; wspomagające procesy myślowe; zwalczające zmęczenie<br>**Grupa AB:** antywirusowe; wspomagające procesy myślowe | Substancja adaptogenna, ułatwia zdrową reakcję organizmu na sytuacje stresowe, zwiększa żywotność i wytrzymałość, wspomaga prawidłowe działanie nadnerczy, ułatwia koncentrację. Ma działanie detoksykacyjne |
| Żurawina (kapsułki) | **Grupa A:** wspomagające zdrowie dróg moczowych<br>**Grupa B:** wspomagające zdrowie dróg moczowych<br>**Grupa AB:** wspomagające zdrowie dróg moczowych | Stosowana w leczeniu zapalenia pęcherza zarówno w bakteryjnym, jak i drożdżakowym zapaleniu tego narządu |

# Testy do oznaczania grupy krwi[*]

North American Pharmacael, Inc. jest oficjalnym dystrybutorem testów do
własnoręcznego oznaczania grupy krwi (koszt ok. 7,95$). Wyniki otrzymuje
się w ciągu 4–5 minut. Wszystkie zamówienia w obrębie USA realizowane są
za pośrednictwem UPS (koszt 5,25, niezależnie od ilości artykułów). Zamówienia międzynarodowe są również realizowane, ale koszty wysyłki są różne
i muszą być ustalone indywidualnie, w zależności od kraju doręczenia.

> North American Pharmacal, Inc.
> 5 Brook Street
> Norwalk, CT 06851
> Telefon: 203-838-4066
> Strona internetowa: www.4yourtype.com

To samo przedsiębiorstwo zajmuje się dystrybucją produktów zgodnych
z grupą krwi. Są to batony, herbatki, suplementy, materiały informacyjne
przystosowane do danej grupy krwi.

Aby skontaktować się z doktorem P. D'Adamo lub uzyskać dodatkowe informacje, można skorzystać z adresu internetowego www.dadamo.com. Strona
zawiera listę dyskusyjną i obszerne archiwum bieżących i dawniejszych pytań
i odpowiedzi.

---

[*] W Polsce grupę krwi oznacza się laboratoryjnie i tylko takie oznaczenie ma znaczenie w trakcie
transfuzji czy odczulania immunologicznego – przyp. tłum.

# Polecamy też inne książki
# doktora Petera J. D'Adamo i Catherine Whitney:

## Jedz zgodnie ze swoją grupą krwi
Poradnik dietetyczny dla każdego z nas, jak być zdrowym, żyć dłużej, utrzymać idealną wagę, str. 338

## Gotuj zgodnie ze swoją grupą krwi
Praktyczne zasady zastosowania w kuchni książki *Jedz zgodnie ze swoją grupą krwi*, str. 416

## Żyj zgodnie ze swoją grupą krwi
Osobista recepta na zachowanie zdrowia, prawidłowej przemiany materii i witalności na każdym etapie życia, str. 412

## Grupa krwi 0
Podręczna lista pokarmów, napojów i suplementów zgodnych z metodą *Jedz zgodnie ze swoją grupą krwi*, str. ok. 100

## Grupa krwi A
Podręczna lista pokarmów, napojów i suplementów zgodnych z metodą *Jedz zgodnie ze swoją grupą krwi*, str. ok. 100

## Grupa krwi B
Podręczna lista pokarmów, napojów i suplementów zgodnych z metodą *Jedz zgodnie ze swoją grupą krwi*, str. ok. 100

## Grupa krwi AB
Podręczna lista pokarmów, napojów i suplementów zgodnych z metodą *Jedz zgodnie ze swoją grupą krwi*, str. ok. 100

W przygotowaniu książka pt. **Jedz zgodnie ze swoją grupą krwi dla kobiet w ciąży i niemowląt**

Ponadto wydawnictwo poleca następujące książki:
Sandra Cabot – **Dieta oczyszczająca wątrobę**
Bernard Jensen – **Poradnik dietetyczny, Soki dla zdrowia, Metoda naturalnej kontroli wagi ciała**
Stephen Cummings, Dana Ullman – **Medycyna homeopatyczna**

e-mail: mada@life.pl     tel./faks: (0-22) 826 59 50, 629 13 33